LES GRANDS AUTEURS FRANÇAIS

TEXTES ET LITTÉRATURE
DU MOYEN AGE AU XXe SIÈCLE

PAR

ANDRÉ LAGARDE
INSPECTEUR GÉNÉRAL DE L'INSTRUCTION PUBLIQUE

ET

LAURENT MICHARD
INSPECTEUR GÉNÉRAL DE L'INSTRUCTION PUBLIQUE

avec la collaboration de

JACQUES MONFÉRIER
MAITRE-ASSISTANT A L'UNIVERSITÉ DE BORDEAUX

BORDAS/PARIS
CONTINENTAL BOOK COMPANY
42-78 Main St. Flushing. N.Y. 11355

AVANT-PROPOS

Cet ouvrage s'adresse en priorité aux jeunes gens qui étudient la langue et la littérature françaises. Il est destiné à leur offrir, sous un volume aussi réduit que possible, un aperçu des œuvres essentielles de cette littérature, replacées dans leur cadre historique en relation avec les grands courants des lettres, de la pensée et des arts.

Conformément à une méthode qui a fait ses preuves, nous lions étroitement à l'étude des œuvres la présentation des données de l'histoire de la littérature, ramenées à des notions simples qui facilitent l'intelligence des textes et tendent à éclairer le problème de leur genèse.

Quant aux extraits, dont la longueur variable prête tantôt à l'explication détaillée, tantôt à la lecture dirigée, ils ont été choisis, compte tenu des tendances de la pédagogie et de la critique modernes, dans l'intention de mettre en lumière les principaux thèmes de la littérature française, le génie ou l'originalité de ses plus notables représentants et les aspects significatifs de leurs œuvres. Le but de cette anthologie serait pleinement atteint si elle suscitait chez les étudiants le désir d'étendre leurs lectures et de connaître, dans leur texte intégral, les chefs-d'œuvre de notre littérature. Telle est d'ailleurs la raison d'être de nos résumés et de nos analyses.

L'illustration a été choisie pour sa valeur documentaire et sa relation avec les textes. Elle mettra sous les yeux quelques œuvres d'artistes célèbres, tout en soulignant la parenté et les « correspondances » entre la littérature et les beaux-arts.

Nous souhaitons que ce livre apporte une aide aux professeurs de français en servant, non pas certes de substitut ou de modèle, mais de support et d'outil à leur enseignement.

A. L. et L. M.

Qu'il nous soit permis de remercier ici nos amis RAOUL AUDIBERT, HENRI LEMAITRE et THÉRÈSE VAN DER ELST qui nous ont aimablement autorisés à introduire dans ce livre une partie des notices et des textes présentés par leur soins dans le XXᵉ SIÈCLE de la Collection TEXTES ET LITTÉRATURE.

Au nom de JACQUES MONFÉRIER, dont la contribution utile et expérimentée a permis la mise au point de cet ouvrage, il est juste d'associer dans nos remerciements ceux de ses trois collaborateurs, CHRISTIAN BONNEVILLE, professeur au Lycée Borda de Dax, PIERRE LUTREAU, assistant agrégé à la Faculté des Lettres de Bordeaux, et BRIGITTE RITZ, maître ès lettres.

HISTOIRE
DE LA LANGUE FRANÇAISE

Le Moyen Age
Origines de la langue

La renaissance du latin classique, sous l'influence de Charlemagne, permet de distinguer à partir du VIIIe siècle une *langue savante*, le latin des clercs, et une *langue populaire*, utilisée oralement sans doute mais aussi, à la suite d'une décision du Concile de Tours (813), dans les sermons et dans les documents religieux. La LANGUE FRANÇAISE est née d'un effort pour traduire en langue populaire une pensée qu'il est nécessaire de divulguer et qu'une rédaction en latin classique rend incompréhensible aux laïques.

Le premier texte français est une traduction des *Serments de Strasbourg* (842) entre les rois Charles le Chauve et Louis le Germanique. De son côté, la littérature religieuse voit apparaître vers 900 la *Cantilène d'Eulalie*, un fragment d'homélie sur *Jonas* au Xe siècle, et les deux poèmes de la *Passion* et de *Saint-Léger*, écrits en octosyllabes au Xe siècle. Vers 1040, la *Vie de Saint-Alexis* est encore un ouvrage d'édification. Cependant le « français » apparaît dans le domaine profane avec l'épopée, qui débute à la fin du XIe siècle: *La Chanson de Roland* est la plus célèbre des Chansons de Geste, mais si la langue y est vigoureuse, la syntaxe en est encore pauvre ; le vocabulaire témoigne pourtant d'un effort d'enrichissement grâce à l'utilisation de nombreux termes pyschologiques d'origine ecclésiastique.

Au XIIIe siècle, la langue française gagne le domaine juridique, mais ce n'est qu'à partir de St-Louis que les actes officiels de la Royauté ne sont plus rédigés en latin. D'ailleurs, la littérature dite française se compose de textes écrits en dialectes différents : la *Chanson de Roland* est en Anglo-normand, le poète CHRÉTIEN DE TROYES est Champenois, les premiers dramaturges, ADAM DE LA HALLE et JEAN BODEL, sont Picards. Cependant, l'Université de Paris reste le fief du latin. Il faudra les efforts des monarques capétiens, la constitution de l'unité nationale, puis la découverte de l'imprimerie, pour ruiner définitivement le latin et constituer une *langue française unique*, de plus en plus débarrassée des particularités dialectales.

Le XVe siècle est l'époque des « grands rhétoriqueurs » qui abusent des latinismes et des figures de rhétorique. Mais c'est aussi l'époque de l'historien COMMYNES, à la langue dépouillée et rigoureuse, ou du poète VILLON, qui enrichit le français des trouvailles de l'argot et qui n'hésite pas à recourir à l'archaïsme pour donner plus de saveur à son style.

A la fin du Moyen Age, le latin reste la langue de l'Église, de l'Université, de la haute justice, de la littérature philosophique et scientifique. Mais l'histoire et la poésie, tant épique que lyrique, sont l'apanage presque exclusifs du français.

La Renaissance

Le XVIe siècle lance les dernières attaques contre le latin : le français devient la langue officielle du royaume avec l'ordonnance de Villers-Cotterets, dans laquelle François Ier, en 1539, prescrit de rédiger en langue vulgaire les actes judiciaires. La Réforme, de son côté, fait traduire la Bible, et le français est adopté comme langue liturgique par les protestants.

La Deffense et illustration de la langue françoise, rédigée par DU BELLAY en 1549, marque un moment important dans l'évolution de la langue littéraire. Non seulement la dignité du français y est affirmée à l'égal du grec et du latin, mais les poètes de la Pléiade proposent des procédés variés pour enrichir la langue. Si toutes les créations de vocables, proposées à cette époque, n'ont pas survécu, un bon nombre n'en a pas moins franchi les siècles.

Cependant, au début du siècle, RABELAIS charrie dans ses œuvres une foule de mots pittoresques et expressifs, d'origine populaire ou savante, et à la fin, D'AUBIGNÉ, poète satirique et épique, bouscule la syntaxe et forge des vers puissants.

Désormais, la langue française est reconnue comme la seule langue littéraire vraiment vivante en France.

L'Époque Classique

Au début du XVIIe siècle, MALHERBE, « peigneur » de mots et de syllabes, travaille à débarrasser la langue de ses impuretés : mots populaires, archaïsmes, néologismes injustifiés. Il proscrit les mots « sales » (tels que « barbier »), les latinismes (« *larges* pleurs »), les dérivés et mots composés dont la Pléiade avait enrichi, mais aussi souvent encombré le français. Pourtant, si les mots nouveaux lui paraissent dangereux, il réintroduit lui-même quelques vocables, comme *sécurité* qui, tombé en désuétude au XIIe siècle, n'est pas un doublet de *sûreté*. Une grande partie de l'œuvre de Malherbe est constituée par ses remarques grammaticales et par son étude du vers français auquel il donne sa forme classique, interdisant l'hiatus et l'enjambement et exigeant la coupe à l'hémistiche dans l'alexandrin (vers de douze syllabes).

En 1647, les *Remarques sur la langue française* de VAUGELAS poursuivent l'effort de Malherbe. Leur auteur, soucieux de respecter le génie de la langue française, met au point la notion de « bon usage », qui est « la façon de parler de la plus saine partie de la Cour, conformément à la façon d'écrire de la plus saine partie des auteurs du temps ». Mais l'application trop stricte de ce principe risque de conduire le vocabulaire français à une appauvrissante sclérose.

Cependant, DESCARTES avait ouvert la philosophie au français, dès 1637, avec le *Discours de la Méthode*. « Si j'écris en Français, qui est la langue de mon pays, plutôt qu'en latin, qui est celle de nos précepteurs, c'est à cause que j'espère que ceux qui ne se servent que de leur raison naturelle toute pure jugeront mieux de mes opinions que ceux qui ne croient qu'aux livres anciens ». C'était aller dans le même sens que l'Académie française, officiellement créée en 1635-1637, qui, malgré des débuts difficiles dus à l'indiscrète protection du Cardinal de Richelieu, se présente comme le défenseur de la langue française contre le latin. La rédaction de son *Dictionnaire*, qui ne verra le jour qu'en 1694, est l'occasion d'innombrables épigrammes par sa lenteur, mais elle n'en est pas moins le signe d'un effort linguistique de pureté et de précision.

PIERRE CORNEILLE, le premier des grands tragiques classiques, inaugure dans ses comédies un style « simple et familier » dont la « naïveté » paraît à ses contemporains plus belle que les recherches alambiquées de ceux qui veulent adapter au Français le style baroque de l'Italie. Mais son génie se manifeste surtout dans le « style noble » de la tragédie, en particulier dans l'art de renfermer des pensées générales dans les douze syllabes de l'alexandrin.

Au cours du XVIIe siècle, l'affinement du goût et le développement de la vie mondaine donne naissance au *mouvement précieux*. Autour de MADAME DE RAMBOUILLET ou de MADEMOISELLE DE SCUDÉRY, on discute beaucoup des choses du cœur, et les noms habituels ne suffisent plus à leurs distinctions subtiles. Aussi la Préciosité abuse-t-elle des superlatifs, des adjectifs substantivés ; d'heureuses locutions figurées entrent pour toujours dans la langue, comme « laisser mourir la conversation », « tourner en ridicule » ou « faire figure dans le monde ». Malgré les moqueries dont on accable ce langage (cf. Molière), il ne fait pas violence à l'esprit de la langue et il compense heureusement l'effort classique de rigueur et de pureté que résume l'œuvre de BOILEAU.

Sous Louis XIV, « la langue française est une langue majeure » (Ch. Bruneau). Elle a conquis sa qualité foncière, la simplicité, sans trop perdre de sa richesse et de son sens des nuances. La multiplication des *Dictionnaires* est un signe des efforts tentés par les grammairiens pour tracer les limites du « bon goût » dans l'utilisation du vocabulaire (*Dictionnaires* de RICHELET, de FURETIÈRE et de l'ACADÉMIE). De même, la langue parlée voit la prononciation se fixer. Sous toutes ses influences, le français prend la figure que nous lui connaissons encore, à peu de choses près.

Est-ce à dire pourtant que la *langue littéraire* soit uniformisée à la fin du XVIIe siècle ? Loin de là. La langue de la prose est très distincte de la langue versifiée. Chaque genre, à l'intérieur de deux grands domaines, a une langue propre, soigneusement décrite et codée (langue de l'épopée, de la fable, etc.). On distingue différentes manières : le *sublime*, le *médiocre* ou *tempéré*, le *simple*. Ainsi, pour désigner la maison, on emploiera le mot *demeure* dans le style « sublime », *habitation* dans le « *médiocre* », *manoir* dans le « *comique* » ou « *simple* ». Les hommes du XVIIe siècle ont le sentiment que la langue est arrivée à un point de perfection ; certains craignent même que cet équilibre ne vienne à se rompre :

« Si la langue est dans sa perfection, dit Ariste, je meurs de peur qu'elle ne se corrompe bientôt ; car il me semble que les choses ne sont jamais plus près de leur ruine que quand elles sont arrivées au plus haut point où elles puissent monter ».

Le Siècle des Lumières

Au XVIIIe siècle, la langue s'enrichit grâce au développement des sciences, des techniques, des voyages. La langue française est devenue celle de l'Europe cultivée, avec ses qualités, décrites par l'Académie en 1694 : « La gravité et la variété de ses nombres, la juste cadence de ses périodes, la douceur de sa poésie, la régularité de ses vers, l'harmonie de ses rimes, et surtout cette construction directe qui, sans s'éloigner de l'ordre naturel des pensées, ne laisse pas de rencontrer toutes les délicatesses que l'art est capable d'y apporter ». Une notion nouvelle, distincte de la rigueur classique, s'établit alors : le *purisme*. Ainsi VOLTAIRE veut-il « épurer » les grands écrivains. En 1734, il propose cet objet aux travaux de l'Académie : « Quel service ne rendrait-elle pas aux lettres, à la langue, à la nation, si au lieu de faire imprimer tous les ans des compliments, elle faisait imprimer les bons ouvrages du siècle de Louis XIV, épurés de toutes les fautes de langage qui s'y sont glissées » *(Lettres philosophiques)*. De telles épurations (que Voltaire lui-même pratique sur l'œuvre de Corneille) eurent pour effet de tuer la langue poétique au XVIIIe siècle, en l'appauvrissant et en la sclérosant.

La *prose*, par contre, est particulièrement vivante : la recherche de l'effet chez LA BRUYÈRE, le langage précieux de MARIVAUX, ouvrent le siècle avec vigueur. Mais ce sont surtout DIDEROT et ROUSSEAU qui innovent : Diderot introduit des termes techniques dans la langue de la critique artistique ; Rousseau accumule les termes dialectaux ou les termes de botanique dans ses descriptions de la nature, et il multiplie les images, s'efforçant aussi de créer une phrase chantante grâce à une ponctuation appropriée. Enfin, BERNARDIN DE SAINT-PIERRE introduit le style exotique dans notre littérature avec *Paul et Virginie*, en 1787.

Cependant, durant tout le siècle, la réflexion philosophique, multipliant les termes abstraits, avait réussi à faire de la langue française un véhicule de choix pour la pensée. Ainsi du terme *humanité* dont Fichte constatait qu'aucun équivalent n'existait en allemand.

L'Époque Moderne

C'est CHATEAUBRIAND qui est le véritable créateur de la prose moderne. L'ampleur de sa « période » rappelle la perfection classique, et il prolonge Rousseau par la diversité et le pittoresque de son vocabulaire. Après lui, la *prose romantique* se surcharge de longueurs et d'exubérance avec VICTOR HUGO, prodigieux créateur d'images. Pour le maître du Romantisme, tous les mots ont droit de cité, pourvu qu'ils soient expressifs. La notion de pureté linguistique cède la place à celle d'*efficacité stylistique*.

Ainsi, au cours du XIXe siècle, le vocabulaire s'enrichit par des reprises à l'ancien français, aux langues dialectales, techniques, populaires, voire étrangères. Désormais, chaque auteur, dans le sens de son tempérament personnel ou de son école littéraire, utilise en toute liberté les mots qui lui paraissent les plus évocateurs. En même temps, la distinction traditionnelle entre langue de la prose et langue poétique tend à s'effacer. La poésie n'est plus liée à la forme versifiée mais à une certaine attitude de l'homme en face du monde. Les *Petits Poèmes en Prose* de BAUDELAIRE accélèrent une évolution qui mènera au vers libre des Symbolistes et à la poésie contemporaine.

Le XXe siècle, après le grand bouleversement de 1914-1918, semble avoir accentué le *caractère abstrait* de la langue littéraire, qui se défie de l'épithète, trop facilement transformée en cliché, de la périphrase, voire des nuances. La construction nominale progresse, signe indubitable d'appauvrissement. Cependant, l'introduction des mots étrangers amène certains auteurs à réagir contre le « franglais » *(Français-An glais)* qui fleurit dans certains milieux et qui envahit même le langage littéraire. Les recherches philosophiques et linguistiques, dont l'influence est de plus en plus grande sur la littérature, tend à rendre *hermétique* pour le plus grand nombre la langue littéraire. Ainsi voit-on se dessiner un clivage entre une *littérature populaire*, utilisant une langue simple, mais non dénuée de richesse, et une *littérature raffinée*, au langage abstrait et aux phrases longues et compliquées, qui est l'expression des recherches de quelques auteurs.

MOYEN AGE

LE MOYEN AGE

	Les Événements	Épopée	Littérature Courtoise	Littérat. Bourgeoise et Satirique	Chronique et Histoire	Théâtre	Poésie Lyrique
XIe S.	Expédit. en Espagne 1066 Conquête de l'Angleterre 1095-99 Ire Croisade (Prise de Jérusalem) Début XIIe: Émancipation des Commune	CHANSON de ROLAND Chanson de Guillaume Gormont et Isembart Charroi de Nîmes				Xe S. Drame liturg.	
XIIe S.	1147 IIe Croisade 1154 Aliénor, reine d'Angleterre (Progrès de la Courtoisie) 1180-1223 Philippe Auguste (Progrès de la Bourgeoisie)	1150 Couron. de Louis Aliscans Aspremont Huon de Bordeaux Garin le Lorrain Raoul de Cambrai	1160-70 MARIE DE FRANCE vers 1170 Tristan CHRÉTIEN de TROYES	1159 Premiers Fabliaux 1174-1205 RENARD (branch. princip.)		vers 1150 Naissance du drame semi-liturgique Le Jeu d'Adam	1140 Naissance du lyrisme courtois
XIIIe S.	1204 IVe Croisade (Prise de Constantinople) 1226 Saint Louis 1248-1254 VIIe Croisade 1270 VIIIe Croisade (Mort de St Louis) 1285 Philippe le Bel	BERTRAND DE BAR-S.-AUBE { Aimeri de Narbonne / Girart de Vienne 1275 Berte au grand pied	Début XIIIe Aucassin et Nicolette 1200-1235 Continuation du Graal 1215-1235 Lancelot en prose 1230-1250 Tristan en prose	1261 RUTEBEUF : Renard le Bestourné 1288 R. le Nouvel 1295 Couron. de R.	1207-1213 VILLEHARDOUIN Conquête de Constantinople	vers 1200 JEAN BODEL Jeu de St Nicolas RUTEBEUF : Miracle de Théophile 1275 ADAM LE BOSSU Jeu de la Feuillée	1202 Congé de J. BODEL 1230 ? R. de la ROSE (I. - G. DE LORRIS) COLIN MUSET et RUTEBEUF († 1280) 1275-80 R. de la ROSE (II. — J. DE MEUNG)
XIVe S.	1314 1337 Guerre de Cent ans - 1346 Crécy - 1356 Poitiers - 1358 Ét. Marcel - 1370 Du Guesclin			1319 Renard le Contrefait 1340 Derniers Fabliaux	1309 JOINVILLE Histoire de St Louis 1370-1400 FROISSART Chroniques		Réforme de MACHAUT EUSTACHE DESCHAMPS
XVe S.	- 1415 Azincourt - 1420 Traité de Troyes - 1429-31 Jeanne d'Arc 1453 Fin de la Guerre de Cent Ans 1461-1483 Louis XI				1489-98 COMMYNES Mémoires	vers 1450 Passion de GRÉBAN vers 1465 Pathelin 1486 Passion de J. MICHEL	Charles D'ORLÉANS († 1465) VILLON { 1456 : Le Lais / 1461-62 : Le Testament

HISTOIRE ET CIVILISATION

Principaux
faits historiques
Pour les historiens, le MOYEN AGE s'étend de la chute de l'Empire romain d'Occident (476) jusqu'à la prise de Constantinople par les Turcs (1453). La deuxième moitié du XVᵉ siècle voit le système féodal tomber en désuétude. La découverte de l'Amérique par Christophe Colomb (1492) et les voyages de Vasco de Gama ouvrent de vastes horizons ; à l'occasion des guerres d'Italie, l'esprit de la Renaissance italienne provoque en France un renouveau des lettres et des arts. Enfin, au début du XVIᵉ siècle, la Réforme brise l'unité religieuse de l'Occident et oppose l'esprit de libre examen au respect de la tradition.

Mais le Moyen Age littéraire français n'a pas la même extension. Sa première œuvre littéraire, la *Cantilène de Sainte Eulalie*, date seulement de la fin du IXᵉ siècle. D'autre part, la Renaissance s'épanouit tardivement en France, si bien que le mouvement littéraire du Moyen Age s'y prolonge jusqu'à la fin du XVᵉ siècle.

Hugues Capet, fondateur de la dynastie qui porte son nom (987), est le premier roi de France qui ait parlé non un idiome germanique, mais le « roman » qui deviendra le français. Plus tard, le triomphe du « francien », dialecte de l'Ile-de-France, correspondra à l'extension progressive du domaine royal. La conquête de l'Italie du Sud et de la Sicile (1053) puis de l'Angleterre (1066) par les Normands étend considérablement le domaine de la langue.

On verra aussi quelle influence ont eue sur la littérature les Croisades (1096-1270) puis la Guerre de Cent Ans (1337-1453). De la guerre de Cent Ans date, en France, avec Jeanne d'Arc, le sentiment national moderne.

Les mœurs

Le Moyen Age est l'époque de la féodalité (à partir du IXᵉ siècle). Il s'agit d'une société militaire où les mœurs sont très rudes à l'origine. Un fossé se creuse entre la noblesse, qui devient une caste fermée, et les « bourgeois » des villes. A cette division répond, dans les mœurs et la littérature, l'opposition entre esprit aristocratique et esprit bourgeois ou populaire. D'un côté une élégance et une distinction de plus en plus raffinées, de l'autre, verve comique et satirique, bonne humeur et réalisme.

La foi

Le trait commun aux divers éléments de cette société est une foi ardente, allant parfois jusqu'au mysticisme. Les croisades sont le signe de cet enthousiasme religieux. D'abord désintéressées, elles dérivent vers l'esprit d'aventure et la soif de conquêtes : puis Saint Louis leur rend un sens religieux. Elles ont introduit dans la littérature française le goût de l'histoire et de l'exotisme.

La culture

Vers le milieu du XIᵉ siècle, on retrouve, après des temps troublés, les signes d'une vie intellectuelle active. C'est, avec les *Chansons de Geste*, la véritable éclosion de la littérature française. Au XIIᵉ siècle l'enseignement théologique et philosophique d'Abélard connaît un grand succès. Le XIIIᵉ siècle marque la naissance en France des premières *Universités* : l'Université de Paris est instituée par Philippe Auguste en 1200. En 1252, Robert de Sorbon lui adjoint le « Collège » auquel elle devra son nom de Sorbonne.

L'art

Nous devons au Moyen Age les monuments de l'architecture romane (XIᵉ-XIIᵉ siècles) et gothique (à partir du milieu du XIIᵉ siècle). Les cathédrales gothiques nous ont transmis avec leurs statues, leurs bas-reliefs et leurs vitraux, de précieux documents sur le costume, les mœurs, l'imagination de leurs bâtisseurs.

Les œuvres littéraires du Moyen Age nous sont parvenues sur des manuscrits calligraphiés, qui par leurs enluminures sont souvent de véritables œuvres d'art. Cet art de l'enluminure atteint son plus haut degré avec les illustrations des « *Très riches heures* » du duc de Berry.

L'imprimerie fait son apparition en France vers la fin du Moyen Age, en 1470.

Le Moyen Age
devant la postérité   Renié par la Renaissance, le Moyen Age fut ignoré au XVIIe siècle ou traité comme une époque barbare : le terme même de « gothique » appliqué à son architecture marque une intention méprisante. Le XVIIIe siècle le rejette à son tour, n'y voyant que fanatisme et grossièreté. Un revirement se produit au début du XIXe siècle. CHATEAUBRIAND, dans *Le Génie du Christianisme*, exalte la foi, l'art et l'âme du Moyen Age pour lequel les romantiques se prennent d'un véritable engouement. Les historiens se tournent eux aussi vers ce lointain passé. Cette période est certes loin de nous à bien des égards, mais nous pouvons y retrouver un art souvent accompli, des sentiments éternellement humains et la naissance d'une tradition nationale.

LES ORIGINES DU FRANÇAIS

Les langues romanes   Le français est une langue romane, c'est-à-dire dérivée du latin (l'adjectif « roman » vient de « Romanus » : Romain) au même titre que l'italien, l'espagnol, le portugais et le roumain. Le latin a donné naissance, en France, non à une seule langue, mais à un grand nombre de dialectes dont l'un, le « francien », parlé en Ile-de-France, s'est imposé peu à peu. Ces dialectes sont traditionnellement divisés en deux rameaux : *langue d'oïl* au Nord, *langue d'oc* au Sud (*oïl* et *oc* étaient les deux mots signifiant : oui). Le « francien » appartient au rameau de la langue d'oïl.

Les étapes
du français   I. LE ROMAN. C'est le stade intermédiaire entre le latin et le français. Son existence est attestée dès le VIIIe siècle. Peu de textes en ont été conservés. Le plus ancien est le *Serment de Strasbourg* (842).

2. L'ANCIEN FRANÇAIS est caractérisé par une autonomie plus grande à l'égard du latin, dont il garde toutefois une partie du système des déclinaisons en distinguant par la terminaison le mot sujet *(cas sujet)* du mot complément *(cas régime)*.

3. LE MOYEN FRANÇAIS. La disparition quasi générale de la distinction entre les deux cas se manifeste vers le début du XIVe siècle. L'ordre des mots devient plus strict. Les prépositions se multiplient : le français devient une langue analytique. C'est au XVIIe siècle que le Moyen Français cédera la place au Français moderne.

NAISSANCE DU « ROMAN »

Les Gaulois étaient des Celtes. Au lendemain de la conquête de la Gaule par César (50 avant Jésus-Christ), on commença à parler latin dans l'ensemble du pays, comme on le faisait depuis longtemps dans la Province romaine (la Provence actuelle). La langue celtique disparut à peu près totalement. Lors des invasions germaniques et nordiques la langue se maintint et ne subit que peu l'influence de celle des envahisseurs.

Le latin que les Gaulois apprirent peu à peu des soldats et des marchands romains était un latin familier, bien différent de la langue écrite. Le vocabulaire n'était pas même : on disait *caballus* = cheval, et non *equus*. Les déclinaisons étaient simplifiées. La conjugaison et la syntaxe de ce latin parlé étaient marquées également par cette tendance à la simplification. C'est de ce latin qu'est issu le français. Appris le plus souvent oralement, il subit une déformation de ses sonorités, car les Gaulois, habitués à la langue celtique, reproduisaient mal les sons qu'ils entendaient des Romains.

C'est ainsi que se constitua peu à peu une langue issue du latin, mais de plus en plus différente de celui-ci au fur et à mesure que le temps s'écoulait.

LES CHANSONS DE GESTE

Jusqu'à la fin du XIe siècle, la littérature française est pauvre, faite surtout de vies de saints : *Cantilène de Sainte Eulalie* (IXe siècle).

A partir du XIe siècle apparaît dans la littérature française l'*épopée*, genre littéraire qui s'épanouira pendant trois siècles.

Le régime féodal a exalté l'amour de la prouesse guerrière, l'élan de la première croisade a exalté la foi religieuse. Ainsi se développe le goût des récits héroïques, des luttes contre les « infidèles ». Des « trouvères » écrivent alors des *Chansons de geste*, du latin *gesta* (« actions ») qui désignait les exploits guerriers.

Les plus anciennes chansons de geste que nous connaissons remontent à la fin du XIe ou au début du XIIe siècle. Ce sont : *La Chanson de Roland, La Chanson de Guillaume, Gormont et Isembart* et *le Pèlerinage de Charlemagne*. Ces poèmes font revivre des personnages et des événements du VIIIe ou du IXe siècle, mais caractères et faits sont profondément modifiés. Les chansons de geste étaient récitées de château en château, sur les places, sur les champs de foire, par des *jongleurs* qui s'accompagnaient sur la vielle, sorte de violon à trois cordes.

L'ÉVOLUTION DU GENRE ÉPIQUE DU XIIe AU XVe SIÈCLE

Le genre connut vite un immense succès : il nous reste une centaine de chansons de geste. Mais l'accroissement d'un public avide d'aventures toujours nouvelles entraîna des remaniements, souvent malheureux, de la forme et de la matière de l'épopée.

Les premières chansons de geste étaient brèves, de composition simple. De plus en plus, les auteurs multiplient les épisodes, compliquent le récit et allongent leurs épopées.

Au XVe siècle, les épopées, de plus en plus délayées et destinées uniquement à la lecture, sont mises en prose et constituent des *romans* qui font les délices de la société raffinée.

C'est par ces romans qu'au XIXe siècle les romantiques ont connu la littérature du Moyen Age qu'ils ont remise à la mode.

Au cours de cette évolution, le romanesque envahit l'épopée française surtout à partir de la deuxième moitié du XIIe siècle. On voit apparaître des aventures extravagantes et merveilleuses où le héros rencontre des magiciennes et des enchanteurs, lutte contre des monstres et voyage dans des pays féeriques. L'amour joue désormais un grand rôle dans la littérature épique.

Constitution des cycles   Les trouvères du XIIIe et du XIVe siècle ont imaginé de grouper en *cycles* ces œuvres d'esprit si différent. Un cycle (on dit aussi *une geste*) est constitué par l'ensemble des poèmes au centre desquels on retrouve le même héros ou des membres parfois imaginaires de sa famille. On distingue trois principaux cycles :

a) LA GESTE DU ROI, dont fait partie la *Chanson de Roland*, est dominée par la personnalité de Charlemagne.

b) LA GESTE DE GARIN DE MONGLANE, dont le héros est l'arrière-petit-fils de Garin : Guillaume d'Orange.

c) LA GESTE DE DOON DE MAYENCE, dont le thème central est celui des luttes féodales opposant les barons, soit entre eux, soit au roi.

LA CHANSON DE ROLAND

La *Chanson de Roland* est la plus ancienne et la plus belle des chansons de geste ; elle paraît remonter au début du XIIe siècle, mais n'est connue que depuis 1837 par la publication du manuscrit d'Oxford écrit vers 1170.

DE L'HISTOIRE A LA LÉGENDE
L'ORIGINE DES CHANSONS DE GESTE

Le sujet de la *Chanson de Roland* remonte à un événement historique de faible importance paré de tous les embellissements de la légende. Comment s'est fait le passage de l'histoire à la légende ? Ce problème se pose pour la plupart des chansons de geste, et en particulier à propos de la *Chanson de Roland*.

L'histoire

Au printemps 778 le jeune roi Charles (36 ans, le futur Charlemagne), allié de chefs arabes en lutte contre d'autres musulmans, franchit les Pyrénées, soumet Pampelune, ville chrétienne, et assiège Saragosse. Le 15 août 778, alors qu'il rentre en France, son arrière-garde est surprise dans les défilés par des montagnards basques (chrétiens), qui massacrent les soldats, pillent les bagages et se dispersent. Parmi les victimes notables se trouve *Roland*, « comte de la marche de Bretagne ».

La légende

Dans la *Chanson de Roland*, écrite trois siècles après l'événement, Roland devient le neveu du vieil empereur Charlemagne « à la barbe fleurie », qui a deux cents ans. Il est accompagné d'un personnage inventé : son ami Olivier. L'expédition est une croisade qui dure depuis sept ans. L'embuscade des montagnards devient l'attaque de 400 000 cavaliers sarrasins. Leur triomphe est dû à la trahison de Ganelon, beau-père de Roland. Charlemagne venge son neveu en écrasant les Sarrasins et en punissant Ganelon.

Comment expliquer cette élaboration épique ?

On a supposé que les chansons de geste étaient le fruit de la juxtaposition de courts poèmes appelés « *Cantilènes* », rassemblés et ordonnés par le poète épique qui aurait fondu en une œuvre cohérente ces fragments nés spontanément. Mais cette théorie s'appuyant seulement sur des hypothèses (on n'a conservé aucune de ces cantilènes) a été abandonnée.

Une théorie bien plus séduisante a été proposée par Joseph Bédier vers 1910. Ayant remarqué le rapport étroit qui paraît exister entre divers lieux cités dans les chansons de geste et les étapes des grands pèlerinages où se pressaient les fidèles du XIe siècle : de Paris à Saint-Jacques-de-Compostelle, en Espagne, par exemple, pour la *Chanson de Roland*, il a pensé que les pèlerins avaient joué un rôle dans la naissance des chansons de geste.

D'après J. Bédier, les pèlerins trouvent, sur leur route, le souvenir des héros du VIIIe au XIe siècle : sarcophages, inscriptions, vies de saints. Les moines et les clercs enjolivent ces souvenirs qui piquent la curiosité de leurs hôtes ; ils leur montrent des reliques... parfois forgées à dessein pour attirer les visiteurs. Les pèlerins diffusent la légende sur la route. Ainsi se crée au XIe siècle la matière épique dont la fermentation, un jour exploitée par un poète, donne naissance à la chanson de geste. En résumé, pour J. Bédier, « au commencement était la route », avec ses sanctuaires, où naissent les légendes exploitées au XIe et au XIIe siècle par les poètes épiques.

Cette théorie est cependant discutée par certains savants modernes qui pensent au contraire que ce sont les légendes qui sont nées du poème (A. Pauphilet) ou que des traditions familiales locales existaient bien antérieurement au pèlerinage qui n'a joué qu'un rôle de diffusion. Le dernier mot est donc loin d'être dit sur la *Chanson de Roland*.

L'ART DANS LA CHANSON DE ROLAND

Le poète partait d'une donnée assez banale : la trahison et la punition du traître. Mais il a su enrichir ce mélodrame et en faire un *drame*, non de la fatalité, mais *de la volonté*. Roland et ses compagnons, loin de subir leur destinée, en sont les artisans volontaires.

La composition

L'*Exposition* nous révèle les ressorts de l'action : la lassitude des Français surtout de Ganelon et la fougue de Roland. S'il désigne Ganelon, c'est pour l'honorer, mais, égaré par quelque vieille haine familiale, ce dernier défie Roland et ses pairs, sans savoir encore où le mèneront ces menaces.

La *Trahison* nous est présentée avec une fine psychologie ; Ganelon veut se venger tout en restant fidèle à Charles, mais cédant à sa passion de vengeance, il livre le secret qui perdra Roland. En le désignant pour l'arrière-garde, il montre clairement qu'il veut l'exposer.

Roland, acceptant de commander l'arrière-garde, ne veut ni se dérober, ni demander du renfort ; sa noblesse d'âme fait de lui le prisonnier de Ganelon.

A *Roncevaux*, Roland refuse de sonner du cor pour appeler Charlemagne, parce que, moralement, il ne peut pas demander du secours : les Français doivent se montrer dignes de l'hommage que leur a rendu Ganelon en les désignant pour la mort. C'est seulement quand le devoir est accompli que Roland sonne du cor.

La *Vengeance de Charlemagne* symbolise le triomphe du monde chrétien sur le monde païen. Après sa victoire sur les Sarrasins, Ganelon est convaincu de trahison et meurt écartelé, « comme un misérable félon ».

Les caractères

Certes le vieux poète ne nous peint pas des âmes complexes, mais il a su donner à chacun de ses personnages sa physionomie, son individualité.

Charlemagne est plein de noblesse. C'est un sage ; c'est aussi un conquérant chrétien. A l'occasion, il a des défaillances : il craint pour les siens ; il pleure ses barons.

Roland est avant tout un preux. Sa force est prodigieuse. Il est orgueilleux. Son principal souci est celui de l'honneur. Dans sa rudesse, il est sensible aux douceurs d'une loyale amitié. C'est aussi un chrétien qui en mourant demande à Dieu le pardon de ses fautes.

Ganelon lui-même, le traître, a fière allure. Mais il est plus près de l'humanité moyenne. Las de guerroyer, il s'attendrit sur son fils.

Le poème moral

La *Chanson de Roland* est un témoignage de l'idéal chevaleresque caractérisé par le sens de l'honneur féodal (toutes les actions sont subordonnées au service du suzerain), par le sens de l'honneur familial (qui rend l'homme solidaire de son lignage), par le sens de l'honneur national (qui est une des premières manifestations du patriotisme). La piété des héros est aussi éclatante que leur bravoure : Charles a un rôle presque sacerdotal. Olivier et Roland se recommandent à Dieu, vénèrent les reliques de leurs épées. Ils luttent pour élargir la Chrétienté, et Dieu intervient d'ailleurs en faveur des siens.

Ce qui fait la supériorité de la *Chanson de Roland* sur les autres Gestes, c'est l'alliance de la psychologie et de la grandeur épique. Les mœurs y sont moins barbares, l'esprit chevaleresque plus pur. C'est comme si la dégradation même de la féodalité, contre laquelle réagira l'esprit courtois, se reflétait dans les épopées postérieures.

PREMIÈRE PARTIE :

LA TRAHISON DE GANELON (v. 1-813)

« Le roi CHARLES, notre empereur, le Grand, sept ans tous pleins est resté en Espagne». *Seule Saragosse lui résiste, sur sa montagne, tenue par le roi* MARSILE « qui n'aime pas Dieu ». *Grand conseil chez Marsile : comment obtenir le départ de l'empereur? « Par la ruse », répond le subtil* BLANCANDRIN : *que Marsile promette de se convertir, qu'on envoie présents et otages, et Charles repassera les monts. Et voilà Blancandrin en route avec son escorte de* « barons » *sarrasins. Il s'acquitte fort habilement de sa mission, offrant en otage son propre fils, pour décider Charlemagne à retourner en France.*

L'empereur est perplexe et les avis sont partagés. Déjà se heurtent deux hommes aux tempéraments opposés : ROLAND *et* GANELON, *son beau-père.* Roland se dresse et parle un fier langage : *les païens félons n'ont-ils pas déjà décapité deux messagers de Charles, Basant et Basile ? « Menez votre armée à Saragosse : mettez-y le siège, toute votre vie s'il le faut, et vengez ceux que le félon a fait occire. »*

Mais Ganelon penche pour la conciliation *et parle un langage assez injurieux pour son beau-fils :* « Conseil d'orgueil ne doit pas l'emporter. Laissons les fous et tenons-nous aux sages ! »

ROLAND DÉSIGNE GANELON

Scène essentielle *où se noue le drame.* A l'origine, un *malentendu :* GANELON, depuis longtemps en désaccord avec ROLAND, et irrité par la discussion, se méprend sur ses intentions. Ces deux caractères opposés se heurtent vivement et, insensiblement, Ganelon se trouve obligé d'accepter la mission dont il redoute les dangers. Le poète a su, avec un *art déjà classique,* engager l'action par le seul jeu des *caractères.*

« Seigneurs barons, qui pourrons-nous envoyer au Sarrasin qui tient Saragosse ? » Roland répond : « Je peux très bien y aller ! » — « Vous ne le ferez certes pas, dit le comte Olivier ; votre cœur est terrible et orgueilleux : je craindrais que vous n'en veniez aux mains. Si le roi le veut, je peux bien y aller. » Le roi répond : « Taisez-vous tous les deux ! ni vous ni lui n'y porterez les pieds. Par cette barbe que vous voyez blanchie, malheur à qui désignera les douze pairs ! » Les Français se taisent : les voilà immobiles.

XIX. Turpin de Reims s'est levé de son rang, et dit au roi : « Laissez
10 en paix vos Francs ! En ce pays vous êtes resté sept ans : ils ont eu beaucoup de peines et d'ahan [1]. Donnez-moi, sire, le bâton et le gant [2] ; j'irai, moi, vers le Sarrasin d'Espagne et je vais voir à quoi il ressemble. »

— 1 *Ahan :* fatigue (mot aujourd'hui vieilli). — 2 Ce sont les insignes des messagers.

Couple jouant du luth. Ivoire du Moyen Âge.
Paris, musée de Cluny. *(Photo Hubert Josse.)*

Embarquement de Tristan et Iseut. Ms. fr. 646, livre II, f° 234 r°.
Miniature du *Roman de Tristan* (2e moitié du xv° s.). *(Photo Giraudon.)*

Lors vint a la plandye et le lai
gue et œulz qui plus neluy
oient dire en pleureut dure
ment de pitié. Et il a fait
vne moult estrange meruel
le car il desarme ses pies et
les mains mais il ne sent
une entier ne saing sicomme
ie pense. Et quant il delautre part sen vint?

Lancelot franchit le pont de l'Épée.
Ms. fr. 119, f° 321 v°. *(Photo Bibliothèque nationale, Paris.)*

des noz fort Rollant baudouin et thierri
Car turpm et quenelon estoient auecqs
le Roy

De la mort du Roy marsenle et du trespass
Rollant

vant celle bataulle fut parfai
te et Rollant Retournoit se
trouua ou bois vnuy sarrazin
noir am la estoit nuue et sesid bien fort

La déroute des sarrasins et la mort de Roland.
Miroir historial de Vincent de Beauvais, f° 111 (xvᵉ s.). *(Photo Giraudon.)*

L'empereur répond avec courroux : « Allez vous asseoir sur ce tapis blanc ! N'en parlez plus, si je ne vous le commande ! »

XX. « Francs chevaliers, dit l'empereur Charles, élisez-moi donc un baron de ma marche, pour qu'à Marsile il porte mon message ». Roland dit : « Ce sera Ganelon, mon parâtre [3]. » Les Français disent : « Il peut bien le faire. Si vous l'écartez, vous n'en enverrez pas de plus sage. » Et le comte Ganelon en fut saisi d'angoisse. De son cou, il rejette ses grandes peaux de martre et reste en son bliaut [4] de soie. Il a les yeux vairs [5] et très fier le visage ; noble est son corps et sa poitrine large ; il est si beau que tous ses pairs le contemplent. Il dit à Roland : « Fou ! pourquoi cette rage ? On sait bien que je suis ton parâtre, et pourtant tu m'as désigné pour aller chez Marsile. Si Dieu me donne d'en revenir, il t'en naîtra si grand dommage qu'il durera toute ta vie. » Roland répond : « Orgueil et folie ! On sait bien que je n'ai cure de menaces ; mais c'est un homme sensé qu'il faut pour un message : si le roi le veut, je suis prêt à y aller à votre place ! »

XXI. Ganelon répond : « Tu n'iras pas à ma place ! Tu n'es pas mon vassal et je ne suis pas ton seigneur. Charles commande que je fasse son service : j'irai à Saragosse, vers Marsile. Mais je ferai quelque folie avant d'apaiser ma grande colère. » Quand Roland l'entend, il se met à rire.

XXII. Quand Ganelon voit que Roland se rit de lui, il en a un tel deuil qu'il manque éclater de colère ; peu s'en faut qu'il ne perde le sens. Il dit au comte : « Je ne vous aime point : vous avez perfidement tourné vers moi le choix. Droit empereur, me voici présent : je veux remplir mon commandement.

XXIII. A Saragosse, je sais bien que je dois aller. Qui va là-bas ne peut s'en retourner. Par-dessus tout, j'ai pour femme votre sœur, et d'elle un fils, le plus beau qui soit. C'est Baudouin », dit-il, « qui sera un preux. A lui, je laisse mes terres et mes fiefs. Gardez-le bien : je ne le verrai plus de mes yeux. » Charles répond : « Vous avez le cœur trop tendre. Puisque je le commande, vous devez y aller. »

XXIV. Le roi dit : « Ganelon, avancez et recevez le bâton et le gant. Vous l'avez entendu, c'est vous que les Francs désignent. — Sire, dit Ganelon, c'est Roland qui a tout fait ! Je ne l'aimerai jamais de mon vivant, ni Olivier, parce qu'il est son compagnon. Les douze pairs,

---

— 3 *Parâtre :* beau-père (second mari de la mère de Roland). — 4 *Bliaut :* sorte de courte tunique. — 5 *Vairs :* gris (lat. : *varius :* varié).

parce qu'ils l'aiment tant, je les défie ici, sire, devant vous. » Le roi dit :
50 « Vous avez trop de colère. Vous irez, certes, puisque je le commande.
— J'y puis aller, mais sans le moindre garant, pas plus que Basile, ni
son frère Basant. »

XXV. L'empereur lui tend son gant, le droit ; mais le comte Ganelon
aurait voulu ne pas être là : au moment où il allait le prendre, le gant
tomba par terre. Les Français disent : « Dieu ! qu'en résultera-t-il ? De
ce message nous viendra grande perte. — Seigneurs, dit Ganelon, vous
en entendrez des nouvelles ! »

XXVI. « Sire, dit Ganelon, donnez-moi votre congé. Puisque je dois
aller, je n'ai plus à tarder. » Le roi dit : « Pour Jésus et pour moi ! » De
60 sa main droite il l'a absous et signé du signe de la croix, puis lui a livré
le bâton et le bref.

*GANELON n'est donc pas un traître de mélodrame. Le poète a savamment marqué
l'évolution qui le conduit, par haine de Roland, à trahir son empereur. Ce sont d'abord ses
compagnons qui, à son départ, attisent sa rancune : « Le comte Roland n'aurait pas dû
penser à vous, qui êtes issu d'un très haut lignage ». Puis voici qu'en chevauchant, Blancandrin
s'arrange pour exciter sa haine : ils finissent par échanger la promesse de faire tuer Roland.*

*Les Voici devant Marsile : Ganelon se souvient qu'il est messager de Charles et retrouve
sa fierté de noble baron, tenant tête à Marsile, au péril de sa vie : « Voici ce que vous mande
Charlemagne, le baron : recevez la sainte loi chrétienne et il vous donnera en fief la
moitié de l'Espagne. Si vous ne voulez accepter cet accord, vous serez pris et lié de
force ; à son siège, à Aix [1], vous serez emmené et là, par jugement, vous finirez ; là,
vous mourrez dans la honte et l'humiliation. »*

*Pourquoi cette raideur inattendue, qui dépasse les instructions de Charles ? C'est que
Ganelon voudrait concilier son admiration pour l'empereur avec sa haine pour Roland.
Il risque sa vie à ce jeu, mais ce danger le réhabilite à ses propres yeux : en exposant Roland,
il ne fera que lui rendre son dû.*
*Il répète les conditions de Charles, — ce qui a le don d'irriter les païens, — et Marsile,
brisant la négociation, se retire dans son verger. Mais Blancandrin, le rusé, l'invite à appeler
le Français : on peut s'entendre avec lui. Alors commence un dialogue, adroitement mené,
où Ganelon se laisse peu à peu entraîner par sa haine et consomme la trahison.*
*Maintenant les païens le comblent de présents : l'un lui donne une épée, l'autre son heaume,
l'autre des bijoux. Et chacun de lui répéter comme un refrain : « Faites mettre Roland à
l'arrière-garde ! »*

*De retour au camp de Charlemagne, Ganelon rend compte du succès de sa mission. Très
habilement, il fait désigner Roland pour commander l'arrière-garde. Le neveu de Charles
accepte fièrement. « Dieu me confonde si je démens ma race. Je garderai vingt mille
Français bien vaillants. Passez les ports en toute sûreté : vous ne craindrez nul
homme, moi vivant ! »*
*Charles remercie Dieu, et l'armée commence à faire route « vers dulce France ». L'empereur,
dans son sommeil, a des songes étranges : il rêve que Ganelon lui arrache sa lance du poing ;
puis qu'il est attaqué par un ours et un léopard, mais défendu par un lévrier...*

— 1 Aix-la-Chapelle.

DEUXIÈME PARTIE :

RONCEVAUX (v. 814-2396)

ROLAND prend donc le commandement de l'arrière-garde et sous sa protection les Français passent les défilés, *s'attendrissant à la vue de la terre de France :* « Quand ils parviennent à la Terre des Aïeux et voient la Gascogne, la terre de leur seigneur, ils se souviennent de leurs fiefs et de leurs domaines, de leurs filles et de leurs nobles femmes. Pas un qui n'en pleure de tendresse. Plus que tous les autres, Charles est plein d'angoisse : aux ports d'Espagne, il a laissé son neveu. » *(LXVI). Pris d'un pressentiment, il pleure* et « *cent mille Français s'attendrissent sur lui et tremblent pour Roland* » ; *pendant ce temps le poète nous montre la chevauchée de 400 000 païens à la poursuite de l'arrière-garde dont ils aperçoivent au loin les gonfanons.*

Le neveu de Marsile réclame l'honneur de tuer Roland et choisit douze preux *pour provoquer les* douze pairs. *Devant lui défilent de hauts seigneurs qui, à tour de rôle, jurent de tuer Roland et de conquérir sa bonne épée Durendal.*

D'une hauteur, OLIVIER *aperçoit les armures étincelantes des ennemis. Pris d'inquiétude, il songe à appeler Charlemagne qui passe les défilés. Mais Roland refuse de sonner du cor.*

La bataille

Elle se déroule en trois temps. *Selon le conseil de Ganelon, deux vagues successives viennent s'abattre sur l'arrière-garde* et chaque fois *l'entamer plus durement.* C'est d'abord une armée de cent mille hommes, conduite par le neveu de Marsile avec ses douze pairs. Ils sont anéantis l'un après l'autre ; les Français aussi subissent de lourdes pertes.

Voici maintenant l'armée de Marsile, *précédée de «* sept mille clairons » *qui sonnent la charge. La mêlée est opiniâtre et l'archevêque Turpin n'est pas le dernier à frapper, tout en promettant le paradis aux Français qui tombent :* « Le saint paradis vous est grand ouvert ; vous y serez assis auprès des Innocents. » *Les Français portent de grands coups, mais sont accablés sous le nombre et, au dernier assaut, il n'en reste que soixante.*

Le poète se plaît à répéter ces descriptions de coups prodigieux, *à évoquer inlassablement* cette *ivresse du sang qui flattait les instincts farouches de son public :* « La bataille est merveilleuse ; elle se fait plus précipitée. Les Français y frappent avec vigueur, avec rage. Ils tranchent les poings, les flancs, les échines, les vêtements jusqu'aux chairs vives ; sur l'herbe verte le sang coule en filets clairs... Si vous aviez vu tant de souffrance, tant d'hommes morts, blessés et sanglants ! Ils gisent l'un sur l'autre, face au ciel, face contre terre... » (CXXV-CXXVI).

ROLAND SONNE DU COR

Effet de *symétrie* comme les aime notre vieux poète. C'est à Roland de vouloir sonner du cor, à Olivier de refuser, avec une *ironie tragique*. Mais cette reprise n'est pas un simple jeu d'artiste : rien n'est plus émouvant que le *silence douloureux* de Roland. Le drame progresse d'ailleurs sur un autre plan : dans l'âme de Charles aussi se livre *une lutte*, car Ganelon essaie de parfaire sa trahison. Il faut lire « *Le Cor* » de VIGNY : le poète a admirablement tiré parti de cette situation qu'il ne connaissait qu'indirectement.

Le comte Roland voit qu'il y a grande perte des siens ; il appelle Olivier, son compagnon : « Beau Sire, cher compagnon, pour Dieu, que vous en semble ? Voyez tant de bons vassaux qui gisent à terre ! Nous pouvons plaindre France la douce, la belle : de tels barons, comme elle reste déserte ! Ah ! roi, mon ami, que n'êtes-vous ici ? Olivier, frère, comment pourrons-nous faire ? Comment lui mander de nos nouvelles ? » Olivier dit : « Je ne sais comment l'appeler. Mieux vaut mourir que d'attirer sur nous la honte. »

CXXIX. Roland dit : « Je sonnerai l'olifant. Charles l'entendra, qui passe les ports. Je vous le jure, les Français reviendront. » Olivier dit : « La honte serait grande, et l'opprobre sur tous vos parents : cette honte durerait toute leur vie ! Quand je vous l'ai dit, vous n'en avez rien fait ; vous ne le ferez pas avec mon assentiment : si vous sonnez du cor, ce ne sera pas d'un vaillant. Mais vous avez déjà les deux bras sanglants ! » Le comte répond : « J'ai frappé de beaux coups ! »

CXXX. Roland dit : « Notre bataille est rude ; je sonnerai du cor, le roi Charles l'entendra. » Olivier dit : « Ce ne serait pas d'un brave ! Quand je vous l'ai dit, compagnon, vous n'avez pas daigné. Si le roi eût été ici, nous n'aurions pas subi de désastre. Ceux qui sont là n'en doivent pas avoir de blâme. Par ma barbe, si je puis revoir ma gente sœur Aude [1], vous ne serez jamais dans ses bras ! »

CXXXI. Roland dit : « Pourquoi cette colère contre moi ? » L'autre répond : « Compagnon, c'est vous le responsable, car la vaillance sensée n'est pas la folie : mieux vaut mesure que présomption. Les Français sont morts par votre légèreté. Jamais plus nous ne serons au service de Charles. Si vous m'aviez cru, mon seigneur serait revenu ; cette bataille, nous l'aurions remportée ; ou pris ou mort serait le roi Marsile. Votre prouesse, Roland, c'est pour notre malheur que nous l'avons vue ! Charles le Grand ne recevra plus notre aide. Il n'y aura plus un tel homme jusqu'au jugement dernier. Mais vous allez mourir et la France en sera honnie. Aujourd'hui va finir notre loyale amitié : avant ce soir notre séparation sera bien douloureuse. »

CXXXII. L'Archevêque les entend se quereller ; il pique son cheval de ses éperons d'or pur, vient jusqu'à eux et se met à les reprendre : « Sire Roland, et vous, sire Olivier, pour Dieu, je vous en prie, ne vous querellez pas ! Sonner du cor ne vous servirait plus ; et cependant cela vaudrait mieux : vienne le roi, il pourra nous venger ; ceux d'Espagne ne doivent pas s'en retourner joyeux. Nos Français descendront de cheval ; ils nous trouveront morts et déchirés ; ils nous mettront en bière et nous emporteront sur leurs chevaux ; ils nous pleureront, pleins de

---

— 1 Fiancée de Roland depuis son combat | *de Vienne* imité par V. Hugo dans « Le Mariage singulier contre Olivier (Cf. L'épisode de *Girard* | de Roland »).

deuil et de pitié ; ils nous enterreront dans la cour des moutiers [2]. Ni loups, ni porcs, ni chiens ne nous mangeront. » Roland répond : « Sire, vous dites bien. »

CXXXIII. Roland a mis l'olifant à sa bouche ; il l'enfonce bien, sonne avec grande force. Hauts sont les monts et la voix porte loin : à trente grandes lieues on l'entendit se répercuter. Charles l'entend, et tous ses compagnons. Le roi dit : « Nos hommes livrent bataille ! » Ganelon lui répliqua : « Si un autre l'eût dit, cela paraîtrait grand mensonge ! »

50 CXXXIV. Le comte Roland, à grand'peine, à grand effort, à grande douleur, sonne son olifant. De sa bouche jaillit le sang clair ; de son chef la tempe se rompt. Du cor qu'il tient, le son porte fort loin : Charles l'entend, qui passe les ports. Le duc Naimes [3] l'entend, et tous les Français l'écoutent. Le roi dit : « J'entends le cor de Roland ! Jamais il n'en sonnerait s'il ne livrait bataille. » Ganelon répond : « De bataille, il n'y en pas ! Vous êtes déjà vieux, tout fleuri et tout blanc ; par de telles paroles vous ressemblez à un enfant. Vous connaissez bien le grand orgueil de Roland : c'est merveille que Dieu le souffre si longtemps. Il a déjà pris Noples sans votre ordre... Pour un seul lièvre il va sonnant du cor, tout un jour.
60 Devant ses pairs, il doit encore s'amuser. Il n'y a pas homme sous le ciel qui ose le provoquer. Chevauchez donc ! Pourquoi vous arrêter ? La Terre des Aïeux est encore bien loin devant nous. »

CXXXV. Le comte Roland a la bouche sanglante. De son chef la tempe s'est rompue. Il sonne l'olifant, à grande douleur, à grand'peine. Charles l'entend, et ses Français l'entendent. Le roi dit : « Ce cor a longue haleine ! » Le duc Naimes répond : « C'est qu'un baron y prend peine ! Il y a bataille, j'en suis sûr. Celui-là l'a trahi qui vous en veut détourner. Armez-vous, lancez votre cri de ralliement et secourez votre noble maison : vous entendez assez que Roland se lamente ! »

70 CXXXVI. L'empereur a fait sonner ses cors. Les Français mettent pied à terre, et s'arment de hauberts et de heaumes et d'épées ornées d'or. Ils ont des écus et des épieux grands et forts, et des gonfanons blancs, vermeils et bleus. Tous les barons de l'armée montent sur leurs destriers. Ils éperonnent aussi longtemps que durent les défilés. Pas un qui ne dise à l'autre : « Si nous voyions Roland avant qu'il ne soit mort, avec lui nous donnerions de grands coups. » Mais à quoi bon ? Ils ont trop attendu.

— 2 Monastères. — 3 Vieil ami et sage conseiller de Charles.

La bataille reprend, *toujours plus acharnée : cent mille païens s'enfuient. Mais ils sont aussitôt remplacés par des troupes fraîches, des noirs d'Éthiopie conduits par l'oncle de Marsile,* Marganice. *Ce dernier frappe Olivier par derrière, en plein dos.*

Il ne reste plus que trois hommes vivants, contre quarante mille *qui n'osent les approcher.* Roland *sonne du cor, faiblement. Là-bas, dans la montagne, soixante mille clairons lui répondent : Charles galope à son secours. Il a fait enchaîner Ganelon.*

Gautier est tué, Turpin est blessé : ROLAND *reste seul. Les païens, tenus à distance par la crainte, lui lancent des milliers de dards, d'épieux, de lances, puis s'enfuient vers l'Espagne. Roland range les corps de ses pairs devant l'archevêque qui les bénit avant de mourir. Mais ses forces le trahissent :* il s'évanouit. Il trouve encore l'énergie d'assommer d'un coup d'olifant *un Sarrasin qui voulait s'emparer de Durendal. Sentant venir la mort, il s'efforce de briser son épée, pour lui épargner de tomber aux mains « d'un homme qui fuit devant un autre. »*

LA MORT DE ROLAND

Le poète a su ordonner les événements pour préparer cette mort de ROLAND, resté seul, s'élevant jusqu'à Dieu par un suprême effort. Ses derniers actes et ses dernières pensées nous révèlent, après les grands coups d'épée, *la vie intérieure du héros.* Par sa vaillance et son sentiment de l'honneur, il s'est mis au-dessus de ses compagnons et DIEU reconnaît la valeur de son *sacrifice*, car c'est *la foi* qui nourrit la chevalerie.

Roland frappe contre une pierre bise, plus en abat que je ne vous sais dire [1]. L'épée grince, mais elle n'éclate ni ne se brise ; vers le ciel elle rebondit. Quand le comte voit qu'il ne la brisera pas, très doucement, il la plaint en lui-même : « Ah ! Durendal, comme tu es belle et sainte ! Dans ton pommeau doré, il y a beaucoup de reliques : une dent de saint Pierre, du sang de saint Basile [2] et des cheveux de Monseigneur saint Denis [3], et du vêtement de sainte Marie. Il n'est pas juste que des païens te possèdent : c'est par des chrétiens que vous devez être servie. Ne vous ait homme atteint de couardise ! Par vous,
10 j'aurai conquis tant de vastes terres, que Charles tient, qui a la barbe fleurie ! Et l'empereur en est puissant et riche. »

CLXXIV. Roland sent que la mort le pénètre : de la tête, elle lui descend vers le cœur. Sous un pin il est allé, en courant. Sur l'herbe verte, il s'est couché, face contre terre ; sous lui il place son épée et l'olifant. Il a tourné sa tête vers la gent païenne : il veut que Charles dise, et toute son armée, qu'il est mort, le gentil comte, en conquérant. Il bat sa coulpe et menu et souvent ; pour ses péchés il tend vers Dieu son gant [4].

CLXXV. Roland sent que son temps est fini ; tourné vers l'Espagne,
20 il est sur un tertre aigu ; d'une main il frappe sa poitrine : « Dieu, mea culpa [5], par ta puissance, pour les péchés, grands et menus, que j'ai

---

— 1 Selon la légende, ces coups d'épée auraient ouvert la « *Brèche de Roland* ». — 2 Père de l'Église grecque (IVe siècle). — 3 Premier évêque de Paris, martyr du IIIe siècle. — 4 Geste d'hommage du vassal à son suzerain. — 5 « *C'est ma faute* ». (Cf. plus bas « *il bat sa coulpe* »).

commis depuis l'heure où je suis né jusqu'à ce jour où je suis frappé à mort ! » Il a tendu vers Dieu son gant droit. Les anges du ciel descendent vers lui.

CLXXVI. Le comte Roland se couche sous un pin : vers l'Espagne il a tourné son visage. De bien des choses lui vient le souvenir : de tant de terres qu'il a conquises, le baron, de douce France, des hommes de son lignage, de Charlemagne, son seigneur, qui l'a nourri [6] ; il ne peut s'empêcher d'en pleurer et d'en soupirer. Mais il ne veut pas s'oublier lui-même ; il bat sa coulpe et demande à Dieu merci : « Vrai Père, qui jamais ne mentis, qui ressuscitas des morts saint Lazare et sauvas Daniel [7] des lions, sauve mon âme de tous les périls, pour les péchés que j'ai faits en ma vie ! » Il a offert à Dieu son gant droit. Saint Gabriel [8] l'a pris de sa main. Sur son bras, il tient sa tête inclinée ; les mains jointes, il est allé à sa fin. Dieu lui envoie son ange chérubin [9] et saint Michel du Péril ; avec eux y vint saint Gabriel. Ils portent l'âme du comte en paradis.

ALISCANS

Arrière-petit-fils de GARIN DE MONGLANE, qui a donné son nom à toute une geste GUILLAUME D'ORANGE est un héros prestigieux. C'est lui qui maintient Louis sur le trône de France (*Couronnement de Louis*) ; il s'empare de Nîmes, ville sarrasine (*Le Charroi de Nîmes*, XIIᵉ s.), puis d'Orange, où il épouse la femme du sarrasin Thibaud, Orable qui se convertit et prend le nom de Guibourc (*Prise d'Orange*, XIIᵉ). Vaincu par les Sarrasins à *Aliscans-sur-Mer*, il reprend la lutte et finit par triompher. Accablé par la mort de Guibourc, il se fait moine, à Gellone (*Moniage Guillaume*, XIIᵉ). Surtout au XIIIᵉ et au XIVᵉ siècle les *jongleurs* ont consacré d'autres chansons aux parents, ascendants ou collatéraux de Guillaume, créant ainsi de toutes pièces *une vaste famille de héros*.

Deuxième moitié du XIIᵉ siècle. La bataille des ALISCANS (près d'Arles), qui donne son nom à l'épopée, paraît un souvenir de la bataille de l'Orbieu, où, à la fin du VIIIᵉ siècle, le duc d'Aquitaine GUILLAUME fut vaincu par les Sarrasins. L'auteur (*Jendeu de Brie?*) a fait un *émouvant tableau de la défaite*, mais la convenance morale et le souci artistique l'ont conduit à imaginer, dans une deuxième partie, une *revanche de Guillaume* qui n'eut jamais lieu.

Dans la plaine des Aliscans, le comte GUILLAUME D'ORANGE livre une bataille désastreuse. Son armée est en déroute. Il trouve son neveu VIVIEN qui s'est conduit en héros, mais qui meurt, le ventre ouvert : il lui donne la communion avant qu'il ne meure. Guillaume, assailli par de nombreux Sarrasins, doit abandonner le corps de Vivien et revêtir l'armure d'un ennemi pour atteindre plus facilement sa ville d'Orange. Le voici devant les portes de la ville.

— 6 Le jeune noble est nourri par le seigneur qui lui apprend le métier des armes et l'armera chevalier. Roland vous paraît-il moins héroïque parce qu'il pleure? — 7 Lazare fut ressuscité par Jésus-Christ ; le prophète Daniel jeté dans la fosse aux lions par Nabuchodonosor fut épargné par les fauves. — 8 C'est l'intermédiaire habituel entre Dieu et les hommes. — 9 Saint Raphaël.

UNE FAROUCHE GARDIENNE

L'auteur a su exploiter habilement cette situation dramatique. *Le déguisement de Guillaume, qui a assuré son salut, risque maintenant de le perdre. Il lui permet néanmoins d'apprécier* la vertu *(trop grande, à son gré !) de son épouse, et c'est la* défiance *de Guibourc qui l'entraîne à reprendre avec succès le combat, servi de nouveau par son déguisement. A la fin du passage, c'est Guibourc qui supplie son seigneur de rentrer ! Cette cascade d'incidents tragiques n'est pas dépourvue d'un certain* humour.

Le comte Guillaume s'est vivement hâté. Il dit au portier : « Ami, ouvrez la porte ; Je suis Guillaume, vous auriez tort de ne pas le croire. » Le portier dit : « Un peu de patience ! » Il descend rapidement de sa tourelle. Il entre dans le palais de Gloriette [1], vient à Guibourc et lui crie d'une voix forte : « Noble comtesse, pour Dieu, hâtez-vous ! Il y a dehors un chevalier armé, sur son cheval : jamais on n'en vit de pareil. Son corps est revêtu d'armes païennes. Il est très grand, en armes, sur son cheval. Il dit qu'il est Guillaume au Court Nez. Venez, dame, pour Dieu, et vous le verrez. » Guibourc l'entend : elle en a le sang troublé !
10 Elle descend du palais seigneurial, vient aux meurtrières, là-haut, au-dessus des fossés. Elle dit à Guillaume : « Vassal, que demandez-vous ? » Le comte répond : « Dame, ouvrez la porte, promptement, et abaissez-moi le pont ! Car voici que me pourchassent Baudus et Desramé [2], et vingt mille païens aux heaumes verts gemmés. S'ils m'atteignent ici, je suis mort, sans rémission. Noble comtesse, pour Dieu, ouvrez la porte promptement, et hâtez-vous. » Guibourc répond : « Vassal, nous n'entrerez pas ! Je n'ai avec moi aucun homme, sauf ce portier et un clerc ordonné, et un enfant qui n'a pas quinze ans passés. Il n'y a ici que des femmes, le cœur plein d'angoisse pour leurs maris, que mon seigneur a menés
20 à Aliscans, contre les païens infidèles. Il n'y aura porte ni guichet ouverts jusqu'au retour de Guillaume, le gentil comte, qui est aimé de moi. Dieu le garde, qui fut tourmenté sur la croix ! » Guillaume l'entend ; il incline son visage vers la terre ; il pleure de tendresse, le marquis plein d'honneur : l'eau lui coule, goutte à goutte, le long du nez. Il s'adresse à Guibourc, quand il s'est relevé : « C'est moi, dame, vous auriez tort d'en douter ; je suis Guillaume, vous auriez tort de ne pas le croire. » Mais Guibourc réplique : « Sarrasin, vous mentez ! Par saint Denis, qui est mon protecteur, je verrai votre chef désarmé avant d'ouvrir cette porte, Dieu me protège !... »
30 Le comte Guillaume était pressé d'entrer. Ce n'est pas merveille ! car il a bien à craindre : derrière lui il entend le chemin frémir de cette gent qui ne peut aimer Dieu. « Noble comtesse, dit Guillaume le baron, vous me faites trop longtemps attendre. Voyez ces tertres se couvrir de Sarrasins : s'ils m'atteignent, je suis voué à la mort. — Vraiment, dit

---

— 1 Le palais de Guillaume d'Orange. — | de Guillaume, elle se nommait Orable et était
2 Rois sarrasins. *Desramé* est le père de Gui- | la femme du roi sarrasin Thibaud, à qui Guil-
bourc. Avant de devenir l'épouse chrétienne | laume l'a ravie.

Guibourc, j'entends bien, à votre langage, que vous ne devez guère ressembler à Guillaume : je ne le vis jamais, pour des Turcs, s'épouvanter. Mais, par saint Pierre que je dois vénérer, il n'y aura porte ni guichet ouverts avant que je voie votre chef désarmé : il y a tant d'hommes qui se ressemblent fort ! » Le comte l'entend, baisse sa ventaille [3], puis lève
40 haut le heaume vert gemmé. Comme Guibourc allait le reconnaître, parmi la plaine elle vit cent païens errer... Ils emmènent trente captifs, qui sont tous bacheliers, et trente dames au clair visage... Les païens les battent, puisse Dieu les punir ! De la chair ils leur font voler le sang. Dame Guibourc les a entendus crier et implorer de toutes leurs forces le Seigneur Dieu. Elle dit à Guillaume : « Maintenant, j'ai une bonne preuve : si vous étiez sire Guillaume le preux, le « fière brace » [4], dont on fait tant d'éloges, vous ne laisseriez pas les païens emmener vos gens. — Dieu ! dit le comte, maintenant elle veut m'éprouver ! Je ne saurais rester, dût-on me couper la tête, sans aller, sous ses yeux, les combattre.
50 Pour son amour je dois bien me garder ; pour exalter et grandir la loi de Dieu, je dois fatiguer et peiner mon corps ». Il relace son heaume, lâche la bride à son cheval, et le laisse galoper, sous lui, autant qu'il peut. Il va rejoindre et frapper les païens : au premier il a troué le bouclier, il a rompu et terni le haubert. A travers le corps il lui passe le fer et le fût et lui fait ressortir l'enseigne de l'autre côté : il l'étend mort, les jambes en l'air. Puis, il tire son épée au pommeau d'or niellé [5] ; il fait voler la tête d'un Sarrasin ; il en pourfend un autre jusqu'au nœud du baudrier ; puis il en renverse mort un troisième ; il en frappe un quatrième sans lui laisser le temps de parler. Les païens le voient et sont pleins d'épouvante. Ils se
60 disent les uns aux autres : « C'est le roi Aerofle [6], l'oncle de Cadroer, qui revient de piller et de ravager Orange. Il est en grand courroux : c'est nous qui l'avons irrité parce que nous ne sommes pas en Aliscans. Je crois qu'il nous le fera payer cher ! » Ils prennent la fuite pour sauver leurs vies ; ils laissent tranquilles tous les prisonniers. Le preux Guillaume revient sur eux pour les frapper, et les autres le fuient, qui n'osent demeurer ! Guibourc le voit : elle se prend à pleurer ; à haute voix elle se met à crier : « Venez-vous-en, sire, maintenant vous pouvez entrer ! »

Aliscans (vers 1526-1633).

Déjà les Sarrasins assiègent la ville. *Guibourc conseille à son seigneur d'aller à Saint-Denis demander secours au roi Louis, époux de la sœur de Guillaume : en attendant son retour, Guibourc et les dames de la ville, revêtues de hauberts, défendront la cité. Guillaume, arrivé à la cour, est assez mal accueilli par le roi et par sa sœur. Mais il y trouve son père Aimeri, sa mère et ses frères, qui le réconfortent, et le roi finit par lui accorder cent mille hommes.*
Dès lors, cette chanson de geste, jusque-là si pleine de noblesse et si émouvante, tourne curieusement à la bouffonnerie héroïque. *Au premier plan va se détacher la figure de* RAINOUART, *géant à la force prodigieuse acheté par le roi Louis à des marchands d'esclaves, qui est, en fait, le propre frère de Guibourc : c'est à lui que Guillaume devra la victoire.*

— 3 Partie mobile de la visière par où l'on respirait. — 4 « *Aux bras vaillants* », un des surnoms de Guillaume. — 5 Orné de motifs gravés en creux. — 6 C'est le Sarrasin dont Guillaume a revêtu l'armure.

LA LITTÉRATURE COURTOISE

Dans la deuxième moitié du XIIe siècle, les Chansons de Geste trouvent des auditoires enthousiastes. Mais l'aristocratie, qui a évolué, se tourne vers des œuvres moins rudes.

1. L'ADOUCISSEMENT DES MŒURS : La noblesse devient une classe héréditaire de plus en plus fermée. Sous l'influence de l'Église se développent des sentiments de générosité et de politesse. Une vie mondaine se crée, très influencée par les dames.

2. LES ŒUVRES COURTOISES : Les écoles épiscopales et monastiques forment un public attiré par des ouvrages en latin et surtout en français. Ces œuvres content des aventures sentimentales et présentent des tableaux de la vie élégante et luxueuse.

Cette littérature « *courtoise* » (destinée à un public « de cour ») se rattache à trois courants essentiels : influence antique, influence bretonne, influence méridionale.

Les romans antiques

Au XIIe siècle, la littérature latine connaît un renouveau. Entre 1130 et 1165, ce sont les « Romans Antiques » qui ont la faveur de l'aristocratie. Le *Roman d'Alexandre* (vers 1150) est écrit en vers de douze pieds (d'où leur nom d'*alexandrins*). Le *Roman de Thèbes*, inspiré de la *Thébaïde* de Stace, conte l'histoire d'Œdipe et de ses enfants. En 1160 le *Roman d'Eneas* tire de l'*Énéide* un conte romanesque et galant. Cette production aboutit, en 1165, à l'énorme *Roman de Troie* de Benoît de Sainte-Maure, protégé de la reine Aliénor d'Aquitaine.

Ces œuvres adaptent les légendes antiques, sans souci des anachronismes : les héros anciens deviennent des chevaliers héroïques et galants ; les devins sont des évêques, etc. Elles constituent une sorte de transition entre l'*épopée* et le *roman courtois :*

a) Comme les Chansons de Geste, elles contiennent beaucoup d'exploits chevaleresques.

b) Comme les Romans courtois, elles font déjà une grande place au merveilleux, aux aventures romanesques. Déjà l'amour occupe le centre du roman et parfois commande l'intrigue. Ces intrigues amoureuses invitent les auteurs à présenter des analyses de sentiments. Autre élément précurseur du Roman courtois : la peinture de la vie matérielle contemporaine. Ces Romans antiques eurent un immense succès et ont exercé une influence très sensible sur la littérature proprement courtoise.

La « Matière de Bretagne »

Cette expression d'un poète du XIIIe siècle désigne l'inspiration celtique.

En 1135, Geoffroi de Monmouth publie en latin son *Histoire des Rois de Bretagne*, qui fut traduite pour la reine Aliénor, par l'anglo-normand Wace, chanoine de Bayeux, dans son *Roman de Brut* (1155).

Wace révélait aux Français la légende du roi Arthur, chef celtique de la résistance bretonne contre l'invasion saxonne au VIe siècle. Ce chef était très populaire en Grande-Bretagne. La légende en a fait un roi puissant et raffiné, tenant une cour luxueuse, et entouré des vaillants chevaliers de la Table Ronde. Les romanciers courtois puiseront abondamment à cette source. Ils lui doivent leurs héros, le cadre de leurs aventures (la « Bretagne »), les détails romanesques et féeriques, caractéristiques de la mythologie celtique. Ces éléments apparaissent déjà dans le roman de *Tristan et Iseut*.

L'influence provençale

Le Midi de la France a connu avant le Nord les douceurs d'une civilisation plus aimable. Initiés par la croisade aux splendeurs orientales, les seigneurs du Midi s'habituèrent à une vie plus douce où la femme occupait une place importante. Ils attiraient à eux les artistes et eux-mêmes furent poètes ou « *troubadours* ».

Les principaux de ces poètes sont Jaufré Rudel, Bertran de Born, Raimbaut de Vaqueyras, Bernard de Ventadour et Giraut de Borneil. Leurs œuvres, surtout lyriques, chantent le printemps, les fleurs, l'amour heureux, l'amour lointain, l'amour perdu.

Dans la deuxième moitié du XIIᵉ siècle, ces mœurs plus polies ont gagné lentement le Nord de la France. C'est Aliénor d'Aquitaine qui paraît avoir le plus contribué à y acclimater la courtoisie du Midi, d'abord comme reine de France, puis comme reine d'Angleterre.

La courtoisie

Elle apparaît dans les romans à la rencontre de ces trois influences, et place la préoccupation amoureuse au centre de toute activité humaine.

1. LE SERVICE D'AMOUR : Les chevaliers sont aussi vaillants que dans les Chansons de Geste. Leurs exploits ne sont plus dictés par leur fidélité à Dieu ou à leur suzerain mais par le « *service d'amour* », soumission absolue du chevalier à sa « *dame* ».

2. LE CODE DE L'AMOUR COURTOIS : Ce service d'amour se codifie en un certain nombre de règles charmantes et artificielles. Pour plaire à sa dame, le chevalier recherche la perfection : en lui, la vaillance et la hardiesse s'allient à l'élégance de l'homme de cour. La dame ennoblit son héros en le soumettant à des épreuves : l'amour est la source de toute vertu et de toute prouesse.

Mais les exploits ne suffisent pas à fléchir une dame inaccessible : il faut encore savoir aimer et souffrir en silence, être ingénieux pour exprimer sa passion, s'humilier pour traduire son adoration. C'est seulement quand le chevalier a souscrit aux caprices de son idole qu'il est récompensé de sa constance et payé de retour.

Cette « *courtoisie* » était-elle à l'image des mœurs qui régnaient, même dans l'élite ? Certainement pas : c'était un idéal capable de séduire l'élément féminin et peut-être de contribuer à adoucir les mœurs d'une société où, selon le mot de Lanson, « le règne des femmes » commençait.

TRISTAN ET ISEUT

La légende celtique de Tristan et Iseut a connu une large diffusion dans toute l'Europe. Aucun ouvrage original ne nous la présente dans son ensemble. C'est en confrontant des fragments des versions française, anglaise, italienne, scandinave, allemande, que J. Bédier a pu reconstituer « *Le Roman de Tristan et Iseut* ».

Dans la deuxième moitié du XIIᵉ siècle, s'inspirant semble-t-il d'un roman antérieur, Béroul et Thomas ont, chacun de son côté, écrit un *Tristan*. Il en reste des fragments assez importants (environ 3 000 vers pour chacun), mais d'inspiration fort différente.

Béroul

C'était peut-être un jongleur. Dans la partie centrale du roman qui nous est parvenue, il rappelle la manière simple, rude et poignante des *Chansons de Geste*, par exemple quand il nous peint l'âpre bonheur des amants dans la forêt du Morois.

Thomas d'Angleterre

Plus cultivé, il a vécu à la cour de la reine Aliénor. Son art se caractérise par l'agencement dramatique du récit, la recherche du pathétique et surtout la subtilité de l'analyse psychologique. Parfois monotone, parfois trop ingénieux, il a toutefois réussi à rendre le caractère obsédant de la passion qui consume deux êtres, occupe inlassablement leur esprit et ne peut leur laisser d'autre paix que celle de la mort.

LA FATALITÉ DE LA PASSION, voilà l'originalité de cette légende : l'amour s'est emparé de Tristan et d'Iseut en dépit de leur volonté. Il s'impose à eux malgré leurs efforts pour s'en libérer. Victimes de leur passion, ils luttent, et pourtant ne peuvent s'empêcher de goûter, dans l'amertume, le bonheur défendu. Les causes mystérieuses de cette passion irrésistible sont symbolisées par l'action du *philtre magique*.

Cette histoire, où passe le souvenir des mythes antiques de Thésée et du Minotaure, a inspiré au musicien Richard Wagner son admirable *Tristan et Isolde*.

Exploits
romanesques   *Orphelin et neveu du roi Marc de Cornouailles*, TRISTAN DE LOONOIS *est élevé en parfait chevalier par l'écuyer Gorneval. A peine arrivé à la cour du roi* MARC, *il accomplit son premier exploit : il tue en duel le* MORHOLT, *géant venu exiger, au nom du roi d'Irlande, un tribut de 300 garçons et de 300 filles. Empoisonnées par l'épée du géant, les blessures de Tristan s'enveniment et dégagent une puanteur si odieuse que le malheureux s'abandonne, dans une barque, aux hasards de la mer.*

Jeté sur la côte d'Irlande, il est guéri par les philtres magiques de la reine, sœur du Morholt, et de sa fille ISEUT LA BLONDE. *Mais il craint d'être reconnu comme le meurtrier du géant, et retourne en Cornouailles. A Tintagel, Tristan a toute l'affection du roi Marc qui n'a pas d'enfant ; il paraît destiné à lui succéder, mais les barons jaloux imposent au roi de prendre femme. Pour déjouer le piège, Marc décide d'épouser la femme à qui appartient un cheveu d'or apporté le matin même par deux hirondelles. Qui la retrouvera? Tristan se souvient d'Iseut la Blonde : il ramènera la Belle aux cheveux d'or.*

Déguisé, il aborde en Irlande et délivre le royaume d'un dragon qui dévore les jeunes filles. Il tranche la langue empoisonnée du monstre, la glisse dans sa chausse et tombe évanoui à ce contact. Or Iseut la Blonde était promise à qui triompherait du dragon. Le sénéchal du palais trouve la bête morte, lui tranche la tête et réclame la main de la jeune fille. Mais elle retrouve Tristan évanoui et le guérit une seconde fois, espérant que ce beau chevalier confondra l'imposteur. Hélas ! l'épée de son héros est ébréchée, et elle découvre qu'un fragment retrouvé autrefois dans la tête du Morholt s'y adapte parfaitement. La princesse devine qu'elle a sauvé TRISTAN DE LOONOIS, *le meurtrier de son oncle. Furieuse, elle va le tuer dans son bain, de sa propre épée, mais le jeune homme est si séduisant qu'elle lui fait grâce. Il l'épousera, pense-t-elle, puisqu'il est le vainqueur du monstre. Mais non, Tristan obtient la main d'Iseut... pour son oncle, le roi Marc de Cornouailles : la déception d'Iseut est inexprimable.*

Le philtre d'amour   *Mais voici que, sur la nef du retour, ils boivent par erreur un* philtre magique *destiné à unir d'un amour éternel Iseut la Blonde au roi Marc son futur époux. Tristan et Iseut se sentent invinciblement attirés l'un vers l'autre.*

Par loyauté pour le roi Marc qui vient d'épouser Iseut, ils luttent contre leur folle passion, mais ne peuvent s'empêcher de se rencontrer en secret. Un jour, le roi, prévenu par les barons jaloux, surprend les amants et les condamne au bûcher.

Cependant Tristan parvient à se sauver. Iseut est abandonnée aux lépreux. Tristan la délivre et ils se réfugient, en compagnie de l'écuyer Gorneval, dans la forêt du Morois.

LE SAUT DE LA CHAPELLE

De *Tristan et Iseut* on ne retient d'ordinaire que le roman d'une passion exigeante et fatale ; mais, surtout dans l'œuvre de BÉROUL, Tristan nous apparaît aussi comme un *beau chevalier d'aventure* dont les exploits romanesques devaient ravir un public encore sensible à la rudesse de la vieille épopée.

Oez, seignors, de Dam-le-Dé	Écoutez, seigneurs, du Seigneur Dieu
Comment il est plains de pitié,	Comme il est plein de pitié
Ne vieut pas mort de péchéor :	Et ne veut pas la mort du pécheur :
Recéu out le cri, le plor	Il entendit le cri, le pleur
5 *Que faisoient la povre gent*	Que faisaient les pauvres gens 5
Por ceus qui eirent a torment.	Pour ceux qui étaient à la torture.
Sor la voie par ou cil vont	Près du chemin par où ils vont

Une chapele est sor un mont,	Une chapelle est sur un mont,
U coin d'une roche est asise,	Au coin d'une roche assise,
10 *Sor mer ert faite devers bise.*	Dominant la mer, face à la bise. 10
La part que l'en claime chantel	La partie qu'on appelle chantel
Fu asise sor un moncel ;	Était posée sur un monticule.
Outre n'out rien fors la faloise.	Au delà, plus rien : la falaise.
Cil mont est plain de pierre a aise.	Ce mont est tout plein de pierre.
15 *S'un escureus de lui sausist,*	Si un écureuil eût sauté de là, 15
Si fust-il mort, ja n'en garist.	Il eût péri, sans rémission.
En l'adube out une verrine	Dans l'abside était une verrière
Q'un sainz i fist por péritie.	Qu'un saint y fit avec habileté.
Tristran ses menéors apele :	Tristan dit à ceux qui le mènent :
20 *« Seignors, vez-ci une chapele.*	« Seigneurs, voici une chapelle. 20
Por Deu ! quar m'i laisiez entrer.	Pour Dieu ! Laissez-moi entrer.
Près est mes termes de finer ;	Ma vie approche de son terme ;
Preerai Deu qu'il merci ait	Je prierai Dieu qu'il ait pitié
De moi, quar trop li ai forfait.	De moi, qui l'ai tant offensé.
25 *Seignors, n'i a que ceste entrée.*	Seigneurs, il n'y a que cette entrée. 25
A chascun voi tenir s'espée :	Chacun de vous tient son épée :
Vos savez bien ne pus issir,	Vous savez bien que je ne peux sortir
Par vos m'en estuet revertir ;	Sans repasser devant vous
Et quand je Dé proié aurai,	Et quand j'aurai prié Dieu,
30 *A vos ici lors revendrai. »*	Alors, je reviendrai ici, vers vous. » 30
Or a l'un d'eus dit a son per :	L'un d'eux dit à son compagnon :
« Bien le poon laisier aler. »	« Nous pouvons bien l'y laisser aller. »
Les lians sachent ; il entre enz.	Ils ôtent ses liens ; il entre.
Tristran ne vait pas comme lenz ;	Tristan ne va pas lentement !
35 *Triès l'autel vint a la fenestre,*	Derrière l'autel, il va à la fenêtre, 35
A soi l'en traist a sa main destre,	La tire à lui de sa main droite
Par l'overture s'en saut hors.	Et, par l'ouverture, il saute dehors.
Mex veut sallir que ja ses cors	Plutôt sauter que [de voir] son corps
Soit ars, voiant tel aünée.	Brûlé, sous les yeux de telle assemblée !
40 *Seignors, I. grant pierre lée*	Seigneurs, une grande pierre large 40
Out u mileu de cel rochier.	Était au milieu de ce rocher.
Tristran i saut molt de légier.	Tristan y saute très légèrement.
Li vens le fiert entre les dras,	Le vent s'engouffre dans ses habits
Qui'l defent qu'il ne chie a tas,	Et l'empêche de tomber lourdement.
45 *Encor claiment Cornevalan*	Les Cornouaillais appellent encore 45
Cele pierre « le Saut Tristran »...	Cette pierre « Le Saut de Tristan »...
Tristran saut sus, l'araine ert moble...	Tristan saute : le sable était mou...
Cil l'atendent defors l'iglise,	Les autres l'attendent devant l'église,
Mais por noient : Tristran s'en vet !	Mais en vain : Tristan s'en va !

---

(10) *devers* = tournée vers. — (11) *chantel* : balustrade séparant le chœur de la nef, par suite, *le chœur* lui-même. — (13) *fors* = sauf (cf. *hors*). — (14) *a aise* = cf. « à foison », et (44) : *a tas.* — (15-16) Subj. dans une phrase hypothétique. — (16) *garir* = protéger, réchapper (cf. *guérir*). — (19) *apele* = adresse la parole (lat. *appellare*). — (21) *quar* devant impératif. — (22) *finer* = finir. — (26) « Je vois chacun tenir... ». — (27) *issir* (lat. *exire*) = sortir (cf. *issue*). — (28) « Par vous il me *faut* revenir ». — (33) *enz* = dedans (*intus*). — (35) *Triès* = au delà de (*trans*). — (37) *s'en saut* : cf. « *s'en aller* ». — (38) *Mex* = mieux. — (39) *Voiant* (= voyant) = équivalent d'un abl. absolu latin. — *tel* (et au v. 40 : *grant*) = adj. fém. sans *e*. — (43) : *fiert* = frappe. — (49) *por noient* = pour rien (cf. *néant*).

50 *Bele merci Dex li a fait.* | Dieu lui a fait une belle grâce.   50
La rivière granz sauz s'enfuit : | Sur le rivage, à grands sauts, il s'enfuit :
Molt par ot bien le feu qui bruit ! | Il entend bien le feu qui bruit !
N'a corage que il retort : | Il n'a pas le cœur à retourner :
Ne puet plus corre que il cort. | Il ne peut courir plus vite qu'il ne court.

Édition F. Michel, t. I (v. 873-928).

L'AMOUR PLUS FORT QUE LES LOIS

L'ermite souligne les exigences de la loi humaine et de la religion. Tristan défend sa cause : comment se repentir si l'on n'est pas responsable ? D'ailleurs les deux amants pourraient-ils vivre séparés ? La passion qui les torture l'un et l'autre s'affirme, farouche et douloureuse.

Seigneurs, vous avez bien ouï comment Tristan avait sauté du haut du rocher. Gorneval, sur le destrier, s'en fut promptement, car il craignait d'être brûlé si Marc le tenait. Tristan nourrit ses amis de venaison. Longuement ils séjournent en ce bocage où la nuit ils se retirent et d'où ils sortent le matin.

En l'ermitage de frère Ogrin, ils vinrent un jour par aventure. Ils mènent une vie âpre et dure. Mais ils s'entr'aiment de si grand amour qu'ils ne sentent pas la douleur. L'ermite reconnut Tristan. Il était appuyé sur une béquille. Il l'interpelle : « Écoutez, Tristan, le grand serment qu'on
10 a juré en Cornouailles : Quiconque vous livrera au roi sans faute aura cent marcs de récompense. En cette terre, il n'y a baron qui ne lui ait promis solennellement de vous livrer mort ou vif ». Ogrin lui dit avec bonté : « Sur ma foi, Tristan, à qui se repent par foi et par confession, Dieu pardonne son péché ».

Tristan lui dit : « Sire, en vérité, si elle m'aime de toute sa foi, vous n'en connaissez pas la raison ; si elle m'aime, c'est par le breuvage[1]. Je ne puis me séparer d'elle, ni elle de moi, sans mentir ». Ogrin lui dit : « Quel réconfort peut-on donner à homme mort ? Il est bien mort celui qui, longuement, gît dans le péché ; s'il ne se repent, on ne peut donner nulle
20 pénitence à un pécheur sans repentance... ».

L'ermite Ogrin les exhorte longuement et leur conseille de se repentir. Il leur répète souvent les prophéties de l'Écriture et leur rappelle souvent l'heure du jugement. A Tristan il dit avec rudesse : « Que feras-tu ? Réfléchis ! ». — « Sire, j'aime Iseut de façon si étonnante que je n'en dors ni ne sommeille. Ma décision est toute prise : j'aime mieux, avec elle, être mendiant et vivre d'herbes et de glands que d'avoir le royaume du roi Otran[2]. Je ne veux pas entendre parler de l'abandonner, car je ne le puis ».

Tristan et Iseut (v. 1315-sq.).

Pendant trois ans, en révolte contre les lois humaines et divines, ils goûtent, malgré leur vie misérable, l'âpre bonheur de s'aimer. Au cours d'une chasse, le roi Marc les surprend endormis mais il leur fait grâce et signale son passage en leur laissant ses gants, son épée et son anneau. Pris de remords, ils décident de se séparer. Tristan rend Iseut à son oncle, et s'exile.

— 1 Le philtre magique. — 2 Roi sarrasin.

L'amour plus fort
que l'exil

Iseut pense sans cesse à Tristan, et Tristan ne peut oublier Iseut. Pour vaincre sa fatale passion, il a beau épouser, en Bretagne, ISEUT AUX BLANCHES MAINS, *le poison subtil de l'amour est plus fort que sa volonté. Déguisé en pèlerin, en lépreux, en fou, il retourne invinciblement vers son amante ; il lui envoie des présents ; il se manifeste secrètement en imitant le chant des oiseaux, comme autrefois dans la forêt, ou encore en plaçant sur le chemin de la reine une branche de coudrier enlacée d'un brin de chèvrefeuille, symbole de leur amour indestructible ! (C'est le thème du* LAI DU CHÈVREFEUILLE, *de Marie de France). Au roman d'amour se mêlent d'ailleurs les échos de cruelles légendes celtiques : un à un leurs ennemis périssent, terriblement frappés.*

L'amour plus fort
que la mort

De nouveau blessé par une arme empoisonnée, le héros ne veut pas mourir sans revoir Iseut la Blonde. Son beau-frère Kaherdin ira chercher la reine : s'il la ramène, la voile sera blanche ; sinon, elle sera noire. Bravant toutes les conventions humaines, Iseut la Blonde n'hésite pas un instant à suivre le messager. Une violente tempête s'élève au moment où ils vont aborder et les retient au large.

L'AMOUR PLUS FORT QUE LA MORT

La tempête s'apaise ; on hisse *la voile blanche*, car c'est le dernier jour du délai fixé par Tristan. Hélas ! il ne verra pas lui-même cette voile : son mal l'immobilise au palais. Pour comble d'infortune, les éléments s'acharnent à les séparer : en mer, c'est maintenant *le calme plat*, et le navire ne peut approcher du rivage, au grand désespoir d'Iseut.

Souvent Iseut se plaint de son malheur : ils désirent aborder au rivage, mais ne peuvent l'atteindre. Tristan en est dolent et las. Souvent il se plaint, souvent il soupire pour Iseut que tant il désire : ses yeux pleurent, son corps se tord ; peu s'en faut qu'il ne meure de désir.

En cette angoisse, en cet ennui [1], Iseut, sa femme, vient à lui, méditant une ruse perfide [2]. Elle dit : « Ami, voici Kaherdin. J'ai vu sa nef, sur la mer, cingler [3] à grand'peine. Néanmoins, je l'ai si bien vue que je l'ai reconnue. Dieu donne qu'il apporte une nouvelle à vous réconforter le cœur ! » Tristan tressaille à cette nouvelle. Il dit à Iseut : « Belle amie,
10 êtes-vous sûre que c'est la nef ? Dites-moi donc comment est la voile ? » Iseut répond : « J'en suis sûre. Sachez que la voile est toute noire [4]. Ils l'ont levée très haut, car le vent leur fait défaut. »

Tristan en a si grande douleur que jamais il n'en eut et n'en aura de plus grande. Il se tourne vers la muraille et dit : « Dieu sauve Iseut et moi ! Puisqu'à moi vous ne voulez venir, par amour pour vous il me faut mourir. Je ne puis plus retenir ma vie. C'est pour vous que je meurs, Iseut, belle amie. Vous n'avez pas pitié de ma langueur [5], mais de ma mort vous aurez douleur. Ce m'est, amie, grand réconfort de savoir que vous aurez

---

— 1 Sens primitif très fort : tourment, torture. — 2 Elle a surpris la conversation entre Tristan et son propre frère, et elle sait que le malade attend une voile blanche. — 3 Faire voile. — 4 Dans la *légende de Thésée*, le héros oublie de hisser la voile blanche qui doit annoncer à son vieux père Égée sa victoire sur le Minotaure. Croyant son fils tué, le vieillard se jette dans la mer qui, depuis, porte son nom. — 5 Épuisement physique qui use lentement l'organisme (cf. *maladie de langueur*).

pitié de ma mort ». « Amie Iseut ! » dit-il trois fois. A la quatrième il rend
20 l'esprit.

Alors pleurent, par la maison, les chevaliers, les compagnons : leur cri
est haut, leur plainte est grande. Chevaliers et serviteurs sortent ; ils
portent le corps hors de son lit, puis le couchent sur du velours et le
couvrent d'un drap brodé. Le vent s'est levé sur la mer et frappe la voile
en plein milieu : il pousse la nef vers la terre. Iseut est sortie de la nef ;
elle entend les grandes plaintes dans la rue, les cloches des moutiers, des
chapelles. Elle demande aux hommes les nouvelles : pourquoi sonner,
pourquoi ces pleurs ? Alors un ancien lui dit : « Belle dame, que Dieu
m'aide, nous avons ici grande douleur : nul n'en connut de plus grande.
30 Tristan le preux, le franc, est mort : c'était le soutien de ceux du royaume.
Il était généreux pour les pauvres et secourable aux affligés. D'une plaie
qu'il avait au corps, en son lit il vient de mourir. Jamais si grand malheur
n'advint à notre pauvre peuple ! »

Dès qu'Iseut apprend la nouvelle, de douleur elle ne peut dire un mot.
Cette mort l'accable d'une telle souffrance qu'elle va par la rue, vêtements
en désordre, devançant les autres, vers le palais. Les Bretons ne virent
jamais femme d'une telle beauté : ils se demandent, émerveillés, par la
cité, d'où elle vient et qui elle est. Iseut arrive devant le corps ; elle se
tourne vers l'Orient [6] et, pour lui, elle prie, en grande pitié : « Ami Tristan,
40 quand vous êtes mort, en raison je ne puis, je ne dois plus vivre. Vous êtes
mort par amour pour moi, et je meurs, ami, par tendresse pour vous,
puisque je n'ai pu venir à temps pour vous guérir, vous et votre mal. Ami,
ami ! de votre mort, jamais rien ne me consolera, ni joie, ni liesse, ni plaisir.
Maudit soit cet orage qui m'a tant retenue en mer, ami, que je n'ai pu
venir ici ! Si j'étais arrivée à temps, ami, je vous aurais rendu la vie ; je
vous aurais parlé doucement de l'amour qui fut entre nous ; j'aurais pleuré
notre aventure, notre joie, notre bonheur, la peine et la grande douleur qui
ont été en notre amour : j'aurais rappelé tout cela, je vous aurais embrassé,
enlacé. Si je n'ai pu vous guérir, ensemble puissions-nous mourir ! Puisque
50 je n'ai pu venir à temps, que je n'ai pu savoir votre aventure et que je suis
venue pour votre mort, le même breuvage me consolera. Pour moi vous
avez perdu la vie, et j'agirai en vraie amie : pour vous je veux mourir également.

Elle l'embrasse ; elle s'étend, lui baise la bouche et la face ; elle l'embrasse
étroitement, corps contre corps, bouche contre bouche. Aussitôt elle rend
l'âme et meurt ainsi, tout contre lui, pour la douleur de son ami [7].

Édition F. Michel, t. III (v. 558-680).

Le roi Marc, apprenant le secret de cet amour fatal, pardonne aux amants et les ensevelit
dans deux tombes voisines. O merveille ! une ronce jaillit du tombeau de Tristan et s'enfonce
dans celui d'Iseut. Elle repousse plus vivace chaque fois qu'on la coupe : Tristan et Iseut
sont unis dans la mort comme dans la vie.

— 6 Pour prier : attitude rituelle. — 7 Que lui cause la mort de son ami.

CHRÉTIEN DE TROYES

CHRÉTIEN DE TROYES (1135 ?-1190 ?) est un des écrivains qui ont le plus fait pour que le mot *roman*, qui s'appliquait à l'origine à la langue vulgaire, en vienne à désigner certains ouvrages écrits dans cette langue.

Sa vie et sa formation

1. L'INSPIRATION ANTIQUE l'invite à la littérature amoureuse. Il sait le latin ; il a écrit dans son jeune âge des adaptations des *Métamorphoses* et de l'*Art d'aimer* d'Ovide.

2. L'INSPIRATION BRETONNE : Il a vécu à la cour brillante de Marie de Champagne, fille du roi de France Louis VII et d'Aliénor d'Aquitaine. Sa protectrice, férue de littérature, dut révéler au poète les légendes bretonnes avec leurs exploits chevaleresques et leur merveilleux féerique. Ses romans se rattachent tous au *cycle Arthurien*.

3. L'INSPIRATION PROVENÇALE : C'est encore sous l'influence de Marie de Champagne, séduite par la conception provençale de l'amour que Chrétien de Troyes consacra ses romans à l'amour et au culte de la femme. Il compose des romans où les chevaliers, soumis aux caprices de leur *dame*, réalisent pour lui plaire les exploits qu'ils accomplissaient autrefois pour leur suzerain.

4. L'INSPIRATION MYSTIQUE : A la fin de sa vie (entre 1182 et 1190), Chrétien de Troyes est au service du comte de Flandre, qui lui procure un livre où est contée en latin *l'histoire du Graal*. Il passe, toujours dans le genre romanesque et merveilleux, de l'inspiration galante à l'inspiration mystique, qui s'exprime dans le roman de *Perceval*, mais sera surtout précisée par ses continuateurs.

Son œuvre : le conflit de l'amour et de l'aventure

Une partie de son œuvre est perdue, notamment un *Tristan et Iseut*. Les romans qui subsistent nous le montrent soucieux de soutenir des thèses courtoises. Son thème favori est de ceux qui divisent éternellement l'âme masculine : le conflit entre l'amour et le goût de l'aventure.

EREC nous montre un héros qui conquiert, par sa prouesse, la femme aimée, puis s'oublie dans les douceurs de la vie au foyer. Accusé de lâcheté, même par sa femme, il reprend la vie du chevalier aventureux et, pour se venger, impose à sa femme de partager ses épreuves : l'amour a cédé le pas à l'aventure.

LE CHEVALIER AU LION soutient la thèse contraire : YVAIN, coupable d'avoir sacrifié l'amour au goût des aventures, n'obtient son pardon qu'en acceptant de rester fidèlement au foyer.

Dans LANCELOT, la thèse et le sujet sont dictés par Marie de Champagne : le parfait amant sacrifie son honneur et sa vie à l'amour d'une dame altière et tyrannique ; l'amour devient l'unique objet de l'aventure.

Dans PERCEVAL enfin, œuvre mystique, c'est au devoir religieux qu'est subordonnée l'aventure.

Ce goût de la thèse et des idées générales deviendront des traits essentiels du génie français.

L'art du conteur

I. LA FERTILITÉ DE L'INVENTION : Dans chaque roman, l'intrigue, par son ingéniosité, sa variété, renouvelle sans cesse l'intérêt. Tout l'arsenal des légendes bretonnes est parfaitement utilisé par le conteur.

Il a mis à la mode un procédé qui a fait fortune dans le roman : celui des intrigues entrelacées, avec interruption du récit au moment le plus captivant. Il faut d'ailleurs convenir que ses romans manquent d'unité : on se perd dans ces cascades d'épisodes touffus qui retardent sans cesse le dénouement.

2. L'ANALYSE DES SENTIMENTS : Certes il ne descend pas dans les cœurs avec la pénétration et la sympathie de Thomas d'Angleterre dans *Tristan et Iseut*. Ses amants ne nous émeuvent pas profondément : leurs sentiments sont peints de l'extérieur. Mais le poète s'est amusé à observer, en spectateur intelligent et malicieux, tous les ingénieux manèges de l'amour. Il a su démonter le mécanisme de certaines âmes, et le faire clairement jouer devant nous. Sa vérité est justement dans la précision de cette analyse.

3. LA PEINTURE DE LA RÉALITÉ CONTEMPORAINE : Chrétien de Troyes excelle à peindre la vie matérielle. Cet observateur a su insérer dans son œuvre beaucoup de la réalité de son temps. Il sait voir et décrire tout l'extérieur de la vie : châteaux, vêtements, meubles, cérémonies, tournois, coutumes, tout un aspect documentaire de la vie raffinée qui devait ravir les lecteurs contemporains.

CHRÉTIEN DE TROYES connut en son temps un immense succès. Avec lui était définitivement créé le genre du roman : par sa souplesse, son aptitude à accueillir tout ce qui peut séduire l'imagination, le cœur et l'intelligence, ce genre était promis à une prodigieuse fortune.

LANCELOT
OU LE CHEVALIER A LA CHARRETTE

En son château de Camaalot, le roi ARTHUR *tient cour plénière quand survient un chevalier inconnu. Il a fait prisonniers des chevaliers d'Arthur et offre de les rendre si un champion du roi vient lui disputer, dans la forêt, la reine* GUENIÈVRE *qu'il exige comme otage. Le sénéchal* Keu *accepte le combat, mais on voit bientôt revenir son cheval sans cavalier.*

GAUVAIN, *neveu du roi, part à la recherche de la reine ; en route, il prête un de ses destriers à un autre chevalier inconnu, dont le cheval est fourbu. Mais, quelque temps plus tard, il trouve le cadavre de ce destrier entouré d'armes brisées, comme s'il s'était produit un violent assaut. Il assiste alors à un étrange spectacle.*

UN DÉBAT « CORNÉLIEN »

SCÈNE CAPITALE qui a donné son titre au roman. L'auteur, dont le récit progresse allègrement, a su, sans s'attarder, poser avec une simplicité et une netteté toutes « corné-liennes » les éléments de ce *débat intérieur*. Pour comprendre l'hésitation de Lancelot, songeons au *culte de l'honneur*, unique passion des chevaliers dans les anciennes Chansons de Geste. *Une autre passion* vient ici lui disputer la prééminence. Que de *chefs-d'œuvre* naîtront désormais de ce conflit sans cesse repris par les psychologues, au théâtre et dans le roman !

Il retrouva par aventure [1] le chevalier [2] tout seul, à pied, tout armé, le heaume lacé, le bouclier pendu au cou, l'épée ceinte : il venait d'atteindre une charrette. La charrette était alors ce que sont aujourd'hui les

---

— 1 Par hasard. — 2 On apprendra, bien plus loin, qu'il s'agit de Lancelot.

piloris : dans chaque bonne ville où il y en a maintenant plus de trois mille, il n'y en avait, en ce temps-là, qu'une seule, et elle était commune — tout comme les piloris — à ceux qui commettent meurtres ou trahisons, aux vaincus en duel judiciaire, et aux larrons qui ont eu le bien d'autrui par larcin ou qui l'ont pris de force sur les chemins. Qui était pris en faute était en charrette mis et mené par toutes les rues ; puis il perdait tous ses droits

10 et n'était plus ouï à la cour, ni honoré, ni fêté. Parce qu'en ce temps-là les charrettes étaient telles, et si cruelles, on a dit d'abord : « Quand tu verras charrette et la rencontreras, signe-toi et souviens-toi de Dieu, que [3] mal ne t'en advienne. »

Le chevalier, à pied, sans lance, après la charrette s'avance, et voit un nain sur les brancards, qui tenait, comme un charretier, une longue verge en sa main. Le chevalier a dit au nain : « Nain, pour Dieu ! dis-moi donc si tu as vu par ici passer madame la reine. » Le nain, un misérable, de basse origine, ne veut pas lui en donner de nouvelle, mais lui dit : « Si tu veux monter sur la charrette que je mène, tu pourras savoir d'ici demain

20 ce que la reine est devenue. » Aussitôt il reprend sa route, sans l'attendre d'un pas ni d'une heure. Deux pas seulement s'attarde le chevalier avant d'y monter. C'est pour son malheur qu'il le fit, pour son malheur qu'il craignit la honte et ne sauta pas aussitôt sur la charrette : il aura à s'en repentir.

Mais Raison [4], qui d'Amour se sépare, lui dit qu'il se garde bien d'y monter ; elle le gourmande et lui enseigne de ne rien faire ni entreprendre dont il ait honte ni reproche [5]. Ce n'est pas au cœur, mais sur la bouche que Raison ose lui dire cela. Mais Amour est au cœur enclos, qui lui commande et lui ordonne de monter aussitôt sur la charrette. Amour le veut et

30 il y saute, car de la honte peu lui chaut [6] puisque Amour le commande et le veut.

Messire Gauvain s'avance, éperonnant son cheval, après la charrette. Quand il y trouve assis le chevalier, il s'en émerveille [7], puis dit au nain : « Renseigne-moi, si tu sais quelque chose de la reine. » L'autre lui dit : « Si tu te hais autant que ce chevalier qui est assis là-dessus, monte avec lui, s'il te convient, et je te conduirai avec lui. » Quand messire Gauvain entendit ce langage, il le tint pour grande folie et dit qu'il n'y monterait pas, car ce serait un trop vilain échange que celui d'un cheval pour une charrette : « Va donc où tu voudras ; j'irai où tu iras. »

40 Alors, ils se remettent en route, l'un chevauchant, les deux autres sur la charrette [8]. Le soir, ils arrivent à un château ; et sachez que ce château était fort riche et fort beau. Tous trois entrèrent par la porte ; du chevalier que l'on transporte s'étonnent les gens, mais ils ne cherchent pas à comprendre : ils le huent, petits et grands, et les vieillards et les enfants, par

---

— 3 De peur que... — 4 Le débat prend la forme d'une allégorie où les abstractions morales sont personnifiées. — 5 C'est la définition de l'honneur chevaleresque. — 6 Peu lui importe la honte (tour archaïque). — 7 Il s'en étonne. Le mot *merveille* se rattache au latin *mirabilia* : prodige étonnant. — 8 Le texte original dit. très joliment : « *Cil chevauche, cil dui charretent* ».

les rues, à grandes huées ; le chevalier entend sur lui bien des vilenies et des mépris. Tous demandent : « A quelle torture sera ce chevalier conduit ? Sera-t-il écorché et pendu, noyé ou brûlé sur un feu d'épines ? Dis, nain, dis-nous, toi qui le traînes : en quel forfait fut-il surpris ? L'a-t-on de larcin convaincu ? Est-il meurtrier ou vaincu ? » Mais le nain garde le
50 silence et ne répond ni à l'un, ni à l'autre. Il mène le chevalier au château...

Le Chevalier à la Charrette (v. 318-424).

Après une nuit d'épreuve (*une lance enflammée vient mettre le feu à son lit !*), *le mystérieux chevalier aperçoit, d'une fenêtre, la reine Guenièvre, que* MELEAGANT, *fils du roi Bademagu, emmène au pays de Gorre « d'où nul étranger ne retourne ». De désespoir, il se jetterait par la fenêtre, si Gauvain ne le retenait.*

Pour atteindre le pays de Gorre, deux voies périlleuses s'offrent à eux : le PONT-SOUS-L'EAU, *et le* PONT DE L'ÉPÉE. *Gauvain prend la première et le « chevalier à la charrette » choisit la seconde comme la plus directe. Au terme de multiples aventures, il arrive avec deux compagnons au Pont de l'Épée.*

LE PONT DE L'ÉPÉE

Page *romanesque* à souhait, où tout a l'attrait de *l'imprévu :* un fleuve effrayant, un pont extraordinaire, un enchantement redoutable qui s'évanouit devant la résolution du héros. Mais, à travers la fantaisie de l'intrigue, sachons voir *la vérité de l'analyse.* Les dangers, les souffrances, et même les craintes de ses compagnons mettent en lumière la *passion* de Lancelot. Le *merveilleux* lui-même repose sur une *vérité morale :* cette hallucination symbolise les obstacles imaginaires qui découragent les faibles et qui s'évanouissent, par enchantement, devant tout homme audacieux et résolu.

Leur droit chemin vont [1] cheminant, tant que [2] le jour va déclinant, et arrivent au Pont de l'Épée, après la neuvième heure, vers la soirée.

Au pied du pont, qui est fort dangereux, ils descendent de leurs chevaux et voient l'onde traîtresse, rapide et bruyante, noire et épaisse, aussi laide et épouvantable que si ce fût le fleuve du diable, si périlleuse et si profonde qu'il n'est aucune chose au monde, si elle y tombait, qui ne fût engloutie, tout comme en la mer salée.

Le pont qui est au travers était de tous autres différent : jamais il n'y en eut, il n'y en aura, de semblable. Jamais il n'y eut, à vrai dire, si
10 mauvais pont ni si mauvaise planche : une épée fourbie et blanche servait de pont sur l'onde froide ; mais l'épée était forte et roide et avait deux lances de long ; sur chaque rive était un tronc où cette épée était clouée. Il n'y a pas à craindre qu'elle se brise ou qu'elle ploie et fasse tomber le chevalier dans le gouffre : elle avait tant de résistance qu'elle pouvait porter un lourd fardeau.

— 1 Ils vont... — 2 Jusqu'à ce que...

Mais ce qui décourageait les deux chevaliers qui étaient avec lui, c'est qu'ils croyaient voir deux lions ou deux léopards, au bout du pont, sur l'autre rive, liés à une grosse pierre. L'eau, le pont et les lions les mettent en telle frayeur qu'ils tremblent tous deux de peur, et disent : « Beau sire,
20 prenez conseil de ce que vous voyez : c'est nécessaire, c'est grand besoin. Il est mal construit et mal joint, ce pont, et mal charpenté. Si vous ne vous ravisez à temps, vous vous en repentirez trop tard... Pouvez-vous penser et croire que ces deux lions furieux, qui là-bas sont enchaînés, ne puissent vous tuer et vous sucer le sang des veines et vous manger la chair et vous ronger les os ?... Ayez donc pitié de vous et retournez-vous-en avec nous ! Vous seriez coupable envers vous-même, si en péril certain de mort vous vous mettiez volontairement. » Mais il leur répond en riant : « Seigneurs, je vous remercie et je vous sais gré de tant vous émouvoir pour moi : ce sentiment vient de votre amitié et de votre loyauté. Je sais bien qu'à aucun
30 prix vous ne voudriez mon malheur. Mais j'ai tant de foi et tant de croyance en Dieu qu'il me protégera partout. Ce pont et cette eau, je ne les crains pas plus que cette terre dure ; je veux risquer l'aventure de passer outre, et de m'équiper. Mieux vaut mourir que retourner. » Ils ne savent plus que lui dire, mais de pitié ils pleurent et soupirent, l'un et l'autre, très fort.

Mais lui, pour traverser le gouffre, du mieux qu'il peut il se prépare. Il fait une étrange merveille : il désarme ses pieds et ses mains ; il ne sera ni tout entier ni sain quand il arrivera sur l'autre rive. Il se sera solidement tenu sur l'épée plus tranchante qu'une faux, les mains nues, les pieds déchaussés. Car il n'avait laissé à ses pieds ni souliers ni chausses : il ne
40 s'inquiétait guère de se blesser les pieds et les mains. Il aimait mieux se mutiler que de tomber du pont et s'enfoncer dans l'eau dont jamais il ne serait sorti. A grande douleur, — mais que lui importe ! — il passe outre, en grande détresse, mains et genoux et pieds se blesse ; mais, ce qui l'encourage et le guérit, c'est Amour qui le mène et le conduit, et tout lui est doux à souffrir !

Des mains, des pieds et des genoux, il fait tant qu'il arrive de l'autre côté. Alors, il se rappelle, il se souvient des deux lions qu'il croyait avoir vus quand il était sur l'autre bord : il regarde et n'y voit pas même un lézard ni la moindre chose dangereuse. Il découvre, puisqu'il n'y trouve
50 aucun des deux lions qu'il croyait avoir vus, qu'il avait été enchanté et trompé, car il n'y avait âme qui vive... Le sang coule de ses plaies sur sa chemise.

Le Chevalier à la Charrette (v. 3017-3150).

Devant lui se dresse le château du roi BADEMAGU, *père de Méléagant. Guéri par le chirurgien du vieux roi plein de courtoisie, notre hardi chevalier obtient de disputer la reine, en champ clos, à son farouche ravisseur. La bataille est terrible, et Méléagant va l'emporter sur le champion de la reine qui, d'une fenêtre de la tour, assiste au combat... Mais une suivante de Guenièvre s'avise d'un stratagème et demande à sa maîtresse le nom de son défenseur : le lecteur l'apprend ainsi pour la première fois, vers le milieu du roman, selon un procédé cher à Chrétien de Troyes.*

L'AMOUR SOURCE DE PROUESSE

C'est un des thèmes de la littérature courtoise. Si l'*amour* peut conduire le héros à se déshonorer, il peut aussi lui inspirer les plus héroïques exploits. La seule *vue* de sa dame retrempe l'énergie de Lancelot : non content de prendre l'avantage sur son adversaire, il a la coquetterie de l'*humilier* sous les yeux de la reine.

« Demoiselle, fait la reine... Lancelot du Lac [1] est le nom du chevalier je pense. — Dame, comme j'ai le cœur riant et gai ! » fait la demoiselle. Alors elle s'élance et l'appelle si haut, d'une voix si claire, que tout le peuple l'entend : « Lancelot ! retourne-toi ; regarde qui est là, et qui de toi prend garde [2] ! »

Quand Lancelot s'entend nommer, il ne tarde guère à se retourner : il se retourne et voit, là-haut, la créature que, de tout au monde, il désirait le plus revoir, assise aux loges de la tour. Depuis l'instant qu'il l'aperçut, il ne détourna d'elle ni ses yeux ni son visage, mais se défendit par derrière.
10 Et Méléagant le pressait le plus qu'il pouvait, tout joyeux de penser qu'il n'était plus homme à se défendre...

Alors derechef [3] s'écria la demoiselle, de la fenêtre : « Ah ! Lancelot, comment se peut-il que si follement tu te conduises ? Il y avait jadis en toi tout l'honneur et toute la prouesse, et je ne pense pas, je ne crois pas que jamais chevalier eût pu se mesurer à ta valeur et à ton prix. Maintenant, nous te voyons si entrepris [4] que tu jettes en arrière tes coups et combats derrière ton dos. Tourne-toi, de manière à nous faire face et à regarder cette tour qu'il te fait si bon voir ! »

Alors, Lancelot, pris de honte... bondit en arrière, tourne son adversaire,
20 et, de vive force, place Méléagant entre lui et la tour. Méléagant s'efforce de retourner de l'autre côté ; mais Lancelot court sur lui, le heurte avec tant de violence, de tout le corps sur tout le bouclier, quand il veut changer de côté, qu'il le fait virevolter deux fois ou plus à son vif dépit ; et force et courage lui viennent, car Amour lui est de grand secours... Lancelot, à grands coups, le refoule vers la tour où la reine était accoudée. Il l'arrête aussi près qu'il lui convient, car il ne la verrait plus s'il s'avançait trop près. Ainsi, Lancelot, à maintes reprises, le menait en arrière, en avant, partout où il lui convenait, et s'arrêtait toujours devant la reine, sa dame, qui lui a mis au corps la flamme, parce qu'il la contemple passionnément ;
30 et cette flamme le rendait si ardent [5] contre Méléagant que partout où il lui plaisait, il le menait et le chassait. Comme un aveugle et comme un estropié, il le mène bon gré mal gré.

Le Chevalier à la Charrette (3673-3775).

— 1 Il a été élevé par la « *dame du Lac* », la fée Viviane. — 2 « Qui s'intéresse à toi ». — | 3 De nouveau. — 4 Embarrassé. — 5 Image précieuse.

A la demande de la reine, le héros « obéissant » fait grâce à son déloyal adversaire. Lancelot croit avoir mérité les grâces de sa dame, mais elle l'accueille durement et refuse de l'entendre. Est-ce pour être monté dans la charrette d'infamie? Au contraire, c'est pour avoir hésité « le temps de deux pas », avant d'y monter. Lancelot devra expier cette faute contre le code du parfait amour courtois. D'abord, il se verra enfermé dans une tour, et c'est GAUVAIN, *enfin arrivé après mille périls par le Pont-sous-l'eau, qui aura l'honneur de ramener Guenièvre au roi Arthur. Puis, un* tournoi solennel *étant convoqué par Arthur, Lancelot, libéré sur parole, s'y rend sans se faire connaître. Il y remporte d'éclatants succès, jusqu'au moment où, sur l'ordre de la reine, il doit combattre* « au pire », *et se laisser vaincre honteusement, sous les huées de la foule. C'est seulement lorsqu'il s'est ainsi humilié pour obéir aux caprices de sa dame qu'il est autorisé à* « faire au mieux », *et à se couvrir de gloire.*

Un an plus tard, Lancelot, revenu dans sa prison par fidélité à sa parole, est délivré par la propre sœur de Méléagant et arrive à la cour juste à temps pour y rencontrer le misérable qu'il tue devant le roi et devant sa dame.

YVAIN OU LE CHEVALIER AU LION

L'amour   *A la cour du roi Arthur,* Calogrenant *raconte la mésaventure qui lui est advenue dans la* forêt de Brocéliande *pour avoir répandu l'eau d'une fontaine merveilleuse. Le roi décide de s'y rendre avant quinze jours. De son côté* YVAIN *se rend à la fontaine, puise un peu d'eau et la verse sur le perron. Aussitôt s'élève une violente tempête, puis un chevalier inconnu attaque Yvain. Mais ce dernier blesse mortellement son adversaire et le poursuit jusque dans un château dont la porte se referme derrière eux. Yvain serait en grand péril si la servante* LUNETTE, *à qui il a jadis rendu service, ne lui donnait un anneau qui le rend invisible. Il assiste ainsi aux funérailles de son adversaire,* Esclados le Roux, *et s'émeut devant la douleur et la beauté de la veuve.*

Cette beauté est-elle le chef-d'œuvre de Dieu ou de la Nature? Pendant qu'Yvain agite cette subtile question, les portes se referment et notre chevalier reste prisonnier. *Peu lui importe d'ailleurs ! Lunette vient lui demander ce qu'il désire et il lui laisse deviner ses sentiments pour sa maîtresse.*

LUNETTE OU LA DIPLOMATIE

Une authentique *scène de comédie,* au dialogue vif et spirituel : la rouerie de la servante, la pudeur de la dame et pourtant sa complaisance à écouter Lunette, la finesse de l'analyse, font songer à MARIVAUX. LA FONTAINE a traité le même thème dans *La Jeune Veuve* (Fables, VI, 21), et dans le joli conte de *La Matrone d'Éphèse,* inspiré de Pétrone.

La demoiselle [1] était si intime avec sa dame qu'elle ne craignait de rien lui dire, si grave que fût la chose ; car elle était sa suivante et sa gardienne. Pourquoi eût-elle redouté de consoler sa dame et de lui rappeler ses intérêts [2]? D'abord elle lui dit à cœur ouvert : « Dame, je m'étonne de vous voir agir si follement. Croyez-vous donc recouvrer votre seigneur par ce grand deuil ? — Non, fait-elle, mais je voudrais être morte de douleur. — Pourquoi ? — Pour aller avec lui. — Avec lui ?

— 1 Lunette ; la dame se nomme Laudine. — 2 C'est l'idée directrice de la scène.

Dieu vous en garde, et vous rende un aussi bon seigneur [3], comme il en a
le pouvoir. — Jamais tu n'as dit un tel mensonge : il ne pourrait m'en
10 rendre un aussi bon ! — Un meilleur, si vous voulez le prendre : je vous le
prouverai. — Fuis ! tais-toi ! Jamais je ne le trouverai. — Vous le ferez,
madame, si cela vous plaît. Mais, dites-moi, ne vous déplaise, votre terre,
qui la défendra, quand le roi Arthur y viendra [4] ? Il doit venir, l'autre
semaine, au perron [5] et à la fontaine... Vous devriez prendre conseil pour
défendre votre fontaine ; et vous ne cessez de pleurer ! Vous n'auriez pas
de temps à perdre, s'il vous plaît, ma chère dame ; car tous les chevaliers
que vous avez ne valent pas, vous le savez bien, une chambrière. Même
celui qui s'estime le plus brave ne prendra ni écu ni lance. Vous avez
beaucoup de mauvaises gens, mais pas un seul homme assez fier pour
20 monter à cheval, et le roi vient avec une si grande armée qu'il vous prendra
tout, sans défense. »

La dame sait fort bien que Lunette la conseille fidèlement ; mais elle
a en soi cette folie que toute femme porte en elle ; presque toutes agissent
de même : n'écoutant que leur folie, elles refusent ce qu'elles désirent [6].
« Fuis, fait-elle, laisse-moi en paix ! Si jamais je t'en entends reparler, tu
feras bien de t'enfuir ! Tu parles tant que tu m'attristes. — A la bonne
heure, madame ! on voit bien que vous êtes femme qui s'irrite quand elle
entend qu'on lui donne un bon conseil ! » Alors, elle se retire et la laisse
seule.
30 La dame y revient et se rend compte qu'elle avait eu grand tort. Elle
voudrait bien savoir comment la demoiselle pourrait prouver qu'on peut
découvrir un chevalier meilleur que ne fut jamais son seigneur. Bien
volontiers elle le lui entendrait dire, mais elle le lui a défendu. En cette
pensée, elle a attendu le retour de Lunette. Celle-ci ne respecte aucune
défense et revient à la charge : « Ah ! dame, est-il raisonnable de vous faire
périr de chagrin ? Pour Dieu, dominez-vous et laissez cela, au moins par
honneur [7] ! Une si haute dame ne doit pas garder le deuil si longtemps :
souvenez-vous de votre rang et de votre grande noblesse ! Croyez-vous que
toute prouesse soit morte avec votre seigneur ? Cent aussi bons et cent
40 meilleurs sont restés par le monde [8] ! — Si tu ne mens, Dieu me confonde !
Et cependant, nomme-m'en un seul qui soit réputé aussi vaillant que mon
seigneur en toute sa vie. — Vous m'en sauriez mauvais gré, vous vous en
courrouceriez, vous me détesteriez. — Je n'en ferai rien, je te l'assure. —
Que ce soit pour votre bonheur, qui adviendra, si cela vous convient ; et
Dieu veuille que cela vous plaise ! Je ne vois pas pourquoi me taire puisque
nul ne nous entend, nul ne nous écoute. Vous me tiendrez pour bien hardie,
mais je dirai volontiers, ce me semble : quand deux chevaliers en sont
venus aux prises, en combat, lequel croyez-vous qui mieux vaille, quand

---

— 3 Ce sens pratique est moins choquant
au Moyen Age, où se marier est pour une veuve
une nécessité sociale. — 4 Deuxième argument.
— 5 Grosse pierre. Il s'agit de la margelle de
la fontaine. — 6 Jolie notation psychologique. —
7 Nouvel argument qui fait appel à un autre
sentiment. — 8 Sommet dramatique de la scène.
Noter la franchise brutale.

l'un a vaincu l'autre ? Pour moi, je donne le prix au vainqueur. Et vous ?
50 — Je crois que tu me tends un piège, et que tu veux me prendre à mes
paroles. — Par ma foi ! vous pouvez bien comprendre que je suis dans le
vrai, et je vous prouve, par nécessité, que mieux vaut celui qui a vaincu
votre seigneur. Il l'a vaincu et pourchassé hardiment jusqu'ici et l'a enfermé
dans sa maison. — J'entends, dit-elle, la déraison la plus grande qui jamais
fut dite. Fuis, mauvais esprit ; fuis, fille folle et insupportable ! Ne dis
jamais pareille sottise ! Ne reviens jamais devant moi pour me parler
encore de lui ! — Certes, dame, je savais bien que vous ne m'en sauriez
pas gré : je vous l'avais bien dit avant. Mais vous m'aviez promis que vous
ne m'en voudriez pas, et que vous n'en auriez pas de colère. Vous avez
60 mal tenu votre promesse. Ainsi qu'est-il advenu ? vous m'avez dit ce qu'il
vous a plu, et j'ai perdu une bonne occasion de me taire.

Le Chevalier au Lion (v. 1589-1726).

LA NUIT PORTE CONSEIL

On admirera la *souplesse du récit* où la psychologie revêt les formes les plus diverses : analyse, monologue, dialogue. *De plus en plus vivant !* L'auteur souligne en *humoriste* les
étapes du revirement de Laudine. La fin de notre extrait constitue une fine *comédie de
caractère.*

Cependant la dame, toute la nuit, fut en grande dispute avec elle-même,
car elle était en grand désir de protéger sa fontaine. Elle commence à se
repentir d'avoir blâmé Lunette, de l'avoir injuriée et maltraitée. Elle est
sûre et certaine que, si elle a plaidé pour le chevalier, ce n'est ni pour
de l'argent, ni par reconnaissance, ni par amour pour lui ; elle aime sa
maîtresse plus que lui et ne la conseillerait pas pour sa honte ou pour son
malheur : c'est une trop fidèle amie. Voilà donc la dame retournée : celle
qu'elle a maltraitée, elle n'aurait jamais cru en venir à l'aimer de bon cœur ;
et celui qu'elle a refusé, elle accorde, par la raison et par le droit, qu'il n'a
10 aucun tort envers elle. Elle raisonne avec lui comme s'il était là, devant
elle. Elle commence ainsi son procès : « Va, fait-elle, peux-tu nier que par
toi mon mari fut tué ? — Cela, dit-il, je ne peux y contredire, et je le
reconnais. — Dis-moi donc pourquoi. Est-ce pour me faire mal, par haine
ou par dépit ? — Que je meure sans attendre, si j'ai voulu vous faire mal. —
Donc, envers moi tu n'as pas forfait ; et envers lui, tu n'eus aucun tort, car
s'il l'avait pu, il t'aurait tué. Ainsi, me semble-t-il, je crois que j'ai bien
et droitement jugé. »

Ainsi, elle se prouve à elle-même, avec justice, bon sens et raison,
qu'elle n'a nul droit de le haïr. Elle se paie des arguments qui lui plaisent ;
20 elle s'enflamme d'elle-même, comme la bûche qui fume si bien que la
flamme s'y met sans qu'on y souffle, sans qu'on l'attise. Maintenant, si la

demoiselle venait, elle gagnerait la cause pour laquelle elle a tant plaidé qu'elle en a été fort malmenée.

Elle revint au matin et recommença son latin là où elle l'avait laissé. La dame tenait la tête baissée, qui se savait coupable de l'avoir maltraitée : mais elle veut se racheter, et du chevalier demander le nom, l'état et le lignage. Elle s'humilie, en femme sage, et dit : « Je veux vous demander pardon de ce grand outrage et des paroles orgueilleuses que je vous ai dites follement ; je m'en remets à votre expérience. Mais, dites-moi, si vous savez, le chevalier dont vous m'avez parlé si longuement, quel homme est-il ? de quelle famille ? S'il est digne de moi, à condition qu'il ne me dédaigne pas, je le ferai, je vous l'accorde, seigneur de ma terre et de moi. Mais il faudra agir de sorte qu'on ne puisse me le reprocher et dire : « C'est celle qui a épousé le meurtrier de son mari ». — Au nom de Dieu, dame, il en sera ainsi. Vous aurez le mari le plus noble, le plus vaillant et le plus beau qui fut jamais issu de la race d'Abel. — Quel est son nom ? — Messire Yvain. — Ma foi, ce n'est pas un vilain ; il est très noble, je le sais bien : c'est le fils du roi Urien. — Ma foi, dame, vous dites vrai. — Et quand pourrons-nous l'avoir ? — D'ici cinq jours. — C'est trop tarder : je le voudrais déjà ici. Qu'il vienne cette nuit, ou demain au plus tard ! — Dame, je ne crois pas qu'un oiseau puisse, en un jour, tant voler. Mais j'y enverrai un garçon qui court très vite, et qui sera à la cour du roi Arthur, j'espère, au moins demain soir ; d'ici là, on ne peut le trouver. — C'est bien trop long ! Les jours sont longs : dites-lui que demain soir il soit de retour, plus tôt que de coutume, car, s'il veut bien se forcer, il fera de deux journées une. Chaque nuit luira la lune : qu'il fasse de la nuit le jour ! Je lui donnerai, au retour, tout ce qu'il désirera. — Laissez-moi faire : vous l'aurez entre vos mains dans trois jours au plus tard ! »

Le Chevalier au Lion (v. 1734-1844).

ENTREVUE COURTOISE

Lunette est arrivée à ses fins. Elle ne peut s'empêcher de *mystifier Yvain*, dont le manque d'assurance, au début de la scène, est assez divertissant. *L'entrevue courtoise*, très habilement construite, nous montre le chevalier agenouillé aux pieds de sa dame : de telles scènes devaient faire les délices des lectrices du XIIᵉ siècle. Le dialogue tend vers un *échange de répliques brillantes* qui sont autant de pointes *précieuses*. Mais la déclaration d'Yvain s'exprime avec une *force* et une *spontanéité* plus proches de la vraie nature. — *La rusée va retrouver Yvain, le fait magnifiquement habiller. Puis elle conduit, auprès de* LAUDINE *impatiente, le jeune chevalier, en le menaçant des* rigueurs de la dame *pour cet inconnu qui s'est introduit chez elle.*

Il fut tellement saisi de crainte qu'il se crut trahi et se tint immobile, à l'écart, jusqu'au moment où Lunette s'écria : « Aux cinq cents diables l'âme de celle qui mène dans la chambre d'une belle dame un

chevalier qui n'ose s'en approcher et qui n'a langue ni bouche, ni esprit pour l'aborder ! » A ces mots elle le tire par le bras et lui dit : « Avancez-là, chevalier, et ne craignez pas que ma dame vous morde ! Demandez-lui paix et concorde, et je l'en prierai avec vous : qu'elle vous pardonne la mort d'Esclados le Roux, qui était son seigneur. » Messire Yvain joint ses mains, se met à genoux et dit loyalement : « Dame, je ne vous demanderai
10 pas merci [1], mais je vous remercierai pour tout ce que vous voudrez me faire ; car rien, de vous, ne me saurait déplaire. — Vraiment, sire ? Et si je vous tue ? — Dame, grand merci à vous. Vous n'entendrez jamais d'autre parole. — Jamais, dit-elle, je n'ai entendu telle réponse : vous vous remettez à merci, entièrement en mon pouvoir, sans que je vous y force ? — Dame, nulle force n'est aussi forte, sans mentir, que celle qui me commande de consentir à votre volonté, en toute chose. Je ne crains pas de faire telle action qu'il vous plaira de me commander ; et si je pouvais réparer ce meurtre, dans lequel je n'eus aucun tort, je le réparerais sans discussion. — Comment ? fait-elle. Prouvez-le moi, et je vous tiens quitte de réparation,
20 s'il est vrai que vous n'aviez aucun tort quand vous avez tué mon seigneur [2].
— Dame, fait-il, je vous en prie, quand votre seigneur m'attaqua, quel tort eus-je de me défendre ? Quand un homme veut en tuer ou en prendre un autre, si celui qui se défend le tue, dites s'il a commis une faute. — Non, si l'on regarde le droit. Et je crois qu'il ne servirait à rien de vous faire mettre à mort. Mais je voudrais bien savoir d'où peut venir cette force qui vous commande d'obéir, sans réserve, à tout mon vouloir. Je vous tiens quitte de tout tort et de tout méfait ; mais, asseyez-vous et contez-nous comment vous êtes ainsi dompté [3]. — Dame, fait-il, la force vient de mon cœur, qui dépend de vous ; c'est mon cœur qui m'a mis en votre pouvoir. —
30 Et qui y a mis le cœur, beau doux ami ? — Dame, ce sont mes yeux. — Et les yeux, qui ? — La grande beauté que j'ai vue en vous. — Et la beauté, quel est son crime ? — Dame, c'est elle qui me fait aimer. — Aimer, et qui ? — Vous, dame chère. — Moi ? — Oui, vous. — De quelle manière ? — De manière telle qu'il ne peut être un plus grand amour ; telle que mon cœur ne vous quitte jamais, et que jamais je ne le sens ailleurs, telle que je ne puis penser à autre chose, telle que je me donne tout à vous, telle que je vous aime plus que moi, telle que, s'il vous plaît, pour vous je veux mourir ou vivre. — Et oseriez-vous entreprendre, pour moi, de défendre ma fontaine ? — Oui, Madame, contre tous les hommes. — Sachez donc que
40 nous sommes réconciliés.

Le Chevalier au Lion (v. 1955-2048).

L'aventure   *Yvain épouse la veuve, mais, entraîné par Gauvain, il se laisse reprendre par le goût de l'aventure : Laudine consent à le laisser partir, à condition qu'il revienne au bout d'un an. L'année écoulée, Yvain oublie son serment et sa dame lui interdit de reparaître. Yvain est alors pris de folie ; il*

— 1 *Pardon*. L'auteur joue sur les mots *merci* | Laudine l'avait rêvé. — 3 Brusque changement et *remercier*. — 2 Les choses se passent comme | de thème.

erre dans les bois, demi-nu. Il sauve un lion *aux prises avec un serpent ; la noble bête s'attache à lui, l'accompagne partout et combat ses ennemis. Pour tous il est désormais le* « CHEVALIER AU LION », *dont les exploits se multiplient. Il libère* les tisseuses de soie *des maîtres sans cœur qui leur imposent des travaux épuisants.*

COMPLAINTE DES TISSEUSES DE SOIE

Dans la légende primitive, ces ouvrières, captives de deux diables dans le CHATEAU DE PESME-AVENTURE [1], étaient, croit-on, des *âmes* prisonnières de l'Enfer : le héros devait les délivrer, comme dans tant de légendes mythologiques. CHRÉTIEN DE TROYES aurait transposé dans la claire réalité la brumeuse légende celtique, et c'est la *complainte des tisseuses de soie*, dans les ateliers de Champagne ou d'Artois, qu'il nous fait entendre. La poésie y perd peut-être de son mystère, mais quelle *émouvante protestation* — chez ce poète de la belle société — contre la misère ouvrière au XIIe siècle !

Toz jorz dras de soie tistrons	Toujours draps de soie tisserons [2] :
Ne ja n'an serons miauz vestues.	Jamais n'en serons mieux vêtues.
Toz jorz serons povres et nues	Toujours serons pauvres et nues
Et toz forz fain et soif avrons ;	Et toujours faim et soif aurons ;
Ja tant gaeignier ne savrons,	Jamais tant gagner ne saurons
Que miaux an aïens a mangier.	Que mieux en ayons à manger.
Del pain avons a grant dangier	Du pain avons à grand *dangier* [3],
Au main petit et au soir mains,	Au matin peu et au soir moins :
Que ja de l'uevre de noz mains	Jamais de l'œuvre de nos mains
10 *N'avra chascune por son vivre*	N'aura chascune pour son vivre 10
Que quatre deniers de la livre.	Que quatre deniers de la livre [4].
Et de ce ne poons nos pas	Et de ce ne pouvons -nous pas [5]
Assez avoir viande et dras ;	Assez avoir viande [6] et draps ;
Car, qui gaaigne la semainne	Car, qui gagne [dans] la semaine
Vint souz, n'est mie fors de painne.	Vingt sous, n'est mie [7] hors de peine.
Et bien sachiez vos a estroz	Et sachez vraiment *a estrouz* [8]
Que il n'i a celi de nos	Qu'il n'y a celle [9] d'entre nous
Qui ne gaaint vint sous ou plus,	Qui ne gagne vingt sous au plus :
De ce seroit riches uns dus !	De cela serait riche un duc [10] !
20 *Et nos somes an grant poverte,*	Et nous sommes en grand'*poverte* [11] : 20
S'est riches de nostre deserte	S'enrichit de notre *deserte* [12]
Cil por cui nos nos traveillons.	Celui pour qui nous travaillons.
Des nuiz grant partie veillons	Des nuits grand'partie nous veillons
Et toz les jorz por gaeignier ;	Et tout le jour, pour [y] gagner ;
Qu'an nos menace a maheignier	On nous menace *a maheignier* [13]
Des manbres, quant nos reposons,	Nos membres, quand nous reposons,
Et por ce reposer n'osons.	Et pour ce reposer n'osons.

Le Chevalier au Lion (v. 5298-5327).

— 1 « La *Pire*-Aventure » (*pessima*). — 2 Le texte est modernisé et très légèrement adapté. On remarquera la netteté éloquente de ces formules antithétiques et parfois l'accent très moderne de la protestation. — 3 Peine. — 4 Pour une livre d'ouvrage. — 5 Nous ne pouvons pas. — 6 Nour-riture (prononcer : *vi-ande*) ; *draps* : vêtements. — 7 Pas. — 8 *Clairement ;* nous utilisons, pour la rime, la forme *estrouz* qui existe, à côté de *estroz*. — 9 Pas une. — 10 Exclamation ironique. — 11 Pauvreté. — 12 Mérite, service. — 13 De maltraiter, de mutiler.

L'amour triomphe
de l'aventure   *La fidèle Lunette parvient, toujours par la ruse, à récon-*
cilier Yvain et sa dame. Un mystérieux chevalier vient, en
effet, tous les jours, troubler la fontaine merveilleuse et
déchaîner les tempêtes. Seul, dit Lunette, le Chevalier au Lion pourrait défendre la fontaine.
Sa maîtresse accepte de le recevoir, et découvre alors que le Chevalier au Lion, l'audacieux
inconnu, et Yvain, ne sont qu'un seul et même héros. Les deux époux se réconcilient. Le héros,
vaincu par l'amour, renonce définitivement à l'aventure.

PERCEVAL OU LE CONTE DU GRAAL

L'APPEL DE LA VOCATION

On admirera dans ce début « *frais comme un matin de printemps* » (G. Cohen) le caractère
alerte et *enjoué* du récit, le *pittoresque* des évocations, l'étonnante *vivacité* du dialogue.
L'auteur s'entend à merveille à varier le ton, à peindre les attitudes, en un mot à *éveiller*
l'intérêt du lecteur.

C'était au temps où les arbres fleurissent, où les bocages se couvrent
de feuilles, où les prés verdissent, où les oiseaux en leur latin doucement chantent au matin, où toute chose s'enflamme de joie. Le fils de
la dame veuve, qui vivait dans la grande forêt solitaire, se leva. Sans
tarder, il sella son cheval de chasse, prit trois javelots et, ainsi, sortit hors
du manoir de sa mère. Il eut l'idée d'aller voir les herseurs que sa mère
avait et qui lui hersaient ses avoines : ils avaient douze bœufs et six herses.
Ainsi, il entre dans la forêt. Et aussitôt, son cœur, dans sa poitrine, pour
le doux temps se réjouit, et pour le chant qu'il entendit, des oiseaux qui
10 étaient en joie : toutes ces choses lui plaisaient ! Cédant à la douceur du
temps serein, il ôta au cheval son frein et le laissa aller paissant par l'herbe
fraîche et verdoyante. Et lui, qui savait bien lancer ses javelots, il les allait
lançant autour de lui, un en arrière, un en avant, un en bas, un autre en
haut.
Tout à coup, il entendit, parmi le bois, venir cinq chevaliers armés,
de toutes armes équipés ; elles faisaient grand bruit, les armes de ceux
qui venaient, car souvent leurs armures heurtaient les branches des chênes
et des charmes. Les lances heurtaient les écus et tous les hauberts frémissaient : sonnait le bois, sonnait le fer et des écus et des hauberts. Le
20 garçon les entend, mais ne voit pas ceux qui viennent à grande allure. Il
s'en émerveille et dit : « Par mon âme, ma mère m'a dit vrai, ma dame,
qui me dit que les diables sont les êtres les plus effrayants du monde :
c'était pour m'enseigner que pour eux [1] on doit se signer [2]. Mais je dédai-
gnerai cet avis et je ne me signerai pas ! Je frapperai si bien le plus fort, d'un
des javelots que je porte, qu'aucun des autres n'approchera de moi, à ce

— 1 A leur approche. — 2 Faire le signe de la croix.

que je crois. » Ainsi se parlait à lui-même le valet ³ avant qu'il les vît. Mais quand il les vit à ciel ouvert, et qu'ils débouchèrent du bois, quand il vit les hauberts frémissants et les heaumes clairs et luisants et les lames et les écus que jamais encore il n'avait vus, et qu'il vit le vert et le vermeil reluire
30 contre le soleil et l'or et l'azur et l'argent ⁴, il fut tout émerveillé et s'écria : « Ah ! Sire Dieu, pardon ! ce sont des anges que je vois ici. Ah ! oui, j'ai commis un grand péché et je me suis mal comporté en disant que c'étaient des diables. Ma mère ne m'a pas conté de fable en me disant que les anges étaient les plus belles choses qui soient, hormis Dieu, qui est plus beau que tous. Et je vois le Seigneur Dieu lui-même, je crois, car j'en vois un si beau que les autres, Dieu me garde ! n'ont pas le dixième de sa beauté. Ma mère m'a dit aussi qu'on doit croire en Dieu et l'adorer, le supplier et l'honorer : je vais adorer celui-ci et tous les autres avec lui. » Aussitôt il se lance vers la terre et dit tout son credo et les oraisons qu'il savait, toutes celles que
40 sa mère lui avait apprises.

Le chef des chevaliers le voit et dit : « Restez en arrière : ce garçon est tombé à terre, de peur, à notre vue. Si nous allions tous ensemble vers lui, il aurait, ce me semble, si grand'peur qu'il en mourrait et ne pourrait répondre à aucune de mes demandes. » Ils s'arrêtent et le chef s'avance vers le valet, à grande allure ; il le salue et le rassure, et lui dit : « Valet, n'aie pas peur. — Je n'ai pas peur, par le Seigneur en qui je crois. Êtes-vous Dieu ? — Non, par ma foi ! — Qui êtes-vous donc ? — Je suis un chevalier. — Je n'ai jamais connu de chevalier, fait le valet ; je n'en ai jamais vu ; je n'en ai jamais entendu parler ; mais vous êtes plus beau que Dieu. Que
50 ne suis-je aujourd'hui comme vous, ainsi luisant et ainsi fait ! » A ce mot, le chevalier s'approche de lui et lui demande : « As-tu vu aujourd'hui, sur cette lande, cinq chevaliers et trois demoiselles ? » Mais le valet a d'autres questions à lui faire et entend les lui poser ! Vers la lance, il tend sa main, la prend et dit : « Beau cher seigneur, vous qui avez nom chevalier, qu'est ceci que vous tenez ? — Me voilà bien avancé, fait le chevalier, ce m'est avis ; je croyais, beau doux ami, apprendre de toi des nouvelles et tu veux en savoir de moi ! Je vais te le dire : c'est ma lance. — Dites-vous, fait l'autre, qu'on la lance comme je fais mes javelots ? — Nenni, valet, tu es trop sot ! mais on en frappe en la tenant en main. — Alors, mieux vaut
60 un de ces trois javelots que vous voyez ici ; car autant que je veux je tue des oiseaux et des bêtes, au besoin ; et je les tue d'aussi loin qu'on pourrait tirer une flèche ⁵. — Valet, de cela je n'ai que faire ; mais réponds-moi sur les chevaliers : dis-moi si tu sais où ils sont ; et les demoiselles, les as-tu vues ? » Le garçon saisit le bas de l'écu ⁶ et dit à cœur ouvert : « Qu'est ceci ! et à quoi cela vous sert-il ? — Valet, fait-il, tu te moques, de me parler d'autre chose que ce que je te demande. Je croyais, Dieu me pardonne ! apprendre de toi des nouvelles plutôt que t'en apprendre ; et tu veux que je t'en

---

— 3 Jeune homme (*vaslet*, diminutif de *vas-* | de couleurs éclatantes. — 5 Nouvel aspect de *sal*). — 4 Les hauberts et les écus sont peints | ce caractère. — 6 La scène se répétera.

apprenne ! Je te le dirai, quoi qu'il advienne, je te l'accorde volontiers : écu
est le nom de ce que je porte. — Écu ? — Oui, dit-il, et je ne dois pas en
70 faire fi [7], car il m'est si fidèle que si l'on tire sur moi, il se présente devant
tout les coups : c'est le service qu'il me rend. »

Les autres chevaliers s'impatientent, mais leur chef s'obstine à interroger
le Gallois : « Valet, dit-il, sans vouloir te vexer, dis-moi, les cinq chevaliers
et les demoiselles, les as-tu rencontrés ou vus ? » Mais le garçon le prend par
le pan de son haubert, et le tire : « Dites-moi, beau sire, de quoi êtes-vous
vêtu ? — Valet, fait l'autre, ne le sais-tu pas ? — Moi ? non. — Valet, c'est
mon haubert : il est aussi pesant que du fer. — Est-il de fer ? — Tu le vois
bien ! — De cela, fait-il, je ne sais rien ; mais il est bien beau, Dieu me protège ! Qu'en faites-vous ? A quoi sert-il ? — Valet, c'est facile à dire : si tu
80 voulais me lancer un javelot ou me tirer une flèche, tu ne me ferais aucun
mal. — Seigneur chevalier, que de tels haubers Dieu garde les biches et
les cerfs ! Je ne pourrais plus en tuer un seul, ni jamais courir après eux. »
Et le chevalier lui répète : « Valet, par Dieu, peux-tu me dire des nouvelles
des chevaliers et des demoiselles ? » Mais le garçon qui n'avait guère de
sens lui dit : « Êtes-vous né ainsi ? — Mais non, valet, il est impossible
qu'on puisse naître ainsi. — Qui vous a donc ainsi équipé ? — Valet, je te
dirai bien qui. — Dites-le donc. — Très volontiers : il n'y a pas cinq jours
entiers que ce harnois [8] me fut donné par le roi Arthur, qui m'adouba [9] ».

Perceval (v. 69-290).

Bon sang
ne peut mentir *Le jeune Perceval raconte à sa mère la rencontre de ces
êtres plus beaux « que Dieu ni les anges à la fois ». La pauvre
veuve essaie en vain de le mettre en garde. Elle lui révèle
que son père et ses deux frères aussi étaient des chevaliers, mais qu'ils ont péri par les armes.
Depuis, elle a élevé son dernier enfant loin du monde, des tournois et de la guerre. Mais c'est
peine perdue : Perceval affirme sa volonté d'aller « au roi qui fait les chevaliers ». La pauvre
mère doit s'incliner ; elle équipe de son mieux le jeune homme, et lui prodigue ses conseils :
être pieux, homme d'honneur et servir les dames. Il s'est à peine éloigné qu'elle tombe morte.*

Le « Roi-Pêcheur » *A la cour d'*ARTHUR*, Perceval se couvre de gloire : il est
armé* chevalier. *Un soir, accueilli dans le mystérieux
château du «* ROI-PÊCHEUR *», il assiste à un étrange spectacle : un jeune homme passe, portant
une lance ensanglantée ; puis, précédées de deux riches flambeaux, ce sont deux jeunes filles,
portant l'une un* GRAAL *(vase) étincelant de pierreries, l'autre un plateau d'argent. Il n'ose
interroger son hôte, couché auprès de lui, sur le sens de ce mystère. Il a manqué ainsi une
merveilleuse occasion qui s'offrait à lui. S'il avait posé la question, le Roi-Pêcheur, qui était
paralysé, eût pu être guéri, et lui-même en aurait reçu mille félicités.*

La « Quête
du Graal » *Dès lors, il n'a de cesse qu'il n'ait retrouvé le* GRAAL.
*Au bout de cinq ans de cette « quête » inlassable, notre
héros se confesse à un ermite, qui se trouve être l'oncle du
Roi-Pêcheur et le frère de sa propre mère : il lui révèle que le père du Roi-Pêcheur ne soutient
plus sa vie que grâce à l'hostie qu'on lui apporte dans le Graal. Ainsi s'éclaire un peu du mystère
inclus dans ce conte du Graal. Si Perceval avait été initié, l'immense bonheur du salut éternel
s'ouvrait à lui...*

— 7 Le mépriser. — 8 Armure. — 9 *Adouber :* remettre ses armes à un nouveau chevalier.

AUCASSIN ET NICOLETTE

L'originalité de cette gracieuse « *chantefable* » (première moitié du XIIIe siècle) est dans l'alternance, sans autre exemple au Moyen Age, de *morceaux en prose* et de *laisses lyriques* assonancées, dont le manuscrit nous indique la mélodie. Laisses et prose font également partie du récit et sont coupées de *dialogues* et de *monologues*.

Le thème de ce conte idyllique est sans doute fréquent au Moyen Age : *les amours contrariées* de deux adolescents qui finissent par s'épouser. Mais cette œuvre, bien composée (en trois « *actes* »), a de nombreux mérites :

1. FRAICHEUR POÉTIQUE : Évocation, naïve et pure, du sentiment qui pousse l'un vers l'autre deux êtres jeunes et spontanés ; sens délicat de la nature.

2. VÉRITÉ ET VARIÉTÉ DES CARACTÈRES : Opposition entre Aucassin, paralysé par sa passion, et Nicolette, énergique et rusée ; silhouettes, tracées avec naturel, de pâtres méfiants, et surtout d'un bouvier rude, malheureux et résigné, pour qui le poète montre une sympathie émue.

3. IRONIE toujours présente d'un auteur qui n'est pas dupe de son sujet, *parodiant* burlesquement les épisodes des romans courtois et s'amusant à nous peindre finement le joli manège de l'amour.

Les amours contrariées

Le vieux comte Garin de Beaucaire *est attaqué par le comte de Valence. Son fils unique, le bel* Aucassin, *n'a aucun goût pour les armes. Il languit d'amour pour* Nicolette *au beau visage, captive achetée à des Sarrasins par le vicomte de la ville, qui l'a baptisée et en a fait sa filleule. Le comte Garin ne veut pas entendre parler de cette mésalliance. Il ordonne au vicomte d'éloigner sa filleule, et ce dernier* l'enferme *étroitement dans une chambre de son palais. On la croit perdue. Aucassin la réclame vainement au vicomte.*

Aucassin accepte alors de guerroyer *pour mériter qu'on lui rende Nicolette : il fait prisonnier le comte de Valence, mais le relâche, puisque son père ne tient pas parole et refuse de lui accorder Nicolette. Le vieux comte,* irrité, enferme *Aucassin* dans une chambre souterraine.

La fuite des amants

Mais voilà qu'une nuit de mai, Nicolette s'évade *par une fenêtre, à l'aide d'une corde faite de draps noués. Elle passe près de la tour où gît Aucassin, l'entend gémir, et s'entretient avec lui. Elle lui annonce son intention de quitter le pays pour échapper au danger. Mais on entend les gardes de nuit : heureusement le guetteur prévient adroitement Nicolette.*

Elle parvient à quitter la ville, se réfugie *dans une forêt voisine et confie à des pastoureaux un message pour Aucassin. Puisque Nicolette a disparu, ce dernier est délivré par son père et l'on célèbre une grande fête pour consoler le jeune homme. Pour dissiper sa tristesse, il chevauche dans la forêt et, renseigné par les pastoureaux, il retrouve Nicolette.*

Les aventures et le retour

Ils arrivent au bord de la mer et s'embarquent. *Ils abordent dans l'étrange pays de* Torelore, *où tout se fait à l'inverse de nos usages et où ils vivent heureux. Hélas ! une razzia de Sarrasins les jette,* prisonniers, *dans des nefs différentes, dispersées par la tempête.* Aucassin, *sur une épave, aboutit à Beaucaire : ses parents étant morts, il devient seigneur du pays, inconsolable d'avoir perdu son amie. Quant à* Nicolette, *reconnue et fêtée par son père, le roi de Carthage, elle s'enfuit pour ne pas épouser un roi païen. Déguisée en jongleur, le visage noirci, elle revient à Beaucaire, et devant Aucassin accablé de tristesse, elle chante leur propre histoire, en s'accompagnant de la vielle. Les deux amants se reconnaissent ; leur mariage est célébré dans la joie et le luxe. Aucassin et Nicolette ont enfin trouvé le bonheur.*

AUCASSIN RETROUVE NICOLETTE

Aucassin, plein d'inquiétude, recherche Nicolette dans le bois ; il souffre *physiquement* et *moralement*. Dans ce récit courtois et charmant, le ton s'élève soudain : Aucassin rencontre un homme *peut-être plus malheureux que lui*. Sa propre souffrance l'aide à comprendre la détresse de ce « *frère* », et la bénédiction du misérable lui porte bonheur.

Par un vieux chemin herbeux, il chevauchait. Il regardait devant lui au milieu de la voie, quand il vit un jeune homme tel que je vais vous dire. Il était grand, étrange, laid et hideux. Il avait une grande hure [1] plus noire qu'une charbonnée, plus d'une pleine paume de large entre les deux yeux, de grandes joues, un immense nez plat, d'énormes narines ouvertes, de grosses lèvres plus rouges qu'une grillade et de grandes dents jaunes et laides. Il était chaussé de houseaux [2] et de souliers de cuir de bœuf, lacés d'écorce de tilleul jusqu'au-dessus du genou ; il était affublé d'une chape [3] à deux envers et s'appuyait sur une grande massue [4].

10 Aucassin se trouva brusquement devant lui et eut grand peur quand il l'aperçut : « Beau frère, Dieu te protège ! — Dieu vous bénisse ! fait l'autre. — Dieu te protège ! que fais-tu ici ? — Que vous importe ? fait l'autre. — Rien, fait Aucassin. Je ne vous le demande qu'à bonne intention. — Mais pourquoi pleurez-vous, fait l'autre, et menez-vous si grand deuil ? Certes, si j'étais aussi riche que vous l'êtes, rien au monde ne me ferait pleurer [5]. — Bah ! me connaissez-vous ? fait Aucassin. — Oui, je sais bien que vous êtes Aucassin, le fils du comte, et si vous me dites pourquoi vous pleurez, je vous dirai ce que je fais ici. — Certes, fait Aucassin, je vous le dirai bien volontiers. Je suis venu, ce matin, chasser en cette forêt : j'avais 20 un lévrier blanc, le plus beau du monde, je l'ai perdu, et c'est pour cela que je pleure [6]. — Comment ? fait l'autre, par le cœur que Notre-Seigneur eut en sa poitrine [7] ! pleurer pour un chien puant ? Maudit soit qui jamais vous estimera, quand il n'y a si puissant homme en cette terre, si votre père lui en demandait dix, ou quinze, ou vingt, qui ne les lui envoyât très volontiers, et trop heureux encore ! Mais moi je dois pleurer et me lamenter. — Et de quoi, frère ? — Sire, je vous le dirai. J'étais loué à un riche vilain [8] ; je poussais sa charrue : il y avait quatre bœufs. Or, voilà trois jours, il m'advint un grand malheur, car j'ai perdu le meilleur de mes bœufs, Rouget, le meilleur de ma charrue, et je le vais cherchant. Je n'ai mangé ni bu depuis 30 trois jours passés, et je n'ose aller à la ville : on me mettrait en prison, car

---

— 1 Tête velue (cf. la *hure* d'un sanglier). — 2 Jambières de cuir. — 3 Manteau ample à capuchon. L'étoffe peut se retourner. — 4 Noter les éléments pittoresques de ce portrait. — 5 On voit que le bouvier et Aucassin n'ont pas la même notion du bonheur. — 6 Quel est le rapport de ce conte avec la réalité ? — 7 Le langage du bouvier est très vigoureux. On peut noter d'autres exemples de ce réalisme. — 8 Paysan.

je n'ai pas de quoi le payer. De tout l'avoir du monde, je n'ai vaillant [9] que ce que vous voyez sur moi. J'avais une pauvre mère ; pour tout bien elle n'avait qu'un mauvais matelas : on le lui a tiré de dessous et elle gît sur la paille nue. J'en souffre plus pour elle que pour moi, car « l'avoir » va et vient [10] : je perds aujourd'hui, je gagnerai demain ; et je paierai mon bœuf quand je pourrai : ce n'est pas pour cela que je pleurerai. Et vous, vous pleurez pour une saleté de chien ! Maudit soit qui jamais vous estimera ! — Certes, tu es de bon réconfort, beau frère. Béni sois-tu ! Et que valait ton bœuf ? — Sire, c'est vingt sous qu'on m'en demande ; je n'en puis faire
40 rabattre une seule maille [11]. — Eh bien ! tiens, fait Aucassin, voici vingt sous que j'ai ici en ma bourse : paie ton bœuf. — Sire, fait-il, grand merci ! Dieu vous fasse trouver ce que vous cherchez ! »

Aucassin erra tant qu'il vint près de la fourche des sept chemins, et vit devant lui la loge [12] que, comme vous savez, Nicole avait faite [13]...

Il mit le pied hors de l'étrier pour descendre ; son cheval était grand et haut : il pensait tant à Nicolette, sa très douce amie, qu'il tomba durement sur une pierre et se démit l'épaule. Il se sentit fort blessé, mais s'efforçant du mieux qu'il put, il attacha son cheval, de l'autre main, à un buisson d'épines, et se traînant sur le côté, il parvint à se coucher sur
50 le dos, dans la loge [14]. Il regarda par un trou de la loge et vit les étoiles dans le ciel : il en vit une plus claire que les autres et se mit à dire :

XXV. — Maintenant on chante

« Estoilette [15], je te voi,
que la lune trait [16] a soi ;
Nicolete est aveuc [17] toi,
m'amïete o le blont poil [18].
Je quid Dix [19] la veut avoir
por la lumiere de soir,
[que par li plus bele soit [20].

Pleüst ore al sovrain roi [21]],
que que fust du recaoir [22],
que fuisse lassus [23] o toi ;
ja te baiseroie estroit [24].
Se j'estoie fix [25] a roi,
s'afferriés vos bien a moi [26],
suer douce amie. »

— 9 « Qui ait une valeur ». — 10 Proverbe. — 11 Monnaie de très faible valeur. Le sou vaut 12 deniers, et le denier 2 mailles (cf. « *n'avoir ni sou ni maille* »). — 12 Petite cabane de feuillage. — 13 Aucassin décide de s'y reposer une nuit : thème courtois. — 14 On remarquera la vérité du récit dans ce passage. — 15 *Étoilette* » : petite étoile (antécédent de *que* du vers suivant).

— 16 Tire. — 17 Avec. — 18 Ma petite amie aux blonds cheveux. — 19 Je crois que Dieu... — 20 « Pour que, par elle (la lumière), soit plus belle ». — 21 Passage restitué : le manuscrit, déchiré, présente une lacune. — 22 Plût à Dieu, le souverain roi, quel que (soit le danger) de retomber (*re-cadere*). — 23 Là-haut *avec* (o). — 24 Je t'embrasserais étroitement. — 25 Fils d'un roi. — 26 Vous me conviendriez bien.

LA LITTÉRATURE SATIRIQUE

Les Chansons de Geste et les Romans courtois s'adressaient surtout à la société aristo-cratique. Mais dès le XIIe siècle, la bourgeoisie a sa littérature propre, littérature narrative, malicieuse et satirique, pittoresque et même réaliste, souvent grivoise, parfois morale. Les monuments de cette littérature sont le *Roman de Renard* et les *Fabliaux.*

LE ROMAN DE RENARD

Cette œuvre se compose de 27 « branches » ou récits indépendants, en octosyllabes rimés. L'unité de ces poèmes tient à leur héros central, le *goupil*, surnommé Renard, et aux péripéties de sa lutte contre le loup Ysengrin.

Les origines

Ces narrations peuvent se rattacher à la fois à des traditions populaires et à des sources littéraires.

1. La plupart des épisodes du Roman paraissent remonter à des contes qui se retrouvent dans le folklore de divers pays. On suppose donc que les auteurs ont puisé leur matière dans les récits oraux de la campagne.

2. Le Moyen Age a connu des fables imitées des auteurs anciens (Phèdre et Ésope). Dans ces contes les animaux se comportaient comme les hommes, et quelques épisodes du *Roman de Renard* paraissent s'en inspirer. D'autre part, du Xe au XIIe siècle, certains poèmes contaient la lutte du goupil et du loup. On y trouve déjà les épisodes essentiels du *Roman de Renard*, avec comme principaux héros des animaux nommés Reinardus, Ysengrinus, etc. Peut-être d'ailleurs ces poèmes latins remontent-ils à la tradition orale.

L'œuvre

Tributaires de la tradition populaire ou des sources littéraires, les auteurs du *Roman de Renard* n'en ont pas moins fait œuvre personnelle. Ils ont enrichi les épisodes de leur invention, de leur observation, de leur art. De ces auteurs, quelques noms seulement nous sont parvenus : Pierre de Saint-Cloud, le prêtre de la Croix-en-Brie, Richard de Lison.

Un premier recueil réunit, dès le début du XIIIe siècle, de bonnes histoires destinées à amuser le public et non à moraliser.

Un deuxième cycle groupe les autres branches, échelonnées dans la première moitié du XIIIe siècle : l'intention morale et satirique y est beaucoup plus sensible.

Les « suites » données au *Roman de Renard* à la fin du XIIIe siècle et au début du XIVe siècle sont avant tout satiriques. L'ensemble des récits consacrés à Renard comprend plus de 100 000 vers.

L'épopée animale

On a souvent dit que cette œuvre disparate était « l'épopée animale » du XIIe siècle. C'est le goupil qui est au centre. Généralement vaincu par les êtres plus faibles que lui, il triomphe au contraire des plus forts et, en particulier, du loup dont la force n'a d'égale que sa naïveté. Ce triomphe de l'esprit et de la ruse sur la force brutale était la revanche du bourgeois et du peuple écrasés par la noblesse.

Dans ces œuvres, le monde des bêtes est organisé à l'image de la société française du temps. Chaque espèce s'y trouve représentée. Renard (le goupil), Ysengrin (le loup), Noble (le lion), Chantecler (le coq), Tardif (le limaçon), Couard (le lièvre), etc. Ces personnages sont nettement individualisés. Chacun a une famille.

Autour de Noble, le roi, vit une cour de seigneurs comme Ysengrin, Renard, Brun (l'ours) ; plus bas encore le menu peuple : Tardif, Couard, Frobert (le grillon), etc. Certains d'entre eux ont une fonction sociale déterminée : le Roi commande les armées et rend la justice ; Ysengrin est son connétable, Brun son messager et Bernard, l'âne, son archiprêtre.

L'aspect satirique

1. LA PARODIE. LITTÉRAIRE. Ces auteurs populaires s'amusent visiblement à singer la littérature aristocratique des Chansons de Geste et des Romans courtois. Même dans les parties les plus sobres, les animaux sont des « barons » qui chevauchent des destriers. La parodie est souvent plus appuyée : Renard soutient des sièges dans sa forteresse pourvue d'une herse et d'un pont-levis.

2. LA PEINTURE MALICIEUSE DU MONDE HUMAIN. Certains caractères sont finement tracés : Renard, l'universel trompeur, esprit cynique, sans scrupule, ancêtre de Pathelin et de Panurge ; Ysengrin, aussi stupide que vigoureux ; Chantecler, orgueilleux et parfois subtil ; la Mésange, qui aime jouer avec le danger ; le Lion, majestueux et crédule ; la Lionne coquette et courtoise... A tout instant nous rencontrons des attitudes pleines de vérité, des réactions si bien observées qu'elles nous amusent. LES HOMMES eux-mêmes apparaissent çà et là : hobereaux maladroits ; bourgeois âpres au gain ; riches fermiers bien pourvus ; moines charitables et hantés par l'idée du salut, etc. C'est toute une époque avec ses mœurs et ses conditions sociales qui se dresse devant notre imagination.

3. LA SATIRE SOCIALE. On verra dans l'extrait « *Renard pèlerin* » comment l'auteur s'attaque à certains croisés et pèlerins qui expient leurs fautes en se promenant, sans pour autant améliorer leurs âmes. La parodie même des mœurs aristocratiques et féodales, des coutumes judiciaires, de la vie religieuse, est d'ailleurs une forme légère de la satire sociale. Mais c'est surtout dans les branches écrites au XIIIᵉ siècle que la prédication morale et la gravité didactique prennent le pas sur la bonne humeur et la raillerie sans conséquence. Le caractère de Renard devient symbolique : il représente la ruse et l'hypocrisie triomphantes.

RENARD ET LE CORBEAU

La *flatterie* est, dans le Roman de Renard, l'arme principale du trompeur. Cette aventure du Renard et du Corbeau est devenue un *thème traditionnel* chez les fabulistes : déjà traité notamment par Ésope, par Phèdre, par Marie de France, il sera repris par La Fontaine. Le conteur du Moyen Age supporte avantageusement la comparaison avec ses prédécesseurs et son successeur, par ses dons *d'observation* et par la richesse *d'invention* qu'il prête au trompeur dans ces deux épisodes. On comparera le langage flatteur de Renard à celui de *Pathelin* (p. 80).

Renard, affamé, attend sa nourriture sous un arbre. Le corbeau, plus entreprenant, dérobe un fromage malgré les insultes de la fermière.

Tiécelin, le corbeau, vient tout droit au lieu où était sire Renard. Les voilà réunis à cette heure, Renard dessous, l'autre sur l'arbre. La seule différence c'est que l'un mange et l'autre bâille. Le fromage est un peu mou ; Tiécelin y frappe de si grands coups, du bout du bec, qu'il l'entame. Malgré la dame qui tant l'injuria quand il le prit, il en mange, et du plus jaune et du plus tendre. Il frappe de grands coups, avec force ; à son insu, une miette tombe à terre, devant Renard qui l'aperçoit. Il connaît bien pareille bête et hoche la tête. Il se dresse pour mieux voir : il voit Tiécelin, perché là-haut, un de ses vieux compères, le bon fromage entre ses pattes [1]. Familièrement, il l'interpelle : « Par les saints de Dieu, que vois-je là ? Est-ce vous, sire compère ? Bénie soit l'âme de votre père, sire Rohart, qui si bien sut chanter ! Maintes fois je l'ai entendu se vanter d'en avoir le prix en France. Vous-même, en votre enfance, vous vous y exerciez. Ne savez-vous donc plus vocaliser [2] ? Chantez-moi une rotrouenge [3] ! » Tiécelin entend la flatterie, ouvre le bec, et jette un cri. Et Renard dit : « Très bien ! Vous chantez mieux qu'autrefois. Encore, si vous le vouliez, vous iriez un ton plus haut. » L'autre, qui se croit habile chanteur, se met derechef à crier. « Dieu ! dit Renard, comme s'éclaire maintenant, comme s'épure votre voix ! Si vous vous priviez de noix, vous seriez le meilleur chanteur du monde. Chantez encore, une troisième fois ! »

L'autre crie à perdre haleine, sans se douter, pendant qu'il peine, que son pied droit se desserre ; et le fromage tombe à terre, tout droit devant les pieds de Renard.

Le glouton qui brûle et se consume de gourmandise n'en toucha pas une miette ; car, s'il le peut, il voudrait aussi tenir Tiécelin. Le fromage est à terre, devant lui. Il se lève, clopin-clopant : il avance le pied dont il cloche, et la peau, qui encore lui pend. Il veut que Tiécelin le voie bien : « Ah Dieu ! fait-il, comme Dieu m'a donné peu de joie en cette vie ! Que ferai-je, sainte Marie ! Ce fromage pue si fort et vous dégage une telle odeur que bientôt je suis mort. Et surtout, ce qui m'inquiète, c'est que le fromage n'est pas bon pour les plaies ; je n'en ai nulle envie, car les médecins me l'interdisent. Ah ! Tiécelin, descendez donc ! sauvez-moi de ce mal ! certes, je ne vous en prierais pas, mais j'eus l'autre jour la jambe brisée dans un piège, par malheur. Alors m'advint cette disgrâce : je ne peux plus aller et venir ; je dois maintenant me reposer, mettre des emplâtres et me refaire, pour guérir. » Tiécelin croit qu'il dit vrai parce qu'il le prie en pleurant. Il descend de là-haut : quel saut malencontreux si messire Renard peut le tenir ! Tiécelin n'ose approcher. Renard voit sa couardise et commence à le rassurer : « Pour Dieu, fait-il, avancez-vous ! Quel mal vous peut faire un blessé ? » Renard se tourne vers lui. Le fou, qui trop s'abandonna, ne sut ce qu'il fit quand l'autre sauta. Renard crut le saisir et le manqua, mais quatre plumes lui restèrent entre les dents.

Branche II (v. 895-992).

— 1 « *Tenait en son bec un fromage* » dit | La Fontaine. — 2 « *Orguener* » dit le texte (Jouer de l'orgue). — 3 Chanson munie d'un refrain.

RENARD PÈLERIN

La satire est vive. Il s'agit de mettre en garde le public contre *l'hypocrisie* des coupables qui échappent à la justice en allant, *croisés ou pèlerins*, faire leur salut en Terre Sainte. N'abusent-ils pas de la crédulité des gens au même titre que Renard lorsqu'il berne adroitement le Roi et son épouse ? Et d'ailleurs, reviennent-ils meilleurs de ce voyage ?

En un mont, sur un rocher, le Roi fait dresser la potence pour pendre Renard, le goupil : le voici en grand péril. Le singe lui fait la grimace [1] et le frappe à la joue. Renard regarde derrière lui et voit qu'ils viennent plus de trois. L'un le tire, l'autre le pousse : rien d'étonnant qu'il ait peur. Couard, le lièvre, lui jette des pierres [2], de loin, sans oser l'approcher. Sous les coups, Renard a hoché la tête ; Couard en fut si éperdu que jamais, depuis, on ne l'a revu [3] ; ce seul signe l'épouvante. Il s'est blotti dans une haie : de là, se dit-il, il verra comment on fera justice. Mais c'est à tort qu'il s'y cacha, je crois : là encore il aura peur.

10   Renard se voit fort entrepris, de toutes parts lié et pris ; mais il ne peut trouver de ruse pour en réchapper. Il n'est pas question qu'il s'échappe sans une très grande astuce. Quand il vit dresser la potence, alors, il fut plein de tristesse et dit au Roi : « Beau gentil sire, laissez-moi donc un peu parler. Vous m'avez fait lier et prendre, et maintenant vous voulez me pendre sans forfait. Mais j'ai commis de grands péchés dont je suis fort accablé : maintenant je veux m'en repentir. Au nom de la Sainte Pénitence, je veux prendre la croix pour aller, avec la grâce de Dieu, au delà de la mer. Si je meurs là-bas, je serai sauvé. Si je suis pendu, ce sera mal fait : ce serait une bien mesquine vengeance. Je veux maintenant me repentir. »
20   Alors, il se laisse tomber aux pieds du Roi. Le roi est pris d'une grande pitié. Grimbert [4] revient, de son côté, et crie miséricorde pour Renard : « Sire, pour Dieu, écoute-moi ! Agis sagement : songe combien Renard est pieux et courtois. Si Renard revient d'ici cinq mois, nous aurons encore grand besoin de lui, car vous n'avez plus hardi serviteur. — Cela, dit le Roi, ne saurait être dit. Quand il reviendrait, il serait pire ; car tous observent cette coutume : qui bon y va, mauvais en revient. Il fera tout comme les autres s'il échappe à ce péril. — Si, là-bas, il ne met pas son âme en paix, sire, qu'il n'en revienne jamais. » Le Roi répond : « Qu'il prenne la croix, à la condition qu'il reste là-bas. » Quand Renard l'entend, il est rempli
30   de joie. Il ne sait s'il fera le voyage, mais, quoi qu'il advienne, il met la croix sur son épaule droite [5]. On lui apporte l'écharpe et le bourdon [6]. Les bêtes sont fort désolées : ceux qui l'ont frappé, maltraité, disent qu'un jour

---

— 1 Le singe et, plus bas, le lièvre, gardent leur caractère traditionnel. — 2 Cf. LA FONTAINE : *Le Lion devenu vieux* (III, 14). — 3 Encore une expression qui fait songer à *La Fontaine* (1, 5). — 4 Le blaireau, qui soutient toujours Renard, son compère. — 5 Comme un chevalier croisé. — 6 L'écharpe et le bâton sont les insignes du pèlerin. L'auteur vise à la fois les guerriers croisés et les simples pèlerins.

ils le paieront. Voyez Renard, le pèlerin : écharpe au cou, bourdon de
frêne ! Le roi lui dit de leur pardonner tout le mal qu'ils ont pu lui faire
et de renoncer aux ruses et méfaits : ainsi, s'il meurt, il sera sauvé. Renard
n'a garde de refuser ce que lui demande le roi. Il lui accorde tout ce qu'il
veut en attendant d'être tiré de là. Il « rompt le fétu [7] » et leur pardonne. Il
s'éloigne de la cour, un peu avant la neuvième heure [8], sans saluer personne ; au contraire, en son cœur il les défia, sauf le Roi et son épouse,
40 madame Fère, l'orgueilleuse, qui était très courtoise et très belle. Elle
s'adresse noblement à Renard : « Sire Renard, priez pour nous, et de notre
côté nous prierons pour vous. — Dame, fait-il, votre prière me sera infiniment chère ; heureux celui pour qui vous daigneriez prier ! Mais si
j'avais cet anneau que vous portez, mon voyage en serait meilleur [9]. Sachez,
si vous me le donnez, que vous en serez bien récompensée : je vous
donnerai, en retour, de mes joyaux pour la valeur de cent anneaux. » La
reine lui tend l'anneau et Renard s'empresse de le prendre. Entre ses dents,
il dit à voix basse : « Certes, qui jamais ne le vit, cet anneau, paiera cher s'il
veut le voir ! Jamais nul ne le retrouvera ». Renard a mis l'anneau à
50 son doigt ; puis il a pris congé du roi. Il pique son cheval et s'enfuit au
grand trot.

Branche I (v. 1351-1462).

Faut-il ajouter que le pèlerinage est déjà terminé? A peine hors de portée, Renard, qui au
passage a assommé Couard d'un coup de bourdon, insulte Noble et sa cour. Les bêtes le cernent
et l'accablent de coups. C'est à grand-peine que le goupil, plus mort que vif, regagne Maupertuis.

***

La parodie de l'épopée

« Avec le temps, par besoin de renouveler une matière
près de s'épuiser et par imitation de plus en plus étroite
de l'épopée chevaleresque, le ton perd de sa naïveté,
les animaux deviennent de véritables hommes » (L. Sudre). Cette *parodie des procédés épiques*
nous vaut parfois des passages d'une drôlerie irrésistible. C'est ainsi que dans *Renard*
empereur (Branche XI) les « païens », figurés par des animaux exotiques conduits par le
chameau, attaquent le royaume de Noble, qui convoque ses « barons » et leur livre bataille :

« Ils se mettent à chevaucher. Les ennemis ne se doutaient de rien quand Couard, le lièvre,
est tombé sur eux. Il fait un grand nombre de prisonniers, car ils étaient tous désarmés. Les
ennemis poussent leur cri de ralliement ; ils courent aux armes, maintenant. Voilà Couard
en vilaine posture, mais Tiécelin le corbeau survient, qui hautement l'a secouru. Alors ce fut
une farouche mêlée, Tiécelin tenait au poing son épée dont la lame était claire et tranchante.
Il frappe un scorpion et lui tranche la tête et les pieds. Le chameau en fut fort irrité ; il l'onfce
droit sur Tiécelin et jure, par Dieu qui est là-haut, qu'il s'est pour son malheur lancé sur le
scorpion. Alors, il l'a si durement frappé de sa patte qu'il l'abat, renversé, à plat contre terre.
Tiécelin voyait sa fin venue quand, entre eux, se jette Belin, le mouton, qui arrivait à toute
allure. Il heurte si fort deux « Sarrasins » qu'il leur fait voler les yeux. Le chameau ne le
prend pas en riant... »

— 7 Le vassal rompait un fétu pour renier l'hom-
mage qui le liait à son seigneur. Par suite, | l'expression signifie : rompre un lien, se séparer
de... — 8 Trois heures de l'après-midi. C'est la
division latine de la journée. — 9 Thème courtois.

LE FABLIAUX
ET LA LITTÉRATURE MORALE

Les FABLIAUX (forme picarde du mot français *fableau*, dérivé de *fable*) sont de courts récits en octosyllabes datant du XIIIe et du XIVe siècle. Nous en avons conservé environ 150.

Origine   Au siècle dernier, on les croyait d'origine *orientale* et introduits en France soit par les Croisés soit par l'intermédiaire de traductions latines. Mais Joseph Bédier a montré que, si une douzaine de ces contes proviennent de l'Inde, les autres sont tirés d'un fonds commun à la plupart des peuples européens. Dans chaque pays, le thème commun a été traité diversement selon les mœurs, les conditions d'existence, l'esprit même des peuples. Ainsi les *fabliaux sont bien des œuvres françaises* par l'esprit et la civilisation qui s'y reflètent. D'ailleurs certains d'entre eux reposent sur des jeux de mots qui n'existent qu'en français.

C'est dans le Nord de la France, surtout *en Artois, en Champagne* et *en Picardie*, que les fabliaux ont pris naissance. Comme le ROMAN DE RENARD, ils présentent les caractères de la LITTÉRATURE BOURGEOISE : goût du gros comique, peinture réaliste de la vie courante, satire alerte et malicieuse, mais sans grande portée. Nous distinguerons deux catégories parmi ces fabliaux : les « *contes à rire* » et les *contes moraux* ou *édifiants*.

I. — *"LES CONTES A RIRE"*

La plupart des fabliaux ne sont que des « *contes à rire* » (le mot est de J. BÉDIER). Le COMIQUE y est parfois leste, souvent grossier : comique de *farce* reposant sur des jeux de mots, sur des quiproquos, sur des bastonnades. Parfois néanmoins l'*observation malicieuse* et juste de la vie introduit dans le récit un rire moins vulgaire : comique né des situations et même des caractères.

La SATIRE, expression de l'esprit gaulois, vise invariablement les paysans et les bourgeois naïfs, les femmes trompeuses et rouées, les prêtres paresseux, gourmands et cupides. L'auteur s'amuse à nous peindre *ironiquement*, mais sans amertume, d'un trait net et pittoresque, *les mœurs de la classe moyenne* ou *des vilains*. Il vise à nous fait rire d'une franche gaieté, sans s'indigner contre les abus, ni chercher à moraliser. Les voleurs, les trompeurs sont, hélas, les personnages sympathiques de ces œuvres frondeuses et, somme toute, assez dures sous leur apparence joviale. La seule morale qui s'exprime à la fin de tels fabliaux est parfois une *leçon d'expérience*, comme celle qui se dégage des *Fables* de LA FONTAINE.

BRUNAIN, LA VACHE AU PRÊTRE

Certains fabliaux, très simples, raillent *les naïfs* qui prennent à la lettre des expressions figurées. Tel celui de « *La Vieille qui oignit la paume du chevalier* », espérant se le rendre favorable en lui « *graissant la patte* » avec un morceau de lard. Il s'agit ici d'une confusion du même ordre, mais notre fabliau est infiniment plus riche d'observation et d'éléments comiques. A la *satire légère* de l'esprit paysan se mêle la *critique malicieuse* de *l'avidité ecclésiastique*, thème traditionnel de la littérature bourgeoise. C'est finalement le plus naïf qui triomphe du plus rusé (cf. *Pathelin*).

D'un vilain conte et de sa fame	Je conte [l'histoire] d'un vilain et de sa
C'un jor de feste Nostre Dame	Pour la fête de Notre-Dame [femme :
Aloient ourer a l'yglise.	Ils allaient prier à l'église.
Li prestres, devant le servise,	Le prêtre, avant l'office,
5 *Vint a son proisne sermoner,*	Vint prononcer son sermon : 5
Et dist qu'il faisoit bon doner	Il dit qu'il faisait bon donner
Por Dieu, qui reson entendoit ;	Pour Dieu, si l'on sait le comprendre ;
Que Diex au double li rendoit	Que Dieu rendait au double l'offrande
Celui qui le fesoit de cuer.	A qui donnait de bon cœur.
10 « *Os* », *fet li vilains*, « *bele suer,*	« Entends-tu », fait le vilain, « belle sœur, 10
Que noz prestres a en couvent :	La promesse de notre prêtre ?
Qui por Dieu done a escient,	Qui, pour Dieu, donne de bon cœur,
Que Dex li fet mouteploier.	Reçoit de Dieu deux fois plus.
Miex ne poons nous emploier	Nous ne pouvons mieux employer
15 *No vache, se bel te doit estre,*	Notre vache, si bon te semble, 15
Que pour Dieu le donons le prestre :	Que de la donner, pour Dieu, au prêtre :
Ausi rent ele petit lait.	D'ailleurs elle produit peu de lait !
— *Sire, je vueil bien que il l'ait,* »	— Sire, je veux bien qu'il l'ait, »
Fet la dame, « *par tel reson.* »	Fait la dame, « à cette condition. »
20 *Atant s'en vienent en meson,*	Alors ils s'en viennent à leur maison 20
Que ne firent plus longue fable.	Sans faire plus long discours.
Li vilains s'en entre en l'estable,	Le vilain entre dans son étable,
Sa vache prent par le lïen,	Prend sa vache par le lien
Presenter le vait au doien.	Et va la présenter au doyen.
25 *Li prestres ert sages et cointes.*	Le prêtre était habile et madré. 25
« *Biaus sire* », *fet il a mains jointes,*	« Beau sire », fait l'autre, les mains jointes
« *Por l'amor Dieu Blerain vous doing.* »	« Pour l'amour de Dieu, je vous donne
Le lïen li a mis el poing,	Il lui met le lien au poing [Blérain. »
Si jure que plus n'a d'avoir.	Et jure qu'il n'a plus de bien.
30 « *Amis, or as tu fet savoir,* »	« Ami, tu viens d'agir en sage, » 30
Fet li provoires dans Constans,	Fait le prêtre dom Constans
Qui a prendre bee toz tans,	Qui pour prendre est toujours à l'affût,
« *Va t'en, bien as fet ton message,*	« Retourne en paix, tu as bien fait ton
Quar fussent or tuit ausi sage	Qu'ils fussent tous aussi sages, [devoir :

---

(2) *qui* un jour... — (4) *devant* : cf. *devant que* = avant que (XVIIe siècle). — (5) *a* = pour. — (7) *qui* = relatif sans antécédent exprimé, formule générale. — (11) *que* = ce que ; *a en couvent* = promet. — (13) *que* = à savoir que. | — (17) cf. *un petit* = un peu (XVIIe siècle). — (20) *s'en viennent* : cf. (22) *s'en entre*. Nous disons encore : « *s'en aller* ». — (30) *savoir* = chose sage (inf. substantivé). — (34) *quar* = exclamatif ; *fussent* = subj. de souhait.

35 Mi paroiscien come vous estes,
S'averoie plenté de bestes.»

Li vilains se part du provoire.
Li prestres comanda en oirre
C'on face, pour aprivoisier
40 Blerain avoec Brunain lïer,
La seue grant vache demaine.
Li clers en lor jardin la maine,
Lor vache trueve, ce me samble.
Andeus les acoupla ensamble ;
45 Atant s'en torne, si les lesse.

La vache le prestre s'abesse
Por ce que voloit pasturer,
Mes Blere nel vout endurer,
Ainz sache le lïens si fors
50 Du jardin la traïna fors :
Tant l'a menee par ostez,
Par chanevieres et par prez,
Qu'elle est reperie a son estre
Avoecques la vache le prestre
55 Qui moult a mener li grevoit.

Li vilains garde, si le voit ;
Moult en a grant joie en son cuer.
« Ha » fet li vilains, « bele suer,
Voirement est Diex bon doublere,
60 Quar li et autre revient Blere
Une grant vache amaine brune ;
Or en avons nous II. por une :
Petis sera nostre toitiaus. »

Par exemple dist cis fabliaus
65 Que fols est qui ne s'abandonne ;
Cil a le bien cui Diex le donne,
Non cil qui le muce et enfuet.
Nus home mouteplier ne puet
Sanz grant eür, c'est or del mains.
70 Par grant eür ot li vilains
II. vaches et li prestres nule.
Tels cuide avancier qui recule.

Mes paroissiens, que vous l'êtes,   35
J'aurais abondance de bêtes ! »

Le vilain se sépare du prêtre.
Le prêtre commande aussitôt
Qu'on fasse, pour l'apprivoiser,
Lier Blérain avec Brunain,   40
Sa propre vache, une belle bête.
Le clerc la mène en leur jardin,
Trouve leur vache, ce me semble,
Les attache toutes deux ensemble ;
Puis il s'en retourne et les laisse.   45

La vache du prêtre se baisse
Parce qu'elle voudrait paître ;
Blérain ne veut pas le souffrir :
Elle tire la longe si fort
Qu'elle entraîne Brunain dehors.   50
Elle l'a tant menée, par maisons,
Par chenevières et par prés,
Qu'elle est revenue chez elle,
Avec la vache du prêtre
Qu'elle avait bien de la peine à mener.   55

Le vilain regarde et la voit :
Il en a grande joie au cœur !
« Ah ! » fait-il « belle sœur,
Vraiment Dieu est bon « doubleur »,
Car Blérain revient avec une autre ;   60
Elle amène une grande vache brune ;
Nous en avons maintenant deux pour
Notre étable sera petite ! »   [une :

Par cet exemple, ce fabliau nous dit
Que fol est qui ne se résigne.   65
Celui-là a le bien à qui Dieu le donne,
Et non celui qui le cache ou l'enfouit.
Nul ne peut multiplier ses biens
Sans grande chance, pour le moins.
Par grande chance le vilain eut   70
Deux vaches, et le prêtre aucune.
Tel croit avancer qui recule.

---

(40) Blerain, Brunain : cas régime correspondant aux cas sujets. Blere (48) et Brune. On déclinait de même : none (cas sujet), nonain (cas régime). Se reporter à la p. 10 : L'ANCIEN FRANÇAIS. — (41) la seue : la sienne ; demaine = qui lui appartenait en propre. — Remarquer l'adj. féminin grant, sans e. — (43) ce me samble : cheville amusante, se rapportant peut-être à quelque tradition orale. — (45) Atant = alors. — (47) voloit = voulait (imparf.). — (48) Mais Blere ne le (nel) veut... — (49) Ainz = Mais (< antius). — (50) que consécutif omis après si. — (53) estre = "le lieu où elle était" (inf. substantivé). cf. manoir (< manere) = "le lieu où l'on reste", la demeure. — (54) avoecques : remarquer l's adverbial. — (55) grevoit = "pesait". (60) li et autre = "elle et une autre", car le sens est : "Blérain revient accompagnée d'une autre". — (61) noter l'ordre des mots. — (64) fabliaus = cas sujet. — (65) fols = cas sujet. — (69) del = de le = du. — (72) tels = cas sujet.

Le Vilain Mire Le conte du « *Paysan Médecin* » est universel. BÉDIER le signale dans les littératures orientale, allemande, basque... Nous retrouvons le thème de la première partie dans le « *Médecin malgré lui* » de MOLIÈRE. Le fabliau du *Vilain mire* (médecin) nous montre le *triomphe d'une femme rusée*. Plus long, construit avec plus de soin que la plupart des fabliaux uniquement comiques, il se compose en réalité de *deux récits distincts* dont nous résumons le premier et nous citons le second.

Un « vilain » (paysan), riche mais avare et brutal, mène sa femme très durement. Elle pense que s'il était lui-même battu il deviendrait plus indulgent. Passent des messagers en quête d'un médecin pour guérir la fille du roi, qui a une arête de poisson piquée dans le gosier. La femme les adresse à son mari : « C'est, dit-elle, un excellent médecin, mais il est bizarre et ne consent à exercer son talent que lorsqu'il est roué de coups. » Qu'à cela ne tienne ! Les envoyés s'emparent du vilain et, à coups de bâton, lui font déclarer qu'il est médecin. Les voici chez le roi : nouvelles protestations du vilain, nouvelle séance de bastonnade ! Pour y échapper, notre homme se décide à tenter sa chance : à force de grimaces et de contorsions, il fait rire aux éclats la princesse et l'arête lui jaillit hors du gosier. Miracle ! Le paysan demande à retourner chez lui, mais le roi tient à conserver un homme si précieux...

UN REMÈDE UNIVERSEL

C'est la deuxième partie du fabliau. « *Plutôt souffrir que mourir — C'est la devise des hommes.* » dira LA FONTAINE (*La Mort et le Bûcheron*). C'est pour avoir bien connu cette « devise des hommes » que notre médecin malgré lui se tire avec honneur de cette épreuve. On notera la *variété du comique* dans ce court passage : comique de répétition et de contraste au début, puis comique de caractère, et humour assez fin dans la dernière partie.

Le roi appela deux serviteurs : «Battez-le fort, il restera!» Sans tarder ils se jettent sur le vilain. Quand il sentit les coups sur ses bras, sur ses jambes, sur son dos, il se mit à crier grâce : « Je resterai, dit-il, laissez-moi tranquille[1]!»

Le vilain reste à la cour : on le tond, on le rase, on lui donne une robe d'écarlate[2]. Il se voyait hors de dommage, quand les malades du pays — plus de quatre-vingts, ce dit-on[3] — vinrent chez le roi. Chacun lui conte son mal. Le roi appela le vilain : « Maître, dit-il, écoutez par ici : prenez soin de ces gens ; faites vite, guérissez-les moi. — Grâce, sire, dit le vilain : il y en a trop, Dieu me protège ! je n'en pourrai venir à bout ; je
10 ne saurais tous les guérir. » Le roi appelle deux valets et chacun a pris un gourdin, car chacun d'eux savait fort bien pourquoi le roi les appelait. Quand le vilain les voit venir, il commence à trembler de tous ses membres et se met à crier : « Grâce, je les guérirai sans tarder ! »

Le vilain demande du bois ; on lui en apporte en abondance. Dans la salle, on alluma du feu et lui-même s'en occupa. Il rassembla les malades, puis dit au roi : « Sire, descendez, ainsi que tous ceux qui n'ont aucun mal. » Le roi sort, tout bonnement, de la salle avec ses gens. Le vilain dit aux malades : « Seigneurs, par le Dieu qui me créa, j'aurai bien du mal à vous guérir. Je n'en saurais venir à bout que par un seul moyen : je vais choisir

---

— 1 Scène déjà répétée plusieurs fois dans la première partie. — 2 Fine étoffe d'un rouge vif. — 3 Les conteurs des fabliaux se réfèrent souvent à une tradition orale.

20 le plus malade et je le mettrai dans le feu ; nous le brûlerons dans ce feu
pour le profit de tous les autres, car tous ceux qui absorberont ses cendres
seront guéris immédiatement ».

Ils se regardent les uns les autres : il n'y eut ni bossu ni enflé qui fût
disposé, pour un empire, à se reconnaître le plus malade. Le vilain dit au
premier : « Je te vois défaillir : tu es le plus faible de tous. — Grâce, sire,
je suis très sain, plus que je ne le fus jamais : je suis allégé d'une lourde
fatigue que j'avais depuis longtemps. Je ne mens pas, sachez-le bien !
— Eh bien ! descends donc ; que viens-tu chercher ici ? » Et l'autre de
prendre la porte. Le roi lui demande : « Es-tu guéri ? — Oui, sire, Dieu
30 merci ! Je suis plus sain qu'une pomme. Ce médecin est un grand savant ! »

Que vous conterai-je de plus ? Il n'y eut petit ni grand qui, pour rien
au monde, acceptât d'être jeté au feu. Ils s'en vont tous, comme s'ils
étaient guéris. Et quand le roi les a vus, tout éperdu de joie, il dit au vilain :
« Beau maître, c'est merveilleux ! Je me demande comment, si vite, vous
les avez tous guéris ! — Sire, je les ai charmés. Je sais un charme qui vaut
plus que gingembre et cannelle [4]. » Le roi dit : « Maintenant vous rentrerez
chez vous quand vous voudrez, et vous aurez, de mes deniers, palefrois
et bons destriers [5] ; et quand je vous redemanderai, vous ferez ce que je
voudrai. Vous serez mon bon, mon cher ami, et je vous estimerai plus que
40 quiconque en ce pays. Mais ne soyez plus ébahi, ne vous faites plus
maltraiter, car c'est une honte de vous frapper. — Merci, sire, dit le
vilain. Je suis votre homme [6], soir et matin ; je le serai tant que je vivrai,
sans jamais m'en repentir ». Il prit congé du roi et s'en revint joyeux chez
lui. Jamais on ne vit plus riche manant. Il ne retourna plus à sa charrue,
et plus jamais il ne battit sa femme : il l'aima et la chérit.

II. — *LES CONTES MORAUX OU ÉDIFIANTS*

Certains fabliaux sont plus *étoffés*, avec une *intrigue* plus soignée en vue de dégager
un *enseignement moral*. Le trait y est souvent moins vif, mais les caractères plus fouillés.
Les auteurs de ces fabliaux font appel à notre émotion plus qu'à notre rire.

Mais *ces récits sont-ils encore des fabliaux?* La distinction est souvent difficile à établir
entre le fabliau proprement dit et l'abondante littérature morale du Moyen Age.

Si la Housse partie peut encore passer pour un fabliau moral, que dire du Vair
Palefroi (XIIIe siècle), poème de 1 342 vers, plutôt nouvelle que fabliau, où, grâce à
son cheval, un jeune chevalier, pauvre et valeureux, triomphe de son rival, un riche barbon,
et épouse la jeune fille qui l'aime ?

Nous citons le Tombeur Notre-Dame comme type du fabliau édifiant. Mais on ne
saurait, par exemple, ranger parmi ces fabliaux la longue histoire du Chevalier au
Barizel, chevalier farouche et brutal qui cherche en vain, pendant des années, à remplir
d'eau, pour sa pénitence, un petit baril (*barizel*) : il y parvient seulement lorsque la pitié
fait enfin couler de ses yeux une larme qui suffit, à elle seule, à remplir le barillet.

— 4 Ces *épices*, importées d'Orient, étaient | de voyage ; le *destrier* est le cheval de bataille.
d'un grand prix. — 5 Le *palefroi* est le cheval | — 6 « A votre service » (cf. *hommage*).

LE « *TOMBEUR NOTRE-DAME* »

Toute une *littérature édifiante* a célébré les vertus chrétiennes d'humilité et de pénitence, et en particulier le *culte de la Vierge*, très répandu au XIIIe siècle. Le moine GAUTIER DE COINCY (début du XIIIe siècle) a recueilli les nombreux récits consacrés aux *Miracles de la Vierge*. Tantôt elle sauve un enfant des flammes, tantôt elle maintient en vie un larron pendu pour ses fautes, mais repentant ; une autre fois elle est blessée au genou en protégeant un archer, ou encore elle va combattre à la place d'un chevalier qui a préféré la messe au tournoi. Le plus célèbre de ces fabliaux est le « *Tombeur Notre-Dame* », c'est-à-dire le *Jongleur de Notre-Dame*. Nous donnons de ce fabliau les deux passages essentiels.

Un « TOMBEUR » (jongleur) s'est retiré dans un couvent. Désolé de ne pouvoir s'associer au service divin ni aux activités savantes ou artistiques des autres moines, il se morfond, craignant d'être expulsé comme bouche inutile. Or, un jour, dans une crypte [1], *devant une statue de Notre-Dame, il lui vient une merveilleuse inspiration.*

Quand il entend sonner la messe, il se dresse tout ébahi : « Ah ! fait-il, comme je suis malheureux ! A cette heure, chacun fait son devoir, et moi je suis ici comme un bœuf à l'attache qui n'est bon qu'à brouter et à manger sa nourriture. Que dire ? que faire ? Par la mère de Dieu, oui, je ferai quelque chose. Personne n'aura rien à dire : je ferai ce que j'ai appris, je servirai, selon mon métier, la mère de Dieu en son moutier [2]. Les autres la servent en chantant, et je la servirai, moi, en sautant.

Il ôte sa cape, se dévêt ; près de l'autel il pose sa défroque, mais pour 10 éviter que sa peau ne soit nue, il garde une petite cotte qui était très fine et délicate... Vers la statue il se retourne très humblement, et la regarde : « Dame, fait-il, à votre garde je confie mon corps et toute mon âme. Douce reine, douce Dame, ne dédaignez pas ce que je sais, car je veux m'efforcer de vous servir, de bonne foi, avec l'aide de Dieu, sans nul dommage. Je ne sais ni chanter ni lire, mais certes je veux choisir pour vous les plus beaux de mes tours. Je serai comme un « taurillon » [3] qui saute et cabriole devant sa mère. Dame, qui n'êtes pas amère pour ceux qui vous servent justement, quoi que je fasse, que ce soit pour vous. »

Alors il commence à faire des sauts, bas et petits et grands et hauts, 20 d'abord dessus et puis dessous, puis se remet à genoux devant la statue et s'incline : « Ah ! fait-il, très douce reine, par votre pitié, par votre noblesse, ne dédaignez pas mon service. » Alors, il saute et gambade et fait, avec ardeur, le tour de Metz, autour de sa tête. Il s'incline devant la statue ; il la vénère ; de toutes ses forces, il l'honore ; après, il fait le

---

— 1 *Crypte :* partie souterraine d'une église (doublet de *grotte*). — 2 Monastère. — 3 Jeune taureau.

tour français, et puis le tour champenois, puis le tour d'Espagne et les tours qu'on fait en Bretagne et puis le tour de Lorraine : il s'applique autant qu'il le peut. Ensuite, il fait le tour romain, et met devant son front sa main, et danse avec grâce, et regarde très humblement l'image de la mère de Dieu : « Dame, fait-il, voici un beau tour. Si je le fais, c'est pour vous seule, car j'ose bien dire, et je m'en vante, que je n'y
30 prends aucun plaisir. Mais je vous sers et je m'acquitte : les autres vous servent ; moi aussi, je vous sers. Dame, ne dédaignez pas votre serviteur, car je vous sers pour votre joie. Dame, vous êtes la perfection qui embellit tout le monde ! » Alors, il met les pieds en l'air et sur ses deux mains va et vient, sans toucher terre de ses pieds. Ses pieds dansent et ses yeux pleurent...

Il danse ainsi, jusqu'à l'épuisement ; et tous les jours il répète ces exercices de piété naïve. Mais voilà qu'un moine découvre son secret et le révèle à l'abbé. Tous deux, cachés derrière l'autel, assistent aux cabrioles du jongleur.

L'abbé et le moine regardent tout l'office du convers [4], et les tours qu'il fait si divers, ses gambades et ses danses : ils le voient s'incliner vers la statue et sauter et bondir, jusqu'à en défaillir. Il s'efforce jusqu'à une telle lassitude qu'il tombe à terre, malgré lui ; il s'est assis, si épuisé
40 que, d'effort, il est couvert de sueur ; sa sueur coule goutte à goutte sur le sol de la crypte. Mais, sans attendre, elle le secourt, la douce Dame qu'il servait si naïvement : elle sut bien venir à son aide.

L'abbé regarde de tous ses yeux : il voit, de la voûte, descendre une Dame si glorieuse que jamais nul n'en vit d'aussi brillante, d'aussi richement vêtue ; jamais il n'en fut d'aussi belle : ses vêtements sont merveilleux, d'or et de pierres précieuses. Avec elle, voici les anges du ciel, là-haut, et les archanges qui viennent autour du jongleur ; ils l'apaisent et le soutiennent. Quand ils sont rangés autour de lui, tout son cœur s'est calmé. Ils s'apprêtent à le servir, parce qu'ils veulent
50 s'associer à l'œuvre de la Dame qui est une perle si précieuse. La douce et noble reine tient une étoffe blanche : elle évente son ménestrel [5], tout doucement, devant l'autel. La noble Dame, la très bonne, lui évente le cou, le corps et le visage, pour le rafraîchir : elle a bien soin de le réconforter [6]...

Les deux témoins se retirent. L'abbé convoque le « tombeur », provoque sa confession, s'amuse à le laisser quelque temps dans l'inquiétude, puis le félicite et l'invite à persévérer dans sa dévotion. De joie et d'émotion, le pauvre jongleur tombe malade. Il meurt, entouré de tous les moines : la Vierge apparaît avec ses anges et recueille son âme qu'elle emporte en paradis.

— 4 Moine chargé du service domestique | mot est « *musicien* ». — 6 Le texte original de d'un couvent. — 5 *Jongleur*. Le sens habituel du | ce fabliau est en octosyllabes à rimes plates.

CHRONIQUE ET HISTOIRE

LES DÉBUTS DE L'HISTOIRE EN FRANCE

Pendant des siècles, l'histoire fut en France un genre savant, réservé aux clercs, qui écrivaient leurs œuvres en latin.

Puis, sous l'influence des *chansons de geste* et en rapport étroit avec elles, l'histoire évolua dans le sens de l'épopée. Les œuvres furent alors rédigées en français, mais en vers.

Les *croisades* eurent sur l'évolution du genre historique une influence décisive. On était avide en France d'entendre des récits authentiques composés par ceux qui avaient participé aux grandes aventures orientales. Ainsi ce sont maintenant des témoins oculaires, des combattants, qui vont raconter leurs souvenirs : cessant d'être un travail d'érudit ou un arrangement romancé des événements, l'histoire va tout naturellement trouver sa langue définitive, la prose française.

LES CHRONIQUEURS

Villehardouin et, après lui, Joinville et Froissart sont des *chroniqueurs*. Leur souci essentiel est de composer le récit des événements auxquels ils ont assisté ou que leur ont racontés des témoins oculaires. Ce sont des faits contemporains qu'ils nous rapportent. Ils ne distinguent pas toujours l'essentiel de l'accessoire, et plus d'une fois leur sens critique se trouve en défaut. Mais nous verrons d'autres tendances, plus modernes, s'esquisser parfois chez Froissart, puis se révéler nettement avec Commynes.

VILLEHARDOUIN

Sa vie (1150-2 1212)
La IVᵉ croisade

Geoffroi de Villehardouin joua un rôle important, comme chef militaire et plus encore comme diplomate, dans la IVᵉ croisade. Cette croisade, détournée de son but dès l'origine, aboutit en 1204 à la fondation de l'Empire latin de Constantinople, qui devait durer jusqu'en 1261. C'est à Messinople (en Thrace), fief dont il avait été pourvu, qu'il rédigea son *Histoire de la conquête de Constantinople* et mourut, en 1212 ou 1213.

Son œuvre

Partie pour la Terre Sainte, la croisade avait complètement dévié, ce qui avait scandalisé beaucoup d'âmes pieuses. Les croisés, au lieu de combattre les infidèles, s'étaient mis d'abord au service des Vénitiens, puis, intervenant dans les affaires des Grecs, s'étaient emparés à deux reprises de Constantinople, établissant finalement leur domination sur des populations schismatiques sans doute, mais chrétiennes. Il s'agit donc avant tout de montrer que, si la croisade a ainsi dévié, cela tient à des nécessités matérielles (impossibilité de remplir les engagements financiers pris envers les Vénitiens), et à l'insubordination d'un trop grand nombre de croisés.

Du même coup apparaissent les intentions morales et pieuses. L'auteur fait ressortir les fautes des hommes ainsi que la toute-puissance de la Providence.

Il s'agit donc d'une histoire orientée. L'auteur plaide une cause. Sa chronique est un récit clair et méthodique d'événements rigoureusement datés et rapportés dans leur exacte succession. Chef et plus encore diplomate, Villehardouin voit les choses de haut et ne se perd jamais dans le détail. Son œuvre est donc très lucide et nettement composée. Mais elle manque généralement de pittoresque et parfois de couleur ; elle laisse une certaine impression de monotonie. Les scènes vivantes et dramatiques sont rares.

Pourtant, outre son intérêt documentaire et historique, la *Conquête de Constantinople* présente une grande valeur littéraire et humaine.

Cette chronique marque les débuts de la prose française. VILLEHARDOUIN est parvenu à un style clair, empreint de noblesse, qui sait traduire de riches réflexions psychologiques.

L'auteur connaît les passions des hommes, la complexité de leur nature et de leurs desseins. Il a bien vu le vice qui cause l'échec de ces expéditions lointaines : indiscipline, rivalités de personnes. Enfin il nous fait sentir avec une réelle intensité la situation si souvent tragique des croisés, trop peu nombreux, désunis, fort peu soutenus dans le cas présent par l'idéal mystique, isolés au milieu de populations hostiles et sans cesse menacés d'un anéantissement total.

La IVᵉ croisade

*A la fin du XIIᵉ siècle, sous le pontificat d'*INNOCENT III *et le règne de* PHILIPPE AUGUSTE, *un saint prêtre,* FOULQUE DE NEUILLY, *prêche la croisade en France.* THIBAUT, *comte de Champagne, et* LOUIS, *comte de Blois, prennent la tête du mouvement. Les croisés envoient à* VENISE *une ambassade, dont* VILLEHARDOUIN *fait partie, pour s'assurer le concours de la flotte vénitienne. Un traité est conclu avec le* DOGE *(Henri Dandolo). Cependant* THIBAUT *meurt avant le départ : on choisit pour le remplacer* BONIFACE, *marquis de Montferrat.*

En juin 1202, l'expédition se met en route ; mais beaucoup de croisés manquent au rendez-vous de VENISE. *Ainsi la somme promise ne peut être payée aux Vénitiens. Ceux-ci accordent des facilités de paiement à condition que les croisés les aident à recouvrer* ZARA *(sur la côte dalmate). Sans doute le doge se croise, avec de nombreux Vénitiens, mais en dépit de certaines protestations, la croisade dévie une première fois de son but. — Prise de* ZARA.

Nouvelle déviation à la suite du traité conclu entre les croisés et le jeune prince ALEXIS COMNÈNE, *fils d'*ISAAC *empereur de* CONSTANTINOPLE *détrôné par son frère (qui se nomme également* ALEXIS) : *les croisés l'aideront à chasser l'usurpateur, en échange de quoi « il mettra tout l'empire de* ROMANIE *en l'obéissance de* ROME » *(le schisme d'Orient [1] est consommé depuis 1054), paiera deux cent mille marcs d'argent et participera à la croisade. La flotte gagne donc les* DARDANELLES : *malgré de beaux prétextes, les* LIEUX SAINTS *sont bel et bien oubliés.*

LES CROISÉS EN VUE DE CONSTANTINOPLE

Voici un moment important dans l'histoire de la croisade. Les croisés sont *émerveillés* à la vue de Constantinople. Cependant les chefs *délibèrent*, et, le plan du doge une fois adopté, chacun se prépare pour le débarquement. Ce texte présente un intérêt à la fois *psychologique* et *historique*.

Alors ils quittèrent le port d'Abydos [2] tous ensemble. Vous auriez pu voir le Bras de Saint-Georges [3] fleuri, en amont, de nefs, de galères et d'« huissiers » [4], et c'était très grande merveille que la beauté du coup d'œil. Et ils remontèrent ainsi le Bras de Saint-Georges jusqu'au moment où ils arrivèrent, la veille de la Saint-Jean-Baptiste en juin [5], à Saint-Étienne [6], abbaye qui se trouvait à trois lieues de Constantinople. Et alors ceux des nefs, des galères et des « huissiers » eurent pleine vue sur Constantinople ; et ils firent escale et ancrèrent leurs vaisseaux.

— 1 Scission entre l'Église grecque (ortho-doxes grecs) et l'Église romaine (catholiques). — 2 Sur la côte asiatique des Dardanelles. | — 3 La mer de Marmara. — 4 Vaisseaux munis d'une porte (*huis*). — 5 Le 23 juin 1203. — 6 San-Stefano.

Or croyez bien qu'ils regardèrent beaucoup Constantinople, ceux
10 qui jamais encore ne l'avaient vue ; car ils ne pouvaient penser qu'il
pût y avoir ville si riche dans le monde entier, quand ils virent ces hauts
murs et ces riches tours dont elle était close à la ronde tout alentour,
et ces riches palais et ces hautes églises, dont il y avait tant que nul
ne l'eût pu croire, s'il ne l'eût vu de ses yeux, et la longueur et la largeur
de la ville qui entre toutes les autres était souveraine. Et sachez qu'il
n'y eut homme, si hardi fût-il, à qui la chair ne frémît ; et ce n'était pas
merveille, car jamais aussi grande entreprise n'avait été tentée par
personne, depuis la création du monde.

Alors descendirent à terre les comtes et les barons et le doge de
20 Venise, et le conseil se tint au monastère de Saint-Étienne. Là maint
avis fut pris et donné. Toutes les paroles qui y furent dites, le livre
ne vous les contera point, mais le conseil aboutit à ceci, que le doge
de Venise se leva tout droit et leur dit :

« Seigneurs, je connais mieux que vous ne faites les conditions de
ce pays, car j'y ai déjà été. Vous avez entrepris la plus grande et la
plus périlleuse affaire qui jamais fut entreprise ; aussi conviendrait-il
que l'on procédât sagement. Sachez, si nous gagnons la terre ferme,
que cette terre est grande et vaste, et nos gens pauvres et démunis de
vivres. Ils se répandront donc à travers la contrée pour chercher des
30 vivres ; et il y a une très grande quantité de gens dans le pays ; ainsi
nous ne pourrions faire si bonne garde que nous ne perdions des nôtres.
Et il ne s'agit pas que nous en perdions, car nous avons fort peu de gens
pour ce que nous voulons faire.

Il y a des îles tout près, que vous pouvez voir d'ici, habitées par des
populations, et productrices de blé, de vivres et d'autres biens. Allons
y mouiller, et amassons les blés et les vivres du pays ; puis, quand nous
aurons amassé les vivres, allons devant la ville, et faisons ce que
Notre-Seigneur aura décidé. Car plus sûrement guerroie tel qui a des
vivres que tel qui n'en a point. » A cet avis se rallièrent les comtes et
40 les barons, et tous s'en retournèrent, chacun à sa nef et à son vaisseau.

Ils reposèrent ainsi cette nuit, et au matin, le jour de la fête de
Mgr saint Jean-Baptiste, en juin, furent hissés les bannières et les
gonfanons [7] sur les châteaux des nefs, et les housses des écus ôtées et le
bord des nefs garni [8]. Chacun était attentif à ses armes, comme il devait
les avoir ; car ils savaient bien que d'ici peu ils en auraient besoin.

Les croisés débarquent à proximité de CONSTANTINOPLE *et attaquent la ville par terre et
par mer. Le 17 juillet 1203 ils donnent l'assaut : les Vénitiens, de leurs vaisseaux, s'emparent
de vingt-cinq tours ; pourtant l'issue reste douteuse lorsque, pendant la nuit,* ALEXIS *(l'usurpateur) abandonne soudain la ville. C'est la* première *prise de* CONSTANTINOPLE *par les
croisés.*

— 7 Étendards. — 8 Au moyen des écus, pour protéger les combattants.

JOINVILLE

Sa vie (1224-5 1317)   Jean, sire de JOINVILLE en Champagne, participa à la VIIe croisade, en Égypte (1248-1254), au cours de laquelle le roi Louis IX l'attacha à sa personne. Dès lors, Joinville fut l'intime du saint roi, sans toutefois le suivre à la VIIIe croisade, au cours de laquelle Louis IX mourut devant Tunis (1270). Confident du roi, admirateur de ses vertus, gardant d'ailleurs avec lui toute son indépendance et tout son franc-parler, il voua un culte à sa mémoire, contribua à obtenir sa canonisation, et, à la demande de la reine Jeanne, femme de Philippe le Bel, dicta une *Histoire de Saint Louis*, achevée en 1309.

Son œuvre   Cette œuvre comprend deux parties, de longueur très inégale (la deuxième est beaucoup plus développée), et passablement enchevêtrées : une vie anecdotique de SAINT LOUIS, et une histoire de son règne, qui se ramène presque exclusivement au récit de la croisade en Égypte.

L'aspect le plus intéressant pour nous est le « livre des saintes paroles et des bons faits de notre roi saint Louis ». JOINVILLE procède par anecdotes contées sans ordre, parfois répétées, mais fraîches, sincères, et qui campent un SAINT LOUIS très vivant, sublime et humain à la fois, emporté, doué du sens de l'humour, charitable, pieux, grand roi et héros chrétien. En même temps Joinville esquisse son propre portrait : très pieux lui aussi, il n'est pas un saint. Plein de sens pratique, de franchise, d'indépendance, c'est un esprit curieux et toujours en éveil. De nos jours Péguy dira son admiration pour ces deux figures de Saint Louis et de Joinville qui se complètent tout en s'opposant.

JOINVILLE est beaucoup moins historien que VILLEHARDOUIN. S'il excelle à donner l'impression de la réalité vécue, il ne sait ni équilibrer les parties de son ouvrage, ni composer un développement, ni rapporter les événements dans leur ordre chronologique De perpétuelles digressions font perdre le fil du récit. Il manque enfin complètement de sens critique (il croit par exemple que le Nil traverse le Paradis terrestre). Mais il a ce qui manque à Villehardouin : le sens du pittoresque, de la couleur et même de l'exotisme. Il nous fait voir le camp de l'ennemi, s'intéresse aux mœurs, aux institutions des Sarrasins (la Halca, garde du soudan), aux coutumes des Bédouins, aux particularités géographiques de l'Égypte (crues du Nil). Il nous fait pénétrer dans le monde étrange et mystérieux des « Assassins » qui obéissent au « Vieux de la Montagne ». Ainsi, à bien des égards, il rappelle Hérodote. Enfin il sait rendre avec intensité le caractère dramatique d'une scène.

Un moraliste courageux   Le *désir d'édification* est constant chez lui, et sa foi naïve et ardente lui fait rapporter une foule de *miracles*. Mais la leçon morale des événements, des exemples et enseignements de Saint Louis, il ne l'applique pas seulement à l'humanité en général : avec un réel courage, il ose admonester ouvertement le roi PHILIPPE LE BEL, petit-fils de Saint Louis, chez qui il regrette de retrouver si peu les vertus de son aïeul.

Une vie de saint   Au nom de Dieu tout-puissant, moi, Jean, sire de Joinville, sénéchal de Champagne, fais écrire la vie de notre saint roi Louis, ce que j'ai vu et entendu dans l'espace de six ans que je fus en sa compagnie au pèlerinage d'outre-mer, et aussi depuis notre retour. Et avant de vous parler de ses hauts faits et de sa chevalerie, je vous conterai ce que j'ai vu et entendu de ses saintes paroles et de ses bons enseignements, de façon qu'on les trouve l'un après l'autre, pour l'édification de ceux qui les entendront.

LA LÈPRE ET LE PÉCHÉ MORTEL

Ce passage est à la fois très *beau* et très *révélateur*. Saint Louis vit sa foi chrétienne avec une intensité émouvante (horreur du péché, amour de Dieu et du prochain). Joinville, bon chrétien d'ailleurs, a des réactions très humaines et très spontanées. Et son roi ne le méprise pas pour autant : il l'admoneste gravement et cherche à le convaincre. Ainsi se trouvent en présence deux types représentatifs, non seulement du Moyen Age, mais de l'humanité de toujours : le *saint* (ou le héros) et l'*homme moyen*, avec ses qualités et ses faiblesses.

Il m'appela une fois et me dit : « Je n'ose aborder avec vous, tant votre esprit est subtil, sujet qui touche à Dieu ; et si j'ai mandé ces deux Frères [1] ici présents, c'est que je veux vous poser une question ». Voici quelle fut la question : « Sénéchal, dit-il, qu'est-ce que Dieu ? » Et je lui dis : « Sire, c'est si bonne chose que rien de meilleur ne peut exister. » — « Vraiment, dit-il, c'est bien répondu, car cette réponse que vous avez faite est écrite dans ce livre que je tiens à la main. Maintenant je vous demande, dit-il, ce que vous aimeriez mieux : être lépreux ou avoir fait un péché mortel ? » Et moi, qui jamais ne lui mentis, je lui
10 répondis que j'aimerais mieux en avoir fait trente que d'être lépreux. Et quand les Frères furent partis, il m'appela tout seul, me fit asseoir à ses pieds, et me dit : « Comment m'avez-vous dit cela hier ? » Et je lui répondis que je le disais encore ; alors il me dit : « Vous avez parlé avec la légèreté d'un étourdi, car il n'est pas de lèpre aussi horrible que d'être en état de péché mortel, parce que l'âme en état de péché mortel est semblable au diable : c'est pourquoi il ne peut y avoir lèpre aussi horrible. Et il est hors de doute que, quand l'homme meurt, il est guéri de la lèpre du corps ; mais quand l'homme qui a fait le péché mortel meurt, il ne sait, — comment en être certain ? — s'il a eu telle repentance que Dieu
20 lui ait pardonné ; aussi doit-il avoir grand peur que cette lèpre-là ne lui dure aussi longtemps que Dieu sera en paradis. Je vous prie donc, dit-il, de toutes mes forces, de disposer ainsi votre cœur, pour l'amour de Dieu et de moi, que vous aimiez mieux voir n'importe quelle disgrâce frapper votre corps, lèpre ou toute autre maladie, plutôt que de laisser le péché mortel pénétrer en votre âme. »

Il me demanda si je lavais les pieds aux pauvres le jour du jeudi saint [2]. « Sire, dis-je, hé ! malheur ! les pieds de ces vilains ! jamais je ne les laverai. » — « Vraiment, dit-il, c'est mal répondu, car vous ne devez point dédaigner ce que Dieu fit pour notre enseignement. Je vous prie
30 donc pour l'amour de Dieu, d'abord, ensuite pour l'amour de moi, de prendre l'habitude de les laver. »

— 1 Religieux, moines. — 2 Pour commé- | morer le geste du Christ lavant ce jour-là les pieds de ses Apôtres.

Le saint roi, loin d'être froid ou compassé, savait goûter la *plaisanterie*, et Joinville, qui était lui-même si vivant, ne manque pas de nous conter cette anecdote amusante. Il ne l'accompagne d'aucun commentaire, mais rapporte avec beaucoup d'*humour* les paroles de Saint Louis.

Les rateaux
du diable Il disait que c'était mal fait de prendre le bien d'autrui : car *rendre* était si dur que, même à prononcer le mot seulement, *rendre* écorchait la langue par les *r* qu'il contient, lesquels représentent les rateaux du diable, qui toujours retient et tire de son côté ceux qui veulent rendre le bien d'autrui. Et le diable agit avec beaucoup de subtilité, car dans le cas des grands usuriers et des grands voleurs, il leur inspire de donner pour l'amour de Dieu ce qu'en fait ils devraient rendre.

SAINT LOUIS RENDANT LA JUSTICE

Voici l'une des pages les plus célèbres de l'œuvre : SAINT LOUIS rendant la justice sous un chêne dans le bois de VINCENNES. Ce tableau à la fois sublime et familier est en effet inoubliable : il symbolise l'idéal du souverain juste et accessible à tous, père de son peuple.

Maintes fois il lui arriva, en été, d'aller s'asseoir au bois de Vincennes [1], après avoir entendu la messe ; il s'adossait à un chêne et nous faisait asseoir autour de lui ; et tous ceux qui avaient un différend venaient lui parler sans qu'aucun huissier, ni personne y mît obstacle. Et alors il leur demandait de sa propre bouche : « Y a-t-il ici quelqu'un qui ait un litige ? » Ceux qui avaient un litige se levaient, et alors il disait : « Taisez-vous tous, et on vous expédiera [2] l'un après l'autre. » Il appelait alors monseigneur Perron de Fontaine et monseigneur Geoffroi de Vilette [3] et disait à l'un d'eux : « Réglez-moi cette affaire. » Et quand il voyait quelque chose à corriger dans les paroles de ceux qui parlaient pour lui, ou dans les paroles de ceux qui parlaient pour autrui, il le corrigeait lui-même de sa bouche.

Je le vis quelquefois, en été, venir, pour expédier ses gens, dans le jardin de Paris, vêtu d'une cotte de camelot [4], d'un surcot de tiretaine [5] sans manches, un manteau de soie noire autour du cou, très bien peigné, sans coiffe [6], un chapeau de paon blanc [7] sur la tête. Il faisait étendre des tapis pour nous asseoir autour de lui ; et tous les gens qui avaient affaire par devant lui l'entouraient, debout ; alors il les faisait expédier de la manière que je viens de vous dire pour le bois de Vincennes.

— 1 Élevé sous *Philippe Auguste* (grand-père de *Saint Louis*), le château de *Vincennes* fut longtemps une résidence royale. — 2 On tranchera vos litiges. — 3 Le premier était jurisconsulte, le second magistrat. — 4 Étoffe de laine ou de poil de chèvre (à l'origine, de poil de chameau). La *cotte* était une sorte de casaque. — 5 Gros drap. Le *surcot* se portait par-dessus la *cotte*. — 6 Les hommes portaient alors une *coiffe* ou bonnet de toile ou de soie, qu'ils gardaient d'ordinaire sous le chapeau. — 7 Orné de plumes de paon. Le paon blanc était particulièrement recherché au Moyen Age.

FROISSART

Sa vie (1337 - après 1400)   Né à Valenciennes en 1333 ou 1337, d'origine bourgeoise, Jean FROISSART fut, pour l'époque, un grand voyageur : ses déplacements le conduisirent en Angleterre, en Écosse, en Italie, à la cour de Gaston Phoebus. Au service de la reine d'Angleterre, sa compatriote Philippe de Hainaut, puis successivement de plusieurs princes, il vécut dans l'entourage immédiat des plus grands seigneurs de son temps.

Cela explique la variété et la richesse de son information, les tendances aristocratiques et courtoises de son œuvre et aussi son changement d'attitude au cours de la rédaction de ses *Chroniques* ; d'abord favorable à la cause de l'Angleterre sous l'influence de Philippe de Hainaut (morte en 1369), il épousa ensuite les sentiments anti-anglais de son nouveau maître Guy de Châtillon.

Après 1400, nous ignorons ce que devient FROISSART.

Son œuvre   Ses *Chroniques* embrassent l'histoire des années 1326-1400, c'est-à-dire des origines et de la première moitié de la *guerre de Cent ans*. Pourvu d'une riche documentation, ayant acquis par son expérience le sens du réel et du relatif, FROISSART disposait d'éléments essentiels pour créer une œuvre véritablement historique. Ainsi il s'efforce de distinguer dans son information ce qui est sûr de ce qui l'est moins, ce qu'il sait lui-même de ce qu'il a entendu raconter. Il voudrait aussi dégager les causes des événements au lieu de se borner à en faire le récit.

La chronique des hauts faits chevaleresques   Cet effort reste timide. FROISSART est surtout pour nous le reflet du monde féodal auquel les événements qu'il raconte allaient porter un coup fatal. Déjà l'héroïsme sublime des chevaliers demeure souvent inutile. Opposant sa folle vaillance, mais aussi sa présomption à la tactique anglaise et à la cohésion d'une armée royale, la chevalerie française ne peut que sauver l'honneur au prix de pertes sanglantes : ce sont les désastres répétés, Crécy, Poitiers, Azincourt.

FROISSART n'a pas distingué l'importance des questions financières ou sociales et des mouvements populaires. Or c'est surtout en dehors de la classe féodale chère à Froissart, autour de la personne du roi incarnant la nation, d'une part, dans le peuple d'autre part, par la résistance à l'envahisseur bientôt incarnée par JEANNE D'ARC, qu'allait naître le sentiment national moderne. FROISSART et les princes auprès desquels il a vécu ne connaissent pas encore le véritable patriotisme : c'est le lien féodal de vassal à suzerain qui conduit encore les seigneurs dans l'un ou l'autre camp.

Mais l'intérêt des *Chroniques* reste grand. FROISSART a peint des scènes inoubliables par leur valeur humaine : batailles de Crécy, de Poitiers, de Cocherel, exploits de Du Guesclin, dévouement des Bourgeois de Calais, bonté de la reine d'Angleterre. Ses notations psychologiques sont souvent fines et sûres. Ses dons d'écrivain sont supérieurs à ses dons d'historien ; tantôt la sobriété même de son récit est impressionnante (mort de Jean de Luxembourg et de ses chevaliers à Crécy) tantôt il fait revivre à nos yeux, de façon précise, cette civilisation chevaleresque, brillante et aristocratique.

Le début des CHRONIQUES *porte sur les origines de la guerre de Cent ans. Puis les opérations commencent :* EDOUARD III *d'Angleterre débarque en France.* PHILIPPE VI *se porte à sa rencontre et une grande bataille a lieu à Crécy, en Picardie (août 1346). La chevalerie française subit une lourde défaite, mais elle sauve l'honneur par son courage. Au premier rang des braves morts à Crécy figure le roi de* Bohême, JEAN DE LUXEMBOURG *qui, allié fidèle et prince chevaleresque, tient à participer à la bataille quoiqu'il soit aveugle.*

MORT HÉROÏQUE
DE JEAN DE LUXEMBOURG A CRÉCY

Héroïsme inutile peut-être, et même fou, que celui du roi de BOHÊME, mais quelle *grandeur* aussi dans ce geste et dans cette mort ! Et il y avait bien ici de quoi séduire FROISSART, poète et chroniqueur de la *société courtoise*.

Li vaillans et gentilz rois de Behagne, qui s'appeloit messires Jehans de Lussembourch, car il fu filz a l'empereour Henri de Lussembourch, entendi par ses gens que li bataille estoit commencie ; car quoique il fust la armés et en grant arroy, il ne veoit goutes et estoit aveules...

5 *Adonc dist li vaillans rois a ses gens une grant vaillandise : « Signeur, vous estes mi homme et mi ami et mi compagnon. A le journee d'ui, je vous pri et requier tres especialment que vous me menés si avant que je puisse ferir un cop d'espee. » Et cil qui dalés lui estoient, et qui se honneur et leur avancement amoient, li acorderent. La estoit li Monnes de Basele a son*
10 *frain, qui envis l'euist laissiet ; et ossi eussent pluiseur bon chevalier de le conté de Lussembourch, qui estoient tout dalés lui : si ques, pour yaus acquitter, et que il ne le perdesissent en le presse, il s'alloieront par les frains de leurs chevaus tous ensemble ; et misent le roy leur signeur tout devant, pour mieulz acomplir son desirier. Et ensi s'en alerent il sus leurs*
15 *ennemis.*

Bien est verités que de si grant gent d'armes et de si noble chevalerie et tel fuison que li rois de France avoit la, il issirent trop peu de grans fais d'armes, car li bataille commença tart, et si estoient li François fort lassé et travillié, ensi qu'il venoient. Toutes fois, li vaillant homme et li bon
20 *chevalier, pour leur honneur, chevauçoient toutdis avant, et avoient plus chier a morir, que fuite villainne leur fust reprocie. La estoient li contes d'Alençon, li contes de Blois, li contes de Flandres, li dus de Lorraigne, li contes de Harcourt, li contes de Saint Pol, li contes de Namur, li contes d'Auçoirre, li contes d'Aubmale, li contes de Sanssoire, li contes de Salebruce,*
25 *et tant de contes, de barons et de chevaliers que sans nombre. La estoit messires Charles de Behagne, qui s'appeloit et escrisoit ja rois d'Alemagne et en portoit les armes, qui vint moult ordonneement jusques a le bataille. Mais quant il vei que la cause aloit mal pour yaus, il s'en parti : je ne sçai pas quel chemin il prist.*
30 *Ce ne fist mies li bons rois ses pères, car il ala si avant sus ses ennemis que il feri un cop d'espee, voire trois, voire quatre, et se combati moult vaillamment. Et ossi fisent tout cil qui avoecques lui accompagniet estoient ; et si bien le servirent, et si avant se bouterent sus les Englès, que tout y demorerent. Ne onques nulz ne s'en parti, et furent trouvé a l'endemain, sus le*
35 *place, autour dou roy leur signeur et leurs chevaus tous alloiiés ensemble.*

Le vaillant et noble roi de Bohême, qui s'appelait messire Jean de Luxembourg, car il était fils de l'empereur Henri de Luxembourg, apprit par ses gens que la bataille était engagée ; car quoiqu'il fût là en armes et en grand appareil guerrier, il n'y voyait goutte et était aveugle...

Son entourage l'informe que la première phase de la bataille est désastreuse pour les Français.

Alors le vaillant roi adressa à ses gens des paroles très valeureuses : « Seigneurs, vous êtes mes hommes, mes amis et mes compagnons. En cette présente journée, je vous prie et vous requiers très expressément que vous me meniez assez avant pour que je puisse donner un coup d'épée. » Et ceux qui étaient auprès de lui, songeant à son honneur et à leur avan-
10 cement, lui obéirent. Il y avait là, tenant son cheval par le frein, Le Moine de Basèle [1], qui jamais ne l'eût abandonné de son plein gré ; et il en était de même de plusieurs bons chevaliers du comté de Luxembourg, tous présents à ses côtés. Si bien que, pour s'acquitter (de leur mission) et ne pas le perdre dans la presse, ils se lièrent tous ensemble par les freins de leurs chevaux ; et ils placèrent roi leur seigneur tout en avant, pour mieux satisfaire à son désir. Et ils marchèrent ainsi à l'ennemi.

Il est trop vrai que, sur une si grande armée et une telle foison de nobles chevaliers que le roi de France alignait, bien peu de grands faits d'armes furent accomplis, car la bataille commença tard, et les Français étaient
20 très las et fourbus dès leur arrivée [2]. Toutefois les hommes de cœur et les bons chevaliers, pour leur honneur, chevauchaient toujours en avant, et aimaient mieux mourir que de s'entendre reprocher une fuite honteuse. Il y avait là le comte d'Alençon, le comte de Blois, le comte de Flandre, le duc de Lorraine, le comte d'Harcourt, le comte de Saint-Pol, le comte de Namur, le comte d'Auxerre, le comte d'Aumale, le comte de Sancerre, le comte de Sarrebruck, et un nombre infini de comtes, barons et chevaliers. Il y avait là messire Charles de Bohême, qui se faisait appeler et signait déjà « roi d'Allemagne » et en portait les armes, qui vint en très belle ordonnance jusqu'à la bataille. Mais quand il vit que l'affaire tournait
30 mal pour eux, il s'en alla [3] : je ne sais pas quelle route il prit.

Ce ne fut pas ainsi que se conduisit le bon roi son père, car il marcha si avant sus aux ennemis qu'il donna un coup d'épée, voire trois, voire quatre, et se battit avec une extrême vaillance. Et ainsi firent tous ceux qui l'escortaient ; et ils le servirent si bien et se jetèrent si avant sur les Anglais que tous y restèrent. Pas un seul n'en revint [4] et on les trouva le lendemain, sur la place, autour du roi leur seigneur, leurs chevaux tous liés ensemble.

— 1 « Très vaillant chevalier et très expert aux armes » qui avait donné de sages conseils au roi de France avant la bataille. — 2 Froissart cherche à *expliquer* la défaite des Français.

— 3 Sous une apparence de froideur objective, la phrase est lourde de réprobation. — 4 Cp. Hugo (*Les Châtiments : L'expiation*) : « Pas un ne recula. Dormez, morts héroïques ! »

72

COMMYNES

Sa vie (1447-1511)

A plus d'un égard la destinée de Philippe de COMMYNES rappelle celle de FROISSART. Lui aussi originaire d'une province du Nord (Flandre) — mais issu d'une famille d'ancienne noblesse — il consacra son activité au service des plus grands princes de son temps, et ses missions diplomatiques l'amenèrent à de nombreux voyages, enrichissant son expérience. Lui aussi changea de camp, d'une façon beaucoup plus éclatante même que FROISSART. Au service du comte de Charolais, le futur CHARLES LE TÉMÉRAIRE, dès 1464, il s'entremit en faveur de LOUIS XI lors de l'entrevue de Péronne (1468) et, quatre ans plus tard, abandonna la maison de Bourgogne pour s'attacher au roi de France, dont il fut dès lors le conseiller intime. Après la mort de LOUIS XI, à laquelle il assista, il connut un brusque retour de fortune, et fut même arrêté et jugé. Mais il rentra bientôt en grâce auprès de CHARLES VIII. Il rédigea ses *Mémoires* pendant les années 1489-91, puis 1495-98.

Son œuvre

Ses *Mémoires* comprennent deux parties : la première se rapporte au règne de LOUIS XI, la seconde au règne de CHARLES VIII. Il s'agit de souvenirs personnels : ainsi s'explique l'impression vécue que nous laissent tant de ses pages dans leur caractère piquant ou dramatique. Mais son destin l'a mêlé à tous les grands événements de son temps, si bien que son œuvre vaut à la fois par la vie d'un témoignage direct et par ses qualités véritablement historiques.

COMMYNES n'est plus un simple chroniqueur. A la différence de FROISSART, il ne se contente pas de peindre les scènes historiques, ce qu'il fait d'ailleurs avec pittoresque : il réfléchit constamment sur les causes des événements ; il étudie la psychologie des princes et sait, en composant un portrait, mettre en lumière le trait marquant du personnage. Il a le souci de l'impartialité. On trouve chez lui une pensée politique personnelle. Enfin ses réflexions, par leur profondeur, révèlent souvent un moraliste averti.

COMMYNES n'avait pas de prétentions littéraires, pourtant sa langue et son talent sont vivants et modernes. La composition a de l'aisance ; le ton s'adapte aux nuances de la pensée et du sentiment. Bien loin de tomber dans l'oubli après sa mort, COMMYNES trouvera constamment des lecteurs attentifs, ainsi Ronsard, Montaigne, puis Mme de Sévigné. Bref, sans perdre la spontanéité des anciens chroniqueurs, COMMYNES apparaît comme le premier historien de la littérature française. Contemporain de Villon, il marque lui aussi, dans son domaine, le passage du Moyen Age à des temps nouveaux.

PORTRAIT MORAL DE LOUIS XI

Au LIVRE I, nous voyons COMMYNES, tout jeune encore, entrer au service de CHARLES DE BOURGOGNE (1464). Puis c'est la *guerre du Bien Public*, révolte des grands feudataires contre LOUIS XI (1465). L'auteur interrompt son récit, au chapitre X, pour nous présenter ses réflexions sur le caractère de LOUIS XI. Ce portrait est justement célèbre. Par sa *pénétration psychologique* il est digne d'être comparé aux portraits historiques les plus réussis (par exemple celui de CHARLES XII, roi de Suède, par VOLTAIRE). Ce sont des pages de cette portée qui font de COMMYNES un *véritable historien* et illustrent son talent de moraliste.

Entre tous ceux que j'ai jamais connus, le plus avisé pour se tirer d'un mauvais pas en temps d'adversité, c'était le roi Louis XI, notre maître, et aussi le plus humble en paroles et en habits, et l'être qui se donnait le plus de peine pour gagner un homme qui pouvait le servir ou qui pouvait lui nuire. Et il ne se dépitait pas d'être rebuté tout d'abord par un homme qu'il travaillait à gagner, mais il persévérait en lui promettant largement et en lui donnant en effet argent et dignités qu'il savait de nature à lui plaire ; et ceux qu'il avait chassés et repoussés en temps de paix et de prospérité, il les rachetait fort cher quand il en avait besoin, et se servait d'eux sans leur tenir nulle rigueur du passé.

10   Il était par nature ami des gens de condition moyenne et ennemi de tous les grands qui pouvaient se passer de lui. Personne ne prêta jamais autant l'oreille aux gens, ne s'informa d'autant de choses que lui, et ne désira connaître autant de gens. Car il connaissait tous les hommes de poids et de valeur d'Angleterre, d'Espagne, du Portugal, d'Italie, des états du duc de Bourgogne, et de Bretagne, aussi à fond que ses sujets. Et cette conduite, ces façons dont il usait, comme je viens de le dire, lui permirent de sauver sa couronne, vu les ennemis qu'il s'était faits lui-même lors de son avènement au trône [1].

20   Mais ce qui le servit le mieux, ce fut sa grande largesse, car s'il se conduisait sagement dans l'adversité, en revanche, dès qu'il se croyait en sûreté, ou seulement en trêve, il se mettait à mécontenter les gens par des procédés mesquins fort peu à son avantage, et il pouvait à grand'peine endurer la paix. Il parlait des gens avec légèreté, aussi bien en leur présence qu'en leur absence, sauf de ceux qu'il craignait, qui étaient nombreux, car il était assez craintif de sa nature. Et quand, pour avoir ainsi parlé, il avait subi quelque dommage ou en avait soupçon et voulait y porter remède, il usait de cette formule adressée au personnage lui-même : « Je sais bien que ma langue m'a causé grand tort, mais
30   elle m'a aussi procuré quelquefois bien du plaisir. Toutefois il est juste que je fasse réparation. » Jamais il n'usait de ces paroles intimes sans accorder quelque faveur au personnage à qui il s'adressait, et ses faveurs n'étaient jamais minces.

C'est d'ailleurs une grande grâce accordée par Dieu à un prince que l'expérience du bien et du mal, particulièrement quand le bien l'emporte, comme chez le roi notre maître nommé ci-dessus. Mais à mon avis, les difficultés qu'il connut en sa jeunesse, quand, fuyant son père, il chercha refuge auprès du duc Philippe de Bourgogne, où il demeura six ans [2], lui furent très profitables, car il fut contraint de plaire à ceux dont il
40   avait besoin : voilà ce que lui apprit l'adversité, et ce n'est pas mince avantage. Une fois souverain et roi couronné, il ne pensa d'abord qu'à la vengeance, mais il lui en vint sans tarder des désagréments et, du même coup, du repentir ; et il répara cette folie et cette erreur en regagnant ceux envers qui il avait des torts.

— 1 La politique de Louis XI au début de son règne (1461) provoqua un soulèvement féodal (« guerre du Bien Public », 1465). Cf. les dernières lignes du texte. — 2 De 1456 à 1461. Impatient de régner, Louis XI (alors Dauphin) avait conspiré contre son père Charles VII.

Le LIVRE II contient le récit « des guerres qui furent entre le duc de Bourgogne et les Liégeois » (1466-8). CHARLES LE TÉMÉRAIRE *succède à son père* PHILIPPE LE BON *en 1467. Pendant un soulèvement des Liégeois,* LOUIS XI, *qui les soutient en secret, commet la grave imprudence de rencontrer son adversaire à* PÉRONNE *(octobre 1468), sans prendre aucune précaution. Apprenant soudain le double jeu du roi,* CHARLES LE TÉMÉRAIRE *entre en fureur, et comme* LOUIS XI *est à sa merci, on peut craindre le pire. Mais des membres de l'entourage du duc, en particulier* COMMYNES *lui-même, s'entremettent pour calmer sa colère. Finalement un arrangement intervient, très humiliant d'ailleurs pour le roi de France, qui devra aider à châtier, avec la dernière rigueur, un soulèvement qu'il avait favorisé (Sur ces événements, lire* QUENTIN DURWARD *de* WALTER SCOTT*).*

On le voit, l'entrevue de PÉRONNE *marque une date capitale dans la vie de* COMMYNES. LOUIS XI, *à qui il a rendu un service signalé et qui a pu apprécier ses qualités, fera tout désormais pour se l'attacher. Et de fait* COMMYNES *passera à son service en 1472. Voici les considérations que lui inspire* l'imprudence *commise par* LOUIS XI.

LES LEÇONS DE L'HISTOIRE

Voici de nouveau, interrompant le cours du récit, et cette fois au moment pathétique, quand le sort de LOUIS XI n'est pas encore fixé, des *réflexions de* COMMYNES. Dépassant le cas présent, il *généralise* et tire des faits une *leçon* universellement valable. A la différence des anciens chroniqueurs, de JOINVILLE en particulier, il ne s'agit plus de morale édifiante, mais de *sagesse politique.* Et COMMYNES montre le rôle que doit jouer *l'histoire* dans la formation des princes.

Grant follie est à ung prince de se soubmettre à la puissance d'un autre, par especial quant ilz sont en guerre, et est grand advantaige aux princes d'avoir veü des hystoires en leur jeunesse, èsquelles voyent largement de telles assemblées et de grans fraudes et tromperies et parjuremens que aucuns des anciens ont fait les ungs vers les autres, et prinz et tuéz ceulx qui en telles seüretéz s'estoient fiéz. Il n'est pas dit que tous en ayent usé, mais l'exemple d'ung est assez pour en faire saiges plusieurs et leur donner vouloir de se garder.

Et est, ce me semble (ad ce que j'ay veü par experience de ce monde, où j'ay esté autour des princes l'espace de dix huit ans ou plus, ayant clère congnoissance des plus grandes et secrètes matières qui se soient traictées en ce royaulme de France et seigneuries voysines), l'ung des grandz moyens de rendre ung homme saige, d'avoir leü les hystoires anciennes et apprendre à se conduyre et garder et entreprendre saigement par les hystoires et exemples de noz predecesseurs. Car nostre vie est si briefve qu'elle ne suffit à avoir de tant de choses experience.

Le récit pittoresque   *Dans les pages consacrées à* l'entrevue de PICQUIGNY *(IV, 10) apparaît un autre aspect des* MÉMOIRES : *le récit vivant et circonstancié. Après avoir relaté au LIVRE III le début de la guerre entre* LOUIS XI *et* CHARLES LE TÉMÉRAIRE, *puis les affaires d'Angleterre,* COMMYNES *consacre le début du LIVRE IV aux fautes commises par le duc de Bourgogne et à la guerre en Picardie et en Artois. Puis il aborde les rapports entre* ÉDOUARD IV *d'Angleterre et* LOUIS XI. ÉDOUARD VI *gagne* CALAIS *pour faire la guerre à* LOUIS XI *(1475), mais des négociations s'engagent aussitôt, qui aboutissent à un traité ratifié par les souverains lors de* l'entrevue de PICQUIGNY. *Ce traité est complété, aussitôt après, par une trêve avec* CHARLES LE TÉMÉRAIRE.*

L'ENTREVUE DE PICQUIGNY

Instruit par la pénible expérience de Péronne, Louis XI s'entoure cette fois d'un *luxe de précautions* pour sa rencontre avec son ennemi de la veille, Édouard IV. Ces précautions présentèrent même un côté qui nous amuse (l. 9-10 et l.30 : les deux rois se donnant l'accolade par les trous de la barrière). Commynes a participé, du côté français, au choix de l'endroit et à tous les préparatifs : on comprend ainsi la *précision* et la *clarté* des *détails* qu'il nous donne. C'est le récit *vivant* et *détaillé, pittoresque* même, d'un *témoin oculaire*, et d'un homme qui a vécu dans l'intimité des princes. On verra combien ce texte est différent de nos deux premiers extraits. L'auteur est ici beaucoup plus près de la tradition des *chroniqueurs*.

Après être allés partout et avoir bien reconnu le cours de la rivière, nous arrêtâmes que l'endroit le plus beau et le plus sûr était Picquigny, à trois lieues d'Amiens, solide château qui appartient au vidame d'Amiens, et qui avait été incendié d'ailleurs par le duc de Bourgogne. La ville est basse et traversée par la rivière de Somme, qui n'est pas guéable et, en ce lieu, n'est pas large. [...]

Une fois l'endroit choisi, on décida d'y faire un pont fort solide et assez large ; et nous fournîmes charpentiers et matériaux ; au milieu de ce pont fut aménagé un fort treillis de bois comme on en fait pour les cages

10 des lions, et les trous entre les barreaux étaient juste assez grands pour y passer le bras aisément. La partie supérieure était couverte de planches, simplement pour garantir de la pluie, et cet auvent pouvait abriter dix ou douze personnes de chaque côté. Le treillis s'étendait jusqu'aux bords du pont, afin qu'on ne pût passer d'un côté à l'autre. Sur la rivière il y avait seulement une petite barque avec deux hommes pour passer ceux qui désiraient changer de rive. [...]

Le roi d'Angleterre vint le long de la chaussée, très bien accompagné, et *semblait bien roi*. Avec lui était le duc de Clarence, son frère, le comte de Northumberland et quelques autres seigneurs, son chambellan appelé

20 monseigneur d'Hastings, son chancelier et d'autres, et il n'y en avait que trois ou quatre habillés de drap d'or comme le roi. Ledit roi avait une barrette de velours noir sur sa tête, avec une grande fleur de lis de pierreries. C'était un très beau prince [1], de haute taille, mais il commençait à engraisser, et je l'avais vu autrefois plus beau, car je n'ai pas souvenance d'avoir jamais vu un homme plus beau qu'il n'était quand monseigneur de Warwick le fit fuir d'Angleterre [2].

Lorsqu'il fut arrivé à quatre ou cinq pieds de la barrière, il ôta sa barrette et plia le genou jusqu'à un demi-pied du sol environ. Le roi lui fit aussi une grande révérence — il était déjà là, appuyé contre les

---

— 1 C'est l'avis général des contemporains, en particulier de Louis XI après l'entrevue. — 2 En 1470 : épisode de la « *Guerre des Deux Roses* » entre les maisons d'York (Édouard IV) et de Lancastre. Le comte de Warwick, sur-nommé le « *Faiseur de rois* », avait assuré la couronne à son neveu Édouard IV, mais en 1470 il restaure Henri VI de Lancastre. Édouard IV reprend d'ailleurs le pouvoir dès l'année suivante (Commynes, Livre III).

30 barrières — ; ils commencèrent à se donner l'accolade par les trous, et le roi
d'Angleterre fit encore une plus profonde révérence. Le roi, commençant
l'entretien, lui dit : « Monseigneur mon cousin, soyez le très bien venu. Il
n'est homme au monde que j'eusse désiré voir autant que vous. Et loué soit
Dieu de ce que nous sommes ici assemblés à cette bonne intention. » Le
roi d'Angleterre répondit à ces paroles en assez bon français.

Alors prit la parole ledit chancelier d'Angleterre... commençant par
une prophétie — car les Anglais n'en sont jamais à court —, prophétie
qui disait qu'en ce lieu de Picquigny devait se conclure une grande paix
entre la France et l'Angleterre. Ensuite furent déployées les lettres que
40 le roi avait fait remettre audit roi d'Angleterre, touchant le traité conclu.
Et ledit chancelier demanda au roi s'il les avait commandées telles et
s'il les avait pour agréables. A quoi le roi répondit que oui ; et de même
pour celles qui lui avaient été remises de la part du roi d'Angleterre.

Alors fut apporté le missel et les deux rois posèrent une main dessus,
et l'autre main sur la vraie croix ; et ils jurèrent tous deux de tenir ce qui
avait été arrêté entre eux, savoir la trêve de neuf ans [3], s'étendant aux
alliés de part et d'autre, et l'engagement de procéder au mariage de
leurs enfants, ainsi que le comportait ledit traité.

Une fois le serment prêté, notre roi, qui avait la parole bien à son
50 commandement, se mit à dire au roi d'Angleterre, en plaisantant, qu'il
fallait qu'il vînt à Paris, qu'il lui ferait fête, ainsi que les dames, et qu'il
lui donnerait monseigneur le cardinal de Bourbon pour confesseur,
car il était homme à l'absoudre très volontiers de ses péchés, si d'aventure
il en avait commis, car il pouvait témoigner que ledit cardinal était bon
compagnon.

Réflexions morales sur Louis XI

La porte du Plessis [4] ne s'ouvrait jamais, ni le pont-
levis ne s'abaissait, avant huit heures du matin ; alors
entraient les officiers du roi, et les capitaines des gardes
plaçaient les portiers ordinaires, puis disposaient des archers du guet, tant à la porte que
dans la cour, comme dans une place frontière étroitement gardée ; personne ne pénétrait
sinon par le guichet et au su du roi, sauf quelque maître d'hôtel ou personne de cette
sorte qui n'allait point auprès de lui.

Eh bien ! est-il possible, si l'on veut le traiter avec les égards qu'on lui doit, de tenir
un roi en plus étroite prison qu'il se tenait lui-même ? Les cages [5] où il avait enfermé les
autres avaient quelque huit pieds de côté, et lui, un si grand roi, n'avait pour se promener
qu'une petite cour de château. Encore n'y venait-il guère, se tenant dans la galerie sans
en sortir sinon pour circuler dans les appartements, et se rendant à la messe sans passer
par ladite cour.

Oserait-on prétendre qu'il ne souffrait point, ce roi qui s'enfermait et se faisait garder
de la sorte, qui craignait ses enfants et tous ses proches parents, qui changeait et remplaçait
chaque jour ses serviteurs et commensaux, lesquels ne tenaient biens et honneurs que de
lui, qui n'osait se fier à aucun d'eux et s'enchaînait lui-même en des chaînes et clôtures
si extraordinaires ?

— 3 *Sept* ans en réalité. — 4 Château de Plessis-lez-Tours. — 5 Les fameuses cages de fer.

LE THÉATRE

Son origine Les œuvres dramatiques furent nombreuses au Moyen Age. L'origine de ce théâtre est liturgique : il s'agit d'abord d'une illustration du culte, donnée par des prêtres ou des moines pendant les offices de Noël, de l'Épiphanie et de Pâques. En France comme dans la Grèce antique, le théâtre naît du culte. Peu à peu, pour plaire à la masse des spectateurs, on introduira dans ces représentations sacrées des scènes comiques. Puis une scission s'opérera et la comédie, sous ses formes diverses, deviendra un genre indépendant.

I. LE THÉATRE RELIGIEUX

Depuis le Xᵉ siècle et jusqu'au milieu du XIIᵉ, ces drames liturgiques sont donnés en latin par des clercs, à l'intérieur des églises, en rapport étroit avec les cérémonies du culte. Les sujets sont empruntés à l'Ancien et au Nouveau Testament, puis à la vie des Saints : d'où la distinction entre MYSTÈRES et MIRACLES.

Vers le milieu du XIIᵉ siècle, la représentation et sa mise en scène prenant plus d'ampleur, les drames sont joués sur le parvis de l'église. En même temps apparaît la forme de décor qui subsistera pendant tout le Moyen Age : c'est le décor multiple, juxtaposant sur la scène diverses lieux ou « mansions », en particulier le Paradis, Jérusalem, l'Enfer. Les acteurs sont désormais des laïcs, appartenant à des confréries. Enfin le français remplace le latin. Ainsi naît ce qu'on appelle le drame semi-liturgique.

LE MIRACLE DE THÉOPHILE (XIIIᵉ SIÈCLE)

Lorsque le sujet du drame sacré est emprunté à la vie des saints, à la légende dorée, la pièce est alors un *miracle*. Le premier miracle que nous possédions est le *Jeu de saint Nicolas* de JEAN BODEL, représenté à Arras vers 1200. Le jeu commence dans une atmosphère de chanson de geste : des chrétiens sont vaincus et massacrés par les Sarrasins ; l'unique survivant sera sauvé par un miracle de saint Nicolas qui entraînera du même coup la conversion en masse des païens.

Rutebeuf : le miracle de Théophile Le *miracle de Théophile*, de RUTEBEUF, date du troisième quart du XIIIᵉ siècle. Le sujet est emprunté à une tradition très populaire au Moyen Age. Théophile, économe de l'évêque d'Adana en Cilicie (Asie Mineure, VIᵉ siècle), dans un mouvement de révolte et de dépit, a vendu son âme au diable mais, pris de remords, il vient prier la Vierge qui arrache à Satan la *charte* fatale et sauve ainsi le pécheur repenti.

Au genre du miracle, RUTEBEUF apporte ses dons lyriques (voir *Poésie lyrique*, p. 84), mais on sent encore très bien chez lui l'origine narrative de cette forme dramatique. On notera combien l'action est sommaire : nous apercevons à peine comment la Vierge sauve Théophile. Les revirements psychologiques nous paraissent aussi très brusqués : Rutebeuf est encore malhabile à concilier les exigences de la vraisemblance et du raccourci théâtral. Le drame existe pourtant, dans la conscience du héros, amer, tenté, mais bientôt repentant et plein d'humilité. Et Rutebeuf lui a prêté, dans sa rancœur du début et surtout dans ses remords et dans sa touchante prière à Notre-Dame, des accents profondément humains.

LE MYSTÈRE DE LA PASSION (XVᵉ SIÈCLE)

Le théâtre religieux aux XIVᵉ et XVᵉ siècles Cette période voit s'accentuer la différence entre miracle et mystère ; ce dernier genre va fournir les œuvres les plus importantes, inspirées en particulier par la Passion du Christ. Les *mystères* prennent une étendue de plus en plus gigantesque : il faut plusieurs jours pour les jouer. En même temps l'élément spectaculaire (décors, mise en scène, machinerie) occupe une plus grande place ; les confréries qui les jouent deviennent peu à peu de véritables troupes d'acteurs : la CONFRÉRIE DE LA PASSION de Paris jouit d'un monopole pour la capitale, de 1402 à 1548 ; elle ne sera dissoute qu'en 1676. La tradition des *Mystères de la Passion* s'est longtemps perpétuée en certains endroits, et en particulier, jusqu'à nos jours, à OBERAMMERGAU en Bavière.

Arnoul Gréban Le MYSTÈRE DE LA PASSION, d'ARNOUL GRÉBAN, est l'œuvre maîtresse du théâtre religieux au XVᵉ siècle. Il fut joué pour la première fois à Paris vers 1450. Il compte près de 35 000 vers, rassemble plus de 200 personnages, et se divise en un prologue et quatre journées, embrassant « le commencement et la création du monde..., la nativité, la passion et la résurrection de notre sauveur Jésus-Christ. »

L'auteur, maître ès arts et organiste de Notre-Dame, révèle un grand talent poétique et dramatique. Il a su rendre avec intensité le drame mystique et la Rédemption attendue par l'humanité depuis le péché originel et se déroulant à la fois sur terre et dans les cieux. Des passages comme le débat entre la Justice de Dieu et sa Miséricorde (2ᵉ journée) pendant l'agonie de Jésus au Jardin des Oliviers, sont inoubliables par leur grandeur morale et tragique. Le ton est dans l'ensemble grave, ce qui n'empêche pas GRÉBAN, selon la tradition de l'époque, d'égayer son œuvre par des intermèdes, des scènes réalistes ou bouffonnes (ces dernières fournies par les démons). Le rythme change parfois, en même temps que le ton. Par exemple dans une esquisse de pastorale, les bergers honorent à leur façon l'enfant Jésus (1ʳᵉ journée).

Mais ARNOUL GRÉBAN sait garder la mesure, et l'unité de l'ensemble n'est pas compromise par ces divertissements.

Jean Michel L'entreprise même de JEAN MICHEL suffit à prouver l'éclatant succès de la PASSION de GRÉBAN. Comme on veut donner une « Passion » dépassant par son ampleur et son caractère grandiose tout ce qui avait été fait jusqu'alors, il reprend dans son propre MYSTÈRE DE LA PASSION (représenté pour la première fois à Angers en 1486) l'œuvre de son prédécesseur, en limitant le sujet à la vie du Christ, mais en amplifiant considérablement les seconde et troisième journées de GRÉBAN. Ainsi son drame est encore beaucoup plus long, et se divise en dix journées.

Si JEAN MICHEL n'a pas le mérite de l'originalité, il a su, servi par son style vigoureux, donner au drame sacré une ampleur douloureuse et une résonance humaine. Il se montre, en bien des occasions, très supérieur à GRÉBAN. Quoiqu'il allonge, il n'est nullement diffus ; au contraire il possède l'art de la formule et du dialogue serré.

GRÉBAN a souvent moins d'aisance : par comparaison il peut nous paraître froid et parfois assez rhétorique. En réalité sa valeur est d'une autre sorte. Ce qui importe surtout pour GRÉBAN c'est le drame mystique. La tendresse humaine n'est pas absente sans doute, mais beaucoup plus qu'humain, l'amour de JÉSUS pour sa mère est mystique.

En somme, de GRÉBAN à MICHEL, le drame liturgique tend à devenir un drame humain, et ce n'est pas un hasard si, chez le second, la VIERGE ne suscite pas moins d'intérêt que JÉSUS.

Le texte de MICHEL sera en quelque sorte la vulgate de la « Passion » jusqu'à ce que le théâtre religieux se trouve détrôné par les œuvres de la Renaissance.

II. LE THÉÂTRE COMIQUE

Naissance
du théâtre comique
C'est vers le milieu du XIIIᵉ siècle que le théâtre comique s'affirme comme genre indépendant.

Notre premier auteur comique est ADAM DE LA HALLE, dit LE BOSSU, d'Arras, dont les œuvres datent de la seconde moitié du XIIIᵉ siècle. Nous lui devons le *Jeu de la Feuillée*, sorte de revue pleine de réalisme et de verve satirique, et le *Jeu de Robin et Marion*, adaptation du genre de la pastourelle. Le *Jeu de Robin et Marion* est l'ancêtre de la pastorale et de la comédie-ballet qui connaîtront tant de faveur au XVIIᵉ siècle.

LA COMÉDIE AU XVᵉ SIÈCLE

Le XVᵉ siècle offre toute une variété de genres : soties, monologues, sermons joyeux, moralités, et surtout farces. La *sotie*, dont les acteurs portent le costume des « sots » (fous), fait passer sous un fatras bouffon une satire souvent hardie de l'époque. Le *monologue* est également satirique, mais sous une forme plus cohérente. Le *sermon joyeux* parodie l'éloquence sacrée. Quant à la *moralité*, elle illustre plaisamment une vérité morale.

Seule la *farce* a survécu. Le genre sera encore pratiqué au XVIIᵉ siècle, par Molière qui en gardera des éléments jusque dans ses grandes comédies. Au XVᵉ siècle, il donne déjà un chef-d'œuvre avec *Maître Pierre Pathelin*.

C'est à l'origine un intermède comique dont on « *farcit* » les représentations sérieuses, puis la *farce* devient un genre autonome. Sans autre intention que de faire rire franchement les spectateurs en peignant les mœurs de la bourgeoisie et du peuple, elle atteint encore son but, et nous renseigne de façon réaliste et familière sur la vie, les habitudes, les travers du temps.

LA FARCE DE MAITRE PATHELIN

Auteur et date
De la *Farce de Pathelin* nous ne connaissons ni l'auteur ni la date exacte. L'œuvre est antérieure à 1469, date à laquelle apparaît le verbe « *patheliner* » (faire semblant d'être malade) : c'est la seule indication certaine. On ne s'écartera guère de la vérité en proposant les années 1460 à 1465.

Intérêt psychologique
et documentaire
Le héros, PATHELIN, est un avocat sans cause, mais bien pourvu en imagination et en fourberie. Il berne avec maîtrise le drapier GUILLAUME qui, commerçant peu scrupuleux, se laisse prendre aux belles paroles de l'avocat, puis, aveuglé par son indignation, tombe dans les pièges que lui tendent les deux compères, PATHELIN et THIBAUT L'AGNELET, le berger assommeur de moutons. Le MARCHAND attaque en justice le berger, défendu par PATHELIN. Mais il s'embrouille complètement au procès, et le JUGE ne comprend rien à cette histoire où les moutons se transforment en pièce de drap et où le plaignant semble confondre avocat et prévenu. La sentence sera donc défavorable au marchand. Enfin, dernière surprise, voici le rusé PATHELIN berné à son tour par L'AGNELET que nous croyions stupide.

Une scène de marchandage, un procès : peinture de conditions et de caractères très divers, chaque personnage ayant son individualité propre, à côté du trait commun à tous : l'absence complète de scrupules. Donc œuvre réaliste, psychologie vivante, observation amusée et gaie des mœurs et des travers humains, satire sans méchanceté de l'avocat, du juge, du marchand. Point d'illusions, ni de prédication morale. Les hommes sont ce qu'ils sont : autant en rire. Finalement c'est le plus bête, devenu subtil dès qu'il s'agit de ses intérêts, qui l'emporte ; c'est le plus misérable aussi, ce qui rétablit une sorte de morale pratique et de justice distributive.

Éléments du comique   Comme dans toute farce, le comique de mots abonde, ainsi que le comique de répétition : la langue est drue, familière, populaire, émaillée de proverbes et de jurons. Mais l'auteur ne s'en tient pas là ; la satire des professions lui fournit un comique de mœurs : le juge pressé ne se donne pas beaucoup de mal pour percer le mystère ; l'avocat excelle dans la rhétorique creuse ; le comique de caractère intervient aussi : ainsi le marchand se laisse prendre naïvement aux flatteries de Pathelin. Enfin le comique de situation anime les scènes principales. Ces éléments, joints à une action nourrie et vivante, font de la pièce une véritable comédie.

La première scène, chez l'avocat, est un dialogue entre PATHELIN *et sa femme* GUILLEMETTE. *Pathelin avait naguère du succès, mais maintenant il attend en vain les clients et tout le monde l'appelle « avocat dessous l'orme ». La misère règne dans le ménage. Mais Pathelin doit méditer quelque tour de sa façon : quoiqu'il soit sans argent, le voilà qui promet à sa femme de lui rapporter une bonne coupe de drap fin, de quoi les habiller tous les deux. Guillemette n'y comprend rien. Cependant voici Pathelin devant la boutique du drapier* GUILLAUME JOCEAULME. *Une deuxième scène commence. L'action se déroule alternativement dans la maison de Pathelin et dans la boutique du drapier, puis au tribunal, et enfin, semble-t-il, dans la rue ou sur une place devant le tribunal.*

UN CLIENT TROP AIMABLE

Il s'agit pour PATHELIN d'avoir du drap *sans le payer.* Il va pour cela se faire bien voir du marchand et *endormir sa méfiance,* en affectant un ton de bonhomie et de cordialité et surtout en le *flattant.* GUILLAUME comprendra, trop tard, *Que tout flatteur Vit aux dépens de celui qui l'écoute.*

PATHELIN, *devant l'étal, se parlant à lui-même.*
　　　　　N'est-ce pas lui là ? j'en fais doute [1].
　　　　　Eh ! si fait par sainte Marie !
　　　　　Il se mêle de draperie [2].
　　　　　　Au drapier, en entrant
　　　　　Dieu y soit [3] !
LE DRAPIER　　　　　Dieu vous donne joie !
PATHELIN　　　Dieu m'aide [4], aussi vrai que j'*avoie* [5]
　　　　　De vous voir grande volonté [6].
　　　　　Comment se porte la santé ?
　　　　　Êtes-vous sain et dru, Guillaume ?
LE DRAPIER　　Oui, pardieu.

10

— 1 Je me le demande. — 2 Il s'occupe de son métier. — 3 Formule de salut, cp. « *Dominus vobiscum* » : subj. de souhait, de même « Dieu vous donne joie ! » — 4 Toujours subj. de souhait : on prend Dieu *à témoin* de la *vérité* d'une affirmation. — 5 C'est la forme du temps, conforme à l'étymologie (*habebam*). — 6 Désir.

Ci-dessus,
Joinville présentant la vie de Saint Louis
au roi Louis X le Hutin.
Ms. fr. 13568, f° 1.
(Photo Bibliothèque nationale, Paris.)

Ci-dessous,
18 août 1239 : Louis IX vénérant
la couronne d'épines à Notre-Dame.
Paris, vitrail de la Sainte-Chapelle.
(Photo E.R.L.)

Ci-dessus,
La sensibilité d'une époque rude. Portrait (présumé)
de Louis XI tenant un livre en forme de cœur.
École française xve. Londres, National Gallery.
(Photo Eileen Tweedy - E.R.L.)

Page de droite,
Dans la veine de François Villon.
Enterrement et danse macabre.
Heures à l'usage de Paris (vers 1420).
(Photo Snark International.)

ant̄ placeto. ps.
lleri quoniam
ex̄audiet dm̄i͠
uocē oꝛōis me͠e

Thème lyrique : le charme de la nature. Départ pour la chasse.
Tapisserie française, vers 1500. Paris, musée de Cluny. *(Photo Hubert Josse.)*

PATHELIN, *tendant la main au Drapier*.

Ça, cette paume !
Comment vous va [7] ?

LE DRAPIER

Eh ! bien, vraiment,
A votre bon commandement [8].
Et vous ?

PATHELIN

Par saint Pierre l'apôtre,
Comme celui qui est tout vôtre.   20
Ainsi vous ébattez [9] ?

LE DRAPIER

Eh ! voire [10].
Mais marchands, vous pouvez le croire,
Ne font pas toujours à leur guise.

PATHELIN

Et comment va la marchandise [11] ?
S'en peut-on ni soigner ni paître [12] ?

LE DRAPIER

Eh ! m'aide Dieu [13] mon très doux maître,
Je ne sais. Toujours de l'avant [14] !

PATHELIN

Que c'était un homme savant
(Je requiers Dieu qu'il ait son âme)   30
Que votre père, douce Dame [15] !
Il m'est avis tout clairement
Qu'on le retrouve en vous vraiment.
Qu'il était bon marchand et sage !
Vous lui ressemblez de visage,
Par Dieu, comme exacte peinture.
Si jamais Dieu de créature
Eut merci, qu'à son âme il fasse
Vrai pardon.

LE DRAPIER

Amen, par sa grâce ;   40
Et à nous quand il lui plaira.

PATHELIN

Par ma foi, il me déclara [16]
Maintes fois, bien exactement,
Le temps qu'on voit présentement.
Bien des fois m'en est souvenu [17].
De son temps il était tenu
Un des bons [18].

LE DRAPIER

Asseyez-vous, sire.
Il est bien temps de vous le dire !
Mais je suis ainsi gracieux [19] !   50

— 7 Comment cela va-t-il pour vous ? Comment allez-vous ? — 8 Tout à votre service. — 9 *Vous vous ébattez* ? Vous allez et vous venez ? — 10 Ma foi, *oui* (latin *verum*). — 11 Le commerce, les affaires. — 12 Peut-on en tirer sa subsistance ? Peut-on en vivre ? Mais il y a sans doute un *jeu de mots* entre « se soigner » = subsister, et *se signer* = faire le signe de la croix, d'où *faire usage de*. Ni... ni = ou... ou... (*ni* fut longtemps employé comme *disjonctif* dans les phrases interrogatives). — 13 Toujours subj. de souhait. — 14 Peu importe, on va son chemin ! — 15 Par la Vierge Marie ! cp. v. 2. — 16 Il m'annonça. — 17 *Il m'en est souvenu*, je me le suis rappelé. — 18 Pour homme de bien. — 19 Voilà bien mon amabilité ! (il n'a pas songé plus tôt à offrir un siège à Pathelin).

PATHELIN *faisant mine de refuser le siège.*
> Je suis bien. Ah ! Corps précieux [20] !
> Il avait...

LE DRAPIER   Il faut vous asseoir.

PATHELIN   Volontiers. *(il s'assied).*
> « Ah ! vous allez voir
> Me disait-il, grandes merveilles ! »
> Que Dieu m'aide ! vrai, des oreilles,
> Du nez, de la bouche, des yeux
> *Onc* [21] enfant ne ressembla mieux   60
> A père. C'est lui tout poché [22].
> Car enfin, vous eût-on crachés
> Tous les deux contre la paroi [23]
> D'un seul coup et d'un seul arroi [24],
> Vous ne seriez pas plus semblables.

(Continuant à flatter GUILLAUME, PATHELIN *vante maintenant sa tante* « la bonne Laurence », *puis il revient à sa ressemblance avec son père).*

> Plus je vous vois..., par Dieu le père !
> Vous voici, voilà votre père.
> Vous lui ressemblez mieux que goutte
> D'eau, vraiment, sans le moindre doute.
> Quel vaillant bachelier [25] c'était !   70
> Le bon prud'homme [26] ! Et qui prêtait
> Ses denrées [27] à qui voulait.
> Dieu lui pardonne ! Il me *soulait* [28]
> Toujours de si bon cœur sourire !
> Plût à Jésus-Christ que le pire
> De de monde lui ressemblât !
> Car on ne se volerait pas
> Les uns les autres comme on fait.
>   *(il prend une étoffe et la manie)*
> Comme voici un drap bien fait !   80
> Qu'il est moelleux et doux et souple !

Ainsi, comme par hasard, PATHELIN *en vient à parler de drap. Et c'est la seconde partie de la scène : le* marchandage *commence. En entendant le prix,* PATHELIN *sursaute pour sauver les apparences. Finalement il cède, et* JOCEAULME *lui mesure six aunes de drap. Pour fêter ce marché,* PATHELIN *invite* GUILLAUME *à venir chez lui ; en même temps il touchera son dû.* GUILLAUME *aimerait mieux porter le drap lui-même, mais finalement il laisse* PATHELIN *l'emporter, tout heureux de la bonne affaire qu'il vient de traiter. Car, c'est le* piquant *de la situation, chacun des deux compères est ravi d'avoir berné l'autre !*

— 20 Tout ce dialogue est émaillé de jurons. — 21 Jamais *(unquam).* — 22 « Tout craché ». — 23 Le mur (latin *parietem).* — 24 Manière. — 25 Brave garçon (le « bachelier » est un jeune noble qui n'est pas encore armé chevalier). — 26 Honnête homme (cp. plus haut : « un des bons »). — 27 : 3 syllabes. — 28 *Il avait coutume (solebat)* de me sourire...

LA POÉSIE LYRIQUE
ET DIDACTIQUE

I. LES DÉBUTS DU LYRISME

Définition du lyrisme

Nous entendons aujourd'hui par lyrisme une poésie inspirée par des sentiments personnels (ainsi les *Contemplations* de Victor Hugo), simplement lue ou récitée. Mais à l'origine *(lyrisme* vient de *lyre)*, la poésie lyrique est une poésie musicale dont les paroles sont accompagnées par une mélodie. Au XVIe siècle encore, Ronsard et Du Bellay insisteront sur les rapports étroits entre lyrisme et musique. Au Moyen Age les jongleurs et les ménestrels sont à la fois poètes et musiciens.

Le lyrisme courtois

Lorsque le lyrisme trouve son expression littéraire (vers le milieu du XIIe siècle), son inspiration est courtoise et aristocratique. La forme la plus ancienne est la *chanson de toile* ou *chanson d'histoire*. Il s'agit de brefs récits en vers, où l'amour joue un grand rôle, et qui charmaient les dames occupées à broder ou à tisser (d'où le nom de chansons de toile).

Ce lyrisme courtois est l'œuvre tantôt de poètes de profession, attachés à un seigneur ou allant de château en château, *trouvères* en pays de langue d'oil, *troubadours* en pays de langue d'oc (approximativement au nord et au sud de la Loire), tantôt de grands seigneurs lettrés comme Conon de Béthune, Jean de Brienne et surtout Thibaud, Comte de Champagne (1re moitié du XIIIe siècle).

La littérature méridionale, si elle a ignoré longtemps les chansons de geste, offre au contraire très tôt une poésie lyrique originale et variée. L'influence de cette poésie des troubadours ne tarde pas à se traduire, dans les pays de langue d'oil, par un souci croissant de finesse et d'élégance, et par l'emprunt de nombreux genres d'origine méridionale.

Les divers genres

A la chanson de toile succèdent des poèmes lyriques de type très varié. Nous citerons la *chanson d'amour*, la *chanson de croisade*, la *rotrouenge*, le *jeu parti* (poème dialogué engageant un débat tranché par un « juge »), l'*aube* (deux êtres qui s'aiment sont éveillés par le guetteur, au point du jour), la *pastourelle*, enfin, cultivée surtout dans le Nord, où l'on voit un chevalier courtiser une bergère (« pastoure » ou « pastourelle »). Ce genre est très gracieux, complexe par son origine (peut-être à la fois populaire et aristocratique), et appelé, sous des formes diverses, à une longue fortune. Ne parlons-nous pas encore du « temps où les rois épousaient des bergères » ?

II. LE LYRISME BOURGEOIS
AU XIIIᵉ SIÈCLE

L'esprit bourgeois   Le lyrisme courtois ne répondait guère aux tendances de la bourgeoisie. Aussi voit-on apparaître au XIIIᵉ siècle un nouveau courant poétique où la verve satirique et réaliste s'unit au lyrisme : l'opposition s'affirme entre esprit aristocratique et esprit bourgeois. Le lyrisme bourgeois correspond aux *Fabliaux*, au *Roman de Renard* et au théâtre comique. L'amour et ses délicatesses y ont peu de place ; piété, satire du temps, lyrisme personnel et réaliste, teinté d'un humour tantôt gai, tantôt amer, tels sont les principaux thèmes de cette poésie.

Parmi les « jongleurs » de la société bourgeoise nous citerons JEAN BODEL, COLIN MUSET et surtout RUTEBEUF.

JEAN BODEL. — Auteur du premier *miracle* que nous possédions, *le Jeu de saint Nicolas*, JEAN BODEL fut aussi un poète lyrique de talent. Atteint de la lèpre (1202), il composa le « *Congé* », émouvant *adieu* à ses amis. Il mettait ainsi à la mode un genre qui sera repris plus tard par Villon sous la forme du « *Lais* » et du « *Testament* ».

COLIN MUSET. — Originaire de l'Est, COLIN MUSET vécut sous le règne de Saint Louis. Par son épicurisme, sa gaîté réaliste et sa façon piquante de solliciter de hauts protecteurs, il annonce l'esprit de Marot. S'adressant par exemple à un comte qui a omis de lui payer ses « gages » (« *Sire comte, j'ai viellé...* »), il déplore le triste état de ses finances ! Lorsqu'il rentre chez lui sans un sou, chacun, dit-il, lui fait grise mine ; mais quel accueil s'il rapporte quelque argent !

RUTEBEUF († 1280)

Sa vie   Parisien, RUTEBEUF vécut sous le règne de Saint Louis. Il était poète de profession et connut la misère, lorsque Saint Louis, toujours charitable, n'était pas là pour le secourir. Au milieu de ces difficultés matérielles, il gardait sa bonne humeur, et il ironisait sur son propre sort, ce qui nous fait songer à Villon. Sa principale joie, nous dit-il, réside dans l'espoir d'un avenir meilleur : « *L'espérance du lendemain. Ce sont mes fêtes.* »

Son œuvre   Auteur du *Miracle de Théophile*, de nombreux « dits », de fabliaux et de poèmes intimes, RUTEBEUF nous a laissé une œuvre très variée qui résume les principales tendances de l'époque et du milieu. Deux aspects nous intéressent surtout aujourd'hui : la satire et un lyrisme personnel plein de spontanéité.

LA SATIRE. — Rutebeuf unit à une piété ardente cet esprit gaulois et populaire qui se moque volontiers des religieux lorsque, manquant à leurs devoirs, ils ne donnent pas l'exemple d'une vie édifiante. Contre les moines et leurs empiètements il prend parti pour les maîtres séculiers de l'Université de Paris. Il intervient dans toutes les querelles qui passionnent son temps.

LE LYRISME. — Ce poète refuse de prendre trop au tragique sa propre détresse. Cela donne à ses plaintes sans cesse relevées par quelque calembour, un accent original et sympathique. Les poèmes où il nous parle de lui-même, de sa pauvreté *(La Pauvreté Rutebeuf)*, du triste accueil qui l'attend chez lui lorsqu'il rentre les mains vides, de ses amis que « le vent » a emportés, tous ces poèmes sont vraiment vivants et attachants. Pas de grande déclamation, la peinture réaliste de la vie quotidienne avec ses tracas mesquins lorsqu'on est pauvre en dépit de son talent.

L'ART. — Ces poèmes n'étaient pas destinés à être chantés : on s'achemine donc vers le lyrisme au sens moderne du terme. RUTEBEUF compense l'absence de musique par un grand souci du rythme : composition des strophes, agencement de vers de longueur différente, disposition des rimes. Il soigne aussi le détail de la forme, et va même trop loin parfois ; certaines de ses recherches d'expression nous paraissent aujourd'hui bien artificielles. Mais il faut tenir compte des goûts du temps et ne pas oublier la variété de cette œuvre, où une simplicité directe et sincère voisine avec les acrobaties les plus contestables.

LA PAUVRETÉ RUTEBEUF

Ce poème nous révèle aisément sa propre date : il fut composé entre le départ de SAINT LOUIS pour la VIIIᵉ croisade (1ᵉʳ juillet 1270), et le moment où l'on apprit en France la mort du roi, survenue devant Tunis le 25 août de la même année. Il prend ainsi la valeur d'un suprême hommage rendu à la charité de SAINT LOUIS. On notera l'*humour* de RUTEBEUF qui plaisante constamment sur sa propre détresse, et le caractère *intime* de cette poésie. Le *réalisme* le plus direct s'unit à une *recherche* amusante mais un peu artificielle : la poésie tend à devenir un *jeu*, mais elle est sauvée par la *sincérité*. Ce ton n'est pas sans ressemblance avec celui de MAROT implorant l'aide de FRANÇOIS Iᵉʳ.

> Je ne sais par où je commence [1]
> Tant ai de matière abondance
> Pour parler de ma pauvreté.
> Pour Dieu vous *pri* [2], franc Roi de France,
> Que me donniez quelque chevance [3],
> Si [4] ferez trop *grand* charité [4].
> J'ai vécu de l'autrui *chaté* [5]
> Que l'on m'a *creü* [6] et prêté :
> Or me *faut* chacun de créance [7],
> 10 Qu'[8] on me sait pauvre et endetté :
> Vous *r*'avez hors du règne été [9]
> Où toute *avoie m'attendance* [10].
>
> Entre cher temps et ma *mainie* [11]
> Qui n'est malade ni *fainie* [12],
> Ne m'ont laissé [13] deniers ni gage [14].

— 1 Subj. de délibération : par où *commencer*. — 2 *Prie :* l'*e* final est analogique. — 3 Argent (bien). — 4 Ainsi (latin *sic*). — 5 *Chaté* ou chatel : bien, fortune ; *autrui :* cas régime : j'ai vécu du bien d'autrui... — 6 *Creü* (2 syllabes) : donné à crédit. — 7 *Faut :* de *faillir* = manquer ; maintenant chacun cesse de me faire crédit. — 8 Car. — 9 C'est le préfixe *re-* marquant la répétition (cp. v. 19) ; allusion à la 2ᵉ croisade de Saint Louis, cp. v. 20-24. — 10 *Où* a pour antécédent *vous :* vous en qui je mettais tout mon *espoir* ; *avoie :* j'avais. — 11 Maisonnée, famille. — 12 Faible, abattue ; donc tout le monde a bon appétit ! — 13 Entre eux deux, à eux deux, *cher temps* et ma *mainie* ne m'ont laissé... — 14 Objet à déposer en *gage*, en échange d'un prêt d'argent.

Gent truis d'escondire arainie [15]
Et de donner mal *enseignie* [16] :
Du sien garder est chacun sage [17].
Mort me *r*'a fait de grands dommages,
o Et vous, bon Roi, en deux voyages
M'avez bonne *gent éloignie* [18],
Et le lointain pèlerinage [19]
De Tunis, qui est lieu sauvage,
Et la *male gent renoïe* [20].

....

Nul ne me tend, nul ne me baille :
Je tousse de froid, de faim bâille,
Dont je suis mort et *maubailliz* [21].
Je suis sans cottes [22] et sans lit ;
N'a [23] si pauvre jusqu'à Senlis [24].
30 Sire, je ne sais *quel* part aille [25] :
Mon côté connaît le paillis [26],
Et lit de paille n'est pas lit [27],
Et en mon lit n'a fors [28] la paille.

Sire, je vous fais *a savoir*
Je n'ai de quoi du pain avoir [29] :
A Paris suis entre tous biens,
Et n'y a nul qui y soit mien.
Pou [30] y vois et *si y* prends *pou*,
Il m'y souvient plus de saint *Pou*
40 Qu'il ne fait de nul autre apôtre.
Bien sais « *Pater* », ne sais qu'est « nôtre » [31],
Car le cher temps m'a tout ôté,
Et m'a tant vidé mon *osté* [32]
Que le « *Credo* » [33] m'est *deveez* [34]
Et je n'ai plus que vous voyez [35].

— 15 Je (ne) *trouve* (que) *des gens accoutumés à refuser*. — 16 Peu disposés à donner (qui n'ont pas bien *appris* à le faire). — 17 Chacun s'entend à garder « le sien » (son bien). — 18 Avez éloigné de moi les gens de bien ; *avez* a *trois* sujets. — 19 *Croisade*. — 20 Les infidèles : les mauvaises gens qui *renient* (le Christ). — 21 Mal en point. — 22 Sans rien pour me couvrir (cp. l'anglais : *coat* : vêtement). — 23 Il n'y a ; cp. v. 33 et v. 37 : *n'y a*. — 24 Noter le calembour à la rime. — 25 De quel côté aller. — 26 Cp. *paillasse*. — 27 Nouveau calembour (c'est un « à peu près » cette fois). —

28 *Que* : il n'y a (rien) *sinon...* — 29 *Syntaxe* : la propos. d'obj. est introduite sans *que*. — 30 *Peu* (latin *paucum*) ; jeu de mots avec « saint *Pou* » (saint Paul, latin *Paulum*). — 31 L'*oraison dominicale* commence par « *Pater noster* » (Notre père). Rutebeuf est si pauvre qu'il ne sait pas ce que signifie *notre* ! — 32 Hôtel, maison. — 33 Jeu de mots du même genre que le précédent, entre « *Credo* » (je crois), premier mot du *Symbole des apôtres* (ou « je crois en Dieu ») et *crédit*. — 34 Ôté. — 35 Je n'ai (pas) plus que vous voyez, c'est-à-dire : je ne possède rien.

III. LA POÉSIE DIDACTIQUE

La littérature didactique   On qualifie de « *didactique* » toute œuvre qui a pour but essentiel d'apprendre quelque chose aux lecteurs, que cet enseignement soit pratique, moral ou scientifique. Le caractère utilitaire d'une telle œuvre ne doit pas toutefois faire disparaître tout souci d'art.

La poésie didactique apparaît de bonne heure dans la littérature du Moyen Age. On pourrait citer par exemple la *Chasse au Cerf* ou *l'Ordre de Chevalerie*, et, dans le domaine moral, le *Doctrinal de Courtoisie*, ou les *Quatre Ages de l'Homme*. Rappelons enfin que CHRÉTIEN DE TROYES traduisit les *Amours* d'Ovide.

LE ROMAN DE LA ROSE (XIIIe SIÈCLE)

Mais nous devons surtout au genre didactique une œuvre capitale, le *Roman de la Rose*. Ce « Roman », considérable par son ampleur, sa richesse et son influence, comprend deux parties très différentes, composées à une quarantaine d'années d'intervalle par GUILLAUME DE LORRIS et JEAN DE MEUNG. Ce dernier reprend le poème où son prédécesseur l'avait laissé, mais il aborde de tout autres problèmes, et dans un esprit qui change entièrement le sens de l'œuvre. La première partie est un code de l'amour courtois, la seconde une véritable somme des idées morales, sociales et philosophiques de l'auteur.

1. *GUILLAUME DE LORRIS*

C'est à 25 ans qu'il aurait composé son œuvre (vers 1230), et, puisqu'il la laissa inachevée, il semble qu'il soit mort très prématurément. Il était cultivé sans posséder une érudition comparable à celle de son successeur. Il dédie son *Roman* à sa bien-aimée, mais il est difficile de discerner la confidence de la fiction.

GUILLAUME DE LORRIS use constamment de l'allégorie, prêtant une apparence humaine et une vie propre aux sentiments, aux qualités, aux défauts, aux âges de la vie : TRISTESSE, FÉLONIE, VILÉNIE, COURTOISIE, JEUNESSE, VIEILLESSE, etc. L'intrigue même est présentée sous une forme symbolique : le poète (AMANT) cherche à conquérir la ROSE dont son cœur s'est épris, c'est-à-dire la jeune fille qu'il aime. La fiction est gracieuse mais ne va pas sans mièvrerie. Elle morcelle de façon artificielle la psychologie de la femme aimée : celle-ci n'est qu'un bouton de rose, et ses sentiments, se détachant d'elle, prennent une existence autonome.

Autour de la ROSE évolue le ballet des complices et des adversaires de l'amour, conduits respectivement par BEL-ACCUEIL et par DANGER. Cette « quête » de la ROSE constitue un véritable code de l'amour courtois. Le chemin est long et difficile, pour atteindre la ROSE, et le verger du DIEU D'AMOUR figuré déjà comme une « carte de Tendre ». GUILLAUME DE LORRIS annonce en effet les subtilités de la galanterie et de la psychologie amoureuse qui trouveront leur expression dans les romans précieux du XVIIe siècle.

LE PRINTEMPS

Le charme du Printemps : ce thème sera bien souvent repris par nos poètes, en particulier par CHARLES D'ORLÉANS, par RONSARD, et au XIXᵉ siècle par TH. GAUTIER. Ce beau jour de mai, GUILLAUME DE LORRIS s'est attaché à en rendre l'*atmosphère* plutôt qu'à nous en donner une peinture détaillée. Et cette atmosphère était en effet indispensable au ROMAN DE LA ROSE.

> C'était le matin, eût-on dit,
> Cinq ans ont bien passé depuis,
> Au mois de mai, par un beau jour,
> Au temps plein de joie et d'amour,
> Au temps où toute chose est gaie,
> Car on ne voit buisson ni haie
> Qui, en mai, se parer ne veuille
> Et couvrir [1] de nouvelle feuille.
> Les bois recouvrent leur verdure,
> 10 Qui sont secs tant que l'hiver dure,
> La terre même se délecte [2]
> De la rosée [3] qui l'humecte
> Et oublie la pauvreté
> Où elle a tout l'hiver été.
> La terre alors devient si fière
> Qu'elle change sa robe entière ;
> Elle sait si joliment la faire
> Que de couleurs elle a cent paires [4],
> D'herbes, de fleurs indes et perses [5],
> 20 Et de maintes couleurs diverses.
> La robe qu'ainsi je décris
> Donne à la terre tout son prix.
> Les oiseaux, demeurés muets
> Cependant que le froid régnait,
> Et le temps mauvais et chagrin,
> Sont, en mai, grâce au temps serein,
> Si gais qu'ils montrent en chantant
> Qu'en leur cœur a [6] de joie tant
> Qu'il leur faut bien chanter par force [7].
> 30 Le rossignol alors s'efforce [8],
> De chanter et mener grand bruit.
> Lors s'en donne à cœur joie aussi
> Le perroquet, et l'alouette.

— 1 *Se* couvrir. — 2 « *S'orgoille* », s'enorgueillit, dit le texte original. — 3 : 3 syllabes ; cp. *oublie*, v. 13, et *joie*, v. 28 (2 syllabes). — 4 Deux cents : une foule. — 5 *Violettes* et *bleues*. — 6 Il y a. — 7 Même s'ils ne le voulaient pas. — 8 *S'efforce de :* s'évertue à... il le fait de tout son cœur.

Il faut que jeunesse se mette
A être gaie et amoureuse :
C'est la saison belle et heureuse.
Qui n'aime en mai a l'âme dure,
Quand il entend, sous la ramure,
Des oiseaux les doux chants piteux [9].

Le Roman de la Rose est présenté sous la forme d'un songe symbolique que fait un jeune homme, « au vingtième an de son âge ». Par ce beau jour du mois de mai où la nature chante l'amour, il remonte à travers de molles prairies le cours d'une claire rivière. Il parvient ainsi à l'entrée d'un verger clos de murs : c'est le verger d'AMOUR, séjour de la ROSE. Mais la ROSE est gardée par des êtres farouches, HAINE, FÉLONIE, VILENIE, CONVOITISE, AVARICE, ENVIE, TRISTESSE, VIEILLESSE, PAILLARDISE et PAUVRETÉ, abstractions personnifiées dont la figure est peinte et sculptée sur les murs du verger. C'est le procédé de l'allégorie.

Cependant, introduit par dame OISEUSE (Oisive), AMANT pénètre dans le verger où, dans un cadre gai et charmant, il trouve le DIEU D'AMOUR entouré de sa cour gracieuse : BEAUTÉ, FRANCHISE (Noblesse), RICHESSE, COURTOISIE, JEUNESSE... font pendant aux premières allégories, ennemies de l'amour.

AMANT est séduit par un merveilleux bouton de rose qu'il voudrait cueillir. Le dieu d'AMOUR lui décoche ses flèches et AMANT lui rend hommage. Mais ses épreuves vont commencer. C'est autour de lui la ronde des allégories : les unes lui sont favorables, BEL-ACCUEIL en particulier, mais les autres, DANGER et JALOUSIE surtout, accumulent devant lui les obstacles et le rendent malheureux, tandis que RAISON tente vainement de le faire renoncer à son amour. Voici que JALOUSIE fait creuser un fossé large et profond, puis élever des murs autour des rosiers et de BEL-ACCUEIL. Et AMANT déplore son triste sort. « Peu s'en faut, dit-il, que je ne désespère ». Ici finit l'œuvre de GUILLAUME DE LORRIS.

2. *JEAN DE MEUNG* († 1305)

Originaire de Meung-sur-Loire, JEAN CHOPINEL avait fait de solides études et traduisait des œuvres latines, anciennes ou contemporaines. On peut dire qu'il n'ignorait aucune chose que l'on pût savoir de son temps. Roturier, clerc érudit et philosophe, il trouva dans le *Roman* resté inachevé un cadre commode pour utiliser ses connaissances et exposer ses idées. Très différent de GUILLAUME DE LORRIS par son tempérament, sa formation et son milieu, il détourna complètement l'œuvre de son but primitif. Selon les traditions de l'esprit bourgeois, il se défie des femmes, et on le sent très sceptique à l'égard de l'amour courtois. Esprit hardi, il met en question maints principes universellement admis au Moyen Age, inaugurant ce qu'on appellera plus tard l'esprit de libre examen.

Penseur bien plus que poète, JEAN DE MEUNG se soucie peu des aventures d'AMANT. La seconde partie du *Roman* (1275-1280 environ) prend une extension énorme (quelque 18 000 vers) et devient une suite de dissertations sur tous les sujets susceptibles d'intéresser les esprits cultivés du temps. L'auteur donne la parole à RAISON et à NATURE qui expriment ses idées sur l'origine de la royauté, sur la vraie noblesse, sur le mariage, la richesse, la liberté, la création, les rapports de l'homme avec les animaux et sa place dans le monde.

Le Roman, perdant ici tout intérêt d'intrigue, cesse d'être un voyage au « pays de TENDRE », comme on dira au XVIIe siècle. Une fois terminées les digressions sur les sujets les plus variés, la conclusion du Roman tel que l'avait conçu son premier auteur sera expédiée à la hâte ! FRANCHISE et PITIÉ délivrent BEL-ACCUEIL que JALOUSIE avait fait emmurer ; celui-ci permet à AMANT de cueillir la ROSE, objet de ses vœux, et le rêve s'achève.

— 9 Attendrisssants.

IV. LA POÉSIE LYRIQUE AU XIVᵉ ET XVᵉ SIÈCLES

La réforme de Machaut

Vers le milieu du XIVᵉ siècle apparaissent avec GUILLAUME DE MACHAUT des genres lyriques nouveaux, les « poèmes à forme fixe », *rondeaux, ballades, chants royaux, lais* et *virelais*, qui seront encore en honneur dans la première moitié du XVIᵉ siècle. Tous ces poèmes, obéissant à des règles précises et rigoureuses, exigent de l'auteur beaucoup de soin et d'art : ils ne laissent aucune place à une facilité paresseuse.

EUSTACHE DESCHAMPS

Sa vie (1346-1406)

Né en Champagne, EUSTACHE DESCHAMPS, disciple et sans doute parent de Machaut, vécut à la cour de Charles V, puis de Charles VI, et y occupa d'importantes fonctions. Mais il eut aussi l'occasion de parcourir de nombreux pays d'Europe (comme Froissart et Commynes) et même d'Orient ; et nous trouvons parfois dans son œuvre un écho de ses voyages. Contemporain de Froissart, qui fut lui-même poète lyrique en même temps que chroniqueur, il a été inspiré par les grands événements de l'époque : il a chanté notamment les exploits puis pleuré le trépas de Bertrand Du Guesclin.

Son œuvre

Il écrivit plus de 1 400 poèmes, de formes et de sujets très variés, ballades, rondeaux, lais et virelais. Quant aux principales sources de son inspiration, on peut mentionner outre l'histoire de son temps et l'évocation d'aventures personnelles, les grands thèmes qui seront à l'avenir inséparables de la notion même de lyrisme, l'amour et la mort.

DESCHAMPS introduit dans le lyrisme la période oratoire qui désormais, dans les *Discours* de Ronsard d'abord, puis chez Malherbe, chez Corneille, et plus tard avec les Romantiques, jouera un si grand rôle dans la poésie française. La période en vers de Deschamps n'est pas encore aussi solide et majestueuse que celle de Ronsard, aussi rigoureuse que celle de Malherbe, mais l'ampleur en est souvent frappante, ainsi que le mouvement et le ton soutenu.

Poète courtois dans le goût du temps, empruntant volontiers inspiration et allégories au *Roman de la Rose*, Eustache Deschamps n'a cependant pas négligé la tradition réaliste du lyrisme bourgeois. C'est ainsi qu'il a su adapter la ballade au genre de la fable. Il aime donner des leçons de morale pratique, qui annoncent La Fontaine. Enfin, quoique sa sensibilité ne semble ni très vive ni très raffinée, certains de ses accents ont une résonance parfois très moderne. N'y a-t-il pas une note de mélancolie romantique dans *Chagrin d'Amour ?*

CHAGRIN D'AMOUR

Voici un *virelai**; ce *lyrisme* est assez *conventionnel*, mais le poète a trouvé des *rythmes harmonieux* et a su traduire la *mélancolie* de l'amoureux jaloux.

Tous cœurs tristes, douloureux,
  Amoureux,
  Langoureux,
Mettez-vous sous ma bannière,
Et allons cueillir bruyère,
Car Mai ne m'est pas joyeux.

Je *désir* lieux ténébreux,
  Être *seulz* [1]
Sans clarté et sans lumière,
10 Quand je suis par envieux,
  Comme un *leux* [2],
Chassé en mainte manière
Du plaisant lieu gracieux,
  Savoureux,
  Et par ceux
Qui me montrent belle *chière* [3] ;
Dont [4] je dis, comme honteux :
Tous cœurs tristes, douloureux, etc...

Mes pensers sont périlleux
20   Et douteux ;
Tristeur [5] n'est que je ne *quière* [6],
Déconforté [7], malheureux,
  Onques n'*eux* [8]
Si douloureuse manière ;
S' [9] en suis *merencolieux* [10],
  Désireux :
  Deux à deux,
Les puissé-je voir en bière,
Quand vêtir noir drap de lierre [11]
30 Me font les fous autrageux ;
Tous cœurs tristes, douloureux, etc...

---

* Le *virelai* est un poème sur *deux rimes*, dont la 1re strophe, formant *refrain*, est reprise *une* ou *deux* fois (après la 3e ou après les 3e et 5e str.). Les strophes 2 et 4 sont sur le même type. Les strophes 1, 3 et 5 également ; il manque ici, pour que le virelai soit régulier, un vers de 7 pieds à rime en *-iere* entre le v. 16 et le v. 17.

— 1 *Seul* (cas sujet, du latin *solus*). — 2 Cas sujet de *leu* (loup). — 3 Qui me font bon visage ; tel est le sens primitif de : *faire bonne chière*, ou *chère* (à quelqu'un). — 4 C'est pourquoi. — 5 Tristesse. — 6 Subj. de *querre* ou querir : cf. p. 92, v. 9, n. 6. — 7 Abattu (c'est le contraire de *réconforté*). — 8 Je n'eus jamais. — 9 Ainsi (complète *en*). — 10 Mélancolique. — 11 Vêtement de deuil ; comme nous dirions : *du crêpe*.

CHANT FUNÈBRE EN L'HONNEUR DE DU GUESCLIN

BERTRAND DU GUESCLIN meurt en 1380. CHARLES V le fait enterrer à SAINT-DENIS, dans la *sépulture des rois de* FRANCE, et EUSTACHE DESCHAMPS traduit dans cette *ballade** la *douleur de la* FRANCE *entière.*

Estoc [1] d'honneur et arbre de vaillance,
Cœur de lion épris de *hardement* [2],
La fleur des preux et la gloire de France,
Victorieux et hardi combattant,
Sage en vos faits [3] et bien entreprenant,
   Souverain homme de guerre,
Vainqueur de gens et *conquéreur* [4] de terre,
Le plus vaillant qui *onques* [5] fût en vie,
Chacun pour vous doit noir vêtir et *querre* [6] :
10 Pleurez, pleurez, fleur de chevalerie.

O Bretagne, pleure ton espérance,
Normandie [7], fais son enterrement,
Guyenne aussi, et Auvergne *or* [8] t'avance,
Et Languedoc, *quier* lui son monument.
Picardie, Champagne et Occident
   Doivent pour pleurer *acquerre*
Tragédiens [9], Aréthusa [10] *requerre*
Qui en *eaue* [11] fut par pleur convertie [12],
Afin qu'à tous de sa mort le cœur serre :
20 Pleurez, pleurez, fleur de chevalerie.

Hé ! gens d'armes, ayez en *remembrance* [13]
Votre père, — vous étiez ses enfants [14] —
Le bon Bertrand, qui tant eut de puissance,
Qui vous aimait si amoureusement ;

---

* La *ballade* est un poème de *trois strophes* (sur la même disposition rythmique et les mêmes rimes) auxquelles s'ajoutera généralement un ENVOI (reproduisant la disposition d'une fin de strophe) : c'est chez DESCHAMPS qu'apparaît l'*envoi ;* celui-ci commence d'ordinaire par le mot PRINCE. Le dernier vers de la 1ʳᵉ strophe, formant *refrain*, est repris à la fin de chaque strophe et de l'envoi. Le dernier des vers de la strophe et de l'envoi, la longueur des vers et l'agencement des rimes sont variables.

— 1 *Tronc* (autres sens : *épée* et *pointe* ; ex. : *d'estoc et de taille*). — 2 Hardiesse. — 3 Actes. — 4 Conquérant. — 5 Jamais. — 6 Noter l'inversion ; *Querre :* querir, chercher (latin : *quaerere*) ; voir l'*impératif* du même verbe, v. 14 ; cp. *acquerre*, v. 16, *requerre* v. 17 (retrouver), *conquerre* v. 26. — 7 : 4 syllabes, comme Picardie, v. 15. — 8 Maintenant. — 9 Auteurs tragiques. — 10 Allusion mythologique : nymphe transformée en fontaine. — 11 C'est l'orth. du temps, 2 syllabes. — 12 En pleurant, à force de pleurer ; *convertie :* changée. — 13 Souvenir, mémoire (l'anglais a gardé ce mot). — 14 Texte orig. : *si enfant :* cas sujet plur.

Guesclin priait : priez dévotement
   Qu'il *puist* [15] paradis *conquerre ;*
Qui deuil n'en [16] fait et qui ne prie, il erre [17],
Car du monde est la lumière *faillie* [18] :
De tout honneur était la droite *serre* [19] :
30 Pleurez, pleurez, fleur de chevalerie.

QUI PENDRA LA SONNETTE AU CHAT ?

EUSTACHE DESCHAMPS a traité la *ballade* selon des modes très variés; dans les deux textes précédents la *ballade* annonce l'*ode* ; ici c'est une *fable* (cp. LA FONTAINE, II, 2 « Conseil tenu par les rats »). Ton, rythme, langue, tout devient vif, plaisant et familier. On remarquera la *vie* du *récit* et du *dialogue*, l'effet produit par le *refrain*, enfin l'apparition de l'*envoi*, qui constitue la *morale*.

Je trouve qu'entre les souris
Eut [1] un merveilleux parlement [2]
Contre les chats leurs ennemis,
A *veoir* [3] manière comment
Elles vécussent sûrement,
Sans demeurer en tel débat [4] ;
L'une dit alors en arguant [5] :
« Qui pendra la sonnette au chat ? »

Ce conseil fut *conclus* [6] et pris ;
10 Lors *se partent* [7] communément [8].
Une souris du plat pays
Les *encontre* [9] et va demandant
Qu'[10] on a fait. Lors vont répondant
Que leurs ennemis seront *mat* [11] :

Sonnette auront au cou pendant.
« Qui pendra la sonnette au chat [12] ?

— C'est le plus fort », dit un rat gris.
Elle demande sagement
Par qui sera ce fait four*nis* [13].
Lors s'en va chacun excusant [14] :   20
Il n'y eut point d'exécutant ;
S'en va leur besogne *de plat* [15].
Bien fut dit, mais, au demeurant,
Qui pendra la sonnette au chat ?

Prince, on conseille bien souvent,
Mais on peut dire, *com* [16] le rat,
Du conseil qui sa fin ne prend [17] :
« Qui pendra la sonnette au chat ? »

— 15 Subj. de *pouvoir*. — 16 A son sujet — qui ne prend le deuil pour lui. — 17 Se trompe, commet une faute. — 18 Éteinte. — 19 La *véritable sauvegarde*.

— 1 Il y eut. — 2 « *Conseil* », dit La Fontaine, et encore plaisamment, « chapitre ». — 3 *Veoir* : forme étymol. = *voir* (2 syllabes) ; *à* : pour. — 4 État d'alerte. — 5 Raisonnant, discutant (cp. *argument*). — 6 C'est l'orth. *logique* — nous écrivons aujourd'hui, de façon tout à fait illo-gique : *conclu, exclu* à côté de *inclus, reclus*. — 7 Se séparent. — 8 Toutes. — 9 Rencontre. On dira jusqu'au XVIIe siècle *amasser, joindre*, dans des cas où nous devons dire : *ramasser, rejoindre*. — 10 Ce qu'... — 11 Défaits, vaincus (cp. l'expression du jeu d'échecs : *échec et mat*). — 12 C'est la « *souris du plat pays* » (*Elle* v. 18) qui répond. — 13 : *s* final du cas sujet sing. — 14 *S'excusant*. — 15 « *Tombe à plat* » dirions-nous familièrement. — 16 Comme. — 17 Qui n'aboutit à rien. Préciser le sens de *conseil* et de *conseiller*.

CHARLES D'ORLÉANS

Petit-fils, neveu, cousin et père de rois, CHARLES D'ORLÉANS renoue la tradition des grands seigneurs lettrés et poètes. Cette vocation poétique, peut-être est-ce un hasard par ailleurs malheureux et cruel de sa destinée qui lui permit de la réaliser.

Sa vie (1394-1465)

Fils de Louis d'Orléans (frère de Charles VI), CHARLES D'ORLÉANS fut blessé et fait prisonnier à Azincourt (1415) ; il fut emmené en Angleterre et y resta 25 ans. Ainsi la guerre de Cent ans eut une importance essentielle dans la vie même de Charles d'Orléans. Les longs loisirs forcés de la captivité, en lui interdisant l'action, lui permirent de cultiver ses dons poétiques, tandis que la tristesse de sa destinée et le mal du pays lui fournissaient un thème d'inspiration profondément humain. Il ne retrouva sa patrie qu'en 1440.

Après quelques années de vie active, il se retira dans son château de Blois, entouré d'une cour de poètes, goûtant la vie avec une philosophie épicurienne un peu désabusée qui est sensible dans ses vers. Déjà fort âgé, il eut un fils qui devait régner sous le nom de Louis XII. Il mourut à Amboise en 1465.

Son œuvre

Sa poésie comprend surtout des pièces courtes, ballades, rondeaux et chansons dont le trait commun est une grâce aristocratique nuancée parfois d'humour et, dans les dernières années surtout, d'une sagesse sceptique, mais souriante. Outre la mélancolie de l'exil, Charles d'Orléans chante surtout la nature qui se pare au printemps et les délicatesses de l'amour courtois. On retrouve souvent dans ses poèmes l'atmosphère élégante et un peu précieuse du *Roman de la Rose* dans sa première partie. Mais l'allégorie prend chez lui une valeur très particulière : elle correspond à un aspect intime de sa délicate sensibilité poétique.

Habile à traduire aussi bien la chanson du mercier ambulant que l'élégie de l'exil, la tendresse d'un cœur amoureux ou les grâces du mois de Mai, la poésie de CHARLES D'ORLÉANS est extrêmement séduisante : elle charme le lecteur par son élégance, sa sincérité, une douce mélodie et un symbolisme rêveur. C'est la fleur d'une civilisation raffinée qui a trouvé en Charles d'Orléans son digne interprète.

A SA DAME

Voici un charmant poème d'*amour courtois*. Certes, ce n'est pas la passion de RACINE ou des ROMANTIQUES, mais que d'élégance et de délicatesse ! On notera dans cette *ballade* la *langue* et l'*esprit courtois*, la *discrétion aristocratique* du sentiment, la *grâce* des *sonorités* et du *rythme*.

> Jeune, gente [1], plaisante et debonnaire [2],
> Par un prier [3] qui vaut commandement
> Chargé m'avez d'une ballade faire ;
> Si [4] l'ai faite de cœur joyeusement :
> Or la veuillez recevoir doucement.[5]

— 1 « Gentille », c'est-à-dire à l'origine *noble*, mais le sens a déjà évolué : *charmante.* — 2 *De bonne aire :* de haut lignage (idée d'une *aimable distinction*). — 3 Infinitif substantivé, cp. *penser*, p. 96, v. 12. — 4 Aussi, donc. — 5 Avec douceur, bienveillance.

Vous y verrez, s'il vous plaît à [6] la lire,
Le mal que j'ai, combien que [7] vraiement [8]
J'aimasse mieux de bouche le vous dire.

Votre douceur m'a su si bien *attraire* [9]
10 Que tout vôtre je suis entièrement,
Très désirant [10] de vous servir et plaire,
Mais je souffre maint douloureux tourment,
Quand à mon gré je ne vous vois souvent,
Et me déplaît quand me faut vous écrire,
Car si faire se pouvait autrement,
J'aimasse mieux de bouche le vous dire.

C'est par Danger [11], mon cruel adversaire,
Qui m'a tenu [12] en ses mains longuement ;
En tous mes faits je le trouve contraire,
20 Et plus se rit, quand plus me voit dolent [13] ;
Si *vouloie* raconter pleinement
En cet écrit mon ennuyeux [14] martyre,
Trop long serait ; pour *ce* [15], certainement
J'aimasse mieux de bouche le vous dire.

EN REGARDANT VERS LE PAYS DE FRANCE

Le mal du pays. En 1433 le poète, qui se trouve à Douvres, aperçoit dans le lointain les côtes de France et ressent, plus intense que jamais, le regret de sa patrie. Cependant la paix semble proche et l'espoir renaît. Tel est l'épisode qui lui inspirera ce beau poème, d'un *lyrisme* à la fois *discret* et *émouvant*, très *personnel* et largement *humain*.

En regardant vers le pays de France,
Un jour m'advint, à Douvres sur la mer,
Qu'il me souvint de la douce *plaisance*
Que je *souloie* [1] au dit pays trouver.
Si [2] commençai de cœur à soupirer,
Combien certes que [3] grand bien me *faisoit* [4]
De voir France que mon cœur aimer doit.

— 6 Nous dirions : *de*. — 7 Bien que, encore que. — 8 : 3 syllabes. — 9 Attirer, d'où *séduire* (cp. *attrait*). — 10 Désireux. — 11 Influence du « Roman de la Rose », mais ici, Danger n'est plus une simple fiction galante, c'est la *captivité*. C'est *par* : c'est à cause de, (*si je suis séparé de vous, si je ne puis « de bouche le vous dire », c'est...*). —

12 Qui me *retient* entre ses mains *depuis* longtemps (cp. le *present perfect* anglais). — 13 Affligé. — 14 Sens fort. — 15 Pour *cela*, aussi.

— 1 J'avais coutume de. — 2 Aussi. — 3 *Bien que ;* suivi de l'indicatif — 4 Prononcer « fesouè » (cp. *doit, lassoit, soit, droit*).

Je m'avisai que c'était *nonsavance* [5]
De tels soupirs dedans mon cœur garder,
10   Vu que je vois que la voie [6] commence
De bonne Paix, qui tous biens peut donner ;
Pour *ce*, tournai en *confort* mon penser [7] ;
Mais non pourtant mon cœur ne se *lassoit*
De voir France que mon cœur aimer doit.

Alors chargeai en la nef d'Espérance
Tous mes souhaits, en *leur* priant d'aller
Outre la mer sans faire *demeurance*,
Et à France de me recommander.
Or nous *doint* [8] Dieu bonne Paix sans tarder :
20   *Adonc* aurai loisir [9], mais qu'ainsi soit,
De voir France que mon cœur aimer doit.

Paix est trésor qu'on ne peut trop louer :
Je hais guerre, point ne la dois priser [10] :
Destourbé [11] m'a longtemps, soit tort ou droit,
De voir France que mon cœur aimer doit.

ENCORE EST VIVE LA SOURIS

Tandis que CHARLES D'ORLÉANS est prisonnier en ANGLETERRE, le bruit de sa mort a couru en FRANCE. Bruit sans aucun fondement, répond le poète, sur un ton *vif* et *enjoué*. Et la joie d'être *jeune* et *bien vivant* lui fait oublier un moment la tristesse de la captivité.

Nouvelles ont couru en France,
Par mains [1] lieux, que j'estoye [2] mort,
Dont avoient peu desplaisance
Aucuns [3] qui me hayent [4] a tort ;
Autres en ont eu desconfort,
Qui m'aiment de loyal vouloir,
Comme mes bons et vrais amis :
Si [5] fais a toutes gens savoir
Qu'encore est vive la souris.

10   *Je n'ay eu ne mal ne grevance [6],*
Dieu mercy, mais suis sain et fort,
Et passe temps en esperance
Que Paix, qui trop longuement dort,

— 5 *Non-savoir*, erreur. — 6 Remarquer l'allitération : *vu... vois... voie.* — 7 Je repris courage. — 8 Subj. de *donner.* — 9 *Alors* je pourrai. — 10 Estimer. — 11 *Empêché* ; et cf. p. 91 n. 7.

— 1 Pour l'orth. cp. *tous*, et ici *maudis, dolens.* — 2 La finale muette compte dans la mesure, cp. *avoient, hayent, soient.* — 3 D'aucuns. — 4 Haïssent. — 5 Aussi fais-je... — 6 Maladie.

S'esveillera, et par Accort
A tous fera liësse avoir ;
Pour ce de Dieu soient maudis
Ceux qui sont dolens de veoir
Qu'encore est vive la souris !

Jeunesse sur moy a puissance,
20 *Mais Vieillesse fait son effort*
De m'avoir en sa gouvernance ;
A present faillira son sort [7] *:*
Je suis assez loing de son port.
De pleurer vueil [8] *garder mon hoir* [9] *;*
Loué soit Dieu de paradis,
Qui m'a donné force et povoir
Qu'encore est vive la souris.

Nul ne porte [10] *pour moy le noir :*
On vent meilleur marchié drap gris ;
30 *Or tiengne* [11] *chascun pour tout voir* [12]
Qu'encore est vive la souris.

RONDEAUX ET CHANSONS

Les poètes du Moyen Age ont été très sensibles au charme du *renouveau*. Avec un ar un peu *mièvre*, mais très *frais*, CHARLES D'ORLÉANS aborde le thème à son tour. Puis c'es un joli poème symbolique (III) ; enfin la chanson du colporteur et sa note pittoresque (I : *rondel* ; II : chanson ; III et IV : chansons en forme de rondeaux).

I. Le Printemps

Le Temps a laissé son manteau
De vent, de froidure et de pluie,
Et s'est vêtu de broderie,
De soleil luisant, clair et beau.

Il n'y a bête ni oiseau
Qu' [1] en son jargon ne chante ou crie :
« Le Temps a laissé son manteau
De vent, de froidure et de pluie ».

Rivière, fontaine et ruisseau
Portent en livrée [2] jolie
Gouttes d'argent d'orfèvrerie ;
Chacun s'habille de nouveau [3] :
Le Temps a laissé son manteau.

II. L'Hiver et l'Été

Hiver, vous n'êtes qu'un vilain,
Été est plaisant et gentil,
En témoin de [4] Mai et d'Avril
Qui l'accompagnent soir et *main* [5].

Été revêt champs, bois et fleurs,
De sa livrée de verdure
Et de maintes autres couleurs,
Par l'ordonnance de Nature.

Mais vous, Hiver, trop êtes plein
De neige, vent, pluie et grésil ;
On vous dût [6] bannir en exil.
Sans vous flatter, je parle *plain* [7],
Hiver, vous n'êtes qu'un vilain.

— 7 Pour le moment, elle échouera. — 8 Je veux. — 9 Héritier. — 10 Subj. ; cp. *tiengne*. — 11 Tienne. — 12 Très vrai.

— 1 Qui. — 2 : 3 syll. ; cp. *hôtellerie, soient, rues*. — 3 De neuf. — 4 Au témoignage de... — 5 Matin. — 6 Devrait. — 7 Franc.

III. *L'hôtellerie*

L'hôtellerie de Pensée,
Pleine de venants et allants
Soucis, *soient* [8] petits ou grands,
A chacun est abandonnée.

Elle n'est à nul refusée
Mais prête pour tous les passants,
L'hôtellerie de Pensée,
Pleine de venants et allants.

Plaisance chèrement aimée
S'y loge souvent, mais nuisants
Lui sont Ennuis gros et puissants,
Quand ils la [9] tiennent empêchée [10]
L'hôtellerie de Pensée.

IV. *Cri de la rue*

Petit mercier, petit panier !
Pourtant si je n'ai marchandise
Qui soit du tout [11] à votre guise,
Ne blâmez pour *ce* [12] mon métier.

Je gagne denier à denier,
C'est loin du trésor de Venise.
Petit mercier, petit panier !
Pourtant si je n'ai marchandise...

Et tandis qu'il est jour ouvrier [13],
Le temps perds quand à vous devise [14] :
Je vais parfaire mon emprise [15]
Et parmi les rues crier :
Petit mercier, petit panier !

FRANÇOIS VILLON

En quittant Charles d'Orléans pour VILLON, nous pénétrons dans un tout autre monde poétique et humain. Après le grand seigneur, le « mauvais enfant ». A côté de la cour de Blois, le milieu des « ribauds » et des « truands ». Et pourtant, par un caprice du destin les deux hommes se sont rencontrés. La ballade de VILLON « *Je meurs de soif auprès de la fontaine* » fut composée à l'occasion d'un concours poétique institué par CHARLES D'ORLÉANS, qui conserva le poème dans ses manuscrits, avec sa propre ballade sur ce thème et celles des autres concurrents.

Sa vie (1431 -   ?)   Né à Paris à la fin de 1431 ou au début de 1432, il était d'humble origine. (« *Pauvre je suis de ma jeunesse, De pauvre et de petite extrace* »). Il s'appelait FRANÇOIS DE MONTCORBIER ou DES LOGES. Ainsi nous ne sommes même pas fixés sur son nom de famille : la préposition indique simplement un lieu d'origine, et non une naissance noble. Orphelin de père de bonne heure, il fut élevé par les soins de Maître GUILLAUME DE VILLON, chapelain de Saint-Benoît le Bétourné, dont il prit le nom.

Il suivit à la Sorbonne les cours de la Faculté des Arts (lettres) et fut reçu maître ès arts en 1452. De cette formation il garda une culture assez mêlée, mais étendue, qui apparaît parfois dans son œuvre (« *Ballade des dames du temps jadis* »).

Mais au lieu de se consacrer à ses études, VILLON songe surtout à s'amuser. D'ailleurs la vie des étudiants d'alors était souvent agitée, et Rabelais immortalisera avec son Panurge ce type d'« escholier » mauvais sujet. Mais VILLON ne s'en tient pas aux mauvaises farces et aux peccadilles, il va jusqu'au crime. En 1455 il tue un prêtre au cours d'une rixe et doit quitter Paris. Il obtient pourtant des « lettres de rémission » pour ce meurtre ; mais, loin de s'amender, il est impliqué en 1456 dans un vol au Collège de Navarre.

— 8 Qu'ils soient. — 9 Annonce *hôtellerie*. — 10 Hantent, obsèdent. — 11 Tout à fait. — 12 Pour cela, pour autant. — 13 *Ouvrable ;* 2 syll. — 14 Je perds mon temps en vous parlant. — 15 Entreprise.

Il quitte à nouveau Paris fin décembre 1456, et nous retrouvons le pauvre hère à Angers, à Bourges, à Blois où CHARLES D'ORLÉANS le protège quelque temps. En 1461 il est emprisonné à Meung-sur-Loire par l'évêque d'Orléans. Mais LOUIS XI qui vient d'accéder au trône passe à Meung et le gracie. Villon gagne alors Moulins, puis se cache dans les environs de Paris.

Méfaits et inculpations se succèdent. En 1462 il est en prison à Paris. Libéré .en novembre, il est arrêté une fois de plus, à la suite d'une nouvelle rixe, et une sentence du Châtelet le condamne à mort. VILLON, qui a déjà subi la terrible « question de l'eau », s'attend donc à être « pendu et étranglé ». La *Ballade des Pendus* est le cri déchirant du condamné que guette une mort atroce. Pourtant il a fait appel, et le Parlement annule sa sentence, mais, considérant ses exécrables antécédents, lui interdit pour dix ans le séjour de Paris (5 janvier 1463).

A partir de cette date, nous ignorons absolument ce que devint VILLON.

Son œuvre

L'œuvre de VILLON comprend le *Lais* (legs), que l'on appelle aussi le « *Petit Testament* », le *Testament* (ou « *Grand Testament* ») et un recueil de *Poésies Diverses*, auxquels il faut ajouter sept « *Ballades en jargon* ».

LE LAIS (1456)

Au moment de quitter Paris, incertain de l'avenir qui l'attend, le poète distribue à ses amis et connaissances des *legs* généralement bouffons ou qui trahissent une intention satirique.

Le sujet, comme la forme choisie, annonce le *TESTAMENT*, mais le ton est plus souvent ironique, moins pathétique, et le lyrisme de VILLON est ici simplement esquissé.

LE TESTAMENT (1461)

VILLON, alors dans sa trentième année, reprend en l'amplifiant le thème du *Lais*. Ce « *TESTAMENT* » comprend une longue suite de huitains d'octosyllabes (186), interrompue par un assez grand nombre de ballades et quelques autres pièces lyriques. La forme du testament est surtout un prétexte : qu'aurait donc à léguer le « pauvre VILLON » ? Mais il trouve là un cadre heureux pour son lyrisme : c'est pour lui l'occasion de faire un retour sur lui-même, de pleurer sa jeunesse, d'évoquer le spectre de la mort, de donner libre cours aussi à sa verve et à son ironie.

LES POÉSIES DIVERSES

Ce recueil groupe une quinzaine de poèmes, de sujets très variés et de valeur très inégale dont la composition s'étage de 1457 (ou même avant) à janvier 1463. La pièce essentielle est l'immortelle *Ballade des Pendus*.

Un grand poète

VILLON fait revivre la tradition personnelle et réaliste des jongleurs du XIIIe siècle (Rutebeuf) ; il résume pour nous l'âme du Moyen Age tout en annonçant des temps nouveaux ; il marque d'une empreinte définitive les plus grands thèmes lyriques : piété, tendresse filiale, patriotisme, regrets du passé, remords, fraternité humaine, hantise de la mort. Ce mauvais garçon fut notre premier génie lyrique.

LE LYRISME PERSONNEL. — Dans son œuvre, VILLON se livre à nous tel qu'il fut. Sa plus grande séduction réside peut-être dans la fraîcheur que garde son cœur en dépit de ses fautes : ce meurtrier retrouve par instants une âme d'enfant. Il est intensément, tragiquement humain.

A la différence des romantiques, ce grand lyrique refuse de trop s'attendrir : l'ironie intervient sans cesse, tournée contre lui-même, et atteint un humour macabre qui n'est qu'à lui. L'idée de la mort est pour lui une hantise qui lui inspire ses vers les plus émouvants.

L'art de Villon   La poésie de VILLON est plus qu'un art raffiné, c'est le cri du cœur. Il dépasse les vaines recherches pour atteindre une simplicité directe et parfois sublime.

Son art est remarquable par son réalisme et sa puissance d'évocation. Sa langue est volontiers populaire. VILLON parle à notre cœur et à nos sens. Il y a quelque chose de presque brutal dans la *Ballade des Pendus*. Le domaine de VILLON, c'est la réalité tragique, affreuse parfois, de la condition humaine. Mais quelle grâce, quelle séduisante mélancolie dans l'évocation des « *Dames du temps jadis* » !

VILLON est aussi un maître du rythme : l'harmonie des vers, les sonorités varient avec la nuance du sentiment.

La postérité ne tarda pas à lui rendre justice : au XVIᵉ siècle Marot édite ses œuvres. Boileau, plein de mépris d'ordinaire pour le Moyen Age, lui accorde dans son *Art poétique* une place plus qu'honorable. Les Romantiques verront en lui leur ancêtre et nous le considérons aujourd'hui comme un de nos plus grands poètes.

Le Testament   *Dans les premiers huitains* VILLON *s'en prend à l'évêque* THIBAUT D'AUSSIGNY *qui l'avait fait emprisonner ; puis, il dit sa reconnaissance à* LOUIS XI *qui l'a gracié. Il reconnaît ses torts : « Je suis pécheur, je le sais bien », mais espère en la miséricorde divine. Il évoque ensuite sa jeunesse, mal employée, et les destinées si diverses de ses amis (« REGRETS » p. 100). Il est pauvre, et d'humble origine, mais qu'importe : riches ou pauvres, la mort nous attend tous (« LE SPECTRE DE LA MORT » p. 102). Ces thèmes de la fuite du temps, de la mort impitoyable lui inspirent plusieurs ballades (dont la première est la « BALLADE DES DAMES DU TEMPS JADIS » p. 103). Mais il faut en venir aux legs : ils commencent sur un ton pieux, grave et ému (« Le TESTAMENT DU PAUVRE » p. 104), et constitueront, sous des formes et avec des accents très divers, tantôt sérieux, tantôt ironiques, la trame de tout le reste du poème.* VILLON *termine sur une note mi-gaillarde, mi-douloureuse, en imaginant sa propre mort et son enterrement.*

REGRETS

VILLON *laisse parler son cœur* douloureux *avec une grande sincérité et une entière spontanéité : ce sont ces accents authentiques de la* détresse *humaine, de la* faiblesse *humaine aussi, qui nous émeuvent profondément et font de* VILLON *notre premier* grand lyrique.

Je plains le temps de ma jeunesse,
Auquel j'ai plus qu'autre *galé* [1]
Jusqu'à l'entrée [2] de vieillesse,
Qui son *partement* m'a celé [3].
Il ne s'en est à pied allé
N' [4] a cheval : hélas ! comment donc ?
Soudainement s'en est volé
Et ne m'a laissé quelque [5] don.

— 1 *Galer* : s'amuser, faire la fête (cp. *galants*, | *le temps de ma jeunesse* : qui m'a *caché* son *départ*. v. 25). — 2 Trois syllabes. — 3 *Qui* : antécédent, | — 4 *N'* : de *ne* = *ni*. — 5 *Aucun* don.

Allé s'en est, et je demeure
10 Pauvre de sens et de savoir,
Triste, failli, [6] plus noir que meure [7],
Qui n'ai *ne* cens, rente, *n'*avoir ;
Des miens le moindre, je dis *voir* [8],
De me désavouer s'avance [9],
Oubliant naturel devoir
Par faute d'un peu de chevance [10].

Hé ! Dieu, si j'eusse étudié
Au temps de ma jeunesse folle,
Et à bonnes mœurs *dédié* [11],
20 J'eusse maison et couche molle,
Mais quoi ! je *fuyoie* [12] l'école
Comme fait le mauvais enfant ;
En écrivant cette parole
A peu que le cœur ne me *fend* [13].

Où sont les gracieux galants
Que je suivais au temps jadis,
Si bien chantants, si bien parlants [14],
Si plaisants en *faits* et en *dits* [15] ?
Les aucuns [16] sont morts et roidis,
30 D'eux n'est-il [17] plus rien maintenant :
Repos aient [18] en paradis
Et Dieu sauve le demeurant !

Et les autres sont devenus,
Dieu merci ! grands seigneurs et maîtres ;
Les autres mendient tout nus
Et pain ne voient qu'aux fenêtres ;
Les autres sont entrés en cloîtres
De Célestins et de Chartreux,
Bottés, *housés* [19] *com* [20] pêcheurs d'*oîtres* [21] :
40 Voyez l'état divers d'entre eux !

— 6 Désemparé. — 7 Mûre. — 8 Le plus humble de mes parents ; *voir* : vrai. — 9 Se hâte de me renier. — 10 D'un peu de *bien, d'argent.* — 11 Si je m'étais *consacré* aux bonnes mœurs, si j'avais mené une vie morale. — 12 Forme étymol. ; 3 syll. — 13 Peu s'en faut que mon cœur ne se fende. — 14 Noter l'accord. — 15 *Actions et paroles.* — 16 Les uns. — 17 Inversion. — 18 Subj. de souhait, comme *sauve* (cp. : *Vive* la France !) ; 2 syllabes, comme *voient*, cp. *mendient*, 3 syll. — 19 Portant *houseaux* (guêtres). — 20 Comme. — 21 Huîtres.

LE SPECTRE DE LA MORT

Comme RUTEBEUF, VILLON vit dans la misère : c'est un pauvre hère. Mais il est un spectre pire que l'indigence, et VILLON reprend à son compte l'amère remarque qu'HOMÈRE prêtait à ACHILLE, et dont LA FONTAINE fera « la devise des hommes » : mieux vaut être misérable, mieux vaut souffrir que mourir. Nous sommes tous égaux devant la mort (cp. MALHERBE), et, dans une sorte de *Danse macabre* d'un *réalisme terrible*, le poète fait défiler sous nos yeux tous ces vivants qui demain seront des cadavres.

Pauvre je suis de [1] ma jeunesse,
De pauvre et de petite *extrace* [2] ;
Mon père n'eut *onc* [3] *grand* richesse,
Ni aïeul, nommé Horace ;
Pauvreté tous nous suit et *trace* [4] ;
Sur les tombeaux de mes ancêtres,
Les âmes desquels Dieu embrasse [5] !
On n'y [6] voit couronnes ni sceptres [7].

De pauvreté me *guementant* [8],
10 Souventes fois [9] me dit le cœur :
« Homme, ne te *doulouse* [10] tant
Et ne *demaine* [11] *tel* douleur
Si tu n'as tant que Jacques Cœur [12] :
Mieux vaut vivre, sous gros *bureau* [13],
Pauvre, qu'avoir été seigneur
Et pourrir sous riche tombeau ».

Si [14] ne suis, bien le considère [15],
Fils d'ange portant diadème
D'étoile ni d'autre *sidère* [16].
20 Mon père est mort, Dieu en ait l'âme !
Quant est du [17] corps, il gît sous lame [18].
J'entends [19] que ma mère mourra,
El [20] le sait bien la pauvre femme,
Et le fils pas ne *demourra* [21].

Je connais que pauvres et riches,
Sages et fous, prêtres et *lais* [22],
Nobles, vilains [23], larges et chiches,
Petits et grands, et beaux et laids,
Dames à *rebrassés* [24] collets,
De quelconque condition,   30
Portant atours et bourrelets [25],
Mort saisit sans exception.

Et meure [26] Pâris ou Hélène,
Quiconque meurt, meurt à [27] douleur
Telle qu'il perd vent [28] et haleine ;
Son fiel se crève sur son cœur,
Puis sue [29], Dieu sait *quel* sueur
Et n'est qui de ses maux l'allège [30],
Car enfant n'a, frère ni sœur,
Qui lors voulût être son *plège* [31].   40

La mort le fait frémir, pâlir,
Le nez courber, les veines tendre,
Le col enfler, la chair mollir,
Jointes [32] et nerfs croître et étendre
Corps féminin, qui tant es tendre,
Poli, *souef* [33], si précieux,
Te faudra-t-il ces maux attendre ?
Oui, ou tout vif aller *ès* [34] cieux.

— 1 Depuis. — 2 Extraction, origine. — 3 Jamais. — 4 Ne quitte pas nos traces, nous talonne. — 5 Subj. de souhait (cp. v. 20) ; *embrasser* : accueillir à bras ouverts. — 6 Reprend *sur les tombes* ; nous ne l'emploierions plus. — 7 Parce qu'ils n'étaient pas nobles. — 8 *Me lamentant.* — 9 Cp. *quelquefois* (quelques fois). — 10 Ne te plains pas tant (cp. *douleur*). — 11 Ne « mène » pas... ne fais pas éclater... — 12 Argentier de Charles VII, mort en disgrâce en 1456 ; il était extrêmement riche. — 13 *Bureau* (cp. *bure*) : drap grossier, vêtement des pauvres. — 14 Ainsi donc. — 15 *Je* m'en rends bien compte. — 16 Astre (latin *sidera* : astres). —

17 Pour ce qui est du... quant au... — 18 Pierre tombale, dalle. — 19 Je comprends, je n'ignore pas que... cp. v. 25 *je connais* que... — 20 Pour « elle ». — 21 Ne demeurera pas. — 22 Laïcs. — 23 Roturiers. — 24 Relevés. — 25 Coiffures des dames nobles (*atours*) et des bourgeoises (*bourrelets*). — 26 Subj. (éventualité) : même si c'est Pâris ou Hélène qui meurt. — 27 *à* marque la manière. — 28 Souffle. — 29 Deux syllabes. — 30 Il n'est personne pour le soulager... — 31 Son garant, c'est-à-dire son remplaçant. — 32 Jointures. — 33 Doux (latin *suavis*). — 34 *ès* : en les, article contracté (cp. licencié *ès* lettres).

BALLADE DES DAMES DU TEMPS JADIS

L'*art* de VILLON est très varié ; son *humeur* aussi : voici que son *horreur* de la mort se calme pour faire place à une *mélancolie poétique* : fuite du temps, fragilité de la vie, en particulier des êtres les plus gracieux ; et c'est la charmante théorie de ces « *neiges d'antan* », de ces femmes illustres à des titres si divers d'ailleurs. Sur ce thème de la *grâce* fragile et toujours menacée, comparer RONSARD.

Dites-moi : où, *n'* [1] en quel pays
Est Flora la belle Romaine,
Alcibiade [2], *ne* Thaïs [3],
Qui fut sa cousine germaine ?
Echo, parlant quand bruit on mène
Dessus [4] rivière ou sur étang,
Qui beauté eut trop plus [5] qu'humaine ?
Mais où sont les neiges d'antan [6] ?

Où est la très sage [7] Héloïs [8]
10 Pour qui fut châtié, puis moine,
Pierre Abélard à Saint-Denis ?
Pour son amour eut cette *essoyne* [9].
Semblablement, où est la *Royne*
Qui commanda que Buridan
Fût jeté en un sac en Seine [10] ?
Mais où sont les neiges d'antan ?

La Reine blanche comme lis [11]
Qui chantait à voix de sirène,
Berthe au grand pied [12], Bietris, Alis [13],
20 Haremburgis [14] qui tint le Maine,
Et Jeanne la bonne Lorraine
Qu'Anglais brûlèrent à Rouen ?
Où sont-*ils* [15], Vierge souveraine ?
Mais où sont les neiges d'antan ?

— 1 *Ne :* ni (voir p. 100-101, v.6 et 12). Nous emploierions *et ;* de même v. 3. — 2 Le célèbre Athénien : on le prenait pour une femme au Moyen Age. — 3 Sans doute la fameuse Thaïs devenue sainte après avoir été pécheresse. — 4 *Sur.* Ce n'est qu'au XVIIe siècle qu'on distinguera *dessus* et *sur, dedans* et *dans,* etc... — 5 Bien plus, cp. p. 102, v. 7. — 6 Lat. : *ante,* avant ; *annus,* an. *Antan :* l'année d'avant, l'an passé. — 7 Savante. — 8 Héloïse, élève d'Abélard, qui s'éprit d'elle (XIIe siècle). Cp Rousseau : « *La Nouvelle Héloïse* ». — 9 Épreuve, malheur. — 10 Marguerite de Bourgogne, femme de Louis X le Hutin ; allusion à la tragique affaire de la Tour de Nesles. — 11 On ne sait au juste de qui il s'agit, ni même si *Blanche* est le nom de la reine ou simplement un adj. Peut-être Blanche de Castille, mère de Saint Louis. — 12 Mère de Charlemagne, héroïne d'une *chanson de geste*. — 13 Béatrix, Alix : Villon ne précise pas ses souvenirs. — 14 Fille d'un comte du Maine (fin du XIIe, début du XIIIe siècle). — 15 Pour « *elles* ».

Prince, n'enquérez de semaine
Où elles sont, ni de cet an,
Qu'à ce refrain ne vous *remaine* [16] :
Mais où sont les neiges d'antan ?

LE TESTAMENT DU PAUVRE

Voici quelques-uns des *legs* de ce « Testament ». Que peut léguer celui qui ne possède rien ? La *piété* de VILLON apparaît ici, humble et sincère, ainsi que sa *tendresse pour sa mère*. On notera aussi (v. 10) que sa foi chrétienne semble se nuancer d'une légère touche *naturaliste* empruntée à l'antiquité ; remarquer enfin cet *humour* très particulier, volontiers macabre (v. 11).

Premier [1], je donne ma pauvre âme
A la *benoîte* [2] Trinité,
Et la commande [3] à Notre-Dame,
Chambre de la divinité,
Priant toute la charité
Des dignes neuf Ordres des cieux [4]
Que par eux soit ce don porté
Devant le Trône précieux.

10 Item [5], mon corps j'ordonne [6] et laisse
A notre *grand* [7] mère la terre ;
Les vers n'y trouveront *grand* [7] graisse,
Trop lui a fait faim dure guerre !

Or lui soit délivré [8] *grand erre* [9] :
De terre vint, en terre tourne [10] ;
Toute chose, si par trop n'erre,
Volontiers en son lieu retourne.

Item, donne [11] à ma pauvre mère
Pour saluer Notre Maîtresse [12],
Qui [13] pour moi eut douleur amère,
Dieu le sait, et mainte tristesse : 20
Autre *châtel* n'ai, ni *fortresse*,
Où me *retraie* [14] corps et âme,
Quand sur moi court male détresse,
Ni ma mère [15], la pauvre femme !

BALLADE POUR PRIER NOTRE-DAME

Poème *touchant* que cette *prière* écrite par un fils pour sa mère. VILLON a rendu de façon remarquable la *foi ardente et naïve* de sa mère, et son *émerveillement* devant les peintures de l'église. Mais sa propre foi était-elle si différente ? C'est une foi fraîche et candide, presque celle d'un enfant (voir ci-dessus, 1re strophe), quand l'angoisse ne la transforme pas en un cri déchirant (« BALLADE DES PENDUS », p. 106). Comment le *mauvais garçon* avait-il gardé tant de *fraîcheur* ? Le *mystère* de VILLON n'est pas son moindre charme. — C'est la mère du poète qui parle.

Dame des cieux, régente terrienne,
Emperière [1] des infernaux palus [2],
Recevez-moi, votre humble chrétienne,
Que comprise sois entre vos élus,
Ce nonobstant [3] qu'*onques* [4] rien ne valus.

— 16 Ne demandez ni cette semaine, ni cette année (c'est-à-dire jamais) où elles sont, sans que je vous ramène à ce refrain.

— 1 Premièrement. — 2 Bénie. — 3 Recommande. — 4 Les *neuf chœurs* des Anges. — 5 *De même*, d'où *en outre* (langue juridique). — 6 Je *dispose* de mon corps en faveur de... — 7 *Grande*. — 8 Livré, porté. — 9 A grande allure.

— 10 Le corps n'est que *poussière*. — 11 *Je donne*... — 12 Ce que donne Villon, c'est la Ballade qui suit. — 13 Antécédent : *mère*. — 14 Subj. de *retraire ; où me réfugier*. — 15 Elle n'a pas non plus...

— 1 Impératrice. — 2 *Palus* : marais. Villon mêle ici *l'Enfer* et *les Enfers*. — 3 En dépit de ce fait que... — 4 Jamais.

Les biens de vous, ma dame et ma maîtresse,
Sont trop [5] plus grands que ne suis pécheresse,
Sans lesquels biens âme ne peut *mérir* [6]
N' [7] avoir les cieux ; je n'en suis *jangleresse* [8] :
10 En cette foi je veux vivre et mourir.

A votre Fils dites que je suis sienne,
De lui soient [9] mes péchés *abolus* [10] ;
Pardonne-moi comme à l'Égyptienne [11],
Ou comme il fit au clerc Théophilus [12],
Lequel par vous fut quitte et *absolus* [13],
Combien qu' [14] il eût au diable fait promesse.
Préservez-moi que fasse jamais *ce* [15],
Vierge portant, sans pécher ni faillir,
Le Sacrement qu'on célèbre à la messe :
20 En cette foi je veux vivre et mourir.

Femme je suis pauvrette et ancienne [16]
Qui rien ne sais, onques lettre ne lus ;
Au moutier [17] vois, dont suis paroissienne,
Paradis peint, où sont harpes et luths,
Et un enfer où damnés sont *boullus :*
L'un me fait peur, l'autre joie et liesse ;
La joie avoir me fais [18], haute Déesse [19],
A qui pécheurs doivent tous recourir,
Comblés [20] de foi, sans feinte ni paresse :
30 En cette foi je veux vivre et mourir.

Vous [21] portâtes, douce Vierge, princesse,
Iésus régnant, qui n'a ni fin ni cesse :
Le Tout-Puissant, prenant notre faiblesse,
Laissa les cieux et nous vint secourir,
Offrit à mort sa très chère jeunesse ;
Notre-Seigneur tel est, tel le confesse :
En cette foi je veux vivre et mourir.

Poésies diverses   *Elles comprennent quelques pièces, surtout des* ballades,
soit antérieures au TESTAMENT *mais n'y ayant pas trouvé
leur place, soit postérieures, comme la «* BALLADE DES PENDUS *» (voir p.* 106).

— 5 Beaucoup. — 6 Mériter. — 7 Ni. — 8
Menteuse — *en :* an nonce le v. suivant. —
9 Deux syllabes ; subjonctif de souhait. — 10
Abolis, lavés, cp. v. 25 : *boullus* = bouillis. —
11 Sainte Marie l'Égyptienne. — 12 Voir « Le
Miracle de Théophile », p. 77. — 13 Absous.
— 14 Bien que. — 15 Cela. Noter aussi la
construction. — 16 Agée. — 17 Doublet popu-

laire de *monastère* (latin : *monasterium*) — d'où
église. — 18 Inversion. — 19 *Déesse* est évidemment impropre. Mais c'est une femme « pauvrette
et ancienne » qui parle, et elle sent la Vierge si
près de Dieu ! — 20 Débordant. — 21 Remarquer *l'acrostiche:* lues verticalement, les premières
lettres des six premiers vers de l'*envoi* forment le
nom de l'auteur.

BALLADE DES PENDUS

Voici l'« Épitaphe Villon », le chef-d'œuvre du poète. Villon, condamné à mort, s'attend à être pendu : alors, du fond de son *angoisse*, s'élève cette marche *funèbre*, ce « *De profundis* » au rythme obsédant. Ce n'est plus le vivant qui parle, mais le *mort* qu'il sera demain, avec ses frères du gibet. La vision, dans son réalisme, nous fait frissonner et nous entendons retentir en nous cet appel d'outre-tombe. La sentence fut annulée par le Parlement, mais Villon disparaît complètement à cette date (1463). Ainsi la Ballade des Pendus reste pour nous son *chant du cygne*.

> *Freres humains qui après nous vivez,*
> *N'ayez les cuers contre nous endurciz,*
> *Car, se pitié de nous pouvres avez,*
> *Dieu en aura plus tost de vous merciz.*
> *Vous nous voyez cy attachez cinq, six :*
> *Quant de la chair, que trop avons nourrie,*
> *Elle est pieça* [1] *devorée et pourrie,*
> *Et nous, les os, devenons cendre et pouldre.*
> *De nostre mal personne ne s'en rie :*
> 10 *Mais priez Dieu que tous nous vueille absouldre !*
>
> *Se freres vous clamons, pas n'en devez*
> *Avoir desdain, quoy que fusmes occiz*
> *Par justice. Toutesfois, vous savéz*
> *Que tous hommes n'ont pas le sens rassiz ;*
> *Excusez nous, puis que sommes transsis* [2]*,*
> *Envers le filz de la Vierge Marie,*
> *Que sa grace ne soit pour nous tarie,*
> *Nous preservant de l'infernale fouldre.*
> *Nous sommes mors, ame ne nous harie* [3] *;*
> 20 *Mais priez Dieu que tous nous vueille absouldre !*
>
> *La pluye nous a debuez* [4] *et lavez,*
> *Et le soleil dessechez et noirciz ;*
> *Pies* [5]*, corbeaulx nous ont les yeulx cavez*
> *Et arraché la barbe et les sourciz.*
> *Jamais nul temps nous ne sommes assis ;*
> *Puis ça, puis la, comme le vent varie,*
> *A son plaisir sans cesser nous charrie,*
> *Plus becquetez d'oiseaulx que dez a couldre.*
> *Ne soyez donc de nostre confrarie ;*
> 30 *Mais priez Dieu que tous nous vueille absouldre !*

— 1 Il y a une *pièce* de temps : voici longtemps | (subj.). — 4 « Lessivés », trempés. — 5 Deux déjà. — 2 Trépassés. — 3 Tracasse, tourmente | syllabes.

Prince Jhesus, qui sur tous a maistrie,
Garde qu'Enfer n'ait de nous seigneurie :
A luy n'ayons que faire ne que souldre [6].
Hommes, icy n'a point de mocquerie ;
Mais priez Dieu que tous nous vueille absouldre !

*
***

Étude du texte original *(deuxième moitié du XVe siècle)*

I. Quelques traces de l'étymologie latine :

Dans cette langue très proche, en somme, du français moderne :

1. Devant consonne, *l*, d'abord *vocalisée en u*, reparaît ici sous la forme *-ul*. Ex. : *pulverem* > pouldre (8) ; *absolvere* > absouldre (10) ; *fulgura* > fouldre (18).

2. Persistance de *s* (qui d'ailleurs ne se prononçait pas) devant *t* : *tost* (4) ; *nostre* (9) ; *desdain* (12) ; *maistrie* (31).

3. Abondance des finales en *z*, provenant généralement de *consonne + s* : *endurciz* (2) ; *merciz* (4) ; *attachez* (5) ; *debuez* (21) ; *lavez* (21) ; *noirciz* (22) ; *sourciz* (24), etc.

II. Cas régime, cas sujet : la déclinaison à deux cas a disparu.

III. Remarques sur la syntaxe :

2 *N'ayez...* : une seule négation ; cp. v. 29 *ne soyez donc...*

6 *Quant de* = quant à.

9 *en* : reprend « de nostre mal ».

12 *quoy que fusmes... :* quoique nous ayons été... ; on trouvera jusqu'au XVIIe s. des ex. de cette construction de *quoique* avec l'*indicatif*.

19 *harie :* subj. marquant la défense (souhait négatif) : que nul ne nous tourmente. (Cp. *n'ayez, ne soyez, n'ayons*).

23 Noter l'ordre des mots et l'accord du participe.

31 Prince Jhesus, qui sur tous *a* maistrie : et non pas *as ;* en dépit du sens, le relatif entraîne la 3e personne (le cas se produit encore au XVIIe s.).

34 *icy n'a point... :* il n'y a point de (il n'y a pas lieu à).

— 6 Du latin *solvere :* payer, acquitter.

XVIᵉ SIÈCLE

LES ÉVÉNEMENTS	LES AUTEURS	LES ŒUVRES
1453 Prise de Constantinople 1470 Imprimerie 1494 Début des Guerres d'Italie	1494 Naissance de **RABELAIS** 1496 Naissance de **MAROT**	VILLON : *Le Lais ; Le Testament* *Passion* de GRÉBAN et de MICHEL COMMYNES : *Mémoires*
1515 **François Ier** Marignan	1522 Naissance de **DU BELLAY** 1524 Naissance de **RONSARD**	1532 **MAROT :** Ier recueil **RABELAIS :** Pantagruel
1534 Affaire des Placards	1533 Naissance de **MONTAIGNE**	1534 RABELAIS : **Gargantua**
		1536 CALVIN : *L'Institution chrétienne*
	1542 Exil de MAROT 1544 Mort de **MAROT**	1544 MAURICE SCÈVE : *Délie* 1546 RABELAIS : **Tiers Livre**
1547 **Henri II** - - - - - - - - - - - - - -	1547 Rencontre de RONSARD et DU BELLAY	1549 **DU BELLAY :** Défense... ; **L'Olive** 1550 **RONSARD :** IV prem. livres des **Odes** 1552 RABELAIS : **Quart Livre** RONSARD : **Amours** (Cassandre) JODELLE : *Cléopâtre ; Eugène*
	1552 Naissance d'A. **D'AUBIGNÉ**	
	1553 DU BELLAY à Rome Mort de **RABELAIS** 1555 Naissance de MALHERBE	1555-6 RONSARD : **Amours de Marie ; Hymnes** 1558 DU BELLAY : **Antiquités de Rome ;** **Regrets**
1559 Traité de Cateau-Cambrésis **François II** 1560 **Charles IX** Conjuration d'Amboise	1560 Mort de **DU BELLAY**	1559 AMYOT ; Trad. des *Vies parallèles* de PLUTARQUE 1560 : RONSARD : Ire éd. collective
1562 Début des **Guerres de religion**	1563 Mort de LA BOÉTIE	1562-3 RONSARD : **Discours**
	1571 Michel EYQUEM se retire à Montaigne	1564 RABELAIS ? **Ve Livre**
1572 (24 Août) La Saint-Barthélémy	1572 D'AUBIGNÉ : Vision de Talcy	1572 RONSARD : *La Franciade* AMYOT : *Œuvres morales* de PLUTARQUE
1574 **Henri III**	1573 Naissance de Mathurin RÉGNIER	
		1577 **D'AUBIGNÉ :** commence **Les Tragiques** 1578 RONSARD : **Sonnets pour Hélène** 1580 **MONTAIGNE :** Essais, éd. orig. II livres
	1581-5 MONTAIGNE maire de Bordeaux	1583 GARNIER : *Les Juives* 1584 Dernière éd. collective revue par RONSARD
	1585 Mort de **RONSARD**	
1589 Henri III assassiné **Henri IV** à la conquête de son trône	1592 Mort de **MONTAIGNE**	1588 MONTAIGNE : **Essais**, en III livres
1593 Henri IV abjure le protestantisme et entre à Paris		
1598 Édit de Nantes Fin des **Guerres de religion**		1594 **La Satire Ménippée** 1595 MONTAIGNE : *Essais*, édit. posthume

HISTOIRE ET CIVILISATION

Le XVIe siècle est le siècle de la RENAISSANCE et de la RÉFORME, période de vie débordante, d'activité intense dans tous les domaines de la pensée et de l'action, qui conduit notre art, notre littérature et notre langue du *Moyen Age* au *Classicisme*.

La Renaissance

Le passage du Moyen Age à la Renaissance ne s'est pas fait brusquement. Le XVe siècle apparaît à bien des égards comme une époque de transition. Néanmoins, les grandes découvertes (voyages de Colomb, Vasco de Gama ou Magellan ; diffusion de l'imprimerie), l'exemple du raffinement italien (connu par les guerres d'Italie depuis 1494), le rôle de François Ier et de sa sœur Marguerite de Navarre, vont favoriser le développement d'idées nouvelles. L'HUMANISME se caractérise par un retour aux sources de la sagesse antique : ÉRASME (1467-1536) y ajoute le retour au texte original de la Bible. La fondation du Collège des lecteurs royaux (qui deviendra le Collège de France) permet à des professeurs de latin, de grec et d'hébreu d'échapper au contrôle de la Faculté de Théologie (Sorbonne).

François Ier attire en France les artistes italiens les plus illustres (Léonard de Vinci, Benvenuto Cellini, le Titien, le Primatice). Le style Renaissance oppose son élégance et sa gaieté au style gothique flamboyant du XVe siècle. Les sculpteurs Jean Goujon et Germain Pilon, les peintres Jean et François Clouet, le céramiste Bernard Palissy, les musiciens Roland de Lassus et Clément Jannequin illustrent l'art français.

La Réforme

L'esprit de libre examen, favorisé par l'humanisme, se heurte à l'autorité de l'Église et en particulier à la Sorbonne. L'ÉVANGÉLISME préconise le retour à l'Écriture Sainte sans passer par la tradition (commentaires des Pères de l'Église). La traduction de la Bible par Lefèvre d'Étaples est condamnée par la Sorbonne (1530).

Cependant Martin LUTHER (1483-1546) veut réformer le Christianisme : il est condamné par Rome, mais suivi par l'Allemagne du Nord et par l'Angleterre d'Henri VIII (1521). CALVIN (1509-1564) expose la doctrine des réformés dans *l'Institution de la Religion Chrétienne* (1536), écrite en latin mais traduite en français en 1541. La pensée de Calvin aboutit en fait à une austérité très éloignée du naturalisme et de l'épicurisme païens de la Renaissance. Le conflit dégénère, et les guerres de Religion ensanglantent la France de 1562 à 1593, avant l'Édit de Nantes promulgué par Henri IV en 1598.

LA LITTÉRATURE DU XVIe SIÈCLE

Vie foisonnante

La littérature française du XVIe siècle, considérée dans son ensemble, laisse avant tout l'impression d'un *prodigieux foisonnement*, d'une richesse et d'une variété étonnantes : la richesse et la variété de la vie qui n'est jamais identique à elle-même. Car cette littérature est d'abord un *hymne à la vie*, qui donne au mot de *Renaissance* sa signification la plus belle et la plus profonde ; c'est le naturalisme de Rabelais, l'épicurisme de Ronsard, l'animisme d'Agrippa d'Aubigné. « Pour moi donc j'aime la vie », conclut Montaigne, ou encore : « Nature est un doux guide ». Il y a là un *enthousiasme* communicatif, un *élan* exaltant, une *sève* débordante qui confère à la langue même *saveur* et *vigueur*.

Ce torrent a tant de force que son cours n'est pas toujours limpide : les qualités grecques *de mesure et d'harmonie font parfois défaut* aux œuvres les plus représentatives. Écrivains et poètes sont en général des tempéraments puissants qui se livrent à leur verve, et Ronsard divinise l'inspiration. Le XVIᵉ siècle ressemble un peu à une forêt vierge, si on le compare au jardin à la française qu'est le XVIIᵉ.

Humanisme

La Renaissance marque définitivement notre littérature en l'orientant dans le sens des *humanités gréco-latines :* le romantisme lui-même restera soumis à l'influence de Virgile et d'Homère. Presque tous les *genres* qui ont caractérisé jusqu'à nos jours les lettres françaises sont instaurés au XVIᵉ siècle. Et ce choix n'est pas arbitraire, c'est plutôt une *vocation* correspondant à l'origine historique de notre langue.

Complexité des tendances

Aux hommes du XVIᵉ siècle, rien n'est impossible : ils ne semblent pas embarrassés par les plus étranges contradictions. Dans leur vie comme dans leurs œuvres, ils ont su concilier ce qui nous paraît contradictoire, en particulier leur *naturalisme païen* et leur *foi chrétienne*. A la spontanéité de leur tempérament, ils allient un art très conscient, très savant parfois. Enfin, s'inspirant des œuvres antiques, ils ont donné le jour à une littérature non point transplantée, mais *profondément française*.

LES ÉTAPES DE LA RENAISSANCE DES LETTRES

1. L'enthousiasme débordant

La Renaissance, c'est au début un énorme *appétit de savoir* et un *optimisme* sans bornes. Pour RABELAIS, il suffit de libérer le corps et l'esprit des contraintes du Moyen Age, en faisant confiance à la nature, pour que luise l'aurore d'un progrès illimité. Le *gigantisme* prend chez lui une valeur symbolique : l'humanité telle qu'il la conçoit est vraiment géante. Il est lui-même un « abîme de science », et son œuvre est comme un monde qui garde encore quelques traces du chaos.

2. A l'école de l'antiquité

La seconde génération se place sous le signe de *l'art*. On imite l'Italie, puis l'antiquité, mais bientôt l'imitation n'est plus un esclavage. C'est l'esprit de la PLÉIADE, le triomphe de DU BELLAY et de RONSARD. A la verve rabelaisienne succèdent un goût plus raffiné, plus aristocratique, un idéal de perfection formelle qui annoncent le classicisme : les anciens donnent l'exemple de cette perfection. Ces gentilshommes se font la plus haute idée du *poète* et de *sa mission*, véritable sacerdoce. Ils ont conscience de leur grandeur ; ainsi la grâce de leur lyrisme, qui inaugure les thèmes « romantiques » de la *nature*, de l'*amour* et de la *mort*, se rehausse souvent de *noblesse* et de *majesté*.

3. La croisée des chemins

Le dernier tiers du siècle est la période la plus complexe : l'art de la Pléiade, l'optimisme de Rabelais se trouvent remis en question. Certains disciples de Ronsard s'écartent du maître et s'orientent vers les recherches du *baroque*, mélange de réalisme cru et de maniérisme. Pris entre l'art de la Pléiade et l'esthétique classique, ce baroque français a été souvent traité par le mépris : sans doute il est précieux et rhétorique, mièvre et parfois ridicule chez Du Bartas, mais il aboutit avec D'AUBIGNÉ à une poésie vraiment saisissante. Cependant MONTAIGNE annonce le *naturel* classique.

Les guerres de Religion inspirent de grandes œuvres à Ronsard et à D'Aubigné, mais la littérature risque de dégénérer en propagande. L'élan qui tendait à la libération de l'homme va-t-il aboutir à un asservissement de l'esprit ? MONTAIGNE a senti le danger. Certes il doit renoncer à bien des illusions : il ne confond plus science et sagesse, il rappelle l'homme au sentiment de ses limites ; mais il conserve l'*esprit de la Renaissance :* il croit à la vertu de l'instinct, et se consacre à la recherche d'une sagesse *à la taille de l'homme*.

CLÉMENT MAROT

Sa vie (1496-1543)   Clément Marot, fils d'un poète aimé de Louis XII puis de François Ier, naquit à Cahors en 1496. Après des débuts poétiques dans la tradition médiévale des Rhétoriqueurs, Marot devient valet de chambre de Marguerite d'Alençon, sœur de François Ier et future reine de Navarre, puis il succède en 1526 à son père comme valet de chambre du roi. Son crédit ne l'empêche pas d'être emprisonné au Châtelet en février 1526, sous l'inculpation d'avoir mangé du lard en Carême, et en octobre 1527 à la Conciergerie, pour avoir tenté de délivrer un prisonnier emmené par la police. Dès son premier emprisonnement, il avait écrit pour se venger une violente satire contre le Châtelet, *l'Enfer*, qu'il n'osera publier qu'en 1539. De 1527 à 1534, Marot compose de nombreuses pièces de circonstance dont les plus intéressantes sont les *Épîtres* inspirées par sa propre existence : il y manifeste son esprit et sa verve pittoresque.

Mais à nouveau accusé en 1532 d'avoir « mangé le lard » en Carême, il doit se réfugier en Navarre à la suite de « l'affaire des Placards » (1534), des affiches contre la messe ayant été placardées jusque sur la porte de la chambre du roi à Amboise. Après un exil à Ferrare et à Venise, il revient en France de 1537 à 1542, mais une réédition de *l'Enfer* l'oblige à se réfugier à Genève où il traduit des *Psaumes* sous la direction de Calvin (août 1543). Chassé de Genève pour inconduite, il tente en vain de rentrer en grâce et il meurt en Italie, à Turin, en 1544, l'année de la publication de ses œuvres complètes à Lyon.

AU ROI, « POUR AVOIR ÉTÉ DÉROBÉ »

Premier janvier 1532 : à la fin de cette épître, MAROT adresse ses vœux à FRANÇOIS Ier : « *Dieu tout-puissant te doint pour t'étrenner Les quatre coins du monde gouverner* ». Il saisit l'occasion d'attirer d'abord l'attention du roi sur sa propre détresse. Essayera-t-il d'apitoyer le monarque par un douloureux récit ? Le subtil quémandeur connaît mieux son affaire ! Il dissimule adroitement son angoisse sous une *apparente bonhomie*, plaisante sur sa propre misère et introduit sa *demande d'argent* avec une verve irrésistible : c'est l'essence même du *badinage* marotique.

> J'avais un jour un valet de Gascogne,
> Gourmand, ivrogne, et assuré menteur,
> Pipeur[1], larron, jureur, blasphémateur,
> Sentant la hart[2] de cent pas à la ronde,
> Au demeurant, le meilleur fils du monde...
>   Ce vénérable hillot[3] fut averti
> De quelque argent que m'aviez départi[4],
> Et que ma bourse avait grosse apostume[5] ;
> Si[6] se leva plus tôt que de coutume,

--- 1 Trompeur. — 2 Corde du gibet. — | 3 Garçon (mot gascon ; pr. *iyott*). — 4 Attribué. — 5 Tumeur, enflure. — 6 Aussi.

10 Et me va prendre en tapinois icelle;
Puis la vous mit très bien sous son aisselle,
Argent et tout, cela se doit entendre [7],
Et ne crois point que ce fût pour la rendre,
Car onques puis [8] n'en ai ouï parler.
   Bref, le vilain ne s'en voulut aller
Pour si petit [9], mais encore il me happe
Saie [10] et bonnet, chausses, pourpoint et cape;
De mes habits, en effet, il pilla
Tous les plus beaux; et puis s'en habilla
20 Si justement, qu'à le voir ainsi être
Vous l'eussiez pris, en plein jour, pour son maître.
Finablement, de ma chambre il s'en va
Droit à l'étable, où deux chevaux trouva;
Laisse le pire, et sur le meilleur monte,
Pique et s'en va. Pour abréger le conte,
Soyez certain qu'au sortir dudit lieu
N'oublia rien, fors [11] à me dire adieu.
   Ainsi s'en va, chatouilleux de la gorge [12],
Ledit valet, monté comme un Saint George [13],
30 Et vous laissa Monsieur dormir son soûl,
Qui au réveil n'eût su finer [14] d'un sou.
Ce Monsieur-là, Sire, c'était moi-même,
Qui, sans mentir, fus au matin bien blême,
Quand je me vis sans honnête [15] vêture,
Et fort fâché de perdre ma monture;
Mais, de l'argent [16] que vous m'aviez donné,
Je ne fus point de le perdre étonné;
Car votre argent, très débonnaire [17] Prince,
Sans point de faute, est sujet à la pince [18].
40 Bientôt après cette fortune-là,
Une autre pire encore se mêla
De m'assaillir, et chacun jour m'assaut,
Me menaçant de me donner le saut,
Et de ce saut m'envoyer à l'envers
Rimer sous terre et y faire des vers [19].
C'est une lourde et longue maladie
De trois bons mois, qui m'a toute élourdie
La pauvre tête, et ne veut terminer,
Ains [20] me contraint d'apprendre à cheminer;
50 Tout affaibli m'a d'étrange manière,

— 7 Étudier la feinte naïveté des v. 9-21. — 8 Jamais depuis. — 9 Peu. — 10 Casaque. — 11 Sauf (cp. *hors*). — 12 Parce qu'il est menacé de la « hart » (cf. note 2). — 13 Qui combattit, à cheval, un terrible dragon. — 14 S'acquitter (cf. *finance*). — 15 Honorable. — 16 Quant à l'argent… — 17 Noble. — 18 Allusion à la dilapidation du Trésor. — 19 Plaisanterie de mauvais goût. — 20 Mais.

Et si m'a fait la cuisse héronnière [21],
L'estomac sec, le ventre plat et vague...
　　Que dirai plus ? Au misérable corps
Dont je vous parle, il n'est demeuré fors
Le pauvre esprit, qui lamente et soupire,
Et en pleurant tâche à vous faire rire.
　　Et pour autant [22], Sire, que suis à vous,
De trois jours l'un viennent tâter mon pouls
Messieurs Braillon, Le Coq, Akakia [23],
60　Pour me garder d'aller jusqu'à *quia* [24].
Tout consulté, ont remis au printemps
Ma guérison; mais, à ce que j'entends,
Si je ne puis au printemps arriver,
Je suis taillé [25] de mourir en hiver;
Et en danger, si en hiver je meurs,
De ne voir pas les premiers raisins meurs [26].
　　Voilà comment, depuis neuf mois en çà,
Je suis traité. Or ce que me laissa
Mon larronneau, longtemps a [27] l'ai vendu,
70　Et en sirops et juleps [28] dépendu [29];
Ce néanmoins [30], ce que je vous en mande
N'est pour vous faire ou requête, ou demande:
Je ne veux point tant de gens ressembler
Qui n'ont souci autre que d'assembler;
Tant qu'ils vivront, ils demanderont, eux;
Mais je commence à devenir honteux,
Et ne veux plus à vos dons m'arrêter.
　　Je ne dis pas, si voulez rien [31] prêter,
Que ne le prenne. Il n'est point de prêteur,
80　S'il veut prêter, qui ne fasse un debteur.
Et savez-vous, Sire, comment je paye ?
Nul ne le sait, si premier [32] ne l'essaye;
Vous me devrez, si je puis, de retour;
Et vous ferai encores un bon tour.
A celle fin [33] qu'il n'y ait faute [34] nulle,
Je vous ferai une belle cédule [35]
A vous payer (sans usure [36], il s'entend)
Quand on verra tout le monde content;
Ou, si voulez, à payer ce sera,
90　Quand votre los [37] et renom cessera.

— 21 Maigre comme celle d'un héron. — 22 Parce que... — 23 Trois illustres médecins de la Cour. — 24 A la dernière extrémité (*quia* = Parce que... Réponse de celui qui reste sans argument). — 25 Capable de. — 26 *Meurs* : mûrs. — 27 Il y a longtemps que. — 28 Potions. — 29 Dépensé. — 30 Malgré cela. — 31 Quelque chose (lat. *rem*). — 32 *D'abord*. Promesse mystérieuse pour piquer la curiosité. — 33 Afin que. — 34 *Défaillance* (du débiteur). — 35 Engagement écrit. — 36 Intérêt. — 37 Gloire.

L'ÉCOLE LYONNAISE

La vie intellectuelle est particulièrement brillante à Lyon vers les années 1530-1550. Rabelais y publie *Pantagruel*, puis *Gargantua*. D'autre part, un cénacle raffiné et courtois fait de Lyon la capitale de la poésie française.

L'évêque de Digne, Antoine HÉROËT, s'inspire de la conception platonicienne de l'amour dans *La parfaite amie :* cette poésie qui réagit en 1542 contre les tendances gauloises de Rabelais, célèbre l'amour éthéré comme la source du bonheur.

MAURICE SCÈVE (1510-1564) est l'auteur d'une longue suite de dizains en décasyllabes, *Délie, objet de plus haute vertu* (1544). Qui est Délie? Sans doute la poétesse lyonnaise PERNETTE DU GUILLET, peut-être aussi la femme idéale. Scève imite Pétrarque et ses disciples italiens, tout en restant fidèle à la rhétorique et à la scolastique médiévales. Son inspiration n'est donc pas originale, mais elle est pleine d'*élévation* (cf. dizain III, v. 5-8 ; IV, v. 1-3), de *fraîcheur* parfois (I ; III, v. 1-2 ; IV, v. 9-10), et surtout de *mystère* (III et IV). Après les symbolistes, puis Valéry, cette poésie a connu un renouveau de jeunesse. Un art un peu hautain, des hardiesses de syntaxe, une obscurité volontaire, une forme ingénieuse à prolonger les résonances de la pensée, ont permis de voir en Maurice Scève un ancêtre de la *poésie pure* et de l'*hermétisme* (art délibérément obscur). La poésie pour lui n'est plus un jeu, mais un *culte*, et elle annonce le Pétrarquisme de la Pléiade.

Outre Pernette du Guillet, il faut citer dans le groupe lyonnais la poétesse LOUISE LABÉ dont les *sonnets* sont remarquables par la *sincérité* des sentiments.

DÉLIE

Une scène pittoresque illustre avec humour le thème de l'*amant captif* (I), dont une série de comparaisons souligne le *triste sort* (II). Mais que de douces consolations aussi ! Le visage de la bien-aimée est radieux comme le soleil printanier ; l'amour la rend *toujours présente* à la pensée (III) et, lorsqu'elle est vraiment là (IV), le cœur de l'amant s'*épanouit*.

> Sur le printemps, que les aloses montent,
> Ma Dame et moi sautons dans le bateau
> Où les pêcheurs entre eux leur prise comptent,
> Et une en prend, qui, sentant l'air nouveau,
> Tant se débat qu'enfin se sauve en l'eau ;
> Dont ma Maîtresse et pleure et se tourmente.
>   « Cesse, lui dis-je, il faut que je lamente
> L'heur du poisson, que n'as su attraper,
> Car il est hors de prison véhémente,
> Où¹ de tes mains ne peux onc échapper. »

— 1 *Tandis que... je* ne peux *jamais.*

*

Le laboureur de sueur tout rempli
A son repos sur le soir se retire :
Le pèlerin, son voyage accompli,
Retourne en paix et vers sa maison tire.
   Et toi, ô Rhône, en fureur, en grande ire,
Tu viens courant des Alpes roidement
Vers celle-là qui t'attend froidement [2],
Pour en son sein tant doux te recevoir.
   Et moi, suant à ma fin grandement,
Ne puis ni paix ni repos d'elle avoir.

*

Comme des rais du soleil gracieux
Se paissent fleurs durant la primevère [3],
Je me recrée aux rayons de ses yeux,
Et loin et près autour d'eux persévère ;
Si que le cœur, qui en moi la révère,
La me [4] fait voir en celle [5] même essence
Que ferait l'œil par sa belle présence,
Que tant j'honore et que tant je poursuis :
   Par quoi de rien ne me nuit son absence,
Vu qu'en tous lieux, malgré moi, je la suis.

*

Apercevant cet ange en forme humaine,
Qui aux plus forts ravit le dur courage
Pour le porter au gracieux domaine
Du paradis terrestre en son visage,
Ses beaux yeux clairs par leur privé usage
Me dorent tout de leurs rais épandus.
   Et quand les miens j'ai vers les siens tendus,
Je me recrée au mal où je m'ennuie,
Comme bourgeons au soleil étendus,
Qui se refont aux gouttes de la pluie.

Dizains 221, 396, 141 et 309.

— 2 La Saône. Scève était Lyonnais. — 3 Le | des pronoms jusqu'à l'époque de Montaigne.
Printemps (italianisme). — 4 Ordre fréquent | — 5 *Cette.*

RABELAIS

Sa vie (1494-1554)

François Rabelais est né en 1494 près de Chinon. Son père, avocat à Chinon, était un assez gros propriétaire : l'œuvre de Rabelais abonde en souvenirs du terroir familial et en allusions aux gens de justice. Devenu moine cordelier, puis bénédictin, Rabelais se passionne pour le grec et fréquente les humanistes.

Familier de l'évêque de Fontenay-le-Comte, il séjourne aux abbayes de Maillezais, puis de Ligugé. Le milieu humaniste de Fontenay-le-Comte semble avoir été favorable à l'Évangélisme et au Gallicanisme (qui lutte contre les ambitions temporelles des papes).

A partir de 1528, Rabelais se déplace beaucoup, observant les mœurs et le langage des étudiants, en particulier à Paris où il prend l'habit de prêtre séculier. Inscrit à la Faculté de Montpellier en septembre 1530, il est bientôt chargé d'un cours et commente dans le texte grec les médecins Hippocrate et Galien.

Médecin à l'Hôtel-Dieu de Lyon en 1532, il publie la même année sous un pseudonyme le *Pantagruel*, puis à l'automne de 1534, le *Gargantua*. Le *Tiers Livre* est publié en 1546 après plusieurs voyages en Italie.

Rabelais, docteur à Montpellier en 1536, devient un des premiers médecins de France, pratiquant des dissections de cadavres, méthode nouvelle d'enseignement de l'anatomie par l'observation directe. Bénéficiaire de la cure de St-Martin-de-Meudon en janvier 1551, il publie le *Quart Livre* en 1552. Ce dernier ouvrage est aussitôt condamné par le Parlement, comme les précédents. On perd ensuite la trace de l'écrivain, mort probablement à la fin de 1553 ou au début de 1554. Le *Cinquième Livre* parut partiellement en 1562 puis dans sa forme complète en 1564, mais son attribution à Rabelais demeure incertaine.

Son œuvre

Pantagruel (1532) conte les prouesses d'un géant, fils de Gargantua. Aux effets comiques nés d'un merveilleux gigantesque et féerique, Rabelais ajoute de nombreux détails tirés de la vie réelle et il exprime dans certains chapitres son idéal humaniste.

Gargantua (1534) fait passer le réalisme des mœurs au premier plan, et revient sur divers problèmes : l'éducation, la guerre, la paresse des moines et les superstitions.

Le Tiers Livre (1546) renonce par prudence à la satire religieuse, après *l'affaire des Placards* (voir Marot). Le personnage de Panurge passe au premier plan et l'on tend à oublier le gigantisme de Pantagruel.

Le Quart Livre (1548-1552) évoque les escales de Panurge en route vers l'oracle de la Dive Bouteille. Ce cadre, très souple, permet à l'auteur d'introduire dans le livre les fantaisies les plus variées ; une fois encore, certaines allégories satiriques visent les ambitions temporelles des papes.

Le Cinquième Livre (1564) conduit Panurge et ses compagnons jusqu'à la Dive Bouteille, mais les érudits ne s'accordent pas sur l'authenticité de ce dernier ouvrage.

A travers les formes infiniment variées de son génie, deux tendances fondamentales résument les aspirations essentielles de Rabelais : la passion de l'humanisme et l'amour de la nature. L'auteur exprime sa pensée à l'aide de personnages et de récits symboliques, mais le réalisme le plus vivant et la fantaisie la plus débridée se mêlent aux idées sérieuses. De plus, Rabelais reste un des maîtres du rire, depuis la gauloiserie la plus grossière jusqu'à la comédie de caractère la plus fine. Il est servi par un prodigieux vocabulaire, qui emprunte à tous les langages, techniques, étrangers, provinciaux, allant jusqu'à forger des mots et se plaisant à l'énumération et à l'accumulation qui sont ses procédés familiers.

GARGANTUA

" LA SUBSTANTIFIQUE MOELLE "

Dans l'avertissement en vers du *Gargantua*, Rabelais proclame d'abord son intention d'écrire une œuvre *franchement comique* :

>Mieux est de ris que de larmes écrire
>Pour ce que rire est le propre de l'homme.

Mais faut-il s'en tenir à des *apparences* parfois irrésistiblement bouffonnes ? Avec la fantaisie qui est la marque de son génie, il nous invite, dans son *prologue*, à aller jusqu'au fond de son œuvre, et, comme il le dit si joliment, à « *rompre l'os et sucer la substantificque mouelle.* »

Buveurs très illustres (car à vous, non à autres, sont dédiés mes écrits), Alcibiade, au dialogue de Platon intitulé *le Banquet*, louant son précepteur Socrate, sans controverse prince des philosophes, entre autres paroles le dit être semblable ès [1] Silènes. Silènes étaient jadis petites boîtes, telles que voyons de présent ès boutiques des apothicaires, peintes au-dessus de figures joyeuses et frivoles, comme de harpies, satyres, oisons bridés, lièvres cornus, canes bâtées [2], boucs volants, cerfs limoniers [3] et autres telles peintures contrefaites à plaisir pour exciter le monde à rire (quel [4] fut Silène, maître du bon Bacchus) ; mais au dedans l'on réservait [5] les fines drogues, comme baume, ambre gris, amomon [6], musc, civette [7], pierreries et autres choses précieuses. Tel disait [8] être Socrate, parce que, le voyant au dehors et l'estimant par l'extérieure apparence, n'en eussiez donné un coupeau [9] d'oignon tant laid il était de corps et ridicule en son maintien, le nez pointu, le regard d'un taureau, le visage d'un fol, simple en mœurs, rustique en vêtements, pauvre de fortune, infortuné en femmes, inepte [10] à tous offices de la république [11], toujours riant, toujours buvant d'autant [12] à un chacun, toujours se guabelant [13], toujours dissimulant son divin savoir ; mais, ouvrant cette boîte, eussiez au dedans trouvé une céleste et impréciable [14] drogue : entendement [15] plus qu'humain, vertu merveilleuse, courage invincible, sobresse non pareille, contentement certain, assurance parfaite, déprisement [16] incroyable de tout ce pourquoi les humains tant veillent, courent, travaillent, naviguent et bataillent.

A quel propos, en votre avis, tend ce prélude et coup d'essai [17] ? Pour autant que [18] vous, mes bons disciples et quelques autres fols de séjour [19], lisant les joyeux titres d'aucuns [20] livres de notre invention, comme *Gargantua, Pantagruel...*, *Des pois au lard cum commento* [21], etc., jugez trop

---

— 1 Aux. — 2 Portant un bât. — 3 Attelés aux *limons* (= bras) d'une charrette. — 4 Tel. — 5 Mettait en réserve. — 6 Parfum tiré d'une plante exotique. — 7 Parfum animal. — 8 Sujet : *Alcibiade*. — 9 Morceau. — 10 Inapte. — 11 De l'État. — 12 Faisant raison (en buvant). — 13 Se moquant. — 14 Inappréciable. — 15 Intelligence. — 16 Mépris. — 17 « *Ce début de mon ouvrage* ». — 18 C'est parce que... — 19 *De loisir* (= désœuvrés). — 20 Quelques. — 21 « *Avec un commentaire* » (ouvrage imaginaire).

facilement n'être au dedans traité que moqueries, folâtreries et menteries joyeuses : vu que l'enseigne extérieure (c'est le titre), sans plus avant enquérir [22], est communément reçue à dérision et gaudisserie [23]. Mais
30 par telle légèreté ne convient estimer les œuvres des humains : car vous-mêmes dites que l'habit ne fait point le moine... C'est pourquoi faut ouvrir le livre et soigneusement peser ce qui y est déduit [24]. Lors connaîtrez que la drogue dedans contenue est bien d'autre valeur que ne promettait la boîte. C'est-à-dire que les matières ici traitées ne sont tant folâtres comme le titre au-dessus prétendait.

Et, posé le cas qu'au sens littéral vous trouviez matières assez joyeuses et bien correspondantes au nom, toutefois pas demeurer là ne faut, comme au chant des sirènes ; ains [25] à plus haut sens interpréter ce que par aventure cuidiez [26] dit en gaieté de cœur. Crochetâtes-vous [27] onques bouteilles ?
40 Réduisez à mémoire [28] la contenance que aviez. Mais vîtes-vous onques chien rencontrant quelque os médullaire [29] ? C'est, comme dit Platon, lib. II *de Rep.* [30] la bête du monde plus philosophe. Si vu l'avez, vous avez pu noter de quelle dévotion il le guette, de quel soin il le garde, de quel ferveur [31] il le tient, de quelle prudence il l'entomme [32], de quelle affection [33] il le brise, et de quelle diligence [34] il le suce. Qui le induit à ce faire ? Quel est l'espoir de son étude ? Quel bien prétend-il ? Rien plus qu'un peu de moelle. Vrai est que ce peu plus est [35] délicieux que le beaucoup de toutes autres, pour ce que la moelle est aliment élaboré [36] à perfection de nature comme dit Galen. III *Facu. natural.* et XI *De*
50 *usu parti.*

A l'exemple d'icelui [37] vous convient être sages, pour fleurer [38], sentir et estimer ces beaux livres de haute graisse [39], légers [40] au pourchas [41] et hardis à la rencontre. Puis, par curieuse leçon [42] et méditation fréquente, rompre l'os et sucer la substantifique [43] moelle, c'est-à-dire ce que j'entends par ces symboles pythagoriques [44], avec espoir certain d'être faits escors [45] et preux à la dite lecture, car en icelle [46] bien autre goût trouverez, et doctrine plus absconse [47], laquelle vous révélera de très hauts sacrements [48] et mystères horrifiques, tant en ce qui concerne notre religion que aussi l'état politique et vie économique [49].

Ce grave développement aboutit, il est vrai, à un tissu de plaisanteries. Si l'on découvre dans HOMÈRE *ou* OVIDE *toute une sagesse cachée à laquelle ces auteurs n'avaient nullement songé, pourquoi n'en ferait-on pas de même pour ce livre écrit en « buvant et mangeant » ? « Aussi est-ce la juste heure d'écrire ces hautes matières et sciences profondes. » L'auteur n'a-t-il pas trouvé dans le vin le meilleur de sa joyeuse inspiration ?*

— 22 S'informer. — 23 Plaisanterie. — 24 Développé. — 25 Mais. — 26 Vous croyiez. — 27 « *Avez-vous jamais débouché...* ». 28 Rappelez à votre souvenir. — 29 A moelle. — 30 « *De Republica* ». — 31 Mot masculin. — 32 Entame. — 33 Passion. — 34 Zèle. — 35 Inversion. — 36 Élaboré. — 37 De celui-ci. — 38 Flairer. — 39 Comme une viande de qualité.

40 Se rapporte à « *vous* », comme « *sages* ». — 41 A la poursuite. — 42 Soigneuse lecture. — 43 Nourrissante. — 44 A la manière de Pythagore, dont les préceptes avaient, semble-t-il, un sens allégorique. — 45 Avisés. — 46 Celle-ci. — 47 Secrète. — 48 Connaissances sacrées. — 49 Préciser l'importance de ces questions du point de vue humain.

L'éducation   *Les premiers cris de* GARGANTUA *venant au monde éclatent au milieu d'une formidable ripaille de paysans dans la région de Chinon :* « Soudain qu'il fut né, ne cria, comme les autres enfants, *mies, mies, mies ;* mais à haute voix s'écriait : *à boire, à boire, à boire,* comme invitant tout le monde à boire, si bien qu'il fut ouï de tout le pays... Le bonhomme Grandgousier, buvant et se rigolant avec les autres, entendit le cri horrible que son fils avait fait entrant en lumière de ce monde, quand il bramait demandant : « *A boire, à boire, à boire !* », dont il dit « *Que grand tu as !* » *(... le gosier).* Ce que oyant, les assistants dirent que vraiment il devait avoir par ce le nom GARGANTUA, puisque telle avait été la première parole de son père à sa naissance, à l'imitation et exemple des anciens Hébreux... Et pour l'apaiser, lui donnèrent à boire à tire larigot, et fut porté sur les fonts, et là baptisé, comme est la coutume des bons chrétiens ».

Nourri par le lait de 17 913 vaches, le jeune géant se développait admirablement, « et le faisait bon voir, car il portait bonne trogne et avait presque dix-huit mentons et ne criait que bien peu... S'il trépignait, s'il pleurait, s'il criait, lui apportant à boire l'on le remettait en nature, et soudain demeurait coi et joyeux », *car* « au seul son des pintes et flacons, il entrait en extase, comme s'il goûtait les joies de paradis ». *L'auteur nous décrit alors longuement les vêtements de Gargantua, avec force références à des auteurs anciens ; nous assistons aux jeux de l'enfant et à une conversation qui révèle à Grandgousier* « le haut sens et merveilleux entendement de son fils ». *Il décide donc de confier l'éducation du jeune prodige à* « un grand docteur en théologie nommé maître Thubal Holopherne ».

RABELAIS *saisit l'occasion de railler les* méthodes *d'éducation du Moyen Age auxquelles l'humanisme est en train de porter un coup fatal. Sous ses maîtres théologiens ès lettres latines, Gargantua apprend son alphabet* (« par cœur au rebours ») *en 5 ans et 3 mois ; puis des livres de vocabulaire et de grammaire entièrement en latin, en 13 ans 6 mois et 2 semaines ; puis un autre ouvrage de grammaire latine avec des commentaires en 18 ans et 11 mois,* « et le sut si bien qu'au coupelaud *(à l'épreuve)* il le rendait par cœur à revers » ; *puis un calendrier populaire, en 16 ans et 2 mois ; et enfin une série de livres de rhétorique,* « et quelques autres de semblable farine ». *On voit les défauts de cette éducation : longues études ingrates et entièrement livresques, sans rapport avec la vie ni avec la connaissance du monde ; appel à la mémoire mécanique et non à l'intelligence. Résultat :* l'élève « en devenait fou, niais, tout rêveur et rassoté ». *Pris de colère,* GRANDGOUSIER *décide que son fils fera ses études à Paris, sous la direction du sage* PONOCRATES, *dont le nom signifie laborieux.*

LA MÉTHODE DES " PRÉCEPTEURS SOPHISTES "

Paresse, mépris de l'hygiène et de l'activité intellectuelle, goinfrerie, dévotion formaliste et mécanique : tel est, *selon Rabelais,* l'esprit du Moyen Age vu à travers ses méthodes d'éducation. GARGANTUA prend *naïvement* la défense de ces pratiques néfastes dont sa nature « flegmatique » ne s'est que trop bien accommodée. Toutefois il s'agit ici d'une *critique rétrospective* de l'éducation médiévale, déjà blessée à mort par les humanistes : à l'époque de Rabelais, l'imprimerie, l'influence d'ÉRASME et de ses disciples avaient balayé les manuels scolastiques et, dans les collèges, on étudiait les anciens.

Ponocrates, pour le commencement, ordonna qu'il feroit à sa maniere accoustumée, affin d'entendre par quel moyen, en si long temps, ses antiques precepteurs l'avoient rendu tant fat[1]*, niays et ignorant. Il dispensoit doncques son temps en telle façon que ordinairement il s'esveilloit entre*

— 1 Stupide.

huyt et neuf heures, feust [2] *jour ou non ; ainsi l'avoient ordonné ses regens antiques, alleguans ce que dict David :* Vanum est vobis ante lucem surgere [3].

Puis se guambayoit, penadoit et paillardoit [4] parmy le lict quelque temps pour mieulx esbaudir [5] ses esperitz animaulx [6] ; et se habiloit [7] selon la saison, mais voluntiers portoit il une grande et longue robbe de grosse frize [8] fourrée de renards ; après se peignoit du peigne de Almain [9], c'estoit des quatre doigtz et le poulce, car ses precepteurs disoient que soy aultrement pigner, laver et nettoyer estoit perdre temps en ce monde.

Puis rendoyt sa gorge, baisloyt [10], crachoyt, toussoyt, sangloutoyt, esternuoit et se morvoyt en archidiacre, et desjeunoyt pour abatre la rouzée [11] et maulvais aer : belles tripes frites, belles charbonnades [12], beaulx jambons, belles cabirotades [13] et forces souppes de prime [14]. Ponocrates luy remonstroit que tant soubdain ne debvoit repaistre au partir du lict sans avoir premierement faict quelque exercice. Gargantua respondit :

« Quoy ! n'ay je faict suffisant exercice ? Je me suis vaultré six ou sept tours parmi le lict davant que me lever. Ne est ce assez ? Le pape Alexandre ainsi faisoit, par le conseil de son medicin Juif, et vesquit jusques à la mort en despit des envieux. Mes premiers maistres me y ont accoustumé, disans que le desjeuner faisoit bonne memoire ; pour tant [15] y beuvoient les premiers. Je m'en trouve fort bien et n'en disne que mieulx. Et me disoit Maistre Tubal (qui feut premier de sa licence à Paris) que ce n'est tout l'advantaige de courir bien toust [16], mais bien de partir de bonne heure ; aussi n'est ce la santé totale de nostre humanité boyre à tas, à tas, à tas, comme canes, mais ouy bien de boyre matin ; unde versus [17] :

Lever matin n'est poinct bon heur ; | Boire matin est le meilleur.

Après avoir bien à poinct desjeuné, alloit à l'eglise, et luy pourtoit on dedans un grand penier [18], un gros breviaire empantophlé [19], pesant, tant en gresse [20] que en fremoirs [21] et parchemin, poy plus poy moins [22], unze quintaulx six livres. Là oyoit vingt et six ou trente messes [23]. Ce pendent venoit son diseur d'heures en place [24] empaletocqué [25] comme une duppe [26], et très bien antidoté son alaine [27] à force syrop vignolat [28] ; avecques icelluy marmonnoit toutes ces kyrielles [29], et tant curieusement [30] les

---

— 2 *Fût.* Expliquer cette plaisanterie. — 3 Verset du *Psaume* 127, pris abusivement à la lettre : « Il est vain de vous lever avant la lumière » (*si Dieu ne bénit pas vos efforts*). D'où vient ici le comique ? — 4 « Gambadait, piaffait et se roulait sur la paillasse ». *Penader* est un mot gascon. — 5 Réjouir. — 6 *Esprits animaux* : corpuscules qui passent du sang dans les nerfs et répandent la vie dans les membres (cf. DESCARTES. Disc. Méth. V.). — 7 Habillait. — 8 Étoffe grossière, à poil frisé. — 9 Docteur scolastique de la Sorbonne. C'est une plaisanterie d'étudiant. — 10 *Vomissait, bâillait...* Les détails répugnants ne déplaisent pas à Rabelais. — 11 Rosée. — 12 Grillades. — 13 Rôtis de chevreau (mot gascon). — 14 Soupe épaisse mangée par les moines après l'office de *prime* (*prima hora* = 6 h. du matin). — 15 Voilà pourquoi. — 16 Vite. — 17 D'où les vers. — 18 Panier. — 19 « *Empantouflé* » (enveloppé). — 20 C'est la *crasse.* — 21 Fermoirs. — 22 Un peu plus un peu moins. — 23 Est-ce possible ? Préciser l'intention satirique. — 24 Lecteur du livre d'heures (= *de prières*) en titre. — 25 Couvert d'un paletot. — 26 Huppe (mot poitevin). — 27 Construction grecque : [*quant à*] son haleine. — 28 Le vin est un remède *universel* ; d'où cette périphrase *médicale.* Préciser l'allusion satirique. — 29 Prières en forme de litanie. — 30 Soigneusement.

espluchoit qu'il n'en tomboit un seul grain [31] *en terre. Au partir de l'eglise,*
on luy amenoit sur une traine [32] *à beufz un faratz* [33] *de patenostres de*
Sainct Claude, aussi grosses chascune qu'est le moulle d'un bonnet [34]*, et, se*
40 *pourmenant par les cloistres, galeries ou jardin, en disoit plus que seze* [35]
hermites. Puis estudioit quelque meschante demye heure, les yeulx assis dessus
son livre ; mais (comme dict le comicque [36]*) son ame estoit en la cuysine.*

Se asseoyt à table, et, par ce qu'il estoit naturellement phlegmaticque [37]*,*
commençoit son repas par quelques douzeines de jambons, de langues de
beuf fumées, de boutargues [38]*, d'andouilles, et telz aultres avant coureurs*
de vin. Ce pendent quatre de ses gens luy gettoient en la bouche, l'un après
l'aultre, continuement, moustarde à pleines palerées [39]*. Puis beuvoit un*
horrificque traict de vin blanc. Après, mangeoit, selon la saison, viandes [40]
à son appetit, et lors cessoit de manger quand le ventre luy tiroit. A boyre
50 *n'avoit poinct fin ny canon* [41]*, car il disoit que les metes* [42] *et bournes de*
boyre estoient quand, la personne beuvant, le liege de ses pantoufles enfloit
en hault d'un demy pied. Gargantua, Chap. XXI.

Après le repas, Gargantua joue aux dés et aux cartes (énumération de 200 jeux !), boit
copieusement, dort deux ou trois heures, se remet à boire. « Puis commençait à étudier quelque
peu et patenôtres en avant. Ainsi marmottant de la bouche et dodelinant de la tête, allait
voir prendre quelque connil *(lapin)* aux filets. Au retour se transportait en la cuisine pour
savoir quel rôt était en broche. » *Repas du soir, beuveries, jeux divers.* « Puis dormait sans
débrider jusqu'au lendemain huit heures. »

L'ÉDUCATION IDÉALE

Voici maintenant l'*idéal de Rabelais*. Il s'oppose en tous points aux conceptions médiévales : c'est en somme l'*idéal antique* d'une formation harmonieuse de l'esprit et du corps.
Gargantua sera à la fois un *humaniste* initié à fond aux sciences les plus diverses et un
gentilhomme rompu au métier des armes. Pour la *méthode*, on reconnaîtra dans ce passage
bien des principes qui ont trouvé leur application dans la *pédagogie moderne*.
Condamnant « la vicieuse manière de vivre de Gargantua », *Ponocrates fait appel à un*
médecin pour le « *remettre en meilleure voie* ». « Lequel le purgea canoniquement avec
ellébore d'Anticyre, et, par ce médicament, lui nettoya toute l'altération et perverse
habitude du cerveau. Par ce moyen aussi Ponocrates lui fit oublier tout ce qu'il avait
appris sous ses antiques précepteurs. »

Après, en tel train d'étude le mit qu'il ne perdait heure quelconque
du jour : ains [1] tout son temps consommait en lettres et honnête savoir.
S'éveillait donc Gargantua environ quatre heures du matin. Cependant
qu'on le frottait, lui était lue quelque page [2] de la divine Écriture
hautement et clairement, avec prononciation compétente à la matière,

---

— 31 Étudier le développement de cette image.
— 32 Chariot. — 33 Un *tas* de chapelets de
Saint-Claude (Jura), en bois tourné. — 34 *La*
tête. Périphrase plaisante. — 35 *Seize.* Quelle
critique, amorcée plus haut, se précise ici ? —
36 Térence, auteur latin, dans *l'Eunuque.* En
réalité on travaillait beaucoup dans les Collèges

du Moyen Age (10 à 15 heures par jour). —
37 Lent à se mettre en appétit. — 38 Œufs
de poisson (sorte de *caviar*). — 39 *Pelletées.*
Essayer d'imaginer cette scène gigantesque. —
40 Mets. — 41 Règle. — 42 Bornes (lat. *meta*).

— 1 Mais. — 2 Page (*lat. pagina*).

et à ce était commis un jeune page, natif de Basché[3], nommé Ana-
gnostes[4]. Selon le propos et argument[5] de cette leçon, souventes fois
s'adonnait à révérer, adorer, prier et supplier le bon Dieu, duquel la
lecture montrait la majesté et jugements merveilleux[6].

10   Puis son précepteur répétait ce qu'avait été lu, lui exposant les points
plus obscurs et difficiles. Considéraient l'état du ciel, si tel était comme
l'avaient noté au soir précédent, et quels signes entrait[7] le soleil, aussi
la lune, pour icelle journée.

Ce fait, était habillé, peigné, testonné[8], accoutré et parfumé, durant
lequel temps on lui répétait les leçons du jour d'avant. Lui-même
les disait par cœur[9] et y fondait quelques cas pratiques et concernant
l'état humain, lesquels ils étendaient aucunes fois[10] jusque deux ou
trois heures, mais ordinairement cessaient lorsqu'il était du tout[11]
habillé. Puis par trois bonnes heures lui était faite lecture.

20   Ce fait, issaient[12] hors, toujours conférant des propos de la lecture,
et se déportaient en Bracque[13], ou ès prés, et jouaient à la balle, à la
paume, à la pile trigone[14], galantement s'exerçant les corps comme ils
avaient les âmes auparavant exercé. Tout leur jeu n'était qu'en liberté,
car ils laissaient la partie quand leur plaisait, et cessaient ordinairement
lorsque suaient parmi le corps, ou étaient autrement las. Adonc étaient
très bien essuyés et frottés, changeaient de chemise, et, doucement se
promenant, allaient voir si le dîner était prêt. Là attendant, récitaient
clairement et éloquemment quelques sentences retenues de la leçon.

Cependant Monsieur[15] l'Appétit venait, et par bonne opportunité
30   s'asseyaient à table. Au commencement du repas, était lue quelque
histoire plaisante des anciennes prouesses, jusques à ce qu'il eût pris
son vin. Lors, si bon semblait, on continuait la lecture, ou commençaient
à deviser joyeusement ensemble, parlant, pour les premiers mois, de
la vertu, propriété, efficace et nature de tout ce que leur était servi à
table : du pain, du vin, de l'eau, du sel, des viandes, poissons, fruits,
herbes, racines, et de l'apprêt d'icelles. Ce que faisant, apprit en peu de
temps tous les passages à ce compétents en Pline[16], Athénée, Diosco-
rides, Julius Pollux, Galien, Porphyre, Oppian, Polybe, Héliodore,
Aristoteles, Élien[17] et autres. Iceux propos tenus, faisaient souvent,
40   pour plus être assurés, apporter les livres susdits à table. Et si bien et
entièrement retint en sa mémoire les choses dites, que, pour lors,
n'était médecin qui en sût à la moitié tant comme il faisait[18]. Après,
devisaient des leçons lues au matin, et, parachevant leur repas par quelque
confection de cotoniat[19], s'écurait les dents avec un trou[20] de lentisque,

---

— 3 Non loin de Chinon. — 4 Lecteur (en grec).
— 5 Sujet. — 6 L'élève médite donc *personnellement* sur les Écritures. — 7 Construction
transitive, souvenir du latin. — 8 Coiffé. —
9 Vestige des méthodes médiévales. — 10 Parfois. — 11 Complètement. — 12 Sortaient. —
13 Jeu de paume. — 14 A la balle (*pila*) à trois

(*trigôn* = triangle). — 15 Montrer l'humour de
ce terme qui désignait les grands personnages. —
16 Savant romain. — 17 Énumération d'auteurs grecs : quel appétit de science ! — 18 La
médecine s'étudiait en effet dans les auteurs
anciens. — 19 Confiture de coings. — 20 Tro-
gnon (détail gigantesque).

se lavait les mains et les yeux de belle eau fraîche et rendaient grâces
à Dieu par quelques beaux cantiques faits à la louange de la munificence
et bénignité divine.

Ce fait, on apportait des cartes, non pour jouer, mais pour y apprendre
mille petites gentillesses et inventions nouvelles, lesquelles toutes
50 issaient [21] d'arithmétique. En ce moyen entra en affection d'icelle science
numérale, et, tous les jours après dîner et souper, y passait temps
aussi plaisantement qu'il soulait [22] ès dés ou ès cartes. A tant [23] sut
d'icelle et théorique et pratique si bien que Tunstal, Anglais qui en avait
amplement écrit, confessa que vraiment, en comparaison de lui, il n'y
entendait que le haut allemand.

Et non seulement d'icelle, mais des autres sciences mathématiques
comme géométrie, astronomie et musique ; car, attendant la concoction [24]
et digestion de son past [25], ils faisaient mille joyeux instruments et
figures géométriques, et de même pratiquaient les canons [26] astrono-
60 miques. Après s'ébaudissaient à chanter musicalement à quatre et cinq
parties, ou sur un thème à plaisir de gorge. Au regard des instruments
de musique, il apprit jouer du luth, de l'épinette [27], de la harpe, de la
flûte allemande et à neuf trous, de la viole et de la sacquebutte [28].

Gargantua, Chap. XXIII.

La guerre picrocholine *C'est dans le Gargantua que Rabelais a exprimé ses idées sur la guerre. Ridiculisant la folie ambitieuse de Picrochole, il nous fait admirer la sagesse pacifique de Grandgousier, monarque chrétien conscient de ses devoirs à l'égard des hommes, ses frères. Mais si la guerre doit être évitée à tout prix, le bon roi, en prévision d'une attaque, doit avoir une armée de métier, moderne et disciplinée. A l'aveuglement de Picrochole, conquérant improvisé, Grandgousier oppose une force modérée et toujours prête à la paix.*
Le récit de Rabelais transpose dans le mode héroï-comique un procès qui avait opposé le père de l'écrivain à un de ses voisins. Le théâtre de la guerre est le pays tourangeau et les héros ressemblent aux paysans du cru, mais la parodie de l'épopée, source constante de comique, fait constamment alterner réalité et fiction.

« LE GRAND DÉBAT DONT FURENT FAITES GROSSES GUERRES »

« *Comment fut mû entre les fouaciers de Lerné et ceux du pays de Gargantua le grand débat dont furent faites grosses guerres* », tel est le titre à la fois ironique et profond de ce premier chapitre de la *Guerre Picrocholine*. Pendant que Gargantua poursuit ses études, l'auteur nous fait assister à un incident qui tourne à la rixe puis à la bagarre générale. On verra avec quelle *vérité d'observation* il sait animer ses personnages. Le *comique* ne perd jamais ses droits, mais le conteur n'oublie pas qu'il est *philosophe* : il a mis tous les torts du même côté pour nous rendre plus sensible la leçon morale des épisodes à venir.

En cestui [29] temps, qui fut la saison de vendanges au commencement
d'automne, les bergers de la contrée étaient à garder les vignes, et
empêcher que les étourneaux ne mangeassent les raisins. Auquel temps,

— 21 Dérivaient (*issir* = sortir, cf. *issu*). — 22 Avait l'habitude. — 23 Alors. — 24 Digestion. — 25 Repas. — 26 Lois. — 27 Petit clavecin. — 28 *Trombone*. Toujours le rêve de la connaissance universelle. — 29 Ce.

les fouaciers [30] de Lerné [31] passaient le grand carroi [32], menant dix ou douze charges de fouaces à la ville [33]. Les dits bergers les requirent courtoisement leur en bailler [34] pour leur argent, au prix du marché. Car notez que c'est viande [35] céleste manger à déjeuner raisins avec fouace fraîche, mêmement [36] des pineaux, des fiers, des muscadeaux, de la bicane [37].

A leur requête ne furent aucunement enclinés les fouaciers, mais, qui pis est, les outragèrent grandement, les appelant [38] trop d'iteux [39], brèche-dents, plaisants rousseaux [40], galliers [41], averlans [42], limes sourdes [43], fainéants, friandeaux [44], bustarins [45], talvassiers [46], rien-ne-vaut, rustres, chalands [47], happe-lopins [48], traîne-gaines [49], gentils floquets [50], copieux [51], landores [52], malotrus, dendins [53], baugears [54], tézés [55], gaubregeux [56], goguelus [57], claquedents et autres tels épithètes diffamatoires, ajoutant que point à eux n'appartenait manger de ces belles fouaces, mais qu'ils se devaient contenter de gros pain ballé [58] et de tourte [59].

Auquel outrage un d'entre eux, nommé Frogier, bien honnête homme de sa personne et notable bachelier [60], répondit doucement : « Depuis quand avez-vous pris cornes qu'êtes tant rogues [61] devenus ? Dea[62], vous nous en souliez [63] volontiers bailler et maintenant y refusez. Ce n'est fait de bons voisins, et ansi ne vous faisons-nous, quand venez ici acheter notre beau froment, duquel vous faites vos gâteaux et fouaces. Encore par le marché vous eussions-nous donné de nos raisins ; mais, vous en pourriez repentir, et aurez quelque jour affaire de nous. Lors nous ferons envers vous à la pareille, et vous en souvienne. »

Adonc Marquet, grand bâtonnier [64] de la confrérie des fouaciers, lui dit : « Vraiment, tu es bien acrêté [65] à ce matin ; tu mangeas hier soir trop de mil. Viens çà, viens ça, je te donnerai de ma fouace. » Lors Frogier en toute simplesse approcha, tirant un onzain [66] de son baudrier, pensant que Marquet lui dût dépocher de ses fouaces, mais il lui bailla de son fouet à travers les jambes si rudement que les nœuds y apparaissaient ; puis voulut gagner à la fuite [67]. Mais Frogier s'écria au meurtre et à la force [68] tant qu'il put, ensemble lui jeta un gros tribard [69] qu'il portait sous son aisselle, et l'atteint par la jointure coronale de la tête, sur l'artère crotaphique, du côté dextre, en telle sorte que Marquet tomba de sa jument ; mieux semblait homme mort que vif [70].

— 30 Marchands de galettes (ou *fouaces*). — 31 Gros bourg, à 8 km. de Chinon. — 32 Chemin. — 33 Chinon. — 34 Donner. — 35 *Aliment*. Réflexion de gourmet ! — 36 Particulièrement. — 37 Noms locaux désignant diverses sortes de raisins. — 38 Insultes qui fusent de tous côtés : préciser le ton. — 39 Gens dont il y a trop. — 40 Rouquins ? — 41 Galeux ? — 42 Lourdauds. — 43 Sournois. — 44 Gourmands. — 45 Ivrognes. — 46 Fanfarons. — 47 Mauvais clients. — 48 Pique-assiette. — 49 Matamores (traîneurs de sabre). — 50 Freluquets. — 51 Singes (cf. *copier*). — 52 Endormis. — 53 Niais. — 54 Marauds. — 55 Sots. — 56 Flâneurs. — 57 Plaisantins. — 58 Dont la farine contient de *la balle*. — 59 Pain de seigle. — 60 Jeune garçon. — 61 Batailleurs. Il les compare à de jeunes taureaux. — 62 Vraiment. — 63 Aviez coutume (cf. verbe latin *soleo* : j'ai l'habitude). — 64 Porteur du « *bâton* » de la confrérie ; le mot s'est maintenu chez les avocats. — 65 Comme un *coq* batailleur. — 66 Pièce de onze deniers. *Baudrier* = ceinture. — 67 S'enfuir. — 68 « Coup de force ». — 69 Son bâton de berger. — 70 Rabelais parodie visiblement les récits épiques.

Cependant les métayers, qui là auprès challaient [71] les noix, accou-
40 rurent avec leurs grandes gaules, et frappèrent sur ces fouaciers comme
sur seigle vert. Les autres bergers et bergères, oyant le cri de Frogier,
y vinrent avec leurs fondes [72] et brassiers [73], et les suivirent à grands
coups de pierres, tant menus qu'il semblait que ce fût grêle. Finalement,
les aconçurent [74] et ôtèrent de leurs fouaces environ quatre ou cinq
douzaines, toutefois ils les payèrent au prix accoutumé, et leur donnèrent
un cent de quecas [75] et trois panerées de francs-aubiers [76]. Puis les fouaciers
aidèrent à monter Marquet, qui était vilainement blessé, et retournèrent
à Lerné sans poursuivre le chemin de Parillé, menaçant fort et ferme
les bouviers, bergers et métayers de Seuillé et de Sinais.
50 Ce fait, et bergers et bergères firent chère lie [77] avec ces fouaces et
beaux raisins, et se rigolèrent [78] ensemble au son de la belle bousine [79],
se moquant de ces beaux fouaciers glorieux, qui avaient trouvé malen-
contre par faute de s'être signés [80] de la bonne main au matin. Et avec
gros raisins chenins étuvèrent [81] les jambes de Frogier mignonnement,
si bien qu'il fut tantôt guéri.

Gargantua, Chap. XXV.

LEÇON DE SAGESSE POLITIQUE

Pour répondre à la folie belliqueuse de PICROCHOLE, voici la sagesse et la modération
de GRANDGOUSIER. La plupart des idées de Rabelais sur la guerre se trouvent rassemblées
dans cette page où bien des *vérités d'expérience* s'expriment en formules heureuses. A
l'usage des rois « très-chrétiens », il insiste sur l'opposition fondamentale entre *l'idéal
chrétien* et la guerre de conquête. Tout ce discours de Grandgousier, baigné de christianisme et de sagesse antique, s'inspire d'un sens très profond de la *fraternité humaine*.

Rappelé par son père, GARGANTUA *arrive de Paris, et commence par massacrer un groupe
d'ennemis, puis démolit à coups de massue le château de Vède. De son côté le moine* FRÈRE
JEAN *se distingue par ses exploits militaires contre une « escarmouche » envoyée par Picrochole :
fait prisonnier, il se délivre, assomme ses gardiens et prend à son tour le capitaine*
TOUQUEDILLON.

Touquedillon fut présenté à Grandgousier et interrogé par icelui
sur l'entreprise et affaires de Picrochole, quelle fin [1] il prétendait par
ce tumultuaire vacarme. A quoi répondit que sa fin et sa destinée [2] était
de conquêter tout le pays, s'il pouvait, pour l'injure faite à ses fouaciers.
« C'est, dit Grandgousier, trop entrepris : qui trop embrasse peu étreint.
Le temps n'est plus d'ainsi conquêter les royaumes, avec dommage de
son prochain frère chrétien [3]. Cette imitation des anciens Hercules,

---

— 71 Gaulaient. — 72 Frondes (*funda*). — 73
Sorte de fronde ? ou de gourdin ? — 74 Attei-
gnirent — 75 Noix (dialectal). — 76 Paniers
de raisins blancs. — 77 Joyeuse chère (*litt.* :
joyeux visage ; lat. : *laeta* = joyeuse). — 78

S'amusèrent. — 79 Cornemuse. — 80 Avoir
fait le signe de la croix. — 81 Baignèrent.

— 1 But. — 2 Dessein. — 3 Souligner la
valeur de l'argument.

Alexandres, Annibals, Scipions, Césars et autres tels, est contraire à la profession [4] de l'Évangile, par lequel nous est commandé garder, sauver [5], régir et administrer chacun ses pays et terres, non hostilement envahir les autres, et ce que les Sarrasins et barbares jadis appelaient prouesses, maintenant nous appelons briganderies et méchancetés. Mieux eût-il fait soi contenir en sa maison, royalement la gouvernant, qu'insulter en [6] la mienne, hostilement la pillant, car par bien la gouverner l'eût augmentée, par me piller sera détruit. Allez-vous-en, au nom de Dieu, suivez bonne entreprise, remontrez à votre roi les erreurs que connaîtrez, et jamais ne le conseillez ayant égard à votre profit particulier, car avec le commun est aussi le propre perdu. Quant est de votre rançon, je vous la donne [7] entièrement, et veux que vous soient rendues armes et cheval ; ainsi faut-il faire entre voisins et anciens amis, vu que cette notre différence [8] n'est point guerre proprement ; comme Platon, li. V, *de Rep.*, voulait être non guerre nommée, ains [9] sédition, quand les Grecs mouvaient armes les uns contre les autres ; ce que si par male fortune advenait, il commande qu'on use de toute modestie [10]. Si guerre la nommez, elle n'est que superficiaire [11], elle n'entre point au profond cabinet [12] de nos cœurs, car nul de nous n'est outragé en son honneur, et n'est question, en somme totale, que de rhabiller [13] quelque faute commise par nos gens, j'entends et vôtres et nôtres, laquelle, encore que connussiez, vous deviez laisser couler outre, car les personnages querellants étaient plus à contemner [14] qu'à ramentevoir [15], mêmement [16] leur satisfaisant selon le grief, comme je me suis offert. Dieu sera juste estimateur de notre différend, lequel je supplie plutôt par mort me tollir [17] de cette vie et mes biens dépérir devant mes yeux, que par moi ni les miens en rien soit offensé [18]. »...

Lors commanda Grandgousier que, présent Touquedillon, fussent comptés au moine soixante et deux mille saluts [19] pour celle [20] prise, ce qui fut fait, cependant qu'on fit la collation audit Touquedillon, auquel demanda Grandgousier s'il voulait demeurer avec lui ou si mieux aimait retourner à son roi. Touquedillon répondit qu'il tiendrait le parti lequel il lui conseillerait : « Donc, dit Grandgousier, retournez à votre roi, et Dieu soit avec vous ! »

Gargantua, Chap. XLV.

Les voisins et alliés de Grandgousier offrent à Gargantua l'appui de leur armée et de leur argent. Mais il est assez fort pour remporter seul la victoire.

Gargantua s'empare de La Roche-Clermaud, après un rude assaut où le moine frère Jean se distingue encore par son courage et son initiative. Picrochole s'enfuit, abat son cheval de colère, puis est malmené par des meuniers à qui il voulait prendre leur âne. « Ainsi s'en alla le pauvre colérique ; puis, racontant ses males fortunes, fut avisé par une vieille lourpidon (sorcière) que son royaume lui serait rendu à la venue des coquecigrues. Depuis ne sait-on qu'il est devenu. Toutefois l'on m'a dit qu'il est de présent pauvre gagne-denier (portefaix)

— 4 Enseignement. — 5 Sauvegarder. — 6 Sauter sur... — 7 Je vous en fais remise. — 8 Différend. — 9 Mais. — 10 Modération. — 11 Superficielle. — 12 Au plus profond... — 13 Réparer. — 14 Mépriser. — 15 Considérer. — 16 Surtout. — 17 Enlever. — 18 Il offre alors à Frère Jean la rançon de Touquedillon. Mais le moine refuse de la fixer : « *Cela ne me mène pas.* » — 19 Monnaie d'or représentant l'ange saluant la Vierge. — 20 Cette.

à Lyon, colère comme devant, et toujours se guémente (*s'enquiert pitoyablement*) à tous étrangers de la venue des coquecigrues, espérant certainement, selon la prophétie de la vieille, être à leur venue réintégré à son royaume ».

Après la victoire, Gargantua traite les Picrocholistes avec mansuétude, et les renvoie dans leurs foyers, exposant, dans une belle harangue, les avantages politiques de la générosité. *Puis il récompense ses compagnons en leur distribuant des châteaux et des terres.*

L'Abbaye de Thélème

A l'intention de frère JEAN, *Gargantua bâtit* l'abbaye de THÉLÈME (*en grec :* volonté libre), « au contraire de toutes autres », *sur les bords de la Loire. Pas de mur extérieur, pas d'horloge :* « la plus grande rêverie du monde était, disait-il, soi gouverner au son d'une cloche et non au dicté du bon sens et entendement ». *L'abbaye accueille les femmes « depuis* 10 *jusqu'à* 15 *ans ; les hommes depuis* 12 *jusqu'à* 18 ». « Fut ordonné que là ne seraient reçues sinon les belles, bien formées et bien naturées, et les beaux, bien formés et bien naturés... Fut constitué que là honnêtement on pût être marié, que chacun fût riche et vécût en liberté ».

Et Rabelais de décrire un splendide château de la Renaissance, « en figure hexagone », *haut de six étages,* « cent fois plus magnifique que n'est Bonnivet, ni Chambord, ni Chantilly ». *Il évoque en détail les splendeurs de cette abbaye d'un nouveau genre : matériaux précieux, vastes salles claires, ornées de peintures et de tapisseries, jardins, vergers pleins d'arbres fruitiers,* « lices, hippodrome, théâtre et natatoires avecques les bains mirifiques... ». *Point d'église toutefois : chacune des* 9 332 *chambres dispose d'une* chapelle particulière! « A l'issue des salles du logis des dames étaient les parfumeurs et les testonneurs (*coiffeurs*), par les mains desquels passaient les hommes quand ils visitaient les dames. Iceux fournissaient par chacun matin la chambre des dames d'eau rose, d'eau de naphe et d'eau d'ange... »

Là-dessus, Rabelais nous décrit, en deux pages chatoyantes, les vêtements et joyaux des hommes et des femmes : velours, satin, taffetas, or, perles et diamants! Servis par « les maîtres des garde-robes » *et les* « dames de chambre », *les religieux et religieuses de Thélème changent de costume chaque jour,* « à l'arbitre des dames ».

« FAY CE QUE VOULDRAS »

Après ce rêve d'homme de la Renaissance, les yeux tout éblouis des fastes de la cour et des châteaux de la Loire, voici la « *règle* » *morale* de cette abbaye. Elle s'oppose entièrement à l'ascétisme monacal. Sur la grande porte de THÉLÈME, une inscription en interdit l'entrée aux « *hypocrites, bigots, cagots* », gens de justice et usuriers ; seuls sont admis les « *nobles chevaliers* », les « *dames de haut parage, fleurs de beauté, à céleste visage, à maintien prude et sage* », et les chrétiens évangéliques : « *Entrez, qu'on fonde ici la foi profonde,* | *Puis qu'on confonde, et par voix et par rôle* | *Les ennemis de la sainte parole* ». Ces mots donnent au chapitre qu'on va lire son éclairage véritable. Il s'agit de concilier *le Christianisme*, retrempé à ses textes originaux, et l'épanouissement total de *la nature humaine*, aspiration essentielle de la Renaissance. RABELAIS le croit possible, au moins pour une élite de « *gens libères* » (les « *belles âmes* », comme dira plus tard ROUSSEAU), dont la bonté naturelle s'épanouira plus largement dans un climat de liberté. Mais l'existence *épicurienne* dont nous avons ici le tableau peut-elle s'accorder avec l'esprit même du Christianisme ?

Toute leur vie était employée, non par lois, statuts ou règles, mais selon leur vouloir et franc arbitre. Se levaient du lit quand bon leur semblait, buvaient, mangeaient, travaillaient, dormaient quand le désir leur venait. Nul ne les éveillait, nul ne les parforçait [1] ni à boire, ni à manger ni à faire chose autre quelconque. Ainsi l'avait établi Gargantua. En leur règle n'était que cette clause :

FAIS CE QUE VOUDRAS,

parce que gens libères [2], bien nés, bien instruits, conversant [3] en compagnies honnêtes, ont par nature un instinct et aiguillon qui toujours les pousse
10 à faits vertueux et retire de vice, lequel ils nommaient honneur. Iceux, quand par vile subjection et contrainte sont déprimés [4] et asservis, détournent la noble affection [5], par laquelle à vertu franchement [6] tendaient, à déposer [7] et enfreindre ce joug de servitude, car nous entreprenons toujours choses défendues et convoitons ce qui nous est dénié.

Par cette liberté, entrèrent en louable émulation de faire tous ce qu'à un seul voyaient plaire. Si quelqu'un ou quelqu'une [8] disait : « Buvons », tous buvaient. Si disait : « Jouons », tous jouaient. Si disait : « Allons à l'ébat ès champs », tous y allaient. Si c'était pour voler [9] ou chasser, les dames, montées sur belles haquenées [10], avec leur palefroi gourrier [11],
20 sur le point mignonnement engantelé portaient chacune ou un épervier, ou un laneret, ou un émerillon ; les hommes portaient les autres oiseaux.

Tant noblement étaient appris [12] qu'il n'était entre eux celui ni celle qui ne sût lire, écrire, chanter, jouer d'instruments harmonieux, parler de cinq à six langages, et en iceux composer, tant en carme [13] qu'en oraison solue [14]. Jamais ne furent vus chevaliers tant preux, tant galants, tant dextres à pied et à cheval, plus verts, mieux remuant, mieux maniant tous bâtons [15], que là étaient. Jamais ne furent vues dames tant propres [16], tant mignonnes, moins fâcheuses, plus doctes à la main, à l'aiguille, à tout acte mulièbre [17] honnête et libère, que là étaient. Par cette raison
30 quand le temps venu était que aucun d'icelle abbaye, ou à la requête de ses parents, ou pour autre cause, voulût issir hors, avec soi il emmenait une des dames, celle laquelle l'aurait pris pour son dévot, et étaient ensemble mariés ; et si bien avaient vécu à Thélème en dévotion et amitié, encore mieux la continuaient-ils en mariage ; d'autant s'entr'aimaient-ils à la fin de leurs jours comme le premier de leurs noces.

Gargantua, Chap. LVII.

Le roman de Pantagruel (1532) *avait été publié avant celui de Gargantua* (1534). *C'est l'histoire du fils de Gargantua : il doit son nom de* PANTAGRUEL *au fait qu'il naquit un jour de grande sécheresse :* « Et parce qu'en ce propre jour naquit Pantagruel, son père lui imposa tel nom : car Panta, en grec, vaut autant à dire comme tout, et Gruel en langue hagarène (= *arabe*), vaut autant comme altéré, voulant inférer qu'à l'heure de sa nativité le monde était tout altéré, et voyant, en esprit de prophétie, qu'il serait quelque jour dominateur des altérés ».

— 1 Contraignait. — 2 Libres. — 3 Vivant ordinairement. — 4 Écrasés. — 5 Passion. — 6 Librement, spontanément. — 7 Complément de *détourent*. — 8 Cette abbaye est mixte. — 9 Chasser avec des oiseaux de proie. — 10 Juments. — 11 Richement harnaché. — 12 Instruits. — 13 Vers (lat. *carmen*). — 14 Prose (*oratio soluta* = sans la mesure). — 15 Armes. — 16 Élégantes. — 17 De femme.

PANTAGRUEL

ENTRE LE RIRE ET LES LARMES

Situation pénible entre toutes, que Rabelais a su traiter avec un comique irrésistible, par *le contraste* entre la douleur et l'explosion de joie du bon géant. Peut-être a-t-il voulu se moquer des discussions scolastiques sans valeur réelle pour la vie pratique, ou des dissertations littéraires sur la mort. En tout cas c'est le *gros bon sens* pratique de Gargantua, — et en définitive la NATURE —, qui l'emporte dans ce débat entre ce qu'on doit à la MORT et ce qu'on doit à la VIE.

Quand Pantagruel fut né, qui fut bien ébahi et perplexe ? ce fut Gargantua son père. Car, voyant d'un côté sa femme Badebec morte, et de l'autre son fils Pantagruel né, tant beau et tant grand, ne savait que dire ni que faire, et le doute qui troublait son entendement [1] était à savoir s'il devait pleurer pour le deuil de sa femme, ou rire pour la joie de son fils. D'un côté et d'autre, il avait arguments sophistiques [2] qui le suffoquaient, car il les faisait très bien *in modo et figura* [3], mais il ne les pouvait souldre [4], et par ce moyen, demeurait empêtré comme la souris empeignée [5], ou un milan pris au lacet.

10 « Pleurerai-je ? disait-il. Oui, car pourquoi ? Ma tant bonne femme est morte, qui était la plus ceci, la plus cela qui fût au monde. Jamais je ne la verrai, jamais je n'en recouvrerai une telle : ce m'est une perte inestimable. O mon Dieu ! que t'avais-je fait pour ainsi me punir ? Que n'envoyas-tu la mort à moi premier [6] qu'à elle ? car vivre sans elle ne m'est que languir. Ha ! Badebec, ma mignonne, m'amie, ma tendrette, ma savate, ma pantoufle, jamais je ne te verrai. Ha ! pauvre Pantagruel, tu as perdu ta bonne mère, ta douce nourrice, ta dame très aimée. Ha ! fausse [7] mort, tant tu m'es malivole [8], tant tu m'es outrageuse, de me tollir [9] celle à laquelle immortalité appartenait de droit. »

20 Et, ce disant, pleurait comme une vache, mais tout soudain riait comme un veau [10], quand Pantagruel lui venait en mémoire. « Ho ! mon petit fils, disait-il, mon peton [11], que tu es joli ! et tant je suis tenu [12] à Dieu de ce qu'il m'a donné un si beau fils, tant joyeux, tant riant, tant joli. Ho, ho, ho, ho ! que je suis aise ! buvons [13]. Ho ! laissons toute mélancolie ; apporte du meilleur, rince les verres, boute [14] la nappe, chasse ces chiens, souffle ce feu, allume la chandelle, ferme cette porte, taille ces soupes [15], envoie ces pauvres, baille-leur ce qu'ils demandent, tiens ma robe [16] que je me mette en pourpoint pour mieux festoyer les commères. »

— 1 Intelligence. — 2 Logiques. — 3 Selon les méthodes (*modes* et *figures*) des logiciens. Voir la suite. — 4 *Résoudre*. Expliquer pourquoi la logique ne suffit pas en pareille circonstance. — 5 Prise dans la poix. — 6 Avant. — 7 Trompeuse. — 8 Malveillante. — 9 Enlever. — 10 Expressions populaires plaisamment accolées. — 11 Petit pied. — 12 Reconnaissant. — 13 Traduction normale du bonheur, dans Rabelais ! — 14 Mets. — 15 Tranches de pain qu'on trempe dans le bouillon. — 16 Vêtement de dessus.

Ce disant, ouït la litanie et les mémentos [17] des prêtres qui portaient
40 sa femme en terre, dont [18] laissa son bon propos et tout soudain fut ravi [19]
ailleurs disant : « Seigneur Dieu, faut-il que je me contriste encore ? Cela
me fâche, je ne suis plus jeune, je deviens vieux, le temps est dangereux,
je pourrai prendre quelque fièvre : me voilà affolé [20]. Foi de gentilhomme,
il vaut mieux pleurer moins et boire davantage. Ma femme est morte,
eh bien, par Dieu (*da jurandi* [21]), je ne la ressusciterai pas par mes pleurs.
Elle est bien ; elle est en paradis pour le moins, si mieux n'est. Elle prie
Dieu pour nous ; elle est bien heureuse ; elle ne se soucie plus de nos
misères et calamités. Autant nous en pend à l'œil [22]. Dieu gard' le
demeurant [23]. Il me faut penser d'en trouver une autre ».

Pantagruel, Chap. III.

Le bébé se signale, bien entendu, par un appétit gigantesque *et une force prodigieuse : il
dévore la vache qui le nourrit et brise d'un coup de poing le navire qui lui sert de berceau.
Devenu étudiant, il fait, comme Rabelais, le tour des* Universités françaises : Poitiers,
Bordeaux, Toulouse, Montpellier, Valence, Bourges, Orléans et enfin Paris. A Paris, il fait
la connaissance de* PANURGE, « lequel il aima toute sa vie ».*
    *Gargantua ayant été « translaté au pays des fées », les Dipsodes (altérés) en profitent
pour envahir sa terre d'Utopie. Mais Pantagruel contre-attaque et conquiert entièrement
le pays des Dipsodes.*

LE TIERS LIVRE

ÉLOGE DU PANTAGRUÉLION

En apparence, ce n'est ici qu'un éloge *paradoxal* comme le XVIe siècle les a tant aimés.
Mais, derrière l'humour et la fantaisie étourdissante de l'invention verbale, se glissent un
hymne fervent à l'intelligence, une foi très vive dans le progrès de la science. Comme
malgré lui, RABELAIS passe d'une *parade burlesque* de charlatan à une *éloquence* sincère
et émue, pour recourir enfin à un *mythe pittoresque* au moment où l'audace de l'antici-
pation et la hardiesse de l'idée risquaient de devenir dangereuses pour leur auteur.
    A la fin du TIERS LIVRE *(chap. 49-52) Pantagruel, armant une flotte puissante afin d'aller
consulter l'oracle de la Dive Bouteille, embarque « grande foison de son herbe pantagruélion ».
Rabelais nous fait une description érudite de cette herbe (il s'agit du* chanvre*) et nous révèle
pourquoi* « elle est dite pantagruélion » : « Comme Pantagruel a été l'idée exemplaire de
toute joyeuse perfection, ainsi en pantagruélion je reconnais tant de vertu, tant d'énergie,
tant de perfection, tant d'effets admirables... qu'elle mérite d'être reine des plantes ».
L'auteur chante alors les propriétés du pantagruélion.

Je laisse à vous dire comment le jus d'icelle exprimé et instillé dedans
les oreilles tue toute espèce de vermine qui y serait née par putréfaction,
et tout autre animal qui dedans serait entré. Si d'icelui jus vous mettez

---

— 17 Ce sont les prières pour les vivants et
pour les morts. — 18 Par suite de quoi. —
19 Emporté (en pensée). — 20 *A demi mort.* —
21 « *Permets-moi de jurer* ». — 22 Nous attend
(nous dirions : *au nez*). — 23 Celui qui demeure.

dedans un seilleau [1] d'eau, soudain vous verrez l'eau prise, comme si fussent caillebotes [2], tant est grande sa vertu [3]. Et est l'eau ainsi caillée remède présent [4] aux chevaux coliqueux et qui tirent des flancs. La racine d'icelle, cuite en eau, remollit les nerfs retirés, les jointures contractes, les podagres scirrhotiques [5] et les gouttes nouées. Si promptement voulez guérir une brûlure, soit d'eau soit de feu, appliquez-y du Pantagruélion cru, c'est-à-dire tel qu'il naît de terre, sans autre appareil ni composition. Et ayez égard de le changer ainsi que le verrez desséchant sur le mal.

Sans elle seraient les cuisines infames [6], les tables détestables [7], quoique couvertes fussent de toutes viandes [8] exquises ; les lits sans délices, quoique y fût en abondance or, argent, électre [9], ivoire et porphyre. Sans elle ne porteraient les meuniers blé au moulin, n'en rapporteraient farine. Sans elle comment seraient portés les plaidoyers des avocats à l'auditoire [10] ? Comment serait sans elle porté le plâtre à l'atelier ? Sans elle comment serait tirée l'eau du puits ? Sans elle que feraient les tabellions [11], les copistes, les secrétaires et écrivains ? Ne périraient les pantarques [12] et papiers rentiers ? Ne périrait le noble art d'imprimerie ? De quoi ferait-on chassis [13] ? Comment sonnerait-on les cloches ? D'elle sont les Isiaques [14] ornés, les Pastophores [15] revêtus, toute humaine nature couverte en première position [16]. Toutes les arbres lanifiques [17] des Sères [18], les gossampines [19] de Tyle en la mer Persique, les cynes [20] des Arabes, les vignes de Malte, ne vêtissent tant de personnes que fait cette herbe seulette. Couvre les armées contre le froid et la pluie, plus certes commodément que jadis ne faisaient les peaux. Couvre les théâtres et amphithéâtres contre la chaleur, ceint les bois et taillis au plaisir des chasseurs, descend en eau tant douce que marine au profit des pêcheurs. Par elle sont bottes, bottines, bottasses, houseaux, brodequins, souliers, escarpins, pantoufles, savates mises en forme et usage. Par elle sont les arcs tendus, les arbalètes bandées, les fondes [21] faites, et comme si fût herbe sacrée, verbenique [22] et révérée des Mânes et Lémures [23], les corps humains morts sans elle ne sont inhumés.

Je dirai plus. Icelle herbe moyennante [24], les substances invisibles visiblement sont arrêtées, prises, détenues et comme en prison mises.

— 1 Seau. — 2 Lait caillé. — 3 Son pouvoir. — 4 Efficace. — 5 Accompagnées de *tumeurs* ou *squires*. Quel est l'effet de l'énumération et de la précision scientifique ? — 6 Songer qu'il s'agit du *chanvre*, d'où l'on tire les tissus, les cordages, etc... — 7 Calembour (cf. *lits sans délices*). — 8 Nourritures (*vivenda* = vivres). — 9 Mélange d'or et d'argent. — 10 Les dossiers des plaideurs s'enfermaient dans des sacs, encore au XVIIᵉ. — 11 Notaires. — 12 Pancartes, registres. — 13 La trame de la toile ? — 14 Prêtres d'Isis. — 15 Prêtres portant la statue d'un dieu. — 16 Dès le berceau. — 17 Producteurs de laine (*arbre* est fém. comme en latin). — 18 Chinois. — 19 Cotonniers. — 20 Arbre d'où l'on tirait des étoffes (cf. PLINE). — 21 Frondes. — 22 *Magique*, comme la verveine. — 23 Fantôme des morts, chez les Romains. — 24 Inversion : « *grâce à...* ».

A leur prise et arrêt sont les grosses et pesantes meules [25] tournées agilement à insigne profit de la vie humaine. Et m'ébahis comment l'invention d'un tel usage a été par tant de siècles celée aux antiques philosophes, vu 40 l'utilité impréciable [26] qui en provient, vu le labeur intolérable que sans elle ils supportaient en leurs pistrines [27]. Icelle moyennant [28], par la rétention des flots aérés, sont les grosses orchades [29], les amples thalamèges [30], les forts galions, les nefs chiliandres et myriandres [31] de leurs stations [32] enlevées et poussées à l'arbitre de leurs gouverneurs. Icelle moyennant, sont les nations que Nature semblait tenir absconses [33], imperméables et inconnues, à nous venues, nous à elles, chose que ne feraient les oiseaux, quelque légèreté de pennage [34] qu'ils aient, quelque liberté de nager en l'air qui leur soit baillée par Nature. Taprobana a vu Lappia [35]; Java a vu les monts Riphées [36]; Phebol [37] verra Thélème [38]; 50 les Islandais et les Engronelands [39] boiront Euphrate. Par elle Boréas a vu le manoir de Auster, Eurus a visité Zéphyre [40].

De mode que les Intelligences célestes, les Dieux tant marins que terrestres en ont été tous effrayés, voyant par l'usage de cestui benedict [41] Pantagruélion les peuples Arctiques en plein aspect des Antarctiques, franchir la mer Atlantique, passer les deux Tropiques, volter [42] sous la zone torride, mesurer tout le Zodiaque, s'ébattre sous l'Equinoxial, avoir l'un et l'autre Pôle en vue à fleur de leur horizon. Les Dieux Olympiques ont en pareil effroi dit : « Pantagruel nous a mis en pensement nouveau et tedieux [43] plus que onques ne firent les Aloïdes [44], par l'usage et vertu 60 de son herbe. Il sera de bref [45] marié, de sa femme aura enfants. A cette destinée ne pouvons-nous contrevenir : car elle est passée par les mains et fuseaux des sœurs fatales [46], filles de Nécessité. Par ses enfants, peut-être, sera inventée [47] herbe de semblable énergie, moyennant laquelle pourront les humains visiter les sources des grêles, les bondes des pluies et l'officine [48] des foudres. Pourront envahir les régions de la Lune, entrer le territoire des signes célestes, et là prendre logis, les uns à l'Aigle d'Or, les autres au Mouton, les autres à la Couronne, les autres à la Harpe, les autres au Lion d'argent [49]; s'asseoir à table avec nous, et nos Déesses prendre à femmes, qui sont les seuls moyens d'être déifiés. » Enfin ont 70 mis le remède de y obvier en délibération et au conseil.

Tiers Livre, Chap. LI.

— 25 Des moulins à vent. — 26 Inappréciable. — 27 Leurs moulins. — 28 L'accord du participe qui s'observait à la ligne 36 ne se fait pas ici. Période de transition où il n'y a pas encore de règle fixe. — 29 Gros vaisseaux. — 30 Vaisseaux. — 31 Portant mille et dix mille hommes. — 32 Mouillages (lat. : *statio*). — 33 Cachées. — 34 Plumage. — 35 Ceylan a vu Laponie. — 36 Montagnes de Scythie (nord du monde connu des anciens). — 37 Ile du golfe Arabique. —

38 Abbaye imaginaire. — 39 Groenlandais. — 40 Personnification des vents qui soufflent du Nord, du Midi, de l'Est et de l'Ouest. — 41 Ce bénit. — 42 Tourner. — 43 Ennuyeux (lat. : *taedium*). — 44 Géants qui tentèrent d'escalader l'Olympe. — 45 Bientôt. — 46 Les *Parques*. — 47 Découverte (lat. : *invenio*). — 48 *L'atelier*. Étudier ces images familières. — 49 Ces noms de constellations rappellent les enseignes des hôtelleries du temps.

LE QUART LIVRE

Les moutons de Panurge

PANTAGRUEL *et ses compagnons s'embarquent au port de Thalasse sur une grande flotte, magnifiquement décrite. Ils se dirigent vers l'oracle de la* DIVE BOUTEILLE, « *près le* Cathay (*Chine*), *en Inde Supérieure* » ; *mais au lieu de suivre la route des Portugais, par le cap de Bonne Espérance, ils cinglent à travers l'Atlantique, comme* JACQUES CARTIER.

Entre deux escales se place l'épisode des moutons de PANURGE. *Le rusé compagnon s'est disputé avec le marchand* DINDENAULT, *et les deux hommes ont failli en venir aux mains. Mais on les a apaisés et ils boivent ensemble en signe de réconciliation.*

PANURGE, *qui subit sans broncher les railleries du marchand, tente de lui acheter un mouton. Avec courtoisie, il feint la naïveté pour encourager* DINDENAULT.

LA VENGEANCE DE PANURGE

PANURGE *paraît décidé à payer comptant :* DINDENAULT *vante donc la qualité de ses moutons comme sur un champ de foire. Mais entendit-on jamais pareil* boniment *? L'*humaniste *Rabelais s'amuse à parodier et à transposer avec une* érudition burlesque *l'éloquence habituelle des charlatans. Quant au dénouement, il est remarquable par la* rapidité *et le* mouvement *du récit qui nous présente les faits avec la vie et la* précision évocatrice *d'une chose vue.*

Mon ami, répondit le marchand, notre voisin, ce n'est viande que pour rois et princes. La chair en est tant délicate, tant savoureuse et tant friande que c'est baume. Je les amène d'un pays auquel les pourceaux (Dieu soit avec nous) ne mangent que myrobolans [1]. Les truies (sauf l'honneur de toute la compagnie) ne sont nourries que de fleurs d'orangers.

— Mais, dit Panurge, vendez-m'en un, et je vous paierai en roi, foi de piéton. Combien ?

— Notre ami, répondit le marchand, mon voisin, ce sont moutons extraits de la propre race de celui qui porta Phrixus et Hellé par la mer 10 dite Hellesponte [2]... Aussi me coûtent-ils bon.

— Coûte et vaille, répondit Panurge, seulement vendez-m'en un, le payant bien.

— Notre ami, dit le marchand, mon voisin, considérez un peu les merveilles de nature consistant en ces animaux que voyez, voire en un membre qu'estimeriez inutile. Prenez-moi ces cornes-là, et les concassez un peu avec un pilon de fer, ou avec un landier [3], ce m'est tout un. Puis les enterrez en vue du soleil la part que [4] voudrez, et souvent les arrosez.

— 1 Fruits rares des Indes. — 2 Allusion mythologique : les deux enfants furent trans- | portés de Grèce en Colchide par le bélier à la toison d'or. — 3 Chenet. — 4 Là où vous.

En peu de mois vous en verrez naître les meilleurs asperges [5] du monde.
Je n'en daignerais excepter ceux de Ravenne.

20   — Patience, répondit Panurge.

— Je ne sais, dit le marchand, si vous êtes clerc. J'ai vu prou [6] de
clercs, je dis grands clercs. Oui-da. A propos, si vous étiez clerc, vous
sauriez que, ès membres plus inférieurs de ces animaux divins (ce sont
les pieds) y a un os (c'est le talon, l'astragale, si vous voulez) duquel, non
d'autre animal du monde, fors [7] de l'âne Indien et des dorcades [8] de
Libye, l'on jouait antiquement au royal jeu des tales [9], auquel l'empereur
Octavien Auguste un soir gagna plus de 50 000 écus.

— Patience, répondit Panurge. Mais expédions [10].

— Et quand, dit le marchand, vous aurai-je, notre ami, mon voisin,
30 dignement loué les membres internes : les épaules, les éclanches, les
gigots, le haut côté, la poitrine, le foie, la ratelle, les tripes, la gogue [11],
la vessie dont on joue à la balle, les côtelettes dont on fait en Pygmion [12]
les beaux petits arcs pour tirer des noyaux de cerises contre les grues...

— Bien ! dit le patron de la nef au marchand, c'est trop ici barguigné [13].
Vends-lui si tu veux ; si tu ne veux, ne l'amuse [14] plus.

— Je le veux, répondit le marchand, pour l'amour de vous. Mais
il en paiera trois livres tournois de la pièce en choisissant.

— C'est beaucoup, dit Panurge. En nos pays j'en aurais bien cinq,
voire six pour telle somme de deniers. Avisez que ne soit trop. Vous
40 n'êtes le premier de ma connaissance qui, trop tôt voulant riche devenir
et parvenir, est à l'envers [15] tombé en pauvreté, voire quelquefois s'est
rompu le col.

— Tes fortes fièvres quartaines [16], dit le marchand, lourdaud sot
que tu es !...

— Benoît monsieur, dit Panurge, vous vous échauffez en votre harnois [17]
à ce que je vois et connais. Bien tenez, voyez là votre argent. » Panurge,
ayant payé le marchand, choisit de tout le troupeau un beau et
grand mouton, et l'emportait criant et bêlant, voyants [18] tous les autres
et ensemblement bêlants et regardants quelle part on menait leur
50 compagnon. Cependant le marchand disait à ses moutonniers : « O qu'il
a bien su choisir, le chaland ! Il s'y entend ! Vraiment, le bon vraiment,
je le réservais pour le seigneur de Cancale, comme bien connaissant son
naturel, car, de sa nature, il est tout joyeux et ébaudi quand il tient une
épaule de mouton en main, bien séante et avenante, comme une raquette
gauchère [19], et, avec un couteau bien tranchant, Dieu sait comment il s'en
escrime ! »

— 5 Mot masculin. — 6 Beaucoup. — 7 Sauf.
— 8 Gazelles (mot grec). — 9 Osselets. —
10 Finissons-en. — 11 Les boyaux. — 12 Pays
des Pygmées qui, selon Homère, faisaient la
guerre aux grues. — 13 Marchandé. — 14 Ne
lui fais plus perdre son temps. — 15 Inversement. — 16 S.e. *te saisissent*. — 17 Armure.
Expression militaire. — 18 Remarquer l'accord :
tous les autres le voyant... — 19 « *Tenue de la
main gauche* ».

Soudain, je ne sais comment (le cas fut subit, je n'eus loisir le considérer), Panurge, sans autre chose dire, jette en pleine mer son mouton
criant et bêlant. Tous les autres moutons, criants et bêlants en pareille
60 intonation, commencèrent soi jeter et sauter en mer après, à la file. La
foule [20] était à qui premier y sauterait après leur compagnon. Possible
n'était les engarder [21], comme vous savez être du mouton le naturel,
toujours suivre le premier, quelque part qu'il aille. Aussi le dit Aristoteles, *lib.* 9 *de Histo. animal.*, être le plus sot et inepte animant [22] du
monde.

Le marchand, tout effrayé de ce que devant ses yeux périr voyait et
noyer ses moutons, s'efforçait les empêcher et retenir de tout son pouvoir,
mais c'était en vain. Tous à la file sautaient dedans la mer et périssaient.
Finalement il en prit un grand et fort par la toison sur le tillac [23] de la
70 nef, cuidant [24] ainsi le retenir et sauver le reste aussi conséquemment.
Le mouton fut si puissant qu'il emporta en mer avec soi le marchand, et
fut noyé [25], en pareille forme que les moutons de Polyphémus, le borgne
cyclope, emportèrent hors la caverne Ulysse et ses compagnons [26]. Autant
en firent les autres bergers et moutonniers, les prenants uns par les cornes,
autres par les jambes, autres par la toison, lesquels tous furent pareillement
en mer portés et noyés misérablement.

Panurge, à côté du fougon [27], tenant un aviron en main, non pour aider
les moutonniers, mais pour les engarder [28] de grimper sur la nef et évader
le naufrage, les prêchait éloquemment, comme si fût un petit frère
80 Olivier Maillard ou un second frère Jean Bourgeois [29], leur remontrant
par lieux [30] de rhétorique les misères de ce monde, le bien et l'heur de
l'autre vie, affirmant plus heureux être les trépassés que les vivants en
cette vallée de misère, et à un chacun d'eux promettant ériger un beau
cénotaphe et sépulcre honoraire au plus haut du mont Cenis, à son retour
de Lanternois, leur optant [31] ce néanmoins, en cas que vivre encore entre
les humains ne leur fâchât et noyer ainsi ne leur vînt à propos [32], bonne
aventure et rencontre de quelque baleine, laquelle au tiers jour sub-
séquent [33] les rendît sains et saufs en quelque pays de satin [34], à l'exemple
de Jonas.

*Frère Jean ne trouve qu'une critique à ce « tour de vieille guerre ». Pourquoi Panurge
a-t-il payé le mouton avant de le précipiter? Mais ce dernier s'estime satisfait : « J'ai eu
du passe-temps pour plus de cinquante mille francs! ».*

Quart Livre, Chap. VII et VIII.

Après cet épisode, les voyageurs visitent l'île des Chicquanous *(procureurs et huissiers)
qui « gagnent leur vie à être battus » (ils perçoivent des amendes en dédommagement des
coups qu'ils reçoivent). Après les îles de* Tohu *et* Bohu, *où vient de mourir* Bringuenarilles
qui se nourrissait de moulins à vent, survient une tempête où Panurge *se comporte comme
un poltron ; il fait de nouveau le brave, une fois la tempête apaisée !*

— 20 L'empressement. — 21 Les en empêcher. | — 29 Prédicateurs célèbres (XVe siècle). —
— 22 Animal. — 23 Pont. — 24 Croyant. — | 30 Lieux communs. — 31 Souhaitant. — 32 Ne
25 Sujet : *le marchand*. — 26 Odyssée, Chant | fût pas de leur goût. — 33 Suivant. — 34 De
IX. — 27 Cuisine du vaisseau. — 28 Empêcher. | rêve.

Lutte contre
les Andouilles

Voici l'île de Tapinois *où règne* QUARESME-PRENANT *(personnification du jeûne dans la religion catholique), ennemi juré des* ANDOUILLES *de l'île* Farouche. *Des* ANDOUILLES *dressent une embuscade contre* PANTAGRUEL. FRÈRE JEAN *revendique l'honneur de les combattre et se met à la tête des cuisiniers. Il en garnit une* truie *(tour de siège) à la manière du* cheval de Troie. *La bataille héroï-comique s'engage, symbole de la lutte entre l'ascétisme et les appétits naturels.*

« Adonc commença le combat martial pêle-mêle. Riflandouille riflait *(découpait)* andouilles. Tailleboudin taillait boudins. Pantagruel rompait les andouilles au genou. Frère Jean se tenait coi dedans sa truie, tout voyant et considérant, quand les godiveaux *(pâtés)*, qui étaient en embuscade, sortirent en grand effroi *(tumulte)* sur Pantagruel. Adonc voyant Frère Jean le désarroi et tumulte, ouvre la porte de sa truie, et sort avec ses bons soudards, les uns portant broches de fer, les autres tenant bandiers, contre-hâtiers *(chenets)*, poêles, pelles, coquasses *(chaudrons)*, grils, fourgons, tenailles, lèche-frites, ramons *(balais)*, marmites, mortiers, pilons, tous en ordre comme brûleurs de maisons, hurlant et criant tous ensemble épouvantablement. ...Si Dieu n'y eût pourvu, la génération andouillique eût, par ces soudards culinaires, toute été exterminée. » *Mais un pourceau ailé,* MARDIGRAS, *« premier fondateur et original de toute race andouillique », survole les combattants et déverse sur les andouilles mortes et blessées un flot de* moutarde *qui leur rend la vie et la santé.*

Messer Gaster

Le QUART-LIVRE *se termine sur l'évocation du royaume de* MESSER GASTER *(l'Estomac), « premier maître ès arts de ce monde ».* « Pour le servir, tout le monde est empêché *(occupé)* tout le monde labeure. Aussi pour récompense, il fait ce bien au monde, qu'il lui invente tous arts, toutes machines, tous métiers, tous engins et subtilités... Les corbeaux, les geais, les papegais, les étourneaux, il rend' poètes ; les pies, il fait poétrides et leur apprend langage humain proférer, parler, chanter. Et tout pour la tripe. » *Suit l'énumération lyrique des prodiges que l'obligation de nourrir* MESSER GASTER *fait réaliser à tous les êtres. Et sans cesse revient ce refrain demeuré célèbre :* « Et tout pour la tripe ».

LE CINQUIÈME LIVRE

Le « mot »
de la Bouteille

Les voyageurs parviennent au pays de Lanternois, *où se trouve le temple de la* BOUTEILLE. *Dans ce temple merveilleux, « la pontife »* BACBUC *présente* PANURGE *à l'oracle de la* DIVE BOUTEILLE. *Au milieu d'un silence religieux retentit le « mot » de la Bouteille :* TRINCH *(c'est-à-dire « BOIS »). Bacbuc s'empresse de l'interpréter en offrant à Panurge une large rasade de vin de Falerne, affirmant l'universalité de ce vocable :* « Et ici maintenons que non rire, ains boire est le propre de l'homme, je ne dis boire simplement et absolument, car aussi bien boivent les bêtes, je dis boire vin bon et frais. Notez, amis, que de vin divin on devient, et n'y a argument tant sûr, ni art de divination moins fallace. Vos académiques l'affirment, rendant l'étymologie de vin, lequel ils disent en grec OINOS, être comme *vis*, force, puissance, car pouvoir il a d'emplir l'âme de toute vérité, tout savoir et philosophie. Si avez noté ce qui est en lettres ioniques écrit dessus la porte du temple, vous avez pu entendre qu'en vin est vérité cachée. La dive Bouteille vous y envoie : soyez vous-mêmes interprètes de votre entreprise. » *Comment comprendre cette réponse? Au sens littéral, Panurge est invité à décider par lui-même (aidé de quelque bon vin !) s'il doit ou non se marier. Au sens symbolique, il faudrait comprendre, selon certains :* « Bois aux sources pures de la Science qui rend les hommes divins et leur livre la vérité ». *Les deux interprétations s'accordent également avec le génie multiforme de Rabelais.*

LA PLÉIADE

Sous l'influence de Jacques PELETIER DU MANS, traducteur d'Horace et défenseur de la langue française, et de l'helléniste Jean DORAT, principal du Collège de Coqueret à Paris, un groupe de jeunes poètes décide de se consacrer à l'étude de l'Antiquité et à « l'illustration » du Français. Ces jeunes gens, Ronsard, Du Bellay, Baïf, et quelques autres, d'abord groupés sous le nom de Brigade, puis de Pléiade, ont pour modèles les artistes italiens qui n'ont pas sacrifié leur propre langue à leur admiration pour les Anciens. A l'exemple de Dante, Bocacce, Pétrarque ou l'Arioste, les poètes de la Pléiade veulent doter la France d'une littérature nationale, par l'imitation des Anciens. Du Bellay rédige le manifeste issu des études et des discussions de son groupe : la *Défense et Illustration de la langue française* (1549).

Pour que la langue française accède à la dignité littéraire, Du Bellay et Ronsard proposent de l'enrichir par l'utilisation de vieux mots ou de termes techniques et provinciaux, et par la création de mots nouveaux : mots composés à l'exemple du grec (ex. *homme-chien*), mots créés par dérivation, au moyen de suffixes (en particulier diminutifs : *maigrelette*), ou mots d'origine grecque ou latine (mots dits savants : *exceller, périphrase*).

Ils enrichissent également le style par l'utilisation de tours et de figures issus du grec et du latin.

De plus, ils élaborent toute une doctrine poétique qui associe l'inspiration à un travail rigoureux et approfondi : la versification exige une connaissance précise des lois qui constituent l'*art* (le métier) *des vers*.

Enfin l'imitation de l'Antiquité détourne les poètes des genres cultivés par le Moyen Age (rondeaux, ballades, etc.) au profit de la tragédie, la comédie et l'épopée. Le sonnet, illustré par Pétrarque, est retenu lui aussi par la Pléiade. L'admiration pour les Anciens est telle que certaines œuvres des poètes du XVIe siècle ne sont guère que des traductions, cependant que Du Bellay recommande plutôt (*Seconde Préface de l'Olive* : 1550) de s'imprégner des chefs-d'œuvre antiques au point d'en reproduire spontanément les pensées, les sentiments, les moyens d'expression.

En dépit des jugements sévères de Malherbe et Boileau sur la Pléiade, cette doctrine de l'imitation a ouvert la voie aux théories classiques.

DU BELLAY

Sa vie (1522-1560)   Joachim Du Bellay est né en Anjou près de Liré, en 1522, d'une famille déjà célèbre par ses hommes de guerre et ses diplomates. Maladif et orphelin de bonne heure, il passe une enfance rêveuse et mélancolique dans le manoir paternel. En 1547, après avoir étudié le droit et le latin à Poitiers, Du Bellay part pour Paris, avec Ronsard, afin d'étudier les Anciens au collège de Coqueret. Il pratique surtout les poètes latins, apprend l'italien et écrit les sonnets pétrarquistes de l'*Olive* (1549). Malade pendant plus de deux ans (1550-1552) et déjà atteint de surdité, le poète, au sortir de cette douloureuse épreuve, est emmené à Rome par son oncle, le cardinal Jean Du Bellay (de 1553 à 1557). D'abord enthousiasmé par les vestiges de la majesté romaine, il écrit *Les Antiquités de Rome*. Mais la modestie de sa tâche d'intendant, la nostalgie de la France et le spectacle des mœurs romaines hypocrites et corrompues, le font bientôt s'épancher dans les *Regrets*.

Revenu en France en 1557, Du Bellay publie les *Antiquités* et les *Regrets* et tente de s'imposer comme poète de cour. Mais accablé de soucis matériels, très affecté par une surdité totale et par la maladie, il meurt dans la nuit du 1er janvier 1560, à l'âge de trente-sept ans.

LES ANTIQUITÉS DE ROME

COMME LE CHAMP SEMÉ...

Pour exprimer à la fois la *croissance* de ROME, sa *déchéance* au moment des invasions barbares et la *ferveur des humanistes* de son temps, Du Bellay a trouvé une admirable comparaison. La fusion de l'élément *réel* et de l'élément *symbolique* est, — sauf une légère réserve —, parfaitement réalisée. Nous assistons à des scènes de la vie rustique, peintes avec précision et poésie, et une harmonie plus profonde s'établit entre nos sentiments et l'émotion, à peine suggérée, de l'artiste.

Comme le champ semé en verdure foisonne,
De verdure se hausse en tuyau verdissant,
Du tuyau se hérisse en épi florissant,
D'épi jaunit en grain, que le chaud assaisonne [1] ;

Et comme en la saison le rustique [2] moissonne
Les ondoyants cheveux du sillon blondissant,
Les met d'ordre en javelle [3], et du blé jaunissant
Sur le champ dépouillé mille gerbes façonne :

Ainsi de peu à peu crût l'empire romain,
Tant [4] qu'il fut dépouillé par la barbare main,
Qui ne laissa de lui que ces marques antiques

Que chacun va pillant, comme on voit le glaneur,
Cheminant pas à pas, recueillir les reliques [5]
De ce qui va tombant [6] après le moissonneur.

Antiquités, XXX.

LES REGRETS

FRANCE, MÈRE DES ARTS...

Tourné vers sa lointaine patrie, un être qui souffre appelle désespérément, et seul l'*écho* répond à cet appel : c'est, mis en valeur par le cadre étroit du sonnet, *le drame de tous les exilés*. Pour exprimer l'horreur *physique* et la détresse *morale* de l'exil, Du Bellay a trouvé la tendre et pathétique image de l'agneau égaré ; mais il oublie parfois sa comparaison et nous entendons alors *directement* la protestation déchirante du poète pour qui l'*oubli* est la suprême injustice.

France, mère des arts, des armes et des lois,
Tu m'as nourri longtemps du lait de ta mamelle :
Ores [1], comme un agneau qui sa nourrice [2] appelle,
Je remplis de ton nom les antres et les bois .

—1 Fait mûrir. — 2 Le paysan. — 3 Poignée de blé coupé. — 4 Jusqu'à ce que. — 5 Les restes. — 6 Forme progressive.

— 1 Maintenant. — 2 Mère nourricière, inversion.

Si tu m'as pour enfant avoué [3] quelquefois [4],
Que ne me réponds-tu maintenant, ô cruelle ?
France, France, réponds à ma triste querelle [5].
Mais nul, sinon Écho [6], ne répond à ma voix.

Entre les loups cruels j'erre parmi la plaine ;
Je sens venir l'hiver, de qui la froide haleine
D'une tremblante horreur [7] fait hérisser ma peau.

Las ! Tes autres agneaux n'ont faute [8] de pâture,
Ils ne craignent le loup, le vent, ni la froidure :
Si [9] ne suis-je pourtant le pire du troupeau.

Regrets, IX.

HEUREUX QUI COMME ULYSSE...

Nous voici loin des *Antiquités de Rome* : l'humaniste s'efface maintenant devant l'*homme*, l'exilé, dont le cœur s'émeut au souvenir de *la petite patrie*. En exprimant sa propre nostalgie, Du Bellay traduit un sentiment éprouvé par la plupart des hommes au cours de leur existence. Bien des poètes lui feront écho dans les siècles à venir. C'est la *valeur profondément humaine* de ce sonnet discret et ému qui l'a rendu *immortel*.

Heureux qui [1], comme Ulysse, a fait un beau [2] voyage,
Ou comme cestui-là qui conquit la toison [3],
Et puis est retourné, plein d'usage [4] et raison,
Vivre entre ses parents le reste de son âge [5] !

Quand reverrai-je, hélas ! de mon petit village
Fumer la cheminée, et en quelle saison
Reverrai-je le clos [6] de ma pauvre maison,
Qui m'est une province [7], et beaucoup davantage ?

Plus me plaît le séjour qu'ont bâti mes aïeux
Que des palais romains le front audacieux ;
Plus que le marbre dur me plaît l'ardoise [8] fine,

Plus mon [9] Loire gaulois que le Tibre latin,
Plus mon petit Liré [10] que le mont Palatin,
Et plus que l'air marin la douceur angevine.

Regrets, XXXI.

— 3 Reconnu. — 4 Autrefois. — 5 Plainte (lat. : *querela*). — 6 La Nymphe Écho. — 7 Sens étymologique : *horror* : l'effroi qui fait dresser les poils. — 8 Manque. — 9 Cependant (renforcé par « pourtant »). —

— 1 Exclamation à la manière antique (*Felix qui...*). — 2 C'est-à-dire *grand, héroïque*. Son retour à Ithaque, qui dura dix ans, est conté dans l'*Odyssée*. — 3 JASON, chef des Argonautes, conquit la Toison d'Or dans le Caucase, puis retourna en Grèce. Du Bellay n'aurait-il pu songer aussi à des navigateurs de son temps ? — 4 Expérience. — 5 Vie. — 6 L'enclos, le jardin. — 7 Un royaume. — 8 Évoque les maisons de l'Anjou, pays des *ardoisières*. — 9 Le nom du fleuve était *masculin* en latin. — 10 Village natal de Du Bellay.

RONSARD

Sa vie (1524-1585)   Né en 1524 au château de la Possonnière, en Vendômois, Pierre de Ronsard était de vieille famille noble. Dès l'âge de douze ans, après une enfance passée au milieu de la nature, il devient page du Dauphin François qui meurt trois jours après. Au service du troisième fils de François 1er, Charles d'Orléans, puis de sa sœur Madeleine de France, épouse de Jacques Stuart, roi d'Écosse, il suit la reine d'Écosse dans son royaume, où elle meurt de phtisie (mars 1537). Il rentre en France à travers l'Angleterre et la Flandre, puis séjourne trois mois en Allemagne en 1540, auprès de son cousin le diplomate et humaniste Lazare de Baïf.

Une grave maladie le laisse à demi-sourd à l'âge de quinze ans et l'oblige à renoncer à la carrière des armes ou à la diplomatie. Dès 1543, il écrit ses premières odes horatiennes et, avide d'étudier les auteurs anciens, il s'enferme au Collège de Coqueret avec Du Bellay et Baïf sous la direction de Dorat. La *Défense et Illustration* de Du Bellay (avril 1549) est suivie par les quatre premiers livres d'*Odes* de Ronsard (janvier 1550) qui font de lui le chef de la nouvelle école poétique.

Désormais les recueils se succèdent, de l'inspiration pétrarquisante des *Amours de Cassandre* (1552) au sublime des *Poèmes* et des *Hymnes* (1555), en passant par le lyrisme simple et gracieux de la *Continuation des Amours* (1555) et de la *Nouvelle Continuation des Amours* (1556), recueil de sonnets et chansons en l'honneur d'une paysanne, Marie Dupin.

C'est dans cette période de 1550 à 1558 que Ronsard a conquis le premier rang. Malgré sa rupture avec les grands principes de la poésie érudite, il garde ses amis de la première heure et voit peu à peu se ranger autour de lui ses adversaires, gagnés par ses concessions, et les jeunes poètes attirés par ses succès. Il s'entoure des six meilleurs, constituant avec eux la *Pléiade*, en souvenir des sept poètes alexandrins qui, au IIIe siècle av. J.C., avaient placé leur groupe sous le signe de cette constellation. Les noms qu'il nous cite, en 1556, en plus du sien, sont ceux de Du Bellay, Pontus de Tyard, Baïf, Peletier, Belleau et Jodelle. Il est unanimement reconnu « prince des poètes ». En 1560, il publie une édition collective de ses œuvres, classant toutes ses poésies en quatre volumes : *Amours, Odes, Poèmes, Hymnes*. Ainsi ce poète de 36 ans permettait de mesurer l'*ampleur* de sa production et la *variété* de son inspiration. Ronsard, « prince des poètes », connaît la gloire, et bientôt, sous les règnes de Henri II et de Charles IX (à partir de 1560), la fortune. Comblé de biens, il se retire souvent pour méditer dans ses prieurés de St-Cosme-les-Tours et de Croixval-en-Vendômois.

Les *Discours* (1562-1563) enrichissent son œuvre d'une éloquence de pamphlétaire. D'abord gémissant sur les malheurs de la France en proie aux guerres de religion, il écrit des pages terribles contre les protestants au moment des insurrections, avant de joindre ses efforts à ceux du chancelier Michel de L'Hospital pour tenter de ramener la paix et pour prêcher la tolérance.

L'échec de l'épopée intitulée *La Franciade* (1572), l'avènement du roi Henri III (1574) qui ramène de Pologne son poète favori Desportes, les tourments de la maladie assombrissent les derniers moments de Ronsard, qui écrit encore les *Sonnets sur la mort de Marie* et les *Sonnets pour Hélène* (1578) avant d'évoquer ses tortures physiques et sa préoccupation de l'au-delà dans ses derniers sonnets. Il meurt à Saint-Cosme le 27 décembre 1585.

Son œuvre, éclipsée par les sévères jugements des classiques, sera réhabilitée par le *Tableau de la Poésie française au XVIe Siècle* de Sainte-Beuve (1828) et par les Romantiques, séduits par son lyrisme personnel.

LE POÈTE DES ODES

Dans ses Odes rustiques, *« mélange perpétuel d'observations directes et d'imitations »
(P. Laumonier), Ronsard exprime les thèmes épicuriens de la joie de vivre et de la joie d'aimer,
en relation avec le sentiment de la fuite du temps et de la mort inexorable.*

A LA FONTAINE BELLERIE

Horace avait chanté la *« fontaine »* de Bandusie : RONSARD se devait de chanter lui
aussi une « fontaine ». On verra ce qu'il doit à son modèle jusque dans le détail du style.
Mais nous sommes loin d'une plate imitation. *« Pierre de Ronsard, Vendômois »* choisit
une source qu'il connaît bien et qu'il aime pour des raisons toutes personnelles : la
fontaine Bellerie faisait partie du domaine de la Possonnière. Derrière la *fiction mythologique* par laquelle cet humaniste exprime tout naturellement la vie de la nature, nous
devinons les *impressions fraîches et sincères* d'un artiste passionnément attaché à sa terre
natale.

> O Fontaine [1] Bellerie,
> Belle fontaine chérie
> De nos Nymphes, quand ton eau
> Les cache au creux de ta source
> Fuyantes [2] le satyreau
> Qui les pourchasse à la course
> Jusqu'au bord de ton ruisseau ;
>
> Tu [3] es la Nymphe éternelle
> De ma terre paternelle :
> 10   Pour ce [4] en ce pré verdelet [5]
> Vois ton poète qui t'orne
> D'un petit chevreau de lait,
> A qui l'une et l'autre corne
> Sortent du front nouvelet.
>
> L'été je dors ou repose
> Sur ton herbe, où je compose [6],
> Caché sous tes saules verts,
> Je ne sais quoi, qui ta gloire
> Enverra par l'univers,
> 20   Commandant à la mémoire
> Que tu vives par mes vers.

— 1 Source. — 2 Accord du participe pré-sent. — 3 Hiatus (il sera condamné par Mal-herbe). — 4 Pour cela. — 5 Diminutif (cf. vers 14). — 6 Texte de 1550 : « Sur ton bord je me repose — Et là oisif je compose ».

L'ardeur de la Canicule
Ton vert rivage ne brûle [7],
Tellement qu'en toutes parts
Ton ombre est épaisse et drue
Aux pasteurs venant des parcs,
Aux bœufs las de la charrue,
Et au bestial [8] épars.

Io [9] ! tu seras sans cesse
30   Des fontaines la princesse,
Moi célébrant [10] le conduit
Du rocher percé, qui darde
Avec un enroué bruit
L'eau de ta source jasarde
Qui trépillante se suit.

Odes, II, 9.

QUAND JE SUIS VINGT OU TRENTE MOIS...

Les charmants spectacles du Vendômois natal versent parfois dans l'âme du poète une *mélancolie* qui ne doit rien aux modèles antiques. Deux siècles et demi avant LAMARTINE, il éprouve devant la nature immuable la *tristesse de l'homme qui passe* et des ans qui s'écoulent. Mais RONSARD ne pouvait rester sur cette note pessimiste : dans le trait final, d'une galanterie un peu précieuse, reparaît l'épicurien, tout à la vie et à l'amour.

Quand je suis vingt ou trente mois
Sans retourner en Vendômois,
Plein de pensées [1] vagabondes,
Plein d'un remords et d'un souci,
Aux rochers je me plains ainsi,
Aux bois, aux antres, et aux ondes :

« Rochers, bien que soyez âgés
De trois mille ans, vous ne changez
Jamais ni d'état ni de forme :
10   Mais toujours ma jeunesse fuit,
Et la vieillesse qui me suit
De jeune en vieillard me transforme.

« Bois, bien que perdiez tous les ans
En hiver vos cheveux mouvants,
L'an d'après qui se renouvelle
Renouvelle aussi votre chef [2] :
Mais le mien ne peut derechef
Ravoir sa perruque [3] nouvelle.

— 7 Texte de 1550 : « Toi ni tes rives ne brûle ». — 8 Bétail. — 9 Exclamation de joie chez les Grecs. — 10 Si je célèbre.

— 1 Trois syllabes. — 2 Tête. — 3 Chevelure naturelle.

Concert dans la cour d'un château. Illustration de l'idéal de la vie des thélémites,
« ... lire, écrire, chanter, jouer d'instruments harmonieux ... » (*cf.* p. 132). Email limousin.
Paris, musée du Louvre. *(Photo Giraudon.)*

Page de gauche,
Le roi protecteur des lettres et des arts.
Antonin Macault lisant sa traduction
de Diodore de Sicile devant François Ier.
Chantilly, musée Condé. Ms. fr. 1672.
(Photo Hubert Josse.)

Ci-dessus,
Allégorie de l'amour.
Les Nymphes, chères à Ronsard,
inspiratrices aussi de l'école de Fontainebleau.
Paris, musée du Louvre.
(Photo Giraudon.)

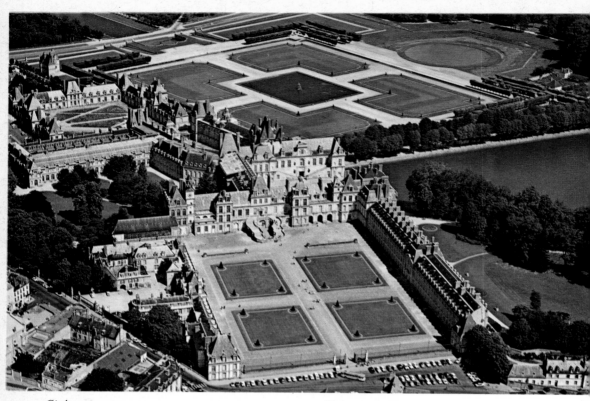

Ci-dessus,
le château de Fontainebleau, haut lieu où
la Renaissance française s'inspire
et se sépare à la fois de la Renaissance italienne.
(Photo aérienne Alain Perceval.)

Ci-dessous,
le château de Chenonceaux,
théâtre de fête à l'antique
dans le goût de la littérature du temps.
(Photo aérienne Alain Perceval.)

« Antres, je me suis vu chez vous
20   Avoir jadis verts [4] les genoux,
Le corps habile, et la main bonne :
Mais ores [5] j'ai le corps plus dur,
Et les genoux, que n'est le mur
Qui froidement vous environne.

« Ondes, sans fin vous promenez,
Et vous menez et ramenez
Vos flots d'un cours qui ne séjourne :
Et moi sans faire long séjour
Je m'en vais de nuit et de jour
30   Au lieu d'où plus on ne retourne. »

Si est-ce que [6] je ne voudrois
Avoir été ni roc ni bois,
Antre, ni onde, pour défendre
Mon corps contre l'âge emplumé [7],
Car ainsi dur je n'eusse aimé
Toi qui m'as fait vieillir, Cassandre.

Odes, IV, 10.

L'AMOUR PIQUÉ PAR UNE ABEILLE

Des chansons légères et de charmantes odelettes, inspirées par le poète grec Anacréon, égaient le recueil des *Odes*. Cette odelette plaira par le charme des évocations, par la légèreté du rythme et des sons, et surtout par le caractère de la scène, plus familière, plus intime et, en bien des points, plus réaliste que chez Anacréon.

Le petit enfant Amour
Cueillait des fleurs à l'entour
D'une ruche, où les avettes [1]
Font leurs petites logettes.

Comme il les allait cueillant,
Une avette sommeillant
Dans le fond d'une fleurette
Lui piqua la main douillette.

Sitôt que piqué se vit,
10   « Ah ! je suis perdu ! » ce [2] dit,
Et, s'en courant vers sa mère,
Lui montra sa plaie amère ;

« Ma mère, voyez ma main,
Ce [2] disait Amour, tout plein
De pleurs, voyez quelle enflure
M'a fait une égratignure ! »

Alors Vénus se sourit [3]
Et en le baisant le prit,
Puis sa main lui a soufflée
Pour guérir sa plaie enflée.   20

« Qui t'a, dis-moi, faux [4] garçon,
Blessé de telle façon ?
Sont-ce mes Grâces [5] riantes,
De leurs aiguilles poignantes [6] ?

— 4 Souples. — 5 Maintenant. — 6 Et cependant. — 7 Le temps qui a des ailes:

— 1 Abeilles. — 2 *Ce* = *cela*, est explétif. — 3 Sourit (cf. *se rire*). — 4 Trompeur. — 5 Compagnes de Vénus, qui *cousaient ses robes*. — 6 Piquantes.

— Nenni, c'est un serpenteau,
Qui vole au printemps nouveau
Avecques deux ailerettes
Ça et là sur les fleurettes.

Si doncques un animal
Si petit fait tant de mal,
Quand son alène époinçonne
La main de quelque personne,

— Ah! vraiment je le connois [7],
30 Dit Vénus ; les villageois
De la montagne d'Hymette [8]
Le surnomment Mélissette [9].

Combien fais-tu de douleur,
Au prix de lui, dans le cœur
De celui en qui tu jettes
Tes amoureuses sagettes [10] ? »   40

Odes, IV, 16.

LE POÈTE DES AMOURS

Le cœur de Ronsard a été souvent ému par des présences féminines. Dès avril 1545, Cassandre Salviati, fille d'un banquier italien, lui inspire *Les Amours de Cassandre* (1552), recueil de sonnets pétrarquisants où l'émotion sincère, vite contenue, arrive à percer.

En avril 1555, Ronsard s'éprend d'une jeune paysanne de quinze ans, Marie Dupin. Elle lui inspire des poèmes simples et clairs, la moitié de la *Continuation des Amours* (1555) et toute la *Nouvelle Continuation des Amours* (1556). Il s'attendrit probablement encore à ce souvenir dans les sonnets *Sur la mort de Marie* (1578), écrits à la demande de Henri III pour célébrer sa jeune maîtresse, Marie de Clèves, princesse de Condé. Pour exprimer la douleur du roi, Ronsard a pu trouver des accents profonds dans sa propre sensibilité.

Enfin, entre quarante-cinq et cinquante ans, Ronsard célèbre pendant plusieurs années la belle et inconsolable Hélène de Surgères, qui avait perdu son fiancé en 1570, dans la guerre civile *(Sonnets pour Hélène*, 1578).

MIGNONNE, ALLONS VOIR SI LA ROSE...

Cette ode à Cassandre, mise en musique, était sur toutes les lèvres. Tout le monde est sensible à l'épicurisme discret et à la mélancolie contenue de ce petit chef-d'œuvre.

Mignonne, allons voir si la rose
Qui ce matin avait déclose [1]
Sa robe de pourpre au soleil,
A point perdu cette vesprée [2]
Les plis de sa robe pourprée,
Et son teint au vôtre pareil.

Las ! voyez comme en peu d'espace,
Mignonne, elle a dessus la place,
Las, las ses beautés laissé choir !
10 O vraiment marâtre Nature,
Puisqu'une telle fleur ne dure
Que du matin jusques au soir !

— 7 Les deux rimes se pron. : *ouè*. — 8 Le miel de l'Hymette (en Attique) était réputé. — 9 Diminutif du grec *melissa*, abeille. — 10 Flèches.

— 1 Ouvert. Accord avec le complément, selon la règle ancienne. — 2 Soirée (cf. vêpres).

Donc, si vous me croyez, mignonne,
Tandis que votre âge fleuronne [3]
En sa plus verte nouveauté,
Cueillez [4], cueillez votre jeunesse :
Comme à cette fleur, la vieillesse
Fera ternir votre beauté.

Odes, I, 17.

COMME ON VOIT SUR LA BRANCHE...

Dans les sonnets *Sur la Mort de Marie*, Ronsard se souvient des sonnets de PÉTRARQUE sur la mort de LAURE et n'évite pas toujours la préciosité. Mais ici il est vraiment lui-même, toute *grâce* et toute *simplicité*. Jamais il n'avait traité avec plus de richesse et d'harmonie la comparaison de la femme et de la rose : jeunesse radieuse et royale splendeur ; surprise brutale d'une mort inexorable. Le charme du poème tient à l'extrême *simplicité* du sentiment qui s'exprime, sans déclamation, dans l'*harmonie* de sons graves et voilés. Cette fleur de sa poésie était l'offrande la plus durable que RONSARD pût dédier à la beauté de MARIE.

Comme on voit sur la branche, au mois de mai, la rose,
En sa belle jeunesse, en sa première fleur,
Rendre le ciel jaloux de sa vive couleur [1],
Quand l'aube, de ses pleurs, au point du jour l'arrose ;

La Grâce [2] dans sa feuille, et l'Amour se repose [3],
Embaumant les jardins et les arbres d'odeur ;
Mais, battue ou de pluie ou d'excessive ardeur [4]
Languissante, elle meurt, feuille à feuille déclose [5] ;

Ainsi, en ta première et jeune nouveauté,
Quand la terre et le ciel honoraient ta beauté,
La Parque t'a tuée, et cendre tu reposes.

Pour obsèques [6] reçois mes larmes et mes pleurs,
Ce vase plein de lait, ce panier plein de fleurs [7],
Afin que, vif et mort, ton corps ne soit que roses.

Amours de Marie, II, 4.

— 3 Fleurit. — 4 Cf. Horace : *Carpe diem* (cueille le jour).

— 1 Idée légèrement précieuse. — 2 Le poète semble oublier la comparaison pour ne plus penser qu'à la fleur. — 3 Accord avec le sujet le plus proche. — 4 Chaleur. — 5 Remarquer le ton et le rythme de ces deux vers. — 6 Offrandes antiques « pour accompagner le mort ». — 7 Cette gracieuse offrande païenne convient particulièrement à Marie.

JE VOUS ENVOIE UN BOUQUET...

Le thème *épicurien* est un lieu commun des anciens et de la Renaissance, mais il répond au *tempérament profond* de Ronsard. Dans les *Amours* revient sans cesse cet *appel au plaisir* qui s'exprime ici avec une élégante simplicité : la comparaison entre la femme et la fleur est à peine précieuse, tant cet envoi de *fleurs* nous paraît naturel. Dans les tercets, une *émotion discrète et sincère* éveille, en quelques notes *mélancoliques*, un des sentiments les plus poignants de l'âme humaine.

Je vous envoie un bouquet que ma main
Vient de trier de ces fleurs épanies [1] ;
Qui [2] ne les eût à ce vêpre [3] cueillies,
Chutes à terre elles fussent demain.

Cela vous soit un exemple certain
Que vos beautés, bien qu'elles soient fleuries,
En peu de temps cherront [4] toutes flétries,
Et, comme fleurs, périront tout soudain.

Le temps s'en va, le temps s'en va, ma dame ;
Las ! le temps, non, mais nous nous en allons,
Et tôt serons étendus sous la lame [5] ;

Et des amours desquelles nous parlons,
Quand serons morts, n'en sera plus nouvelle.
Pour c' [6] aimez-moi cependant qu'êtes belle.

Pièces retranchées des Amours.

QUAND VOUS SEREZ BIEN VIEILLE...

Au thème de l'*immortalité* que donnent les poètes se mêle le thème épicurien du *Carpe diem* [1] d'Horace, si souvent repris par Ronsard lui-même. Il fallait la *discrétion* et la *délicatesse* d'un poète pour évoquer l'heure des souvenirs mélancoliques et des inutiles regrets, moment si pénible dans la vie d'une femme, surtout lorsqu'elle est jolie. L'artiste, devenu plus pressant, revient même avec quelque cruauté sur le tableau de cette « *vieille accroupie* ». Heureusement il est temps encore, si Hélène, toute frissonnante, sait écouter l'appel ardent et gracieux du galant Ronsard !

Quand vous serez bien vieille, au soir, à la chandelle [2],
Assise auprès du feu, dévidant [3] et filant,
Direz, chantant mes vers, en vous émerveillant [4] :
« Ronsard me célébrait du temps que j'étais belle ! »

— 1 Épanouies. — 2 Si on ne les avait. — 3 Ce soir. — 4 Futur du verbe *choir* (tomber). — 5 La pierre du tombeau. — 6 Ce.

— 1 Cueille le jour (présent). — 2 Éclairage des familles riches au XVIe siècle. — 3 Mettre le fil en écheveau au moyen du *dévidoir*. — 4 Nuance d'admiration et d'étonnement.

Lors, vous n'aurez servante oyant telle nouvelle,
Déjà sous le labeur à demi sommeillant [5],
Qui au bruit de Ronsard ne s'aille réveillant,
Bénissant [6] votre nom de [7] louange immortelle.

Je serai sous la terre, et fantôme sans os,
Par les ombres myrteux [8] je prendrai mon repos :
Vous serez au foyer une vieille accroupie,

Regrettant mon amour et votre fier [9] dédain.
Vivez, si m'en croyez, n'attendez à demain :
Cueillez dès aujourd'hui les roses de la vie.

Sonnets pour Hélène, II, XLIII.

LES DERNIERS VERS

Pendant sa dernière maladie, Ronsard écrivit quelques poèmes émouvants publiés par ses amis en 1586, sous le titre de *Derniers vers de Pierre de Ronsard*.

Dans ce sonnet apaisé, le poète accepte avec calme la loi de la nature et trouve une *sublime consolation* dans l'assurance de sa gloire terrestre et la certitude *chrétienne* de l'immortalité de l'âme.

Il faut laisser maisons, et vergers, et jardins,
Vaisselles, et vaisseaux [1] que l'artisan burine,
Et chanter son obsèque [2] en la façon du cygne [3],
Qui chante son trépas sur les bords Méandrins [4].

C'est fait ! J'ai dévidé le cours de mes destins ;
J'ai vécu ; j'ai rendu mon nom assez insigne ;
Ma plume vole au ciel pour être quelque signe [5],
Loin des appas mondains [6] qui trompent les plus fins.

Heureux qui ne fut onc [7] ! plus heureux qui retourne
En rien, comme il était ! plus heureux qui séjourne,
D'homme fait nouvel ange, auprès de Jésus-Christ,

Laissant pourrir çà-bas [8] sa dépouille de boue,
Dont le sort, la fortune et le destin se joue,
Franc [9] des liens du corps pour n'être qu'un esprit.

— 5 Cf. Tibulle (I, III, 87) : « La jeune esclave, attachée à sa lourde tâche, peu à peu accablée par le sommeil ». Exemple parfait d'imitation originale. — 6 Se rapporte à *Ronsard*. — 7 Dont la louange est immortelle. — 8 A l'*ombre* (mot masculin) des myrtes consacrés à Vénus et hantés, selon Virgile, par les amoureux. —

9 Farouche.

— 1 Vases. — 2 Chant funèbre. — 3 On prononçait *cyne*. — 4 Du Méandre, fleuve d'Asie Mineure célèbre par ses cygnes. — 5 Astre (*lat.* signum). — 6 *Du monde.* — 7 Jamais. — 8 Ici-bas. — 9 Libre.

AGRIPPA D'AUBIGNÉ

Avec les Guerres de religion (1562-1593) fleurit toute une littérature passionnée, vivante et renouvelée par l'actualité. Des capitaines catholiques, comme Monluc (1502-1577), auteur de *Commentaires* sur ses campagnes, ou protestants, comme D'Aubigné, sont directement mêlés à la lutte, cependant qu'un groupe de bourgeois de Paris, « politiques » humanistes et modérés, s'indigne dans la *Satire Ménippée* des abus et des ridicules du parti catholique, la Ligue.

AGRIPPA D'AUBIGNÉ (1552-1630), né en Saintonge d'un père calviniste, apprit très tôt le latin, le grec et l'hébreu. Mais son enfance studieuse fut marquée par les horreurs de la guerre civile. Écuyer d'Henri de Navarre, il est grièvement blessé au combat de Casteljaloux en 1577. C'est alors qu'il commence à dicter une première ébauche des *Tragiques*. Le livre ne paraîtra que quarante ans plus tard en 1616.

Indigné par l'abjuration d'Henri de Navarre, le futur Henri IV (1594), D'Aubigné se retire en Vendée. Ayant repris les armes sous Louis XIII, il doit se réfugier à Genève où il meurt en 1630. Par une cruelle ironie du sort, sa petite fille Françoise D'Aubigné, devenue Marquise de Maintenon, contribuera sous Louis XIV à la révocation de l'Édit de Nantes (1685), à la suite de laquelle de nombreux protestants seront persécutés.

L'œuvre d'Agrippa D'Aubigné, violente et passionnée, reflète l'intransigeance de l'homme. Mais plus qu'un pamphlet ou une satire, les *Tragiques*, long poème en VII livres, sont une véritable épopée, nourrie d'inspiration biblique et servie par une étonnante imagination de visionnaire.

Les Tragiques

Le mouvement d'ensemble est net et grandiose. *Devant le* scandale *de la guerre civile, le poète pousse un long cri de pitié, de révolte et d'horreur* (Misères). *Quels sont les* responsables ? *Selon lui, les rois et leurs vices, les courtisans et leurs mensonges* (Princes), *les juges et leurs iniquités* (Chambre dorée). *Puis c'est le long défilé des* martyrs *protestants* (Feux) ; *les combats et les massacres des guerres de religion se déroulent sous nos yeux* (Fers). *Mais le courroux de Dieu menace les* coupables : *depuis* Caïn *que d'illustres exemples ! Déjà les bourreaux des huguenots sont frappés* (Vengeances) ; *ces malheurs mérités sont le signe et l'annonce du châtiment suprême, et voici la fin du monde, la résurrection de la chair, le Jugement dernier qui apporte aux damnés des tortures sans fin, aux justes la félicité parfaite dans le sein de Dieu* (Jugement).

LA RÉSURRECTION DE LA CHAIR

Voici l'un des plus beaux passages, l'un des plus saisissants de notre littérature. La méditation fait place à la *vision*. Le point de départ est fourni par *l'Apocalypse*, mais D'Aubigné est puissamment *original*. Son imagination nous peint la résurrection *en action* au milieu d'un *animisme* qui emplit d'une *vie grouillante* la nature entière.

Mais quoi ! c'est trop chanté, il faut tourner les yeux,
Éblouis de rayons, dans le chemin des cieux.
C'est fait : Dieu vient régner [1], de toute prophétie
Se voit la période [2] à ce point accomplie.

— 1 Le Christ remet le monde à son Père. Noter l'ampleur majestueuse du rythme. — | 2 Le cycle : le moment (*point*) est venu où toute prophétie se réalise.

La terre ouvre son sein ; du ventre des tombeaux
Naissent des enterrés les visages nouveaux :
Du pré, du bois, du champ, presque de toutes places
Sortent les corps nouveaux et les nouvelles faces.
Ici, les fondements des châteaux rehaussés [3]
10 Par les ressuscitants promptement sont percés ;
Ici, un arbre sent des bras de sa racine
Grouiller un chef [4] vivant, sortir une poitrine ;
Là, l'eau trouble bouillonne, et puis, s'éparpillant,
Sent en soi des cheveux et un chef s'éveillant.
Comme un nageur venant du profond de son plonge [5],
Tous sortent de la mort comme l'on sort d'un songe.
Les corps par les tyrans autrefois déchirés
Se sont en un moment en leurs corps asserrés [6],
Bien qu'un bras ait vogué par la mer écumeuse
20 De l'Afrique brûlée en Thulé froiduleuse [7].
Les cendres des brûlés volent de toutes parts ;
Les brins [8], plus tôt unis qu'ils ne furent épars,
Viennent à leur poteau [9], en cette heureuse place,
Riant au ciel riant, d'une agréable audace [10].

VII, *Jugement*, v. 661-684.

L'ENFER

Aux yeux des *damnés*, la création s'abîme alors dans un cataclysme indicible. Cependant *l'enfer* les engloutit, le monde de l'horreur sans fin, le monde absurde et pourtant cohérent où la raison s'égare, où *la mort, désormais impossible*, serait une *délivrance*.

O enfants de ce siècle [1], ô abusés moqueurs,
Imployables esprits, incorrigibles cœurs,
Vos esprits trouveront en la fosse profonde [2]
Vrai ce qu'ils ont pensé une fable en ce monde.
Ils languiront en vain de regret sans merci.
Votre âme à sa mesure [3] enflera de souci.
Qui vous consolera ? L'ami qui se désole
Vous grincera les dents au lieu de la parole [4].
Les Saints vous aimaient-ils ? un abîme est entre eux [5] ;
10 Leur chair ne s'émeut plus, vous êtes odieux.

— 3 Élevés. — 4 Tête. — 5 Sa plongée.
Noter aussi *du profond* : adj. substantivé. —
6 Rassemblés pour former des corps intacts.
Au v. 17 *corps déchirés* : lambeaux des corps.
— 7 Adj. formé sur *froidure*, par dissimilation.
Thulé : île à demi légendaire, au N. de l'Écosse.

— 8 Particules de cendre. — 9 Le poteau de leur supplice. — 10 *D'* : avec.

— 1 Par oppos. aux *enfants de Dieu*. —
2 *En enfer*. — 3 A la mesure de ses fautes.
— 4 *Au lieu de vous parler*. — 5 Entre eux *et vous*.

Mais n'espérez-vous point fin à votre souffrance ?
Point n'éclaire [6] aux enfers l'aube de l'espérance.
Dieu aurait-il sans fin éloigné sa merci [7] ?
Qui a péché sans fin souffre sans fin aussi ;
La clémence de Dieu fait au ciel son office,
Il déploie aux enfers son ire et sa justice.
Mais le feu ensoufré, si grand, si violent,
Ne détruira-t-il pas les corps en les brûlant ?
Non, Dieu les gardera entiers à sa vengeance,
20   Conservant à [8] cela et l'étoffe et l'essence [9],
Et le feu qui sera si puissant d'opérer [10]
N'aura de faculté d'éteindre et d'altérer [11],
Et servira par loi à l'éternelle peine.
L'air corrupteur n'a plus sa corrompante haleine,
Et ne fait aux enfers office d'élément ;
Celui qui le mouvait, qui est le firmament,
Ayant quitté son branle et motives cadences [12],
Sera sans mouvement, et de là sans muances [13].
Transis, désespérés, il n'y a plus de mort
30   Qui soit pour votre mer des orages le port [14].
Que si vos yeux de feu jettent l'ardente vue
A l'espoir du poignard, le poignard plus ne tue.
Que la mort, direz-vous, était un doux plaisir !
La mort morte ne peut vous tuer, vous saisir.
Voulez-vous du poison ? en vain cet artifice.
Vous vous précipitez ? en vain le précipice.
Courez au feu brûler : le feu vous gèlera ;
Noyez-vous : l'eau est feu, l'eau vous embrasera ;
La peste n'aura plus de vous miséricorde ;
40   Étranglez-vous : en vain vous tordez une corde ;
Criez après l'enfer : de l'enfer il ne sort
Que l'éternelle soif de l'impossible mort.

VII, *Jugement*, v. 981-1022.

D'AUBIGNÉ *évoque* ensuite *le* bonheur des élus, puis *s'abandonne à la* contemplation mystique :

Tout meurt, l'âme s'enfuit et, reprenant son lieu,
Extatique, se pâme au giron de son Dieu.

— 6 Ne luit. — 7 Miséricorde. — 8 Pour. — 9 La matière et la substance. — 10 *Pour agir*, pour faire souffrir. — 11 Aucun pouvoir de consumer et d'endommager. Le feu torture les damnés sans entamer leur chair. — 12 Son mouvement et les révolutions qui l'entraînent. — 13 Changements. — 14 *Le port des orages.*

MONTAIGNE

Sa vie (1533-1592) Michel Eyquem est né au château de Montaigne, en Périgord, le 28 février 1533, d'une famille de riches négociants bordelais récemment anoblis (en 1519). Son père devait devenir maire de Bordeaux en 1554.

Après avoir reçu une éducation conforme aux idées de la Renaissance, le jeune Michel complète sa formation au collège de Guyenne à Bordeaux. Il va devenir magistrat à Périgueux en 1554, puis au Parlement de Bordeaux en 1557. Il y fait la connaissance, en 1558, du stoïcien La Boétie qui lui révèle le prix de l'amitié.

Retiré sur ses terres, Montaigne, qui s'est marié en 1565 et a résigné sa charge de magistrat en 1570, lit Sénèque et Plutarque, et commence dès 1572 à rédiger les *Essais*, dont la première édition paraît à Bordeaux en 1580.

La même année, Montaigne entreprend un long voyage en France, en Allemagne et en Italie pour essayer de guérir par un traitement thermal la maladie de la pierre dont il souffre depuis 1578. Il apprend en Italie qu'il vient d'être élu maire de Bordeaux (septembre 1581) et revient en France, riche des observations consignées dans son *Journal de voyage*.

Réélu en 1583, Montaigne se montre habile diplomate, recevant Henri de Navarre en 1584 et prévenant une entreprise de la Ligue (parti catholique extrémiste) sur Bordeaux (1585). Au cours de l'été, au moment où il devait rentrer dans sa ville pour présider à l'élection de son successeur, la peste éclate et il juge inutile de s'y exposer ; il doit bientôt fuir ses terres avec les siens devant les progrès de l'épidémie.

Retrouvant le calme, Montaigne prépare une nouvelle édition des *Essais*, grossie d'un troisième livre, qui paraîtra en 1588. Il y travaille encore lorsque survient la mort en 1592. Son amie Mlle de Gournay publie en 1595 une édition posthume d'après les additions et corrections de Montaigne postérieures à 1588.

Les Essais

Sa vie mouvementée a fait méditer le philosophe sur les hommes et sur les événements autant que sur les livres. Mais l'essentiel demeure pour lui l'étude de son moi profond, à travers lequel il retrouve « la forme entière de l'humaine condition ».

Les *Essais*, longuement mûris et souvent modifiés, sont le récit des expériences *(essais)* de Montaigne. C'est en particulier le journal d'un homme complexe, qui prend conscience de ses contradictions, et qui les dépasse dans la recherche de la sagesse.

Passionné de vérité et de liberté, Montaigne allie au bon sens une pensée fine et hardie qu'il complète et qu'il nuance sans cesse.

AU LECTEUR

Dans cet avant-propos, MONTAIGNE expose son dessein avec autant de *hardiesse* que de *modestie*. Mais cette modestie ne doit pas nous faire illusion : il ne s'agit pas seulement du portrait véridique d'un individu ; les *Essais* nous renseignent aussi sur nous-mêmes et sur la *nature humaine*, car « chaque homme porte la forme entière de l'humaine condition ».

C'est ici un livre de bonne foi, lecteur. Il t'avertit dès l'entrée que je ne m'y suis proposé aucune fin, que [1] domestique et privée. Je n'y ai eu nulle considération de ton service, ni de ma gloire : mes forces ne sont pas capables d'un tel dessein. Je l'ai voué à la commodité particulière de mes parents et amis : à ce que [2], m'ayant perdu (ce qu'ils ont à faire bientôt), ils y puissent retrouver aucuns [3] traits de mes conditions et humeurs [4], et que par ce moyen ils nourrissent plus entière et plus vive la connaissance qu'ils ont eue de moi. Si c'eût été pour rechercher la faveur du monde, je me fusse mieux paré et me présenterais en une marche étudiée. Je veux qu'on m'y voie en ma façon simple, naturelle et ordinaire, sans contention et artifice : car c'est moi que je peins. Mes défauts s'y liront au vif, et ma forme naïve [5], autant que la révérence publique me l'a permis. Que si j'eusse été entre [6] ces nations qu'on dit vivre encore sous la douce liberté des premières lois de nature, je t'assure que je m'y fusse très volontiers peint tout entier, et tout nu. Ainsi, lecteur, je suis moi-même la matière de mon livre : ce n'est pas raison que tu emploies ton loisir en un sujet si frivole et si vain. Adieu donc. De Montaigne, ce premier de mars mille cinq cent quatre-vingt.

MONTAIGNE PEINT PAR LUI-MÊME

Voici MONTAIGNE en sa « forme naïve » : son *physique*, cette lourdeur qui contraste avec sa finesse d'esprit, son *tempérament* indolent et avide de liberté, et un premier aspect de sa *sagesse* : le sens de la *mesure*. Ce n'est pas un auteur que nous trouvons, c'est un *homme* : entre lui et nous, une *intimité* commence à s'établir.

Je suis d'une taille un peu au-dessous de la moyenne. Ce défaut n'a pas seulement de la laideur, mais encore de l'incommodité, à ceux mêmement [1] qui ont des commandements et des charges, car l'autorité que donne une belle présence et majesté corporelle en est à dire [2]... J'ai au demeurant la taille forte et ramassée ; le visage non pas gras, mais plein ; la complexion entre le jovial et le mélancolique, moyennement sanguine et chaude,

Unde rigent setis mihi crura et pectora villis [3] :

la santé forte et allègre, jusque bien avant en mon âge rarement troublée

---

— 1 Sinon. — 2 Afin que. — 3 Certains. —
4 Tendances et goûts. — 5 Manière d'être spontanée. — 6 Parmi.

— 1 Surtout. — 2 Y manque. — 3 « D'où les poils dont se hérissent mes jambes et ma poitrine » (Martial, II. XXXVI, 5).

10 par les maladies. J'étais tel; car je ne me considère pas à cette heure que je suis engagé dans les avenues de la vieillesse, ayant piéça [4] franchi les quarante ans :

Minutatim vires et robur adultum
Frangit, et in partem pejorem liquitur aetas [5].

Ce que je serai dorénavant, ce ne sera plus qu'un demi-être, ce ne sera plus moi ; je m'échappe tous les jours et me dérobe à moi :

Singula de nobis anni praedantur euntes [6].

D'adresse et de disposition [7], je n'en ai point eu ; et si [8] suis fils d'un père très dispos, et d'une allégresse [9] qui lui dura jusques à son extrême
20 vieillesse. Il ne trouva guère homme de sa condition qui s'égalât à lui en tout exercice de corps : comme je n'en ai trouvé guère aucun qui ne me surmontât, sauf au courir (en quoi j'étais des médiocres [10]). De la musique, ni pour la voix, que j'y ai très inepte [11], ni pour les instruments, on ne m'y a jamais su [12] rien apprendre. A la danse, à la paume, à la lutte, je n'y ai pu acquérir qu'une bien fort légère et vulgaire suffisance [13] ; à nager, à escrimer, à voltiger [14] et à sauter, nulle du tout. Les mains, je les ai si gourdes que je ne sais pas écrire seulement pour moi : de façon que, ce que j'ai barbouillé, j'aime mieux le refaire que de me donner la peine de le démêler. Et ne lis guère mieux : je me sens peser aux écoutants ;
30 autrement bon clerc [15]. Je ne sais pas clore à droit [16] une lettre, ni ne sus jamais tailler plume, ni trancher à table, qui vaille [17], ni équiper un cheval de son harnais, ni porter à point [18] un oiseau et le lâcher, ni parler aux chiens, aux oiseaux, aux chevaux.

Mes conditions corporelles sont, en somme très bien accordantes à celles de l'âme. Il n'y a rien d'allègre : il y a seulement une vigueur pleine et ferme. Je dure [19] bien à la peine ; mais j'y dure si je m'y porte moi-même, et autant que mon désir m'y conduit,

Molliter austerum studio fallente laborem [20].

Autrement, si je n'y suis alléché par quelque plaisir, et si j'ai autre guide
40 que ma pure et libre volonté, je n'y vaux rien. Car j'en suis là que, sauf la santé et la vie, il n'est chose pour quoi je veuille ronger mes ongles et que je veuille acheter au prix du tourment d'esprit et de la contrainte,

Tanti mihi non sit opaci
Omnis arena Tagi, quodque in mare volvitur aurum [21] ;

extrêmement oisif, extrêmement libre, et par nature et par art. Je prêterais aussi volontiers mon sang que mon soin [22].

— 4 Depuis longtemps. Addition de 1588. Montaigne a alors 55 ans. — 5 « Peu à peu l'âge brise les forces et la vigueur de l'âge mûr, et se résout en décrépitude » (Lucrèce, II, 1131). — 6 « Les ans, dans leur marche, nous dérobent toutes choses, une à une » (Horace, *Ép.*, II, II, 55). — 7 Agilité. — 8 Pourtant. — 9 Entrain physique (cf. l. 35 *allègre* : vif). — 10 Moyens. — 11 Inapte. — 12 Pu. — 13 Capa-cité (cf. l. 59). — 14 Cf. *voltige* : acrobaties équestres. — 15 *Homme cultivé.* — 16 Comme il faut. — 17 De façon valable, correcte. — 18 Comme il convient. — 19 Résiste (cf. *endurance*). — 20 « L'ardeur trompant doucement la peine sévère » (Horace, *Sat.* II, II, 12). — 21 « Je ne serais pas assez payé pour le sable du Tage ombragé, de tout l'or qu'il roule dans la mer » (D'après Juvénal, III, 54-55). — 22 Depuis *extrêmement*, add. ex. Bordeaux.

J'ai une âme toute sienne, accoutumée à se conduire à sa mode.
N'ayant eu jusques à cette heure ni commandant ni maître forcé, j'ai
marché aussi avant et le pas qu'il m'a plu : cela m'a amolli et rendu inutile
50 au service d'autrui, et ne m'a fait bon qu'à moi. Et pour moi, il n'a été
besoin de forcer ce naturel pesant, paresseux et fainéant ; car, m'étant
trouvé en tel degré de fortune, dès ma naissance, que j'ai eu occasion de
m'y arrêter [23], et en tel degré de sens que j'ai senti en avoir occasion,
je n'ai rien cherché et n'ai aussi rien pris :

> *Non agimur tumidis velis Aquilone secundo ;*
> *Non tamen adversis aetatem ducimus Austris :*
> *Viribus, ingenio, specie, virtute, loco, re,*
> *Extremi primorum, extremis usque priores* [24].

Je n'ai eu besoin que de la suffisance de me contenter, qui est pourtant
60 un règlement d'âme, à le bien prendre, également difficile en toute sorte
de condition, et que par usage nous voyons se trouver plus facilement
encore en la nécessité qu'en l'abondance ; d'autant à l'aventure [25] que,
selon le cours de nos autres passions, la faim des richesses est plus
aiguisée par leur usage que par leur disette, et la vertu de la modération
plus rare que celle de la patience [26]. Et n'ai eu besoin que de jouir
doucement des biens que Dieu par sa libéralité m'avait mis entre mains.
Je n'ai goûté aucune sorte de travail ennuyeux. Je n'ai eu guère en
maniement que mes affaires ; ou [27], si j'en ai eu, ç'a été en condition
de les manier à mon heure et à ma façon, commis par gens qui s'en
70 fiaient à moi et qui ne me pressaient pas et me connaissaient. Car encore
tirent les experts quelque service d'un cheval rétif et poussif.
   Mon enfance même a été conduite d'une façon molle et libre, et
exempte de sujétion rigoureuse. Tout cela m'a formé une complexion
délicate et incapable de sollicitude [28].

II, xvii, De la présomption.

QU'UN AMI VÉRITABLE EST UNE DOUCE CHOSE !

LA BOÉTIE a révélé à Montaigne le stoïcisme ; il lui a révélé aussi l'*amitié*. Nous sommes
tentés parfois de croire Montaigne *égoïste* ou *froid* : ce texte nous montre quels trésors
de *délicatesse* et d'*affection* renfermait son cœur. Presque toujours charmés, nous sommes
rarement *émus* à la lecture des *Essais ;* c'est pourtant bien le cas ici, et cette page en tire
tout son prix.

Ce que nous appelons ordinairement amis et amitiés, ce ne sont
qu'accointances et familiarités nouées par quelque occasion ou commodité, par le moyen de laquelle nos âmes s'entretiennent [1]. En l'amitié

— 23 De me contenter de cette fortune. —
24 « Je ne suis pas poussé, voiles gonflées, par
un Aquilon favorable ; ma vie ne se heurte pas
non plus à un Auster contraire : en forces,
esprit, éclat, vertu, naissance, avoir, je suis
au dernier rang des grands, comme supérieur
aux petits » (Horace, *Ép.*, II, II, 201). —
25 Sans doute. — 26 Cette réflexion générale
(depuis *qui est pourtant...*) est une add. ex.
Bordeaux. — 27 Add. ex. Bordeaux (jusqu'à
poussif). — 28 Tension dans l'effort.

— 1 Sont liées l'une à l'autre.

de quoi je parle, elles se mêlent et confondent l'une en l'autre, d'un mélange si universel qu'elles effacent et ne retrouvent plus la couture qui les a jointes. Si on me presse de dire pourquoi je l'aimais, je sens que cela ne se peut exprimer qu'en répondant : « Parce que c'était lui, parce que c'était moi [2] ».

10 Il y a, au delà de tout mon discours et de ce que j'en puis dire particulièrement, ne sais quelle force inexplicable et fatale [3], médiatrice de cette union. Nous nous cherchions avant que de nous être vus, et par des rapports que nous oyions l'un de l'autre, qui faisaient en notre affection plus d'effort que ne porte la raison des rapports [4] ; je crois, par quelque ordonnance du ciel. Nous nous embrassions par nos noms [5] ; et à notre première rencontre, qui fut par hasard en une grande fête et compagnie de ville, nous nous trouvâmes si pris, si connus, si obligés [6] entre nous, que rien dès lors ne nous fut si proche que l'un à l'autre...

20 Qu'on ne me mette pas en ce rang ces autres amitiés communes ; j'en ai autant de connaissance qu'un autre, et des plus parfaites en leur genre, mais je ne conseille pas qu'on confonde leurs règles : on s'y tromperait. Il faut marcher en ces autres amitiés la bride à la main, avec prudence et précaution ; la liaison n'est pas nouée en manière qu'on n'ait aucunement à s'en défier...

En ce nobles commerce, les offices [7] et les bienfaits, nourriciers des autres amitiés, ne méritent pas seulement d'être mis en compte : cette confusion si pleine de nos volontés en est cause. Car tout ainsi que l'amitié que je me porte ne reçoit point augmentation pour le [8] secours que je me donne au besoin, quoique dient [9] les Stoïciens, et comme je ne me sais aucun gré du service que je me fais : aussi l'union de tels amis
30 étant véritablement parfaite, elle leur fait perdre le sentiment de tels devoirs, et haïr et chasser d'entre eux ces mots de [10] division et de différence : « bienfait, obligation, reconnaissance, prière, remerciement », et leurs pareils. Tout étant, par effet [11], commun entre eux, volontés, pensements, jugements, biens, enfants, honneur et vie, et leur convenance n'étant qu'une âme en deux corps, selon la très propre définition d'Aristote, ils ne se peuvent ni prêter ni donner rien [12]... Si, en l'amitié de quoi je parle, l'un pouvait donner à l'autre, ce serait celui qui recevrait le bienfait qui obligerait son compagnon. Car cherchant l'un et l'autre, plus que toute autre chose, de s'entre-bienfaire, celui qui en prête la
40 matière et l'occasion est celui-là qui fait le libéral [13], donnant ce contentement à son ami, d'effectuer en son endroit ce qu'il désire le plus...

— 2 Add. ex. Bordeaux, depuis *qu'en répondant...* Montrer la valeur de cette addition. — 3 Voulue par le destin (cf. l. 13-14). — 4 Qui faisaient sur nos *sentiments* plus d'*effet* qu'il n'est *normal* pour des *rapports* (propos tenus sur quelqu'un). — 5 A entendre prononcer chacun le nom de l'autre, nous nous sentions déjà unis. — 6 Liés (sens étymol.). — 7 Services rendus. — 8 Du fait du. — 9 Disent. — 10 Qui marquent la... — 11 Effectivement. — 12 Noter le caractère *philosophique* et l'argumentation *rigoureuse* du passage. — 13 Se montre généreux. On voit combien l'idée est noble et délicate.

L'ancien Ménandre disait celui-là heureux, qui avait pu rencontrer seulement l'ombre d'un ami. Il avait certes raison de le dire, même [14] s'il en avait tâté. Car, à la vérité, si je compare tout le reste de ma vie, quoiqu'avec la grâce de Dieu je l'aie passée douce, aisée et, sauf la perte d'un tel ami, exempte d'affliction pesante, pleine de tranquillité d'esprit, ayant pris en paiement [15] mes commodités naturelles et originelles sans en rechercher d'autres ; si je la compare, dis-je, toute, aux quatre années qu'il m'a été donné de jouir de la douce compagnie et société de ce
50 personnage, ce n'est que fumée, ce n'est qu'une nuit obscure et ennuyeuse. Depuis le jour que je le perdis,

> *Quem semper acerbum,*
> *Semper honoratum (sic, Di, voluistis) habebo* [16],

je ne fais que traîner languissant ; et les plaisirs mêmes qui s'offrent à moi, au lieu de me consoler, me redoublent le regret de sa perte. Nous étions à moitié de tout ; il me semble que je lui dérobe sa part.

> *Nec fas esse ulla me voluptate hic frui*
> *Decrevi, tantisper dum ille abest meus particeps* [17].

J'étais déjà si fait et accoutumé à être deuxième [18] partout qu'il me semble n'être plus qu'à demi.

I, XXVIII, De l'amitié.

L'ART DE VOYAGER

MONTAIGNE voyage pour sa santé ; il voyage surtout pour son *plaisir* et son *instruction*. Bon cavalier, il ne craint pas la fatigue ; mais il ne s'impose aucune contrainte vaine, réglant le détail de son itinéraire d'après l'inspiration du moment. Avant tout, il veut *pénétrer les coutumes et les mœurs* des pays qu'il traverse ; son *expérience* en sera largement enrichie ; et il se moque avec esprit de ses compatriotes qui veulent toujours retrouver la France à l'étranger.

Le voyager me semble un exercice profitable. L'âme y a une continuelle exercitation à remarquer des choses inconnues et nouvelles ; et je ne sache point meilleure école, comme j'ai dit souvent, à former la vie, que de lui proposer [1] incessamment la diversité de tant d'autres vies, fantaisies et usances [2], et lui faire goûter une si perpétuelle variété de formes de notre nature [3]. Le corps n'y est ni oisif ni travaillé [4], et cette

---

— 14 Surtout (latin *maxime*). — 15 *M'étant estimé satisfait de..* — 16 « Jour qui pour moi sera toujours amer, toujours sacré (Dieux, vous l'avez voulu ainsi !) » : Virgile, *Énéide*, V, 49. — 17 « J'ai décidé que je ne saurais plus goûter aucun plaisir, maintenant que j'ai perdu celui qui partageait tout avec moi » (Térence, *Héauton-* timorouménos, I, 1, 97). — 18 *Avec lui*. On songe à Horace appelant Virgile « la moitié de mon âme ».

— 1 Présenter. — 2 Opinions et usages. — 3 Aussi Montaigne conseille-t-il de faire voyager les jeunes gens. — 4 Fatigué.

modérée agitation le met en haleine. Je me tiens à cheval sans démonter [5],
tout coliqueux [6] que je suis, et sans m'y ennuyer, huit et dix heures,

Vires ultra sortemque senectae [7].

10   Nulle saison m'est [8] ennemie, que le chaud âpre d'un soleil poignant [9] ;
car les ombrelles, de quoi depuis les anciens Romains l'Italie se sert,
chargent plus les bras qu'ils ne déchargent [10] la tête... J'aime les pluies
et les crottes comme les canes. La mutation d'air et de climat ne me
touche point ; tout ciel m'est un. Je ne suis battu que des altérations
internes que je produis en moi, et celles-là m'arrivent moins en voyageant.

    Je suis malaisé à ébranler ; mais, étant avoyé [11], je vais tant qu'on veut.
J'estrive [12] autant aux petites entreprises qu'aux grandes, et à m'équiper
pour faire une journée et visiter un voisin que pour un juste [13] voyage.
J'ai appris à faire mes journées à l'espagnole, d'une traite, grandes et
20 raisonnables journées ; et aux extrêmes chaleurs, les passe de nuit, du
soleil couchant jusques au levant. L'autre façon de repaître [14] en chemin
en tumulte et hâte pour la dînée [15], notamment aux jours courts, est
incommode. Mes chevaux en valent mieux. Jamais cheval ne m'a failli
qui a su faire avec moi la première journée. Je les abreuve partout, et
regarde seulement qu'ils aient assez de chemin de reste pour battre leur
eau [16]. La paresse à me lever donne loisir à ceux qui me suivent de dîner
à leur aise avant partir. Pour moi je ne mange jamais trop tard : l'appétit
me vient en mangeant, et point autrement ; je n'ai point de faim qu'à
table...

30   (MONTAIGNE *aborde ensuite la question du* logement *en voyage*).

    En cette commodité de logis que je cherche, je n'y mêle pas la pompe et
l'amplitude [17] : je la hais plutôt ; mais certaine propriété simple, qui se
rencontre plus souvent aux lieux où il y a moins d'art, et que nature
honore de quelque grâce toute sienne. *Non ampliter sed munditer convivium.
Plus salis quam sumptus* [18].

    Et puis, c'est à faire à ceux que les affaires entraînent en plein hiver par
les Grisons, d'être surpris en chemin en cette extrémité. Moi, qui le plus
souvent voyage pour mon plaisir, ne me guide pas si mal. S'il fait laid à
droite, je prends à gauche ; si je me trouve mal propre à monter à cheval,
40 je m'arrête. Et faisant ainsi, je ne vois à la vérité rien qui ne soit aussi
plaisant et commode que ma maison. Il est vrai que je trouve la super-
fluité toujours superflue, et remarque de l'empêchement [19] en la délicatesse [20] même et en l'abondance. Ai-je laissé quelque chose à voir

---

— 5 Mettre pied à terre. — 6 Il souffre de la gravelle (sa *colique*). — 7 « Au-delà des forces et de la condition de la vieillesse » (Virgile, *Énéide*, VI, 114). — 8 *Ne* m'est... Comme. *nullus* en latin, *nul* suffit alors comme négation. — 9 Accablant (*piquant*). — 10 Soulagent.

Ombrelles, au masc. — 11 Une fois en route. — 12 Je répugne. — 13 Véritable. — 14 Manger. — 15 Le dîner (repas de midi). — 16 C'est-à-dire la *digérer*. — 17 La grandeur. — 18 « Une table non pas abondamment, mais proprement servie. Plus de goût que de luxe ». — 19 De la gêne. — 20 Dans le raffinement.

derrière moi ? J'y retourne : c'est toujours mon chemin. Je ne trace aucune ligne certaine, ni droite ni courbe. Ne trouvé-je point, où je vais, ce qu'on m'avait dit ? Comme il advient souvent que les jugements d'autrui ne s'accordent pas aux miens, et les ai trouvés plus [21] souvent faux, je ne plains pas ma peine ; j'ai appris que ce qu'on disait n'y est point.

J'ai la complexion du corps libre [22], et le goût commun [23] autant
50 qu'homme du monde. La diversité des façons d'une nation à autre ne me touche que par le plaisir de la variété. Chaque usage a sa raison. Soient des assiettes d'étain, de bois, de terre ; bouilli ou rôti ; beurre ou huile de noix ou d'olive ; chaud ou froid, tout m'est un ; et si un, que vieillissant, j'accuse [24] cette généreuse faculté et aurais besoin que la délicatesse et le choix arrêtât l'indiscrétion [25] de mon appétit et parfois soulageât mon estomac. Quand j'ai été ailleurs qu'en France, et que, pour me faire courtoisie, on m'a demandé si je voulais être servi à la française, je m'en suis moqué et me suis toujours jeté aux tables les plus épaisses d'étrangers. J'ai honte de voir nos hommes [26] enivrés de cette sotte humeur de s'effa-
60 roucher des formes contraires aux leurs : il leur semble être hors de leur élément quand ils sont hors de leur village. Où qu'ils aillent, ils se tiennent à leurs façons et abominent les étrangères. Retrouvent-ils un compatriote en Hongrie, ils festoient cette aventure : les voilà à se rallier et à se recoudre ensemble, à condamner tant de mœurs barbares qu'ils voient. Pourquoi non barbares, puisqu'elles ne sont françaises ? Encore sont-ce les plus habiles [27] qui les ont reconnues, pour en médire. La plupart ne prennent l'aller que pour le venir [28]. Ils voyagent couverts et resserrés [29] d'une prudence taciturne et incommunicable, se défendant de la contagion d'un air inconnu.

70 Ce que je dis de ceux-là me ramentoit [30], en chose semblable, ce que j'ai parfois aperçu en aucuns [31] de nos jeunes courtisans. Ils ne tiennent qu'aux hommes de leur sorte, nous regardant comme gens de l'autre monde, avec dédain ou pitié. Otez-leur les entretiens des mystères de la cour, ils sont hors de leur gibier, aussi neufs pour nous et malhabiles comme nous sommes à eux. On dit bien vrai qu'un honnête homme c'est un homme mêlé.

Au rebours, je pérégrine très saoul [32] de nos façons, non pour chercher des Gascons en Sicile (j'en ai assez laissé au logis) ; je cherche des Grecs plutôt, et des Persans : j'accointe [33] ceux-là, je les considère ; c'est là où
80 je me prête et où je m'emploie. Et qui plus est, il me semble que je n'ai rencontré guère de manières qui ne vaillent les nôtres. Je couche de peu [34], car à peine ai-je perdu mes girouettes de vue.

III, ix, *De la vanité.*

— 21 Le plus. — 22 Qui s'adapte facilement à tout. — 23 Large. — 24 J'ai à me plaindre de. — 25 Absence de choix. — 26 Nos compatriotes. — 27 Fins. — 28 *Ne s'en vont que pour revenir.* — 29 A l'abri. — 30 Rappelle (*ramen-* tevoir). Ce paragraphe est un exemple typique de ces *digressions* chères à Montaigne. — 31 Chez certains. — 32 « Saturé ». *Je pérégrine :* je voyage à l'étranger. — 33 J'entre en relations avec. — 34 Je m'avance peu (*coucher de :* miser).

« *DE L'INSTITUTION DES ENFANTS* »

Dans le chapitre XXVI du livre I, Montaigne expose ses idées sur l'éducation (De l'institution des enfants). *Condamnant la formation collective donnée dans les collèges, il invite le précepteur (ou plutôt le* conducteur) *à former le jugement de son élève et à exercer les facultés physiques de l'enfant.*

INSTRUIRE, C'EST FORMER LE JUGEMENT

L'Essai XXVI du livre I est dédié à Diane de Foix, comtesse de Gurson, qui allait être mère. C'est dire que MONTAIGNE pense avant tout à la formation de jeunes nobles. Pourtant la plupart de ses idées sont *universellement valables*. Après la soif de connaissances qui caractérise RABELAIS, une décantation se produit : « savoir par cœur n'est pas savoir », dit Montaigne dans ce même chapitre. Au lieu d'encombrer la mémoire de l'élève, il faut former son esprit, *lui apprendre à penser*.

A un enfant de maison[1] qui recherche les lettres, non pour le gain (car une fin si abjecte est indigne de la grâce et faveur des Muses, et puis elle regarde et dépend d'autrui), ni tant pour les commodités externes que pour les siennes propres, et pour s'en enrichir et parer au dedans, ayant plutôt envie d'en tirer un habile homme qu'un homme savant, je voudrais aussi qu'on fût soigneux de lui choisir un conducteur qui eût plutôt la tête bien faite que bien pleine, et qu'on y[2] requît tous les deux, mais plus les mœurs[3] et l'entendement que la science ; et qu'il se conduisît en sa charge d'une nouvelle manière.

10   On ne cesse de criailler à nos oreilles, comme qui verserait dans un entonnoir[4] ; et notre charge, ce n'est que redire ce qu'on nous a dit. Je voudrais qu'il corrigeât cette partie, et que, de belle arrivée[5], selon la portée de l'âme qu'il a en main, il commençât à la mettre sur la montre[6], lui faisant goûter les choses, les choisir et discerner d'elle-même ; quelquefois lui ouvrant le chemin, quelquefois le lui laissant ouvrir. Je ne veux pas qu'il invente et parle seul, je veux qu'il écoute son disciple parler à son tour. Socrate et, depuis, Arcésilas[7] faisaient premièrement parler leurs disciples, et puis ils parlaient à eux. *Obest plerumque iis, qui discere volunt, auctoritas eorum qui docent*[8].

— 1 De grande maison, *noble*. — 2 Chez le précepteur. — 3 La valeur morale. — 4 Comparaison réaliste. — 5 Dès l'abord. — 6 Il lui fît faire un « galop d'essai » ; annonce la métaphore des l. 43-44. — 7 Philosophe grec (IIIᵉ siècle av. J.-C.). Add. ex. Bordeaux, de *Socrate* à *discipline* (l. 31). Noter le glissement progressif de la pensée. — 8 « Le plus souvent, qui veut s'instruire est gêné par l'autorité de ceux qui enseignent » (Cicéron, *De la nature des dieux*, I, v).

20   Il est bon qu'il le fasse trotter devant lui pour juger de son train, et juger jusques à quel point il se doit ravaler [9] pour s'accommoder à sa force. A faute de cette proportion, nous gâtons tout ; et de la savoir choisir et s'y conduire bien mesurément, c'est l'une des plus ardues besognes que je sache ; et est l'effet d'une haute âme et bien forte, savoir condescendre à ses allures puériles et les guider. Je marche plus sûr et plus ferme à mont qu'à val.

Ceux qui, comme porte [10] notre usage, entreprennent, d'une même leçon et pareille mesure de conduite, régenter plusieurs esprits de si diverses mesures et formes, ce n'est pas merveille si, en tout un peuple

30 d'enfants, ils en rencontrent à peine deux ou trois qui rapportent quelque juste fruit de leur discipline [11].

Qu'il ne lui demande pas seulement compte des mots de sa leçon, mais du sens et de la substance ; et qu'il juge du profit qu'il aura fait, non par le témoignage de sa mémoire, mais de sa vie [12]. Que ce qu'il viendra d'apprendre, il le lui fasse mettre en cent visages et accommoder à autant de divers sujets, pour voir s'il l'a encore [13] bien pris et bien fait sien, prenant l'instruction de son progrès des pédagogismes de Platon [14]. C'est témoignage de crudité [15] et indigestion que de regorger la viande [16] comme on l'a avalée ; l'estomac n'a pas fait son opération, s'il n'a fait

40 changer la façon et la forme à ce qu'on lui avait donné à cuire.

Notre âme ne branle qu'à crédit [17], liée et contrainte à l'appétit des fantaisies d'autrui, serve et captivée sous l'autorité de leur leçon ; on nous a tant assujettis aux cordes que nous n'avons plus de franches allures ; notre vigueur et liberté est éteinte : *Nunquam tutelae suae fiunt* [18]...

Qu'il lui fasse tout passer par l'étamine [19], et ne loge rien en sa tête par simple autorité et à crédit ; les principes d'Aristote ne lui soient principes, non plus que ceux des Stoïciens ou Épicuriens. Qu'on lui propose cette diversité de jugements : il choisira, s'il peut, sinon il en demeurera en doute. Il n'y a que les fols certains et résolus.

50   *Che, non men che saper, dubbiar m'aggrada* [20].

Car s'il embrasse les opinions de Xénophon et de Platon par son propre discours [21], ce ne seront plus les leurs, ce seront les siennes. Qui suit un autre, il ne suit rien, il ne trouve rien, voire il ne cherche rien. *Non sumus sub rege ; sibi quisque se vindicet* [22]. Qu'il sache qu'il sait, au moins. Il faut qu'il emboive [23] leurs humeurs, non qu'il apprenne leurs préceptes ;

— 9 Rabaisser (pour se mettre à la portée de l'enfant). — 10 Le comporte. — 11 Montaigne s'était fort mal trouvé du collège. — 12 Cf. dans ce même chapitre : « Le vrai miroir de nos discours est le cours de nos vies ». — 13 Déjà. — 14 Jugeant de ses progrès d'après la *pédagogie* de Platon. — 15 Cf. *cuire*, l. 40. — 16 Rendre la nourriture. — 17 Ne s'ébranle que sur l'autorité d'autrui. — 18 « Jamais ils ne deviennent leurs propres maîtres » (Sénèque, *Lettres*, XXXIII). — 19 Au crible. — 20 « Car, non moins que savoir, douter me plaît » (Dante, *Enfer*, XI). Noter le scepticisme de Montaigne. — 21 Raisonnement. — 22 « Nous ne sommes pas sous un roi ; que chacun soit son propre maître » (Sénèque, *Lettres*, XXXIII). — 23 S'imprègne de.

et qu'il oublie hardiment, s'il veut, d'où il les tient, mais qu'il se les sache approprier. La vérité et la raison sont communes à un chacun, et ne sont non plus à qui les a dites premièrement qu'à qui les dit après : ce n'est non plus selon Platon que selon moi, puisque lui et moi l'entendons
60 et voyons de même [24]. Les abeilles pillotent de çà de là les fleurs, mais elles en font après le miel, qui est tout leur ; ce n'est plus thym ni marjolaine ; ainsi les pièces empruntées d'autrui, il les transformera et confondra pour en faire un ouvrage tout sien, à savoir son jugement. Son institution, son travail et étude ne vise qu'à le former.

Qu'il cèle tout ce de quoi il a été secouru, et ne produise que ce qu'il en a fait. Les pilleurs, les emprunteurs mettent en parade leurs bâtiments, leurs achats, non pas ce qu'ils tirent d'autrui ; vous ne voyez pas les épices [25] d'un homme de parlement : vous voyez les alliances qu'il a gagnées et honneurs à ses enfants. Nul ne met en compte publique [26]
70 sa recette [27] ; chacun y met son acquêt. Le gain de notre étude, c'est en être devenu meilleur et plus sage. C'est, disait Epicharmus [28], l'entendement qui voit et qui oit, c'est l'entendement qui approfite tout [29], qui dispose tout, qui agit, qui domine et qui règne ; toutes autres choses sont aveugles, sourdes et sans âme. Certes, nous le rendons servile et couard, pour [30] ne lui laisser la liberté de rien faire de soi [31].

I, XXVI, *De l'institution des enfants.*

MONTAIGNE ET LA PHILOSOPHIE

La pensée de Montaigne était trop *nuancée* pour s'accommoder d'un système philosophique rigide ou pour en bâtir un de sa façon. Son tempérament épris *d'indépendance* ne pouvait accepter la domination hautaine d'un dogmatisme. C'est pourtant vers les solutions de la philosophie antique qu'il se tourne tout d'abord. En partie par réaction contre cet excès de fluidité, cette indiscipline intellectuelle qu'il sent en lui, il est tenté par la rigueur du *stoïcisme* (en 1572-1573) ; puis il connaît une phase *sceptique* (vers 1576), avant d'arriver à être vraiment lui-même, tout à la fois stoïcien, épicurien, sceptique, dilettante, avant d'être, tout simplement, *un sage.*

Le stoïcisme   Les influences les plus diverses se sont liguées pour orienter MONTAIGNE vers le stoïcisme : l'exemple et la mort de son ami LA BOÉTIE (p. 153), la lecture de SÉNÈQUE et de PLUTARQUE (le Plutarque des *Vies parallèles*, traduites par AMYOT en 1559), la nécessité de se défendre contre la *douleur*, lorsqu'il commença à souffrir de la *gravelle*, enfin *l'incertitude des temps* (guerres de religion) qui présentait sans cesse aux yeux des Français d'alors l'image et la menace de la *mort*. En effet Montaigne demande au stoïcisme un secours contre la hantise de la douleur et de la mort. Les stoïciens ne disent-ils pas que la douleur n'est pas un mal, et que « philosopher c'est apprendre à mourir » ? Cette morale de *l'énergie* et de la *grandeur d'âme*, qui inspirera CORNEILLE, apporte à MONTAIGNE une *règle de vie et de pensée.*

— 24 On retrouvera des formules de ce genre chez Pascal et La Bruyère. — 25 Cadeaux offerts par les plaideurs. — 26 Forme du *masc.* chez Montaigne. — 27 Ce qu'il a *reçu* d'autrui. *Son acquêt :* ce qu'il a *acquis.* — 28 Poète grec (Ve siècle av. J.-C.). — 29 Met tout à profit. — 30 Sens causal. — 31 Tout seul, spontanément.

« *QUE PHILOSOPHER C'EST APPRENDRE A MOURIR* »

A la *hantise* de la mort, plus redoutable que la mort même, il n'est qu'un seul remède : regarder la mort en face, s'habituer à y penser calmement. Cette conclusion est tout à fait chrétienne, mais Montaigne y arrive par une voie purement *humaine*, celle du *stoïcisme* antique. Encore ce stoïcisme est-il tout *pratique* : il ne s'agit pas d'un idéal héroïque, mais d'une *méthode* pour souffrir le moins possible.

Montaigne *cherche le meilleur moyen de* « se défaire du pensement de la mort ».

Qu'importe-t-il, me direz-vous, comment que ce soit, pourvu qu'on ne s'en donne point de peine ? — Je suis de cet avis ; et en quelque manière qu'on se puisse mettre à l'abri des coups, fût-ce sous la peau d'un veau, je ne suis pas homme qui y reculasse [1]. Car il me suffit de passer [2] à mon aise ; et le meilleur jeu que je me puisse donner, je le prends, si peu glorieux au reste et exemplaire que vous voudrez,

> *Praetulerim delirus inersque videri,*
> *Dum mea delectent mala me, vel denique fallant,*
> *Quam sapere et ringi* [3].

10 Mais c'est folie d'y penser arriver par là. Ils vont, ils viennent, ils trottent, ils dansent : de mort, nulles nouvelles. Tout cela est beau ; mais aussi quand elle arrive, ou à eux, ou à leurs femmes, enfants et amis, les surprenant en dessoude [4] et à découvert [5], quels tourments, quels cris, quelle rage et quel désespoir les accable [6] ! Vîtes-vous jamais rien si rabaissé, si changé, si confus ? Il faut y pourvoir de meilleure heure ; et cette nonchalance bestiale, quand elle pourrait loger en la tête d'un homme d'entendement, ce que je trouve entièrement impossible, nous vend trop cher ses denrées [7]. Si c'était ennemi qui se pût éviter, je conseillerais d'emprunter les armes de la couardise ; mais puisqu'il
20 ne se peut, puisqu'il vous attrape fuyant et poltron aussi bien qu'honnête homme [8],

> *Nempe et fugacem persequitur virum,*
> *Nec parcit imbellis juventae*
> *Poplitibus, timidoque tergo* [9]

et que nulle trempe de cuirasse vous couvre,

> *Ille licet ferro cautus se condat et aere,*
> *Mors tamen inclusum protrahet inde caput* [10]

— 1 Montaigne ne joue pas au héros ! Cf. l. 18-19. — 2 Passer ma vie. — 3 « J'aimerais mieux passer pour fou et sot, pourvu que mes défauts me charment, ou du moins m'échappent, que d'être sage et d'enrager » (D'après Horace, *Épîtres*, II, II, 126-8). — 4 A l'improviste (latin *de subito*). — 5 Sans défense. — 6 Accord avec le sujet le plus proche. — 7 Ce qu'elle nous procure. — 8 Homme de cœur. — 9 « De fait il poursuit même le fuyard, et n'épargne ni les jarrets ni le dos tremblant d'une jeunesse lâche » (D'après Horace, *Odes*, III, II, 14-16). — 10 « Il a beau, prudent, se cacher sous le fer et l'airain, la mort en fera pourtant sortir sa tête abritée. » (Properce, IV, XVIII, 25-26).

apprenons à le soutenir de pied ferme et à le combattre. Et pour commencer à lui ôter son plus grand avantage contre nous, prenons
30 voie toute contraire à la commune : ôtons-lui l'étrangeté, pratiquons-le, accoutumons-le [11], n'ayons rien si souvent en la tête que la mort. A tous instants représentons-la à notre imagination, et en tous visages. Au broncher [12] d'un cheval, à la chute d'une tuile, à la moindre piqûre d'épingle, remâchons soudain : « Eh bien ! quand ce serait la mort même ? » et là-dessus, raidissons-nous et efforçons-nous [13]. Parmi les fêtes et la joie, ayons toujours ce refrain de la souvenance de notre condition, et ne nous laissons pas si fort emporter au plaisir, que parfois il ne nous repasse en la mémoire en combien de sortes cette nôtre allégresse est en butte à la mort, et de combien de prises elle la menace.
40 Ainsi faisaient les Égyptiens, qui, au milieu de leurs festins et parmi leur meilleure chère, faisaient apporter l'anatomie sèche [14] d'un corps d'homme mort, pour servir d'avertissement aux conviés.

> *Omnem crede diem tibi diluxisse supremum :*
> *Grata superveniet quae non sperabitur hora* [15].

Il est incertain où la mort nous attende [16] : attendons-la partout. La préméditation [17] de la mort est préméditation de la liberté : qui a appris à mourir, il a désappris à servir [18] ; le savoir mourir nous affranchit de toute sujétion et contrainte : il n'y a rien de mal en la vie pour celui qui a bien compris que la privation de la vie n'est pas mal [19]. Paulus
50 Æmilius répondit à celui que ce misérable roi de Macédoine [20], son prisonnier, lui envoyait pour le prier de ne le mener pas en son triomphe : « Qu'il en fasse la requête à soi-même ».

A la vérité, en toutes choses, si nature ne prête un peu, il est malaisé que l'art et l'industrie [21] aillent guère avant. Je suis de moi-même non mélancolique, mais songe-creux. Il n'est rien de quoi je me sois dès toujours plus entretenu [22] que des imaginations de la mort : voire en la saison la plus licencieuse de mon âge [23],

> *Jucundum cum aetas florida ver ageret* [24],

parmi les dames et les jeux, tel me pensait empêché [15] à digérer à part
60 moi quelque jalousie ou l'incertitude de quelque espérance, cependant que je m'entretenais de je ne sais qui, surpris les jours précédents d'une fièvre chaude, et de sa fin, au partir [26] d'une fête pareille, et la tête pleine d'oisiveté, d'amour et de bon temps, comme moi, et qu'autant m'en pendait à l'oreille.

I, xx, *Que philosopher c'est apprendre à mourir.*

— 11 Accoutumons-nous à lui. — 12 Infinitif substantivé. — 13 Montrons-nous fermes. — 14 La momie. — 15 « Tiens pour ton dernier jour chaque jour qui a lui pour toi : l'heure sur laquelle tu n'auras pas compté te viendra comme un heureux sursis. » (Horace, *Épît.* I, IV, 13-14). — 16 Subj. d'éventualité. — 17 Méditation anticipée. — 18 *Être esclave.* Les stoïciens (par ex. Sénèque, dont Montaigne s'inspire beaucoup ici) préféraient le suicide au déshonneur et à la servitude. — 19 Un mal. — 20 Persée. — 21 Le zèle. — 22 Occupé. — 23 Même en la période de ma vie la plus adonnée aux plaisirs. — 24 « Quand mon âge en sa fleur connaissait un aimable printemps. » (Catulle, LXVIII, 16). — 25 Absorbé. — 26 Au sortir.

Le scepticisme *Dans* l'Apologie de Raymond Sebond *(le chapitre le plus long des* Essais, II, XII*), Montaigne procède à un exposé de la doctrine sceptique. Le doute correspond au goût du philosophe pour la lucidité et le paradoxe, mais c'est aussi un moyen de préserver son indépendance et de défendre la tolérance dans une époque de fanatisme.*

LE VERTIGE

Nous ne pouvons nous fonder ni sur la coutume, ni sur notre raison. Nous fierons-nous à nos *sensations?* Elles ne sont pas moins *trompeuses :* témoin le *vertige* qui nous remplit d'angoisse alors qu'il n'y a aucun danger réel. Toute la philosophie est impuissante devant de telles infirmités de notre nature. Pascal, dans sa critique de l'*imagination*, reprendra, parfois mot pour mot, ces considérations frappantes.

Qu'on loge un philosophe dans une cage de menus filets de fer clairsemés, qui soit suspendue au haut des tours Notre-Dame de Paris : il verra par raison évidente qu'il est impossible qu'il en tombe ; et si [1] ne se saurait garder (s'il n'a accoutumé le métier des recouvreurs) que la vue de cette hauteur extrême ne l'épouvante et ne le transisse. Car nous avons assez affaire de nous assurer [2] aux galeries qui sont en nos clochers, si elles sont façonnées à jour, encore qu'elles soient de pierre. Il y en a qui n'en peuvent pas seulement porter [3] la pensée. Qu'on jette une poutre entre ces deux tours, d'une grosseur telle qu'il nous la faut
10 à nous promener dessus, il n'y a sagesse philosophique de si grande fermeté qui puisse nous donner courage d'y marcher comme nous ferions, si elle était à terre [4]. J'ai souvent essayé [5] cela, en nos montagnes de deçà [6] (et si suis de ceux qui ne s'effraient que médiocrement de telles choses), que je ne pouvais souffrir la vue de cette profondeur infinie sans horreur [7] et tremblement de jarrets et de cuisses, encore qu'il s'en fallût bien ma longueur que je ne fusse du tout [8] au bord, et n'eusse su choir si je ne me fusse porté à escient [9] au danger. J'y remarquai aussi, quelque hauteur qu'il y eût, pourvu qu'en cette pente il s'y présentât un arbre ou bosse de rocher pour soutenir un peu la vue et la diviser, que cela nous
20 allège [10] et donne assurance, comme si c'était chose de quoi, à la chute, nous pussions recevoir secours ; mais que les précipices coupés [11] et unis, nous ne les pouvons pas seulement regarder sans tournoiement de tête : *ut despici sine vertigine simul oculorum animique non possit* [12] ; qui [13] est une évidente imposture de la vue. Ce beau philosophe [14] se creva les yeux pour décharger l'âme de la débauche [15] qu'elle en recevait, et pouvoir philosopher plus en liberté.

— 1 Pourtant (comme ligne 13). — 2 Nous avons assez de peine à faire bonne contenance. — 3 Supporter. — 4 Cf. Pascal (*Pensées*, Br. 82) : « Le plus grand philosophe du monde, sur une planche plus large qu'il ne faut, s'il y a au-dessous un précipice, quoique sa raison le convainque de sa sûreté, son imagination prévaudra. Plusieurs n'en sauraient soutenir la pensée sans pâlir et suer. » — 5 Éprouvé. — 6 Sur leur versant français. — 7 Frisson. — 8 Tout à fait. — 9 Sciemment, exprès. — 10 Soulage. — 11 Abrupts. — 12 « De sorte qu'on ne peut regarder en bas sans vertige des yeux et de l'esprit à la fois ». (Tite-Live, XLIV, 6). — 13 Ce qui. — 14 Démocrite, dit-on. — 15 *Débarrasser... du désordre.*

Mais, à ce compte, il se devait [16] aussi faire étouper les oreilles, que Théophraste dit être le plus dangereux instrument que nous ayons pour recevoir des impressions violentes à nous troubler et changer, et se
30 devait priver enfin de tous les autres sens, c'est-à-dire de son être et de sa vie. Car ils ont tous cette puissance de commander notre discours et notre âme. *Fit etiam saepe specie quadam, saepe vocum gravitate et cantibus, ut pellantur animi vehementius ; saepe etiam cura et timore* [17]. Les médecins tiennent qu'il y a certaines complexions qui s'agitent par aucuns [18] sons et instruments jusques à la fureur. J'en ai vu qui ne pouvaient ouïr ronger un os sous leur table sans perdre patience ; et n'est guère homme qui ne se trouble à ce bruit aigre et poignant que font les limes en raclant le fer ; comme, à ouïr mâcher près de nous, ou ouïr parler quelqu'un qui ait le passage du gosier ou du nez empêché, plusieurs s'en émeuvent jusques
40 à la colère et la haine... [19].

Cette même piperie [20], que les sens apportent à notre entendement, ils la reçoivent à leur tour. Notre âme parfois s'en revanche de même : ils mentent et se trompent à l'envi [21].

II, XII, *Apologie*.

LES CANNIBALES

Quoiqu'ils pratiquent l'anthropophagie [1], ces indigènes du Brésil paraissent à MONTAIGNE fort sociables et fort sensés. Il a vu trois d'entre eux à Rouen en octobre 1562 et s'est amplement renseigné, auprès d'un voyageur, sur leurs mœurs et leurs habitudes. Excellent exemple à l'appui de *la relativité des coutumes*. Montaigne amorce ici l'éloge de l'*état de nature* et du *bon sauvage*, qui sera si souvent repris au XVIIIᵉ siècle. Ses cannibales annoncent aussi le Huron de VOLTAIRE (dans *L'Ingénu*), et la *critique sociale* trouve ici des accents d'une *hardiesse* étonnante.

Je trouve qu'il n'y a rien de barbare et de sauvage en cette nation, à ce qu'on m'en a rapporté, sinon que chacun appelle barbarie ce qui n'est pas de son usage [2] ; comme de vray il semble que nous n'avons autre mire [3] de la vérité et de la raison que l'exemple et idée des opinions et usances [4] du païs où nous sommes. Là est toujours la parfaicte religion, la parfaicte police [5], perfect et accomply usage de toutes choses. Ils sont sauvages, de mesmes que nous appellons sauvages les fruicts que nature, de soy et de son progrez ordinaire, a produicts : là où, à la vérité, ce sont ceux que nous avons alterez

---

— 16 Il aurait dû. — 17 « Il arrive souvent aussi que notre âme soit violemment ébranlée par quelque vue, ou par une gravité et une mélodie de la voix ; souvent encore c'est par le souci et la frayeur. » (Cicéron, *De Divinatione*, I, 37). — 18 Certains. — 19 Cf. Pascal (86) : « Ma fantaisie me fait haïr un coasseur et un qui souffle en mangeant ». — 20 Tromperie. — 21 Cf. Pascal (82) : « Cette même piperie qu'ils apporte à la raison, ils la reçoivent d'elle à leur tour : elle s'en revanche. Les passions de l'âme troublent les sens, et leur font des impressions fausses. Ils mentent et se trompent à l'envi. »

— 1 Non pas pour se nourrir, mais pour « *représenter une extrême vengeance* ». — 2 Relativité des jugements. — 3 Point de repère, critère. — 4 Usages. — 5 Régime politique.

par nostre artifice et detournez de l'ordre commun, que nous devrions appeller
10 *plutost sauvages. En ceux là sont vives et vigoureuses les vrayes et plus utiles*
et naturelles vertus et proprietez, lesquelles nous avons abastardies en ceux cy,
et les avons seulement accommodées au plaisir de nostre goust corrompu...

Trois d'entre eux, ignorans combien coutera un jour à leur repos et à leur
bon heur la connoissance des corruptions de deçà[6]*, et que de ce commerce*
naistra leur ruyne, comme je presuppose qu'elle soit[7] *desjà avancée, bien*
miserables de s'estre laissez piper au desir de la nouvelleté, et avoir quitté
la douceur de leur ciel pour venir voir le nostre, furent à Roüan[8] *du temps*
que le feu Roy Charles neufiesme y estoit. Le Roy parla à eux long temps ;
on leur fit voir nostre façon, nostre pompe, la forme d'une belle ville. Apres
20 *cela quelqu'un en*[9] *demanda leur advis, et voulut savoir d'eux ce qu'ils*
y avoient trouvé de plus admirable[10] *: ils respondirent trois choses, d'où*
j'ay perdu la troisiesme, et en suis bien marry ; mais j'en ay encore deux en
memoire. Ils dirent qu'ils trouvoient en premier lieu fort estrange que tant
de grands hommes, portans barbe, forts et armez, qui estoient autour du Roy
(il est vray-semblable que ils parloient des Suisses de sa garde), se soubs-
missent à obeyr à un enfant[11]*, et qu'on ne choisissoit plus tost quelqu'un*
d'entr'eux pour commander ; secondement (ils ont une façon de leur langage
telle, qu'ils nomment les hommes moitié[12] *les uns des autres) qu'ils avoyent*
aperçeu qu'il y avoit parmy nous des hommes pleins et gorgez de toutes sortes
30 *de commoditez, et que leurs moitiez estoient mendians à leurs portes, décharnez*
de faim et de pauvreté ; et trouvoient estrange comme[13] *ces moitiez icy*
necessiteuses pouvoient souffrir une telle injustice, qu'ils ne prinsent les autres
à la gorge, ou missent[14] *le feu à leurs maisons.*

I, xxxi, *Des cannibales.*

La liberté

Nul juge n'a encore, Dieu merci, parlé à moi comme juge pour quelque cause que ce soit, ou mienne, ou tierce, ou criminelle ou civile. Nulle prison m'a reçu, non pas seulement, pour m'y promener. L'imagination m'en rend la vue, même du dehors, déplaisante. Je suis si affadi après[15] la liberté que, qui me défendrait[16] l'accès de quelque coin des Indes, j'en vivrais aucunement plus mal à mon aise. Et tant que je trouverai terre ou air ouvert ailleurs, je ne croupirai en lieu où il me faille cacher. Mon Dieu ! que mal pourrais-je souffrir la condition où je vois tant de gens, cloués à un quartier de ce royaume, privés de l'entrée des villes principales et des cours et de l'usage des chemins publics, pour avoir querellé nos lois ! Si celles que je sers me menaçaient seulement le bout du doigt, je m'en irais incontinent en trouver d'autres, où que ce fût. Toute ma petite prudence en ces guerres civiles où nous sommes s'emploie à ce qu'elles n'interrompent pas ma liberté d'aller et venir.

III, xiii *De l'expérience.*

— 6 De nos pays. — 7 Subj. de supposition. — 8 Rouen. — 9 Leur avis *à ce sujet.* — 10 A la fois *remarquable* et *étonnant :* Montaigne va jouer sur le mot. — 11 Charles IX avait alors 12 ans. — 12 De ce mot *moitié,* Montaigne dégage l'idée de *fraternité.* — 13 Comment. — 14 Sans prendre... ou mettre. — 15 Ardemment épris de. — 16. *Si l'on* me défendait.

LA SAGESSE DE MONTAIGNE

Formé par la vie, par une réflexion constante, par l'expérience du stoïcisme et du scepticisme, Montaigne aboutit peu à peu au plein épanouissement de cette *sagesse* à laquelle la nature l'appelait, et qui aura une *profonde influence sur la pensée moderne.*

Pour mesurer la valeur de cet *art de vivre*, songeons d'abord à la *vie de* Montaigne : « J'ai mis tous mes efforts à former ma vie, voilà mon métier et mon ouvrage ». Ce n'est pas la vie d'un héros ou d'un saint, mais l'exemple rare d'une existence d'homme parfaitement *équilibrée* et singulièrement *remplie*. Le sage s'est-il retiré dans sa tour d'ivoire ? Accuserons-nous d'égoïsme un homme qui a accepté plus d'une mission importante et s'est acquitté à la satisfaction générale, dans une période troublée, de fonctions délicates ? Ce personnage considérable se livre à nous en toute simplicité : quelle leçon pour les importants! « Toute ma petite prudence en ces guerres civiles où nous sommes, écrit-il, s'emploie à ce qu'elles n'interrompent ma liberté d'aller et venir. » Ne soyons pas dupes de sa modestie : cette « petite prudence » était une *sagesse peu commune*, exempte de toute mesquinerie. La voie de la *modération* est souvent difficile et périlleuse ; et la *liberté* à laquelle il tient surtout, sans négliger pour autant aucun devoir, c'est celle de *penser.*

Montaigne nous apprend à *aimer la vie* et à la *goûter* pleinement. Il n'est pas de sagesse humaine supérieure à la sienne. Le *bonheur* consiste pour lui dans la réalisation complète et harmonieuse de notre nature, sans amertume et sans fièvre. « Il n'est rien si beau et si légitime que de faire bien l'homme et dûment ».

« *POUR MOI DONC, J'AIME LA VIE* »

Il ne faut point « passer » le temps, mais savoir jouir des moments heureux. Montaigne est expert en *l'art de goûter la vie*. Si intelligent, si raffiné que soit son épicurisme, il ne suffit pas à expliquer les *accents si beaux* qui terminent ce texte : cet *amour de la vie* vient d'une source plus profonde, la *foi* dans la *Nature* qui se confond avec *Dieu.*

J'ai un dictionnaire tout à part moi [1] : je passe le temps quand il est mauvais et incommode ; quand il est bon, je ne le veux pas passer, je le retâte [2], je m'y tiens. Il faut courir le mauvais et se rasseoir [3] au bon. Cette phrase [4] ordinaire de « passe-temps » et de « passer le temps » représente l'usage de ces prudentes gens qui ne pensent point avoir meilleur compte [5] de leur vie que de la couler et échapper [6], de la passer, gauchir [7] et, autant qu'il est en eux, ignorer et fuir, comme chose de qualité ennuyeuse [8] et dédaignable. Mais je la connais autre, et la trouve et prisable et commode [9], voire en son dernier décours [10], où je la tiens ; et nous l'a nature mise en main, garnie de telles circonstances, et si favorables, que nous n'avons à nous plaindre qu'à nous si elle nous presse [11] et si elle nous échappe inutilement : *Stulti vita ingrata est, trepida est, tota in futurum fertur* [12]. Je me compose [13] pourtant à la

10

— 1 A usage personnel. — 2 (Goûte et) *regoûte*, savoure. — 3 S'installer (« faire durer le plaisir »). — 4 Expression. — 5 *Usage*. Noter l'ironie du mot *prudentes* (sages). — 6 Laisser couler et échapper. — 7 Esquiver. — 8 Sens fort. — 9 Avantageuse. — 10 *Déclin*. Montaigne écrit cela en 1587. — 11 Pèse. — 12 « La vie du sot est aride, inquiète, tournée tout entière vers l'avenir » (Sénèque, *Lettres*, XV). — 13 Je me mets en mesure de.

perdre sans regret, mais comme perdable de sa condition, non comme moleste [14] et importune. Aussi ne sied-il proprement bien de ne se déplaire à mourir qu'à ceux qui se plaisent à vivre. Il y a du ménage à la jouir [15] ; je la jouis au double des autres, car la mesure en la jouissance dépend du plus ou moins d'application que nous y prêtons. Principalement à cette heure que j'aperçois la mienne si brève en temps, je la veux étendre en poids ; je veux arrêter la promptitude de sa fuite par la promptitude de ma saisie, et, par la vigueur de l'usage, compenser la hâtiveté de son écoulement ; à mesure que la possession du vivre est plus courte, il me la faut rendre plus profonde et plus pleine.

Les autres sentent la douceur d'un contentement et de la prospérité ; je la sens ainsi qu'eux, mais ce n'est pas en passant et glissant : si la faut-il étudier [16], savourer et ruminer, pour en rendre grâces condignes [17] à celui qui nous l'octroie. Ils jouissent les autres plaisirs comme ils font celui du sommeil, sans les connaître. A celle fin [18] que le dormir même ne m'échappât ainsi stupidement, j'ai autrefois trouvé bon qu'on me le troublât pour que je l'entrevisse. Je consulte d' [19] un contentement avec moi, je ne l'écume pas [20] ; je le sonde et plie ma raison à le recueillir, devenue chagrine et dégoûtée. Me trouvé-je en quelque assiette [21] tranquille ? Y a-t-il quelque volupté qui me chatouille ? Je ne la laisse pas friponner aux sens [22] : j'y associe mon âme ; non pas pour s'y engager [23], mais pour s'y agréer ; non pas pour s'y perdre, mais pour s'y trouver. Et l'emploie de sa part [24] à se mirer dans ce prospère état, à en peser et estimer le bonheur et amplifier [25]. Elle mesure combien c'est qu'elle doit à Dieu d'être en repos de sa conscience et d'autres passions intestines, d'avoir le corps en sa disposition [26] naturelle, jouissant ordonnément et compétemment [27] des fonctions molles [28] et flatteuses, par lesquelles il lui plaît compenser de sa grâce les douleurs de quoi sa justice nous bat à son tour ; combien lui vaut [29] d'être logée en tel point que, où qu'elle jette sa vue, le ciel est calme autour d'elle : nul désir, nulle crainte ou doute qui lui trouble l'air, aucune difficulté passée, présente, future, par dessus laquelle son imagination ne passe sans offense [30]. Cette considération prend grand lustre de la comparaison des conditions différentes. Ainsi, je me propose [31], en mille visages, ceux que la fortune ou que leur propre erreur emporte et tempête [32] ; et encore ceux-ci, plus près de moi, qui reçoivent si lâchement et incurieusement [33] leur bonne fortune. Ce sont gens qui passent voirement [34] leur temps ; ils outrepassent le présent

— 14 *Pénible.* — 15 C'est tout un art (*économie*) de savoir en jouir. Noter la construction transitive de *jouir.* — 16 *Aussi bien il faut l'étudier.* — 17 Proportionnées (à son bienfait). — 18 Afin (à *cette* fin). — 19 Médite. — 20 Au lieu de ne le goûter qu'en surface (*écume*). — 21 État. — 22 Dérober (*accaparer*, dirions-nous) par les sens. — 23 Pour qu'elle s'y engage (complètement). — 24 Pour sa part. — 25 Tandis que, trop souvent, nous n'approfondissons que nos ennuis. — 26 Santé. — 27 Méthodiquement et pleinement. — 28 Agréables. — 29 (Elle mesure) combien il lui est précieux. — 30 *Sans en être atteinte.* La paix de l'âme ainsi évoquée est l'état que les anciens nommaient ataraxie (absence de trouble). — 31 Je me représente. — 32 Bouleverse. — 33 Avec si peu d'ardeur et d'intérêt. — 34 Vraiment (au sens péjoratif du mot *passer*).

et ce qu'ils possèdent [35], pour servir à [36] l'espérance et pour des ombrages [37] et vaines images que la fantaisie leur met au-devant [38],

> *Morte obita quales fama est volitare figuras,*
> *Aut quae sopitos deludunt somnia sensus* [39],

lesquelles hâtent et allongent leur fuite à même [40] qu'on les suit. Le fruit et but de leur poursuite, c'est poursuivre, comme Alexandre disait que la fin de son travail, c'était travailler,

> *Nil actum credens cum quid superesset agendum* [41].

60 Pour moi donc, j'aime la vie et la cultive telle qu'il a plu à Dieu nous l'octroyer. Je ne vais pas désirant qu'elle eût à dire [42] la nécessité de boire et de manger, et me semblerait faillir non moins excusablement [43] de désirer qu'elle l'eût double (*sapiens divitiarum naturalium quaesitor acerrimus* [44]); ni que nous nous sustentassions mettant seulement en la bouche un peu de cette drogue par laquelle Épiménide [45] se privait d'appétit et se maintenait...; ni que le corps fût sans désir et sans chatouillement. Ce sont plaintes ingrates et iniques. J'accepte de bon cœur, et reconnaissant [46], ce que nature a fait pour moi; et m'en agrée et m'en loue; on fait tort à ce grand et tout-puissant Donneur de refuser son don, l'annuler et défigurer. Tout bon, il a fait tout bon : *Omnia quae secundum* 70 *naturam sunt, aestimatione digna sunt* [47]... Nature est un doux guide, mais non pas plus doux que prudent et juste.

III, xiii, *De l'expérience.*

— 35 « *Carpe diem* » (cueille le jour), disait Horace. — 36 S'asservir à. — 37 Ombres. — 38 Que l'imagination leur présente. — 39 « Semblables aux ombres qui voltigent, dit-on, après la mort, ou aux songes qui déçoivent nos sens endormis » (Virgile, *Énéide*, X, 641-2). — 40 A mesure. — 41 « Croyant n'avoir rien fait tant qu'il restait quelque chose à faire ». (Lucain, II, 657). — 42 Qu'il lui manquât. — 43 Commettre une erreur plus excusable. — 44 « Le sage est un chercheur infatigable des richesses naturelles » (Sénèque, *Lettres*, CXIX). — 45 L'un des sept sages de la Grèce. — 46 *Et reconnaissant :* add. ex. Bordeaux. *Tout bon... sunt :* idem. — 47 Tout ce qui est selon la nature est digne d'estime » (Cicéron, *De Finibus*, III, vi).

XVIIe SIÈCLE

Les événements. *Les idées*	Les auteurs	Théâtre	Autres œuvres	Les arts
1608 *Réforme de Port-Royal* *Hôtel de Rambouillet* (ouverture)	1596 **Descartes** 1606 **Corneille**		1605 Malherbe poète officiel 1607 *L'Astrée* (I à III)	*Place Royale* (1605-1612)
1610 *Mort d'Henri IV* (avènement Louis XIII) RÉGENCE MARIS DE MÉDICIS	1613 *Régnier* (†) *La Rochefoucauld*			
1617 Assassinat de Concini	1621 **La Fontaine**		1619	*Luxembourg* (1615-1621)
	1622 **Molière**			
	1623 **Pascal**			
1624 **RICHELIEU** AU POUVOIR	1626 Mᵐᵉ de Sévigné 1627 **Bossuet** 1628 Malherbe (†)			*Chapelle de la Sorbonne* (1627-1635)
Apogée Hôtel de Rambouillet (1630-1645)	1630 D'Aubigné (†)	1629 *Mélite* (de Corneille)		1631 1ᵉʳ *Versailles*
L'Académie Française (fondée en 1634-1635)	1634 Mᵐᵉ de La Fayette 1636 **Boileau**	1636-7 **Le Cid**	1632-33 *L'Astrée* (complet) 1637 *Discours de la Méthode*	1635 Callot (†) (né 1592)
1642 Mort de Richelieu	1639 **Racine**	1640 *Horace* *Cinna*		1640 Coysevox
1643 *Mort de Louis XIII* (avènement Louis XIV) *Régence d'Anne d'Autriche* **MAZARIN** AU POUVOIR Rocroi (1643)		1642 *Polyeucte* 1644 *Rodogune*		
	1645 **La Bruyère**			*Val-de-Grâce* (1645-1665)
1648 Paix de Westphalie	1647 Bayle			
1649 Fronde parlementaire	1650 Descartes (†)			
1650-52 Fronde des princes	1651 Fénelon	1651 *Nicomède*		1655 Le Sueur (†) (né 1617)
1653 *Condamnation des cinq propositions*	1657 Fontenelle	1659 *Précieuses Ridicules*	1656 *Provinciales* de Pascal	
1661 *Mort de Mazarin* RÈGNE PERSONNEL DE **LOUIS XIV**	1661 St-Amant (†) 1662 Pascal (†)	1662 *Éc. des Femmes*	Bossuet : *Carême du Louvre*	*Agrandissement de Versailles* (Le Vau)
		1664 *Tartuffe* *La Thébaïde*		
		1665 *Dom Juan* 1666 *Misanthrope*	1665 *Maximes* de La Rochefoucauld	1665 Poussin (†) (né 1594) 1666 Mansart (†) (né 1598)
1667 Guerre de Dévolution 1668 Paix d'Aix-la-Chapelle		1667 **Andromaque** 1668 *L'Avare* 1669 *Britannicus*	1668 *Fables* (I à VI) *Pensées* de Pascal	1668 F. Couperin
		1670 *Bérénice* *Bourgeois Gent.*	1670 *O.F. Madame*	*Colonnade du Louvre* 1670 *Invalides* 1671 Ph. de Champaigne (†, né 1602)
1672 Guerre de Hollande	1673 Molière (†)	1672 *Bajazet* *Femmes Savantes* 1673 *Mithridate* *Malade Imaginaire*		
1675 Turenne (†)		1674 *Suréna* *Iphigénie*	1674 *Art poétique* de Boileau	1677 3ᵉ frère Le Nain (†)
1678 Paix de Nimègue	1675 Saint-Simon	1677 *Phèdre*		
1682 *La Cour à Versailles*	1680 La Rochefoucauld (†)		1678 *Fables* (VII-XI)	1679 IIIᵉ *Versailles* (H. Mansart)
1685 Révoc. Édit de Nantes *Querelle Anciens et Modernes* (1678-1694)	1684 Corneille (†)		*Princesse de Clèves* 1687 *O.F. Condé*	
1688 Guerre Ligue d'Augsbourg	1689 **Montesquieu**	1689 *Esther*	1688 *Les Caractères*	† Lulli (1633-1687)
1697 Paix de Ryswick	1694 **Voltaire**	1691 *Athalie*		Lebrun (1619-1690)
1701 Guerre de Succession d'Espagne 1713 Paix d'Utrecht	† Mᵐᵉ de La Fayette (1694) La Fontaine (1695)		1695 *Télémaque* 1697 *Dictionnaire* de Bayle	Puget (1622-1694) Mignard (1610-1695) Hardouin - Mansart (1645-1708)
Paix de Rastadt 1715 MORT DE LOUIS XIV	La Bruyère ; Mᵐᵉ de Sévigné (1696) Racine (1699) ; Bossuet (1704) Boileau (1711) ; Fénelon (1715)		1714-16 *Lettre à l'Académie*	Girardon (1628-1715)

HISTOIRE DE LA CIVILISATION

On ne peut méconnaître le lien étroit qui unit, au XVIIe siècle, les événements politiques aux créations du génie littéraire et artistique. Il existe un rapport évident entre le mouvement qui conduit au triomphe du classicisme et celui qui assure l'établissement de la monarchie absolue. Le règne de la *raison lucide* correspond à celui de l'*ordre* et de l'*autorité*. Après les troubles et les incertitudes de la Fronde (qui s'achève en 1652), les éléments les plus éclairés de la nation aspirent à un *ordre rationnel et stable*. Sous Louis XIV, la bourgeoisie donne à la France tous ses grands ministres, comme ses plus beaux génies littéraires.

La monarchie absolue

Richelieu, ministre de Louis XIII (1624-1642), par la lucidité de son génie politique et l'intransigeance de son caractère, Mazarin (1643-1661), par sa diplomatie insinuante, préparent l'achèvement d'une œuvre séculaire, l'établissement de la *monarchie absolue*. L'œuvre politique ainsi achevée s'appuie sur une théorie élaborée par des légistes et des théologiens : représentant de Dieu sur la terre, le roi n'est responsable devant aucun pouvoir humain. C'est la monarchie de *droit divin*.

La société, la cour

Le sort du peuple ne change guère, qu'il soit soumis à l'arbitraire des grands ou à l'autorité inflexible des agents du pouvoir royal : Bossuet, La Fontaine et La Bruyère diront la tragique *misère des paysans*. Pour affirmer la dépendance des grands seigneurs, Louis XIV s'entoure, dans ses conseils, de *bourgeois* comme Colbert, Le Tellier et son fils Louvois, quitte à les anoblir (Louvois). A la *noblesse*, il réserve les charges militaires et les plus hautes dignités ecclésiastiques. La vie des nobles se partage donc entre l'armée et la cour. A Versailles (où le roi s'installe définitivement en 1682) la noblesse est en fait domestiquée par un maître tout-puissant : tout entière occupée à célébrer le culte du monarque, elle s'offre en spectacle à la France, et même à l'Europe. C'est la cour qui impose la mode, le goût, le bon ton. Si l'on n'a pas « l'air de la cour », on est un ridicule.

« L'honnête homme »

C'est dans l'ambiance de la cour et des salons que se forme, vers le milieu du siècle, l'idéal de « l'honnête homme ». Cultivé sans être pédant, distingué sans être précieux, réfléchi, mesuré, discret, galant sans fadeur, brave sans forfanterie, l'honnête homme se caractérise par une élégance à la fois extérieure et morale qui ne se conçoit que dans une société très civilisée et très disciplinée. *L'écrivain classique est un honnête homme qui écrit pour les honnêtes gens.* Conscient de son génie, ouvert à toutes les questions, il a la pudeur de ne pas étaler son moi et il ne se donne pas pour un prophète ou pour un mage.

Une heureuse fortune a permis que Louis XIV eût le goût aussi bon que l'élite des « honnêtes gens ». Ce souverain épris de gloire a compris que la postérité l'admirerait d'avoir été le protecteur lucide et libéral des lettres et des arts.

Les beaux-arts

La première partie du siècle avait déjà vu l'édification du Palais du Luxembourg. Sous Louis XIV, PERRAULT édifie la colonnade du Louvre. JULES HARDOUIN-MANSART dirige, après LE VAU, les agrandissements du palais de Versailles (achevé en 1695). Avec PUGET, GIRARDON et COYSEVOX, la sculpture traduit cette même aspiration à la noblesse. En peinture, NICOLAS POUSSIN, CLAUDE GELÉE (dit LE LORRAIN) poète de la lumière, PHILIPPE DE CHAMPAIGNE, tous antérieurs au règne de Louis XIV, surpassent infiniment LE BRUN et MIGNARD, peintres du roi.

ÉVOLUTION DES IDÉES MORALES
ET DE L'IDÉAL LITTÉRAIRE

Les idées morales   Le classicisme est un *humanisme*. Pour les grands classiques comme pour Montaigne, le véritable objet de la littérature est l'*analyse* et la *peinture de l'homme*. Ainsi leur esthétique est-elle inséparable d'une éthique.

La première génération (celle du règne de Louis XIII) aura pour idéal le *généreux* de Descartes, le *héros cornélien*. Les passions sont dominées par la raison, mais non point humiliées par elle. Dans cette société profondément chrétienne, la foi dans la liberté et la grandeur de l'homme ne fait aucun doute. Selon la doctrine Moliniste (conçue par le jésuite espagnol Molina) l'homme, en dépit de la faute originelle, peut quelque chose pour son salut.

A cet optimisme succède vers le milieu du siècle une attitude morale bien différente. Retrouvant la sagesse sans illusions de Montaigne, des écrivains comme La Fontaine, ou Molière, ne pensent pas qu'on puisse beaucoup demander à l'homme, ni que l'espèce humaine puisse être amendée : contemplateurs amusés de la comédie humaine, ils se réfugient dans une modération sans ambition et sans illusion.

Le pessimisme est encore plus apparent dans l'œuvre de Racine et de Pascal. Pour eux, comme pour les théologiens de Port-Royal, la raison et la volonté sont impuissantes à triompher des passions : le seul recours est en Dieu. Bien loin de vouloir conquérir le monde, l'homme s'empressera de le fuir et de renoncer à lui.

Cependant, bien des idées qui semblaient définitivement acceptées se trouvent remises en question à la fin du siècle. Les problèmes politiques et sociaux que le classicisme avait écartés retiennent l'attention des esprits les plus éclairés. La Bruyère pousse la critique sociale beaucoup plus loin que Molière ou même La Fontaine ; il ose discuter le principe de la monarchie absolue. L'autorité de la religion, inséparable à cette époque de celle du Roi, est également critiquée par Bayle et Fontenelle, dont nous étudierons l'œuvre au début du chapitre sur le XVIIIᵉ siècle. Ainsi, de nombreux signes annoncent, à la fin du XVIIᵉ siècle, une nouvelle phase de l'histoire de la pensée française.

L'idéal littéraire   La première partie du siècle avait été *baroque*. Mais le génie français a très tôt réagi dans le sens de la discipline, de l'ordre et de la régularité. Malherbe détermine la forme de la poésie classique. Vaugelas codifie la langue. Peu à peu s'élabore la doctrine classique.

L'un des caractères du *classicisme* est d'être une *littérature sociale*. Dans la perspective classique, la lecture devient « une cérémonie de reconnaissance analogue au salut, c'est-à-dire l'affirmation cérémonieuse qu'auteur et lecteur sont du même monde et ont sur toutes choses les mêmes opinions. Ainsi chaque production de l'esprit est en même temps un acte de politesse et le style est la suprême politesse de l'auteur envers son lecteur » (Sartre, *Qu'est-ce que la littérature ?*).

Le classicisme pourrait donc se définir par une *harmonie* : harmonie de l'auteur avec son milieu, harmonie dans les œuvres entre la pensée et l'expression. Mais la fin du règne laisse apparaître des tendances nouvelles qui montrent que cet équilibre est menacé : la *Querelle des Anciens et des Modernes* qui éclate à la fin du XVIIᵉ siècle et se poursuit au début du XVIIIᵉ siècle, annonce une remise en question des dogmes classiques. Cependant, il faudra attendre le XIXᵉ siècle et le Romantisme pour que cette remise en question soit véritablement fondamentale, tant dans le domaine esthétique que dans le domaine éthique. A plus d'un titre, les écrivains du XVIIIᵉ siècle (et particulièrement Voltaire) sont les héritiers du classicisme.

LA POÉSIE DE MALHERBE
A SAINT-AMANT

Si jamais le terme d'*école littéraire* a été justifié, c'est bien à propos de MALHERBE : son nom n'évoque pas seulement un poète, mais toute une *doctrine poétique* illustrée par le maître et ses « écoliers », MAINARD et RACAN. Par son talent, son autorité, la netteté tranchante de ses vues, MALHERBE *domine* si bien *son temps* qu'on a parfois tendance à rejeter dans l'ombre, ou à ranger sous des qualificatifs assez méprisants (attardés, égarés, grotesques) les auteurs qui ont échappé à sa tutelle. Il est très satisfaisant pour l'esprit de *styliser* l'histoire de la poésie française en faisant apparaître une *évolution linéaire* de la Pléiade à Malherbe et de Malherbe au classicisme. Juste dans l'ensemble, cette vue *n'épuise pas la réalité littéraire vivante*. Contre Malherbe, RÉGNIER et THÉOPHILE affirment les droits de la *nature* et de la *liberté*. Puis, avec SAINT-AMANT et TRISTAN, on voit naître un lyrisme original, à la fois *précieux* et *burlesque*, inattendu à cette date par son caractère *romantique*. Pour cette génération, on ne peut même plus parler d'une révolte contre Malherbe, tant son *inspiration* est *différente* et son *indépendance spontanée*.

Ainsi la première moitié du XVIIᵉ siècle est marquée par des *contrastes* saisissants et des tentatives tout à fait divergentes : c'est sa *complexité* même qui fait son *charme*, avant le triomphe de l'*harmonie classique*.

MALHERBE

Poète officiel du roi Henri IV à partir de 1605, FRANÇOIS DE MALHERBE, né en 1555, gardera ce titre jusqu'à sa mort, survenue en 1628 sous le règne de Louis XIII. Groupant sous sa férule des disciples attentifs (Racan, Mainard), il régente la langue et la poésie. Épris de rigueur, de clarté, d'harmonie, il croit aux vertus de la contrainte. La Pléiade avait voulu enrichir la langue : Malherbe travaille à l'épurer, donc à l'appauvrir. Il bannit les licences poétiques, exige la coupe à l'hémistiche, ne tolère que la rime riche. C'est en obéissant à ces exigences strictes que l'on devient poète, c'est-à-dire bon ouvrier en vers : « Un poète n'est pas plus utile à l'État qu'un bon joueur de quilles ». Telle est la doctrine de Malherbe : elle fixera pour deux siècles les destinées de la poésie française.

PRIÈRE POUR LE ROI HENRI LE GRAND

Ces *stances* datent de 1605 et saluent HENRI IV à son départ pour le Limousin, où il va présider les *Grands Jours* (session d'un tribunal extraordinaire). La rébellion gronde encore, et le poète appelle la bénédiction de Dieu sur le roi et son œuvre pacificatrice : alors la France connaîtra l'*âge d'or*. Mais au lieu de traiter ce thème au moyen d'images mythologiques usées, Malherbe a su traduire ici d'une façon aussi *directe* que *poétique* les aspirations de la France et les joies de la *prospérité*. Son hymne à la *paix*, ardent et sincère, contient quelques-uns de ses plus beaux vers (strophes 7-15 et 19).

Conforme donc, Seigneur, ta grâce à nos pensées ;
Ote-nous ces objets, qui des choses passées
Ramènent à nos yeux le triste souvenir[1] ;
Et comme sa[2] valeur, maîtresse de l'orage,
A nous donner la paix[3] a montré son courage,
Fais luire sa prudence à nous l'entretenir.

— 1 Les rébellions qui rappellent les guerres | de religion. — 2 La valeur d'Henri IV. — 3 C'est le résultat de son courage (cf. v. suivant).

Il n'a point son espoir [4] au nombre des armées,
Étant bien assuré que ces vaines fumées
N'ajoutent que de l'ombre à nos obscurités [5].
10   L'aide qu'il veut avoir, c'est que tu le conseilles :
Si tu le fais, Seigneur, il fera des merveilles [6],
Et vaincra nos souhaits par nos prospérités.

Les fuites des méchants [7], tant soient-elles secrètes,
Quand il les poursuivra n'auront point de cachettes ;
Aux lieux les plus profonds ils seront éclairés [8] ;
Il verra sans effet leur honte se produire,
Et rendra les desseins qu'ils feront pour lui nuire
Aussitôt confondus comme [9] délibérés [10].

La rigueur de ses lois, après tant de licence,
20   Redonnera le cœur à la faible innocence,
Que dedans [11] la misère on faisait envieillir [12] ;
A ceux qui l'oppressaient [13] il ôtera l'audace,
Et sans distinction de richesse ou de race,
Tous de peur de la peine auront peur de faillir.

La terreur de son nom rendra nos villes fortes [14] :
On n'en gardera plus ni les murs ni les portes,
Les veilles [15] cesseront aux sommets de nos tours ;
Le fer mieux employé cultivera la terre,
Et le peuple qui tremble aux frayeurs de la guerre,
30   Si ce n'est pour danser, n'orra [16] plus de tambours.

Loin des mœurs de son siècle il bannira les vices,
L'oisive nonchalance et les molles délices
Qui nous avaient portés jusqu'aux derniers hasards [17] ;
Les vertus reviendront de palmes couronnées,
Et ses justes faveurs aux mérites données
Feront ressusciter l'excellence des arts.

La foi de ses aïeux, ton amour, et ta crainte,
Dont il porte dans l'âme une éternelle empreinte,
D'actes de piété ne pourront l'assouvir ;
40   Il étendra ta gloire autant que sa puissance ;
Et, n'ayant rien si cher que ton obéissance,
Où tu le fais régner il te fera servir [18].

— 4 Il ne place point son espoir *dans le…* — 5 Noter ce pluriel d'un mot abstrait. — 6 Expression biblique. — 7 Malherbe préfère le tour *abstrait* au tour *concret (les méchants en fuite)*. — 8 *Éclairés :* découverts (cf. *éclaireur)*. — 9 *Que.* — 10 Formés. — 11 Dans. — 12 Ce verbe a la valeur *inchoative* (cf. *endurcir)*. — 13 L'opprimaient. — 14 Le ton est biblique. — 15 Sens militaire. — 16 Futur du verbe ouïr, archaïsme. — 17 Périls. — 18 La gloire de Dieu coïncidera avec le règne du roi.

Tu nous rendras alors nos douces destinées ;
Nous ne reverrons plus ces fâcheuses années
Qui pour les plus heureux n'ont produit que des pleurs [19].
Toute sorte de biens comblera nos familles ;
La moisson de nos champs lassera les faucilles,
Et les fruits passeront la promesse des fleurs.

MATHURIN RÉGNIER

Avec sa fougue habituelle, Mathurin RÉGNIER le satirique secoue le joug que MALHERBE prétend imposer à la poésie : c'est pour lui une affaire de *tradition* (il reste fidèle à la doctrine de la Pléiade), de *tempérament*, une affaire de *famille* aussi (défense de son oncle Desportes). La position de THÉOPHILE est beaucoup plus nuancée : il rend hommage à Malherbe, mais refuse de se soumettre à sa domination, réclamant pour lui-même et pour tout poète une entière *liberté d'inspiration*. Étudions d'abord la vie et l'œuvre de RÉGNIER.

Sa vie (1573-1613)   Né à Chartres en 1573, MATHURIN RÉGNIER était le neveu de DESPORTES. Attaché au cardinal de JOYEUSE, il le suit à Rome en 1594, puis en Languedoc. Par la suite, notre auteur retournera à Rome à plusieurs reprises, ce qui n'est pas sans importance pour sa formation littéraire. Il se fixe à Paris vers 1605, y rencontre Bertaut et se lie d'amitié avec Rapin, l'un des auteurs de la *Satire Ménippée*. Il fréquente aussi le cabaret de la Pomme-de-Pin, où il retrouve d'autres satiriques : Berthelot, Motin, Sygogne. En 1608, il publie un premier recueil de douze satires. Il meurt prématurément à Rouen en 1613 ; selon son vœu, on l'enterre à l'abbaye de Royaumont, dans un site qu'il aimait.

CONTRE MALHERBE ET SES DISCIPLES

RÉGNIER refuse de se soumettre à la *férule* de MALHERBE et part en guerre, avec sa *verve* accoutumée, contre le grammairien-poète et son école. Contre le magister, il invoque les droits du *naturel* et de l'*inspiration*, empruntant à RONSARD et à la PLÉIADE leurs termes mêmes et leurs images. C'est la querelle du génie contre le talent et le métier, de la fougue contre la patience minutieuse ; c'est aussi une querelle de personnes : contre Malherbe, Régnier défend son oncle DESPORTES et sa propre manière. Et il termine sur un argument mi-sérieux, mi-bouffon : gagnez autant d'argent que Desportes avant de le critiquer !

Cependant leur savoir ne s'étend seulement [1]
Qu'à regratter un mot douteux au jugement,
Prendre garde qu'un *qui* ne heurte une diphtongue [2],
Épier si des vers la rime est brève ou longue [3],

— 19 Allusion aux guerres de religion. —   condamne l'*hiatus*. — 3 Une voyelle longue
                                                   ne doit pas rimer avec une brève (ex. *glace*
   — 1 Pléonasme insistant. — 2 Malherbe   et *masse*).

Ou bien si la voyelle à l'autre s'unissant,
Ne rend point à l'oreille un son trop languissant [4],
Et laissent sur le vert [5] le noble [6] de l'ouvrage.
Nul aiguillon divin n'élève leur courage [7] ;
Ils rampent bassement, faibles d'inventions,
10 Et n'osent, peu hardis, tenter les fictions,
Froids à l'imaginer [8] car, s'ils font quelque chose,
C'est proser de la rime et rimer de la prose,
Que l'art lime et relime, et polit de façon
Qu'elle rend à l'oreille un agréable son ;
Et voyant qu'un beau feu leur cervelle n'embrase,
Ils attifent leurs mots, enjolivent leur phrase,
Affectent leur discours tout si [9] relevé d'art,
Et peignent leurs défauts de couleur et de fard.
Aussi je les compare à ces femmes jolies
20 Qui par les affiquets [10] se rendent embellies,
Qui, gentes [11] en habits et sades [12] en façons,
Parmi leur point coupé [13] tendent leurs hameçons,
Dont l'œil rit mollement avec afféterie,
Et de qui le parler n'est rien que flatterie ;
De rubans piolés [14] s'agencent proprement [15]
Et toute leur beauté ne gît [16] qu'en l'ornement ;
Leur visage reluit de céruse et de peautre [17] ;
Propres en leur coiffure, un poil ne passe l'autre.
Où [18] ces divins esprits, hautains [19] et relevés,
30 Qui des eaux d'Hélicon [20] ont les sens abreuvés,
De verve et de fureur leur ouvrage étincelle [21],
De leurs vers tout divins la grâce est naturelle,
Et sont, comme l'on voit, la parfaite beauté,
Qui, contente de soi, laisse la nouveauté
Que l'art trouve au Palais [22] ou dans le blanc d'Espagne.
Rien que le naturel sa grâce n'accompagne [23] ;
Son front, lavé d'eau claire, éclate d'un beau teint ;
De roses et de lys la nature la peint ;
Et, laissant là Mercure [24] et toutes ses malices,
40 Les nonchalances sont ses plus grands artifices.

— 4 Malherbe proscrit, à l'intérieur du vers, les mots comme *vie, partie, loue,* lorsque le mot suivant commence par une consonne. — 5 Laissent de côté (proverbial). — 6 Adj. substantivé : héritage de la Pléiade. — 7 *Cœur, ardeur.* — 8 D'imagination froide. — 9 Tout relevé d'art de la sorte. — 10 *Parures,* avec une nuance ironique. — 11 Élégantes. — 12 Aimables (c'est le contraire de *maussades*). — 13 Dentelle. — 14 De deux couleurs (comme la *pie*). — 15 Élégamment (cf. v. 28). — 16 Réside. — 17 Fard tiré de sels d'étain. — 18 Alors que. — 19 Nobles. — 20 Montagne chère aux Muses. Pégase y avait fait jaillir la fontaine Hippocrène. — 21 Noter la rupture de construction. Régnier veut sans doute montrer comment on écrit *de verve.* — 22 Chez les boutiquiers (merciers, parfumeurs), dans les galeries du Palais de Justice. — 23 Accompagne sa grâce. — 24 Dieu des ruses et des artifices.

Or, Rapin, quant à moi, je n'ai point tant d'esprit.
Je vais le grand chemin que mon oncle [25] m'apprit,
Laissant là ces docteurs, que les muses instruisent
En des arts tout nouveaux : et s'ils font, comme ils disent,
De ses fautes un livre aussi gros que le sien [26],
Telles je les croirai [27] quand ils auront du bien,
Et que leur belle muse, à mordre si cuisante [28],
Leur don'ra [29], comme à lui, dix mille écus de rente,
De l'honneur, de l'estime, et quand par l'univers
Sur le luth de David [30] on chantera leurs vers ;
Qu'ils auront joint l'utile avec le délectable [31],
Et qu'ils sauront rimer [32] une aussi bonne table.

Satire IX, v. 55-106.

La poésie baroque

On a longtemps considéré comme des « *irréguliers* » ou des « *attardés* » tous les écrivains qui, pendant la *première moitié du XVIIe siècle*, restent étrangers à l'élaboration de l'idéal classique. On avait tendance à les traiter avec quelque mépris et à trouver qu'ils avaient manqué de goût. Mais des critiques du XXe siècle ont remarqué certains traits d'une esthétique commune chez ces indépendants, si divers soient-ils. On en est venu ainsi à étendre à la littérature la notion de *baroque*, réservée jusque-là à l'architecture et aux arts plastiques. Ce goût baroque, complexe et multiforme, n'est d'ailleurs pas aisé à définir, sinon par opposition au goût classique. Le baroque se caractérise par une *exubérance de l'imagination et du style* qui contraste avec la raison et la stricte ordonnance classiques. A la colonne torse de l'architecture baroque correspondent en poésie des enchaînements d'images d'abord déroutants parce qu'ils ne suivent pas la droite ligne de la logique. Le baroque, c'est l'effervescence du lyrisme libre, des images brillantes, parfois recherchées, le triomphe du contraste entre une pensée subtile et des notations violemment réalistes.

THÉOPHILE DE VIAU

Un libertin

Né à Clairac-en-Agenais, fils d'un avocat huguenot, THÉOPHILE DE VIAU (1590-1626) montre de bonne heure une extrême indépendance. En dépit d'une solide formation protestante, à Montauban puis à Leyde, il ne tarde pas à évoluer vers la libre pensée, à la fois spontanément et sous l'influence de Vanini. Ami de Des Barreaux, Boisrobert, Mainard, Saint-Amant, libertins d'esprit ou de mœurs, il est le plus hardi du groupe, et le plus représentatif. Aussi est-il frappé de bannissement dès 1619, mais il rentre en grâce, sous la protection de Luynes. En 1621, la publication du premier recueil de ses œuvres et la représentation d'une tragédie, *Pyrame et Thisbé*, le rendent célèbre. Mais il est à nouveau poursuivi pour impiété et condamné par contumace à être brûlé vif (1623). Arrêté, il comparaît devant le Parlement, qui ne prononce contre lui qu'un simple bannissement (1625). Il meurt un an après sa libération, peut-être d'une maladie consécutive aux privations de la captivité.

— 25 Desportes. — 26 Le *Commentaire sur Desportes*, de Malherbe. — 27 Je croirai que ce sont vraiment des fautes. — 28 La métaphore paraît incohérente (cf. v. 8) ; mais c'est la *morsure* qui est *cuisante*. — 29 Forme archaïque, conservée comme licence poétique. — 30 Allusion aux *Psaumes* de Desportes. — 31 C'est le fameux mot d'Horace (*Art poét.*, v. 343) : *qui miscuit utile dulci*. — 32 Acquérir en rimant.

LA SOLITUDE

Quelques jolies touches, des vers « doux-coulants », de la grâce ; mais, dans cette *ode*, THÉOPHILE n'égale ni SAINT-AMANT, ni TRISTAN. La mélodie reste un peu monotone, et les apparitions mythologiques bien conventionnelles. Le lyrisme semble timide et comme *hésitant* : est-ce la fraîcheur du vallon qui séduit le poète, sa paix ou son mystère ? Il s'agit d'ailleurs d'une *solitude à deux*, et ces strophes ne sont qu'un *prélude :* présentation du paysage à la bien-aimée.

Dans ce val solitaire et sombre,
Le cerf, qui brame au bruit de l'eau,
Penchant ses yeux dans un ruisseau,
S'amuse à regarder son ombre.

De cette source une Naïade
Tous les soirs ouvre le portal [1]
De sa demeure de cristal,
Et nous chante une sérénade [2].

Les Nymphes que la chasse attire
10 A l'ombrage de ces forêts
Cherchent les cabinets secrets [3],
Loin de l'embûche du satyre.

Jadis, au pied de ce grand chêne
Presque aussi vieux que le Soleil,

Bacchus, l'Amour et le Sommeil
Firent la fosse de Silène.

Un froid et ténébreux silence
Dort à l'ombre de ces ormeaux,
Et les vents battent les rameaux
D'une amoureuse violence.   20

L'esprit plus retenu s'engage
Au plaisir de ce doux séjour,
Où Philomène nuit et jour
Renouvelle un piteux langage.

L'orfraie et le hibou s'y perche ;
Ici vivent les loups-garous [5] ;
Jamais la justice en courroux
Ici de criminels ne cherche [6].

Strophes 1-7.

SAINT-AMANT

Après avoir bourlingué sur toutes les mers du monde, SAINT-AMANT (1594-1661) s'acquitte de missions diplomatiques en Espagne, en Angleterre, et séjourne en Suède auprès de la reine Christine. Pendant ses dernières années, il goûte un repos bien gagné et meurt à Paris à l'aube de l'âge classique.

Poète éminemment moderne, Saint-Amant proscrit l'imitation : il lui préfère l'inspiration et la verve. Ignorant grec et latin, il s'instruit dans le vaste monde, et cultive l'exotisme. Enfin son goût de la solitude préfigure le romantisme. Son œuvre comprend deux aspects essentiels : *poésie de la nature* et veine *héroï-comique* ou *burlesque*. Au fond, la sève est la même : il s'agit toujours d'un immense appétit de vivre et de sentir. C'est un trop-plein de vie qui semble à la source du lyrisme de Saint-Amant. Boileau le traitait de fou ! Théophile Gautier le range parmi les « grotesques », c'est-à-dire parmi les poètes qu'il considère comme les précurseurs d'une nouvelle esthétique.

— 1 Portail. — 2 La mélodie de la source. — 3 Asiles. — 4 Le *rossignol*, qui, d'après la légende grecque, pleure en des chants mélancoliques *(piteux)* la mort de son enfant. — 5 Ces deux vers évoquent ce que Mme de Sévigné appellera « l'horreur des bois ». — 6 C'est comme un lieu d'asile.

LA SOLITUDE

On ne s'attendrait guère à trouver, au siècle de MALHERBE et du CLASSICISME, des vers tels que ceux-ci. Même lorsque THÉOPHILE, TRISTAN ou LA FONTAINE chantent la *solitude*, leurs accents ne sont pas comparables à ceux de SAINT-AMANT. Nous découvrons un tempérament poétique vigoureux et original. On songe aux sorcières de *Macbeth*, à l'atmosphère des *ballades allemandes* ou des *Burgraves*, aux *dessins* de VICTOR HUGO. C'est un lyrisme déjà *romantique* qui doit peu de chose à la tradition gréco-latine de notre littérature.

Oh ! que j'aime la solitude !
Que ces lieux sacrés[1] à la nuit,
Éloignés du monde et du bruit,
Plaisent à mon inquiétude[2] !
Mon Dieu ! que mes yeux sont contents
De voir ces bois, qui se trouvèrent
A la nativité[3] du temps
Et que tous les siècles révèrent,
Être encore aussi beaux et verts
10 Qu'aux premiers jours de l'univers !

Un gai zéphire les caresse
D'un mouvement doux et flatteur.
Rien que leur extrême hauteur
Ne fait remarquer leur vieillesse.
Jadis Pan et ses demi-dieux
Y vinrent chercher du refuge,
Quand Jupiter ouvrit les cieux
Pour nous envoyer le déluge[4]
Et, se sauvant sur leurs rameaux,
20 A peine virent-ils les eaux.

Que sur cette épine fleurie,
Dont le printemps est amoureux,
Philomèle, au chant langoureux,
Entretient bien ma rêverie !
Que je prends de plaisir à voir
Ces monts pendant en précipices,
Qui, pour les coups du désespoir,
Sont aux malheureux si propices,
Quand la cruauté de leur sort
30 Les force à rechercher la mort !

Que je trouve doux le ravage
De ces fiers[5] torrents vagabonds,
Qui se précipitent par bonds
Dans ce vallon vert et sauvage !
Puis, glissant sous les arbrisseaux,
Ainsi que des serpents sur l'herbe,
Se changent en plaisants ruisseaux,
Où quelque Naïade superbe
Règne comme en son lit natal
Dessus un trône de cristal ! 40

Que j'aime ce marais paisible !
Il est tout bordé d'aliziers,
D'aulnes, de saules et d'osiers
A qui le fer n'est point nuisible.
Les Nymphes y cherchant le frais
S'y viennent fournir de quenouilles,
De pipeaux, de joncs et de glais[6],
Où l'on voit sauter les grenouilles
Qui de frayeur s'y vont cacher
Sitôt qu'on veut s'en approcher. [...] 50

Que j'aime à voir la décadence[7]
De ces vieux châteaux ruinés,
Contre qui les ans mutinés
Ont déployé leur insolence !
Les sorciers y font leur sabbat[8] ;
Les démons follets s'y retirent,
Qui, d'un malicieux ébat,
Trompent nos sens et nous martyrent[9] ;
Là se nichent en mille trous
Les couleuvres et les hiboux. 60

— 1 Consacrés. — 2 Atmosphère « romantique » dès l'abord. — 3 *Naissance*. Le sens du mot va se restreindre dès le XVIIᵉ s. — 4 Le déluge apparaît aussi dans la mythologie païenne. — 5 Indomptables. — 6 Glaïeuls. — 7 Au sens propre (chute). — 8 Ici apparaît le *fantastique*. — 9 Martyrisent.

L'orfraie, avec ses cris funèbres,
Mortels augures des destins,
Fait rire et danser les lutins
Dans ces lieux remplis de ténèbres.
Sous un chevron de bois maudit
Y branle le squelette horrible
D'un pauvre amant qui se pendit
Pour une bergère insensible,
Qui d'un seul regard de pitié
70 Ne daigna voir son amitié[10].

Aussi le Ciel, juge équitable,
Qui maintient les lois en vigueur,
Prononça, contre sa rigueur[11],
Une sentence épouvantable.
Autour de ces vieux ossements
Son ombre, aux peines condamnée,
Lamente[12] en longs gémissements
Sa malheureuse destinée,
Ayant, pour croître son effroi,
80 Toujours son crime devant soi.

Là se trouvent sur quelques marbres
Des devises du temps passé ;
Ici l'âge a presque effacé
Des chiffres taillés sur les arbres ;
Le plancher du lieu le plus haut
Est tombé jusque dans la cave,
Que[13] la limace et le crapaud
Souillent de venin et de bave ;
Le lierre y croît au foyer,
A l'ombrage d'un grand noyer [...]   90

Que c'est une chose agréable
D'être sur le bord de la mer,
Quand elle vient à se calmer
Après quelque orage effroyable !
Et que les chevelus Tritons,
Hauts sur les vagues secouées,
Frappent les airs d'étranges tons
Avec leurs trompes enrouées
Dont l'éclat rend respectueux
Les vents les plus impétueux !...   100

Strophes 1-5, 8-11, 13.

LES GOINFRES

Ce sonnet plein de verve illustre l'aspect « *grotesque* » de SAINT-AMANT. Comparé aux textes précédents, il permet de mesurer la *variété* de son talent. On notera le *mouvement* d'ensemble et les trouvailles du *réalisme*, dans l'observation comme dans l'expression. Dans ce genre, mineur sans doute, mais extrêmement vivant, Saint-Amant paraît inégalable.

Coucher trois dans un drap, sans feu ni sans chandelle,
Au profond de l'hiver, dans la salle aux fagots,
Où les chats, ruminant le langage des Goths[1],
Nous éclairent sans cesse en roulant la prunelle ;

Hausser notre chevet avec une escabelle[2],
Être deux ans à jeun comme les escargots,
Rêver en grimaçant ainsi que les magots[3]
Qui, bâillant au soleil, se grattent sous l'aisselle,

Mettre au lieu de bonnet la coiffe d'un chapeau,
Prendre pour se couvrir la frise[4] d'un manteau
Dont le dessus servit à nous doubler la panse ;

Puis souffrir cent brocards d'un vieux hôte irrité,
Qui peut fournir à peine à la moindre dépense,
C'est ce qu'engendre enfin la prodigalité.

— 10 Amour. — 11 Son suicide, marque de *rigueur* coupable envers lui-même. — 12 Déplore. — 13 *Que* a pour antécédent *Le plancher*

— 1 Langage barbare et incompréhensible. — 2 Petit escabeau. — 3 Singes. — 4 Étoffe de laine à poil frisé (doublure).

L'AUTOMNE DES CANARIES

En 1626, SAINT-AMANT fit escale aux Canaries : il en gardera le souvenir d'un « second paradis ». Ce sonnet fut-il composé sur-le-champ ? On est tenté de le croire, tant les impressions sont *vives* et *savoureuses*, au sens propre de ce mot. En tout cas, il est remarquable par sa couleur *exotique* et ses vers vraiment *parnassiens*.

Voici les seuls coteaux, voici les seuls vallons
Où Bacchus et Pomone ont établi leur gloire ;
Jamais le riche honneur [1] de ce beau territoire
Ne ressentit l'effort des rudes aquilons.

Les figues, les muscats, les pêches, les melons
Y couronnent ce dieu qui se délecte à boire ;
Et les nobles palmiers, sacrés [2] à la victoire,
S'y courbent sous des fruits qu'au miel nous égalons [3].

Les cannes au doux suc, non dans les marécages
Mais sur des flancs de roche, y forment des bocages
Dont l'or plein d'ambroisie [4] éclate et monte aux cieux.

L'orange [5] en même jour y mûrit et boutonne,
Et durant tous les mois on peut voir en ces lieux
Le printemps et l'été confondus en l'automne.

TRISTAN L'HERMITE

Sa vie (1601-1655)   La famille de François TRISTAN l'Hermite prétendait compter parmi ses ancêtres PIERRE L'HERMITE qui prêcha la première Croisade. Après une adolescence mouvementée, qu'il racontera en la roman-çant dans *Le Page disgrâcié*, Tristan entre en 1621 au service de GASTON D'ORLÉANS, qu'il suit en Lorraine et à Bruxelles, pour s'attacher plus tard (en 1646) au duc de GUISE. Il publie des vers dès 1627, fait représenter en 1636 une tragédie, *Mariamne*, qui n'a pas moins de succès que le *Cid*, et donne, jusqu'en 1648, divers recueils lyriques : les *Amours* (d'où est tiré *Le Promenoir des deux amants*), *La Lyre*, les *Vers héroïques*. N'appartenant à aucun groupe littéraire, il ne paraît pas avoir beaucoup attiré l'attention de ses contem-porains ; ses dons poétiques sont pourtant remarquables.

La grâce précieuse   S'il donne à l'occasion dans la veine *burlesque* — l'époque le veut ainsi —, se révèle plein de talent dans la *poésie descriptive* et pratique des genres très variés, Tristan est avant tout *élégiaque* et *précieux*. Il se plaît aux concetti à la manière du cavalier Marin et parfois tombe dans la fadeur. Mais la *musique* de ses vers ne manque pas de séduction, ses *plaintes amoureuses* sont touchantes, et il excelle à suggérer de délicates *correspondances* entre un aimable paysage et une âme rêveuse alanguie par l'amour. Il s'inscrit ainsi dans une tradition lyrique qui s'étend de Charles d'Orléans au Symbolisme.

— 1 Les productions qui assurent la richesse et l'honneur... — 2 Consacrés. — 3 Doux comme le miel. — 4 Ce mot (nourriture des dieux) n'est-il pas *amené* par le début du sonnet ? — 5 Désigne à la fois l'arbre et le fruit.

LE PROMENOIR DES DEUX AMANTS

Ce début d'ode nous charme par sa *musicalité,* son accent *élégiaque* et son atmosphère de *rêve.* D'aimables figures mythologiques se fondent avec les formes de la nature, leur donnant une résonance affective : dans ce paysage, tout parle d'*amour ;* ainsi se trouve amenée l'invitation à Climène, seconde partie du poème.

Auprès de cette grotte sombre
Où l'on respire un air si doux,
L'onde lutte avec les cailloux,
Et la lumière avecque l'ombre.

Ces flots, lassés de l'exercice
Qu'ils ont fait dessus ce gravier,
Se reposent dans ce vivier
Où mourut autrefois Narcisse [1].

C'est un des miroirs où le Faune
10   Vient voir si son teint cramoisi,
Depuis que l'amour l'a saisi,
Ne serait pas devenu jaune [2].

L'ombre de cette fleur vermeille
Et celle de ces joncs pendants
Paraissent être là dedans
Les songes de l'eau qui sommeille.

Les plus aimables influences [3]
Qui rajeunissent l'univers
Ont relevé ces tapis verts
20   De fleurs de toutes les nuances.

Dans ce bois ni dans ces montagnes
Jamais chasseur ne vint encor :
Si quelqu'un y sonne du cor,
C'est Diane avec ses compagnes.

Ce vieux chêne a des marques saintes [4] ;
Sans doute, qui le couperait [5],
Le sang chaud en découlerait
Et l'arbre pousserait des plaintes.

Ce rossignol mélancolique
Du souvenir de son malheur,   30
Tâche de charmer sa douleur,
Mettant son histoire en musique.

Il reprend sa note première,
Pour chanter d'un art sans pareil
Sous ce rameau que le soleil
A doré d'un trait de lumière.

Sur ce frêne deux tourterelles
S'entretiennent de leurs tourments,
Et font les doux appointements [6]
De leurs amoureuses querelles.   40

Un jour Vénus avec Anchise
Parmi ses forts [7] s'allait perdant
Et deux Amours, en l'attendant,
Disputaient pour une cerise.

Dans toutes ces routes divines,
Les Nymphes dansent aux chansons,
Et donnent la grâce [8] aux buissons
De porter des fleurs sans épines.

Jamais les vents ni le tonnerre
N'ont troublé la paix de ces lieux,   50
Et la complaisance des cieux
Y sourit toujours à la terre.

Crois mon conseil, chère Climène :
Pour laisser arriver le soir,
Je te prie, allons nous asseoir
Sur le bord de cette fontaine.

Strophes 1-14.

— 1 Épris de sa propre image, il se noya dans la fontaine où il la contemplait et fut changé en fleur. — 2 L'amour consume l'amant comme une véritable maladie. — 3 Conjonctions astrales (cf. v. 51-52). — 4 L'antiquité considérait les arbres comme des créatures vivantes et sacrées. — 5 Si on le coupait. — 6 Réconciliations. — 7 Ses profondeurs les plus touffues. — 8 Faveur.

LA PRÉCIOSITÉ

Le triomphe de la préciosité au début du XVIIᵉ siècle est un phénomène européen : elle est à l'origine de l'*euphuïsme* en Angleterre, du *marinisme* en Italie et du *gongorisme* en Espagne.

La préciosité est une des tendances de l'esprit français ; elle apparaît dès la littérature courtoise et, par l'intermédiaire de l'œuvre de Desportes, atteint la littérature française classique.

Phénomène *littéraire*, la préciosité, au XVIIᵉ siècle, est aussi un phénomène *social*. Par réaction contre la grossièreté de la vie de cour sous Henri IV, les courtisans épris de politesse et de galanterie raffinée prirent l'habitude de se réunir dans quelques hôtels aristocratiques. On s'occupait de littérature, on y faisait des vers. A partir de 1607 commence à paraître l'*Astrée*, le plus célèbre des romans précieux (voir plus bas le chapitre sur le roman au XVIIᵉ siècle).

Après la Fronde, les salons retrouvent toute leur activité : celui de Mme de Rambouillet donne le ton à tous les autres.

L'Hôtel de Rambouillet

Catherine de VIVONNE, italienne naturalisée, avait épousé en 1600 le marquis de Rambouillet. Elle attire chez elle une société choisie et s'efforce de recréer la vie brillante qu'elle a connue en Italie. Vers 1604 elle fait construire, rue St-Thomas-du-Louvre, l'Hôtel de Rambouillet dont elle a tracé elle-même les plans. Elle reçoit ses intimes dans la célèbre *Chambre bleue*, bientôt assistée de ses deux filles. De grands seigneurs, comme Richelieu, évêque de Luçon, le duc d'Enghien, des écrivains comme Corneille (qui vient y lire *Polyeucte*), fréquentent ce salon, dont la Fronde précipitera le déclin.

La vie à l'Hôtel de Rambouillet

Il faut se garder de l'imaginer à travers *Les Précieuses Ridicules* et *Les Femmes Savantes*. L'Hôtel de Rambouillet est un lieu où l'on s'amuse : jeux de société, bals masqués, divertissements littéraires et surtout conversations se succèdent. Ces conversations portent sur des problèmes subtils de casuistique amoureuse : « La beauté est-elle nécessaire pour faire naître l'amour ? Le mariage est-il compatible avec l'amour ? Quel est l'effet de l'absence en amour ? » ou encore : « Si la présence de ce qu'on aime cause plus de joie que les marques de son indifférence ne donnent de peine ». On discute « de l'embarras où se trouve une personne quand son cœur tient un parti et la raison un autre », et plus qu'au martyre de Polyeucte, on s'intéresse à l'amour contrarié de Pauline et de Sévère (voir p. 200). Ces questions de psychologie et de casuistique amoureuse passionneront encore, à la fin du siècle, les lecteurs de *La Princesse de Clèves*. Le grand animateur de l'Hôtel de Rambouillet est VOITURE ; c'est lui qui organise les jeux, invente des divertissements, lance des modes littéraires nouvelles : il est vraiment « *l'âme du rond* ».

Après la Fronde, d'autres salons connaissent la notoriété : celui de Mme de Sablé, et surtout celui de Mlle de Scudéry. Vers 1650, les salons se multiplient et la mode de la préciosité se répand, mode qui n'échappe pas toujours au ridicule : le costume extravagant, les manières affectées à l'extrême, une politesse ostentatoire, autant de signes de cette *préciosité ridicule* visée par Molière.

Mais la préciosité ridicule ne doit pas faire condamner *la vraie préciosité*, celle qui se définit par le désir de donner « du prix » à sa personne, à ses sentiments, à ses actes, à son langage. Elle peut être délicate et pleine de charme si elle est limitée par le bon goût et se concilie avec le naturel, et surtout si elle est alliée au goût des choses de l'esprit.

LA LITTÉRATURE PRÉCIEUSE

Les idées
et les sentiments
L'amour est le principal sujet de préoccupation des précieux, amour courtois et platonique. Ninon de Lenclos les traitait de « jansénistes de l'amour ». Certaines précieuses sont hostiles au mariage, revendiquant l'indépendance et l'égalité des droits : ce féminisme trouvera un allié chez Molière (voir *L'École des femmes*).

Les genres
et le style précieux
Les précieux ont une prédilection pour les genres mineurs : lettre, épigramme, rondeau, énigme, portrait ; il est piquant de les voir renouer, par-delà la Pléiade, avec les jeux des grands Rhétoriqueurs. Les principaux écrivains sont VOITURE, auteur de sonnets et de lettres pleines de verve et d'imagination, HONORÉ D'URFÉ, auteur de *L'Astrée* (cf. p. 271) et MADELEINE DE SCUDÉRY (1607-1701) dont les romans fleuves nous dépeignent la belle société du temps sous des noms persans *(Le Grand Cyrus,* 10 vol.*)* ou romains *(Clélie,* 10 vol.*).*

Leur désir de se distinguer se manifeste dans le langage. Le vocabulaire est l'objet d'un soin particulièrement attentif. Certains *néologismes* créés par les précieux passeront dans la langue *(féliciter, enthousiasme, bravoure, incontestable...).* L'exigence de la *pureté* et de la *bienséance* en bannira certains mots, remplacés par des périphrases. Le souci de la *précision* et de la *propriété* des termes entraîne des nuances subtiles : tout ce travail s'ajoute à celui de Malherbe et de Vaugelas ; contribue à la formation de la prose et de la poésie classiques.

D'autres tendances, au contraire, vont à l'opposé de cet effort des doctes : goût de la périphrase étonnante, de la métaphore extravagante, de l'abstraction systématique.

Préciosité
et classicisme
Il y a eu une préciosité ridicule. Dire « ma commune, allez quérir mon zéphyr dans mon précieux » au lieu de « ma suivante, allez quérir mon éventail dans mon cabinet » est un jargon inacceptable. Mais on ferait tort à la préciosité en la confondant totalement avec les excès ridiculisés par Molière et Boileau.

Historiquement ce serait un préjugé de croire que le classicisme, champion de la raison et de la règle, a supplanté l'extravagance précieuse. En réalité, *le courant précieux reste très vivace* dans la seconde moitié du siècle : à côté des grands genres où s'impose le goût classique subsistent les petits genres mondains où règne l'esprit précieux. Le public à qui s'adressent les classiques fréquente encore les salons, et l'influence de la préciosité est sensible dans la langue de Corneille, Racine et La Fontaine.

Si Boileau et Molière ont attaqué les précieux, ils n'ont pas vu qu'à l'origine, ceux-ci avaient ouvert la voie à la psychologie classique. Les salons ont contribué à créer l'idéal de « *l'honnête homme* » ; par leur goût de l'analyse nuancée et de la peinture de l'amour, les précieux ont orienté le public et les auteurs vers une *littérature essentiellement psychologique ;* ils ont eu le culte de la *perfection formelle*, et la langue classique leur doit en partie sa *précision* et sa *pureté*.

LA RÉACTION BURLESQUE ET RÉALISTE

Dès le début du siècle, l'opposition à l'esprit précieux apparaît dans des œuvres d'inspiration bourgeoise et populaire. Charles SOREL évoque dans *L'Histoire comique de Francion* (1622) des aventures grossières et bouffonnes dans des milieux louches. Le *burlesque*, sorte de préciosité « retournée » par parti pris de vulgarité, s'accompagne parfois chez SCARRON (1610-1660) d'un étonnant réalisme (voir plus bas le chapitre sur le roman au XVIIᵉ siècle). Chez CYRANO DE BERGERAC (1620-1655), auteur d'une *Histoire Comique ou Voyage à la Lune* et d'une *Histoire comique des États et Empires du Soleil,* le burlesque se double de fantaisie. Dans le *Roman Bourgeois* de FURETIÈRE enfin (1610-1688), la réaction anti-précieuse s'exprime par un réalisme qui tend à la peinture exacte de la vie.

DESCARTES

René Descartes (1596-1650) publia en 1637 le « *Discours de la Méthode pour bien conduire sa raison et chercher la vérité dans les sciences* ». C'est la première grande œuvre philosophique et scientifique écrite en français. A ce titre, elle mérite de figurer dans une anthologie du XVIIᵉ siècle.

LES QUATRE RÈGLES DE LA MÉTHODE

La « *révolution* » cartésienne réside avant tout dans la volonté de s'affranchir de toute *autorité* étrangère, fût-elle d'Aristote, et de ne se rendre qu'à l'*évidence*. La Renaissance avait déjà suscité l'esprit de libre examen : Léonard de Vinci, Képler, Galilée avaient entrepris avant Descartes de rénover la science. Mais il a eu le mérite de proclamer, en philosophe, le principe et la légitimité de cette rénovation.

Comme la multitude des lois fournit souvent des excuses aux vices, en sorte qu'un État est bien mieux réglé lorsque, n'en ayant que fort peu, elles y sont fort étroitement observées, ainsi, au lieu de ce grand nombre de préceptes dont la logique est composée [1], je crus que j'aurais assez des quatre suivants, pourvu que je prisse une ferme et constante résolution de ne manquer pas une seule fois à les observer.

Le premier [2] était de ne recevoir jamais aucune chose pour vraie que je ne la connusse évidemment [3] être telle ; c'est-à-dire d'éviter soigneusement la précipitation [4] et la prévention [5], et de ne comprendre rien de plus en mes jugements que ce qui se présenterait si clairement [6] et si distinctement à mon esprit que je n'eusse aucune occasion de le mettre en doute.

Le second [7], de diviser chacune des difficultés que j'examinerais en autant de parcelles qu'il se pourrait et qu'il serait requis pour les mieux résoudre.

Le troisième [8], de conduire par ordre mes pensées, en commençant par les objets les plus simples et les plus aisés à connaître [9], pour monter peu à peu comme par degrés jusques à la connaissance des plus composés, et supposant même de l'ordre entre ceux qui ne se précèdent point naturellement les uns les autres [10].

Et le dernier [11], de faire partout [12] des dénombrements si entiers [13] et des revues si générales, que je fusse assuré de ne rien omettre.

— 1 Allusion aux subtilités de la logique *scolastique*. — 2 Règle de l'*évidence*. — 3 L'évident est ce dont la vérité apparaît directement à l'esprit, par une *intuition* rationnelle. — 4 Conclusion hâtive sans examen suffisant. — 5 Idée préconçue (danger des préjugés et de l'idée d'autorité). — 6 L'idée *claire* est immédiatement présente à l'esprit ; elle est *distincte* quand elle est précise et différente de toutes les autres. — 7 Règle de l'*analyse* : décomposer le complexe en éléments simples, clairs et distincts. — 8 Règle de la *synthèse*, ou de la *déduction*. — 9 Notamment ceux qui sont connus par l'évidence. — 10 *Idée capitale*. Descartes admet le *postulat* que tout objet de connaissance est rationnel et comporte un ordre : l'esprit porte en lui l'ordre du monde. — 11 Règle des *dénombrements* : précaution à prendre à titre de vérification. — 12 Aussi bien dans l'analyse que dans la synthèse. — 13 En considérant les éléments un à un.

CORNEILLE

« Par un bonheur qu'on peut apprécier, la vie de Pierre Corneille est à peu près inconnue.. Certes, c'est un sujet d'étonnement qu'une œuvre, qui fut l'oracle d'une époque et reste l'objet d'un culte attentif, nous soit parvenue dans une telle nudité : dégagée des gangues de l'anecdote, elle semble déserte de son créateur... Faut-il le regretter ? ou bien en prendre allègrement son parti et s'en tenir à l'œuvre même qui reste en définitive la source, l'histoire, la personne essentielle ? » (O. Nadal, *Le sentiment de l'amour dans l'œuvre de Pierre Corneille*).

Né à Rouen le 6 juin 1606, CORNEILLE fait ses études au collège des Jésuites, puis devient avocat au Parlement de Rouen (1624). Sa première pièce est une comédie, *Mélite* (1629) ; sa première tragédie, *Médée*, date de 1635 ; il revient à la comédie avec *L'Illusion comique* (1636), mais c'est avec une tragi-comédie, *Le Cid*, qu'il connaît la gloire en 1636, à trente ans. De 1636 à 1652, les chefs-d'œuvre de Corneille sont *Horace* et *Cinna* (1640), *Polyeucte* (1643), *Nicomède* (1651).

Blessé par l'échec de *Pertharite* en 1652, il s'éloigne de la scène, se retire à Rouen et se consacre à sa famille (marié en 1640, il avait eu six enfants). Revenu au théâtre en 1659, il donne *Œdipe*, puis, en 1662, *Sertorius*. Les dernières pièces (*Agésilas*, 1666 ; *Attila*, 1667 ; *Suréna*, 1674) sont des échecs, et les dix dernières années du poète sont attristées par la défaveur du public, des chagrins domestiques (mort de deux de ses fils) et des embarras financiers. Il meurt à Paris le 1er octobre 1684.

L'homme et l'auteur

Pour qui cherche dans la vie d'un auteur les germes de son œuvre, le cas de Corneille est singulièrement embarrassant. Le poète de la majesté romaine et de l'héroïsme fut un paisible bourgeois de province, pratiquant modestement les vertus domestiques et chrétiennes tout au long d'une vie calme et unie. Si éloquent dans ses tragédies, il était timide, peu brillant en société et disait mal ses vers. Le héros qu'il portait en lui, c'est dans son œuvre seulement qu'il l'a réalisé.

UN FOUDRE DE GUERRE

Le type comique du *soldat fanfaron* est traditionnel (*Miles gloriosus* de PLAUTE, capitan ou capitaine Fracasse de la comédie italienne). CORNEILLE l'a immortalisé sous les traits du Gascon MATAMORE (le pourfendeur de Mores !). Trait piquant, il caricature l'héroïsme exalté avant de le peindre sérieusement dans le *Cid* ! Il retrouvera la veine *héroï-comique* dans *Le Menteur* (1643), avec les récits enflammés où le héros, Dorante, conte ses exploits imaginaires. Dans cette scène de *L'Illusion comique* (1636), nous voyons le jeune CLINDOR au service du capitan MATAMORE, foudre de guerre en imagination et amoureux d'ISABELLE (II, 2).

CLINDOR

Quoi ! Monsieur, vous rêvez ! et cette âme hautaine,
Après tant de beaux faits [1], semble être encore en peine !
N'êtes-vous point lassé d'abattre des guerriers,
Et vous faut-il encor quelques nouveaux lauriers ?

MATAMORE

Il est vrai que je rêve, et ne saurais résoudre
Lequel je dois des deux le premier mettre en poudre,
Du grand sophi [2] de Perse, ou bien du grand mogor [3].

— 1 Exploits (cf. hauts faits). — 2 Shah de Perse. — 3 Mogol.

CLINDOR

Eh ! de grâce, Monsieur, laissez-les vivre encor :
Qu'ajouterait leur perte à votre renommée ?
10   D'ailleurs quand auriez-vous rassemblé votre armée ?

MATAMORE

Mon armée ? Ah, poltron ! ah, traître ! pour leur mort
Tu crois donc que ce bras ne soit pas assez fort ?
Le seul bruit de mon nom renverse les murailles,
Défait les escadrons, et gagne les batailles ⁴.
Mon courage invaincu contre les empereurs
N'arme que la moitié de ses moindres fureurs ;
D'un seul commandement que je fais aux trois Parques,
Je dépeuple l'État des plus heureux monarques ;
Le foudre est mon canon, les Destins mes soldats :
20   Je couche d'un revers mille ennemis à bas.
D'un souffle je réduis leurs projets en fumée ;
Et tu m'oses parler cependant d'une armée !
Tu n'auras plus l'honneur de voir un second Mars ⁵ :
Je vais t'assassiner d'un seul de mes regards,
Veillaque ⁶. Toutefois je songe à ma maîtresse :
Ce penser m'adoucit : va, ma colère cesse,
Et ce petit archer qui dompte tous les Dieux ⁷
Vient de chasser la mort qui logeait dans mes yeux.
Regarde, j'ai quitté cette effroyable mine
30   Qui massacre, détruit, brise, brûle, extermine ;
Et, pensant au bel œil qui tient ma liberté,
Je ne suis plus qu'amour, que grâce, que beauté.

CLINDOR

O dieux ! en un moment que tout vous est possible
Je vous vois aussi beau que vous étiez terrible,
Et ne crois point d'objet ⁸ si ferme en sa rigueur
Qu'il puisse constamment vous refuser son cœur.

MATAMORE

Je te le dis encor, ne sois plus en alarme :
Quand je veux j'épouvante, et quand je veux je charme ;
Et, selon qu'il me plaît, je remplis tour à tour
Les hommes de terreur et les femmes d'amour.

— 4 On comparera : LE COMTE : « Et ce bras | (Le *Cid*, v. 196-198.). — 5 Matamore lui-
du royaume est le plus ferme appui. | Grenade | même. — 6 *Maraud* (emprunt à l'espagnol). —
et l'Aragon tremblent quand ce fer brille ; | 7 *L'amour*. — 8 Sens précieux : « belle personne
Mon nom sert de rempart à toute la Castille. » | qui donne de l'amour ».

Le système
      dramatique

« Il faut bien s'entendre, quand on dit [...] que toute tragédie de Corneille présente un conflit entre la passion et le devoir, conflit qui se termine toujours par le triomphe du devoir. [...] En réalité, le conflit dans Corneille ce n'est pas un conflit entre le devoir qui serait une hauteur et la passion qui serait une bassesse. C'est un débat tragique [...] entre une grandeur et une autre grandeur, entre une noblesse et une autre noblesse, entre l'honneur et l'amour. Car, et nous atteignons ici au secret même, au point de secret de la poétique et du génie de Corneille : l'honneur est aimé d'amour, l'amour est honoré d'honneur » (Péguy, *Note conjointe sur M. Descartes*).

Avec *Le Cid*, Corneille prend conscience de son véritable génie au contact du drame espagnol. L'honneur castillan, romanesque, éloquent, exalté, révèle au poète le type d'humanité auquel il aspirait confusément. Cette tragi-comédie est en fait notre première véritable *tragédie classique*, bien qu'avec son accent vibrant, spontané, ses audaces, elle ne soit pas parfaitement régulière : jamais notre théâtre n'a été si près d'avoir son Shakespeare.

Horace et *Cinna* sont deux tragédies rigoureusement conformes aux règles, moins tendres et plus austères que *Le Cid*, mais parfaitement accomplies. Après l'honneur castillan, Corneille y peint la *grandeur romaine* dans tout son éclat. *Polyeucte* confronte à cette grandeur la *grandeur chrétienne*, au héros païen (Sévère) le *martyr* (Polyeucte) ; mais le public s'intéresse plus au drame humain qu'au drame mystique.

RODRIGUE ET CHIMÈNE

LE CID (1636). — Afin de défendre l'honneur de son père Don Diègue insulté par le Comte Don Gormas, RODRIGUE a défié le Comte en duel et l'a tué. Pour venger son père, CHIMÈNE doit, à son tour, s'en prendre à la vie de Rodrigue. Ce qui crée le conflit dramatique, c'est que les deux jeunes gens s'aiment. Au cours d'une entrevue secrète (Acte III, sc. 4), où ils font assaut de générosité, ils finissent par s'avouer cet amour mutuel que le code d'honneur leur interdit : scène à la fois héroïque et romanesque qui charma le public, sensible à la jeunesse et à la passion des personnages.

DON RODRIGUE

De quoi qu'en ma faveur notre amour t'entretienne,
Ta générosité doit répondre à la mienne [1] ;
Et pour venger un père emprunter d'autres bras,
Ma Chimène, crois-moi, c'est n'y [2] répondre pas.
Ma main seule du mien a su venger l'offense,
Ta main seule du tien doit prendre la vengeance.

CHIMÈNE

Cruel ! à quel propos sur ce point t'obstiner ?
Tu t'es vengé sans aide, et tu m'en veux donner !
Je suivrai ton exemple, et j'ai trop de courage
10 Pour souffrir qu'avec toi ma gloire [3] se partage.
Mon père et mon honneur ne veulent rien devoir
Aux traits de ton amour ni de ton désespoir.

— 1 La générosité « fait qu'un homme s'estime au plus haut point qu'il se peut légitimement estimer » (Descartes). — 2 A ma générosité. — 3 Exigence intime plus encore que respect des règles de l'honneur.

DON RODRIGUE

Rigoureux point d'honneur ! hélas ! quoi que je fasse,
Ne pourrai-je à la fin obtenir cette grâce ?
Au nom d'un père mort, ou de notre amitié [4],
Punis-moi par vengeance, ou du moins par pitié.
Ton malheureux amant [5] aura bien moins de peine
A mourir par ta main qu'à vivre avec ta haine.

CHIMÈNE

Va, je ne te hais point [6].

DON RODRIGUE

Tu le dois [7].

CHIMÈNE

Je ne puis.

DON RODRIGUE

20 Crains-tu si peu le blâme et si peu les faux bruits ?
Quand on saura mon crime, et que ta flamme dure,
Que ne publieront point l'envie et l'imposture !
Force-les au silence, et, sans plus discourir,
Sauve ta renommée en me faisant mourir.

CHIMÈNE

Elle éclate bien mieux en te laissant la vie ;
Et je veux que la voix de la plus noire envie
Élève au ciel ma gloire et plaigne mes ennuis [8],
Sachant que je t'adore et que je te poursuis.
Va-t'en, ne montre plus à ma douleur extrême
30 Ce qu'il faut que je perde, encore que je l'aime.
Dans l'ombre de la nuit cache bien ton départ :
Si l'on te voit sortir, mon honneur court hasard.
La seule occasion qu'aura la médisance,
C'est de savoir qu'ici j'ai souffert ta présence :
Ne lui donne point lieu d'attaquer ma vertu.

DON RODRIGUE

Que je meure !

CHIMÈNE

Va-t'en.

— 4 Amour. — 5 L'amant est celui qui aime et est aimé : *malheureux amant* est une alliance de mots dans le goût précieux. — 6 Litote. — 7 *Tu dois me haïr :* « Le mot devoir désigne ce à quoi est obligé ou s'oblige le personnage cornélien !... Le devoir ne consiste pas en définitive à être juste, bon, honnête, mais à satisfaire la gloire » (O. NADAL, *Le sentiment de l'amour...*, p. 294). — 8 Tourments de l'âme.

Don Rodrigue

A quoi te résous-tu ?

Chimène

Malgré des feux si beaux qui troublent ma colère,
Je ferai mon possible à [9] bien venger mon père ;
Mais, malgré la rigueur d'un si cruel devoir,
40   Mon unique souhait est de ne rien pouvoir.

Don Rodrigue

O miracle d'amour !

Chimène

O comble de misères !

Don Rodrigue

Que de maux et de pleurs nous coûteront nos pères !

Chimène

Rodrigue, qui l'eût cru ?...

Don Rodrigue

Chimène, qui l'eût dit ?...

Chimène

Que notre heur [10] fût si proche, et sitôt se perdît ?

Don Rodrigue

Et que si près du port, contre toute apparence,
Un orage si prompt brisât notre espérance ?

Chimène

Ah ! mortelles douleurs !

Don Rodrigue

Ah ! regrets superflus !

Chimène

Va-t'en, encore un coup, je ne t'écoute plus.

Don Rodrigue

Adieu : je vais traîner une mourante vie,
50   Tant que [11] par ta poursuite elle me soit ravie.

— 9 Pour. — 10 Bonheur. — 11 Jusqu'à ce que.

CHIMÈNE

Si j'en obtiens l'effet, je t'engage ma foi [12]
De ne respirer pas un moment après toi.
Adieu : sors, et surtout garde [13] bien qu'on te voie.

ELVIRE [14]

Madame, quelques maux que le ciel nous envoie...

CHIMÈNE

Ne m'importune plus, laisse-moi soupirer,
Je cherche le silence et la nuit pour pleurer.

DEUX CONCEPTIONS DE LA VIE

HORACE (1640). — Pour mettre un terme à la guerre qui les oppose, Rome et Albe ont décidé de choisir chacune trois combattants qui s'affronteront en tournoi. Le choix de Rome se porte sur HORACE et ses deux frères ; il précède celui d'Albe qui vient d'être connu au moment où l'acte II commence. La situation tragique vient de ce que le champion d'Albe, CURIACE, aime Camille, sœur d'Horace, et que Sabine, la femme d'Horace, est la sœur de Curiace. Au cours de ce duel oratoire (Acte II, sc. 3), Horace et Curiace opposent deux conceptions de l'amour, de la patrie et de la vie.

CURIACE

Que désormais le Ciel, les enfers et la terre
Unissent leurs fureurs à nous faire la guerre ;
Que les hommes, les Dieux, les démons et le sort
Préparent contre nous un général effort !
Je mets [1] à faire pis, en l'état où nous sommes,
Le sort, et les démons, et les Dieux, et les hommes [2].
Ce qu'ils ont de cruel, et d'horrible [3] et d'affreux,
L'est bien moins que l'honneur qu'on nous fait à tous deux.

HORACE

Le sort qui de l'honneur nous ouvre la barrière [4]
10   Offre à notre constance [5] une illustre [6] matière ;
Il épuise sa force à former un malheur
Pour mieux se mesurer avec notre valeur [7] ;
Et comme il voit en nous des âmes peu communes,
Hors de l'ordre commun il nous fait des fortunes [8].

— 12 Ma promesse. — 13 Prends garde. — 14 Gouvernante de Chimène.

— 1 Je mets au défi de faire pire. — 2 Reprise en chiasme du vers 3 : procédé oratoire. — 3 Sens fort : ce qui plonge dans l'horreur. —

4 Image de la course dans le stade : par sa volonté, son énergie, le héros cornélien est un athlète. — 5 Force morale par laquelle on garde l'empire sur soi-même. — 6 Qui procure la gloire. — 7 Thème stoïcien : antagonisme du héros et du destin. — 8 Il nous offre des occasions.

Combattre un ennemi pour le salut de tous,
Et contre un inconnu s'exposer seul aux coups,
D'une simple vertu [9] c'est l'effet ordinaire :
Mille déjà l'ont fait, mille pourraient le faire ;
Mourir pour le pays est un si digne sort
20   Qu'on briguerait en foule une si belle mort.
Mais vouloir au public [10] immoler [11] ce qu'on aime,
S'attacher au combat contre un autre soi-même,
Attaquer un parti qui prend pour défenseur
Le frère d'une femme et l'amant d'une sœur [12],
Et, rompant tous ces nœuds, s'armer pour la patrie
Contre un sang qu'on voudrait racheter de sa vie,
Une telle vertu n'appartenait qu'à nous [13].
L'éclat de son grand nom lui fait peu de jaloux [14]
Et peu d'hommes au cœur l'ont assez imprimée
30   Pour oser aspirer à tant de renommée.

CURIACE

Il est vrai que nos noms ne sauraient plus périr.
L'occasion est belle, il nous la faut chérir.
Nous serons les miroirs [15] d'une vertu bien rare ;
Mais votre fermeté tient un peu du barbare :
Peu, même des grands cœurs, tireraient vanité [16]
D'aller par ce chemin à l'immortalité ;
A quelque prix qu'on mette une telle fumée [17],
L'obscurité vaut mieux que tant de renommée.
Pour moi, je l'ose dire et vous l'avez pu voir,
40   Je n'ai point consulté [18] pour suivre mon devoir ;
Notre longue amitié, l'amour, ni l'alliance
N'ont pu mettre un moment mon esprit en balance ;
Et, puisque par ce choix Albe montre, en effet,
Qu'elle m'estime [19] autant que Rome vous a fait [20],
Je crois faire pour elle autant que vous pour Rome.
J'ai le cœur aussi bon, mais enfin je suis homme.
Je vois que votre honneur demande tout mon sang [21],
Que tout le mien consiste à vous percer le flanc ;
Près d'épouser la sœur qu'il faut tuer le frère [22],
50   Et que pour mon pays [23], j'ai le sort si contraire.

— 9 Courage. — 10 Pour le bien public. — 11 Vocabulaire religieux. — 12 Curiace est le frère de Sabine, femme d'Horace, et l'amant de Camille. — 13 Il existe dans le théâtre cornélien une morale sportive de l'exploit, un culte athlétique de la performance. — 14 Suscite peu de *zèle* (sens étymologique) pour cette vertu. — 15 Image précieuse. — 16 Vanité, et non plus vertu. — 17 Inconsistance de la gloire. — 18 Délibéré, hésité. — 19 Mot clé de l'éthique cornélienne : c'est de l'estime que naît l'admiration. — 20 Vous a estimé. — 21 C'est la situation de Chimène par rapport au Cid. — 22 La brutalité et le réalisme de l'antithèse traduisent l'horreur de Curiace pour le sort qui l'attend. — 23 L'analyse qui précède permet de cerner exactement le sens du mot *devoir* (v. 51).

Encor qu'à mon devoir je coure sans terreur,
Mon cœur s'en effarouche, et j'en frémis d'horreur.
J'ai pitié de moi-même et jette un œil d'envie
Sur ceux dont notre guerre a consumé la vie ;
Sans souhait toutefois de pouvoir reculer,
Ce triste et fier honneur m'émeut sans m'ébranler.
J'aime ce qu'il me donne, et je plains [24] ce qu'il m'ôte,
Et, si Rome demande une vertu plus haute,
Je rends grâces aux dieux de n'être pas Romain,
60   Pour conserver encor quelque chose d'humain.

HORACE

Si vous n'êtes Romain, soyez digne de l'être [25],
Et si vous m'égalez, faites-le mieux paraître.
La solide vertu dont je fais vanité [26]
N'admet pas de faiblesse avec sa fermeté
Et c'est mal de l'honneur entrer dans la carrière
Que dès le premier pas regarder en arrière.
Notre malheur est grand, il est au plus haut point [27] ;
Je l'envisage entier, mais je n'en frémis point.
Contre qui que ce soit que mon pays m'emploie,
70   J'accepte aveuglément cette gloire avec joie ;
Celle de recevoir de tels commandements
Doit étouffer en nous tous autres sentiments.
Qui, près de le servir [28], considère autre chose
A faire ce qu'il doit lâchement se dispose.
Ce droit saint et sacré rompt tout autre lien.
Rome a choisi mon bras, je n'examine rien.
Avec une allégresse aussi pleine et sincère
Que j'épousai la sœur, je combattrai le frère ;
Et, pour trancher enfin ces discours superflus,
80   Albe vous a nommé, je ne vous connais plus.

CURIACE

Je vous connais encore, et c'est ce qui me tue ;
Mais cette âpre vertu ne m'était pas connue ;
Comme notre malheur, elle est au plus haut point.
Souffrez que je l'admire [29] et ne l'imite point.

— 24 Je déplore la perte de... — 25 L'orgueil de la race est un des traits du caractère romain, tel que l'imagine Corneille. — 26 Il reprend le terme de Curiace (cf. vers 35). — 27 La luci-dité d'Horace est égale à celle de Curiace. *Aveuglément*, au vers 70, est volontaire. — 28 Son pays. — 29 Ici encore l'admiration naît de la connaissance et entraîne l'estime.

HORACE

Non, non, n'embrassez pas de vertu par contrainte,
Et puisque vous trouvez plus de charme à la plainte [30],
En toute liberté goûtez un bien si doux.
Voici venir ma sœur pour se plaindre avec vous.
Je vais revoir la vôtre et résoudre son âme

90   A se bien souvenir qu'elle est toujours ma femme,
A vous aimer encor si je meurs par vos mains [31]
Et prendre en son malheur des sentiments romains.

LA GRANDEUR D'AUGUSTE

CINNA (1640). — Le sujet de *Cinna* est la découverte par l'empereur AUGUSTE de la conspiration tramée contre lui. Le ressort dramatique est fourni par le conflit qui divise l'âme de l'empereur, entre le souci d'une vengeance légitime (dans l'ordre politique) et la tentation du pardon. La coloration tragique vient du fait que CINNA aime ÉMILIE, l'inspiratrice de la conspiration, et que celle-ci exige, pour lui accorder sa main, qu'il assassine l'empereur, auquel il doit tout ce qu'il est. Le conflit, dans l'âme de Cinna, entre le sentiment de la reconnaissance et celui de l'amour, essentiel pour les contemporains, s'efface, pour nous, devant celui qui déchire l'âme d'Auguste, véritable héros cornélien. « Le protagoniste n'est pas choisi parmi les héros du roman d'amour : Émilie peut bien enthousiasmer Guez de Balzac, Cinna bénéficier du rôle le plus long, la pièce n'en demeure pas moins « un tableau d'une des plus belles actions d'Auguste » (dédicace de *Cinna*). [...] *Cinna ou la Clémence d'Auguste* présente, non une anecdote dans une vie, un pardon épisodique, mais une conversion dans une âme, grâce à la découverte de la clémence. [...] La clémence éclatera comme un coup de grâce :

« *Le Ciel m'inspirera ce qu'ici je dois faire* ».

Sa générosité provoquera celle d'Émilie, comme la grâce appelle la grâce. [...] Avec plus de mérite que Rodrigue et Horace, puisque la générosité ne lui était pas naturelle et qu'il traînait un lourd passé, par un mouvement analogue à celui de Polyeucte, Auguste a « dépouillé l'homme » (G. Couton, *Corneille*, p. 66-67). Ce texte est tiré de l'acte V, sc. 3 : AUGUSTE vient d'apprendre que son ami Maxime lui-même l'a trahi.

AUGUSTE

En est-ce assez, ô ciel ! et le sort [1], pour me nuire,
A-t-il quelqu'un des miens qu'il veuille encor séduire [2] ?
Qu'il joigne à ses efforts le secours des enfers [3] :
Je suis maître de moi comme de l'univers ;
Je le suis, je veux l'être. O siècles, ô mémoire,
Conservez à jamais ma dernière victoire !
Je triomphe aujourd'hui du plus juste courroux
De qui [4] le souvenir puisse aller jusqu'à vous.
    Soyons amis, Cinna, c'est moi qui t'en convie :

10   Comme à mon ennemi je t'ai donné la vie,

— 30 L'ironie est soulignée par la répétition du même terme. — 31 Même au-delà de la mort, Horace veut encore l'emporter si le sort du combat lui était contraire.

— 1 L'affrontement entre le héros et le sort est un des thèmes majeurs de la philosophie stoïcienne (cf. *Horace*). — 2 Détourner du droit chemin. — 3 Cf. *Horace* (p .195). — 4 Dont.

Et malgré la fureur de ton lâche destin [5],
Je te la donne encor comme à mon assassin [6].
Commençons un combat qui montre par l'issue
Qui l'aura mieux de nous ou donnée ou reçue [7].
Tu trahis mes bienfaits, je les veux redoubler ;
Je t'en avais comblé, je t'en veux accabler :
Avec cette beauté [8] que je t'avais donnée,
Reçois le consulat pour la prochaine année.
   Aime Cinna, ma fille, en cet illustre rang,
20 Préfères-en la pourpre à celle de mon sang ;
Apprends sur [9] mon exemple à vaincre ta colère :
Te rendant un époux, je te rends plus qu'un père.

ÉMILIE

Et je me rends, Seigneur, à ces hautes bontés ;
Je recouvre la vue auprès de leurs clartés [10] :
Je connais [11] mon forfait, qui me semblait justice ;
Et, ce que n'avait pu [10] la terreur du supplice,
Je sens naître en mon âme un repentir puissant,
Et mon cœur en secret me dit qu'il y consent [12].
Le ciel a résolu votre grandeur suprême ;
30 Et pour preuve, Seigneur, je n'en veux que moi-même :
J'ose avec vanité me donner cet éclat [13],
Puisqu'il change mon cœur, qu'il veut changer l'État.
Ma haine va mourir, que j'ai crue immortelle ;
Elle est morte [14], et ce cœur devient sujet fidèle ;
Et prenant [15] désormais cette haine en horreur,
L'ardeur de vous servir succède à sa fureur.

CINNA

Seigneur, que vous dirai-je après que nos offenses
Au lieu de châtiments trouvent des récompenses ?
O vertu sans exemple ! ô clémence qui rend
40 Votre pouvoir plus juste, et mon crime plus grand !

AUGUSTE

Cesse d'en retarder un oubli magnanime ;
Et tous deux avec moi faites grâce à Maxime :
Il nous a trahis tous ; mais ce qu'il a commis
Vous conserve innocents, et me rend mes amis.

— 5 Dessein (latin : *destinatum*). — 6 Ce terme, presque trivial, n'appartient pas à la langue noble de la tragédie. — 7 Cette émulation qui permet aux héros de se surpasser est un des ressort du *Cid*, d'*Horace* et de *Polyeucte*. — 8 Émilie. — 9 D'après. — 10 Cf. Pauline, dans *Polyeucte* : « *Je vois, je sais, je crois, je suis désabusée* ». — 11 Je prends conscience de. — 12 Ce consentement suit l'illumination et la prise de conscience. — 13 Émilie « *s'estime au plus haut point qu'elle se peut légitimement estimer* » (Descartes). Cf. *Le Cid*. — 14 La syntaxe suggère la promptitude de cette conversion ! — 15 Se rapporte grammaticalement à ardeur.

L'ENTREVUE DE SÉVÈRE ET DE PAULINE

POLYEUCTE (1643). — Le point de départ de la tragédie de *Polyeucte* est une situation romanesque qui enchanta les spectateurs de la pièce et les passionna beaucoup plus que les problèmes théologiques soulevés par la conversion et le martyre de Polyeucte.

Dans Rome où je naquis ce malheureux visage
D'un chevalier romain captiva le courage.

Ainsi parle PAULINE à sa confidente Stratonice à la scène 3 du premier acte. Ce chevalier c'est SÉVÈRE, qu'elle n'a pu épouser, car il manquait à celui-ci la « fortune », c'est-à-dire l'illustration sociale.

Pauline a donc épousé POLYEUCTE, chef de la noblesse d'Arménie, par obéissance à son père qui, gouverneur de la province, voyait dans ce mariage le moyen d'assurer sa fortune politique. Mais Sévère, que tous avaient cru mort, revient « environné de puissance et de gloire » pour apprendre que Pauline l'a « trahi » en épousant Polyeucte. L'entrevue qui les met ici en présence (II, sc. 2) rappelle l'entrevue du *Cid* (II, 4) entre Chimène et Rodrigue : un même mouvement amène les héros à se dépasser eux-mêmes, et leur résolution finale s'exprime, ici et là, avec un lyrisme comparable.

SÉVÈRE

O trop aimable objet [1], qui m'avez trop charmé [2],
Est-ce là comme on aime, et m'avez-vous aimé ?

PAULINE

Je vous l'ai trop fait voir, Seigneur ; et si mon âme
Pouvait bien étouffer les restes de sa flamme,
Dieux, que j'éviterais de rigoureux tourments [3] !
Ma raison, il est vrai, dompte mes sentiments ;
Mais quelque autorité que sur eux elle ait prise,
Elle n'y règne pas, elle les tyrannise [4] ;
Et quoique le dehors soit sans émotion,
Le dedans n'est que trouble et que sédition [5].
Un je ne sais quel charme encor vers vous m'emporte ;
Votre mérite est grand, si ma raison est forte :
Je le vois encor tel qu'il alluma mes feux,
D'autant plus puissamment solliciter mes vœux,
Qu'il est environné de puissance et de gloire [6],
Qu'en tous lieux après vous il traîne [7] la victoire,
Que j'en sais mieux le prix, et qu'il n'a point déçu
Le généreux espoir que j'en avais conçu.
Mais ce même devoir qui le vainquit dans Rome,
Et qui me range ici dessous [8] les lois d'un homme,
Repousse encor si bien l'effort de tant d'appas,
Qu'il déchire mon âme et ne l'ébranle pas.

— 1 Terme du langage galant. — 2 Vaincu par le charme magique de l'amour. — 3 Tortures. — 4 Distinction cornélienne de la *royauté* et de la *tyrannie*. — 5 Image de la guerre civile familière à cette époque (1642). — 6 Cf. *Le Cid*. — 7 Il entraîne. — 8 Sous.

C'est cette vertu même, à nos désirs cruelle,
Que vous louiez alors en blasphémant contre elle :
Plaignez-vous-en encor : mais louez sa rigueur,
Qui triomphe à la fois de vous et de mon cœur ;
Et voyez qu'un devoir moins ferme et moins sincère
N'aurait pas mérité l'amour du grand Sévère.

SÉVÈRE

Ah ! Madame, excusez une aveugle douleur
30 Qui ne connaît plus rien que l'excès du malheur.
Je nommais inconstance et prenais pour un crime
De ce juste devoir l'effort le plus sublime.
De grâce, montrez moins à mes sens désolés
La grandeur de ma perte [9] et ce que vous valez ;
Et, cachant par pitié cette vertu si rare,
Qui redouble mes feux lorsqu'elle nous sépare,
Faites voir des défauts qui puissent à leur tour
Affaiblir ma douleur avecque mon amour [10].

PAULINE

Hélas ! cette vertu, quoique enfin invincible,
40 Ne laisse que trop voir une âme trop sensible.
Ces pleurs en sont témoins, et ces lâches soupirs
Qu'arrachent de nos feux les cruels souvenirs :
Trop rigoureux effets d'une aimable présence
Contre qui [11] mon devoir a trop peu de défense !
Mais si vous estimez ce vertueux devoir,
Conservez-m'en la gloire, et cessez de me voir.
Épargnez-moi des pleurs qui coulent à ma honte ;
Épargnez-moi des feux qu'à regret je surmonte ;
Enfin épargnez-moi ces tristes entretiens,
50 Qui ne font qu'irriter [12] vos tourments et les miens.

SÉVÈRE

Que je me prive ainsi du seul bien qui me reste !

PAULINE

Sauvez-vous d'une vue à tous les deux funeste.

SÉVÈRE

Quel prix de mon amour ! quel fruit de mes travaux !

PAULINE

C'est le remède seul qui peut guérir nos maux.

— 9 La grandeur de ce que je perds. — | par une consonne. — 11 Contre laquelle. —
10 *Avecque : Avec*, devant un mot commençant | 12 Accroître.

SÉVÈRE

Je veux mourir des miens : aimez-en la mémoire.

PAULINE

Je veux guérir des miens : ils souilleraient ma gloire.

SÉVÈRE

Ah ! puisque votre gloire en prononce l'arrêt,
Il faut que ma douleur cède à son intérêt.
Est-il rien que sur moi cette gloire n'obtienne ?
60   Elle me rend les soins que je dois à la mienne.
Adieu ! je vais chercher au milieu des combats
Cette immortalité que donne un beau trépas,
Et remplir dignement, par une mort pompeuse [13],
De mes premiers exploits l'attente avantageuse,
Si toutefois, après ce coup mortel du sort,
J'ai de la vie assez pour chercher une mort.

PAULINE

Et moi, dont votre vue augmente le supplice,
Je l'éviterai même en votre sacrifice [14] ;
Et, seule dans ma chambre, enfermant mes regrets,
70   Je vais pour vous aux Dieux faire des vœux secrets.

SÉVÈRE

Puisse le juste Ciel, content de ma ruine,
Combler d'heur et de jours Polyeucte et Pauline !

PAULINE

Puisse trouver Sévère, après tant de malheur,
Une félicité digne de sa valeur !

SÉVÈRE

Il la trouvait en vous.

PAULINE

                        Je dépendais d'un père.

SÉVÈRE

O devoir qui me perd et qui me désespère !
Adieu, trop vertueux objet, et trop charmant.

PAULINE

Adieu, trop malheureux et trop parfait amant.

— 13 Glorieuse. — 14 Il s'agit du sacrifice que | Sévère va célébrer solennellement et qui est une des raisons de sa venue.

L'AMOUR NAISSANT

Psyché (1671). — Le lyrisme de l'amour est sévèrement surveillé par Corneille dans ses grandes tragédies « classiques ». Mais plus tard, Corneille, âgé, cédera à la tentation de la tendresse contre laquelle il avait lutté. « Il dessine amoureusement sa Psyché caressée de soleil et de vent. [...] Nulle part ailleurs que dans ces vers écrits à soixante-quatre ans, Corneille n'a exprimé un amour plus jeune et plus rayonnant » (G. Couton, *Corneille*).

Corneille a su rendre en effet, avec une délicatesse charmante, l'éveil de la sensibilité et de la sensualité dans un cœur de jeune fille. Comme elle est aimable, cette Psyché étonnée et ravie, innocente et hardie, tout juste un peu précieuse ! La libre alternance de l'alexandrin, du décasyllabe et de l'octosyllabe, des rimes plates, croisées, embrassées, contribue à donner au lyrisme sa *légèreté mélodieuse*.

Comme l'ordonnait un oracle, Psyché *a été exposée sur des « rochers affreux » pour y être la proie d'un monstre. Mais un premier prodige transforme ce « désert » en un magnifique palais ; puis, nouveau prodige ! au lieu du monstre tant redouté, c'est l'*Amour *en personne qui paraît.* Psyché *s'éprend de lui aussitôt et lui avoue son tendre émoi.* (III, 3)

> A peine je vous vois, que mes frayeurs cessées
> Laissent évanouir l'image du trépas,
> Et que je sens couler dans mes veines glacées
> Un je ne sais quel feu [1] que je ne connais pas.
> J'ai senti de l'estime [2] et de la complaisance,
>   De l'amitié, de la reconnaissance ;
> De la compassion les chagrins innocents
>   M'en ont fait sentir la puissance ;
> Mais je n'ai point encor senti [3] ce que je sens.
> 10 Je ne sais ce que c'est, mais je sais qu'il [4] me charme,
>   Que je n'en conçois point d'alarme :
> Plus j'ai les yeux sur vous, plus je m'en [5] sens charmer.
> Tout ce que j'ai senti n'agissait point de même,
>   Et je dirais que je vous aime,
> Seigneur, si je savais ce que c'est que d'aimer.
> Ne les détournez point, ces yeux qui m'empoisonnent [6],
> Ces yeux tendres, ces yeux perçants, mais amoureux,
> Qui semblent partager le trouble qu'ils me donnent.
>   Hélas ! plus ils sont dangereux,
> 20   Plus je me plais à m'attacher sur eux.
> Par quel ordre du ciel, que je ne puis comprendre,
>   Vous dis-je plus que je ne dois,
> Moi de qui la pudeur devrait du moins attendre
> Que vous m'expliquassiez le trouble où je vous vois ?
> Vous soupirez, Seigneur, ainsi que je soupire :
> Vos sens comme les miens paraissent interdits.
> C'est à moi de m'en taire, à vous de me le dire ;
>   Et cependant c'est moi qui vous le dis.

— 1 Cf. *Polyeucte* (p. 202, v. 11) : l'aveu de Pauline à Sévère. — 2 Psyché attribue la naissance de l'amour au sentiment d'estime : même dans cette fable, Corneille se montre fidèle à son éthique. — 3 Ressenti. — 4 Il = cela. — 5 Par vous. — 6 Langue précieuse.

PASCAL

Né à Clermont le 19 juin 1623, BLAISE PASCAL donna dès son plus jeune âge « des marques d'un esprit tout extraordinaire ». A Paris, où son père vient s'établir en 1631, il écrit (à onze ans) un traité sur la propagation des sons. A douze ans, il est surpris par son père en train d'étudier la trente-deuxième proposition d'Euclide.

A Rouen, la famille rencontre deux gentilshommes *jansénistes*. Blaise se convertit le premier à cette nouvelle manière de chercher Dieu (1646). Mais il ne renonce pas pour autant à ses études scientifiques (expériences concernant le *vide*).

L'année 1648 voit Pascal multiplier les visites à Port-Royal, monastère janséniste. En 1651, il perd son père. Tandis que sa sœur Jacqueline se retire à Port-Royal, Pascal se lie avec des mondains (le duc de ROANNEZ, le chevalier de MÉRÉ). Ces « honnêtes gens » étaient en matière de religion des indifférents, et peut-être même des *libertins* (libres penseurs). C'est à eux que Pascal songera en méditant son *Apologie de la religion chrétienne*. Dans la nuit du 29 novembre 1654, au cours d'une extase qui dure « depuis environ dix heures et demie du soir jusques environ minuit et demi », Pascal prend la résolution définitive de changer de vie. Il fait une retraite de quinze jours à Port-Royal-des-Champs, mais ne rompt nullement avec le monde. « Il n'est nullement '' le farouche solitaire de Port-Royal '', ni farouche ni solitaire » (Jean Mesnard).

C'est au cours d'un séjour à Port-Royal que Pascal est invité par ses amis à épouser la querelle qu'ils soutenaient contre les jésuites sur les matières de la Grâce. La *première* des dix-huit *Lettres* intitulées *Les Provinciales* paraît le 23 janvier 1656. De 1656 à 1658, Pascal accumule les notes pour *l'Apologie*. L'année 1658 marque une reprise importante de son activité scientifique. Au cours d'une nuit d'insomnie il résout « le problème de la cycloïde » et pose les bases du *calcul infinitésimal*.

« Il faut se garder d'imaginer la vie de Pascal pendant ses dernières années comme celle d'un froid ascète fuyant la société des hommes. Sa piété exacte, fervente, scrupuleuse, ne l'empêche pas de se mêler au monde et, d'ailleurs, de placer très haut l'idéal de l'honnêteté, première étape sur la voie de la charité » (Jean Mesnard, *Pascal*, p. 115). Une illustration de ce souci des affaires de ce monde est donnée par l'invention des « carrosses à cinq sols » (1662), premier essai de transport en commun.

Cette même année 1662, Pascal se fait porter dans la maison de sa sœur, Mme Périer. Depuis quatre ans il vivait dans des souffrances ininterrompues. Très vite il s'alita. Il mourut après avoir légué ses biens aux pauvres le 19 août 1662. Il avait trente-neuf ans.

LES PENSÉES

Les *Pensées* ne sont pas un livre, mais un ensemble de notes prises par Pascal en vue de composer un livre : une *Apologie de la Religion chrétienne*. Le titre lui-même : « *Pensées de M. Pascal...* » dit exactement ce qu'il en est.

Après la mort de Pascal, ces notes furent retrouvées par ses amis de Port-Royal qui en publièrent un choix (en 1670).

Contrairement à ce qu'on s'imagine encore, Pascal ne prenait pas ses notes sur « des petits morceaux de papier ». Selon Louis Lafuma (*L'Intégrale*, p. 493), « il utilisait des grandes feuilles », traçait une petite croix en tête de page et séparait ses notes d'un vigoureux trait de plume. Ces feuilles, Pascal a commencé à les découper au cours du second semestre de 1658 et à les classer en les enfilant « en diverses liasses ». A sa mort, on recopia les papiers contenus en vingt-huit liasses, dans l'ordre même où Pascal les avait classés.

C'est ce que les travaux de L. Lafuma ont suffisamment démontré. L'édition que cet érudit a fait paraître ensuite reproduit l'ordre de ce classement. La numérotation de nos extraits y renvoie.

Mais il ne faut pas oublier que cet ordre est un ordre de classement provisoire, — un ordre de recherche, qui n'annonce pas nécessairement l'ordre de composition qui aurait été celui de l'*Apologie*. « La dernière chose qu'on trouve en faisant un ouvrage est de savoir celle qu'il faut mettre la première », disait l'auteur des *Pensées* (Lafuma, 976).

Le fait est que Pascal lui-même avait en vue un plan possible, indépendant de ce classement ; ce plan, il l'annonça à ses amis au cours d'une conférence faite à Port-Royal en 1658 : après avoir décrit la misère de l'homme sans Dieu, Pascal en disait la grandeur. Une partie du livre futur invitait le lecteur à la recherche de celui qui est la clé de l'énigme humaine : Jésus-Christ. La dernière partie de l'*Apologie* était consacrée à établir les « preuves » de Jésus-Christ en s'adressant à la raison, après l'avoir favorablement disposée par l'anthropologie existentielle qui la précède. C'est l'ordre que suit la disposition de ces extraits.

Plan de l'Apologie   L'homme est à la fois misérable et grand : grand par son origine divine, misérable par sa faiblesse et son péché, conséquences de la faute originelle. Pour réparer cette faute, Dieu envoie son fils Jésus-Christ, médiateur entre l'homme et Dieu, consolateur de l'âme qui souffre : la religion fondée par Jésus-Christ est donc seule vraie, car elle est la seule qui explique l'énigme de notre double nature et nous donne la certitude du salut.

I. MISÈRE DE L'HOMME SANS DIEU

DISPROPORTION DE L'HOMME

Avant de montrer à l'homme ce qu'il est, Pascal l'engage à prendre une conscience exacte de la place qu'il occupe dans l'Univers : *Qu'est-ce qu'un homme dans l'infini ?* Tel est le premier mouvement de la dialectique pascalienne, et cela est déjà dans Montaigne. Mais c'est dans le second mouvement de cette dialectique qu'éclate l'originalité de Pascal : l'infini n'est pas seulement autour de l'homme, mais en lui. Autour de lui le silence éternel, mais en lui le Dieu qui parle au cœur : tels sont les deux infinis.

Que l'homme contemple donc la nature entière dans sa haute et pleine majesté, qu'il éloigne sa vue des objets bas[1] qui l'environnent. Qu'il regarde cette éclatante lumière, mise comme une lampe éternelle pour éclairer l'univers, que la terre lui paraisse comme un point au prix[2] du vaste tour que cet astre décrit et qu'il s'étonne de ce que ce vaste tour lui-même n'est qu'une pointe très délicate à l'égard de celui que les astres qui roulent dans le firmament embrassent. Mais si notre vue s'arrête là, que l'imagination passe outre ; elle se lassera plutôt de concevoir, que la nature de fournir. Tout ce monde visible n'est qu'un trait imper-
10 ceptible dans l'ample sein de la nature. Nulle idée n'en approche. Nous

—————

— 1 Terrestres. — 2 En comparaison de.

avons beau enfler nos conceptions, au-delà des espaces imaginables, nous n'enfantons que des atomes, au prix de la réalité des choses. C'est une sphère dont le centre est partout, la circonférence nulle part. Enfin c'est le plus grand caractère sensible de la toute-puissance de Dieu, que notre imagination se perde dans cette pensée.

Que l'homme, étant revenu à soi, considère ce qu'il est au prix de ce qui est ; qu'il se regarde comme égaré dans ce canton détourné de la nature ; et que de ce petit cachot où il se trouve logé, j'entends l'univers [3], il apprenne à estimer la terre, les royaumes, les villes et soi-même son
20 juste prix.

Qu'est-ce qu'un homme dans l'infini ?

Mais pour lui présenter un autre prodige aussi étonnant, qu'il cherche dans ce qu'il connaît les choses les plus délicates. Qu'un ciron [4] lui offre dans la petitesse de son corps des parties incomparablement plus petites, des jambes avec des jointures, des veines dans ses jambes, du sang dans ses veines, des humeurs [5] dans ce sang, des gouttes dans ses humeurs, des vapeurs dans ces gouttes ; que, divisant encore ces dernières choses, il épuise ses forces en ces conceptions, et que le dernier objet où il peut arriver soit maintenant celui de notre discours ; il pensera peut-être que
30 c'est là l'extrême petitesse de la nature. Je veux lui faire voir là-dedans un abîme nouveau. Je lui veux peindre non seulement l'univers visible, mais l'immensité qu'on peut concevoir de la nature, dans l'enceinte de ce raccourci d'atome. Qu'il y voie une infinité d'univers, dont chacun a son firmament, ses planètes, sa terre, en la même proportion que le monde visible ; dans cette terre, des animaux, et enfin des cirons, dans lesquels il retrouvera ce que les premiers ont donné ; et trouvant encore dans les autres la même chose sans fin et sans repos, qu'il se perde dans ces merveilles, aussi étonnantes dans leur petitesse que les autres [6] par leur étendue ; car qui n'admirera [7] que notre corps, qui tantôt n'était pas
40 perceptible dans l'univers, imperceptible lui-même dans le sein du tout, soit à présent un colosse, un monde, ou plutôt un tout, à l'égard du néant où l'on ne peut arriver ?

Qui se considérera de la sorte s'effrayera de soi-même, et, se considérant soutenu dans la masse que la nature lui a donnée, entre ces deux abîmes de l'infini et du néant, il tremblera dans la vue de ces merveilles ; et je crois que, sa curiosité se changeant en admiration, il sera plus disposé à les contempler en silence qu'à les rechercher avec présomption.

Car enfin qu'est-ce que l'homme dans la nature ? Un néant à l'égard de l'infini, un tout à l'égard du néant, un milieu entre rien et tout. Infiniment
50 éloigné de comprendre les extrêmes, la fin des choses et leur principe

---

— 3 Explication en surcharge dans le manuscrit. | — 5 Substances fluides. — 6 Celles de l'infini
— 4 Le plus petit animalcule visible à l'œil nu. | de grandeur. — 7 Considère avec étonnement.

sont pour lui invinciblement cachés dans un secret impénétrable, également incapable de voir le néant d'où il est tiré, et l'infini où il est englouti.

Que fera-t-il donc, sinon d'apercevoir [quelque] apparence du milieu des choses, dans un désespoir éternel de connaître ni leur principe ni leur fin ? Toutes choses sont sorties du néant et portées jusqu'à l'infini. Qui suivra ces étonnantes démarches ? L'auteur de ces merveilles [8] les comprend. Tout autre ne le peut faire. [Lafuma, 390].

UNE PUISSANCE TROMPEUSE : L'IMAGINATION

A la suite de Montaigne, Pascal dénonce « cette superbe puissance, ennemie de la raison, qui se plaît à la contrôler et la dominer » et qui « a établi en l'homme une seconde nature. » Mais le propos de Pascal est bien différent : il s'agit de faire connaître à l'homme toute sa misère, pour qu'il en vienne à désirer « le Réparateur de notre misère » (547). L'ironie pascalienne est au service d'une apologétique.

Ne diriez-vous pas que ce magistrat, dont la vieillesse vénérable impose le respect à tout un peuple, se gouverne par une raison pure et sublime, et qu'il juge des choses dans leur nature sans s'arrêter à ces vaines circonstances qui ne blessent que l'imagination des faibles ? Voyez-le entrer dans un sermon [1] où il apporte un zèle tout dévot, renforçant la solidité de sa raison par l'ardeur de sa charité. Le voilà prêt à l'ouïr avec un respect exemplaire. Que le prédicateur vienne à paraître, que la nature lui ait donné une voix enrouée et un tour de visage bizarre, que son barbier l'ait mal rasé, si le hasard l'a encore barbouillé de surcroît [2], quelque
10 grandes vérités qu'il annonce, je parie la perte de la gravité de notre sénateur.

Le plus grand philosophe du monde, sur une planche plus large qu'il ne faut, s'il y a au-dessous un précipice, quoique sa raison le convainque de sa sûreté, son imagination prévaudra. Plusieurs n'en sauraient soutenir la pensée sans pâlir et suer.

Je ne veux pas rapporter tous ses effets [3].

Qui ne sait que la vue de chats, de rats, l'écrasement d'un charbon, etc., emportent la raison hors des gonds ? Le ton de voix impose aux plus sages, et change un discours et un poème de force.
20 L'affection ou la haine change la justice de face. Et combien un avocat bien payé par avance trouve-t-il plus juste la cause qu'il plaide ! Combien son geste hardi la fait-il paraître meilleure aux juges, dupés par cette apparence ! Plaisante raison qu'un vent manie, et à tout sens [4] !

— 8 Dieu.

— 1 Dans une église où se prononce un sermon. — 2 Autant de « vaines circonstances ».

— 3 Ceux de l'imagination. — 4 Cf. Montaigne « Vraiment il y a bien de quoi faire une si grande fête de la fermeté de cette belle pièce qui se laisse manier et changer au branle et accident d'un si léger vent ! ».

Je rapporterais presque toutes les actions des hommes qui ne branlent [5] presque que par ses secousses. Car la raison a été obligée de céder, et la plus sage prend pour ses principes ceux que l'imagination des hommes a témérairement introduits en chaque lieu.

Qui ne voudrait suivre que la raison serait fou au jugement du commun des hommes. Il faut juger au jugement de la plus grande partie du monde.
30 Il faut, parce qu'il leur a plu, travailler tout le jour pour des biens reconnus [6] pour imaginaires, et quand le sommeil nous a délassés des fatigues de notre raison, il faut incontinent se lever en sursaut pour aller courir après les fumées [7] et essuyer les impressions de cette maîtresse du monde. Voilà un des principes d'erreur, mais ce n'est pas le seul. [Lafuma, 81].

LA JUSTICE ET LA FORCE

Incapable de vérité puisque sa raison est sans cesse égarée par des *puissances trompeuses* (l'*imagination*, la *coutume*, l'*amour-propre*, etc.), l'homme serait-il plus apte à concevoir la *justice?* Pas davantage. Comme Montaigne, Pascal montre que cette justice, loin d'être un absolu, n'est qu'une notion relative, variable avec les mœurs et les latitudes.

Sur quoi la fondera-t-il [1], l'économie [2] du monde qu'il veut gouverner ? Sera-ce sur le caprice de chaque particulier ? quelle confusion ? Sera-ce sur la justice ? Il l'ignore.

Certainement s'il la connaissait, il n'aurait pas établi cette maxime, la plus générale de toutes celles qui sont parmi les hommes, que chacun suive les mœurs de son pays ; l'éclat de la véritable équité aurait assujetti tous les peuples, et les législateurs n'auraient pas pris pour modèle, au lieu de cette justice constante, les fantaisies et les caprices des Perses et Allemands. On la verrait plantée [3] par tous les États du monde et dans
10 tous les temps, au lieu qu'on ne voit rien de juste ou d'injuste qui ne change de qualité en changeant de climat. Trois degrés d'élévation [4] du pôle renversent toute la jurisprudence, un méridien décide de la vérité ; en peu d'années de possession, les lois fondamentales changent ; le droit a ses époques, l'entrée de Saturne [5] au Lion nous marque l'origine d'un tel crime [6]. Plaisante justice qu'une rivière borne ! Vérité au deçà des Pyrénées, erreur au delà.

Ils confessent que la justice n'est pas dans ces coutumes, mais qu'elle réside dans les lois naturelles, connues en tout pays. Certainement ils le soutiendraient opiniâtrement, si la témérité [7] du hasard qui a semé les
20 lois humaines en avait rencontré au moins une qui fût universelle ; mais

---

— 5 Ne sont mis en mouvement. — 6 Par la raison. — 7 Tout ce qui est inconsistant dans le bonheur humain.

— 1 Sur quoi l'*homme* fondera-t-il ? —

2 L'organisation. — 3 Enracinée parmi. — 4 De latitude. — 5 La date d'entrée de la planète Saturne dans la constellation du Lion. — 6 De tel ou tel crime. — 7 Le caprice.

Ci-dessus,
la tragédie
au XVIIe siècle.
Actrice
en grand costume
de princesse, 1673.
Paris,
Bibliothèque nationale.
(Photo Jeanbor - E.B.)

En haut à droite,
la tragédie
au XVIIe siècle.
Acteur
en costume court,
XVIIe siècle.
Paris,
Bibliothèque nationale.
(Photo Jeanbor - E.B.)

Ci-contre,
Corneille :
l'Illusion comique.
Représentation
donnée en juin 1969
au Festival du Marais.
Mise en scène
de Daniel Leveugle.
(Photo Bernand.)

ORESTE. *dans Andromaque.* HERMIONE

Ci-dessus
Racine au XVIIIe siècle.
Lekain et Madame Vestris jouant Oreste
et Hermione dans *Andromaque*.
Paris, bibliothèque
de la Comédie-Française. *(Photo F. Foliot. E.*

Ci-contre,
le tragique racinien : la douleur d'Andromaq
Denise Noël et Bérangère Dautun,
dans une mise en scène de Jacques Charon
à la Comédie-Française en 1968. *(Photo Bern*

Ci-dessus,
Molière : *le Misanthrope.*
Marie-Christine Barrault
(Célimène),
Jacques Charon (Oronte)
et Jean Rochefort
(Alceste) interprétant
la scène IV de l'acte V.
*(Photo Ruhaut -
Télé 7 Jours.)*

Ci-contre,
Molière : *Don Juan*
Michel Piccoli,
dans la scène finale
face à la statue du
Commandeur.
(Photo Télé - 7 Jours.)

Ci-contre à gauche,
le tragique racinien :
la terreur d'Athalie.
Annie Ducaux.
Mise en scène de Maurice
Escande, avec décors
et costumes de Carzou,
à la Comédie-Française
en 1968. *(Photo Bernand.)*

Château de Vaux : le salon des Muses. Molière, La Fontaine, Mme de Sévigné en furent les hôtes.
(Photo R. Guillemot - Connaissance des arts.)

la plaisanterie est telle, que le caprice des hommes s'est si bien diversifié qu'il n'y en a point. Le larcin, l'inceste, le meurtre des enfants et des pères, tout a eu sa place entre les actions vertueuses [...]. Il y a sans doute [8] des lois naturelles ; mais cette belle raison corrompue a tout corrompu.

Justice, force. — Il est juste que ce qui est juste soit suivi, il est nécessaire [9] que ce qui est le plus fort soit suivi. La justice sans la force est impuissante ; la force sans la justice est tyrannique. La justice sans force est contredite [10], parce qu'il y a toujours des méchants ; la force sans la justice est accusée. Il faut donc mettre ensemble la justice et la force ; et
30 pour cela faire que ce qui est juste soit fort, ou que ce qui est fort soit juste [11].

La justice est sujette à dispute, la force est très reconnaissable et sans dispute. Ainsi on n'a pu donner la force à la justice, parce que la force a contredit la justice et a dit que c'était elle qui était juste. En ainsi ne pouvant faire que ce qui est juste fût fort, on a fait que ce qui est fort fût juste. [Lafuma, 108 et 192].

LE DIVERTISSEMENT

« La seule chose qui nous console de nos misères est le divertissement, et cependant c'est la plus grande de nos misères. Car c'est cela qui nous empêche principalement de penser à nous et qui nous fait perdre insensiblement. Sans cela nous serions dans l'ennui, et cet ennui nous pousserait à chercher un moyen plus solide d'en sortir. Mais le divertissement nous amuse et nous fait arriver insensiblement à la mort » [Lafuma, 128].

Au sens pascalien du mot, le « divertissement » ne désigne pas seulement les distractions qui nous font oublier nos soucis, mais, plus profondément, tout ce qui détourne l'homme de découvrir son néant. Les activités les plus sérieuses, comme le métier, les hautes fonctions, les recherches de la science ne sont que divertissements.

Ainsi l'homme est si malheureux, qu'il s'ennuierait même sans aucune cause d'ennui, par l'état propre de sa complexion, et il est si vain [1], qu'étant plein de mille causes essentielles [2] d'ennui [3], la moindre chose, comme un billard et une balle qu'il pousse, suffisent pour le divertir [...]

D'où vient que cet homme, qui a perdu depuis peu de mois son fils unique, et qui, accablé de procès [4] et de querelles, était ce matin si troublé, n'y pense [5] plus maintenant ? Ne vous en étonnez point : il est tout occupé à voir par où passera ce sanglier que les chiens poursuivent avec tant d'ardeur depuis six heures. Il n'en faut pas davantage. L'homme, quelque
10 plein de tristesse qu'il soit, si on peut gagner sur lui de le faire entrer en quelque divertissement, le voilà heureux pendant ce temps-là ; et l'homme, quelque heureux qu'il soit, s'il n'est diverti et occupé par quelque passion

— 8 Certainement. — 9 Inévitable. — 10 Contestée. — 11 Application du raisonnement géométrique (précision des termes, rigueur des enchaînements) à l'étude des sciences humaines.

— 1 Léger. — 2 Qui tiennent à sa nature. — 3 Sens très fort au XVIIᵉ s. — 4 Fréquents au XVIIᵉ s. — 5 Mot essentiel : Le divertissement détourne de penser.

ou quelque amusement qui empêche l'ennui de se répandre, sera bientôt chagrin et malheureux. Sans divertissement il n'y a point de joie, avec le divertissement il n'y a point de tristesse. Et c'est aussi ce qui forme le bonheur des personnes de grande condition, qu'ils [6] ont un nombre de personnes qui les divertissent, et qu'ils ont le pouvoir de se maintenir en cet état.

Prenez-y garde. Qu'est-ce autre chose d'être surintendant [7], chancelier [8], premier président [9], sinon d'être en une condition où l'on a dès le matin un grand nombre de gens qui viennent de tous côtés pour ne leur laisser pas une heure en la journée où ils puissent penser à eux-mêmes ? Et quand ils sont dans la disgrâce et qu'on les renvoie à leurs maisons des champs, où ils ne manquent ni de biens, ni de domestiques pour les assister dans leur besoin [10], ils ne laissent pas d'être misérables et abandonnés, parce que personne ne les empêche de songer à eux. [Lafuma, 269].

II. GRANDEUR DE L'HOMME

LE ROSEAU PENSANT

Rigueur géométrique de la démonstration, ton passionné du dialecticien qui sait la vérité, poésie des images, destinées à surprendre, tout cela, qui se découvre dans ces quelques phrases, explique la fortune de ces formules, les plus pascaliennes qui soient.

L'homme n'est qu'un roseau, le plus faible de la nature ; mais c'est un roseau pensant. Il ne faut pas que l'univers entier s'arme pour l'écraser : une vapeur, une goutte d'eau, suffit pour le tuer. Mais, quand l'univers l'écraserait, l'homme serait encore plus noble que ce qui le tue, parce qu'il sait qu'il meurt, et l'avantage [1] que l'univers a sur lui ; l'univers n'en sait rien.

Toute notre dignité consiste donc en la pensée. C'est de là qu'il faut nous relever [2] et non de l'espace et de la durée, que nous ne saurions remplir. Travaillons donc à bien penser : voilà le principe de la morale. [Lafuma, 391].

Roseau pensant. — Ce n'est point de l'espace que je dois chercher ma dignité, mais c'est du règlement de ma pensée. Je n'aurai pas davantage en possédant des terres : par l'espace, l'univers me comprend et m'engloutit comme un point ; par la pensée, je le comprends [Lafuma, 217].

— 6 Les Grands. — 7 Chargé des finances publiques. — 8 Garde des sceaux. — 9 Du Parlement. — 10 Quand ils en ont besoin.

— 1 Deuxième complément de sait. — 2 De notre « bassesse ».

Grandeur de l'homme. — Nous avons une si grande idée de l'âme de l'homme, que nous ne pouvons souffrir d'en être méprisés, et de n'être pas dans l'estime d'une âme ; et toute la félicité des hommes consiste dans cette estime. [Lafuma, 223].

20 La grandeur de l'homme est grande en ce qu'il se connaît misérable. Un arbre ne se connaît pas misérable.

C'est donc être misérable que de (se) connaître misérable ; mais c'est être grand que de connaître qu'on est misérable. [Lafuma, 218].

Il est dangereux de trop faire voir à l'homme combien il est égal aux bêtes, sans lui montrer sa grandeur. Il est encore dangereux de lui trop faire voir sa grandeur sans sa bassesse. Il est encore plus dangereux de lui laisser ignorer l'un et l'autre. Mais il est très avantageux de lui représenter l'un et l'autre. Il ne faut pas que l'homme croie qu'il est égal aux bêtes, ni aux anges, ni qu'il ignore l'un et l'autre, mais qu'il sache l'un et l'autre. [Lafuma, 236].

30 L'homme n'est ni ange ni bête, et le malheur veut que qui veut faire [3] l'ange fait la bête. [Lafuma, 257].

L'ARGUMENT DU PARI

Il serait faux de croire que l'apologétique pascalienne est fondée sur ce qu'on appelle « *l'argument du Pari* ». Ce n'est là qu'un type de raisonnement, destiné à une certaine catégorie d'esprits : les libertins qui se passionnent pour cette forme éminemment « mondaine » de divertissement qu'est le jeu. C'est à eux que Pascal s'adresse, en parlant le langage de « la mathématique ». Mais ce n'est là qu'un argument possible, et non le pivot de l'*Apologie*.

Infini, rien. — ... S'il y a un Dieu, il est infiniment incompréhensible, puisque n'ayant ni parties ni bornes, il a nul rapport avec nous. Nous sommes donc incapables de connaître ni ce qu'il est, ni s'il est. Cela étant, qui osera entreprendre de résoudre cette question ? Ce n'est pas nous, qui n'avons aucun rapport à lui.

Qui blâmera donc les chrétiens de ne pouvoir rendre raison de leur créance, eux qui professent une religion dont ils ne peuvent rendre raison ? Ils déclarent, en l'exposant au monde, que c'est une sottise, *stultitiam* [1] ; et puis, vous [2] vous plaignez de ce qu'ils ne la prouvent pas ! S'ils la prou-
10 vaient, ils ne tiendraient pas parole : c'est en manquant de preuves qu'ils ne manquent pas de sens [3] — « Oui ; mais encore que cela excuse ceux qui l'offrent telle, et que cela les ôte de blâme de la produire sans raison, cela n'excuse pas ceux qui la [4] reçoivent. » — Examinons donc ce point,

─────────

— 3 Critique des stoïciens et de leur présomption.

—1 Saint Paul. — 2 Pascal s'adresse à ces liber-tins, auxquels l'argument est destiné. — 3 Raison. — 4 Qui acceptent de professer (la religion).

et disons : « Dieu est, ou il n'est pas. » Mais de quel côté pencherons-nous ? La raison n'y peut rien déterminer : il y a un chaos [5] infini qui nous sépare. Il se joue un jeu, à l'extrémité de cette distance infinie, où il arrivera croix [6] ou pile. Que gagerez-vous ? Par raison, vous ne pouvez faire ni l'un ni l'autre ; par raison, vous ne pouvez défendre nul des deux.

20 Ne blâmez donc pas de fausseté ceux qui ont pris un choix ; car vous n'en savez rien. « Non ; mais je les blâmerai d'avoir fait, non ce choix, mais un choix ; car, encore que celui qui prend croix et l'autre soient en pareille faute, ils sont tous deux en faute : le juste est de ne point parier.

— Oui, mais il faut parier. Cela n'est pas volontaire [7] : vous êtes embarqué. Lequel prendrez-vous donc ? Voyons. Puisqu'il faut choisir, voyons ce qui vous intéresse [8] le moins. Vous avez deux choses à perdre : le vrai et le bien, et deux choses à engager : votre raison et votre volonté, votre connaissance et votre béatitude ; et votre nature a deux choses à fuir : l'erreur et la misère [9]. Votre raison n'est pas plus blessée, en choi-sissant l'un que l'autre, puisqu'il faut nécessairement choisir. Voilà un 30 point vidé. Mais votre béatitude ? Pesons le gain et la perte, en prenant croix que Dieu est. Estimons ces deux cas : si vous gagnez, vous gagnez tout ; si vous perdez, vous ne perdez rien. Gagez donc qu'il est, sans hésiter. — Cela est admirable. Oui, il faut gager ; mais je gage peut-être trop [10]. » — Voyons. Puisqu'il y a pareil hasard de gain et de perte, si vous n'aviez qu'à gagner deux vies pour une, vous pourriez encore gager ; mais s'il y en avait trois à gagner, il faudrait jouer (puisque vous êtes dans la nécessité de jouer), et vous seriez imprudent, lorsque vous êtes forcé à jouer, de ne pas hasarder votre vie pour en gagner trois à un jeu où il y a un pareil hasard de perte et de gain. Mais il y a une éternité de vie et 40 de bonheur [11]. Et cela étant, quand il y aurait une infinité de hasards dont un seul serait pour vous, vous auriez encore raison de gager un pour avoir deux, et vous agiriez de mauvais sens [12], étant obligé à jouer [13], de refuser de jouer une vie contre trois à un jeu où d'une infinité de hasards il y en a un pour vous, s'il y avait une infinité de vie infiniment heureuse à gagner. Mais il y a ici une infinité de vie infiniment heureuse à gagner, un hasard de gain contre un nombre fini de hasards de perte, et ce que vous jouez est fini [11]. Cela ôte tout parti [15] : partout où est l'infini, et où il n'y a pas infinité de hasards de perte contre celui de gain, il n'y a point à balancer, il faut tout donner. Et ainsi, quand on est forcé de jouer, il faut renoncer 50 à la raison [16] pour garder la vie, plutôt que de la hasarder pour le gain infini aussi prêt à arriver [17] que la perte du néant [18]. [Lafuma, 343].

— 5 Au sens étymologique du mot : *gouffre*, *abîme*. — 6 Face. — 7 Ne dépend pas de notre volonté. — 8 Ce qui présente le moins d'intérêt pour vous. — 9 Il s'agit de la « misère » inhérente à la condition humaine. — 10 Ce que je joue (c'est-à-dire ma vie terrestre) est trop important par rapport au gain incertain. —

11 A gagner (au lieu de trois vies seulement). — 12 Votre conduite serait contraire au bon sens. — 13 A partir du moment où vous êtes obligé de jouer. — 14 Limité (c'est-à-dire la vie terrestre). — 15 Toute hésitation. — 16 Il faudrait être insensé. — 17 Les chances sont égales. — 18 La vie terrestre, qui est le néant par rapport à l'infini.

GRANDEUR DE JÉSUS-CHRIST : LES TROIS « ORDRES »

Certains s'étonnent de la « *bassesse* » de JÉSUS-CHRIST : un Dieu fait homme ne devrait-il pas surpasser tous les hommes ? PASCAL va montrer que la grandeur de Jésus est d'un *autre ordre* que les « grandeurs charnelles ou spirituelles », et supérieure à celles-ci. L'exposé, en cette matière délicate, est d'une *netteté* et d'une *logique* parfaites. Mais, quand il proclame la vraie grandeur de Jésus-Christ, l'âme de Pascal vibre si intensément que chez lui la logique perd sa froideur pour se résoudre en *élans de charité*. C'est déjà le *lyrisme mystique* que nous découvrirons dans le *Mystère de Jésus*.

La distance infinie des corps aux esprits figure [1] la distance infiniment plus infinie des esprits à la charité [2], car elle est surnaturelle. Tout l'éclat des grandeurs [3] n'a point de lustre [4] pour les gens qui sont dans les recherches de l'esprit.

La grandeur des gens d'esprit est invisible aux rois, aux riches, aux capitaines, à tous ces grands de chair.

La grandeur de la sagesse, qui n'est nulle sinon de Dieu [5], est invisible aux charnels et aux gens d'esprit. Ce sont trois ordres différents de genre.

10 Les grands génies ont leur empire [6], leur éclat, leur grandeur, leur victoire, leur lustre, et n'ont nul besoin des grandeurs charnelles, où [7] elles n'ont pas de rapport. Ils sont vus non des yeux, mais des esprits, c'est assez.

Les saints ont leur empire, leur éclat, leur victoire, leur lustre, et n'ont nul besoin des grandeurs charnelles ou spirituelles, où elles n'ont nul rapport, car elles n'y ajoutent [8] ni ôtent. Ils sont vus de Dieu et des anges, et non des corps ni des esprits curieux [9] : Dieu leur suffit.

Archimède [10], sans éclat [11], serait en même vénération. Il n'a pas donné des batailles pour les yeux, mais il a fourni à tous les esprits ses inventions. Oh ! qu'il a éclaté [12] aux esprits !

20 Jésus-Christ sans biens et sans aucune production au dehors de science, est dans son ordre de sainteté. Il n'a point donné d'invention, il n'a point régné ; mais il a été humble, patient, saint, saint à Dieu, terrible aux démons, sans aucun péché. Oh ! qu'il est venu en grande pompe et en une prodigieuse magnificence, aux yeux du cœur, qui voient la sagesse !

Il eût été inutile à Archimède de faire le prince dans ses livres de géométrie, quoiqu'il le fût [13].

Il eût été inutile à Notre Seigneur Jésus-Christ pour éclater dans son règne de sainteté de venir en roi ; mais il y est bien venu avec l'éclat 30 de son ordre [14] !

— 1 Représente, symbolise. — 2 L'amour de Dieu. — 3 Matérielles. — 4 *De splendeur.* — 5 *Qui n'est rien si elle ne vient de Dieu.* Il n'y a de sagesse que celle des *saints.* — 6 *Leur domination.* A l'intérieur de chaque ordre *règne* la grandeur qui lui est propre. — 7 *Là où...* — 8 A leur emprise. — 9 Ceux des savants, dont le propre est la *curiosité.* — 10 Savant du IIIe siècle av. J.-C. Exemple de grandeur selon l'esprit. — 11 Même s'il n'était pas de famille royale. — 12 *Fait resplendir sa grandeur.* — 13 Il était parent de Hiéron, roi de Syracuse. — 14 La grandeur *correspondant* à son ordre.

Il est bien ridicule de se scandaliser de la bassesse [15] de Jésus-Christ, comme si cette bassesse était du même ordre duquel est la grandeur qu'il venait faire paraître. Qu'on considère cette grandeur-là dans sa vie, dans sa passion, dans son obscurité, dans sa mort, dans l'élection des siens, dans leur abandon [16], dans sa secrète résurrection, et dans le reste, on la verra si grande, qu'on n'aura pas sujet de se scandaliser d'une bassesse qui n'y est pas [17].

Mais il y en a qui ne peuvent admirer que les grandeurs charnelles, comme s'il n'y en avait pas de spirituelles ; et d'autres qui n'admirent que les spirituelles, comme s'il n'y en avait pas d'infiniment plus hautes dans la sagesse.

Tous les corps, le firmament, les étoiles, la terre et ses royaumes, ne valent pas le moindre des esprits [18] ; car il connaît tout cela, et soi ; et les corps, rien.

Tous les corps ensemble, et tous les esprits ensemble et toutes leurs productions, ne valent pas le moindre mouvement de charité [19]. Cela est d'un ordre infiniment plus élevé.

De tous les corps ensemble, on ne saurait en faire réussir [20] une petite pensée : cela est impossible, et d'un autre ordre. De tous les corps et esprits, on n'en saurait tirer un mouvement de vraie charité, cela est impossible, et d'un autre ordre, surnaturel. [Lafuma, 585].

LE MYSTÈRE DE JÉSUS

Méditant sur le récit de saint Matthieu avec l'intuition ardente des grands mystiques, *Pascal revit l'agonie du Christ* : il entre en sympathie avec les souffrances, surtout avec la terrible *solitude morale* de Jésus. Deux motifs obsédants reviennent sans cesse : l'abandon de Jésus par les hommes, la bonté de Jésus qui les sauve malgré eux. Au moment où, plein d'angoisse, le janséniste cherche la voie du salut, au fond de son âme la parole de son Sauveur se fait entendre, rassurante et douce, pour lui apporter la *paix des certitudes* : oui, il est élu, prédestiné ; et, dans l'émoi de l'extase, il fait à ce Dieu qui l'a choisi le don total et fervent de lui-même. Comment rester insensible au *drame intérieur* de cette âme inquiète, à la *poésie* de ces évocations douloureuses, à la *douceur lyrique* de cette extase où viennent s'anéantir toutes les misères terrestres ?

L e *Mystère de Jésus*. — Jésus souffre dans sa passion les tourments que lui font les hommes ; mais dans l'agonie [1] il souffre des tourments qu'il se donne à lui-même : *turbare semetipsum* [2]. C'est un supplice d'une main non humaine, mais toute-puissante, car il faut être tout-puissant pour le soutenir [3].

— 15 Selon la *chair* et l'*esprit*. — 16 Le *choix* de ses disciples, puis leur *défection*. — 17 Si on le considère dans son *ordre*, celui de la sainteté. — 18 Cf. le « roseau pensant ». — 19 Amour de Dieu. — 20 Sortir.

— 1 La *passion* est le supplice de la croix ; l'*agonie* est la torture morale de Jésus au Jardin des Oliviers. — 2 *Se torturer soi-même*. Saint Jean (XI, 33, douleur de Jésus à la mort de Lazare). — 3 Supporter.

Jésus cherche quelque consolation au moins dans ses trois plus chers amis[4] et ils dorment ; il les prie de soutenir un peu avec lui[5], et ils le laissent[6] avec une négligence entière, ayant si peu de compassion qu'elle ne pouvait seulement les empêcher de dormir un moment. Et ainsi Jésus était délaissé seul à la colère de Dieu.

Jésus est seul[7] dans la terre, non seulement qui ressente et partage sa peine, mais qui la sache : le ciel et lui sont seuls dans cette connaissance.

Jésus est dans un jardin, non de délices comme le premier Adam, où il[8] se perdit et[9] tout le genre humain, mais dans un de supplices, où il[10] s'est sauvé et tout le genre humain.

Il souffre cette peine et cet abandon dans l'horreur de la nuit.

Je crois que Jésus ne s'est jamais plaint que cette seule fois ; mais alors il se plaint comme s'il n'eût plus pu contenir sa douleur excessive : « Mon âme est triste jusqu'à la mort[11]. »

Jésus cherche de la compagnie et du soulagement de la part des hommes. Cela est unique en toute sa vie, ce me semble. Mais il n'en reçoit point, car ses disciples dorment.

Jésus sera en agonie jusqu'à la fin du monde : il ne faut pas dormir[12] pendant ce temps-là.

Jésus au milieu de ce délaissement universel et de ses amis choisis pour veiller avec lui, les trouvant dormant, s'en fâche à cause du péril où ils exposent non lui, mais eux-mêmes, et les avertit[13] de leur propre salut et de leur bien avec une tendresse cordiale pour eux pendant leur ingratitude, et les avertit que l'esprit est prompt et la chair infirme[14].

Jésus, les trouvant encore dormant, sans que ni sa considération[15] ni la leur[16] les en eût retenus, il a la bonté de ne pas les éveiller, et les laisse dans leur repos[17].

Jésus prie dans l'incertitude de la volonté du Père, et craint la mort ; mais, l'ayant connue[18], il va au-devant s'offrir à elle : *Eamus. Processit* (Joannes)[19].

Jésus a prié les hommes, et n'en a pas été exaucé.

Jésus, pendant que ses disciples dormaient, a opéré[20] leur salut. Il l'a fait à chacun des justes pendant qu'ils dormaient, et dans le néant avant leur naissance, et dans les péchés depuis leur naissance[21].

Il ne prie qu'une fois que le calice passe et encore avec soumisson, et deux fois qu'il vienne s'il le faut[22].

Jésus dans l'ennui[23].

Jésus, voyant tous ses amis endormis et tous ses ennemis vigilants, se remet tout entier à son Père.

— 4 Les apôtres Pierre, Jacques et Jean (Matth., XXVI, 38). — 5 L'aider à supporter. — 6 Délaissent. — 7 Est seul, *sur... à ressentir.* — 8 Ce dernier. — 9 Ainsi que. — 10 *Jésus.* — 11 Matth., XXVI, 38. — 12 Au sens spirituel. — 13 Leur rappelle. — 14 Faible (Matth., XXVI, 41). — 15 Celle de sa détresse. — 16 Celle de leur salut. — 17 Matth., XXVI, 43-44. — 18 La volonté du Père. — 19 *Allons. Il s'avança.* Pascal cite maintenant le texte de saint Jean (XVIII, 4). — 20 Réalisé, accompli. — 21 Idée capitale pour cette âme en quête de certitude. — 22 Matth., XXVI, 39, 42 et 44. Le calice symbolise l'épreuve qu'il va subir. — 23 Tourment (sens classique).

Jésus ne regarde pas dans Judas son inimitié, mais l'ordre de Dieu qu'il aime, et la [24] voit si peu qu'il l'appelle ami [25].

Jésus s'arrache d'avec ses disciples pour entrer dans l'agonie ; il faut s'arracher de ses plus proches et des plus intimes pour l'imiter.

Jésus étant dans l'agonie et dans les plus grandes peines, prions plus
50 longtemps.

Nous implorons la miséricorde de Dieu, non afin qu'il nous laisse en paix dans nos vices, mais afin qu'il nous en délivre.

Si Dieu nous donnait des maîtres de sa main, oh ! qu'il leur faudrait obéir de bon cœur ! La nécessité et les événements en sont infailliblement [26].

— « Console-toi, tu ne me chercherais pas, si tu ne m'avais trouvé[27].

« Je pensais à toi dans mon agonie, j'ai versé telles gouttes de sang [28] pour toi.

« C'est me tenter plus que t'éprouver, que de penser si tu ferais bien [29] telle et telle chose absente : je la ferai en toi si elle arrive.

60 « Laisse-toi conduire à [30] mes règles, vois comme j'ai bien conduit la Vierge et les saints qui m'ont laissé [31] agir en eux.

« Le Père aime tout ce que JE fais.

« Veux-tu qu'il me coûte toujours du sang de mon humanité [32], sans que tu donnes des larmes ?

« C'est mon affaire que ta conversion ; ne crains point, et prie avec confiance comme pour moi.

« Je te suis présent par ma parole dans l'Écriture, par mon esprit dans l'Église et par les inspirations [33], par ma puissance dans les prêtres, par ma prière [34] dans les fidèles.

70 « Les médecins ne te guériront pas [35], car tu mourras à la fin. Mais c'est moi qui guéris et rends le corps immortel.

« Souffre les chaînes et la servitude corporelles ; je ne te délivre que de la spirituelle à présent.

« Je te suis plus un ami que tel et tel ; car j'ai fait pour toi plus qu'eux, et ils ne souffriraient pas ce que j'ai souffert de toi et ne mourraient pas pour toi dans le temps de tes infidélités et cruautés, comme j'ai fait et comme je suis prêt à faire, et fais dans mes élus et au Saint Sacrement [36].

« Si tu connaissais tes péchés, tu perdrais cœur [37].

— Je le perdrai donc, Seigneur, car je crois leur malice [38] sur votre
80 assurance [39].

— « Non, car moi, par qui tu l'apprends, t'en [40] peux guérir, et ce que [41] je te le dis est un signe que je te veux guérir. A mesure que tu les expieras, tu les connaîtras, et il te sera dit : « Vois les péchés qui te sont

---

— 24 Son inimitié. — 25 Matth., XXVI, 50. — 26 En : *des maîtres.* — 27 C'est Jésus qui lui répond avec bonté. — 28 Luc, XXII, 44 : *« Il priait plus instamment et sa sueur devint comme de grosses gouttes de sang qui tombaient à terre. »* — 29 Si tu pourrais faire. — 30 Par. — 31 On le voit, Pascal accorde une place, si minime soit-elle, au libre arbitre. — 32 La *nature humaine* que j'ai voulu revêtir. — 33 Les clartés que donne la grâce. — 34 Les prières qu'on m'adresse. — 35 Songer aux souffrances continuelles de Pascal. — 36 C'est toute la doctrine de la Rédemption. — 37 Courage. — 38 Malfaisance. — 39 Puisque vous me l'assurez. — 40 De tes péchés. — 41 Le fait que.

remis. » « Fais donc pénitence pour tes péchés cachés et pour la malice occulte de ceux que tu connais. »

— Seigneur, je vous donne tout.

— « Je t'aime plus ardemment que tu n'as aimé tes souillures, *ut immundus pro luto* [42]. Qu'à moi en soit la gloire et non à toi, ver et terre.

« Interroge ton directeur [43], quand mes propres paroles te sont occasion de mal, et de vanité ou curiosité. »

— Je vois mon abîme d'orgueil, de curiosité, de concupiscence. Il n'y a nul rapport de moi à Dieu, ni à Jésus-Christ juste. Mais il a été fait péché par moi ; tous vos fléaux [44] sont tombés sur lui. Il est plus abominable [45] que moi, et loin de m'abhorrer, il se tient honoré que j'aille à lui et le secoure.

Mais il s'est guéri lui-même, et me guérira à plus forte raison.

Il faut ajouter mes plaies aux siennes, et me joindre à lui, et il me sauvera en se sauvant. Mais il n'en faut pas ajouter à l'avenir. [Lafuma, 739].

Texte du MÉMORIAL *que Pascal gardait dans sa doublure depuis la nuit d'extase où il trouva la certitude.*

†

L'an de grâce 1654,

Lundi, 23 novembre, jour de saint Clément, pape et martyr, et autres au martyrologe,
Veille de saint Chrysogone, martyr, et autres,
Depuis environ dix heures et demie du soir jusques environ minuit et demi,

feu [1].

« Dieu d'Abraham, Dieu d'Isaac, Dieu de Jacob [2] », non des philosophes et des savants.
Certitude. Certitude. Sentiment. Joie. Paix [3].
Dieu de Jésus-Christ.
Deum meum et Deum vestrum [1].
« Ton Dieu sera mon Dieu [5]. »
Oubli du monde et de tout, hormis Dieu.
Il ne se trouve que par les voies enseignées dans l'Évangile.
Grandeur de l'âme humaine.
« Père juste, le monde ne t'a point connu, mais je t'ai connu. » [6]
Joie, joie, joie, pleurs de joie.
Je m'en suis séparé :
Dereliquerunt me fontem aquae vivae [7].
« Mon Dieu, me quitterez-vous [8] ? »
Que je n'en sois pas séparé éternellement.
« Cette [9] est la vie éternelle, qu'ils te connaissent seul vrai Dieu, et celui que tu as envoyé, Jésus-Christ, Jésus-Christ.   Jésus-Christ. »
Je m'en suis séparé ; je [10] l'ai fui, renoncé, crucifié.
Que je n'en sois jamais séparé.
Il ne se conserve que par les voies enseignées dans l'Évangile.
Renonciation totale et douce.
Soumission totale à Jésus-Christ et à mon directeur.
Éternellement en joie pour un jour d'exercice sur la terre.
Non obliviscar sermones tuos [11]. *Amen.*

— 1 Mot isolé au milieu de la ligne : feu intérieur de la certitude, ou vision surnaturelle éblouissante, comme l'a cru Barrès ? — 2 *Exode*, III, 6 : Dieu se définit ainsi à Moïse ; définition reprise par Jésus (Matth., XXII, 32). — 3 Ligne ajoutée après coup, dans l'exaltation de la certitude.— 4 Jean, XX, 17 : « (Je monte vers) *mon Dieu et votre Dieu.* » — 5 *Ruth* (I, 16) : paroles de Ruth à sa belle-mère Noémi. — 6 Jean, XVII, 25, où Jésus apparaît comme « médiateur ». — 7 « *Ils m'ont abandonné, moi la source d'eau vive* » (reproches de l'Éternel aux Hébreux, dans *Jérémie*, II, 13). — 8 Matth., XXVII, 46. Cri d'angoisse de Jésus sur la croix, qui reprend un psaume prophétique (XXII, 2). — 9 *Cette* : cela (annonce « *qu'ils te connaissent...* ». Paroles de Jésus à Dieu (Jean, XVII, 3). — 10 Fin de phrase ajoutée en surcharge. — 11 « *Je n'oublierai pas tes paroles.* » (Ps. CXVIII, 16.)

— 42 Comme un animal immonde aime sa fange. | (langage biblique). — 45 Puisqu'il s'est chargé
— 43 De conscience. — 44 Châtiments de Dieu | des péchés de tous.

MOLIÈRE

Né à Paris en 1622, JEAN-BAPTISTE POQUELIN a passé sa jeunesse dans un milieu de *bourgeoisie aisée* qui servira de cadre à beaucoup de ses comédies. Au Collège de Clermont, il étudie le latin, les mathématiques, la physique, la danse et l'escrime. C'était alors l'éducation normale des « honnêtes gens ».

Son père, tapissier du roi, aurait voulu voir son fils lui succéder dans sa charge. Mais il avait la vocation du théâtre. En 1643, il décide de se faire comédien. C'est alors qu'il prend le nom de MOLIÈRE et fonde, avec l'actrice MADELEINE BÉJART, la troupe de l'*Illustre Théâtre*.

En province (1645-1658)

Entre 1645 et 1650, la troupe de Molière parcourt la province : on la voit donner des représentations à Agen, Toulouse, Albi, Carcassonne, Nantes, Narbonne. Entre 1650 et 1658, la troupe eut son port d'attache à Lyon. C'est dans cette ville que fut créé *L'Étourdi*, comédie d'intrigue, en 1655. A Béziers, en 1656, la troupe donne *Le Dépit amoureux*. En 1658, Molière s'installe à Rouen. Il obtient la protection de Monsieur, frère du roi et fait, en octobre 1658, sa rentrée à Paris.

Les premiers succès

En novembre 1659, la troupe, enrichie de JODELET et de LA GRANGE, donne *Les Précieuses ridicules*, peinture de mœurs qui conserve les procédés traditionnels de la farce. En 1660, *Sganarelle* connaît un aussi vif succès.

Après l'échec de *Don Garcie de Navarre* (1661), comédie héroïque en cinq actes et en vers, Molière écrit en quelques mois *L'École des maris* (juin 1661), première pièce à thèse en faveur de l'éducation des filles par la douceur, dans la liberté. Il remporte un nouveau succès avec *Les Fâcheux* (1661), comédie-ballet qui attire sur lui l'attention de Louis XIV.

En janvier 1662, Molière qui a quarante ans, épouse ARMANDE BÉJART, la sœur de Madeleine : elle a vingt ans de moins que lui et ne tardera pas à éveiller sa jalousie. En décembre 1662, il joue *L'École des femmes*, la première en date de ses grandes comédies. La pièce remporte un immense succès ; le roi accorde mille livres de pension à l'auteur, « excellent poète comique ». Mais les dévots se déchaînent contre « l'impiété » de la pièce. Molière est attaqué dans sa vie privée. En juin 1663, il défend sa pièce dans *La Critique de L'École des Femmes*. En octobre, il se défend lui-même dans *l'Impromptu de Versailles*.

La lutte contre « la cabale »

Désormais le combat de Molière ne cessera plus. En 1664, il fait jouer trois actes en vers sur le sujet de *Tartuffe*, l'hypocrisie : on y voit une attaque contre la Compagnie du Saint-Sacrement, pieuse confrérie qui tentait de réformer les mœurs, en s'introduisant dans les familles. Influencé par l'archevêque de Paris, le roi interdit de jouer la pièce en public. La « cabale des dévots » triomphe.

Molière riposte en écrivant *Dom Juan* (février 1665) où il reprend le thème de l'hypocrisie (V, 2) : c'est une pièce de combat, qui se voit interdire à son tour.

L'année 1665 est une année sombre pour Molière : deux de ses pièces ont été interdites, il commence à souffrir d'hémoptysie, il se brouille avec Racine, qui lui avait confié *La Thébaïde* et lui préfère maintenant l'Hôtel de Bourgogne.

L'année 1666 marque une orientation nouvelle : le 4 juin, Molière joue *Le Misanthrope*, comédie qui s'attaque aux caractères plus qu'aux mœurs.

Le Médecin malgré lui, farce, *Mélicerte*, comédie pastorale héroïque, *Le Sicilien ou l'amour peintre*, comédie ballet, présentent un autre aspect du génie de Molière, le plus méconnu.

Mais Molière ne peut se résigner à l'effacement de *Tartuffe*. Il remanie sa pièce, en change le titre et, profitant du séjour du roi à l'armée des Flandres, donne une représentation publique de *Panulphe ou l'Imposteur* (5 août 1667). Aussitôt la pièce est interdite et l'archevêque de Paris excommunie les spectateurs.

Amphitryon, George Dandin, La jalousie du Barbouillé, L'Avare, les quatre pièces de 1668, marquent pour la seconde fois ce mouvement de retrait qui suit l'échec des pièces engagées.

L'année suivante voit enfin la revanche de Molière. L'écrasement des jansénistes, l'appui du roi lui permettent de représenter, au Palais Royal, *Tartuffe ou l'Imposteur* (1669) avec un succès éclatant.

Le triomphe   Molière devient le pourvoyeur des divertissements royaux. Aux fêtes de Chambord (octobre 1669), il donne *M. de Pourceaugnac* ; en collaboration avec Lulli (pour la musique), *Le Bourgeois Gentilhomme* ; en collaboration avec Corneille et Quinault, *Psyché* (1671). Enfin, il revient à la farce avec *Les Fourberies de Scapin* et *La Comtesse d'Escarbagnas* (1671).

Les dernières années   Molière retrouve la haute comédie en vers avec *Les Femmes Savantes* (1672). En 1673, il joue le rôle principal dans *Le Malade Imaginaire*. Mais sa santé n'a cessé de se dégrader. Au cours de la quatrième représentation il est pris d'une défaillance. Il meurt au sortir de la scène.

L'ÉCOLE DES FEMMES

Le quadragénaire Arnolphe rêvait d'une femme parfaitement fidèle et soumise à ses volontés. Il a pris soin de choisir autrefois, à la campagne, une fillette de quatre ans et l'a formée selon sa « méthode » : l'ignorance totale de la vie. Agnès a maintenant dix-sept ans et, en attendant de l'épouser, son tuteur la tient jalousement enfermée. Mais l'ignorance, « les verrous et les grilles », suffisent-ils à garantir l'honnêteté d'une femme ? Si le jeune Horace passe dans la rue, en l'absence d'Arnolphe, que va-t-il arriver ? (II, v.).

ARNOLPHE
La promenade est belle.
AGNÈS
Fort belle.

ARNOLPHE
Le beau jour !
AGNÈS
Fort beau !
ARNOLPHE
Quelle nouvelle ?
AGNÈS
Le petit chat est mort.
ARNOLPHE
C'est dommage ; mais quoi ?
Nous sommes tous mortels, et chacun est pour soi.
Lorsque j'étais aux champs, n'a-t-il point fait de pluie ?

AGNÈS

Non.

ARNOLPHE

Vous ennuyait-il[1] ?

AGNÈS

Jamais je ne m'ennuie.

ARNOLPHE

Qu'avez-vous fait encor ces neuf ou dix jours-ci ?

AGNÈS

Six chemises, je pense, et six coiffes aussi.

ARNOLPHE, *ayant un peu rêvé*

Le monde, chère Agnès, est une étrange chose.
10   Voyez la médisance, et comme chacun cause !
Quelques voisins m'ont dit qu'un jeune homme inconnu
Était en mon absence à la maison venu,
Que vous aviez souffert sa vue et ses harangues ;
Mais je n'ai point pris foi[2] sur ces méchantes langues,
Et j'ai voulu gager que c'était faussement...

AGNÈS

Mon Dieu, ne gagez pas, vous perdriez vraiment.

ARNOLPHE

Quoi ! c'est la vérité qu'un homme...

AGNÈS

                        Chose sûre.
Il n'a presque bougé de chez nous, je vous jure.

ARNOLPHE, *à part*

Cet aveu qu'elle fait avec sincérité
20   Me marque pour le moins son ingénuité.
(Haut.)
Mais il me semble, Agnès, si ma mémoire est bonne,
Que j'avais défendu que vous vissiez personne.

AGNÈS

Oui, mais, quand[3] je l'ai vu, vous ignorez pourquoi.
Et vous en auriez fait, sans doute, autant que moi.

ARNOLPHE

Peut-être ; mais enfin contez-moi cette histoire.

— 1 Vous êtes-vous ennuyée ? — 2 Je n'ai | valeur temporelle. L'édition de 1718 donne : point ajouté foi à. — 3 *Quand* n'a pas ici de | *si* je l'ai vu.

AGNÈS

Elle est fort étonnante et difficile à croire.
J'étais sur le balcon à travailler au frais,
Lorsque je vis passer sous les arbres d'auprès
Un jeune homme bien fait, qui, rencontrant ma vue,
30 D'une humble révérence aussitôt me salue :
Moi, pour ne point manquer à la civilité,
Je fis la révérence aussi de mon côté.
Soudain, il me refait une autre révérence :
Moi, j'en refais de même une autre en diligence [4] ;
Et, lui d'une troisième aussitôt repartant,
D'une troisième aussi j'y [5] repars à l'instant.
Il passe, vient, repasse, et toujours de plus belle
Me fait à chaque fois révérence nouvelle ;
Et moi, qui tous ces tours fixement regardais,
40 Nouvelle révérence aussi je lui rendais :
Tant que, si sur ce point la nuit ne fût venue,
Toujours comme cela je me serais tenue,
Ne voulant point céder, et recevoir l'ennui
Qu'il me pût estimer moins civile que lui.

ARNOLPHE

Fort bien.

AGNÈS

Le lendemain, étant sur notre porte,
Une vieille [6] m'aborde en parlant de la sorte :
« Mon enfant, le bon Dieu puisse-t-il vous bénir,
Et dans tous vos attraits longtemps vous maintenir !
Il ne vous a pas faite une belle personne
50 Afin de mal user des choses qu'il vous donne,
Et vous devez savoir que vous avez blessé [7]
Un cœur qui de s'en plaindre est aujourd'hui forcé. »

ARNOLPHE, *à part*

Ah ! suppôt de Satan [8], exécrable damnée !

AGNÈS

« Moi, j'ai blessé quelqu'un ? fis-je toute étonnée.
Oui, dit-elle, blessé, mais blessé tout de bon ;
Et c'est l'homme qu'hier vous vîtes du balcon.
Hélas ! qui [9] pourrait, dis-je, en avoir été cause ?
Sur lui, sans y penser, fis-je choir quelque chose ?

— 4 Rapidement. — 5 *Y* remplace un pronom personnel : pour lui. — 6 Personnage de l'entremetteuse, classique dans la comédie, de Plaute | à Molière. — 7 Métaphore galante et précieuse. — 8 *Suppôt* = Serviteur. — 9 *Qui* = Quoi, quelle chose (qu'est-ce qui).

— Non, dit-elle, vos yeux ont fait ce coup fatal,
60 Et c'est de leurs regards qu'est venu tout son mal.
— Hé! mon Dieu! ma surprise est, fis-je, sans seconde :
Mes yeux ont-ils du mal pour en donner au monde?
— Oui, fit-elle, vos yeux, pour causer le trépas,
Ma fille, ont un venin que vous ne savez pas :
En un mot, il languit, le pauvre misérable ;
Et s'il faut, poursuivit la vieille charitable,
Que votre cruauté lui refuse un secours,
C'est un homme à porter en terre dans deux jours.
— Mon Dieu! j'en aurais, dis-je, une douleur bien grande.
70 Mais, pour le secourir, qu'est-ce qu'il me demande?
— Mon enfant, me dit-elle, il ne veut obtenir
Que le bien de vous voir et vous entretenir [10],
Vos yeux peuvent, eux seuls, empêcher sa ruine,
Et du mal qu'ils ont fait être la médecine.
— Hélas! volontiers, dis-je, et, puisqu'il est ainsi,
Il peut tant qu'il voudra venir voir ici. »

ARNOLPHE, *à part*

Ah! sorcière maudite, empoisonneuse d'âmes,
Puisse l'enfer payer tes charitables trames![11]

AGNÈS

Voilà comme [12] il me vit et reçut guérison [13].
80 Vous-même [14] à votre avis, n'ai-je pas eu raison,
Et pouvais-je, après tout, avoir la conscience
De le laisser mourir faute d'une assistance,
Moi qui compatis [15] tant aux gens qu'on fait souffrir,
Et ne puis sans pleurer voir un poulet mourir?

ARNOLPHE, *bas, à part*

Tout cela n'est parti que d'une âme innocente,
Et j'en dois accuser mon absence imprudente,
Qui sans guide a laissé cette bonté de mœurs
Exposée aux aguets des rusés séducteurs.

Dom Juan   *Dom Juan* est une pièce sans « intrigue » : suite de tableaux plutôt qu'enchaînement dramatique. Le sujet est traditionnel. Mais, emporté par le combat du *Tartuffe*, Molière fait de Dom Juan, grand seigneur débauché, un impie et un hypocrite de dévotion qui, au dénouement, sera châtié par la vengeance divine. Son intention est de tracer le portrait du « *grand seigneur méchant homme* ». Nous donnons ici deux scènes où Molière, oubliant ce que la tradition théâtrale lui fournissait, recrée ce personnage tel qu'il l'entend.

— 10 *Entretenir* = tenir une conversation suivie avec. — 11 *Trames* = intrigues (nouées comme les fils d'un tissu). — 12 Comment. — 13 Ellipse de l'article. — 14 Vous-même, dites-moi. — 15 Sens étymologique : *souffrir avec* (La langue moderne dit « compatir à la douleur de quelqu'un », ce qui constitue un pléonasme par rapport à l'étymologie).

LE GRAND SEIGNEUR, MÉCHANT HOMME

Dom Juan est en fuite, poursuivi par des hommes qui le recherchent pour une affaire d'honneur. La rencontre avec « un Pauvre » est l'occasion pour Molière de tracer le portrait d'un *libertin* (III, 1-2).

DOM JUAN

Mais, tout en raisonnant, je crois que nous nous sommes égarés [1]. Appelle un peu cet homme que voilà là-bas, pour lui demander le chemin.

SGANARELLE

Holà, ho ! l'homme, ho ! mon compère, ho ! l'ami, un petit mot s'il vous plaît. Enseignez-nous un peu le chemin qui mène à la ville.

LE PAUVRE

Vous n'avez qu'à suivre cette route, Messieurs, et détourner à main droite quand vous serez au bout de la forêt. Mais je vous donne avis que vous devez vous tenir sur vos gardes et que, depuis quelque temps, il y a des voleurs ici autour.

DOM JUAN

Je te suis bien obligé, mon ami, et je te rends grâce de tout mon cœur [2].

LE PAUVRE

10   Si vous vouliez, Monsieur, me secourir de quelque aumône ?

DOM JUAN

Ah ! ah ! ton avis est intéressé, à ce que je vois.

LE PAUVRE

Je suis un pauvre homme, Monsieur, retiré tout seul dans ce bois depuis dix ans, et je ne manquerai pas de prier le Ciel qu'il vous donne toute sorte de biens.

DOM JUAN

Eh ! prie-le qu'il te donne un habit, sans te mettre en peine des affaires des autres [3].

SGANARELLE

Vous ne connaissez pas Monsieur, bon homme : il ne croit qu'en deux et deux sont quatre, et en quatre et quatre sont huit [4].

DOM JUAN

Quelle est ton occupation parmi ces arbres ?

LE PAUVRE

20   De prier le Ciel tout le jour pour la prospérité des gens de bien qui me donnent quelque chose [5].

— 1 Sganarelle et Dom Juan traversent une forêt. — 2 Politesse outrée qui recouvre une insolence raffinée ! — 3 Changement de ton. — 4 C'est ce que Dom Juan vient de déclarer à Sganarelle qui lui a répliqué : « *Votre religion à ce que je vois est donc l'arithmétique ?* » — 5 Réponse habile du pauvre qui revient ainsi à sa demande précédente.

Dom Juan

Il ne se peut donc pas que tu ne sois bien à ton aise [6]?

Le Pauvre

Hélas, Monsieur, je suis dans la plus grande nécessité du monde.

Dom Juan

Tu te moques : un homme qui prie le Ciel tout le jour, ne peut pas manquer d'être bien dans ses affaires.

Le Pauvre

Je vous assure, Monsieur, que le plus souvent je n'ai pas un morceau de pain à mettre sous les dents.

Dom Juan [7]

[Voilà qui est étrange, et tu es bien mal reconnu de tes soins. Ah! ah! je m'en vais te donner un louis d'or tout à l'heure, pourvu que tu veuilles 30 jurer [8].

Le Pauvre

Ah! Monsieur, voudriez-vous que je commisse un tel péché?

Dom Juan

Tu n'as qu'à voir si tu veux gagner un louis d'or ou non : en voici un que je te donne, si tu jures. Tiens : il faut jurer [9].

Le Pauvre

Monsieur...

Dom Juan

A moins de cela tu ne l'auras pas.

Sganarelle

Va, va, jure un peu, il n'y a pas de mal [10].

Dom Juan

Prends, le voilà ; prends, te dis-je ; mais jure donc [11].

Le Pauvre

Non, Monsieur, j'aime mieux mourir de faim [12].

Dom Juan

Va, va ; je te le donne pour l'amour de l'humanité [13].]

— 6 La froide ironie est un autre trait du caractère de Dom Juan. — 7 Ce qui est entre crochets a été supprimé à la représentation. Malgré cette précaution, la pièce fut interdite. — 8 C'est-à-dire *blasphémer*. — 9 Dans cette attitude, Dom Juan incarne véritablement l'esprit du mal : nous sommes loin du « Donjuanisme » traditionnel. — 10 Toute la lâcheté de Sganarelle s'exprime ici : le valet est digne du maître. — 11 La colère gagne Dom Juan. — 12 « Je ferais plus d'état du fils d'un crocheteur qui serait honnête homme que du fils d'un monarque qui vivrait comme vous » (Discours de Dom Louis à Dom Juan, IV, 5). — 13 L'expression traditionnelle est : « Pour l'amour de Dieu ».

L'HYPOCRISIE DE DOM JUAN

La bataille du *Tartuffe* est engagée quand Molière écrit cette tirade. Mais Dom Juan n'est pas Tartuffe : l'abîme de la condition sociale les sépare. Quel est le plus « inquiétant » des deux ? (V, 2).

SGANARELLE

Quoi ? vous ne croyez rien du tout, et vous voulez cependant vous ériger en homme de bien ?

DOM JUAN

Et pourquoi non ? Il y en a tant d'autres comme moi, qui se mêlent de ce métier, et qui se servent du même masque pour abuser le monde !

SGANARELLE

Ah ! quel homme ! quel homme !

DOM JUAN

Il n'y a plus de honte maintenant à cela : l'hypocrisie est un vice à la mode, et tous les vices à la mode passent pour vertus. Le personnage[1] d'homme de bien est le meilleur de tous les personnages qu'on puisse jouer aujourd'hui, et la profession d'hypocrite a de merveilleux avantages.
10 C'est un art de qui[2] l'imposture est toujours respectée ; et quoiqu'on la découvre, on n'ose rien dire contre elle. Tous les autres vices des hommes sont exposés à la censure, et chacun a la liberté de les attaquer hautement ; mais l'hypocrisie est un vice privilégié, qui, de sa main, ferme la bouche à tout le monde[3], et jouit en repos d'une impunité souveraine. On lie, à force de grimaces, une société étroite avec tous les gens du parti[4]. Qui en choque[5] un, se les jette tous sur les bras ; et ceux que l'on sait même agir de bonne foi là-dessus, et que chacun connaît pour être véritablement touchés[6], ceux-là, dis-je, sont toujours les dupes des autres ; ils donnent hautement dans le panneau des grimaciers, et appuient aveuglément les
20 singes de leurs actions. Combien crois-tu que j'en connaisse qui, par ce stratagème, ont rhabillé[7] adroitement les désordres de leur jeunesse, qui se sont fait un bouclier du manteau de la religion, et, sous cet habit respecté, ont la permission d'être les plus méchants hommes du monde[8] ? On a beau savoir leurs intrigues et les connaître pour ce qu'ils sont, ils ne laissent pas pour cela d'être en crédit parmi les gens ; et quelque baissement de tête, un soupir mortifié, et deux roulements d'yeux[9] rajustent dans le monde tout ce qu'ils peuvent faire. C'est sous cet abri favorable que

---

— 1 Le rôle. — 2 Dont. — 3 Songer à l'interdiction du *Tartuffe*. — 4 Allusion à la « cabale des dévots ». — 5 Heurte, atteint. — 6 D'une foi sincère, comme Orgon. — 7 Réparé. —, | 8 Allusion possible au prince de Conti, qui d'après certains, serait visé dans Dom Juan. — 9 Cf. le « franc scélérat » hypocrite du *Misanthrope* (v. 127).

je veux me sauver, et mettre en sûreté mes affaires. Je ne quitterai point mes douces habitudes ; mais j'aurai soin de me cacher et me divertirai à 30 petit bruit. Que si je viens à être découvert, je verrai, sans me remuer, prendre mes intérêts à toute la cabale [10], et je serai défendu par elle envers et contre tous. Enfin c'est là le vrai moyen de faire impunément tout ce que je voudrai. Je m'érigerai en censeur des actions d'autrui, jugerai mal de tout le monde, et n'aurai bonne opinion que de moi. Dès qu'une fois on m'aura choqué tant soit peu, je ne pardonnerai jamais et garderai tout doucement une haine irréconciliable. Je ferai [11] le vengeur des intérêts du Ciel [12], et, sous ce prétexte commode, je pousserai [13] mes ennemis, je les accuserai d'impiété, et saurai déchaîner contre eux des zélés indiscrets [14], qui, sans connaissance de cause, crieront en public contre eux, qui les 50 accableront d'injures, et les damneront hautement de leur autorité privée. C'est ainsi qu'il faut profiter des faiblesses des hommes, et qu'un sage esprit s'accommode aux vices de son siècle.

SGANARELLE

O Ciel ! qu'entends-je ici ? Il ne vous manquait plus que d'être hypocrite pour vous achever de tout point, et voilà le comble des abominations.

TARTUFFE OU L'IMPOSTEUR

Tartuffe met en scène une famille bourgeoise divisée par l'arrivée d'un personnage louche qui exerce « un pouvoir tyrannique » sur le chef de cette famille : ORGON. Affectant une dévotion scrupuleuse et outrée, TARTUFFE s'érige en censeur des mœurs, et tout en convoitant l'épouse d'Orgon, s'arrange pour se faire accorder par ce dernier la main de sa fille, Mariane. Damis, frère de Mariane, qui voit clairement tout ce manège, veut faire un éclat, mais ELMIRE, l'épouse d'Orgon, l'en dissuade et le convainc de la laisser agir par la ruse ; elle convoque Tartuffe et l'oblige à se démasquer : c'est le sujet de cette scène (III, 3).

TARTUFFE

Que le Ciel à jamais, par sa toute bonté,
Et de l'âme et du corps vous donne la santé [1],
Et bénisse vos jours autant que le désire
Le plus humble de ceux que son amour inspire !

ELMIRE

Je suis fort obligée à ce souhait pieux ;
Mais prenons une chaise afin d'être un peu mieux [2].

— 10 Il vise en particulier la Compagnie du Saint-Sacrement. — 11 Jouerai le rôle de. — 12 L'expression « *les intérêts du Ciel* » revient souvent dans *Tartuffe*. — 13 Ferai reculer. —

14 Dévots sincères mais sans discernement.

— 1 Invocation remplie de ferveur. — 2 Le ton d'Elmire est fort différent !

Tartuffe, *assis*

Comment de votre mal vous sentez-vous remise [3] ?

Elmire, *assise*

Fort bien, et cette fièvre a bientôt quitté prise.

Tartuffe

Mes prières n'ont pas le mérite qu'il faut
10   Pour avoir attiré cette grâce d'en haut ;
Mais je n'ai fait au Ciel nulle dévote instance [4]
Qui n'ait eu pour objet votre convalescence.

Elmire

Votre zèle pour moi s'est trop inquiété.

Tartuffe

On ne peut trop chérir votre chère santé,
Et pour la rétablir j'aurais donné la mienne [5].

Elmire

C'est poussser bien avant la charité chrétienne,
Et je vous dois beaucoup pour toutes ces bontés.

Tartuffe

Je fais bien moins pour vous que vous ne méritez.

Elmire

J'ai voulu vous parler en secret d'une affaire,
20   Et suis bien aise ici qu'aucun ne nous éclaire [6].

Tartuffe

J'en suis ravi de même, et sans doute il m'est doux,
Madame, de me voir seul à seul avec vous ;
C'est une occasion qu'au Ciel j'ai demandée,
Sans que jusqu'à cette heure il me l'ait accordée.

Elmire

Pour moi, ce que je veux, c'est un mot d'entretien
Où tout votre cœur s'ouvre et ne me cache rien [7].
*(Damis, sans se montrer, entr'ouvre la porte du cabinet dans
lequel il s'était retiré, pour entendre la conversation.)*

— 3 Elmire vient d'avoir la fièvre « avec un mal de tête étrange à concevoir ». — 4 Supplication. — 5 Ce conditionnel ne l'engage à rien ! — 6 *Qu'il n'y ait pas de témoin ;* cette réflexion ambiguë autorise Tartuffe à se démasquer un peu plus : d'où sa réplique. — 7 Même remarque.

TARTUFFE

Et je ne veux aussi, pour grâce singulière,
Que montrer à vos yeux mon âme toute entière,
Et vous faire serment que les bruits que j'ai faits [8]
30 Des visites qu'ici reçoivent vos attraits
Ne sont pas envers vous l'effet d'aucune [9] haine,
Mais plutôt d'un transport de zèle [10] qui m'entraîne
Et d'un pur mouvement...

ELMIRE
Je le prends bien aussi,
Et crois que mon salut [11] vous donne ce souci.

TARTUFFE, *il lui serre le bout des doigts*
Oui, madame, sans doute, et ma ferveur [12] est telle...

ELMIRE
Ouf! vous me serrez trop.

TARTUFFE
C'est par excès de zèle.
De vous faire aucun mal je n'eus jamais dessein,
Et j'aurais bien plutôt...
(Il lui met la main sur le genou.)

ELMIRE
Que fait là votre main?

TARTUFFE
Je tâte votre habit; l'étoffe en est moelleuse.

ELMIRE
40 Ah! de grâce, laissez; je suis fort chatouilleuse.
(Elle recule sa chaise, et Tartuffe rapproche la sienne.)

TARTUFFE
Mon Dieu! que de ce point [13] l'ouvrage est merveilleux!
On travaille aujourd'hui d'un air [14] miraculeux;
Jamais en toute chose on n'a vu si bien faire.

— 8 Les cris que j'ai poussés à propos des visites...
— 9 Nous dirions : *ne sont envers vous l'effet d'aucune haine*. — 10 Manifestations d'ardente passion. — 11 Le mot *salut*, répond au mot *grâce* (v. 27) : Elmire essaie de replacer l'entretien sur un plan surnaturel. — 12 *Ferveur*, comme *zèle* (v. 32, 36), appartient au vocabulaire religieux aussi bien qu'amoureux : Tartuffe, dans toute cette scène joue sur l'ambiguïté de ce langage. — 13 Dentelle de fil faite à l'aiguille. — 14 Façon.

ELMIRE

Il est vrai. Mais parlons un peu de notre affaire.
On tient que mon mari veut dégager sa foi
Et vous donner sa fille : est-il [15] vrai, dites-moi ?

TARTUFFE

Il m'en a dit deux mots ; mais, madame, à vrai dire,
Ce n'est pas le bonheur après quoi je soupire,
Et je vois autre part les merveilleux attraits
50   De la félicité qui fait tous mes souhaits.

ELMIRE

C'est que vous n'aimez rien des choses de la terre.

TARTUFFE

Mon sein n'enferme pas un cœur qui soit de pierre.

ELMIRE

Pour moi, je crois qu'au Ciel tendent tous vos soupirs,
Et que rien ici-bas n'arrête vos désirs.

TARTUFFE

L'amour qui nous attache aux beautés éternelles
N'étouffe pas en nous l'amour des temporelles,
Nos sens facilement peuvent être charmés [16]
Des ouvrages parfaits que le Ciel a formés.
Ses attraits réfléchis [17] brillent dans vos pareilles,
60   Mais il étale en vous ses plus rares merveilles.
Il a sur votre face épanché des beautés
Dont les yeux sont surpris et les cœurs transportés ;
Et je n'ai pu vous voir, parfaite créature,
Sans admirer en vous l'auteur de la nature,
Et d'une ardente amour [18] sentir mon cœur atteint
Au [19] plus beau des portraits où lui-même il s'est peint.
D'abord j'appréhendai que cette ardeur secrète
Ne fût du noir esprit [20] une surprise adroite [21],
Et même à fuir vos yeux mon cœur se résolut,
70   Vous croyant un obstacle à faire mon salut.
Mais enfin je connus [22], ô beauté toute aimable,
Que cette passion peut n'être point coupable,
Que je puis l'ajuster avecque la pudeur,
Et c'est ce qui m'y fait abandonner mon cœur.

— 15 *Il* = ce. — 16 Sens fort. — 17 Reflétés. | au XVIIᵉ siècle. — 19 Devant le. — 20 Le
— 18 *Amour* est tantôt masculin tantôt féminin | démon. — 21 Prononcer : *adrète*. — 22 Je re-
connus.

Ce m'est, je le confesse, une audace bien grande
Que d'oser de ce cœur vous adresser l'offrande ;
Mais j'attends en mes vœux tout de votre bonté,
Et rien des vains efforts de mon infirmité.
80 En vous est mon espoir, mon bien, ma quiétude ;
De vous dépend ma peine ou ma béatitude ;
Et je vais être enfin, par votre seul arrêt,
Heureux, si vous voulez, malheureux, s'il vous plaît.

ELMIRE

La déclaration est tout à fait galante ;
Mais elle est, à vrai dire, un peu bien surprenante.
Vous deviez [23], ce me semble, armer mieux votre sein [24]
Et raisonner un peu sur un pareil dessein.
Un dévot comme vous, et que partout on nomme...

TARTUFFE

Ah ! pour être dévot, je n'en suis pas moins homme ;
Et lorsqu'on vient à voir vos célestes appas,
90 Un cœur se laisse prendre et ne raisonne pas.
Je sais qu'un tel discours de moi paraît étrange ;
Mais, Madame, après tout, je ne suis pas un ange,
Et, si vous condamnez l'aveu que je vous fais,
Vous devez vous en prendre à vos charmants [25] attraits.
Dès que j'en vis briller la splendeur plus qu'humaine,
De mon intérieur vous fûtes souveraine.
De vos regards divins l'ineffable douceur
Força la résistance où s'obstinait mon cœur ;
Elle surmonta tout, jeûnes, prières, larmes,
100 Et tourna tous mes vœux du côté de vos charmes.
Mes yeux et mes soupirs vous l'ont dit mille fois,
Et pour mieux m'expliquer j'emploie ici la voix.
Que si vous contemplez d'une âme un peu bénigne
Les tribulations de votre esclave indigne,
S'il faut que vos bontés veuillent me consoler
Et jusqu'à mon néant daignent se ravaler [26],
J'aurai toujours pour vous, ô suave merveille,
Une dévotion à nulle autre pareille.
Votre honneur avec moi ne court point de hasard [27]
110 Et n'a nulle disgrâce à craindre de ma part.
Tous ces galants de cour dont les femmes sont folles,
Sont bruyants dans leurs faits et vains dans leurs paroles ;

— 23 Vous auriez dû. — 24 Votre cœur. — 25 Le ton redevient galant. — 26 Tartuffe reprend le langage théologique : c'est Dieu qui se ravale jusqu'au néant de sa créature. — 27 Risque.

De leurs progrès sans cesse on les voit se targuer ;
Ils n'ont point de faveurs qu'ils n'aillent divulguer,
Et leur langue indiscrète, en qui l'on se confie,
Déshonore l'autel où leur cœur sacrifie.
Mais les gens comme nous [28] brûlent d'un feu discret,
Avec qui pour toujours on est sûr du secret.
Le soin que nous prenons de notre renommée
120 Répond de toute chose à la personne aimée,
Et c'est en nous qu'on trouve, acceptant notre cœur,
De l'amour sans scandale et du plaisir sans peur.

Le Misanthrope

Le Misanthrope est la plus fine comédie de Molière. C'est le drame d'Alceste qui aime et se croit aimé : il attribue aux « vices du temps » les défauts qu'il voit en Célimène et il a l'espoir d'en « purger son âme ». Il décide de la mettre en demeure de choisir entre lui et ses rivaux ; mais chaque fois qu'il va poser la question, tantôt la coquette se dérobe, tantôt des fâcheux viennent les séparer. L'unité de la pièce vient du caractère d'Alceste, rendu sensible à toutes les influences par sa jalousie et par le pessimisme qu'elle entretient dans son âme.

Un *misanthrope* est un homme qui hait ses semblables. Telle est bien, semble-t-il, l'attitude d'Alceste qui a conçu pour la nature humaine « une effroyable haine ». Mais cet homme « qui hait tous les hommes » (v. 118) a un ami et une maîtresse, et il vit dans un siècle qui a porté au plus haut point l'art de vivre en société. Dans la comédie de Molière, Alceste essaie d'abord de concilier cet art de vivre, qu'il a appris dans son milieu d'origine, avec son tour d'esprit particulier. Mais il va d'échec en échec, et de ridicule en ridicule. Il finit donc par renoncer à ce combat épuisant, et se retire «au désert» (loin de la Cour).

LA « DÉCLARATION »

Dans la scène 1, de l'acte II, la misanthropie et l'amour s'affrontent : Alceste est amoureux de Célimène, une coquette qui lui donne mille motifs de jalousie.

Dans la dernière scène de l'acte V, les mêmes personnages, au cours d'une ultime entrevue, dont le ton est infiniment plus grave, se séparent définitivement.

C'est dire que l'intrigue a peu d'importance dans cette pièce et que compte avant tout la peinture de caractères éternels.

Alceste

Madame, voulez-vous que je vous parle net ?
De vos façons d'agir je suis mal satisfait.
Contre elles dans mon cœur trop de bile s'assemble,
Et je sens qu'il faudra que nous rompions ensemble [1].
Oui, je vous tromperais de parler autrement :
Tôt ou tard nous romprons indubitablement ;
Et je vous promettrais mille fois le contraire
Que je ne serais pas en pouvoir de le faire.

— 28 *Comme nous :* la société secrète à laquelle appartient Tartuffe, ou, simplement, ses pareils.

1 C'est ainsi, en effet, que se termine la pièce.

CÉLIMÈNE

10   C'est pour me quereller donc, à ce que je voi,
Que vous avez voulu me ramener chez moi ?

ALCESTE

Je ne querelle point ; mais votre humeur, Madame,
Ouvre au premier venu trop d'accès dans votre âme ;
Vous avez trop d'amants [2] qu'on voit vous obséder [3],
Et mon cœur de cela ne peut s'accommoder.

CÉLIMÈNE

Des amants que je fais me rendez-vous coupable ?
Puis-je empêcher les gens de me trouver aimable ?
Et, lorsque pour me voir ils font de doux efforts,
Dois-je prendre un bâton pour les mettre dehors ?

ALCESTE

Non, ce n'est pas, Madame, un bâton qu'il faut prendre [4],
20   Mais un cœur à leurs vœux moins facile et moins tendre.
Je sais que vos appas [5] vous suivent en tous lieux ;
Mais votre accueil retient ceux qu'attirent vos yeux,
Et sa douceur, offerte à qui vous rend les armes [6],
Achève sur les cœurs l'ouvrage de vos charmes.
Le trop riant espoir que vous leur présentez
Attache autour de vous leurs assiduités ;
Et votre complaisance, un peu moins étendue,
De tant de soupirants chasserait la cohue [7].
Mais au moins dites-moi, Madame, par quel sort
30   Votre Clitandre a l'heur [8] de vous plaire si fort.
Sur quels fonds de mérite et de vertu sublime
Appuyez-vous en lui l'honneur de votre estime ?
Est-ce par l'ongle long qu'il porte au petit doigt [9]
Qu'il s'est acquis chez vous l'estime où l'on le voit ?
Vous êtes-vous rendue, avec tout le beau monde,
Au mérite éclatant de sa perruque blonde ?
Sont-ce ses grands canons [10] qui vous le font aimer ?
L'amas de ses rubans a-t-il su vous charmer ?

— 2 Trop de *soupirants* (c'est le sens du XVIIe siècle). — 3 Vous assiéger. — 4 En l'obligeant à reprendre cette métaphore, Célimène ridiculise Alceste. — 5 Votre pouvoir de séduction. — 6 Les « assiégeants » rendent les armes. Le vocabulaire de la galanterie affectionne les métaphores militaires. — 7 C'est à des exagérations de cette sorte qu'on peut voir le dessein de Molière, qui est de faire rire le public au spectacle du *Misanthrope*. La scène de jalousie qui suit confirme cette remarque. — 8 Le bonheur. — 9 Excentricité à la mode chez les « petits marquis ». — 10 Ornement attaché entre le bas et la culotte.

Est-ce par les appas de sa vaste rhingrave [11]
40 Qu'il a gagné votre âme en faisant votre esclave ?
Ou sa façon de rire et son ton de fausset
Ont-ils de vous toucher su trouver le secret [12] ?

CÉLIMÈNE

Qu'injustement de lui vous prenez de l'ombrage !
Ne savez-vous pas bien pourquoi je le ménage,
Et que dans mon procès [13], ainsi qu'il m'a promis,
Il peut intéresser tout ce qu'il a d'amis ?

ALCESTE

Perdez votre procès, Madame, avec constance [14],
Et ne ménagez point un rival qui m'offense.

CÉLIMÈNE

Mais de tout l'univers vous devenez jaloux.

ALCESTE

50 C'est que tout l'univers est bien reçu de vous.

CÉLIMÈNE

C'est ce qui doit rasseoir [15] votre âme effarouchée,
Puisque ma complaisance est sur tous épanchée ;
Et vous auriez plus lieu [16] de vous en offenser,
Si vous me la voyiez sur un seul ramasser.

ALCESTE

Mais moi, que vous blâmez de trop de jalousie,
Qu'ai-je de plus qu'eux tous, Madame, je vous prie ?

CÉLIMÈNE

Le bonheur de savoir que vous êtes aimé.

ALCESTE

Et quel lieu de le croire a mon cœur enflammé ?

CÉLIMÈNE

Je pense qu'ayant pris [17] le soin de vous le dire,
60 Un aveu de la sorte a de quoi vous suffire.

— 11 Sorte de haut-de-chausse. — 12 Portrait achevé d'un petit marquis : il apparaît à la scène 1 de l'Acte III. — 13 Célimène a un procès, Alceste aussi, et bien d'autres au XVIIᵉ siècle où la chicane est, avec le jeu, une des distractions favorites d'une certaine société (Cf. *Les Plaideurs* de Racine). — 14 Avec fermeté d'âme, comme un héros antique. — 15 Rassurer. — 16 Raison. — 17 Puisque j'ai pris.

ALCESTE

Mais qui m'assurera que, dans le même instant,
Vous n'en disiez peut-être aux autres tout autant ?

CÉLIMÈNE

Certes, pour un amant, la fleurette [18] est mignonne,
Et vous me traitez là de gentille personne.
Hé bien ! pour vous ôter d'un semblable souci,
De tout ce que j'ai dit je me dédis ici,
Et rien ne saurait plus vous tromper que vous-même :
Soyez content.

ALCESTE

       Morbleu ! faut-il que je vous aime ?
Ah ! que si de vos mains je rattrape mon cœur,
70 Je bénirai le Ciel de ce rare bonheur !
Je ne le cède pas, je fais tout mon possible
A [19] rompre de ce cœur l'attachement terrible ;
Mais mes plus grands efforts n'ont rien fait jusqu'ici,
Et c'est pour mes péchés que je vous aime ainsi.

CÉLIMÈNE

Il est vrai, votre ardeur est pour moi sans seconde [20].

ALCESTE

Oui, je puis là-dessus défier tout le monde.
Mon amour ne se peut concevoir, et jamais
Personne n'a, Madame, aimé comme je fais !

CÉLIMÈNE

En effet, la méthode en est toute nouvelle,
80 Car vous aimez les gens pour leur faire querelle ;
Ce n'est qu'en mots fâcheux qu'éclate votre ardeur,
Et l'on n'a vu jamais un amour si grondeur.

ALCESTE

Mais il ne tient qu'à vous que son chagrin [21] ne passe.
A tous nos démêlés coupons chemin [22] de grâce,
Parlons à cœur ouvert, et voyons d'arrêter [23]...

— 18 Propos galant (cf. l'expression : conter fleurette). — 19 Pour. — 20 Sans pareille. — 21 Accès de mauvaise humeur. — 22 *Couper chemin à* = prévenir, empêcher. — 23 *D'* = à.

L'HEURE DU CHOIX

Acaste et Clitandre causeront la perte momentanée de CÉLIMÈNE. A la dernière scène, ils lisent en public une lettre et un billet qu'elle leur a écrits, où elle ridiculise avec verve tous ceux qui forment sa « cour », y compris Alceste. Tous l'abandonnent alors et elle reste seule avec ALCESTE, Éliante et Philinte (V, 4).

ALCESTE, *à Célimène*

Hé bien! Je me suis tu, malgré ce que je voi,
Et j'ai laissé parler tout le monde avant moi.
Ai-je pris sur moi-même un assez long empire
Et puis-je maintenant?...

CÉLIMÈNE

     Oui, vous pouvez tout dire :
Vous en êtes en droit, lorsque vous vous plaindrez,
Et de me reprocher tout ce que vous voudrez.
J'ai tort, je le confesse, et mon âme confuse
Ne cherche à vous payer d'aucune vaine excuse.
J'ai des autres ici méprisé le courroux,
10 Mais je tombe d'accord de mon crime[1] envers vous.
Votre ressentiment, sans doute, est raisonnable ;
Je sais combien je dois vous paraître coupable,
Que toute chose dit que j'ai pu vous trahir,
Et qu'enfin vous avez sujet de me haïr.
Faites-le, j'y consens.

ALCESTE

    Hé! le puis-je, traîtresse?
Puis-je ainsi triompher de toute ma tendresse?
Et, quoique avec ardeur je veuille vous haïr,
Trouvé-je un cœur en moi tout prêt à m'obéir[2]?

(A Éliante et Philinte.)

Vous voyez ce que peut une indigne[3] tendresse,
20 Et je vous fais tous deux témoins de ma faiblesse.
Mais, à vous dire vrai, ce n'est pas encor tout,
Et vous allez me voir la pousser jusqu'au bout,
Montrer que c'est à tort que sages on nous nomme,
Et que dans tous les cœurs il est toujours de l'homme.

— 1 Crime d'honneur, selon le code mondain de l'époque. — 2 Cet « empire » qu'Alceste a pris sur lui-même ne lui assure pas cependant la maîtrise de ses sentiments. Il reste par là vulnérable et humain. — 3 Indigne de la haute idée qu'il se fait de lui-même, à laquelle il voudrait conformer sa vie.

(A Célimène.)

Oui, je veux bien, perfide, oublier vos forfaits ;
J'en saurai, dans mon âme, excuser tous les traits,
Et me les couvrirai du nom d'une faiblesse
Où [4] le vice du temps porte votre jeunesse,
Pourvu que votre cœur veuille donner les mains [5]
30   Au dessein que je fais de fuir tous les humains,
Et que dans mon désert [6], où j'ai fait vœu de vivre,
Vous soyez, sans tarder, résolue à me suivre.
C'est par là seulement que, dans tous les esprits,
Vous pouvez réparer le mal de vos écrits,
Et qu'après cet éclat, qu'un noble cœur abhorre,
Il peut m'être permis de vous aimer encore.

CÉLIMÈNE

Moi, renoncer au monde avant que de vieillir,
Et dans votre désert aller m'ensevelir ?

ALCESTE

Et s'il faut qu'à mes feux votre flamme réponde,
40   Que doit vous importer tout le reste du monde ?
Vos désirs avec moi ne sont-ils pas contents [7] ?

CÉLIMÈNE

La solitude effraye une âme de vingt ans ;
Je ne sens point la mienne assez grande, assez forte,
Pour me résoudre à prendre un dessein de la sorte.
Si le don de ma main peut contenter vos vœux,
Je pourrai me résoudre à serrer de tels nœuds ;
Et l'hymen...

ALCESTE

Non : mon cœur à présent vous déteste,
Et ce refus lui seul fait plus que tout le reste.
Puisque vous n'êtes point, en des liens si doux,
50   Pour [8] trouver tout en moi, comme moi tout en vous,
Allez, je vous refuse, et ce sensible outrage
De vos indignes fers [9] pour jamais me dégage.

— 4 Auquel. — 5 Donner son consentement. — 6 *Sa demeure en province :* tous les lieux que la Cour n'habite pas sont des « déserts ». — 7 Satisfaits. — 8 *Être pour* = être fait pour. — 9 *Vos fers* = votre amour (style galant).

LA FONTAINE

De souche bourgeoise et provinciale, JEAN DE LA FONTAINE est né en 1621 à Château-Thierry. Son père était maître des eaux et forêts et capitaine des chasses. Sa mère était de bonne famille poitevine : « La Fontaine est aussi poitevin que champenois ; peut-être même l'est-il davantage : quand il traversera Châtellerault en allant en Limousin, il aura plaisir à s'y sentir « en pays de parenté » (P. Clarac).

Au Collège de Château-Thierry, il apprend le latin et même un peu le grec. A vingt ans (1641), il se croit la vocation ecclésiastique, mais il quitte bientôt la théologie pour le droit et reçoit le titre d'avocat au Parlement.

En 1647, il épouse Marie Héricart. Leur union ne fut pas heureuse. En 1658, La Fontaine se fixe à Paris et progressivement les époux s'éloignent l'un de l'autre.

Jusqu'à l'âge de 37 ans où il se fixe à Paris, La Fontaine n'est encore qu'un inconnu « ignorant de son talent et accaparé par tous les agréments et tous les ennuis d'une existence de province » (Giraudoux).

Vers 1657, il devient le protégé du surintendant FOUQUET, auquel il dédie le poème d'ADONIS (1658). Grâce à son protecteur, il entre en relation avec MME DE SÉVIGNÉ, MOLIÈRE, RACINE.

Les quatre années passées à Vaux, résidence de son protecteur, lui permettent d'approfondir sa connaissance du monde et des hommes. Après la disgrâce de Fouquet, en 1661, il réside au Palais du Luxembourg chez la duchesse d'Orléans, mais fréquente les salons les plus brillants. C'est pour plaire à ces mondains qu'il publie ses « Contes et Nouvelles » en vers (1664-1666). « Il n'y a rien de La Fontaine dans les Contes : il s'amuse, contant pour conter, coupant de maximes d'un libertinage sommaire des histoires auxquelles il est le dernier à ajouter foi » (P. Clarac).

Deux ans plus tard paraît le Premier recueil des Fables (1668) qui le rendront immortel.

La duchesse d'Orléans meurt en 1672. La Fontaine devient l'hôte de MME DE LA SABLIÈRE. Le Second recueil des Fables (VII à XI) paraît en deux tomes en 1678 et 1679. En 1683, il est élu à l'Académie Française. Lors de sa réception, il honore sa protectrice en prononçant le Discours à Mme de La Sablière.

En 1692, il tombe malade et se convertit solennellement : il renonce définitivement à écrire des Contes, se met à traduire des hymnes et des psaumes. Il trouve encore la force de publier en septembre 1694 le Livre XII des Fables. Quelques mois plus tard il rend le dernier soupir.

Les Fables

« Dans les Fables, La Fontaine retrouve, ou plutôt fait entrer tous les genres. Elles représentent, en leur temps, et même dans tous les temps, quelque chose d'absolument unique. La langue même en est inventée. [...] Sur la morale qu'elles illustrent on a pu porter des jugements très variés : elle reflète, en effet, les attitudes contradictoires du poète en face de la vie. [...] Les Fables demeurent, pour qui a l'oreille fine, une source inépuisable de joies. Mais les entendons-nous comme les entendaient les contemporains de La Fontaine, et La Fontaine lui-même ? Valéry se pose cette question à la fin de son essai sur Adonis. C'est à travers Chénier, Hugo, Apollinaire que nous aimons La Fontaine et Racine » (P. Clarac, L'âge classique, p. 197, 200, 201).

LES ANIMAUX MALADES DE LA PESTE

Voici d'abord un grand *conseil politique* dont dépend le sort du royaume dans une circonstance grave. C'est l'heure où les âmes se dévoilent. Le roi « fait un beau discours sur le bien public et ne songe qu'au sien » (Taine). Cynisme ou naïveté ? il adopte une noble attitude, mais il sait qu'il ne risque rien. Les courtisans trouvent mille arguments juridiques en sa faveur et s'entendent comme larrons pour accabler le pauvre hère sans défense. C'est la loi générale du monde : *la raison du plus fort.*

L'*art du fabuliste* trouve ici sa perfection : c'est bien des hommes qu'il s'agit, et pourtant la fiction animale reste présente à nos esprits, tant le choix des personnages s'accorde avec le rôle et le langage que leur prête le poète (VII, 1).

Un mal qui répand la terreur [1],
Mal que le Ciel en sa fureur
Inventa pour punir les crimes de la terre,
La Peste (puisqu'il faut l'appeler par son nom),
Capable d'enrichir en un jour l'Achéron [2],
Faisait aux Animaux la guerre.
Ils ne mouraient pas tous, mais tous étaient frappés :
On n'en voyait point d'occupés
A chercher le soutien d'une mourante vie,
10   Nul mets n'excitait leur envie ;
Ni loups ni renards n'épiaient [3]
La douce et l'innocente proie ;
Les tourterelles se fuyaient :
Plus d'amour, partant [4] plus de joie.
Le Lion tint conseil, et dit : « Mes chers amis,
Je crois que le Ciel a permis
Pour nos péchés cette infortune.
Que le plus coupable de nous
Se sacrifie aux traits du céleste courroux [5] ;
20   Peut-être il obtiendra la guérison commune.
L'histoire nous apprend qu'en de tels accidents [6],
On fait de pareils dévouements [7].
Ne nous flattons [8] donc point ; voyons sans indulgence
L'état de notre conscience.
Pour moi, satisfaisant mes appétits gloutons,
J'ai dévoré force moutons.

— 1 Songer aux ravages de la peste au Moyen Age, et encore au XVIIᵉ siècle. — 2 Fleuve des enfers. — 3 Enjambement expressif. — 4 Par conséquent. — 5 Il cherche un « volontaire ». — 6 Événements malheureux (*accidit*). — 7 Consécrations aux *dieux* pour les apaiser. — 8 Embellissons.

Que m'avaient-ils fait ? Nulle offense ;
Même il m'est arrivé quelquefois de manger
Le berger.
30 Je me dévouerai donc, s'il le faut ; mais je pense
Qu'il est bon que chacun s'accuse ainsi que moi :
Car on doit souhaiter, selon toute justice,
Que le plus coupable périsse.
— Sire, dit le Renard, vous êtes trop bon roi ;
Vos scrupules font voir trop de délicatesse.
Eh bien ! manger moutons, canaille, sotte espèce,
Est-ce un péché ? Non, non. Vous leur fîtes, Seigneur,
En les croquant, beaucoup d'honneur ;
Et quant au berger, l'on peut dire
40 Qu'il était digne de tous maux,
Étant de ces gens-là qui sur les animaux
Se font un chimérique empire. »
Ainsi dit le Renard ; et flatteurs d'applaudir.
On n'osa trop approfondir
Du Tigre, ni de l'Ours, ni des autres puissances,
Les moins pardonnables offenses.
Tous les gens querelleurs, jusqu'aux simples mâtins [9],
Au dire de chacun, étaient de petits saints.
L'Ane vint à son tour, et dit : « J'ai souvenance
50 Qu'en un pré de moines [10] passant,
La faim, l'occasion, l'herbe tendre, et, je pense,
Quelque diable aussi me poussant,
Je tondis de ce pré la largeur de ma langue.
Je n'en avais nul droit puisqu'il faut parler net [11]. »
A ces mots, on cria haro [12] sur le Baudet.
Un Loup, quelque peu clerc [13], prouva par sa harangue
Qu'il fallait dévouer [14] ce maudit animal,
Ce pelé, ce galeux, d'où venait tout leur mal.
Sa peccadille fut jugée un cas pendable.
60 Manger l'herbe d'autrui ! quel crime abominable !
Rien que la mort n'était capable
D'expier son forfait : on le lui fit bien voir.

Selon que vous serez puissant ou misérable,
Les jugements de cour vous rendront blanc ou noir [15].

— 9 Gros chiens de garde. — 10 Ils sont riches et charitables ! — 11 Il est conscient de sa faute! — 12 Cri que l'on poussait pour déférer un coupable à la justice. — 13 *Savant.* C'est le « procureur »! — 14 Il n'est plus question de « *se* » dévouer. — 15 « *C'est presque l'histoire de toute société humaine* » (Chamfort).

LES DEUX PIGEONS

D'un long récit de Pilpay qui débutait par une « litanie sentencieuse », LA FONTAINE a d'abord tiré « *le discours dont chaque mot est une preuve de tendresse* » (Taine). Amour ou amitié tendre ? Pour La Fontaine, les deux sentiments se rejoignent (cf. *Les deux Amis*). Après cette scène de comédie sentimentale, un « *roman d'aventures* » riche en péripéties savamment graduées d'où la morale se tire d'elle-même. Le poète s'abandonne alors à son *tempérament élégiaque* : les souvenirs de ce cœur volage s'éveillent à leur tour, et la confidence de cet homme au déclin de l'âge se termine sur des regrets d'une *émouvante mélancolie* (IX, 2).

Deux pigeons s'aimaient d'amour tendre :
L'un d'eux, s'ennuyant au logis,
Fut assez fou pour entreprendre
Un voyage en lointain pays.
L'autre lui dit : « Qu'allez-vous faire ?
Voulez-vous quitter votre frère ?
L'absence est le plus grand des maux [1] :
Non pas pour vous, cruel ! Au moins, que les travaux [2],
Les dangers, les soins [3] du voyage,
10 Changent un peu votre courage [4].
Encor, si la saison s'avançait davantage !
Attendez les zéphyrs [5] : qui vous presse ? un corbeau
Tout à l'heure annonçait malheur à quelque oiseau.
Je ne songerai [6] plus que rencontre funeste,
Que faucons, que réseaux [7]. « Hélas ! dirai-je, il pleut :
« Mon frère a-t-il tout ce qu'il veut,
« Bon soupé, bon gîte, et le reste ? »
Ce discours ébranla le cœur
De notre imprudent voyageur ;
20 Mais le désir de voir et l'humeur inquiète [8]
L'emportèrent enfin. Il dit : « Ne pleurez point ;
Trois jours au plus rendront mon âme satisfaite ;
Je reviendrai dans peu conter de point en point
Mes aventures à mon frère ;
Je le désennuierai. Quiconque ne voit guère
N'a guère à dire aussi. Mon voyage dépeint
Vous sera d'un plaisir extrême.
Je dirai : « J'étais là ; telle chose m'avint [9] » ;
Vous y croirez être vous-même. »

— 1 Thème courant de la littérature précieuse aimée de l'auteur. — 2 Les fatigues. — 3 Les soucis. — 4 Votre cœur. — 5 Brise tiède du printemps. — 6 Verrai en songe. — 7 Filets. — 8 Qui ne peut rester en repos. — 9 M'advint (archaïsme).

30 A ces mots, en pleurant, ils se dirent adieu.
Le voyageur s'éloigne ; et voilà qu'un nuage
L'oblige de chercher retraite en quelque lieu.
Un seul arbre s'offrit, tel encor que l'orage
Maltraita le pigeon en dépit du feuillage.
L'air devenu serein, il part tout morfondu,
Sèche du mieux qu'il peut son corps chargé de pluie,
Dans un champ à l'écart voit du blé répandu,
Voit un pigeon auprès : cela lui donne envie ;
Il y vole, il est pris : ce blé couvrait d'un las [10]
40   Les menteurs et traîtres appas [11].
Le las était usé : si bien que, de son aile,
De ses pieds, de son bec, l'oiseau le rompt enfin :
Quelque plume y périt ; et le pis du destin
Fut qu'un certain vautour, à la serre cruelle,
Vit notre malheureux, qui, traînant la ficelle
Et les morceaux du las qui l'avait attrapé,
      Semblait un forçat échappé.
Le vautour s'en allait le lier [12], quand des nues
Fond à son tour un aigle aux ailes étendues.
50 Le pigeon profita du conflit des voleurs,
S'envola, s'abattit auprès d'une masure,
      Crut, pour ce coup, que ses malheurs
      Finiraient par cette aventure ;
Mais un fripon d'enfant (cet âge est sans pitié)
Prit sa fronde et, du coup, tua plus d'à moitié
      La volatile [13] malheureuse,
      Qui, maudissant sa curiosité,
      Traînant l'aile et tirant le pié,
      Demi-morte et demi-boiteuse,
60   Droit au logis s'en retourna :
      Que bien, que mal [14], elle arriva
      Sans autre aventure fâcheuse.
Voilà nos gens rejoints ; et je laisse à juger
De combien de plaisirs ils payèrent leurs peines.

Amants, heureux amants, voulez-vous voyager ?
      Que ce soit aux rives prochaines.
Soyez-vous l'un à l'autre un monde toujours beau,
      Toujours divers, toujours nouveau ;
Tenez-vous lieu de tout, comptez pour rien le reste.
70 J'ai quelquefois aimé : je n'aurais pas alors,
      Contre le Louvre et ses trésors,

— 10 Ou lacs (nœud coulant). — 11 Appâts. | nerie). — 13 Mot actuellement masculin. —
— 12 L'arrêter avec sa serre (terme de faucon- | 14 Tant bien que mal.

Contre le firmament et sa voûte céleste,
   Changé les bois, changé les lieux
Honorés par les pas, éclairés par les yeux
   De l'aimable et jeune Bergère
   Pour qui, sous le fils de Cythère [15],
Je servis [16], engagé [16] par mes premiers serments.
Hélas ! quand reviendront de semblables moments ?
Faut-il que tant d'objets [17] si doux et si charmants
80   Me laissent vivre au gré de mon âme inquiète [18] ?
Ah ! si mon cœur osait encor se renflammer !
Ne sentirai-je plus de charme [19] qui m'arrête ?
   Ai-je passé le temps d'aimer ?

LE JARDINIER ET SON SEIGNEUR

C'est ici une leçon de *sagesse populaire* valable aussi bien pour les « petits princes » que pour les petites gens. Ne pourrait-on y voir également l'opposition entre *deux conceptions de la vie*? Mais cette portée générale de la fable ne doit pas nous faire oublier ce qu'elle nous révèle de la *réalité contemporaine :* le titre lui-même l'indique, c'est une satire des relations juridiques entre le manant et *son* seigneur. Condescendance et désinvolture chez l'un, empressement, politesse contrainte, puis douleur muette chez l'autre, tous ces traits ne jettent-ils pas un jour assez sombre sur leurs rapports sociaux ? Mais quelle *étonnante variété !* Tableaux pittoresques, dialogues, fragment d'épopée burlesque s'enchaînent sans une faute de ton jusqu'à ce dénouement où le poète, passant du sourire à la compassion, sait nous rendre pathétique cette simple histoire de manant (IV, 4).

Un amateur du jardinage,
   Demi-bourgeois, demi-manant [1],
   Possédait en certain village
Un jardin assez propre [2], et le clos [3] attenant.
Il avait de plant vif fermé cette étendue [4].
Là croissait [5] à plaisir l'oseille et la laitue,
De quoi faire à Margot pour sa fête un bouquet,
Peu de jasmin d'Espagne [6] et force serpolet [7].
Cette félicité [8] par un lièvre troublée
10   Fit qu'au Seigneur du bourg [9] notre homme se plaignit.
« Ce maudit animal vient prendre sa goulée [10]
Soir et matin, dit-il, et des pièges se rit :
Les pierres, les bâtons y perdent leur crédit [11] ;

— 15 Cythérée, déesse de l'île de Cythère et mère de l'Amour. — 16 Métaphore militaire. — 17 Personne aimée (langage galant). — 18 Cf. vers 20. — 19 Pouvoir magique. Cf. « Un je ne sais quel charme encor vers vous m'emporte » (Pauline à Sévère).

— 1 *Manant :* paysan. — 2 Bien disposé (jardin d'agrément). — 3 Potager. — 4 Il a pris toutes ses précautions — 5 Accord du verbe avec le sujet le plus rapproché. — 6 Importé récemment et trop délicat. — 7 Plante aimée des lièvres ! — 8 Trait d'humour : le mot a un sens très fort, à résonance religieuse. — 9 C'est « *son* » Seigneur, à qui il doit *obligatoirement* s'adresser : cf. *Ordonnance de 1669 :* « Faisons défense aux marchands, artisans, bourgeois, paysans et roturiers de chasser en quelque lieu, sorte et manière... » — 10 Pleine bouchée (populaire). — 11 *Leur autorité.*

Il est sorcier, je crois. — Sorcier ? je l'en défie,
Repartit le Seigneur : fût-il diable, Miraut [12],
En dépit de ses tours, l'attrapera bientôt.
Je vous en défierai, bonhomme, sur ma vie.
— Et quand ? — Et dès demain, sans tarder plus longtemps [13]. »
La partie [14] ainsi faite, il vient avec ses gens.
20 « Ça, déjeunons, dit-il : vos poulets sont-ils tendres ?
La fille du logis, qu'on vous voie, approchez :
Quand la marierons-nous, quand aurons-nous des gendres ?
Bon homme, c'est ce coup [15] qu'il faut, vous m'entendez,
    Qu'il faut fouiller à l'escarcelle [16]. »
Disant ces mots, il fait connaissance avec elle,
    Auprès de lui la fait asseoir,
Prend une main, un bras, lève un coin du mouchoir ;
    Toutes sottises dont la belle
    Se défend avec grand respect,
30 Tant qu'au père à la fin cela devient suspect [17].
Cependant on fricasse [18], on se rue en cuisine [19].
« De quand sont vos jambons ? ils ont fort bonne mine.
— Monsieur, ils sont à vous [20]. — Vraiment, dit le Seigneur,
    Je les reçois, et de bon cœur [21]. »
Il déjeune très bien ; aussi fait sa famille [22],
Chiens, chevaux et valets [23], tous gens bien endentés [24].
Il commande chez l'hôte, y prend des libertés,
    Boit son vin [25], caresse sa fille.
L'embarras [26] des chasseurs succède au déjeuné [27].
40   Chacun s'anime et se prépare :
Les trompes et les cors font un tel tintamarre [28]
    Que le bonhomme est étonné [29].
Le pis fut que l'on mit en piteux équipage [30]
Le pauvre [31] potager : adieu, planches, carreaux ;
    Adieu chicorée et porreaux,
    Adieu de quoi mettre au potage [32].
Le lièvre était gîté dessous un maître chou.
On le quête ; on le lance [33], il s'enfuit par un trou,
Non pas trou, mais trouée, horrible et large plaie
50   Que l'on fit à la pauvre haie

— 12 *Son chien.* — 13 Il n'a que cela à faire ! — 14 L'affaire ainsi conclue. — 15 Cette fois. — 16 Grande bourse. — 17 C'est ici le La Fontaine des *Contes*. — 18 Cuire promptement. — 19 On se lance dans de grands préparatifs culinaires. — 20 Formule de politesse timide qui sera prise à la lettre. — 21 Trait humoristique ! — 22 Les gens de sa « maison ». — 23 Remarquer l'ordre. — 24 Mot savoureux, qui en dit long. — 25 La peinture se complète. — 26 Le vacarme encombrant. — 27 Participe substantivé. — 28 Harmonie imitative. — 29 Ahuri, abasourdi. — 30 État. — 31 C'est le sentiment de « *l'amateur du jardinage* », mais aussi celui du poète (cf. v. 50). — 32 Vocabulaire de paysan. — 33 Vocabulaire technique : *rechercher, puis débusquer à l'aide de chiens.* S'emploie pour le gros gibier, d'où l'ironie.

Par ordre du Seigneur, car il eût été mal
Qu'on n'eût pu du jardin sortir tout à cheval.
Le bonhomme disait : « Ce sont là jeux de prince [34]. »
Mais on le laissait dire : et les chiens et les gens
Firent plus de dégâts en une heure de temps
　　Que n'en auraient fait en cent ans
　　Tous les lièvres de la province.

Petits princes, videz vos débats entre vous :
De recourir aux rois vous seriez de grands fous.
60　Il ne les faut jamais engager dans vos guerres
　　Ni les faire entrer sur vos terres.

LE SONGE D'UN HABITANT DU MOGOL

De toute évidence, aux yeux mêmes du fabuliste, cette anecdote — d'ailleurs malicieuse — n'est qu'un *simple prétexte*. Pour lui comme pour nous, l'essentiel de cette
fable, c'est l'*Ode à la Solitude*, où le poète nous livre avec tant de discrète émotion les
aspirations les plus intimes de son âme : rêves de vie simple et paisible, de calme solitude, de « médiocrité dorée » dans une nature aimable. Ces rêves de poète nourri d'Horace
et de Virgile viennent élargir le cadre familier de la fable où trouvent refuge, ô surprise !
les accents du *lyrisme* le plus sincère, en un siècle où « le moi est haïssable » (XI, 4).

Jadis certain Mogol [1] vit en songe un Vizir [2]
Aux Champs Élysiens [3] possesseur d'un plaisir
Aussi pur [4] qu'infini, tant en prix [5] qu'en durée ;
Le même songeur vit en une autre contrée
　　Un ermite entouré de feux [6],
Qui touchait de pitié même les malheureux.
Le cas parut étrange et contre l'ordinaire :
Minos [7] en ces deux morts semblait s'être mépris.
Le dormeur s'éveilla, tant il en fut surpris.
10　Dans ce songe pourtant soupçonnant du mystère,
　　Il se fit expliquer l'affaire.
L'interprète [8] lui dit : « Ne vous étonnez point ;
Votre songe a du sens ; et, si j'ai sur ce point
　　Acquis tant soit peu d'habitude,
C'est un avis des dieux. Pendant l'humain séjour
Ce vizir quelquefois cherchait la solitude ;
Cet ermite aux vizirs allait faire sa cour. »

— 34 Proverbial : « *Qui ne plaisent qu'au prince* »,
et non à ses victimes.

　　— 1 Habitant du Nord de l'Inde. — 2 Premier

ministre en Turquie. — 3 Séjour des bienheureux dans la mythologie gréco-latine. —
4 Sans mélange (cf. v. 21). — 5 Valeur. —
6 Comme dans l'Enfer chrétien. — 7 Juge des
Enfers chez les Grecs. — 8 Des songes.

Si j'osais ajouter au mot de l'interprète,
J'inspirerais ici l'amour de la retraite [9] :
20 Elle offre à ses amants des biens sans embarras [10],
Biens purs, présents du Ciel, qui naissent sous les pas [11].
Solitude, où je trouve une douceur secrète,
Lieux que j'aimai toujours, ne pourrai-je jamais,
Loin du monde et du bruit, goûter l'ombre et le frais ?
Oh ! qui m'arrêta sous vos sombres asiles !
Quand pourront les neuf sœurs [12], loin des cours et des villes,
M'occuper tout entier, et m'apprendre des cieux
Les divers mouvements inconnus à nos yeux,
Les noms et les vertus de ces clartés errantes [13]
30 Par qui sont nos destins et nos mœurs différentes [14] ?
Que [15] si je ne suis né pour de si grands projets,
Du moins que les ruisseaux m'offrent de doux objets [16] !
Que je peigne en mes vers quelque rive fleurie !
La Parque à filets d'or n'ourdira [17] point ma vie ;
Je ne dormirai point sous de riches lambris :
Mais voit-on que le somme en perde de son prix ?
En est-il moins profond et moins plein de délices ?
Je lui voue [18] au désert de nouveaux sacrifices.
Quand le moment viendra d'aller trouver les morts,
40 J'aurai vécu sans soins [19], et mourrai sans remords.

« *Papillon du Parnasse* »   Les *Fables* ne sont qu'une faible partie de l'œuvre de La Fontaine. Quand il les publie, il a 47 ans et, sans parler des *Contes et Nouvelles*, ses autres écrits l'ont déjà rendu presque célèbre. Dans *Psyché*, il se représente sous les traits de POLYPHILE, celui qui « *aimait toutes choses* » :

J'aime le jeu, l'amour, les livres, la musique,
La ville et la campagne, enfin tout ; il n'est rien
Qui ne me soit souverain bien,
Jusqu'au sombre plaisir d'un cœur mélancolique *(Livre II)*.

Dans le second *Discours à Mme de La Sablière* (1684), il se dira encore « *Papillon du Parnasse et semblable aux abeilles* », ajoutant comme un aveu : « *Je suis chose légère et vole à tout sujet, Je vais de fleur en fleur et d'objet en objet* ». Il s'est, en effet, essayé dans tous les genres. POÉSIES DE CIRCONSTANCE, pour s'acquitter envers ses protecteurs ; POÉSIE DESCRIPTIVE : *Le Songe de Vaux* ; POÉSIE GALANTE ET ÉLÉGIAQUE : *Adonis, Élégies à Clymène, Psyché* ; POÉSIE RELIGIEUSE : *La Captivité de Saint Malc* ; POÉSIE DIDACTIQUE : *Le Quinquina* ; POÉSIE SATIRIQUE : *Le Florentin* ; POÉSIE DRAMATIQUE : *L'Eunuque* ; farce-ballet des *Rieurs du Beau-Richard* ; *Achille*, tragédie inachevée ; surtout des *opéras* qu'il croyait conformes à sa veine semi-dramatique, semi-lyrique : *Daphné, Galatée, Astrée*. Et encore des *Épîtres*, des *Discours*, des *Lettres*, où il se révèle chroniqueur enjoué et réaliste. Mais pour la postérité, ce génie universel reste avant tout l'auteur des *Fables*, et ce titre suffit à l'immortaliser.

— 9 De la solitude (cf. v. 16). — 10 Sans ennuis. — 11 Sans effort et en abondance. — 12 Les neuf Muses. — 13 Les planètes. — 14 Accord avec le dernier nom. — 15 Mais si : son premier projet lui paraît trop ambitieux. — 16 Spectacles. — 17 Ne tissera avec (= à). — 18 Je fais vœu de lui offrir. — 19 Sans soucis.

BOSSUET

Né à Dijon en 1627, BOSSUET est ordonné prêtre en 1652. Dès lors, l'histoire de sa vie (1627-1704) se confond avec celle de ses activités d'Église. De 1659 à 1669, Bossuet va prononcer des centaines de sermons et des oraisons funèbres *(O.F. d'Henriette d'Angleterre ; O.F. de Condé)*. Le *Sermon sur la Mort*, dont nous donnons deux extraits, a été prononcé au Carême du Louvre en 1662.

LE GÉNIE HUMAIN

Par la science, l'homme a changé la face du monde. Voulant prouver la supériorité de l'homme sur le reste des créatures, Bossuet va évoquer le *génie humain*. On comparera le ton de ce texte à celui de l'éloge du Pantagruelion, prononcé par Rabelais : lequel est progressiste ? Où trouve-t-on la perspective moderne concernant la recherche et le devenir humain ?

Je ne suis pas de ceux qui font grand état des connaissances humaines[1] ; et je confesse néanmoins que je ne puis contempler sans admiration ces merveilleuses découvertes qu'a faites la science pour pénétrer la nature, ni tant de belles inventions que l'art[2] a trouvées pour l'accommoder à notre usage. L'homme a presque changé la face[3] du monde ; il a su dompter par l'esprit les animaux qui le surmontaient par la force ; il a su discipliner leur humeur brutale et contraindre leur liberté indocile ; il a même fléchi par adresse les créatures inanimées. La terre n'a-t-elle
10 pas été forcée par son industrie[4] à lui donner des aliments plus convenables, les plantes à corriger en sa faveur leur aigreur sauvage, les venins même à se tourner en remèdes pour l'amour de lui ? Il serait superflu de vous raconter comme il sait ménager[5] les éléments, après tant de sortes de miracles qu'il fait faire tous les jours aux plus intraitables, je veux dire au feu et à l'eau, ces deux grands ennemis, qui s'accordent néanmoins à nous servir dans des opérations si utiles et si nécessaires. Quoi plus[6] ? il est monté jusqu'aux cieux : pour marcher plus sûrement, il a appris aux astres à le guider dans ses voyages ; pour mesurer plus également sa vie, il a obligé le soleil à rendre compte, pour ainsi dire, de tous ses pas.
20 Mais laissons à la rhétorique cette longue et scrupuleuse énumération[7] ; et contentons-nous de remarquer en théologiens[8] que Dieu ayant formé l'homme, dit l'oracle de l'Écriture, pour être le chef de l'univers, — d'une si noble institution[9], quoique changée par son crime[10], il lui a laissé un certain instinct de chercher ce qui lui manque dans toute l'étendue de la nature. C'est pourquoi, si je l'ose dire, il fouille partout hardiment comme dans son bien, et il n'y a aucune partie de l'univers où il n'ait signalé son industrie.

— 1 Elles ne révèlent à l'homme rien d'utile à son salut. — 2 Application pratique des découvertes. — 3 L'apparence. — 4 Activité ingénieuse. — 5 Employer habilement. — 6 Quoi de plus ? (latin : *quid plura ?*). — 7 C'est par honnêteté, et non par enthousiasme, que Bossuet s'acquitte ici de sa tâche d'orateur. — 8 Et non plus avec les seules lumières de la raison. — 9 Fondation. — 10 Le péché originel.

« *TOUT NOUS APPELLE A LA MORT* »

Les lois implacables de la nature, l'écoulement inexorable de toute vie humaine, autant de *lieux communs* que BOSSUET trouvait déjà dans la Bible. Pour cette page, il s'inspire plus directement de LUCRÈCE (III, v. 952-978) et de notes rédigées autrefois dans une *Méditation sur la brièveté de la vie* (1648). Mais l'orateur s'émeut au contact de ces idées banales : de là ce jaillissement d'images, cette personnification de la nature, cette évocation visionnaire du défilé des générations, cette angoisse lyrique devant l'infini. Il y a parfois en lui comme un *écho du frémissement pascalien*, mais jamais nous ne le sentons au bord du désespoir. Le prédicateur a charge d'âmes : il pose des problèmes terribles, mais il sait déjà qu'il nous conduira à des solutions de calme et de certitude.

Qu'est-ce donc que ma substance [1], ô grand Dieu ? J'entre dans la vie pour sortir bientôt ; je viens me montrer [2] comme les autres ; après, il faudra disparaître. Tout nous appelle à la mort. La nature, presque envieuse du bien qu'elle nous a fait, nous déclare souvent et nous fait signifier [3] qu'elle ne peut pas nous laisser longtemps ce peu de matière qu'elle nous prête, qui ne doit pas demeurer dans les mêmes mains, et qui doit être éternellement dans le commerce [4] : elle en a besoin pour d'autres formes [5], elle la redemande pour d'autres ouvrages. Cette recrue [6] continuelle du genre humain, je veux dire les enfants qui naissent, à 10 mesure qu'ils croissent et qu'ils s'avancent, semblent nous pousser de l'épaule et nous dire : Retirez-vous, c'est maintenant notre tour. Ainsi, comme nous en voyons passer d'autres devant nous, d'autres nous verront passer, qui doivent à leurs successeurs le même spectacle. O Dieu ! encore une fois, qu'est-ce que de nous ? Si je jette la vue devant moi, quel espace infini où je ne suis pas ! Si je la retourne, quelle suite effroyable où je ne suis plus, et que j'occupe peu de place dans cet abîme immense du temps ! Je ne suis rien ; un si petit intervalle n'est pas capable de me distinguer du néant. On ne m'a envoyé que pour faire nombre : encore n'avait-on que faire de moi, et la pièce n'en aurait pas été moins jouée, 20 quand je serais demeuré derrière le théâtre.

Encore si nous voulons discuter les choses dans une considération plus subtile, ce n'est pas toute l'étendue de notre vie qui nous distingue du néant ; et vous savez, chrétiens, qu'il n'y a jamais qu'un moment qui nous en sépare. Maintenant nous en tenons un ; maintenant il périt ; et avec lui nous péririons tous, si, promptement et sans perdre temps, nous n'en saisissions un autre semblable, jusqu'à ce qu'enfin il en viendra un auquel nous ne pourrons arriver, quelque effort que nous fassions pour nous y étendre ; et alors nous tomberons tout à coup, manque de soutien [7].

— 1 *Ce qui est vraiment, intimement, mon être.* Langue philosophique que Bossuet veut mettre à la portée de l'auditoire mondain. — 2 C'est déjà l'image du théâtre (cf. l. 18-20). — 3 Terme juridique : « *notifier par voie de justice* ». — 4 Circulation, échange. — 5 Cf. RONSARD : « *La* | *matière demeure et la forme se perd* » — 6 *Levée de soldats pour remplacer les tués.* Au XVIIe siècle, le mot évoque donc une disparition et un remplacement. — 7 « On dirige sa vue en haut, mais on s'appuie sur le sable : et la terre fondra, et on tombera en regardant le ciel » (Pascal).

RACINE

Né à la Ferté-Milon en 1639, Jean Racine se trouve orphelin dès l'âge de quatre ans. Au Collège de Beauvais, il fit d'excellentes études latines et grecques. En 1655, âgé de seize ans, il rejoignit à Port-Royal-des-Champs sa grand-mère Marie Des Moulins qui s'y était retirée auprès d'une de ses filles.

A Port-Royal, il reçoit de 1655 à 1658 les leçons de l'helléniste Lancelot. Ces trois années auront sur sa formation une influence déterminante. A Port-Royal, il lit la Bible, saint Augustin, Virgile et surtout les tragiques grecs.

Premiers succès, premières luttes

Au Collège d'Harcourt, il va étudier la logique ; il se lie alors avec La Fontaine, fréquente les comédiens, dédie une ode à la Reine à l'occasion du mariage de Louis XIV, commence à écrire pour le théâtre.

Pour assurer son avenir, il part briguer un bénéfice ecclésiastique auprès de son oncle Sconin, vicaire général à Uzès (septembre 1661), Mais le prieuré souhaité se fait trop attendre. Racine, fatigué de « faire l'hypocrite », regagne Paris (fin 1662-début 1663).

C'est Molière qui met en scène sa première pièce, *La Thébaïde ou Les Frères ennemis*, puis *Alexandre* (1665). Mais Racine est mécontent de la façon dont cette dernière pièce est représentée. Il retire la pièce à Molière et se brouille avec lui.

Il rompt aussi avec Port-Royal. Un des Messieurs avait écrit : « Un faiseur de roman et un poète de théâtre est un empoisonneur public, non des corps, mais des âmes des fidèles ». Racine, se croyant visé, réplique par une lettre mordante. Il se réconciliera avec ses anciens maîtres après sa dernière tragédie profane (1677).

D'Andromaque à Phèdre

L'année 1667 marque le début du triomphe de Racine sur la scène française. Le 17 novembre, les comédiens-français donnent *Andromaque*. Le succès est éclatant.
« *Le Cid* est un chef-d'œuvre de jeunesse rayonnante : Corneille le donne à trente ans, quand il a déjà exploré toutes les provinces de l'art dramatique. Mais Racine, qui n'en a pas vingt-huit, part autant dire de rien, et du premier coup, il révèle, en même temps qu'une maîtrise infaillible, une sûre et cruelle expérience de la vie et des âmes » (P. Clarac, *L'âge classique*).

Les Plaideurs (1668) ne sont qu'un divertissement de lettrés. Mais *Britannicus* (13 décembre 1669) est « une des œuvres les plus sombres de Racine. Des deux passions tragiques définies par Aristote, la terreur et la pitié, la première domine l'œuvre » *(ibid)*. Avec cette tragédie romaine à arrière-plan politique, Racine affirmait sa volonté de supplanter son rival Corneille. L'accueil fut meilleur à la « Cour » qu'à la « Ville ». L'année suivante, les deux poètes s'affrontèrent sur le même sujet et la *Bérénice* de Racine (21 novembre 1670) l'emporta sur la pièce de Corneille. « Elle se résume assez bien dans son dernier mot " Hélas "... Dans les tragédies précédentes, c'est de la passion égoïste, aveuglée que naissaient les malheurs. Mais voici trois âmes pures, généreuses, lucides, et de l'amour si « tendre » qui les anime ne sortira que de la souffrance... Lorsque la tragédie s'achève, aucun de ces amants n'a un cri de révolte, mais chez tous trois le ressort intérieur est rompu. Les voici livrés au désespoir parce qu'ils ont aimé » *(ibid)*.

Avec *Bajazet*, « la violence à nouveau se déchaîne. [...] Vue janséniste du monde ? Défiance qu'inspire la vie à une âme trop vulnérable ? Que met le poète dans son œuvre, de ses sentiments profonds ? » *(ibid)*.

Mithridate (1673) est la plus « cornélienne » de ses tragédies. La pièce traite avec toute la richesse de la psychologie racinienne un sujet historique où se mêlent intimement l'amour et les « grands intérêts d'État ». *Iphigénie* (1674) fait pleurer tous les yeux. Ce sont deux tragédies au goût de la Cour.

Racine est alors au comble de la faveur. Il est anobli, académicien, protégé par le roi lui-même. Mais ses ennemis veillaient : on chargea le jeune Pradon d'écrire une *Phèdre* pour l'opposer à celle que Racine allait donner le 1er janvier 1677. La cabale assura à la pièce de Pradon un succès factice, qui causa l'échec momentané de celle de Racine.

Retour à la « sagesse »

Cependant, une évolution s'accomplissait dans l'âme de Racine. La préface de *Phèdre* exprime le désir de ne peindre les passions « que pour montrer le désordre dont elles sont cause ». L'héroïne de cette tragédie fut présentée comme une victime de la passion à qui la grâce avait fait défaut, — et Racine put se réconcilier avec Port-Royal. Enfin marié en 1677, devenu avec Boileau historiographe du roi, Racine renonce au théâtre.

Esther (1689) et *Athalie* (1691), tragédies bibliques, seront écrites à la demande de Mme de Maintenon, pour être jouées par les jeunes filles de Saint-Cyr.

Racine se consacre alors à sa famille, écrit un abrégé de l'histoire de Port-Royal. Avant de mourir (21 avril 1699), il exprime le désir d'y être inhumé, aux pieds d'un de ses anciens maîtres.

Le système dramatique de Racine

Lentement élaborée entre 1620 et 1660, la doctrine classique trouve son expression la plus parfaite dans la tragédie racinienne : « *la principale règle est de plaire et de toucher* » (Préface de *Bérénice*). Or « *il n'y a que le vraisemblable qui touche dans la tragédie* » *(ibid)*.

Le vraisemblable exige le respect du « *bon sens* ». Racine évite l'usage du merveilleux « qui pouvait bien trouver quelque créance du temps d'Euripide, mais qui serait trop absurde et trop incroyable parmi nous ». La *bienséance* commande également de se « conformer à l'idée que nous avons maintenant » de tel héros, de telle princesse. Mais tout cela est subordonné à la technique dramatique. Dans la Première Préface de *Britannicus*, Racine, opposant son art à celui de Corneille, a donné la définition de son idéal dramatique, « *une action simple, chargée de peu de matière, telle que doit être une action qui se passe en un seul jour et qui s'avançant par degrés vers sa fin, n'est soutenue que par les intérêts, les sentiments et les passions des personnages* ».

« *Une action simple, chargée de peu de matière* », c'est-à-dire tout à l'opposé des intrigues embrouillées où une multitude d'événements occupent la scène et font rebondir l'action. L'attention, loin de se disperser, est concentrée sur un *problème unique* ; même lorsque plusieurs intérêts différents sont en jeu, les deux intrigues, étroitement liées, progressent ensemble, reçoivent ensemble leur dénouement. Une tragédie racinienne compte peu de personnages et peut se résumer en quelques phrases. Les faits qui se déroulent sous les yeux des spectateurs sont réduits au minimum. Dans *Bérénice*, cas extrême, Racine a voulu faire « *quelque chose de rien* » : Titus renvoie Bérénice « malgré lui, malgré elle ». On dirait qu'ayant posé au début de sa pièce les caractères de ses héros, il se contente de les laisser agir selon *la logique de leurs sentiments*. Chez ce remarquable dramaturge, c'est la chaîne des réactions psychologiques qui anime toute la tragédie et le mécanisme des passions est si admirablement conçu que, par son déroulement normal, sans intervention d'événements extérieurs, il fait progresser l'action jusqu'à son dénouement logique.

Ce dépouillement rigoureux convient à la peinture d'une crise fulgurante : on a beaucoup réfléchi, et beaucoup écrit sur l'essence du tragique racinien, de La Bruyère à Giraudoux. La nouvelle critique de tendance marxiste (Goldmann), ou psychanalytique (R. Barthes), s'est particulièrement intéressée à Racine.

« Il n'est presque pas de jour où nous ne voyions naître un nouveau Racine... Si les secrets de Racine sont quelque part, c'est dans son œuvre, dans ce qu'il y a mis sans le savoir peut-être, mais d'abord, car son art est souverainement lucide et volontaire, dans ce qu'il y a mis en le sachant » (P. Clarac).

NÉRON AMOUREUX

NÉRON, « l'empereur de Rome », vient de faire enlever en pleine nuit Junie, amante de Britannicus. En présence de son confident NARCISSE, il essaie de se rendre compte à lui-même des raisons profondes de sa conduite (*Britannicus*, II, 2).

NARCISSE

Grâces aux dieux, Seigneur, Junie entre vos mains
Vous assure aujourd'hui du reste des Romains [1].
Vos ennemis, déchus [2] de leur vaine espérance,
Sont allés chez Pallas [3] pleurer leur impuissance.
Mais que vois-je ? Vous-même, inquiet, étonné [4],
Plus que Britannicus paraissez consterné.
Que présage à mes yeux cette tristesse obscure [5],
Et ces sombres regards errants [6] à l'aventure ?
Tout vous rit : la fortune obéit à vos vœux.

NÉRON

10   Narcisse, c'en est fait, Néron est amoureux.

NARCISSE

Vous ?

NÉRON

Depuis un moment, mais pour toute ma vie.
J'aime (que dis-je aimer ?), j'idolâtre Junie.

NARCISSE

Vous l'aimez ?

NÉRON

Excité d'un désir curieux,
Cette nuit je l'ai vue arriver en ces lieux,
Triste, levant au ciel ses yeux mouillés de larmes,
Qui brillaient au travers des flambeaux et des armes ;
Belle, sans ornements, dans le simple appareil
D'une beauté qu'on vient d'arracher au sommeil.
Que veux-tu ? Je ne sais si cette négligence,
20   Les ombres, les flambeaux, les cris et le silence,
Et le farouche aspect de ses fiers ravisseurs,
Relevaient de ses yeux les timides douceurs.
Quoi qu'il en soit, ravi [7] d'une si belle vue,

— 1 Tout un parti, à Rome, considère Néron comme un usurpateur, et rêve de mettre au pouvoir Britannicus, héritier légitime. Par ambition personnelle, Agrippine, mère de Néron, favorise secrètement ce parti. — 2 Tombés du haut de. — 3 Amant et confident d'Agrippine. — 4 Paralysé comme par un coup de tonnerre. — 5 Qui assombrit le visage. — 6 Le participe présent était variable au XVIIe siècle. — 7 Transporté d'admiration.

J'ai voulu lui parler, et ma voix s'est perdue :
Immobile, saisi d'un long étonnement,
Je l'ai laissé passer dans son appartement.
J'ai passé dans le mien. C'est là que, solitaire,
De son image en vain j'ai voulu me distraire [8] :
Trop présente à mes yeux je croyais lui parler ;
30 J'aimais jusqu'à ses pleurs que je faisais couler.
Quelquefois, mais trop tard, je lui demandais grâce ;
J'employais les soupirs, et même la menace.
Voilà comme, occupé de mon nouvel amour,
Mes yeux, sans se fermer, ont attendu le jour.
Mais je m'en fais peut-être une trop belle image ;
Elle m'est apparue avec trop d'avantage,
Narcisse, qu'en dis-tu ?

NÉRON ET NARCISSE

NÉRON a décidé de faire périr son rival Britannicus, qui menace son pouvoir et lui dispute le cœur de Junie. Dans la scène qui précède, au cours d'une entrevue pathétique, Burrhus est parvenu à le faire renoncer à sa résolution : l'empereur cède à l'ascendant de son gouverneur. Mais voici NARCISSE, auquel Néron avait confié les préparatifs du crime : la récente vertu de l'empereur va-t-elle résister à ce nouvel assaut ? (IV, 4).

NARCISSE

Seigneur, j'ai tout prévu pour une mort si juste.
Le poison est tout prêt. La fameuse Locuste [1]
A redoublé pour moi ses soins officieux [2] :
Elle a fait expirer un esclave à mes yeux,
Et le fer est moins prompt, pour trancher une vie,
Que le nouveau poison que sa main me confie.

NÉRON

Narcisse, c'est assez ; je reconnais [3] ce soin,
Et ne souhaite pas que vous alliez plus loin.

NARCISSE

Quoi ! pour Britannicus votre haine affaiblie
10 Me défend...

NÉRON

Oui, Narcisse, on nous réconcilie.

NARCISSE

Je me garderai bien de vous en détourner,

— 8 Me détourner. — 1 Empoisonneuse officielle. — 2 Dévoués. — 3 Je suis reconnaissant.

Seigneur ; mais il s'est vu tantôt emprisonner :
Cette offense en son cœur sera longtemps nouvelle.
Il n'est point de secrets que le temps ne révèle :
Il saura que ma main lui devait présenter
Un poison que votre ordre avait fait apprêter.
Les dieux de ce dessein puissent-ils le distraire !
Mais peut-être il fera ce que vous n'osez faire.

NÉRON

On répond de son cœur ; et je vaincrai le mien.

NARCISSE

20   Et l'hymen de Junie en ⁴ est-il le lien ?
Seigneur, lui faites-vous encor ⁵ ce sacrifice ?

NÉRON

C'est prendre trop de soin. Quoi qu'il en soit, Narcisse,
Je ne le compte plus parmi mes ennemis.

NARCISSE

Agrippine, Seigneur, se l'était bien promis ;
Elle a repris sur vous son souverain empire.

NÉRON

Quoi donc ? Qu'a-t-elle dit ? Et que voulez-vous dire ?

NARCISSE

Elle s'en est vantée assez publiquement.

NÉRON

De quoi ?

NARCISSE

Qu'elle n'avait qu'à vous voir un moment ;
Qu'à tout ce grand éclat, qu'à ce courroux funeste,
30   On verrait succéder un silence modeste ;
Que vous-même à la paix souscririez le premier,
Heureux que sa bonté daignât tout oublier.

NÉRON

Mais, Narcisse, dis-moi, que veux-tu que je fasse ?
Je n'ai que trop de pente à punir son audace ;
Et, si je m'en croyais, ce triomphe indiscret ⁶
Serait bientôt suivi d'un éternel regret.
Mais de tout l'univers quel sera le langage ?
Sur les pas des tyrans veux-tu que je m'engage,

— 4 De votre réconciliation. — 5 En plus. — 6 Sans discernement et sans mesure.

Et que Rome, effaçant tant de titres d'honneur,
40 Me laisse pour tous noms celui d'empoisonneur ?
Ils [7] mettront ma vengeance au rang des parricides.

NARCISSE

Et prenez-vous, Seigneur, leurs caprices pour guides ?
Avez-vous prétendu [8] qu'ils se tairaient toujours ?
Est-ce à vous de prêter l'oreille à leurs discours ?
De vos propres désirs perdez-vous la mémoire ?
Et serez-vous le seul que vous n'oserez croire ?
Mais, Seigneur, les Romains ne vous sont point connus.
Non, non, dans leurs discours ils sont plus retenus.
Tant de précaution affaiblit votre règne :
50 Ils croiront, en effet [9], mériter qu'on les craigne.
Au joug depuis longtemps ils se sont façonnés.
Ils adorent la main qui les tient enchaînés.
Vous les verrez toujours ardents à vous complaire.
Leur prompte [10] servitude a fatigué Tibère.
Moi-même, revêtu d'un pouvoir emprunté,
Que je reçus de Claude avec la liberté,
J'ai cent fois, dans le cours de ma gloire passée,
Tenté leur patience, et ne l'ai point lassée.
D'un empoisonnement vous craignez la noirceur ?
60 Faites périr le frère, abandonnez la sœur ;
Rome, sur ses autels prodiguant les victimes,
Fussent-ils innocents, leur trouvera des crimes ;
Vous verrez mettre au rang des jours infortunés [11]
Ceux où jadis la sœur et le frère sont nés.

NÉRON

Narcisse, encore un coup, je ne puis l' [12] entreprendre.
J'ai promis à Burrhus, il a fallu me rendre.
Je ne veux point encore, en lui manquant de foi,
Donner à sa vertu des armes contre moi.
J'oppose à ses raisons un courage inutile ;
70 Je ne l'écoute point avec un cœur tranquille.

NARCISSE

Burrhus ne pense pas, Seigneur, tout ce qu'il dit :
Son adroite vertu ménage son crédit ;
Ou plutôt ils n'ont tous qu'une même pensée :
Ils verraient par ce coup leur puissance abaissée ;
Vous seriez libre alors, Seigneur, et devant vous
Ces maîtres orgueilleux fléchiraient comme nous.

— 7 Les Romains. — 8 Imaginé. — 9 En fait. — 10 Toujours prête. — 11 Néfastes. — 12 Le crime.

Quoi donc! ignorez-vous tout ce qu'ils osent dire?
« Néron, s'ils en sont crus, n'est point né pour l'Empire;
Il ne dit, il ne fait que ce qu'on lui prescrit:
80   Burrhus conduit son cœur, Sénèque son esprit.
Pour toute ambition, pour vertu singulière [13],
Il excelle à conduire un char dans la carrière [14],
A disputer des prix indignes de ses mains,
A se donner lui-même en spectacle aux Romains,
A venir prodiguer sa voix sur un théâtre,
A réciter des chants qu'il veut qu'on idolâtre,
Tandis que des soldats, de moments en moments,
Vont arracher pour lui les applaudissements. »
90   Ah! ne voulez-vous pas les forcer à se taire?

NÉRON

Viens, Narcisse. Allons voir ce que nous devons faire.

BÉRÉNICE RENONCERA-T-ELLE A TITUS?

Après les amants impulsifs et sanguinaires, voici la *tendre* mélodie des âmes blessées. TITUS, fils de Vespasien, vient de monter sur le trône. Depuis cinq ans il aime BÉRÉNICE, reine de Palestine, qui l'a suivi à Rome: il se dispose enfin à l'épouser. Mais le Sénat est hostile à cette union avec une reine étrangère. Titus décide de *respecter la loi de Rome* et, après de douloureuses hésitations, doit se résoudre à en informer lui-même Bérénice. C'est la *scène des adieux* (IV, 5): situation cornélienne traitée avec toute la délicatesse et la tendresse de Racine, avec cette « *tristesse majestueuse qui fait tout le plaisir de la tragédie* ».

BÉRÉNICE

Hé bien! régnez, cruel; contentez votre gloire [1]:
Je ne dispute [2] plus. J'attendais, pour vous croire,
Que cette même bouche [3], après mille serments
D'un amour qui devait unir tous nos moments,
Cette bouche, à mes yeux [4] s'avouant infidèle,
M'ordonnât elle-même une absence éternelle.
Moi-même j'ai voulu vous entendre en ce lieu [5].
Je n'écoute plus rien; et pour jamais, adieu.
Pour jamais! Ah! Seigneur, songez-vous en vous-même
10   Combien ce mot cruel est affreux quand on aime?
Dans un mois, dans un an, comment souffrirons-nous,
Seigneur, que tant de mers me séparent de vous?
Que le jour recommence, et que le jour finisse,

— 13 Qui n'appartient qu'à lui. — 14 Néron aimait à participer aux courses de chars. | — 1 Honneur. — 2 Lutte. — 3 Cette bouche elle-même. — 4 Devant moi. — 5 Témoin de leurs serments.

Sans que jamais Titus puisse voir Bérénice,
Sans que de tout le jour je puisse voir Titus?
Mais quelle est mon erreur, et que de soins [6] perdus!
L'ingrat, de mon départ consolé par avance,
Daignera-t-il compter les jours de mon absence?
Ces jours si longs pour moi lui sembleront trop courts.

TITUS

20 Je n'aurai pas, Madame, à compter tant de jours.
J'espère que bientôt la triste renommée
Vous fera confesser que vous étiez aimée.
Vous verrez que Titus n'a pu sans expirer...

BÉRÉNICE

Ah! Seigneur, s'il [7] est vrai, pourquoi nous séparer?
Je ne vous parle point d'un heureux hyménée:
Rome à ne vous plus voir m'a-t-elle condamnée?
Pourquoi m'enviez-vous [8] l'air que vous respirez?

TITUS

Hélas! vous pouvez tout, Madame. Demeurez:
Je n'y résiste point; mais je sens ma faiblesse:
30 Il faudra vous combattre et vous craindre sans cesse,
Et sans cesse veiller à retenir mes pas
Que vers vous à toute heure entraînent vos appas [9].
Que dis-je? En ce moment mon cœur, hors de lui-même,
S'oublie, et se souvient seulement qu'il vous aime.

BÉRÉNICE

Hé bien, Seigneur, hé bien! qu'en peut-il arriver?
Voyez-vous les Romains prêts à se soulever?

TITUS

Et qui sait de quel œil ils prendront cette injure?
S'ils parlent, si les cris succèdent au murmure,
Faudra-t-il par le sang justifier [10] mon choix?
40 S'ils se taisent, Madame, et me vendent [11] leurs lois,
A quoi m'exposez-vous? Par quelle complaisance
Faudra-t-il quelque jour payer leur patience [12]?
Que n'oseront-ils point alors me demander?
Maintiendrai-je des lois que je ne puis garder [13]?

—6. Soucis. — 7 Si cela. — 8 Me refusez-vous par malveillance? — 9 Vos charmes. — 10 Confirmer. — 11 Me font *payer* par des complaisances (v. 42) ce mépris des lois. — 12 Soumission. — 13 Observer moi-même.

BÉRÉNICE

Vous ne comptez pour rien les pleurs de Bérénice.

TITUS

Je les compte pour rien ? Ah ciel ! quelle injustice !

BÉRÉNICE

Quoi ? pour d'injustes lois que vous pouvez changer,
En d'éternels chagrins vous-même vous plonger ?
Rome a ses droits, Seigneur : n'avez-vous pas les vôtres ?
Ses intérêts sont-ils plus sacrés que les nôtres ?
50 Dites, parlez.

TITUS

Hélas ! que vous me déchirez !

BÉRÉNICE

Vous êtes empereur, Seigneur, et vous pleurez !

BÉRÉNICE *se retire, accablée de douleur et décidée à mourir.* TITUS, *en proie au désarroi, voudrait aller apaiser sa souffrance ; mais le Sénat l'attend : il se domine et fait passer ses devoirs de souverain avant son amour. A l'*ACTE V, *Bérénice a résolu de partir et de se donner la mort ;* Titus *l'assure qu'il ne lui survivra pas, mais qu'il ne peut renoncer à son devoir d'empereur. Devant tant de noblesse d'âme,* BÉRÉNICE *trouve alors dans son amour la force de* sacrifier son bonheur à TITUS : « Je l'aime, je le fuis ; Titus m'aime, il me quitte. » *Ces héros serviront* « d'exemple à l'univers De l'amour la plus tendre et la plus malheureuse Dont il puisse garder l'histoire douloureuse ».

LA DERNIÈRE CHANCE DE BAJAZET

Le sultan AMURAT qui assiège Babylone envoie coup sur coup à *Constantinople* deux exécuteurs pour égorger son jeune frère BAJAZET, gardé prisonnier dans le sérail. Mais le vizir ACOMAT veut assurer sa puissance en mettant Bajazet sur le trône : il éveille l'amour de la sultane ROXANE pour le jeune prince. Bajazet, qui aime secrètement la princesse ATALIDE, refuse d'épouser la sultane. Ce refus est son arrêt de mort : Acomat, Atalide elle-même le décident à feindre et à se réconcilier avec Roxane. Cependant la sultane jalouse finit par arracher à Atalide le secret de sa tendresse pour Bajazet ; elle surprend même une lettre d'amour de Bajazet à Atalide. Dans une *crise de jalousie furieuse*, elle ordonne alors d'égorger Bajazet s'il ne saisit pas la *dernière chance* qu'elle va lui offrir. Derrière la porte, « *Orcan et les muets attendent leur victime* ». « *Je suis pourtant toujours maîtresse de son sort : Je puis le retenir. Mais s'il sort, il est mort.* » (*Bajazet*, V, 4).

ROXANE

Je ne vous ferai point des reproches frivoles :
Les moments sont trop chers [1] pour les perdre en paroles.
Mes soins [2] vous sont connus : en un mot, vous vivez [3],

— 1 Précieux. — 2 Ma sollicitude pour vous. — 3 Elle avait reçu l'ordre de le tuer.

Et je ne vous dirais que ce que vous savez.
Malgré tout mon amour, si je n'ai pu vous plaire,
Je n'en murmure point ; quoiqu'à ne vous rien taire,
Ce même amour peut-être, et ces mêmes bienfaits,
Auraient dû suppléer à mes faibles attraits.
Mais je m'étonne enfin que, pour reconnaissance,
10   Pour prix de tant d'amour, de tant de confiance,
Vous ayez si longtemps, par des détours si bas,
Feint un amour pour moi que vous ne sentiez pas.

BAJAZET

Qui ? moi, Madame ?

ROXANE

                    Oui, toi. Voudrais-tu point encore
Me nier un mépris que tu crois que j'ignore ?
Ne prétendrais-tu point, par tes fausses couleurs [4],
Déguiser un amour qui te retient ailleurs ;
Et me jurer enfin, d'une bouche perfide,
Tout ce que tu ne sens que pour ton Atalide ?

BAJAZET

Atalide ! Madame ! O ciel ! qui vous a dit...

ROXANE

20   Tiens, perfide, regarde, et démens cet écrit.

BAJAZET

Je ne vous dis plus rien : cette lettre sincère
D'un malheureux amour contient tout le mystère ;
Vous savez un secret que, tout prêt à s'ouvrir,
Mon cœur a mille fois voulu vous découvrir.
J'aime, je le confesse, et devant que votre âme,
Prévenant mon espoir, m'eût déclaré sa flamme,
Déjà plein d'un amour dès l'enfance formé,
A tout autre désir mon cœur était fermé.

BAJAZET *plaide longuement sa cause. Mais* ROXANE *l'interrompt brutalement.*

ROXANE

                    Et que pourrais-tu faire ?
30   Sans l'offre de ton cœur, par où peux-tu me plaire ?
Quels seraient de tes vœux les inutiles fruits ?
Ne te souvient-il plus de tout ce que je suis ?
Maîtresse du sérail, arbitre de ta vie [5],
Et même de l'État, qu'Amurat me confie,
Sultane, et, ce qu'en vain j'ai cru trouver en toi,

— 4 Par ton jeu mensonger. — 5 Préparation du geste final.

Souveraine d'un cœur [6] qui n'eût aimé que moi,
Dans ce comble de gloire où je suis arrivée,
A quel indigne honneur m'avais-tu réservée ?
Traînerais-je en ces lieux un sort infortuné,
40 Vil rebut d'un ingrat que j'aurais couronné,
De mon rang descendue, à mille autres égale
Ou la première esclave enfin de ma rivale ?
Laissons ces vains discours ; et, sans m'importuner,
Pour la dernière fois, veux-tu vivre et régner ?
J'ai l'ordre d'Amurat [7] et je puis t'y soustraire.
Mais tu n'as qu'un moment : parle.

BAJAZET

Que faut-il faire ?

ROXANE

Ma rivale est ici [8] : suis-moi sans différer ;
Dans les mains des muets viens la voir expirer,
Et, libre d'un amour à ta gloire funeste,
50 Viens m'engager ta foi : le temps fera le reste.
Ta grâce est à ce prix, si tu veux l'obtenir.

BAJAZET

Je ne l'accepterais que pour vous en punir,
Que pour faire éclater aux yeux de tout l'Empire
L'horreur et le mépris que cette offre m'inspire.
Mais à quelle fureur me laissant emporter,
Contre ses tristes jours vais-je vous irriter !
De mes emportements elle n'est point complice,
Ni de mon amour même et de mon injustice ;
Loin de me retenir par des conseils jaloux,
60 Elle me conjurait de me donner à vous.
En un mot, séparez ses vertus de mon crime,
Poursuivez, s'il le faut, un courroux légitime ;
Aux ordres d'Amurat hâtez-vous d'obéir ;
Mais laissez-moi du moins mourir sans vous haïr.
Amurat avec moi ne l'a point condamnée :
Épargnez une vie assez infortunée.
Ajoutez cette grâce à tant d'autres bontés,
Madame ; et si jamais je vous fus cher...

ROXANE

Sortez.

Les événements se précipitent. BAJAZET *est assassiné. La révolte d'Acomat éclate dans le palais.* ROXANE *est poignardée par Orcan, qui est à son tour égorgé par les hommes du vizir. A la fin de la pièce,* ATALIDE *désespérée refuse de se sauver sur les vaisseaux d'Acomat et se tue.*

— 6 Ce cœur est celui d'Amurat. — 7 Orcan lui a apporté l'ordre de tuer Bajazet. — 8 Atalide est prisonnière de sa rivale Roxane.

L'AVEU DE PHÈDRE

Seconde femme de Thésée, PHÈDRE, jeune encore, brûle d'une passion secrète pour le « fier HIPPOLYTE », issu du premier mariage de Thésée. Honteuse de cette « *fureur* » qui l'accable même dans sa santé, elle est décidée à mourir. Mais *on annonce la mort de Thésée* au cours d'une lointaine expédition. Pressée par Œnone sa nourrice, Phèdre vient trouver Hippolyte. Peu à peu, elle se prend au plaisir de lui parler, cède à un vertige du cœur et des sens, et glisse, malgré elle, jusqu'à *l'aveu*. On étudiera surtout par quelle originale *transposition* la passion refoulée parvient néanmoins à se traduire, dans une sorte d'allégresse, avant la déclaration plus directe : minute de bonheur intense où Phèdre se livre aveuglément à son rêve et peut encore espérer, jusqu'au moment où la répulsion que lui marque Hippolyte la rend à sa solitude et à l'horreur d'elle-même (*Phèdre*, II, 5).

PHÈDRE

On ne voit point deux fois le rivage des morts,
Seigneur [1]. Puisque Thésée a vu les sombres bords [2],
En vain vous espérez qu'un dieu vous le renvoie ;
Et l'avare [3] Achéron ne lâche point sa proie.
Que dis-je ? Il n'est point mort, puisqu'il respire en vous.
Toujours devant mes yeux je crois voir mon époux.
Je le vois, je lui parle ; et mon cœur... Je m'égare,
Seigneur, ma folle ardeur malgré moi se déclare.

HIPPOLYTE

Je vois de votre amour l'effet prodigieux.
10   Tout mort qu'il est, Thésée est présent à vos yeux ;
Toujours de son amour votre âme est embrasée.

PHÈDRE

Oui, Prince, je languis [4], je brûle pour Thésée.
Je l'aime, non point tel que l'ont vu les enfers,
Volage adorateur de mille objets [5] divers,
Qui va du dieu des morts déshonorer la couche [6] ;
Mais fidèle, mais fier [7], et même un peu farouche,
Charmant [8], jeune, traînant tous les cœurs après soi [9],
Tel qu'on dépeint nos dieux ou tel que je vous voi [10].
Il avait votre port, vos yeux, votre langage,
20   Cette noble pudeur colorait son visage
Lorsque de notre Crète il traversa les flots,
Digne sujet des vœux des filles de Minos [11].
Que faisiez-vous alors ? Pourquoi, sans Hippolyte,
Des héros de la Grèce assembla-t-il l'élite ?

— 1 Hippolyte vient d'exprimer l'espoir du retour de Thésée. — 2 De l'Achéron, fleuve des enfers. — 3 *Avide*. Souvenir de Virgile. — 4 Sens physique. Cf. « maladie de *langueur* ». — 5 Femmes aimées. — 6 Il allait enlever Proser-pine. — 7 *Altier*. Hippolyte est un chasseur, d'humeur « sauvage ». — 8 Sens très fort (cf. v. 35 : « cette tête charmante »). — 9 *Lui*. — 10 Orth. étymologique en accord avec la rime. — 11 *Ariane* et *Phèdre*. Thésée était allé en Crète pour tuer le Minotaure (v. 27).

Pourquoi, trop jeune encor, ne pûtes-vous alors
Entrer dans le vaisseau qui le mit sur nos bords ?
Par vous aurait péri le monstre de la Crète,
Malgré tous les détours de sa vaste retraite [12],
Pour en développer [13] l'embarras incertain,
30 Ma sœur du fil fatal eût armé votre main [14].
Mais non, dans ce dessein je l'aurais devancée :
L'amour m'en eût d'abord [15] inspiré la pensée.
C'est moi, Prince, c'est moi dont l'utile secours
Vous eût du Labyrinthe enseigné les détours.
Que de soins [16] m'eût coûtés cette tête charmante !
Un fil n'eût point assez rassuré votre amante.
Compagne du péril qu'il vous fallait chercher,
Moi-même devant vous j'aurais voulu marcher ;
Et Phèdre au Labyrinthe avec vous descendue
40 Se serait avec vous retrouvée, ou perdue.

HIPPOLYTE

Dieux ! qu'est-ce que j'entends ? Madame, oubliez-vous
Que Thésée est mon père, et qu'il est votre époux ?

PHÈDRE

Et sur quoi jugez-vous que j'en perds la mémoire
Prince ? Aurais-je perdu tout le soin de ma gloire [17] ?

HIPPOLYTE

Madame, pardonnez. J'avoue, en rougissant,
Que j'accusais à tort un discours innocent.
Ma honte ne peut plus soutenir votre vue ;
Et je vais...

PHÈDRE

Ah ! cruel, tu m'as trop entendue [18].
Je t'en ai dit assez pour te tirer d'erreur.
50 Hé bien ! connais donc Phèdre et toute sa fureur.
J'aime. Ne pense pas qu'au moment que [19] je t'aime,
Innocente à mes yeux, je m'approuve moi-même ;
Ni que du fol amour qui trouble ma raison
Ma lâche complaisance ait nourri le poison.
Objet infortuné des vengeances célestes,
Je m'abhorre encore plus que tu ne me détestes.
Les Dieux m'en sont témoins, ces Dieux qui dans mon flanc

— 12 Le labyrinthe, séjour du Minotaure. — 13 Débrouiller. — 14 Le « fil d'Ariane » permit à Thésée de sortir du labyrinthe, mais le héros | abandonna Ariane. — 15 Dès l'abord. — 16 Tendres inquiétudes. — 17 Tout *souci de mon honneur.* — 18 *Comprise.* — 19 Où.

Ont allumé le feu fatal à tout mon sang [20] ;
Ces Dieux qui se sont fait une gloire cruelle
60   De séduire [21] le cœur d'une faible mortelle.
Toi-même en ton esprit rappelle le passé.
C'est peu de t'avoir fui, cruel, je t'ai chassé ;
J'ai voulu te paraître odieuse, inhumaine ;
Pour mieux te résister, j'ai recherché ta haine.
De quoi m'ont profité mes inutiles soins ?
Tu me haïssais plus, je ne t'aimais pas moins.
Tes malheurs te prêtaient encor de nouveaux charmes [22].
J'ai langui, j'ai séché, dans les feux, dans les larmes.
Il suffit de tes yeux pour t'en persuader,
70   Si tes yeux un moment pouvaient me regarder.
Que dis-je ? Cet aveu que je te viens de faire,
Cet aveu si honteux, le crois-tu volontaire ?
Tremblante pour un fils que je n'osais trahir,
Je te venais prier de ne le point haïr.
Faibles projets d'un cœur trop plein de ce qu'il aime !
Hélas ! je ne t'ai pu parler que de toi-même.
Venge-toi, punis-moi d'un odieux amour (...)
Voilà mon cœur. C'est là que ta main doit frapper.
Impatient déjà d'expier son offense [23],
80   Au-devant de ton bras je le sens qui s'avance.
Frappe. Ou si tu le crois indigne de tes coups,
Si ta haine m'envie [24] un supplice si doux,
Ou si d'un sang trop vil ta main serait trempée,
Au défaut de ton bras prête-moi ton épée.
Donne [25].

LA JALOUSIE DE PHÈDRE

On apporte une nouvelle bouleversante : « *On prétend que Thésée a paru dans l'Épire* ». La nouvelle du retour de Thésée accable Phèdre au moment où elle espérait encore conquérir l'amour d'Hippolyte : elle est résignée à mourir. Mais, pour prévenir la colère de Thésée, Œnone accuse Hippolyte d'avoir attenté à l'honneur de Phèdre. Plein de fureur, *le héros chasse son fils* et supplie Neptune de le châtier. Phèdre, en proie au remords, vient disculper le jeune homme, et peut-être s'accuser ; mais elle apprend de Thésée lui-même qu'Hippolyte se prétend *amoureux d'Aricie*. Les paroles se glacent sur ses lèvres, et son silence condamne « l'ingrat ». La scène suivante nous offre l'*étude de la jalousie* la plus complète qu'il y ait dans Racine. C'est aussi un véritable *joyau littéraire* : le poète atteint au maximum d'émotion avec le maximum de tenue dans le style (VI, 6).

PHÈDRE

Œnone, qui l'eût cru ? j'avais une rivale.

— 20 Ma race. — 21 Égarer. — 22 Cf. Néron : | — 23 L'offense qu'il t'a faite. — 24 Me refuse.
« *J'aimais jusqu'à ses pleurs que je faisais couler* ». | — 25 Elle s'empare de l'épée pour se tuer.

ŒNONE

Comment ?

PHÈDRE

Hippolyte aime, et je n'en puis douter.
Ce farouche ennemi qu'on ne pouvait dompter,
Qu'offensait le respect, qu'importunait la plainte,
Ce tigre, que jamais je n'abordai sans crainte,
Soumis, apprivoisé, reconnaît un vainqueur :
Aricie a trouvé le chemin de son cœur.

ŒNONE

Aricie ?

PHÈDRE

Ah ! douleur non encore éprouvée !
A quel nouveau tourment [1] je me suis réservée !
10   Tout ce que j'ai souffert, mes craintes, mes transports [2],
La fureur de mes feux, l'horreur de mes remords,
Et d'un refus cruel l'insupportable injure
N'était [3] qu'un faible essai [4] du tourment que j'endure.
Ils s'aiment [5]. Par quel charme [6] ont-ils trompé mes yeux ?
Comment se sont-ils vus ? Depuis quand ? Dans quels lieux ?
Tu le savais. Pourquoi me laissais-tu séduire [7] ?
De leur furtive ardeur ne pouvais-tu m'instruire ?
Les a-t-on vus souvent se parler, se chercher ?
Dans le fond des forêts allaient-ils se cacher ?
20   Hélas ! ils se voyaient avec pleine licence [8].
Le ciel de leurs soupirs approuvait l'innocence ;
Ils suivaient sans remords leur penchant amoureux,
Tous les jours se levaient clairs et sereins pour eux.
Et moi, triste rebut de la nature entière,
Je me cachais au jour, je fuyais la lumière ;
La mort est le seul dieu que j'osais implorer.
J'attendais le moment où j'allais expirer ;
Me nourrissant de fiel [9], de larmes abreuvée,
Encor dans mon malheur de trop près observée,
30   Je n'osais dans mes pleurs me noyer à loisir ;
Je goûtais en tremblant ce funeste plaisir ;

— 1 Torture. — 2 Violente agitation. — 3 Le verbe s'accorde ici avec le sujet le plus rapproché. — 4 Ébauche, esquisse. — 5 C'est la stupeur ici qui l'emporte. — 6 Pouvoir mystérieux. — 7 Tromper. — 8 Liberté. — 9 Symbole de l'amertume.

Et sous un front serein déguisant mes alarmes,
Il fallait bien souvent me priver de mes larmes.

ŒNONE

Quel fruit recevront-ils de leurs vaines amours ?
Ils ne se verront plus.

PHÈDRE

        Ils s'aimeront toujours.
Au moment que [10] je parle, ah ! mortelle pensée !
Ils bravent la fureur d'une amante insensée.
Malgré ce même exil [11] qui va les écarter [12],
Ils font mille serments de ne se point quitter.
40   Non, je ne puis souffrir un bonheur qui m'outrage,
Œnone. Prends pitié de ma jalouse rage,
Il faut perdre [13] Aricie. Il faut de mon époux
Contre un sang odieux réveiller le courroux.
Qu'il ne se borne pas à des peines légères :
Le crime de la sœur passe [14] celui des frères.
Dans mes jaloux transports je le veux implorer.
Que fais-je ? Où ma raison se va-t-elle égarer ?
Moi jalouse ! et Thésée est celui que j'implore !
Mon époux est vivant, et moi je brûle encore !
50   Pour qui ? Quel est le cœur où [15] prétendent mes vœux ?
Chaque mot sur mon front fait dresser mes cheveux.
Mes crimes désormais ont comblé la mesure.
Je respire à la fois l'inceste et l'imposture.
Mes homicides mains, promptes à me venger,
Dans le sang innocent brûlent de se plonger.
Misérable ! et je vis ? et je soutiens la vue
De ce sacré soleil dont je suis descendue [16] ?
J'ai pour aïeul le père et le maître des Dieux [17] ;
Le ciel, tout l'univers est plein de mes aïeux.
60   Où me cacher ? Fuyons dans la nuit infernale.
Mais que dis-je ? mon père y tient l'urne [18] fatale ;
Le sort, dit-on, l'a mise en ses sévères mains :
Minos juge aux enfers tous les pâles humains...

PHÈDRE, *la conscience traquée, implore la clémence divine et maudit Œnone qui l'a entraînée ; mais elle ne peut se résoudre à sauver* HIPPOLYTE *en montrant son innocence. Au dernier acte, on apprend qu'Œnone s'est noyée et qu'*HIPPOLYTE *a trouvé la mort : il a été traîné sur des rochers par son attelage effrayé par un monstre marin.* PHÈDRE *paraît enfin, chancelante : elle s'est empoisonnée et, avant de mourir, vient s'accuser devant Thésée.*

— 10 Où. — 11 Cet exil même. — 12 Séparer. — 13 *Faire périr.* — 14 *Dépasse.* Les frères d'Aricie avaient disputé le trône à Égée, père de Thésée. — 15 Auquel. — 16 Elle est « *la fille de Minos et de Pasiphaé* », elle-même fille du soleil. — 17 *Zeus,* père d'Apollon. — 18 Où les juges déposent leurs sentences.

BOILEAU

Nicolas Boileau est né à Paris le 1er novembre 1636. A vingt ans, le voici avocat. Dès 1653, il écrit des vers, appelé par une vocation irrésistible.

Tout d'abord, il cultive le genre satirique, à l'imitation d'Horace, de Juvénal, et chez nous de Mathurin Régnier. En 1666, il donne les *Satires* I à VII, que suivent en 1668 les *Satires* VIII et IX. Dès cette date il est célèbre.

En 1669, il entreprend d'écrire un *Art Poétique*, qui paraîtra en 1674 avec les *Épîtres* I à IV et *Le Lutrin*, poème héroï-comique.

En 1677, Boileau devient, avec Racine, historiographe du Roi. Dix ans plus tard, dans la fameuse Querelle des Anciens et des Modernes, il s'engage à fond contre les Modernes. De cette époque datent la *Satire* X (Sur les Femmes), la *Satire* XI et les *Épîtres* X (A mes vers), XI (A mon jardinier) et XII (Sur l'amour de Dieu), où il reprend les attaques de Pascal contre certains casuistes. Il meurt à Paris le 13 mars 1711.

« Sous le règne de Louis XIV, la bourgeoisie ne cesse de s'élever. Boileau est, dans l'ordre des lettres, le représentant le plus authentique de cette bourgeoisie. Il a le goût " bourgeois ", le style " bourgeois "... C'est au XVIIIe et surtout au XIXe siècle, lorsque la bourgeoisie devient la classe dirigeante, que le culte de Boileau s'organise. Comme grand-prêtre du temple, Brunetière succède à Nisard, et Lanson à Brunetière. " Nous avons tous Boileau dans le sang ", écrivait encore Lanson en 1892. L'abdication de la bourgeoisie marquera le déclin de sa gloire » (P. Clarac, *L'âge classique*).

LES EMBARRAS DE PARIS

A en croire Boileau, le Paris du XVIIe siècle n'avait rien à envier aux « embouteillages » d'aujourd'hui. Dans la capitale, on ne peut vivre tranquille chez soi, mais c'est bien pis si l'on avise de sortir. Il en était déjà ainsi de la Rome antique, et Boileau imite Horace et Juvénal, mais il sait admirablement *transposer* les notations, et cette scène vécue est pleine de *vérité*, de *pittoresque* et de *réalisme* (*Satire VI*, 21-70).

En quelque endroit que j'aille, il faut fendre la presse
D'un peuple d'importuns qui fourmillent sans cesse.
L'un me heurte d'un ais[1], dont je suis tout froissé[2] ;
Je vois d'un autre coup mon chapeau renversé ;
Là, d'un enterrement la funèbre ordonnance
D'un pas lugubre et lent vers l'église s'avance ;
Et plus loin, des laquais, l'un l'autre s'agaçants,
Font aboyer les chiens et jurer les passants.
Des paveurs, en ce lieu, me bouchent le passage ;
10 Là, je trouve une croix[3] de funeste présage,
Et des couvreurs, grimpés au[4] toit d'une maison,
En font pleuvoir l'ardoise et la tuile à foison.
Là, sur une charrette une poutre branlante
Vient menaçant de loin la foule qu'elle augmente ;
Six chevaux attelés à ce fardeau pesant

— 1 *Planche.* — 2 *Meurtri.* — 3 Placée par | les couvreurs pour prévenir les passants du danger. — 4 *Sur le.*

Ont peine à l'émouvoir [5] sur le pavé glissant ;
D'un carrosse, en tournant, il accroche une roue,
Et du choc le renverse en un grand tas de boue,
Quand un autre à l'instant s'efforçant de passer
20 Dans le même embarras se vient embarrasser.
Vingt carrosses bientôt arrivant à la file
Y sont en moins de rien suivis de plus de mille ;
Et, pour surcroît de maux, un sort malencontreux
Conduit en cet endroit un grand troupeau de bœufs ;
Chacun prétend passer ; l'un mugit, l'autre jure ;
Des mulets en sonnant augmentent le murmure [6] ;
Aussitôt, cent chevaux dans la foule appelés
De l'embarras qui croît ferment les défilés [7],
Et partout, des passants enchaînant les brigades [8],
30 Au milieu de la paix font voir les barricades [9].
On n'entend que des cris poussés confusément :
Dieu pour s'y faire ouïr tonnerait vainement.
Moi donc, qui dois souvent en certain [10] lieu me rendre,
Le jour déjà baissant, et qui suis las d'attendre,
Ne sachant plus tantôt à quel saint me vouer,
Je me mets au hasard [11] de me faire rouer [12],
Je saute vingt ruisseaux, j'esquive, je me pousse [13] ;
Guénaud [14] sur son cheval en passant m'éclabousse ;
Et n'osant plus paraître en l'état où je suis,
40 Sans songer où je vais, je me sauve où je puis.

L'ART D'ÉCRIRE

Sans un don inné, nul ne peut être poète. Mais, même si l'on se sent une vocation pour tel ou tel genre, l'inspiration ne suffit pas ; il faut aussi une *méthode* et *beaucoup de travail* : c'est ce que montre ici BOILEAU. Il recommande la *subordination de la forme à la pensée*, soumise elle-même à la *raison*. Contre le faux brillant, il prône le *naturel*. Du poète, il exige enfin la *clarté* et une parfaite *pureté de style*, fruit d'une rigoureuse et patiente *élaboration* (*Art Poétique*, I, v. 27-48 ; 147-174).

Quelque sujet qu'on traite, ou plaisant, ou sublime,
Que toujours le bon sens s'accorde avec la rime :
L'un l'autre vainement ils semblent se haïr [1] ;
La rime est une esclave et ne doit qu'obéir.
Lorsqu'à la bien chercher d'abord on s'évertue,
L'esprit à la trouver aisément s'habitue ;
Au joug de la raison sans peine elle fléchit

— 5 L'ébranler. — 6 Brouhaha. — 7 Les gardes à cheval qui interviennent ne font qu'accroître l'encombrement. — 8 Troupes. — 9 Rappel de la Fronde. — 10 Un endroit déterminé. — 11 Je m'expose au risque. — 12 Écraser. — 13 Pour me frayer un passage. — 14 Médecin réputé, qui allait toujours à cheval.

1 — Cf. satire II : « La raison dit Virgile, et la rime Quinault. »

Et, loin de la gêner, la sert et l'enrichit.
Mais lorsqu'on la néglige, elle devient rebelle,
10 Et pour la rattraper le sens court après elle.
Aimez donc la raison : que toujours vos écrits
Empruntent d'elle seule et leur lustre et leur prix [2].
   La plupart emportés d'une fougue insensée,
Toujours loin du droit sens vont chercher leur pensée :
Ils croiraient s'abaisser, dans leurs vers monstrueux,
S'ils pensaient ce qu'un autre a pu penser comme eux.
Évitons ces excès : laissons à l'Italie [3]
De tous ces faux brillants l'éclatante folie.
Tout doit tendre au bon sens : mais pour y parvenir
20 Le chemin est glissant et pénible à tenir ;
Pour peu qu'on s'en écarte, aussitôt on se noie.
La raison pour marcher n'a souvent qu'une voie [4] [...]
   Il est certains esprits dont les sombres [5] pensées
Sont d'un nuage épais toujours embarrassées ;
Le jour de la raison ne le saurait percer.
Avant donc que d'écrire apprenez à penser.
Selon que notre idée est plus ou moins obscure,
L'expression la suit, ou moins nette, ou plus pure.
Ce que l'on conçoit bien s'énonce clairement,
30 Et les mots pour le dire arrivent aisément [6].
   Surtout qu'en vos écrits la langue révérée
Dans vos plus grands excès [7] vous soit toujours sacrée.
En vain vous me frappez d'un son mélodieux,
Si le terme est impropre ou le tour vicieux :
Mon esprit n'admet point un pompeux barbarisme [8],
Ni d'un vers ampoulé l'orgueilleux solécisme [9].
Sans la langue, en un mot, l'auteur le plus divin
Est toujours, quoi qu'il fasse, un méchant écrivain.
   Travaillez à loisir, quelque ordre [10] qui vous presse,
40 Et ne vous piquez point d'une folle vitesse :
Un style [11] si rapide, et qui court en rimant,
Marque moins trop d'esprit que peu de jugement.
J'aime mieux un ruisseau qui, sur la molle arène [12],
Dans un pré plein de fleurs lentement se promène,
Qu'un torrent débordé qui, d'un cours orageux,
Roule, plein de gravier, sur un terrain fangeux.
Hâtez-vous lentement , et, sans perdre courage,

— 2 Précepte capital de l'*Art poétique*. — 3 L'influence italienne avait contribué à introduire en France le goût de la préciosité, de l'affectation, des *concetti* à la manière de Marin. — 4 Cf. La Bruyère : « Entre toutes les différentes expressions qui peuvent rendre une seule de nos pensées, il n'y en a qu'une qui soit la bonne ». — 5 Obscures. — 6 Encore une maxime essentielle. — 7 Hardiesses. — 8 Mot étranger à la langue. — 9 Faute de grammaire. — 10 « Commande ». — 11 Plume. — 12 *Sable*.

Vingt fois sur le métier remettez votre ouvrage :
Polissez-le sans cesse et le repolissez ;
50 Ajoutez quelquefois, et souvent effacez.

LA TRAGÉDIE

Boileau nous présente au Chant III de *L'Art Poétique* une théorie complète de la *tragédie classique :* voici des réflexions sur l'essence du genre tragique et sur les qualités que doivent présenter l'exposition et le dénouement, ainsi que sur les unités et les bienséances.

Si d'un beau mouvement l'agréable fureur
Souvent ne nous remplit d'une douce terreur [1],
Ou n'excite en notre âme une pitié charmante [2],
En vain vous étalez une scène savante [...]
Le secret est d'abord de plaire et de toucher [3] :
Inventez des ressorts [4] qui puissent m'attacher.
Que dès les premiers vers l'action préparée
Sans peine du sujet aplanisse l'entrée. [...]
Le sujet n'est jamais assez tôt expliqué.
10   Que le lieu de la scène y soit fixe et marqué [5].
Un rimeur, sans péril, delà les Pyrénées [6],
Sur la scène en un jour renferme des années :
Là souvent le héros d'un spectacle grossier,
Enfant au premier acte, est barbon au dernier.
Mais nous, que la raison à ses règles engage,
Nous voulons qu'avec art l'action se ménage [7] ;
Qu'en un lieu, qu'en un jour, un seul fait accompli [8]
Tienne jusqu'à la fin le théâtre rempli [9].
      Jamais au spectateur n'offrez rien d'incroyable [10] :
20 Le vrai peut quelquefois n'être pas vraisemblable.
Une merveille absurde est pour moi sans appas :
L'esprit n'est point ému de ce qu'il ne croit pas.
Ce qu'on ne doit point voir, qu'un récit nous l'expose.
Les yeux en le voyant saisiraient mieux la chose ;
Mais il est des objets que l'art judicieux
Doit offrir à l'oreille et reculer [11] des yeux.
      Que le trouble [12], toujours croissant de scène en scène,
A son comble arrivé se débrouille sans peine.
L'esprit ne se sent point plus vivement frappé
30 Que lorsqu'en un sujet d'intrigue enveloppé
D'un secret tout à coup la vérité connue
Change tout, donne à tout une face imprévue [13].

— 1 *Terreur* et *pitié* sont, d'après Aristote, les ressorts de la tragédie. — 2 Sens fort. — 3 Idéal commun à Molière et à Racine. — 4 Incidents qui nouent l'action. — 5 Déterminé. — 6 *Par delà*. Allusion au théâtre espagnol (Calderon, Lope de Vega). — 7 Soit ménagée. — 8 Règle des *trois unités*. — 9 Au cours d'un acte, la scène ne doit jamais rester vide. — 10 Règle de la *vraisemblance*. — 11 Écarter. — 12 Complexité de l'intrigue. — 13 Cf. Sophocle, *Œdipe Roi*.

L'IDÉAL CLASSIQUE

L'*Art poétique* pouvait nous laisser croire parfois que l'art littéraire va de soi dès l'instant qu'on suit la *raison* et la *vérité*, qu'il n'est en somme qu'une question de *bon sens*. En vieillissant, BOILEAU s'est rendu compte que ces formules étaient insuffisantes. Dans la PRÉFACE de 1701, il analyse de plus près *le don du style et son mystère*, le « *je ne sais quoi* » qui fait l'agrément d'un « bon mot », c'est-à-dire d'une formule parfaitement réussie. Il montre enfin que le *jugement du grand public et de la postérité* est le critère décisif de la valeur d'une œuvre.

Un ouvrage a beau être approuvé d'un petit nombre de connaisseurs : s'il n'est plein d'un certain agrément et d'un certain sel propre à piquer le goût général des hommes, il ne passera jamais pour un bon ouvrage, et il faudra à la fin que les connaisseurs eux-mêmes avouent qu'ils se sont trompés en lui donnant leur approbation ; que si on me demande ce que c'est que cet agrément et ce sel, je répondrai que c'est un je ne sais quoi qu'on peut beaucoup mieux sentir que dire. A mon avis néanmoins, il consiste principalement à ne jamais présenter au lecteur que des pensées vraies et des expressions justes. L'esprit de l'homme est naturellement plein d'un nombre infini d'idées confuses du vrai, que souvent il n'entrevoit qu'à demi ; et rien ne lui est plus agréable que lorsqu'on lui offre quelqu'une de ces idées bien éclaircie et mise dans un beau jour. Qu'est-ce qu'une pensée neuve, brillante, extraordinaire ? Ce n'est point, comme se le persuadent les ignorants, une pensée que personne n'a jamais eue, ni dû avoir. C'est au contraire une pensée qui a dû venir à tout le monde, et que quelqu'un s'avise le premier d'exprimer. Un bon mot n'est un bon mot qu'en ce qu'il dit une chose que chacun pensait, et qu'il la dit d'une manière vive, fine et nouvelle [...]

Puis donc qu'une pensée n'est belle qu'en ce qu'elle est vraie, et que l'effet infaillible du vrai, quand il est bien énoncé, c'est de frapper les hommes, il s'ensuit que ce qui ne frappe point les hommes n'est ni beau ni vrai, ou qu'il [1] est mal énoncé, et que, par conséquent, un ouvrage qui n'est point goûté du public est un très méchant ouvrage [2]. Le gros des hommes peut bien, durant quelque temps, prendre le faux pour le vrai, et admirer de méchantes choses ; mais il n'est pas possible qu'à la longue une bonne chose ne lui plaise, et je défie tous les auteurs les plus mécontents du public de me citer un bon livre que le public ait jamais rebuté ; — à moins qu'ils ne mettent en ce rang leurs écrits, de la bonté desquels eux seuls sont persuadés. J'avoue néanmoins, et on ne saurait le nier, que quelquefois, lorsque d'excellents ouvrages viennent à paraître, la cabale et l'envie trouvent moyen de les rabaisser, et d'en rendre en apparence le succès douteux [3] ; mais cela ne dure guère ; et il en arrive de ces ouvrages comme d'un morceau de bois qu'on enfonce dans l'eau avec la main ; il demeure au fond tant qu'on l'y retient, mais bientôt, la main venant à se lasser, il se relève et gagne le dessus.

— 1 Cela — 2 Un ouvrage tout à fait manqué. — 3 Ainsi pour la *Phèdre* de Racine.

LA ROCHEFOUCAULD

Né à Paris, François, prince de Marsillac, puis duc de LA ROCHEFOUCAULD (1613-1680), appartenait à l'une des plus nobles familles de France. Son rang semblait l'appeler à une brillante destinée militaire et politique, mais l'action ne lui réserva qu'amertume et désillusion, et c'est dans la carrière des lettres que s'illustra ce grand seigneur.

En 1655 paraît, sans nom d'auteur, la première édition des *Maximes*.

LA COMÉDIE DES VERTUS

Quoiqu'elles ne soient pas groupées suivant un plan logique, les *Maximes* de La Rochefoucauld s'organisent autour d'une idée centrale, illustrent *une thèse pessimiste sur l'homme*. Comme Pascal, il considère les hommes « dans cet état déplorable de la nature corrompue par le péché ». Comme lui, il dénonce l'empire de *l'amour-propre* (amour de soi-même) où il voit la source des passions les plus diverses, le ressort de presque toutes nos actions, même lorsqu'elles semblent inspirées par quelque vertu désintéressée. — *Voici les conséquences de cet empire de l'amour-propre sur l'âme humaine.*

Nos vertus ne sont le plus souvent que des vices déguisés [1].

Les vertus se perdent dans l'intérêt, comme les fleuves se perdent dans la mer (171).

Nous aurions souvent honte de nos plus belles actions, si le monde voyait tous les motifs qui les produisent (409).

Le refus des louanges est un désir d'être loué deux fois (149).

La modération est une crainte de tomber dans l'envie et dans le mépris que méritent ceux qui s'enivrent de leur bonheur ; c'est une vaine ostentation de la force de notre esprit ; et enfin la modération des hommes dans
10 leur plus haute élévation est un désir de paraître plus grands que leur fortune (18).

La 'clémence des princes n'est souvent qu'une politique pour gagner l'affection des peuples (15).

Cette clémence, dont on fait une vertu, se pratique tantôt par vanité, quelquefois par paresse, souvent par crainte, et presque toujours par tous les trois ensemble (16).

L'amour de la justice n'est, en la plupart des hommes, que la crainte de souffrir l'injustice (78).

Le mépris des richesses était dans les philosophes un désir caché de
20 venger leur mérite de l'injustice de la fortune, par le mépris des mêmes biens dont elle les privait ; c'était un secret pour se garantir de l'avilissement de la pauvreté ; c'était un chemin détourné pour aller à la considération qu'ils ne pouvaient avoir par les richesses (44).

— 1 Épigraphe des *Maximes*, à partir de 1675.

La sincérité est une ouverture de cœur. On la trouve en fort peu de gens, et celle que l'on voit d'ordinaire n'est qu'une fine [2] dissimulation, pour attirer la confiance des autres (62).

Ce que les hommes ont nommé amitié n'est qu'une société, qu'un ménagement réciproque d'intérêts, et qu'un échange de bons offices ; ce n'est enfin qu'un commerce où l'amour-propre se propose toujours 30 quelque chose à gagner (83).

Ce qui paraît générosité n'est souvent qu'une ambition déguisée, qui méprise de petits intérêts, pour aller à de plus grands (246).

La magnanimité méprise tout, pour avoir tout (248).

Enfin La Rochefoucauld décèle souvent la faiblesse *sous les apparences de la* bonté *et de la* vertu :

Rien n'est plus rare que la véritable bonté : ceux même qui croient en avoir n'ont d'ordinaire que de la complaisance ou de la faiblesse (481).

Nul ne mérite d'être loué de bonté, s'il n'a pas la force d'être méchant : toute autre bonté n'est le plus souvent qu'une paresse ou une impuissance de la volonté (237).

L'EMPIRE DE L'AMOUR-PROPRE

Multiforme et insaisissable comme un véritable Protée, l'*amour-propre* est d'autant plus redoutable qu'il excelle à se dissimuler sous les apparences les plus diverses.

L'amour-propre est l'amour de soi-même et de toutes choses pour soi ; il rend les hommes idolâtres d'eux-mêmes, et les rendrait les tyrans des autres, si la fortune leur en donnait les moyens... Rien n'est si impétueux que ses désirs ; rien de si caché que ses desseins, rien de si habile que ses conduites : ses souplesses ne se peuvent représenter, ses transformations passent celles des métamorphoses, et ses raffinements ceux de la chimie... Il est dans tous les états de la vie et dans toutes les conditions ; il vit partout et il vit de tout, il vit de rien ; il s'accommode des choses et de leur privation ; il passe même dans le parti des gens qui lui font la guerre, il entre dans leurs desseins, et ce qui est admirable, il se hait lui-même avec eux, il conjure sa perte, il travaille même à sa ruine ; enfin il ne se soucie que d'être, et pourvu qu'il soit, il veut bien être son ennemi. Il ne faut donc pas s'étonner s'il se joint quelquefois à la plus rude austérité, et s'il entre si hardiment en société avec elle pour se détruire, parce que, dans le même temps qu'il se ruine en un endroit, il se rétablit en un autre ; quand on pense qu'il quitte son plaisir, il ne fait que le suspendre ou le changer, et lors même qu'il est vaincu et qu'on croit en être défait, on le retrouve qui triomphe dans sa propre défaite... (563).

— 2 *Fin :* rusé.

LE ROMAN AU XVIIᵉ SIÈCLE

HONORÉ D'URFÉ

L'Astrée   *Au Vᵉ siècle, sur les bords enchanteurs du Lignon, en Forez, le berger* CÉLADON *aime depuis trois ans la bergère* ASTRÉE ; *mais, leurs familles étant ennemies, elle lui a ordonné, par prudence, de faire ouvertement la cour à* AMINTHE. *Or le perfide* SÉMIRE, *rival de Céladon, éveille la jalousie d'Astrée en lui persuadant que son amant est réellement épris d'Aminthe. N'écoutant que sa colère, elle bannit l'infidèle de sa présence : de désespoir, il se précipite, les bras croisés, dans la rivière qui l'emporte. En vain* ASTRÉE *regrette son erreur, en vain elle chasse Sémire :* CÉLADON *a disparu et sa bergère vit dans le désespoir. Par bonheur* CÉLADON, *emporté par le courant, a été sauvé par trois princesses. Au terme d'aventures compliquées, les deux amants finissent par se retrouver et s'épousent en se jurant une éternelle fidélité.*

Cette histoire assez simple n'est que le canevas d'un roman de plus de 5 000 pages, aujourd'hui peu lisible, mais dont l'immense succès a marqué la sensibilité du XVIIᵉ siècle.

Son auteur, HONORÉ D'URFÉ (1567-1625) a passé sa jeunesse dans le cadre Renaissance du château de la Bastie sur les bords du Lignon, en Forez. Selon une tradition aujourd'hui contestée, au sortir du collège (à 17 ans), il est déjà épris de sa belle-sœur DIANE DE CHATEAUMORAND, mariée depuis dix ans à son frère aîné Anne d'Urfé : la famille éloigne l'adolescent, qui devient chevalier de Malte. De 1589 à 1601 il se lance avec fougue dans les désordres de la Ligue et combat avec acharnement les troupes royales. Fait prisonnier en 1595, il est libéré grâce à Diane, qui paye sa rançon. Il recommence la lutte, est repris, puis relâché, et passe en 1597-1598 au service du duc de Savoie contre le roi de France. Entre-temps, DIANE obtient l'annulation de son mariage et HONORÉ D'URFÉ l'épouse (1600) après avoir rompu avec l'ordre de Malte. Dès lors, son mariage, la réconciliation de la Savoie avec la France font de lui un fidèle sujet d'Henri IV, dont il gagne la confiance. Il entreprend la publication de l'*Astrée* (Iʳᵉ PARTIE : 1607 ; IIᵉ PARTIE : 1610). Vers 1613, les deux époux, en désaccord, se séparent à l'amiable. D'Urfé se retire en Savoie, voyage à Rome, à Paris, à Turin, à Venise, guerroie pour le duc de Savoie, écrit la suite de l'*Astrée* (IIIᵉ PARTIE : 1619 ; IVᵉ PARTIE : 1624). Avec le temps, il se réconcilie avec Diane. Il commandait un régiment contre les Espagnols, dans la région de Gênes, quand il fut emporté par une pneumonie (1625) ; Diane mourut quelques mois plus tard. L'auteur de l'*Astrée* est donc un *homme d'action* qui a consacré aux lettres les loisirs d'une *vie aventureuse.*

Roman pastoral, roman psychologique, ce livre est un témoin du courant rationaliste déjà vigoureux au début du siècle, et qui trouvera des échos dans la psychologie cornélienne et la philosophie de Descartes. On découvre déjà dans l'*Astrée* la conception intellectualiste de l'amour lié à la connaissance du mérite de l'objet aimé. Elle s'exprime par des formules comme : « *Il est impossible d'aimer ce qu'on n'estime pas* », ou encore : « *L'amour jamais ne se prend aux choses méprisables, mais toujours aux plus rares, plus estimées et plus relevées.* » Ainsi, chez D'URFÉ comme chez CORNEILLE, c'est l'estime, et par suite la raison, qui justifie l'amour. On trouve même chez lui la situation chère à Corneille (cf. le *Cid, Polyeucte*) de deux amants séparés et unis à la fois par le souci de leur « *gloire* » : LYGDAMON aime d'autant plus SILVIE qu'elle le repousse par vertu ; plus elle le refuse, plus elle mérite d'être aimée. Comme ceux de Corneille, ces héros raisonnables montrent une étonnante aptitude à *s'analyser lucidement,* sans se laisser égarer par leurs passions.

Enfin (ou d'abord) l'*Astrée* est un roman précieux. Cette œuvre où s'exposaient « les effets de l'honnête amitié » a modelé les *pensées* et même les *mœurs* des *salons précieux ;* en façonnant le public, elle a indirectement exercé son influence sur bien des œuvres classiques. Elle a fourni à la littérature, et particulièrement au théâtre, un grand nombre de situations et de thèmes. Nous avons vu ses affinités avec la psychologie cornélienne ; la profondeur de ses analyses rappelle souvent celles de Racine. Le *style*, enfin, admiré à l'époque pour sa pureté et sa simplicité, réagissait contre le galimatias alambiqué du roman sentimental à la fin du XVIᵉ siècle et a fait considérer d'URFÉ comme un des initiateurs de la *prose classique*.

ASTRÉE ET CÉLADON

Astrée a été persuadée par Sémire que Céladon lui est infidèle. A l'aube, elle rencontre son amant sur les bords du Lignon et l'accueille avec une froideur qui le plonge dans la stupéfaction.

De fortune [1], ce jour, l'amoureux berger s'étant levé fort matin pour entretenir ses pensées, laissant paître l'herbe moins foulée [2] à ses troupeaux, s'alla asseoir sur le bord de la tortueuse rivière de Lignon, attendant la venue de sa belle bergère qui ne tarda guère après lui ; car éveillée d'un soupçon trop cuisant, elle n'avait pu clore l'œil de toute la nuit.

A peine le soleil commençait de dorer le haut des montagnes d'Isoure [3] et de Marcilly [4] quand le berger aperçut de loin un troupeau qu'il reconnut bientôt pour celui d'Astrée. Car outre que Mélampe, chien tant aimé de
10　sa bergère, aussitôt qu'il le vit, le vint folâtrement caresser, encore remarqua-t-il la brebis la plus chérie de sa maîtresse, quoiqu'elle ne portât ce matin les rubans de diverses couleurs qu'elle soulait [5] avoir à la tête en façon de guirlande, parce que la bergère, atteinte de trop de déplaisir, ne s'était donné le loisir de l'agencer comme de coutume.

Elle venait après assez lentement, et comme on pouvait juger à ses façons, elle avait quelque chose en l'âme qui l'affligeait beaucoup et la ravissait [6] tellement en ses pensées que, fût par mégarde ou autrement, passant assez près du berger, elle ne tourna pas seulement les yeux vers le lieu où il était, et s'alla asseoir assez loin de là sur le bord de la rivière.
20　Céladon sans y prendre garde, croyant qu'elle ne l'eût vu et qu'elle l'allât chercher où il avait accoutumé de l'attendre, rassemblant ses brebis avec sa houlette, les chassa après [7] elle, qui déjà s'étant assise contre un vieux tronc, le coude appuyé sur le genou, la joue sur la main, se soutenait la tête et demeurait tellement pensive que si Céladon n'eût été plus qu'aveugle en son malheur, il eût bien aisément vu que cette tristesse ne lui pouvait procéder que de l'opinion [8] du changement de son amitié, tout autre déplaisir n'ayant assez de pouvoir pour lui causer de tristes et profonds pensers. Mais d'autant [9] qu'un malheur inespéré [10]

— 1 Par hasard. — 2 Le français moderne utiliserait ici le superlatif relatif. — 3, 4 Noms de lieux en Forez. — 5 Qu'elle avait coutume *(solebat)*. — 6 Autre latinisme : *rapiebat* : l'emportait. — 7 Vers. — 8 L'opinion d'Astrée, au sujet des sentiments de Céladon. — 9 Étant donné que. — 10 Inattendu.

Lebrun : *Portrait de Louis XIV*.
Paris, Louvre, cabinet des Dessins. *(Photo Eileen Tweedy - E.R.L.)*

J.-B. Martin :
le château de Versailles
et les écuries
vus de la butte
Montboron.
Au premier plan,
le roi Louis XIV
entouré de ses ingénieurs.
(Musée de Versailles,
photo Eileen Tweedy -
E.R.L.)

LA

GVIRLANDE

DE

IVLIE

L'expression des sentiments « précieux ».
La guirlande de Julie offerte par le duc de Montausier à Julie d'Angennes le 1ᵉʳ janvier 1642.
Collection marquis de Ganay. *(Photo Giraudon.)*

est beaucoup plus malaisé à supporter, je crois que la fortune, pour lui
30 ôter toute sorte de résistance, le voulut ainsi assaillir inopinément.

Ignorant donc son prochain malheur, après avoir choisi pour ses
brebis le lieu le plus commode près de celles de sa bergère, il lui vint
donner le bonjour, plein de contentement de l'avoir rencontrée, à quoi
elle répondit et de visage et de parole si froidement que l'hiver ne porte
point tant de froideurs ni de glaçons. Le berger, qui n'avait pas accoutumé
de la voir telle, se trouva d'abord fort étonné [11], et quoiqu'il ne se figurât
la grandeur de sa disgrâce telle qu'il l'éprouva peu après, si est-ce que [12]
le doute d'avoir offensé ce qu'il aimait le remplit de si grands ennuis, que
le moindre était capable de lui ôter la vie. Si la bergère eût daigné le
40 regarder, ou que son jaloux soupçon lui eût permis de considérer quel
soudain changement la froideur de sa réponse avait causé en son visage,
pour certain la connaissance de tel effet lui eût fait perdre entièrement
ses méfiances ; mais il ne fallait pas que Céladon fût le Phœnix du bonheur,
comme il l'était de l'amour [13], ni que la fortune lui fît plus de faveur
qu'au reste des hommes, qu'elle ne laisse jamais assurés en leur contentement. Ayant donc ainsi demeuré longuement pensif, il revint à soi,
et tournant la vue sur sa bergère, rencontra par hasard qu'elle le regardait,
mais d'un œil si triste, qu'il ne laissa aucune sorte de joie en son âme, si
le doute où il était y en avait oublié quelqu'une. Ils étaient si proches
50 de Lignon, que le berger y pouvait aisément atteindre du bout de sa
houlette, et le dégel avait si fort grossi son cours, que tout glorieux et
chargé des dépouilles de ses bords [14], il descendait impétueusement dans
Loire. Le lieu où ils étaient assis était un tertre un peu relevé, contre
lequel la fureur de l'onde en vain s'allait rompant, soutenu par en bas
d'un rocher tout nu, couvert au-dessus seulement d'un peu de mousse.
De ce lieu le berger frappait dans la rivière du bout de sa houlette, dont
il ne touchait point tant de gouttes d'eau, que de divers pensers le venaient
assaillir, qui flottant comme l'onde, n'étaient point sitôt arrivés, qu'ils
en étaient chassés par d'autres plus violents [15].

PAUL SCARRON

Paul SCARRON (1610-1660), né à Paris, fut attaché à l'évêque du Mans, ce qui ne l'empêcha pas de mener joyeuse vie dans les milieux libertins. Atteint de rhumatismes, bossu
et impotent, pensionné comme « malade de la reine », il cherche une revanche dans la
littérature burlesque où triomphe sa *verve* drue et malicieuse. Il publie notamment *Le
Typhon* (1644), des comédies et des farces (*Jodelet*, 1645 ; *Jodelet souffleté*, 1646 ; *Don
Japhet d'Arménie*, 1652) ; *Le Virgile travesti*, en vers burlesques (1649-1659) ; des *Nouvelles tragi-comiques* (1655-1657), et surtout le *Roman Comique* (1651-1657), son chef-

---

— 11 Frappé de stupeur. — 12 Toutefois. —
13 Type de métaphore précieuse. — 14 Style
héroïque, appliqué à la description d'un paysage
pastoral. — 15 État de rêverie romantique
avant la lettre.

d'œuvre. Il épousa, en 1652, la petite-fille d'Agrippa d'Aubigné, future Mme DE MAINTENON, qui deviendra la femme de Louis XIV. Dans sa propre épitaphe, ce prince du burlesque évoque ses interminables souffrances :

Celui qui ci maintenant dort
Fit plus de pitié que d'envie,
Et souffrit mille fois la mort
Avant que de perdre la vie.

Passant, ne fais ici de bruit,
Prends garde qu'aucun ne l'éveille;
Car voici la première nuit
Que le pauvre Scarron sommeille.

Le Roman comique   *Ce sont les aventures d'une troupe de comédiens ambulants dans la ville du Mans et ses environs : le titre signifie* Roman des comédiens. *Nous voyons leur arrivée pittoresque à l'auberge de la Biche, et c'est une estampe à la manière de* CALLOT :

« Un jeune homme aussi pauvre d'habits que riche de mine marchait à côté de la charrette. Il avait un grand emplâtre sur le visage, qui lui couvrait un œil et la moitié de la joue, et portait un grand fusil sur son épaule, dont il avait assassiné plusieurs pies, geais et corneilles, qui faisaient comme une bandoulière, au bas de laquelle pendaient par les pieds une poule et un oison qui avaient bien la mine d'avoir été pris à la petite guerre (la maraude). Au lieu de chapeau, il n'avait qu'un bonnet de nuit, entortillé de jarretières de différentes couleurs, et cet habillement de tête était une manière de turban qui n'était encore qu'ébauché et auquel on n'avait pas encore donné la dernière main... » *C'est en réalité un jeune homme d'excellente famille qui se cache dans la troupe avec son amie sous les noms d'emprunt de* DESTIN *et de Mlle DE L'ÉTOILE, pour échapper à la jalousie du baron de* SALDAGNE. *La troupe comporte en outre le vieux comédien aigri* LA RANCUNE, *l'acteur* L'OLIVE, *la vieille* LA CAVERNE *et sa fille* ANGÉLIQUE, *le valet* LÉANDRE, *jeune bourgeois entré au théâtre par amour d'Angélique. Nous assistons à leur première représentation interrompue par une bagarre où le lieutenant de police* LA RAPPINIÈRE *prend leur parti.*

DISGRACE DE RAGOTIN

Le personnage de RAGOTIN est devenu un *type littéraire*. « C'était le plus grand petit fou qui eût couru les champs depuis Roland... Il était menteur comme un valet, présomptueux et opiniâtre comme un pédant et assez mauvais poète pour être étouffé s'il y avait de la police dans le royaume. » Petit avocat prétentieux, colérique, galant avec les dames qui se moquent de lui, il reste *incorrigible* en dépit des mésaventures où il est toujours copieusement *rossé*. On étudiera dans cet épisode le mélange savoureux du *grotesque* et de *l'observation réaliste*.

L'auberge où est descendue la troupe est endeuillée par la mort de l'hôte. Le curé a eu beaucoup de mal à apaiser une formidable bagarre provoquée par une plaisanterie macabre des comédiens qui avaient dissimulé le cadavre. « Mais la Discorde aux crins de couleuvre n'avait pas encore fait dans cette maison-là tout ce qu'elle avait envie d'y faire. »

On entendit dans la chambre haute[1] des hurlements fort peu différents de ceux que fait un pourceau qu'on égorge ; et celui qui les faisait n'était autre que le petit Ragotin. Le curé, les comédiens et plusieurs autres coururent à lui et le trouvèrent tout le corps, à la réserve de la tête, enfoncé dans un grand coffre de bois qui servait à ranger le linge de

---

— 1 Située à l'étage.

l'hôtellerie ; et ce qu'il y avait de plus fâcheux pour le pauvre encoffré, le dessus du coffre, fort pesant et massif, était tombé sur ses jambes, et les pressait d'une manière fort douloureuse à voir. Une puissante servante, qui n'était pas loin du coffre quand ils entrèrent, et qui leur paraissait
10 fort émue [2], fut soupçonnée d'avoir si mal placé Ragotin. La chose était vraie, et elle en était toute fière, si bien que, s'occupant à faire un des lits de la chambre, elle ne daigna regarder de quelle façon on tirait Ragotin du coffre, ni même répondre à ceux qui lui demandèrent d'où venait le bruit qu'on avait entendu. Cependant le demi-homme fut tiré de la chausse-trape, et ne fut pas plus tôt sur ses pieds qu'il courut à une épée. On l'empêcha de la prendre, mais on ne put l'empêcher de joindre la grande servante, qu'il ne put aussi empêcher de lui donner un si grand coup sur la tête, que tout le vaste siège de son étroite raison en fut ébranlé. Il en fit trois pas en arrière, mais c'eût été reculer pour mieux sauter, si
20 l'Olive ne l'eût pas retenu par ses chausses, comme il allait s'élancer comme un serpent contre sa redoutable ennemie. L'effort qu'il fit, quoique vain, fut fort violent ; la ceinture de ses chausses s'en rompit, et le silence aussi de l'assistance, qui se mit à rire. Le curé en oublia sa gravité, et le frère de l'hôte de faire le triste. Le seul Ragotin n'avait pas envie de rire, et sa colère s'était tournée contre l'Olive, qui, s'en sentant injurié, le porta tout brandi [3], comme on dit à Paris, sur le lit que faisait la servante, et là, d'une force d'Hercule, il acheva de faire tomber ses chausses dont la ceinture était déjà rompue, et haussant et baissant les mains dru et menu [4] sur les cuisses, en moins de rien les rendit rouges comme de
30 l'écarlate [5]. Le hasardeux Ragotin se précipita courageusement du lit en bas ; mais un coup si hardi n'eut pas le succès qu'il méritait. Son pied entra dans un pot de chambre [6] qu'on avait laissé dans la ruelle du lit pour son grand malheur, et y entra si avant que, ne l'en pouvant retirer à l'aide de son autre pied, il n'osa sortir de la ruelle du lit où il était, de peur de divertir davantage la compagnie et d'attirer sur soi la raillerie, qu'il entendait moins que personne au monde. Chacun s'étonnait fort de le voir si tranquille après avoir été si ému. La Rancune se douta que ce n'était pas sans cause. Il le fit sortir de la ruelle du lit, moitié bon gré moitié par force ; et lors tout le monde vit où était l'enclouure [7], et personne
40 ne put s'empêcher de rire, voyant le pied de métal que s'était fait le petit homme. Nous le laisserons foulant l'étain d'un pied superbe [8], pour aller recevoir un train [9] qui entra en même temps dans l'hôtellerie.

Roman Comique, II, 8.

— 2 Agitée. — 3 Tel quel. — 4 A coups redoublés. — 5 Nous voilà loin de l'esprit précieux ! — 6 Les précieuses auraient dit *une « soucoupe* | *inférieure !* » — 7 Blessure faite au pied d'un cheval en le ferrant. Le terme est-il bien choisi ? — 8 Ton épique. — 9 Équipage.

La suite du Roman Comique *est assez lâche : nous assistons à l'enlèvement d'Angélique et à la poursuite des ravisseurs par toute la troupe ; on retrouve la jeune fille qui a été enlevée par erreur, mais c'est pour apprendre que l'Étoile est enlevée à son tour. Heureusement Destin la découvre presque aussitôt. Il se révèle que les ravisseurs ont agi pour le compte de La Rappinière, et ce dernier, tout penaud, doit restituer des diamants volés jadis à Destin. Mais l'essentiel du récit est dans les épisodes reliés obliquement à cette intrigue : les assiduités du poète* ROQUEBRUNE *et du ridicule* RAGOTIN *auprès des comédiennes, les représentations, les nouvelles espagnoles contées par dona* INÉZILLA, *femme d'un charlatan, les incidents dans les hôtelleries (bagarres en chemise dans l'obscurité !) et les mésaventures de* RAGOTIN, *où dominent les pugilats en cascade dont* SCARRON *détient le secret.*

LETTRES DE LA RELIGIEUSE PORTUGAISE

La « Religieuse portugaise » a-t-elle existé ? Depuis la première édition de ses lettres (en 1665), on en a passionnément discuté. En 1810, un érudit crut pouvoir affirmer qu'elle s'appelait MARIANA ALCAFORADA, qu'elle vivait au couvent de Béja « entre l'Estramadure et l'Andalousie ». Mais en 1962, un autre érudit dénonçait ce qu'il considérait comme une supercherie de l'éditeur de 1669 et invitait à restituer les cinq lettres à leur auteur véritable : le Vicomte DE GUILLERAGUES. Il est inutile d'aborder l'étude de cette question controversée. On peut cependant noter, pour s'en étonner, que la seule œuvre dont la paternité puisse être attribuée sans aucun doute à Guilleragues, les « *Valentins* », est un recueil de vers de mirliton, tout à fait indigne de l'écrivain génial auquel nous devons les lettres. Mais le XVIIe siècle présente d'autres énigmes littéraires, à commencer par le *Discours sur les Passions de l'Amour* que l'on a pris jadis pour une œuvre de Pascal. Laissons là l'érudition et lisons la Première des cinq Lettres de *La Religieuse Portugaise*.

LETTRE DE LA RELIGIEUSE ABANDONNÉE

Les lettres « sont des variations insistantes, pathétiques, avec des oppositions et des reprises de caractère musical, sur un petit nombre de thèmes très généreux et éternels : joies et tourments de l'amour, cruauté et douceur du souvenir, révolte et soumission, abaissement et orgueil. » (P. Clarac, *L'âge classique*).

Considère, mon amour, jusqu'à quel excès tu as manqué de prévoyance. Ah ! malheureux, tu as été trahi, et tu m'as trahie par des espérances trompeuses. Une passion sur laquelle tu avais fait tant de projets de plaisirs ne te cause présentement qu'un mortel désespoir, qui ne peut être comparé qu'à la cruauté de l'absence[1] qui le cause. Quoi ! cette absence, à laquelle ma douleur, toute ingénieuse qu'elle est, ne peut donner un nom assez funeste, me privera donc pour toujours de regarder ces yeux dans lesquels je voyais tant d'amour, et qui me faisaient connaître des mouvements qui me comblaient de joie, qui me tenaient lieu de
10 toutes choses, et qui enfin me suffisaient ? Hélas ! les miens sont privés de la seule lumière qui les animait, il ne leur reste que des larmes, et je

---

— 1 Vocabulaire racinien.

ne les ai employés à aucun usage qu'à pleurer sans cesse, depuis que j'appris que vous étiez enfin résolu à un éloignement qui m'est si insupportable, qu'il me fera mourir en peu de temps. Cependant il me semble que j'ai quelque attachement pour des malheurs dont vous êtes la seule cause : je vous ai destiné ma vie aussitôt que je vous ai vu, et je sens quelque plaisir en vous la sacrifiant. J'envoie mille fois le jour mes soupirs vers vous, ils vous cherchent en tous lieux, et ils ne me rapportent, pour toute récompense de tant d'inquiétudes, qu'un avertissement trop sincère que
20 me donne ma mauvaise fortune, qui a la cruauté de ne souffrir pas que je me flatte, et qui me dit à tous moments : cesse, cesse, Mariane infortunée, de te consumer vainement, et de chercher un amant que tu ne verras jamais ; qui a passé les mers pour te fuir, qui est en France au milieu des plaisirs, qui ne pense pas un seul moment à tes douleurs, et qui te dispense de tous ces transports, desquels il ne te sait aucun gré. Mais non [2], je ne puis me résoudre à juger si injurieusement de vous, et je suis trop intéressée à vous justifier : je ne veux point m'imaginer que vous m'avez oubliée. Ne suis-je pas assez malheureuse sans me tourmenter par de faux soupçons ? Et pourquoi ferais-je des efforts pour ne plus me souvenir
30 de tous les soins que vous avez pris de me témoigner de l'amour ? J'ai été si charmée de tous ces soins, que je serais bien ingrate si je ne vous aimais avec les mêmes emportements que ma passion me donnait, quand je jouissais des témoignages de la vôtre. Comment se peut-il faire que les souvenirs des moments si agréables soient devenus si cruels ? et faut-il que, contre leur nature, ils ne servent qu'à tyranniser mon cœur ? Hélas ! votre dernière lettre le réduisit en un étrange état : il eut des mouvements si sensibles qu'il fit, ce semble, des efforts pour se séparer de moi, et pour vous aller trouver ; je fus si accablée de toutes ces émotions violentes, que je demeurai plus de trois heures abandonnée de tous mes sens : je
40 me défendis de revenir à une vie que je dois perdre pour vous, puisque je ne puis la conserver pour vous ; je revis enfin, malgré moi, la lumière, je me flattais de sentir que je mourais d'amour ; et d'ailleurs j'étais bien aise de n'être plus exposée à voir mon cœur déchiré par la douleur de votre absence. Après ces accidents, j'ai eu beaucoup de différentes indispositions : mais, puis-je jamais être sans maux, tant que je ne vous verrai pas ? Je les supporte cependant sans murmurer, puisqu'ils viennent de vous. Quoi ? est-ce là la récompense que vous me donnez pour vous avoir si tendrement aimé ? Mais il n'importe, je suis résolue à vous adorer toute ma vie, et à ne voir jamais personne ; et je vous assure que vous ferez
50 bien aussi de n'aimer personne. Pourriez-vous être content d'une passion moins ardente que la mienne ? Vous trouverez, peut-être, plus de beauté (vous m'avez pourtant dit, autrefois, que j'étais assez belle), mais vous ne trouverez jamais tant d'amour, et tout le reste n'est rien.

— 2 Second mouvement du texte : la construction de cette lettre est aussi rigoureuse que celle d'un monologue tragique.

MADAME DE LA FAYETTE

La femme du monde   Née à Paris en 1634, Marie-Madeleine Pioche de La Vergne reçut une éducation soignée, à la fois littéraire et mondaine. Elle fut, en effet, l'élève du grammairien Ménage et fréquenta de bonne heure les salons, en particulier l'Hôtel de Rambouillet (cf. p. 189). En 1655, elle épouse le comte de La Fayette, qu'elle accompagne dans ses terres d'Auvergne où le retiennent d'interminables procès. Mais elle revient définitivement à Paris en 1659 et se consacre à l'éducation de ses deux enfants, aux relations mondaines et à la littérature.

Son salon de la rue de Vaugirard réunit des membres de la haute société et des « doctes », comme Ménage, Huet et Segrais. C'est un milieu *aristocratique et lettré* qui reste un peu en marge de l' « École de 1660 » et continue dans ce qu'elle avait de plus heureux la tradition de l'Hôtel de Rambouillet. Mme de La Fayette est le type même de la femme savante sans être pédante et de la précieuse qui n'est nullement ridicule. Elle devient la dame d'honneur et l'amie d'Henriette d'Angleterre, dont elle écrira l'histoire. Elle est aussi très liée avec Mme de Sévigné, et surtout avec La Rochefoucauld, dont elle console la vieillesse mélancolique. Elle a la douleur de perdre cet ami très cher en 1680, puis son mari en 1683. Elle meurt en 1693 après avoir joué un *rôle diplomatique* important dans les relations entre la France et la Savoie.

La Princesse de Clèves (1678)   Le chef-d'œuvre de Mme de La Fayette est un roman *précieux*, un roman *historique* et surtout un roman d'*analyse*, à l'origine d'une longue lignée s'étendant jusqu'à *Dominique*, d'Eugène Fromentin, et au *Bal du comte d'Orgel*, de Raymond Radiguet, et dont notre littérature peut s'enorgueillir à juste titre. Le grand mérite de l'auteur est d'avoir su concilier dans cette œuvre la *subtilité romanesque* de l'esprit précieux et la *vérité sobre et éternelle* du classicisme.

1. LES ÉLÉMENTS PRÉCIEUX. A) Quoique l'ouvrage soit court, des récits viennent greffer sur l'intrigue centrale, très dépouillée, des *épisodes secondaires*. C'était un trait constant de la structure des grands romans précieux, mais ici les récits ont un effet convergent et illustrent la thèse centrale en attirant l'attention sur les *désordres de l'amour*.

B) La *psychologie* est souvent précieuse elle aussi ; l'auteur se plaît à poser des problèmes subtils pareils à ceux que l'on examinait dans les salons : un amant doit-il souhaiter ou non que sa maîtresse aille au bal ? L'analyse de l'amour est fondée sur la distinction entre les trois « Tendre », sur *reconnaissance*, sur *estime* et sur *inclination*. Tous les personnages sont uniformément nobles, de cœur comme de race, « beaux et bien faits ».

C) Les *situations* sont parfois compliquées ou peu vraisemblables : ainsi Nemours assiste à l'aveu de la princesse de Clèves à son mari. On pourrait même parler d'un certain « attirail précieux » : les bijoux à assortir, le portrait dérobé, la lettre perdue.

D) Enfin la *langue*, pourtant sobre jusqu'à la pauvreté, trahit certaines habitudes précieuses : goût pour les superlatifs et les adjectifs en *able*.

2. LE CADRE HISTORIQUE. Mais, au lieu de se dérouler dans un décor de pastorale (comme l'*Astrée*) ou dans une antiquité de haute fantaisie (comme les romans de Mlle de Scudéry), l'action a pour cadre un moment précis de notre histoire, la fin du règne d'Henri II et le début du règne de François II (1558-1559). Sans vain étalage d'érudition, Mme de La Fayette s'est appliquée à situer son roman dans le temps, en peignant des *traits de mœurs* (par exemple un tournoi), en faisant revivre des *figures historiques* : Henri II, Catherine de Médicis, Diane de Poitiers, Marie Stuart, et des *intrigues réelles*. On remarquera pourtant que, par une transposition inconsciente, c'est l'*atmosphère de la cour de Louis XIV* qu'elle évoque souvent plutôt que celle du temps des Valois.

3. LE ROMAN D'ANALYSE. Mais la couleur historique importe moins que la *vérité humaine*. Car les sentiments sont vrais ; l'analyse de la passion dans l'âme de Mme de Clèves, de son mari et du duc de Nemours n'a pas vieilli le moins du monde. Le drame

qui se joue dans le cœur de l'héroïne nous touche directement ; il peut se résumer par ces deux maximes de La Rochefoucauld : « La même fermeté qui sert à résister à l'amour sert aussi à le rendre violent et durable... ». « Qu'une femme est à plaindre, quand elle a tout ensemble de l'amour et de la vertu ! »

Si le roman d'analyse atteint d'emblée à une pareille vérité, c'est sans doute parce qu'il naît chez nous après la *tragédie classique*. L'influence de Corneille se traduit chez l'héroïne par le sens de sa « gloire », par le rôle de la volonté stoïque et de la raison lucide. Mais Mme de La Fayette n'est pas moins racinienne que cornélienne : comme Racine, elle met en évidence les *ravages de la passion*. Mme de Clèves refuse d'être à Nemours autant par souci de son *repos* que par respect de son devoir ; elle éprouve une « peur de l'amour » dont on ne saurait dire s'il faut l'attribuer plutôt à une expérience intime de l'auteur, à une tradition précieuse ou à ce *pessimisme* qui, sous l'influence janséniste, pénètre la littérature française pendant la seconde moitié du XVIIᵉ siècle.

Le Prince de Clèves *est fiancé à* Mlle de Chartres. *Mais si sa fiancée éprouve pour lui estime et reconnaissance, elle ne lui témoigne aucune inclination et il souffre dès avant leur mariage. Quelque temps après leur union, le duc de* Nemours *revient à Paris ; il rencontre Mme de Clèves au cours d'un bal ; entre eux le coup de foudre éclate.* Mme de Clèves, *en dépit de ses efforts pour rester maîtresse d'elle-même, cède peu à peu à la passion qui l'entraîne. Elle ne peut plus cacher ses sentiments à celui qu'elle aime. Dès lors son code de l'honneur lui fait un devoir d'avouer à son mari le trouble de son cœur.*

L'AVEU

Craignant que l'attitude de son héroïne ne parût invraisemblable, l'auteur nous a longuement préparés à cette *scène capitale*. Tout concourt à rendre cet aveu plausible : la sincérité innée de la princesse de Clèves et le prix que son mari attache à cette vertu, ainsi que les dernières recommandations que sa mère lui a adressées avant de mourir. « *Il n'y a que vous de femme au monde,* lui dit un jour la dauphine, *qui fasse confidence à son mari de toutes les choses qu'elle sait.* » Elle a déjà envisagé à plusieurs reprises de tout dire à son mari, mais sans pouvoir s'y résoudre encore. Maintenant cet aveu si courageux, si difficile, est devenu *inévitable* si elle ne veut pas succomber, car son époux la presse de revenir à la cour, qu'elle a quittée pour ne plus rencontrer Nemours. Pourtant, dans le débat littéraire *pour ou contre l'aveu,* qui suivit la publication du roman et passionna l'opinion, la majorité des lecteurs condamna l'aveu, le jugeant « extravagant ».

La scène se passe à Coulommiers, dans un pavillon. Par un artifice qui nous gêne aujourd'hui, il se trouve que *Nemours assiste, dissimulé, à cet entretien confidentiel.*

« Ne me contraignez point, lui dit-elle, à vous avouer une chose que je n'ai pas la force de vous avouer, quoique j'en aie eu plusieurs fois le dessein[1]. Songez seulement que la prudence ne veut pas qu'une femme de mon âge, et maîtresse de sa conduite, demeure exposée au milieu de la cour. — Que me faites-vous envisager, madame ? s'écria M. de Clèves ! je n'oserais vous le dire de peur de vous offenser. » Mme de Clèves ne répondit point[2], et son silence achevant de confirmer son mari dans ce qu'il avait pensé : « Vous ne me dites rien, reprit-il, et c'est me dire que je ne me trompe pas. — Eh bien, monsieur, lui répondit-elle en se jetant
10 à ses genoux, je vais vous faire un aveu que l'on n'a jamais fait à un mari ; mais l'innocence de ma conduite et de mes intentions m'en donne la

---

— 1 Dès l'abord, Mᵐᵉ de Clèves présente l'aveu comme une *nécessité* à laquelle elle va se trouver réduite. — 2 On a signalé, dans le théâtre de Racine, des *silences* admirables. Mᵐᵉ de La Fayette ne montre-t-elle pas ici, et dans un autre passage de ce texte, un art analogue ?

force. Il est vrai que j'ai des raisons pour m'éloigner de la cour, et que je veux éviter les périls où se trouvent quelquefois les personnes de mon âge. Je n'ai jamais donné nulle marque de faiblesse, et je ne craindrais pas d'en laisser paraître, si vous me laissiez la liberté de me retirer de la cour, ou si j'avais encore Mme de Chartres pour aider à me conduire. Quelque dangereux que soit le parti que je prends, je le prends avec joie pour me conserver digne d'être à vous. Je vous demande mille pardons, si j'ai des sentiments qui vous déplaisent : du moins je ne vous déplairai jamais par mes actions [3]. Songez que, pour faire ce que je fais, il faut avoir plus d'amitié [4] et plus d'estime pour un mari que l'on n'en a jamais eu : conduisez-moi, ayez pitié de moi, et aimez-moi encore, si vous pouvez. »

M. de Clèves était demeuré, pendant tout ce discours, la tête appuyée sur ses mains, hors de lui-même, et il n'avait pas songé à faire relever sa femme. Quand elle eut cessé de parler, qu'il la vit à ses genoux, le visage couvert de larmes, et d'une beauté si admirable, il pensa mourir de douleur, et l'embrassant en la relevant : « Ayez pitié de moi vous-même, madame, lui dit-il, j'en suis digne, et pardonnez si dans les premiers moments d'une affliction aussi violente qu'est la mienne, je ne réponds pas comme je dois à un procédé comme le vôtre. Vous me paraissez plus digne d'estime et d'admiration que tout ce qu'il y a jamais eu de femmes au monde ; mais aussi je me trouve le plus malheureux homme qui ait jamais existé. Vous m'avez donné de la passion dès le premier moment que je vous ai vue ; vos rigueurs [5] et votre [6] possession n'ont pu l'éteindre, elle dure encore : je n'ai jamais pu vous donner [7] de l'amour, et je vois que vous craignez d'en avoir pour un autre. Et qui est-il, madame, cet homme heureux qui vous donne cette crainte ? Depuis quand vous plaît-il ? Qu'a-t-il fait pour vous plaire ? Quel chemin a-t-il trouvé pour aller à votre cœur ? Je m'étais consolé en quelque sorte de ne l'avoir pas touché, par la pensée qu'il était incapable de l'être. Cependant un autre fait ce que je n'ai pu faire [8] : j'ai tout ensemble la jalousie d'un mari et celle d'un amant ; mais il est impossible d'avoir celle d'un mari après un procédé comme le vôtre. Il est trop noble pour ne pas me donner une sûreté ; il me console même comme votre amant. La confiance et la sincérité que vous avez pour moi sont d'un prix infini : vous m'estimez assez pour croire que je n'abuserai pas de cet aveu. Vous avez raison, madame, je n'en abuserai pas et je ne vous en aimerai pas moins. Vous me rendez malheureux par la plus grande marque de fidélité que jamais une femme ait donnée à son mari ; mais, madame, achevez, et apprenez-moi qui est celui que vous voulez éviter. — Je vous supplie de ne me le point demander, répondit-elle ; je suis résolue de ne pas vous le dire, et je crois que la prudence ne veut pas que je vous le nomme. — Ne craignez point, madame, reprit M. de Clèves ; je connais trop le monde pour ignorer que la consi-

---

— 3 Mme de Clèves est en partie *cornélienne*: si elle ne peut dompter ses *sentiments*, du moins reste-t-elle maîtresse de sa *conduite*. — 4 Affection. — 5 Votre froideur. — 6 Change- | ment de sens de *vos* à *votre*. — 7 Inspirer (cf. *donner de la passion*). — 8 Cf. Phèdre apprenant qu'Hippolyte n'est pas « insensible », mais qu'il aime Aricie.

dération d'un mari n'empêche pas que l'on ne soit amoureux de sa femme. On doit haïr ceux qui le sont, et non pas s'en plaindre ; et, encore une fois, madame, je vous conjure de m'apprendre ce que j'ai envie de savoir. — Vous m'en presseriez inutilement, répliqua-t-elle ; j'ai de la force pour taire ce que je ne crois pas devoir dire. L'aveu que je vous ai fait n'a pas été par faiblesse, et il faut plus de courage pour avouer cette
60 vérité que pour entreprendre de la cacher. »

Les conséquences de l'aveu sont désastreuses. M. de Clèves est trop passionnément épris de sa femme pour pouvoir dominer sa jalousie. Il fait surveiller Nemours, en qui il a deviné son rival ; un rapport malheureux lui donne à croire, faussement, que sa femme lui est infidèle. Il ne survivra pas à ce coup terrible. La situation qui résulte de cette cruelle méprise est vraiment déchirante. *Clèves accable la jeune femme de reproches qu'elle ne mérite point, allant jusqu'à déplorer qu'elle se soit confiée à lui. Mais* son amour se traduit justement par l'amertume de ces plaintes ; il ne peut cesser d'aimer celle qu'il ne croit plus digne de son estime : dans de telles conditions, la vie lui " ferait horreur ". « Adieu, madame, vous regretterez quelque jour un homme qui vous aimait d'une passion véritable et légitime. Vous sentirez le chagrin que trouvent les personnes raisonnables dans ces engagements, et vous connaîtrez la différence d'être aimée comme je vous aimais à l'être par des gens qui, en témoignant de l'amour, ne cherchent que l'honneur de vous séduire ; mais ma mort vous laissera en liberté, ajouta-t-il, et vous pourrez rendre M. de Nemours heureux sans qu'il vous en coûte des crimes. Qu'importe, reprit-il, ce qui arrivera quand je n'y serai plus, et faut-il que j'aie la faiblesse d'y jeter les yeux ! »

LE REFUS DE MADAME DE CLÈVES

La mort de son mari plonge l'héroïne dans une douleur et un abattement indicibles. « *Mme de Clèves demeura dans une affliction si violente qu'elle perdit quasi l'usage de la raison... L'horreur qu'elle eut pour elle-même et pour M. de Nemours ne se peut représenter.* » Cependant le temps passe et la *passion* reprend ses droits : lorsque Nemours ose reparaître devant elle, elle trouve une douceur extrême à lui *avouer son amour*. Mais c'est pour lui déclarer aussitôt que *jamais elle ne sera à lui* (cf. Pauline, dans *Polyeucte*, II, 2). Elle insiste d'abord sur ce qu'elle doit à la mémoire de son mari ; elle n'est pas vraiment libre : comment épouserait-elle celui qui a causé, fût-ce sans le vouloir, la mort du prince de Clèves ? Mais elle n'est pas guidée seulement par son *devoir* : d'autres sentiments, plus *subtils*, interviennent aussi, donnant à cette pénétrante analyse une grande part de son intérêt et de son originalité.

« Par vanité ou par goût, toutes les femmes souhaitent de[1] vous attacher ; il y en a peu à qui vous ne plaisiez ; mon expérience me fait croire qu'il n'y en a point à qui vous ne puissiez plaire. Je vous croirais amoureux et aimé, et je ne me tromperais pas souvent ; dans cet état, néanmoins, je n'aurais d'autre parti à prendre que celui de la souffrance ; je ne sais même si j'oserais me plaindre. On fait des reproches à un amant ; mais en fait-on à un mari, quand on n'a qu'à lui reprocher de n'avoir plus d'amour ? Quand je pourrais m'accoutumer à cette sorte de malheur, pourrais-je m'accoutumer à celui de croire voir M. de Clèves vous accuser
10 de sa mort, me reprocher de vous avoir aimé, de vous avoir épousé, et me faire sentir la différence de son attachement au vôtre[2] ? Il est impos-

---

— 1 De même plus bas : espérer de. — 2 Cf. les paroles prononcées par M. de Clèves.

sible, continua-t-elle, de passer par-dessus des raisons si fortes : il faut que je demeure dans l'état où je suis et dans les résolutions que j'ai prises de n'en sortir jamais. — Hé ! croyez-vous le pouvoir, madame ? s'écria M. de Nemours. Pensez-vous que vos résolutions tiennent contre un homme qui vous adore et qui est assez heureux pour vous plaire ? Il est plus difficile que vous ne pensez, madame, de résister à ce ³ qui nous plaît et à ce qui nous aime. Vous l'avez fait par une vertu austère qui n'a presque point d'exemple ; mais cette vertu ne s'oppose plus à vos
20 sentiments, et j'espère que vous les suivrez malgré vous. — Je sais bien qu'il n'y a rien de plus difficile que ce que j'entreprends ⁴, répliqua Mme de Clèves ; je me défie de mes forces au milieu de mes raisons ; ce que je crois devoir à la mémoire de M. de Clèves serait faible s'il ⁵ n'était soutenu par l'intérêt de mon repos ; et les raisons de mon repos ont besoin d'être soutenues de celles de mon devoir ; mais, quoique je me défie de moi-même, je crois que je ne vaincrai jamais mes scrupules, et je n'espère pas aussi ⁶ de surmonter l'inclination que j'ai pour vous. Elle me rendra malheureuse, et je me priverai de votre vue, quelque violence qu'il m'en coûte. Je vous conjure, par tout le pouvoir que j'ai sur vous,
30 de ne chercher aucune occasion de me voir. Je suis dans un état qui me fait des crimes de ⁷ tout ce qui pourrait être permis dans un autre temps, et la seule bienséance interdit tout commerce entre nous. » M. de Nemours se jeta à ses pieds et s'abandonna à tous les mouvements ⁸ dont il était agité. Il lui fit voir, et par ses paroles et par ses pleurs, la plus vive et la plus tendre passion dont un cœur ait jamais été touché. Celui de Mme de Clèves n'était pas insensible ; et, regardant ce prince avec des yeux un peu grossis par les larmes : « Pourquoi faut-il, s'écria-t-elle, que je vous puisse accuser de la mort de M. de Clèves ? Que n'ai-je commencé à vous connaître depuis que je suis libre, ou pourquoi ne vous ai-je pas
40 connu avant que d'être engagée ? Pourquoi la destinée nous sépare-t-elle par un obstacle si invincible ? — Il n'y a point d'obstacle, madame, reprit M. de Nemours, vous seule vous opposez à mon bonheur : vous seule vous imposez une loi que la vertu et la raison ne vous sauraient imposer. — Il est vrai, répliqua-t-elle, que je sacrifie beaucoup à un devoir qui ne subsiste que dans mon imagination. Attendez ce que le temps pourra faire, M. de Clèves ne fait encore que d'expirer, et cet objet funeste ⁹ est trop proche pour me laisser des vues claires et distinctes ; ayez cependant le plaisir de vous être fait aimer d'une personne qui n'aurait rien aimé, si elle ne vous avait jamais vu ; croyez que les sentiments
50 que j'ai pour vous seront éternels, et qu'ils subsisteront également, quoi que je fasse ¹⁰. Adieu, lui dit-elle ; voici une conversation qui me fait honte. Rendez-en compte à M. le vidame ¹¹ ; j'y consens, et je vous en prie. »

— 3 *L'être qui.* Noter l'emploi du pronom neutre et cf. l. 49, *rien.* — 4 Elle avait déjà la même impression au moment de *l'aveu.* — 5 Si *cela...* — 6 Non plus. — 7 Qui rend criminel pour moi. — 8 Sentiments passionnés. — 9 L'image de M. de Clèves expirant. — 10 Même si je renonce définitivement à vous revoir. — 11 C'est le vidame de Chartres qui a ménagé cette entrevue.

LE RENONCEMENT DÉFINITIF

Voici la *fin du roman*. La princesse de Clèves médite longuement avant de prendre une décision irrévocable. « Les raisons qu'elle avait de ne point épouser M. de Nemours lui paraissaient fortes du côté de son *devoir*, et insurmontables du côté de son *repos* », tel est le fruit de ses réflexions. Si dur qu'il lui soit de renoncer à celui qu'elle aime, elle ne peut supporter l'idée qu'un jour, peut-être, il cessera de l'aimer et qu'elle sera livrée alors aux tortures de la jalousie. Ainsi on a pu parler d'une « *peur de l'amour* » chez cette héroïne. Sur ces entrefaites, une maladie grave met ses jours en danger : c'est pour elle un nouveau sujet de méditations ; renonçant à l'amour, elle va aussi *renoncer* complètement *au monde*.

Cette vue si longue et si prochaine de la mort fit paraître à Mme de Clèves les choses de cette vie de cet œil si différent dont [1] on les voit dans la santé [2]. La nécessité de mourir, dont elle se voyait si proche, l'accoutuma à se détacher de toutes choses, et la longueur de sa maladie lui en fit une habitude. Lorsqu'elle revint de cet état, elle trouva néanmoins que M. de Nemours n'était pas effacé de son cœur, mais elle appela à son secours, pour se défendre contre lui, toutes les raisons qu'elle croyait avoir pour ne l'épouser jamais. Il se passa un assez grand combat [3] en elle-même. Enfin elle surmonta les restes de cette passion qui était affaiblie par les sentiments que sa maladie lui avait donnés : la pensée de la mort lui avait reproché [4] la mémoire de M. de Clèves. Ce souvenir, qui s'accordait avec son devoir, s'imprima fortement dans son cœur. Les passions et les engagements [5] du monde lui parurent tels qu'ils paraissent aux personnes qui ont des vues plus grandes et plus éloignées [6]. Sa santé, qui demeura considérablement affaiblie, lui aida à conserver ses sentiments ; mais, comme elle connaissait ce que peuvent les occasions sur les résolutions les plus sages, elle ne voulut pas s'exposer à détruire les siennes, ni revenir dans les lieux où était ce qu'elle avait aimé [7]. Elle se retira, sur le prétexte de changer d'air, dans une maison religieuse, sans faire paraître un dessein arrêté de renoncer à la cour.

A la première nouvelle qu'en eut M. de Nemours, il sentit le poids de cette retraite, il en vit l'importance. [...] Néanmoins, il ne se rebuta point encore, et il fit tout ce qu'il put imaginer de capable de la faire changer de dessein. Enfin, des années entières s'étant passées, le temps et l'absence ralentirent sa douleur et sa passion. Mme de Clèves vécut d'une sorte qui ne laissa pas d'apparence qu'elle pût jamais revenir. Elle passait une partie de l'année dans cette maison religieuse, et l'autre chez elle, mais dans une retraite et dans des occupations plus saintes que celles des couvents les plus austères, et sa vie, qui fut assez courte, laissa des exemples de vertu inimitables.

— 1 De celui dont. — 2 C'est, dès l'abord, le ton d'extrême austérité qui va marquer ce dénouement. — 3 Noter l'insistance des termes qui traduisent la *lutte* intérieure. — 4 Rappelé comme un reproche. — 5 Cf. *Po-*

lyeucte, v. 1107 : « Honteux *attachements* de la chair et *du monde.* » — 6 La pensée de la mort et de l'éternité. — 7 C'est la renonciation totale. Avertie de la faiblesse humaine, la morale chrétienne recommande d'éviter avant tout de s'exposer aux tentations.

LETTRES ET MÉMOIRES

LE CARDINAL DE RETZ

Issu d'une famille d'origine italienne, PAUL DE GONDI (1613-1679), après avoir conspiré contre Richelieu, adopte l'état ecclésiastique par ambition. Devenu coadjuteur de l'archevêque de Paris, son oncle, auquel il succèdera, puis cardinal (1652), il joue pendant la Fronde un rôle de premier plan. Mais le triomphe de Mazarin ruine ses espérances. Arrêté, emprisonné, dépossédé de son archevêché, il s'évade en 1654, et de l'étranger multiplie appels et protestations.

Pour rentrer en France, il doit capituler : renonçant à l'archevêché de Paris, il reçoit en échange l'abbaye de St-Denis. Désormais il va se conduire en vrai prélat, donnant l'exemple des vertus chrétiennes.

Les *Mémoires*, rédigés probablement entre 1670 et 1675, relatent la vie de l'auteur jusqu'à son exil (1655), et en particulier les troubles de la Fronde. Bien que RETZ ne soit jamais impartial, l'intérêt historique des *Mémoires* est considérable. Mais c'est la figure même de l'auteur, telle qu'elle apparaît dans son œuvre, qui en fait l'intérêt principal.

L'ÉVASION DE NANTES

Emprisonné par Mazarin à Vincennes, Retz fut ensuite conduit au château de Nantes. C'est de là qu'il s'évada (1654). Ce récit, digne d'un roman, montre à quel point Retz est toujours supérieur aux événements, semblable en cela aux héros cornéliens, « contemporains ».

Je vous ai déjà dit que je m'allais quelquefois promener sur une manière de ravelin [1], qui répond [2] sur la rivière de Loire ; et j'avais observé que, comme nous étions au mois d'août, la rivière ne battait pas contre la muraille et laissait un petit espace de terre entre elle et le bastion. J'avais aussi remarqué qu'entre le jardin qui était sur ce bastion et la terrasse sur laquelle mes gardes demeuraient quand je me promenais, il y avait une porte que Chalercet [3] y avait fait mettre pour empêcher les soldats d'y aller manger son verjus [4]. Je formai sur ces observations mon dessein, qui fut de tirer, sans faire semblant de rien, cette porte après
10 moi, qui, étant à jour par des treillis, n'empêcherait pas les gardes de me voir, mais qui les empêcherait au moins de pouvoir venir à moi ; de me faire descendre par une corde que mon médecin et l'abbé Rousseau, frère de mon intendant, me tiendraient, et de faire trouver des chevaux au bas du ravelin et pour moi, et pour quatre gentilshommes que je faisais état [5] de mener avec moi. Ce projet était d'une exécution très difficile. Il ne se pouvait exécuter qu'en plein jour, entre deux sentinelles qui n'étaient qu'à trente pas l'une de l'autre, à la portée d'un demi-pistolet,

---

— 1 Ouvrage de fortification. — 2 Le français moderne dit « correspond » : en fait, qui « *conduit à* ». — 3 C'est le gouverneur du château. — 4 Le raisin encore vert. — 5 Je décidais de.

et qu'à la vue [6] de mes six gardes, qui me pouvaient tirer à travers des barreaux de la porte. Il fallait que les quatre gentilshommes qui devaient
20 venir avec moi et favoriser mon évasion fussent bien justes [7] à se trouver au bas du ravelin, parce que leur apparition pouvait aisément donner de l'ombrage [8]. Je ne me pouvais pas passer d'un moindre nombre, parce que j'étais obligé de passer par une place qui est toute proche et qui était le promenoir ordinaire des gardes du Maréchal [9]. Si mon dessein n'eût été que de sortir de prison, il eût suffi d'avoir les égards nécessaires [10] à tout ce que je viens de vous marquer ; mais, comme il s'étendait plus loin, et que j'avais formé celui d'aller droit à Paris et d'y paraître publiquement [11], j'avais encore d'autres précautions à observer qui étaient, sans comparaison, plus difficiles. Il fallait que je passasse, en diligence,
30 de Nantes à Paris, si je ne voulais être arrêté par les chemins, où les courriers du maréchal de la Meilleraie ne manqueraient pas de donner l'alarme ; il fallait que je prisse mes mesures à Paris même, où il m'était aussi important que mes amis fussent avertis de ma marche, qu'il me l'était que les autres n'en fussent point informés. Voilà bien des cordes [12], dont la moindre qui eût manqué eût déconcerté [13] la machine [...].

Je me sauvai un samedi 8 d'août, à cinq heures du soir ; la porte du petit jardin se referma après moi presque naturellement ; je descendis, un bâton entre les jambes, très heureusement, du bastion, qui avait quarante pieds [14] de haut. Un valet de chambre, qui est encore à moi,
40 qui s'appelle Fromentin, amusa mes gardes en les faisant boire. Ils s'amusaient eux-mêmes à regarder un jacobin [15] qui se baignait et qui, de plus, se noyait. La sentinelle, qui était à vingt pas de moi, mais en lieu d'où elle ne pouvait pourtant me joindre, n'osa me tirer, parce que, lorsque je lui vis compasser [16] sa mèche, je lui criai que je le ferais pendre s'il tirait, et il avoua, à la question [17], qu'il crut, sur cette menace, que le Maréchal était de concert avec moi. Deux petits pages qui se baignaient, et qui, me voyant suspendu à la corde, crièrent que je me sauvais, ne furent pas écoutés, parce que tout le monde s'imagina qu'ils appelaient les gens au secours du jacobin qui se baignait. Mes quatre gentilshommes
50 se trouvèrent à point nommé au bas du ravelin, où ils avaient fait semblant de faire abreuver leurs chevaux, comme s'ils eussent voulu aller à la chasse. Je fus à cheval moi-même devant [18] qu'il y eût eu seulement la moindre alarme, et, comme j'avais quarante-deux relais [19] posés entre Nantes et Paris, j'y serais arrivé infailliblement le mardi à la pointe du jour, sans un accident [20] que je puis dire avoir été le fatal et le décisif du reste de ma vie.

— 6 Il ne se pouvait exécuter qu'à la vue. — 7 Exacts. — 8 Surprendre et inquiéter. — 9 Le maréchal de Meilleraie, garde du Cardinal. — 10 De ne prendre garde qu'à ce qui était nécessaire. — 11 Ce dessein théâtral exprime bien le caractère de Retz (voir l'introduction).

— 12 Ces «cordes» font mouvoir «la machine». — 13 Détraqué. — 14 A peu près 12 mètres. — 15 Un moine dominicain. — 16 Disposer la mèche pour mettre le feu à l'arquebuse (Littré). — 17 Mis à la question. — 18 Avant. — 19 Chevaux de relais. — 20 Il va faire une chute qui lui brisera l'épaule.

MADAME DE SÉVIGNÉ

Née à Paris en 1626, MARIE DE RABUTIN-CHANTAL, petite-fille de sainte Jeanne de Chantal, fut orpheline à sept ans. Son oncle, Christophe de Coulanges, lui donna les maîtres les plus distingués qui lui apprirent l'italien, l'espagnol et le latin.

En 1644, elle épouse le marquis de SÉVIGNÉ, qui est tué en duel en 1651. Veuve à vingt-cinq ans, avec deux enfants, elle se retire au château des Rochers, près de Vitré, puis revient à Paris où elle fréquente les salons précieux.

Refusant de se remarier, elle se consacre à l'éducation de ses enfants. Elle a reporté sur eux, sur sa fille surtout, les trésors de sa tendresse. Sa fille se marie en 1669 avec le comte de GRIGNAN, lieutenant-général de Provence, et va le rejoindre dans son gouvernement en 1671. La séparation est cruelle pour Mme de Sévigné. Aussi lui écrit-elle pour la retrouver, malgré toutes les lieues qui les séparent. C'est auprès de sa fille qu'elle mourra, en 1696, au château de Grignan où elle est allée la rejoindre.

Les *lettres* de Madame de Sévigné ne contiennent pas seulement le témoignage de cet amour maternel. Elles constituent aussi une chronique de son temps. Mais surtout, ce qui fait le charme, toujours sensible, de ces *Lettres*, c'est ce mélange d'art et de naturel qui caractérise aussi la manière de La Fontaine : comme lui, c'est à force de talent qu'elle nous donne l'impression d'une parfaite spontanéité. Expression d'un tempérament très riche, son art apporte dans la littérature du XVIIe siècle une note tout à fait originale.

LA SEMAINE SAINTE A LIVRY

Venue à Livry pour se recueillir pendant la semaine sainte, Mme DE SÉVIGNÉ n'y trouve point la paix du cœur : les *chers souvenirs* de sa fille, s'offrant à elle à chaque pas, *ravivent la douleur de l'absence*.

A Livry, mardi saint 24e mars 1671.

Voici une terrible causerie, ma chère bonne. Il y a trois heures que je suis ici. Je suis partie de Paris avec l'Abbé [1], Hélène, Hébert et Marphise [2], dans le dessein de me retirer ici du monde et du bruit jusqu'à jeudi soir. Je prétends être en solitude ; je fais de ceci une petite Trappe [3] ; je veux y prier Dieu, y faire mille réflexions. J'ai dessein d'y jeûner beaucoup par toutes sortes de raisons ; marcher pour tout le temps que j'ai été dans ma chambre, et sur le tout [4] m'ennuyer pour l'amour de Dieu.

Mais, ma pauvre bonne, ce que je ferai beaucoup mieux que tout cela, c'est de penser à vous. Je n'ai pas encore cessé depuis que je suis
10 arrivée, et ne pouvant contenir tous mes sentiments sur votre sujet, je me suis mise à vous écrire au bout de cette petite allée sombre que vous aimez, assise sur ce siège de mousse où je vous ai vue quelquefois couchée. Mais, mon Dieu ! où ne vous ai-je point vue ici ? et de quelle façon toutes ces pensées me traversent-elles le cœur ? Il n'y a point d'endroit, point de lieu, ni dans la maison, ni dans l'église, ni dans ce

---

— 1 Son oncle Christophe de Coulanges, | un domestique et sa chienne. — 3 Monastère abbé de Livry. — 2 Sa femme de chambre, | célèbre par l'austérité de sa règle. — 4 En outre.

pays, ni dans ce jardin, où je ne vous aie vue ; il n'y en a point qui ne me fasse souvenir de quelque chose ; et de quelque façon que ce soit aussi, cela me perce le cœur. Je vous vois, vous m'êtes présente ; je pense et repense à tout ; ma tête et mon esprit se creusent ; mais j'ai beau
20 tourner, j'ai beau chercher : cette chère enfant que j'aime avec tant de passion est à deux cents lieues, je ne l'ai plus. Sur cela je pleure sans pouvoir m'en empêcher ; je n'en puis plus, ma chère bonne ; voilà qui est bien faible, mais pour moi, je ne sais point être forte contre une tendresse si juste⁵ et si naturelle.

Je ne sais en quelle disposition vous serez en lisant cette lettre. Le hasard peut faire qu'elle viendra mal à propos, et qu'elle ne sera peut-être pas lue de la manière qu'elle est écrite. A cela je ne sais point de remède : elle sert toujours à me soulager présentement ; c'est tout ce que je lui demande⁶. L'état où ce lieu-ci m'a mise est une chose incroyable. Je
30 vous prie de ne me point parler de mes faiblesses ; mais vous devez les aimer, et respecter mes larmes, qui viennent d'un cœur tout à vous.

MÉDITATION

Mme DE SÉVIGNÉ est profondément *chrétienne* ; elle pratique l'examen de conscience et les lectures pieuses. Dans cette lettre à sa fille, abordant le grand sujet des *fins dernières de l'homme*, sans nuire aucunement à sa *gravité*, elle lui imprime cependant *ce tour vif et primesautier* qui lui est propre. Et comme elle est *humaine* dans son humilité sans raideur !

A Paris, mercredi 16ᵉ mars 1672.

Vous me demandez, ma chère enfant, si j'aime toujours bien la vie. Je vous avoue que j'y trouve des chagrins cuisants ; mais je suis encore plus dégoûtée de la mort : je me trouve si malheureuse d'avoir à finir tout ceci¹ par elle, que si je pouvais retourner en arrière, je ne demanderais pas mieux. Je me trouve dans un engagement qui m'embarrasse : je suis embarquée dans la vie sans mon consentement ; il faut que j'en sorte, cela m'assomme² ; et comment en sortirai-je ? Par où ? par quelle porte ? quand sera-ce ? en quelle disposition³ ? Souffrirai-je mille et mille douleurs, qui me feront mourir désespérée ? Aurai-je un transport au cerveau ?
10 Mourrai-je d'un accident ? Comment serai-je avec Dieu ? Qu'aurai-je à lui présenter ? La crainte, la nécessité feront-elles mon retour vers lui ? N'aurai-je aucun autre sentiment que celui de la peur⁴ ? Que puis-je espérer ? suis-je digne du paradis ? suis-je digne de l'enfer ? Quelle alternative ! Quel embarras ! Rien n'est si fou que de mettre son salut dans

---

— 5 Justifiée. — 6 Mᵐᵉ de Sévigné s'analyse avec beaucoup de lucidité : exprimer sa tendresse lui est d'une grande consolation, même si sa fille répond avec moins de chaleur.

— 1 Tout ce qui remplit la vie. — 2 Me consterne. — 3 La *vivacité* habituelle de l'auteur apparaît même ici. — 4 Les théologiens distinguent l'*attrition* (repentir causé par la *crainte*) de la *contrition* (repentir causé par l'*amour* de Dieu).

l'incertitude [5] ; mais rien n'est si naturel, et la sotte vie que je mène est la chose du monde la plus aisée à comprendre. Je m'abîme dans ces pensées, et je trouve la mort si terrible que je hais plus la vie parce qu'elle m'y mène, que par les épines qui s'y rencontrent [6]. Vous me direz que je veux vivre éternellement. Point du tout ; mais si on m'avait demandé mon avis, j'aurais
20 bien aimé à mourir entre les bras de ma nourrice : cela m'aurait ôté bien des ennuis [7], et m'aurait donné le Ciel bien sûrement et bien aisément.

LES SAISONS

Nous groupons ici quelques passages qui permettront d'apprécier chez Mme DE SÉVIGNÉ un *sens pictural et poétique de la nature* vraiment délicat, que l'on rencontre rarement dans la littérature classique. Rien de banal ni de conventionnel dans ces notations, et Mme de Sévigné ne goûte pas seulement le *frais coloris* du printemps ou les *somptueuses nuances* de l'automne : si elle n'affronte pas la tempête, elle est sensible pourtant à la poésie presque *romantique* de ce *sombre nuage* qui paraît au couchant, et elle voudrait sans nul doute être peintre pour pouvoir rendre les « *épouvantables beautés* » de *l'hiver*.

Avril

Je reviens encore à vous, ma bonne, pour vous dire que si vous avez envie de savoir, en détail, ce que c'est qu'un printemps, il faut venir à moi. Je n'en connaissais moi-même que la superficie [1] ; j'en examine cette année jusqu'aux premiers petits commencements [2]. Que pensez-vous donc que ce soit que la couleur des arbres depuis huit jours ? répondez. Vous allez dire : « Du vert. » Point du tout, c'est du rouge [3]. Ce sont de petits boutons, tout prêts à partir, qui font un vrai rouge ; et puis ils poussent [4]
tous une petite feuille, et comme c'est inégalement, cela fait un mélange
10 trop joli de vert et de rouge. Nous couvons tout cela des yeux ; nous parions de grosses sommes — mais c'est à ne jamais payer, — que ce bout d'allée sera tout vert dans deux heures ; on dit que non ; on parie. Les charmes ont leur manière, les hêtres, une autre. Enfin, je sais sur cela tout ce que l'on peut savoir [5].

« Ces belles nuances de l'automne »

Je suis venue ici achever les beaux jours, et dire adieu aux feuilles ; elles sont encore toutes aux arbres ; elles n'ont fait que changer de couleur : au lieu d'être vertes, elles sont aurores, et de tant de sortes d'aurore, que cela compose un brocart d'or [6] riche et magnifique, que
20 nous voulons trouver plus beau que du vert, quand ce ne serait que pour changer [7].   (A Livry, 3 novembre 1677.)
Je quitte ce lieu à regret, ma fille : la campagne est encore belle : cette avenue et tout ce qui était désolé des chenilles, et qui a pris la liberté

— 5 Au lieu de tout faire pour l'assurer (cf. Pascal). — 6 « Plutôt souffrir que mourir, | C'est la devise des hommes. » (La Fontaine, *La Mort et le Bûcheron*). — 7 Sens fort.

— 1 Les caractères généraux et superficiels. — 2 Péguy parlera du « fin commencement d'avril ». — 3 Trait d'observation très juste, sous la forme, chère à l'auteur, d'une devinette. — 4 Transitif. — 5 Aux Rochers 19 IV 1690. — 6 Soie brochée d'or. — 7 Lettre à Bussy.

de repousser avec votre permission, est plus vert qu'au printemps dans les plus belles années ; les petites et les grandes palissades [8] sont parées de ces belles nuances de l'automne dont les peintres font si bien leur profit ; les grands ormes sont un peu dépouillés, et l'on n'a point de regret à ces feuilles picotées [9] : la campagne en gros est encore toute riante, j'y passais mes journées seule avec des livres ; je ne m'y ennuyais que comme je
30 m'ennuierai partout, ne vous ayant plus. Je ne sais ce que je vais faire à Paris ; rien ne m'y attire. Je n'y ai point de contenance ; mais le bon abbé dit qu'il y a quelques affaires, et que tout est fini ici ; allons donc. Il est vrai que cette année a passé assez vite ; mais je suis fort de votre avis pour le mois de septembre ; il m'a semblé qu'il a duré six mois tous des plus longs.

(A Livry, 2 novembre 1679.)

Ciel d'hiver

Nous avons eu ici, ma fille, les plus beaux jours du monde jusqu'à la veille de Noël : j'étais au bout de la grande allée, admirant la beauté du soleil, quand tout d'un coup je vis sortir du couchant un nuage noir et poétique, où
40 le soleil s'alla plonger, en même temps un brouillard affreux, et moi de m'enfuir. Je ne suis point sortie de ma chambre, ni de la chapelle jusqu'à aujourd'hui, que la colombe a apporté le rameau [10] : la terre a repris sa couleur, et le soleil ressortant de son trou fera que je reprendrai aussi le cours de mes promenades ; car vous pouvez compter, ma très chère, puisque vous aimez ma santé, que quand le temps est vilain, je suis au coin de mon feu, lisant ou causant avec mon fils et sa femme.

(Aux Rochers, 28 décembre 1689.)

L'hiver à Grignan

Mme de Chaulnes me mande que je suis trop heureuse d'être ici avec un beau soleil ; elle croit que tous nos jours sont filés d'or et de soie. Hélas ! mon cousin [11],
50 nous avons cent fois plus de froid ici qu'à Paris ; nous sommes exposés à tous les vents [12] : c'est le vent du midi, c'est la bise [13], c'est le diable, c'est à qui nous insultera [14] ; ils se battent entre eux pour avoir l'honneur de nous renfermer dans nos chambres ; toutes nos rivières sont prises [15] ; le Rhône, ce Rhône si furieux, n'y résiste pas ; nos écritoires sont gelées, nos plumes ne sont plus conduites par nos doigts, qui sont transis ; nous ne respirons que de la neige ; nos montagnes sont charmantes dans leur excès d'horreur ; je souhaite tous les jours un peintre pour bien représenter l'étendue de toutes ces épouvantables beautés : voilà où nous en sommes. Contez un peu cela à notre duchesse de Chaulnes, qui nous
60 croit dans des prairies, avec des parasols, nous promenant à l'ombre des orangers.

(3 février 1695.)

— 8 Haies. — 9 On ne regrette pas, bien au contraire, de voir les feuilles ainsi tachetées. — 10 *Où le beau temps est revenu.* A la fin du déluge, la colombe revint à l'arche de Noé, portant un rameau d'olivier. — 11 M. de Coulanges. — 12 Le château de Grignan est construit sur une hauteur. — 13 Vent du nord. — 14 Se jettera sur nous. — 15 Par le gel.

SAINT-SIMON

A quel siècle appartiennent les *Mémoires* de SAINT-SIMON ? Projetés en 1694, ils furent rédigés en plein XVIIIe siècle (1743-1752), et publiés en 1829-1830. A la mort de Louis XIV, Saint-Simon a parcouru très exactement la moitié de sa carrière, mais sa vie publique cesse dès la fin de la Régence (1723). La relation s'arrête à cette date et remonte avant la naissance de l'auteur : elle concerne donc essentiellement le *règne de Louis XIV*, si bien que l'œuvre trouve sa place véritable dans l'atmosphère du grand siècle. D'ailleurs, si le styliste est « en avance d'un siècle » (Lanson), l'homme est en retard sur son temps : il fait figure de *grand féodal* égaré au XVIIIe siècle et même sous Louis XIV, et vénère la mémoire de Louis le Juste (Louis XIII), qui avait érigé en *duché-pairie* la terre de Saint-Simon, consacrant ainsi l'antique noblesse des Rouvroy.

L'homme (1675-1755)

LE DUC ET PAIR. Né à Paris en 1675, LOUIS DE ROUVROY entre aux mousquetaires en 1691 ; duc de Saint-Simon à la mort de son père (1693), il quitte l'armée dès 1702, à la suite d'une injustice dont il aurait été victime, et mène jusqu'à la mort de Louis XIV la vie d'un *courtisan hautain*, à cheval sur l'étiquette, farouchement *hostile à la politique royale*. Plein de mépris pour le Grand Dauphin, il porte aux nues le duc de Bourgogne, comptant sur son avènement pour accéder lui-même au pouvoir ; la fin prématurée de ce prince, en 1712, lui porte un coup terrible. Il s'attache alors au duc d'Orléans et entre au *conseil de Régence* en 1715. Ambassadeur à Madrid en 1721-1722, il quitte la cour à la mort du Régent (1723), estimant que « tout bien à faire est impossible en France ».

LE MÉMORIALISTE. Dès l'âge de 20 ans, Saint-Simon songe à écrire ses *Mémoires*. Il consacrera à cette tâche les loisirs de la retraite. Utilisant une abondante documentation, directe ou indirecte, patiemment recueillie, il annote d'abord le *Journal* de Dangeau (1638-1720), qu'on lui a confié en 1734, puis de ces ébauches tire la matière de ses propres *Mémoires*. Il meurt en 1755, à l'âge de 80 ans. Le gouvernement de Louis XV ordonne le dépôt de l'énorme manuscrit aux Affaires étrangères ; longtemps l'œuvre ne sera connue que par des indiscrétions et des publications fragmentaires ; l'édition de 1829 elle-même reste incomplète : la première édition intégrale date de 1856.

UN CARACTÈRE DIFFICILE. Observateur pénétrant, l'homme est peu sympathique. Infatué de sa race, plein de morgue, écrasant de son mépris souverain tout ce qui n'est pas noble, il ramène tout à lui-même. L'étroitesse de ses *préjugés* limite son intelligence et fausse ses jugements. Il a une tendance fâcheuse à ne voir que le *petit côté* des choses, des êtres et de leurs mobiles. Capable d'ailleurs du plus loyal attachement, il montre dans la vie privée des qualités rares à la cour. *Extrême en tout*, dans ses sympathies comme dans ses haines, il est la négation même de l'idéal humain du classicisme, fait de réserve et de mesure.

Un art impressionniste

Mais les défauts de l'homme ne font que rehausser les *qualités de l'écrivain*. La violence de ses sentiments ne l'empêche pas de *voir clair* et confère à sa manière une *âpreté* incisive, une vigueur d'eau-forte. Il écrit par pointes, traits et saccades, comme il sent, comme il voit : derrière les masques apparaissent les visages grimaçants, les instincts déchaînés derrière les bienséances. Saint-Simon rappelle Tacite par ses *raccourcis* fulgurants comme par la *sévérité* implacable de ses jugements. Sa langue n'a rien de commun avec celle de Racine, Boileau ou Voltaire, ces bourgeois. Son style même est *impérieux* et *hautain :* il plie la syntaxe à sa vivacité, à son *humeur*, à ses passions. Il ne recule pas, à l'occasion, devant le terme bas. Quelques mots abstraits lui suffisent pour donner aux attitudes, sentiments, silhouettes, un *relief* sans égal.

Nul n'a mieux jugé Saint-Simon, sa morgue, ses travers et son art que Chateaubriand, si orgueilleux lui-même, et grand styliste : « Il avait un tour à lui ; *il écrivait à la diable pour l'immortalité.* »

PORTRAIT DU DUC DE BOURGOGNE

« *Un naturel*   Petit-fils de Louis XIV, le « petit Dauphin » mourut
**   *à faire trembler* »** en 1712, peut-être empoisonné s'il faut en croire Saint-
Simon. C'est en lui que le duc mettait toutes ses espé-
rances, certain de voir enfin régner un roi selon son cœur. Aussi sa désolation est infinie ;
on remarquera le changement de ton : la causticité habituelle fait place à l'émotion.

Il faut dire d'abord que Mgr le duc de Bourgogne était né [1] avec
un naturel à faire trembler. Il était fougueux jusqu'à vouloir briser ses
pendules lorsqu'elles sonnaient l'heure qui l'appelait à ce qu'il ne voulait
pas, et jusqu'à s'emporter de la plus étrange manière contre la pluie
quand elle s'opposait à ce qu'il voulait faire. La résistance le mettait en
fureur ; c'est ce dont j'ai été souvent témoin dans sa première jeunesse.
D'ailleurs un goût ardent le portait à tout ce qui est défendu au corps et
à l'esprit. Sa raillerie était d'autant plus cruelle qu'elle était plus spirituelle et plus salée [2], et qu'il attrapait tous les ridicules avec justesse. Tout
10 cela était aiguisé par une vivacité de corps et d'esprit qui allait à l'impétuosité, et qui ne lui permit jamais dans ces premiers temps d'apprendre rien
qu'en faisant deux choses à la fois. Tout ce qui est plaisir, il l'aimait
avec une passion violente, et tout cela avec plus d'orgueil et de hauteur
qu'on n'en peut exprimer ; dangereux de plus à discerner [3] et gens et
choses, et à apercevoir le faible d'un raisonnement et à raisonner plus
fortement et plus profondément que ses maîtres [4]. Mais aussi, dès que
l'emportement était passé, la raison le saisissait et surnageait à tout ; il
sentait ses fautes, il les avouait, et quelquefois avec tant de dépit, qu'il
rappelait la fureur. Un esprit vif, actif, perçant, se raidissant contre les
20 difficultés, à la lettre transcendant [5] en tout genre. Le prodige est qu'en
très peu de temps la dévotion et la grâce en firent un autre homme, et
changèrent tant et de si redoutables défauts en vertus parfaitement
contraires.

Le miracle   On vit ce prince timide, sauvage, concentré [6],
**   *de la grâce*** cette vertu précise [7], ce savoir déplacé [8], cet
homme engoncé [9], étranger [10] dans sa maison,
contraint de tout, embarrassé partout ; on le vit, dis-je, se montrer par
degrés, se déployer peu à peu, se donner au monde avec mesure, y être

---

— 1 Né en 1682, il avait 30 ans quand il
mourut (1712). — 2 Il ne s'agit pas du « sel »
de l'humour, mais bien de méchanceté : « La
femme de Villars avait de l'esprit infiniment,
plaisante, salée, ordinairement méchante »
(St-Simon). — 3 Juger avec discernement. —
4 Il avait eu Fénelon pour précepteur. —
5 Qui franchit les limites (*transcendere*). —

6 « Qui ne donne point d'expansion à ses
sentiments ou à ses idées (Littré). — 7 « Dont
on a retranché tout le superflu » (Littré). —
8 *Déployé hors de propos* : attitude tout à fait
contraire à celle de l'honnête homme. — 9 Au
sens figuré : qui a l'air gauche et contraint. —
10 Qui paraissait étranger dans sa propre
maison.

libre, majestueux, gai, agréable, tenir le salon de Marly dans des temps
30 coupés[11], présider au cercle rassemblé autour de lui comme la divinité du
temple qui sent et qui reçoit avec bonté les hommages des mortels auxquels
il est accoutumé, et les récompenser de ses douces influences.

Peu à peu la chasse ne fut plus l'entretien que du laisser-courre[12], ou
du moment du retour. Une conversation aisée, mais instructive et adressée
avec choix et justesse, charma le sage courtisan et fit admirer les autres[13].

Gracieux partout, plein d'attention au rang, à la naissance, à l'âge, à
l'esprit de chacun, choses depuis si longtemps bannies et confondues
avec le plus vil peuple de la cour[14], régulier à rendre à chacune de ces
choses ce qui leur était dû de politesse et ce qui s'y pouvait ajouter avec
40 dignité, grave mais sans rides, et en même temps gai et aisé ; il est
incroyable avec quelle étonnante rapidité l'admiration de l'esprit, l'estime
du sens, l'amour du cœur et toutes les espérances furent entraînées[15],
avec quelle raideur les fausses idées qu'on s'en était faites et voulu faire
furent précipitées[16], et quel fut l'impétueux tourbillon du changement
qui se fit généralement à son égard.

La joie publique faisait qu'on ne s'en pouvait taire, et qu'on se
demandait les uns aux autres, si c'était bien là le même homme, et si ce
qu'on voyait était songe ou réalité.

LE LYRISME DE LA HAINE

Le conseil   Le matin du 26 août 1718 se tient, dans les appar-
du 26 août 1718   tements du Roi, un Conseil secret présidé par le Régent,
                    destiné à préparer *le lit de justice* qui doit suivre; le
Régent vient d'y annoncer la destitution des « légitimés » (le duc du Maine et le comte
de Toulouse). La stupéfaction de leurs partisans est totale. Jouissant de cette surprise, et
de leur consternation, Saint-Simon, tout en composant son attitude, laisse éclater sa joie,
que traduit un véritable hymne à la haine.

Un silence profond succéda à un discours si peu attendu et qui
commença à développer[1] l'énigme de la sortie des bâtards[2]. Il se peignit
un brun sombre sur quantité de visages. La colère étincela sur celui des
maréchaux de Villars et de Bezons, d'Effiat, même du maréchal d'Estrées[3].
Tallard devint stupide quelques moments, et le maréchal de Villeroy
perdit toute contenance. Je ne pus voir celle du maréchal d'Huxelles,
que je regrettai beaucoup, ni du duc de Noailles, que de biais par-ci
par-là. J'avais la mienne à composer, sur qui tous les yeux passaient
successivement.

— 11 De temps en temps. — 12 Moment
de la chasse où on lâche les chiens. — 13 Provoque l'admiration des autres. — 14 C'est le
principal grief de St-Simon contre Louis XIV.
— 15 Entraînées vers lui. — 16 Sens étymologique : furent jetées à bas ; *raideur* : soudaineté.

— 1 Expliquer (c'est le sens étymologique
de ce verbe latin : *explicare*). — 2 Les bâtards
(princes légitimés) sont sortis avant le début du
Conseil, averti de ce qui les attendait. — 3 Partisans des légitimés.

10   J'avais mis sur mon visage une couche de plus de gravité et de modestie. Je gouvernais mes yeux avec lenteur, et ne regardais qu'horizontalement pour le plus haut [4]. Dès que le régent ouvrit la bouche sur cette affaire, M. le Duc [5] m'avait jeté un regard triomphant, qui pensa démonter tout mon sérieux, qui m'avertit de le redoubler et de ne m'exposer plus à trouver ses yeux sous les miens. Contenu de la sorte, attentif à dévorer l'air de tous, présent à tout et à moi-même, immobile, collé sur mon siège, compassé de tout mon corps, pénétré de tout ce que la joie peut imprimer de plus sensible et de plus vif, du trouble le plus charmant, d'une jouissance la plus démesurément et la plus persévéramment souhaitée, je suais 20 d'angoisse de la captivité de mon transport, et cette angoisse même était d'une volupté que je n'ai jamais ressentie ni devant ni depuis ce beau jour. Que les plaisirs des sens sont inférieurs à ceux de l'esprit, et qu'il est véritable que la proportion des maux est celle-là même des biens qui les finissent [6] !

Le lit de justice
du 26 août 1718

« Dans certains nobles établissements scolaires, on donnait autrefois cette page à apprendre par cœur. Je ne sais si cela donnait une jolie mentalité aux jeunes récitants. Cela put leur souffler le plus beau langage de la rage. » (F.R. Bastide, *Saint-Simon par lui-même*).

Ce lit de justice de 1718 est celui qui annonce la destitution d'un des « fils légitimés » de Louis XIV et de Madame de Montespan : le duc du Maine (1670-1736).

Enfin le garde des sceaux ouvrit la bouche, et dès la première période il annonça la chute d'un des frères et la conservation de l'autre [1]. L'effet de cette période sur tous les visages est inexprimable. Quelque occupé que je fusse à contenir le mien, je n'en perdis pourtant aucune chose. L'étonnement prévalut aux autres passions. Beaucoup parurent aises, soit équité, soit haine pour le duc du Maine, soit affection pour le comte de Toulouse ; plusieurs consternés. Le premier président perdit toute contenance ; son visage, si suffisant et si audacieux, fut saisi d'un mouvement convulsif, l'excès seul de sa rage le préserva de l'évanouissement. 10   Ce fut bien pis à la lecture de la déclaration. Chaque mot était législatif et portait une chute nouvelle. L'attention était générale, tenait chacun immobile pour n'en pas perdre un mot, et les yeux sur le greffier qui lisait. Vers le tiers de cette lecture, le premier président, grinçant le peu de dents qui lui restaient, se laissa tomber le front sur son bâton, qu'il tenait à deux mains, et, en cette singulière posture et si marquée, acheva d'entendre cette lecture si accablante [2] pour lui, si résurrective [3] pour nous [4].

    Moi cependant je me mourais de joie. J'en étais à craindre la défaillance ; mon cœur, dilaté à l'excès, ne trouvait plus d'espace à s'étendre. La

---

— 4 Son regard passe par-dessus la tête des assistants. — 5 Louis-Henri de Condé, arrière-petit-fils du Grand Condé (1692-1740). — 6 Un grand bien compense un grand mal.

— 1 *L'autre :* le comte de Toulouse, autre fils du roi et de Madame de Montespan. — 2 Il était partisan du duc du Maine. — 3 Exemple de création verbale chez Saint-Simon. — 4 Saint-Simon et ses partisans.

20 violence que je me faisais pour ne rien laisser échapper était infinie, et néanmoins ce tourment était délicieux. Je comparais les années et les temps de servitude, les jours funestes où, traîné au Parlement en victime, j'y avais servi de triomphe aux bâtards à plusieurs fois, les degrés divers par lesquels ils étaient montés à ce comble sur nos têtes ; je les comparais, dis-je, à ce jour de justice et de règle, à cette chute épouvantable, qui du même coup nous relevait par la force de ressort. Je repassais, avec le plus puissant charme, ce que j'avais osé annoncer au duc du Maine le jour du scandale du bonnet [5], sous le despotisme de son père [6]. Mes yeux voyaient enfin l'effet et l'accomplissement de cette menace. Je me devais [7], je
30 me remerciais de ce que c'était par moi qu'elle s'effectuait. J'en considérais la rayonnante splendeur en présence du Roi [8] et d'une assemblée si auguste. Je triomphais, je me vengeais, je nageais dans ma vengeance ; je jouissais du plein accomplissement des désirs les plus véhéments et les plus continus de toute ma vie. J'étais tenté de ne me plus soucier de rien. Toutefois je ne laissais pas d'entendre cette vivifiante lecture dont tous les mots résonnaient sur mon cœur comme l'archet sur un instrument, et d'examiner en même temps les impressions différentes qu'elle faisait sur chacun.

PORTRAIT DE MONSIEUR

Ce portrait de Monsieur, frère du roi Louis XIV, est un exemple de ces portraits-charges dont Saint-Simon avait le secret. D'une grande âpreté dans le réalisme, il est formé de traits impitoyables qui convergent pour imposer l'image d'un être inconsistant et efféminé.

Avec plus de monde [1] que d'esprit, et nulle lecture, quoique avec une connaissance étendue et juste des maisons [2], des naissances et des alliances [3], il n'était capable de rien. Personne de si mou de corps et d'esprit, de plus faible, de plus timide, de plus trompé, de plus gouverné, ni de plus méprisé par ses favoris, et très souvent de plus malmené par eux ; tracassier, et incapable de garder aucun secret, soupçonneux, défiant, semant des noises dans sa cour pour brouiller, pour savoir, souvent aussi pour s'amuser, et redisant des uns aux autres. [....] C'était un petit homme ventru monté sur des échasses tant ses souliers étaient hauts, toujours paré comme une femme, plein de bagues, de bracelets, de pierreries partout, avec une longue perruque toute étalée en devant, noire et poudrée, et des rubans partout où il en pouvait mettre. Plein de toutes sortes de parfums, et, en toutes choses, la propreté [4] même. On l'accusait de mettre imperceptiblement du rouge. Le nez fort long, la bouche et les yeux beaux, le visage plein mais fort long. Tous ses portraits lui ressemblent.

— 5 On enlevait « *le bonnet* » (on se découvrait) devant les légitimés, mais non devant les ducs et pairs — ce qui constitue un « scandale » pour Saint-Simon. — 6 Louis XIV. — 7 C'est à lui qu'il doit ce triomphe. — 8 *Louis XV :* il a 8 ans !

— 1 Savoir-vivre. — 2 Familles nobles. — 3 Parentés par alliance. — 4 Élégance dans la mise.

LA BRUYÈRE

LE BOURGEOIS DE PARIS. JEAN DE LA BRUYÈRE naquit à Paris en août 1645, dans une famille de la petite bourgeoisie. Après avoir appris le grec, l'allemand, et surtout le latin, il fit des études de droit et devint avocat au Parlement de Paris, mais il ne semble pas qu'il ait jamais plaidé. Possédant quelque argent, il achète en 1673 un office de trésorier des finances de la généralité de Caen, ce qui ne l'empêche pas de résider dans la capitale. Comme sa charge l'occupe fort peu, il peut méditer, lire, observer à loisir. Il mène en somme, jusqu'en 1684, la vie d'un *sage*, très modéré dans ses ambitions, très jaloux de son indépendance. Chez ce bourgeois de Paris, de la même race qu'un BOILEAU, qu'un VOLTAIRE, sommeillent encore des dons de perspicacité réaliste et d'ironie caustique qu'un brusque changement dans sa destinée va lui permettre de révéler.

LE PRÉCEPTEUR DU DUC DE BOURBON. Le 15 août 1684 La Bruyère devient, grâce à BOSSUET, précepteur du duc de Bourbon, petit-fils du Grand CONDÉ. Il aliène ainsi son indépendance, mais en revanche, à l'Hôtel des Condé à Paris ou au château de Chantilly, un vaste *champ d'observation* s'ouvre à son regard aigu ; il voit de près, et dans l'intimité, les grands seigneurs auxquels se mêlent parfois des parvenus plus orgueilleux encore que les princes du sang. Condé, qu'il peindra sous le nom d'*Æmile* (II, 32), respecte en la personne du précepteur le savoir et l'intelligence, mais il est violent et impérieux ; son fils le duc d'Enghien fait régner la terreur autour de lui, si l'on en croit Saint-Simon ; quant à l'élève de La Bruyère, il est franchement odieux et ne peut lui donner aucune satisfaction. Ce préceptorat ne dure d'ailleurs que jusqu'en décembre 1686, mais notre auteur reste attaché aux Condé en qualité de secrétaire. C'est une « domesticité » honorable (il porte le titre de gentilhomme), mais pénible à l'amour-propre d'un être hautement conscient de son *mérite personnel*.

L'AUTEUR DES « CARACTÈRES ». Aucune de ses observations n'est perdue. Témoin parfois amusé, souvent amer, de la « comédie humaine », il prépare dans le silence un livre qui traduira son expérience des hommes et de la société tout en le soulageant de ses rancœurs. *Les Caractères*, qui paraissent en 1688, sont, en effet, la *revanche* du talent et de l'esprit sur la naissance et la fortune ; mais surtout l'auteur y apparaît comme un *moraliste* pénétrant, un *satirique* plein d'ironie et un *styliste* tout à fait original. Le succès du livre est prodigieux ; succès de bon aloi et aussi succès de scandale : tandis que les éditions se suivent, on publie des « *clefs* » révélant le nom des modèles prétendus de ces « caractères ». Cependant, s'il a souffert cruellement des humiliations qui ne lui ont pas été épargnées, La Bruyère n'est pas véritablement aigri : il conserve ses qualités de cœur et, inaccessible à l'attrait de l'argent, tout-puissant autour de lui, il consacre le profit de son livre à doter richement la fille du libraire.

Les *Caractères* lui valent autant d'ennemis que d'admirateurs. Les personnages qui se sentent ou se croient visés par ses portraits satiriques sont évidemment furieux de devenir la risée du public. Il préparait une nouvelle édition de cette œuvre lorsqu'il mourut d'une attaque d'apoplexie le 11 mai 1696.

Les *Caractères* ne sont pas un « livre à thèse ». Ils nous offrent une série d'aspects de l'homme et de la société, non pas une vue systématique des problèmes humains ou des problèmes sociaux.

« Le talent de La Bruyère, écrit TAINE, consiste principalement dans l'*art d'attirer l'attention*... Il ressemble à un homme qui viendrait arrêter les passants dans la rue, les saisirait au collet, leur ferait oublier leurs affaires et leurs plaisirs, les forcerait à regarder à leurs pieds, à voir ce qu'ils ne voyaient pas ou ne voulaient pas voir, et ne leur permettrait d'avancer qu'après avoir gravé l'objet d'une manière ineffaçable dans leur mémoire étonnée. »

ARRIAS

Bavard et hâbleur, *Arrias* se rend insupportable en société : il est très exactement le contraire d'un « honnête homme ». Convaincu publiquement de mensonge, conservera-t-il son assurance imperturbable ? LA BRUYÈRE est trop habile pour ajouter le moindre commentaire au récit de cette mésaventure : à nous d'*imaginer* l'attitude du personnage (V, § 9).

A*rrias* a tout lu, a tout vu, il veut le persuader ainsi ; c'est un homme universel, et il se donne pour tel : il aime mieux mentir que de se taire ou de paraître ignorer quelque chose. On parle, à la table d'un grand, d'une cour du Nord : il prend la parole, et l'ôte à ceux qui allaient dire ce qu'ils en savent ; il s'oriente dans cette région lointaine comme s'il en était originaire ; il discourt des mœurs de cette cour, des femmes du pays, de ses lois et de ses coutumes : il récite [1] des historiettes qui y sont arrivées ; il les trouve plaisantes, et il en rit le premier jusqu'à éclater [2]. Quelqu'un se hasarde [3] de le contredire, et lui prouve nettement qu'il
10 dit des choses qui ne sont pas vraies. Arrias ne se trouble point, prend feu au contraire contre l'interrupteur. « Je n'avance, lui dit-il, je ne raconte rien que je ne sache d'original [4] : je l'ai appris de *Sethon*, ambassadeur de France dans cette cour, revenu à Paris depuis quelques jours, que je connais familièrement, que j'ai fort interrogé, et qui ne m'a caché aucune circonstance [5]. » Il reprenait le fil de sa narration avec plus de confiance qu'il ne l'avait commencée, lorsque l'un des conviés lui dit : « C'est Sethon à qui vous parlez, lui-même, et qui arrive de son ambassade. » (Éd. 8.)

MÉNALQUE

Le *distrait* est un excellent type comique puisque sa vie se déroule sous le signe de l'*illogisme* et de l'*imprévu*. Le rire naît, spontané, au spectacle de ses gestes manqués, de ses réactions absurdes, devant le *contraste burlesque* entre le rêve qu'il poursuit et la réalité qui le rappelle brutalement à l'ordre. Au XVIIe siècle, où les exigences de la vie sociale sont si impérieuses, il paraît encore plus ridicule. Procédant par *accumulation*, joignant l'imagination à l'observation, LA BRUYÈRE a su tirer des distractions de *Ménalque* un effet comique absolument *irrésistible* (XI, *De l'Homme*, § 7).

M*énalque* [1] descend son escalier, ouvre sa porte pour sortir, il la referme : il s'aperçoit qu'il est en bonnet de nuit ; et venant à mieux s'examiner, il se trouve rasé à moitié, il voit que son épée est mise du côté droit, que ses bas sont rabattus sur ses talons, et que sa chemise est par-dessus ses chausses [2]. S'il marche dans les places, il se sent tout d'un coup rudement frapper à l'estomac [3] ou au visage ; il ne soupçonne point ce que ce peut être, jusqu'à ce qu'ouvrant les yeux et se réveillant, il se trouve ou devant un limon [4] de charrette, ou derrière un long ais [5] de

---

— 1 Il les sait par cœur. — 2 La phrase est construite de manière à rendre sensible le silence gêné au milieu duquel le rire éclate. — 3 Il y faut un certain courage. — 4 De source directe. — 5 La structure de la phrase traduit l'insistance du narrateur.

— 1 « Ceci est moins un caractère qu'un recueil de faits de distractions : ils ne sauraient être en trop grand nombre, s'ils sont agréables ; car, les goûts étant différents, on a à choisir. » (La Bruyère) — 2 Sa culotte. — 3 A la poitrine. — 4 Brancard. — 5 Planche.

menuiserie que porte un ouvrier sur ses épaules. On l'a vu une fois
10 heurter du front contre celui d'un aveugle, s'embarrasser dans ses jambes,
et tomber avec lui, chacun de son côté, à la renverse. Il lui est arrivé
plusieurs fois de se trouver tête pour tête [6] à la rencontre d'un prince
et sur son passage, se reconnaître [7] à peine, et n'avoir que le loisir de se
coller à un mur pour lui faire place. Il cherche, il brouille [8], il crie, il
s'échauffe, il appelle ses valets l'un après l'autre : *on lui perd tout, on lui
égare tout ;* il demande ses gants, qu'il a dans ses mains, semblable à cette
femme qui prenait le temps [9] de demander son masque [10] lorsqu'elle
l'avait sur son visage. Il entre à l'appartement [11], et passe sous un lustre
où sa perruque s'accroche et demeure suspendue : tous les courtisans
20 regardent et rient ; Ménalque regarde aussi et rit plus haut que les autres ;
il cherche des yeux dans toute l'assemblée où est celui qui montre ses
oreilles et à qui il manque une perruque. S'il va par la ville, après avoir
fait quelque chemin, il se croit égaré, il s'émeut, et il demande où il est à
des passants, qui lui disent précisément le nom de sa rue ; il entre ensuite
dans sa maison, d'où il sort précipitamment, croyant qu'il s'est trompé.
Il descend du Palais [12] et, trouvant au bas du grand degré [13] un carrosse
qu'il prend pour le sien, il se met dedans : le cocher touche [14] et croit
ramener [15] son maître dans sa maison ; Ménalque se jette hors de la portière, traverse la cour, monte l'escalier, parcourt l'antichambre, la chambre,
30 le cabinet [16] ; tout lui est familier, rien ne lui est nouveau ; il s'assied, il
se repose, il est chez soi. Le maître arrive : celui-ci [17] se lève pour le
recevoir ; il le traite fort civilement, le prie de s'asseoir, et croit faire les
honneurs de sa chambre ; il parle, il rêve [18], il reprend la parole : le maître
de la maison s'ennuie [19], et demeure étonné [20] ; Ménalque ne l'est pas
moins et ne dit pas ce qu'il en pense : il a affaire à un fâcheux [21], à un
homme oisif, qui se retirera à la fin, il l'espère, et il prend patience. La
nuit arrive qu'il est à peine détrompé...

GNATHON

Si *Ménalque* était comique, *Gnathon* l'égoïste est *odieux*. Quittant le ton de la libre
fantaisie, LA BRUYÈRE nous peint ce personnage avec un *réalisme acerbe et cru* qui traduit
son *indignation* et son *dégoût*. Le sans-gêne de *Gnathon*, la grossièreté de son comportement
traduisent de façon concrète et frappante la *laideur de l'égoïsme* (XI, § 121). D'édition
en édition (Éd. 4, Éd. 5) La Bruyère a « aggravé » le portrait de Gnathon.

Gnathon ne vit que pour soi, et tous les hommes ensemble sont à
son égard [1] comme s'ils n'étaient point. Non content de remplir à une

---

— 6 Face à face. — 7 *De* reprendre conscience. —
8 *Il met tout en désordre.* — 9 Qui choisissait, pour
demander..., le moment où... Cf. La Fontaine,
VII, 9 : «Le moine disait son bréviaire : *Il prenait
bien son temps !* » — 10 Sorte de voilette que les
femmes portaient dehors, pour protéger la blancheur de leur teint. — 11 Du roi, à Versailles. —
12 De justice. — 13 Escalier. — 14 Touche les che-

veux du fouet. — 15 Reconduire. — 16 *Le bureau ;*
c'est la pièce intime par excellence : rien n'arrête
Ménalque, et la vivacité du style traduit la rapidité de ses actions. — 17 Ménalque. — 18 Réfléchit. — 19 S'impatiente. — 20 Stupéfait. —
21 A un *importun.*

— 1 A ses yeux.

table la première place, il occupe lui seul [2] celle de deux autres ; il oublie que le repas est pour lui et pour toute la compagnie [3] ; il se rend maître du plat, et fait son propre de [4] chaque service : il ne s'attache à aucun des mets qu'il n'ait achevé d'essayer [5] de tous (Éd. 4) ; il voudrait pouvoir les savourer tous tout à la fois. Il ne se sert à table que de ses mains (Éd. 5) ; il manie les viandes, les remanie, démembre, déchire, et en use [6] de manière qu'il faut que les conviés, s'ils veulent manger, mangent ses restes (Éd. 4). Il ne leur épargne aucune de ces malpropretés dégoûtantes, capables d'ôter l'appétit aux plus affamés ; le jus et les sauces lui dégouttent du menton et de la barbe ; s'il enlève un ragoût de dessus un plat, il le répand en chemin dans un autre plat et sur la nappe ; on le suit à la trace. Il mange haut [7] et avec bruit ; il roule les yeux en mangeant ; la table est pour lui un râtelier [8] ; il écure ses dents, et il continue à manger (Éd. 5). Il se fait, quelque part où il se trouve, une manière d'établissement [9], et ne souffre [10] pas d'être plus pressé [11] au sermon ou au théâtre que dans sa chambre. Il n'y a dans un carrosse que les places du fond [12] qui lui conviennent ; dans toute autre, si on veut l'en croire, il pâlit et tombe en faiblesse. S'il fait un voyage avec plusieurs, il les prévient [13] dans les hôtelleries, et il sait toujours se conserver dans la meilleure chambre le meilleur [14] lit. Il tourne tout à son usage ; ses valets, ceux d'autrui, courent dans le même temps pour son service. Tout ce qu'il trouve sous sa main lui est propre, hardes [15], équipages [16]. Il embarrasse [17] tout le monde, ne se contraint pour personne, ne plaint personne, ne connaît de maux que les siens, que sa réplétion [18] et sa bile, ne pleure point la mort des autres, n'appréhende que la sienne, qu'il rachèterait volontiers de [19] l'extinction du genre humain. (Éd. 4.)

GITON ET PHÉDON

Il serait vain de chercher des originaux à ces deux caractères : *Giton* et *Phédon* sont des *types*, le riche et le pauvre. Ils portent l'un et l'autre les stigmates de leur condition, et si certains détails pittoresques sont bien du XVIIᵉ siècle, LA BRUYÈRE a atteint une *vérité éternelle* dans la peinture de leur *comportement* respectif (VI, 83).

Giton a le teint frais, le visage plein et les joues pendantes, l'œil fixe et assuré, les épaules larges, l'estomac haut [1], la démarche ferme et délibérée [2]. Il parle avec confiance ; il fait répéter celui qui l'entretient, et il ne goûte que médiocrement tout ce qu'il lui dit. Il déploie un ample mouchoir et se mouche avec grand bruit ; il crache [3] fort loin, et il éternue

---

— 2 A lui seul. — 3 Et non pas pour lui seul. — 4 S'approprie (cf. l. 24). — 5 Goûter. — 6 Se conduit. — 7 Expression frappante, forgée sur le modèle de : *il parle haut.* — 8 Il mange donc comme une bête. — 9 Il s'installe comme chez lui. — 10 Supporte. — 11 Serré. — 12 Les meilleures places. — 13 Il les devance. — 14

Répétition expressive. — 15 Vêtements. — 16 Voitures. — 17 Gêne. — 18 Malaises résultant d'un excès de nourriture. — 19 Au prix de.

— 1 La poitrine bombée. — 2 Résolue. 3 Détail réaliste : à l'époque, ce n'est pas l'acte même qui paraît répréhensible, mais le sans-gêne dont il s'accompagne (cf. *Phédon*).

fort haut. Il dort le jour, il dort la nuit, et profondément ; il ronfle en compagnie. Il occupe à table et à la promenade plus de place qu'un autre. Il tient le milieu [4] en se promenant avec ses égaux ; il s'arrête et l'on s'arrête, il continue de marcher et l'on marche : tous se règlent sur lui.
10 Il interrompt, il redresse [5] ceux qui ont la parole : on ne l'interrompt pas, on l'écoute aussi longtemps qu'il veut parler ; on est de son avis, on croit les nouvelles qu'il débite [6]. S'il s'assied, vous le voyez s'enfoncer dans un fauteuil, croiser les jambes l'une sur l'autre, froncer le sourcil, abaisser son chapeau [7] sur ses yeux pour ne voir personne, ou le relever ensuite, et découvrir son front par fierté et par audace. Il est enjoué, grand rieur, impatient, présomptueux, colère, libertin [8], politique [9], mystérieux sur les affaires du temps ; il se croit des talents et de l'esprit. Il est riche. (Éd. 6.)

Phédon a les yeux creux, le teint échauffé [10], le corps sec et le visage maigre ; il dort peu et d'un sommeil fort léger ; il est abstrait [11], rêveur [12],
20 et il a avec de l'esprit l'air d'un stupide [13] ; il oublie de dire ce qu'il sait, ou de parler d'événements qui lui sont connus ; et, s'il le fait quelquefois, il s'en tire mal, il croit peser à ceux à qui il parle, il conte brièvement, mais froidement ; il ne se fait pas écouter, il ne fait point rire. Il applaudit, il sourit à ce que les autres lui disent, il est de leur avis ; il court, il vole pour leur rendre de petits services. Il est complaisant, flatteur, empressé ; il est mystérieux sur ses affaires, quelquefois menteur ; il est superstitieux [14], scrupuleux, timide. Il marche doucement et légèrement, il semble craindre de fouler la terre ; il marche les yeux baissés, et il n'ose les lever sur ceux qui passent. Il n'est jamais du nombre de ceux qui forment un cercle
30 pour discourir ; il se met derrière celui qui parle, recueille furtivement ce qui se dit, et il se retire si on le regarde. Il n'occupe point de lieu, il ne tient point de place [15] ; il va les épaules serrées, le chapeau abaissé sur les yeux pour n'être point vu ; il se replie et se renferme dans son manteau ; il n'y a point de rues ni de galeries si embarrassées [16] et si remplies de monde, où il ne trouve moyen de passer sans effort et de se couler [17] sans être aperçu. Si on le prie de s'asseoir, il se met à peine sur le bord d'un siège ; il parle bas dans la conversation, et il articule mal ; libre néanmoins sur les affaires publiques, chagrin contre le siècle, médiocrement prévenu des [18] ministres et du ministère. Il n'ouvre la bouche
40 que pour répondre ; il tousse, il se mouche sous son chapeau ; il crache presque sur soi, et il attend qu'il soit seul pour éternuer, ou, si cela lui arrive, c'est à l'insu de la compagnie : il n'en coûte à personne ni salut ni compliment [19]. Il est pauvre. (Éd. 6.)

— 4 Cf. *tenir le haut du pavé*. — 5 Corrige. — 6 Raconte. — 7 Trait de mœurs : on pouvait rester couvert dans un salon, sauf devant les dames et le roi. — 8 Esprit fort. — 9 Il affecte d'être au courant des secrets d'État. — 10 Marqué de rougeurs et de boutons. — 11 Absorbé. — 12 Préoccupé. — 13 Adj. substantivé. — 14 Consciencieux jusqu'à la superstition. — 15 Hyperboles expressives. — 16 Encombrées. — 17 Se glisser. — 18 En faveur des. — 19 Comme *Dieu vous bénisse*.

L'INJUSTICE SOCIALE

Ici, ce n'est plus le portraitiste qui s'étonne et s'amuse, c'est l'*homme de cœur* qui s'indigne. Le luxe insolent des riches est une insulte à la misère des pauvres. Sans doute La Bruyère ne propose-t-il pas de remède à cette situation scandaleuse, et son attitude est, au fond, une sorte de fuite (« *Je me jette et me réfugie dans la médiocrité* »). Mais, s'il ne se présente pas en réformateur, comme les philosophes du XVIIIe siècle qu'il annonce ici, du moins fait-il entendre le cri sincère d'un honnête homme révolté.

Il y a des misères sur la terre qui saisissent[1] le cœur. Il manque à quelques-uns jusqu'aux aliments ; ils redoutent l'hiver ; ils appréhendent de vivre. L'on mange ailleurs des fruits précoces ; l'on force la terre et les saisons pour fournir à sa délicatesse : de simples bourgeois, seulement à cause qu'ils[2] étaient riches, ont eu l'audace d'avaler en un seul morceau la nourriture de cent familles. Tienne[3] qui voudra contre de si grandes extrémités[4] ; je ne veux être, si je le puis, ni malheureux, ni heureux ; je me jette et me réfugie dans la médiocrité[5] (Éd. 5.)

Il y a une espèce de honte d'être heureux à la vue de certaines misères.
10 (Éd. 4.)

L'on voit certains animaux farouches, des mâles et des femelles, répandus par la campagne, noirs, livides, et tout brûlés du soleil, attachés à la terre qu'ils fouillent et qu'ils remuent avec une opiniâtreté invincible ; ils ont comme une voix articulée, et, quand ils se lèvent sur leurs pieds, ils montrent une face humaine ; et en effet ils sont des hommes[6]. Ils se retirent la nuit dans des tanières, où ils vivent de pain noir, d'eau et de racines[7] : ils épargnent aux autres hommes la peine de semer, de labourer et de recueillir[8] pour vivre, et méritent ainsi de ne pas manquer de ce pain qu'ils ont semé. (Éd. 4).

20 Si je compare ensemble les deux conditions des hommes les plus opposées, je veux dire les grands avec le peuple, ce dernier me paraît content[9] du nécessaire, et les autres sont inquiets et pauvres avec le superflu. Un homme du peuple ne saurait faire aucun mal ; un grand ne veut faire aucun bien et est capable de grands maux[10]. L'un ne se forme et ne s'exerce que dans les choses qui sont utiles ; l'autre y joint les pernicieuses. Là se montrent ingénument la grossièreté et la franchise ; ici se cache une sève maligne et corrompue sous l'écorce[11] de la politesse. Le peuple n'a guère d'esprit, et les grands n'ont point d'âme : celui-là a un bon fond et n'a point de dehors, ceux-ci n'ont que des dehors et
30 qu'une simple superficie[12]. Faut-il opter ? Je ne balance pas : je veux être peuple[13]. (Éd. 5.)

— 1 Serrent. — 2 Parce qu' ... — 3 Résiste... à — 4 Excès contraire. — 5 *Condition moyenne.* — 6 Le mot est vibrant d'indignation. — 7 Raves, navets, carottes. — 8 Récolter. — 9 Se contenter.

— 10 Cf. « Un grand nous fait assez de bien quand il ne nous fait pas de mal » (Figaro, dans *Le Barbier de Séville*, I, 2). — 11 Commenter l'image. — 12 Surface, extérieur. — 13 Apprécier ce choix.

LE PRINCE ET SES SUJETS

A la doctrine de la monarchie absolue de droit divin, La Bruyère oppose l'idée d'un contrat naturel entre le souverain et ses sujets, entraînant des *devoirs réciproques*. Régner, ce n'est pas exercer son *bon plaisir*, mais assumer de lourdes responsabilités (X, § 28 et 30).

28. Il y a un commerce ou un retour de devoirs du souverain à ses sujets, et de ceux-ci au souverain : quels sont les plus assujettissants et les plus pénibles, je ne le déciderai pas : il s'agit de juger d'un côté entre les étroits engagements du respect, des secours, des services, de l'obéissance, de la dépendance ; et, d'un autre, les obligations indispensables de bonté, de justice, de soins, de défense, de protection. Dire qu'un prince est arbitre de la vie des hommes, c'est dire seulement que les hommes, par leurs crimes, deviennent naturellement soumis aux lois et à la justice, dont le prince est le dépositaire ; ajouter qu'il est maître absolu de tous les biens de ses sujets, sans égards, sans compte ni discussion, c'est le langage de la flatterie, c'est l'opinion d'un favori qui se dédira à l'agonie.

30. Quelle heureuse place que celle qui fournit dans tous les instants l'occasion à un homme de faire du bien à tant de milliers d'hommes ! Quel dangereux poste que celui qui expose à tous moments un homme à nuire à un million d'hommes ! (Éd. 7).

CONTRE LA GUERRE

La Bruyère a horreur de *la guerre*. Avec une *ironie indignée* qui annonce Voltaire, il en dénonce le caractère *atroce* et surtout l'*absurdité*, montrant qu'elle ravale l'homme au-dessous des bêtes. C'est déjà la méthode des philosophes du XVIIIe siècle, qui protestent contre les abus au nom de la *raison*, même quand leur *cœur* est ému (X, § 9, Éd. 4, et XII, § 119, Éd. 6).

La guerre a pour elle l'antiquité ; elle a été dans tous les siècles : on l'a toujours vue remplir le monde de veuves et d'orphelins, épuiser les familles d'héritiers[1], et faire périr les frères à une même bataille... De tout temps, les hommes, pour quelque morceau de terre de plus ou de moins, sont convenus entre eux de se dépouiller, se brûler, se tuer, s'égorger les uns les autres ; et, pour le faire plus ingénieusement et avec plus de sûreté, ils ont inventé de belles[2] règles qu'on appelle l'art militaire ; ils ont attaché à la pratique de ces règles la gloire ou la plus solide réputation ; et ils ont depuis enchéri de siècle en siècle sur la manière de se
10 détruire réciproquement. De l'injustice des premiers hommes comme de son unique source, est venue la guerre[3] ainsi que la nécessité où ils se sont trouvés de se donner des maîtres qui fixassent leurs droits et leurs prétentions. Si, content du sien[4], on eût pu s'abstenir du bien de ses voisins, on avait[5] pour toujours la paix et la liberté[6].

— 1 Ce mot est complément d'épuiser. — 2 Ton voltairien. — 3 Pour La Bruyère, il n'y a pas de « bonne » guerre. — 4 De son bien. — 5 On aurait eu ; mais n'y a-t-il pas une nuance ? — 6 C'est le ton, et la manière d'argumenter de Rousseau dans *Le Contrat Social*.

Petits hommes hauts de six pieds [7], tout au plus de sept, qui vous enfermez aux [8] foires comme géants, et comme des pièces rares [9] dont il faut acheter la vue, dès que vous allez jusques à huit pieds ; qui vous donnez sans pudeur de la *hautesse* et de l'*éminence* [10], qui est [11] tout ce que l'on pourrait accorder à ces montagnes voisines du ciel et qui voient
20 les nuages se former au-dessous d'elles ; espèce d'animaux glorieux et superbes [12], qui méprisez toute autre espèce, qui ne faites pas même comparaison avec [13] l'éléphant et la baleine, approchez, hommes, répondez un peu à *Démocrite* [14]. Ne dites-vous pas en commun proverbe : *des loups ravissants* [15], *des lions furieux, malicieux comme un singe ?* Et vous autres, qui êtes-vous ? J'entends corner sans cesse à mes oreilles : *l'homme est un animal raisonnable*. Qui vous a passé [16] cette définition ? Sont-ce les loups, les singes et les lions, ou si [17] vous vous l'êtes accordée à vous-mêmes ? C'est déjà une chose plaisante que vous donniez aux animaux, vos confrères, ce qu'il y a de pire, pour prendre pour vous ce qu'il y a de
30 meilleur. Laissez-les un peu se définir eux-mêmes, et vous verrez comme [18] ils s'oublieront et comme vous serez traités. Je ne parle point, ô hommes, de vos légèretés, de vos folies et de vos caprices, qui vous mettent au-dessous de la taupe et de la tortue, qui vont sagement leur petit train, et qui suivent sans varier l'instinct de leur nature ; mais écoutez-moi un moment. Vous dites d'un tiercelet de faucon [19] qui est fort léger [20] et qui fait une belle descente sur la perdrix : « Voilà un bon oiseau » ; et d'un lévrier qui prend un lièvre corps à corps : « C'est un bon lévrier. » Je consens aussi que vous disiez d'un homme qui court le sanglier, qui le met aux abois, qui l'atteint et qui le perce : « Voilà un brave homme [21]. » Mais si
40 vous voyez deux chiens qui s'aboient [22], qui s'affrontent, qui se mordent et se déchirent, vous dites : « Voilà de sots animaux » ; et vous prenez un bâton pour les séparer. Que si l'on vous disait que tous les chats d'un grand pays se sont assemblés par milliers dans une plaine, et qu'après avoir miaulé tout leur soûl, ils se sont jetés avec fureur les uns sur les autres, et ont joué ensemble de la dent et de la griffe ; que de cette mêlée il est demeuré de part et d'autre neuf à dix mille chats sur la place, qui ont infecté l'air à dix lieues de là par leur puanteur, ne diriez-vous pas : « Voilà le plus abominable *sabbat* dont on ait jamais ouï parler » ? Et si les loups en faisaient de même : « Quels hurlements ! quelle boucherie ! »
50 Et si les uns ou les autres vous disaient qu'ils aiment la gloire, concluriez-vous de ce discours qu'ils la mettent à se trouver à ce beau rendez-vous, à détruire ainsi et à anéantir leur propre espèce ? ou, après l'avoir conclu, ne ririez-vous pas de tout votre cœur de l'ingénuité de ces pauvres bêtes ?

— 7 Un pied : 0,32 m. — 8 Dans les. — 9 Phénomènes. — 10 Titres du sultan et des cardinaux. — 11 Ce qui est. — 12 Vaniteux et orgueilleux. — 13 Ne vous comparez pas même à. — 14 Philosophe grec qui riait de la folie des hommes (tandis qu'Héraclite s'en indignait). — 15 Ravisseurs. — 16 Accordé. — 17 Ou bien est-ce que. — 18 Comment. — 19 Faucon mâle (d'un *tiers* plus petit que la femelle). — 20 Qui tient l'air longtemps (fauconnerie). — 21 Un homme brave. — 22 Aboient l'un contre l'autre.

XVIIIe SIÈCLE

Les événements	La lutte philosophique	Les auteurs	Les œuvres	Les arts
Fin du règne de **LOUIS XIV**	1685 Révocation de L'Édit de Nantes	1689 **Montesquieu** 1694 **Voltaire**		1699 Chardin 1703 Boucher 1704 La Tour 1709 Soufflot
	1697 Bayle : *Dictionnaire*	1707 Buffon	1709 *Turcaret*	
	1713 *Bulle Unigenitus*	1712 **Rousseau** 1713 **Diderot** 1715 Fénelon (†) Vauvenargues	1714-16 *Lettre à l'Acad.* 1715-35 *Gil Blas*	1714 Pigalle J. Vernet 1716 Falconet
1715 **LA RÉGENCE**	1717 Voltaire à la Bastille	1717 D'Alembert		1721 Watteau (†) 1725 Greuze († 1805)
1723 Règne de **LOUIS XV**	1726 Voltaire exilé en Angleterre		1721 **Lettres Persanes** 1730 *Jeu de l'Amour et du Hasard* 1731 *Manon Lescaut*	1732 Fragonard († 1806) 1733 Hubert Robert
		1732 Beaumarchais	1732 *Zaïre* 1734 *Considérations* **Lettres Philosophiques** 1736 *Le Mondain*	
1740-86 *Frédéric II roi de Prusse*		1737 Bernardin de Saint-Pierre	1738 *Discours sur l'Homme*	
1741 G. de Succession d'Autriche		1747 Le Sage (†) Vauvenargues (†)	1747 **Zadig**	1741 Houdon († 1828)
1748 Traité d'Aix-la-Chapelle			1748 **Esprit des Lois**	1748 David († 1825)
	1749 Diderot à Vincennes 1750 *Encyclopédie,* Prospectus		1749-88 Buffon: *Hist. Nat.* 1759 Rousseau, Ier **Discours**	
	1751 Tome I		1751 **Siècle de Louis XIV**	1752-54 *Les « Bouffons » à Paris*
1755 *Désastre de Lisbonne*		1755 St-Simon (†) Montesquieu (†)	1755 Rousseau, IIe **Discours**	
1756 G. de Sept Ans	1756 *Poème sur le Désastre de Lisbonne* 1759 *Condamnation de l'Encyclopédie* 1760 Palissot : *Philosophes* Voltaire à Ferney		1756 *Essai sur les Mœurs* 1757 *Lettre à d'Alembert* 1759 **Candide** 1761 **Nouvelle Héloïse**	*Ste-Geneviève (Panthéon) de Soufflot* 1758 Prud'hon († 1823)
1762-96 *Catherine II tzarine*	1762 Condamn. *Émile* Expulsion des Jésuites	1762 André Chénier	1762 *L'Émile* *Contrat Social* *Neveu de Rameau*	1762 Bouchardon (†, né 1698)
1763 Traité de Paris	1763 *Tr. sur la tolérance* 1764 *Dict. Philosophique* 1765 Réhabilit.Calas *Encyclopédie,* t. 8à 17 1766 La Barre décapité 1769 Réhabilitation de Sirven	1763 Marivaux (†) 1768 **Chateaubriand**	1765-70 Rousseau écrit les **Confessions**	1764 Rameau (†) (né 1683) 1770 Boucher (†)
1774 **LOUIS XVI** 1776 *Indépendance des U.S.A.* 1778 Intervention française 1783 Traité de Versailles	1780 Abolition de la question 1783 Voltaire, éd. Kehl	1778 Voltaire (†) Rousseau (†) 1783 D'Alembert (†) **Beyle** (Stendhal) 1784 Diderot (†) 1788 Buffon (†)	1775 *Barbier de Séville* 1776-78 Rousseau écrit les **Rêveries** 1784 **Mariage de Figaro** 1788 *Paul et Virginie*	1779 Chardin (†) 1782 Gabriel (†) (né 1698) 1785 Pigalle (†) 1788 La Tour (†) 1789 J.Vernet (†) 1791 Falconet (†)
1789 **RÉVOLUTION FRANÇAISE** 1799 **BONAPARTE** (18 Brumaire)	1789 *Déclaration des droits de l'homme*	1790 **Lamartine** 1794 Chénier (†) 1797 **Vigny** 1799 Beaumarchais (†)		

En dépit des courants divers qui le traversent, le XVIIe siècle chrétien, monarchique et classique, laisse une impression générale de stabilité. Le XVIIIe siècle au contraire est une période de *mouvement* aboutissant à une crise violente qui anéantit un système politique et social séculaire et instaure un ordre nouveau. De la Régence au coup d'État du 18 Brumaire, que de chemin parcouru ! Une longue *fermentation intellectuelle et sociale* a préparé la Révolution française, tandis que, dans l'ordre littéraire, le *préromantisme* supplantait peu à peu l'idéal classique. La littérature, généralement militante, est d'ailleurs étroitement liée aux revendications qui aboutissent à la Révolution.

HISTOIRE ET CIVILISATION

Déclin de la monarchie

Le règne de Louis XIV avait marqué l'apogée de la monarchie française : le XVIIIe siècle voit son déclin et sa chute. La Régence du duc d'Orléans se traduit par le relâchement des mœurs et aussi de l'autorité. Louis XV ne mérite pas longtemps d'être appelé « le bien-aimé ». L'influence des favorites entrave l'action des ministres et discrédite le pouvoir royal ; à l'égard des idées nouvelles, aucune politique suivie, mais des alternatives d'indulgence et de rigueur.

Malgré les victoires françaises, la guerre de Succession d'Autriche se termine à Aix-la-Chapelle par une paix décevante (1748). Bientôt c'est pire encore : les défaites de la guerre de Sept Ans entraînent le désastreux traité de Paris par lequel la France perd l'Inde et le Canada (1763). L'Angleterre affirme sa suprématie et la Prusse devient une puissance redoutable. Peu de temps avant la Révolution, la France reprend les armes contre l'Angleterre, et le traité de Versailles relève son prestige militaire (1783) ; mais la monarchie n'en profite pas : la sympathie pour les Insurgents américains contribue à répandre dans notre pays l'amour de la liberté et les idées républicaines.

Louis XVI s'engage dans la voie des réformes, mais il se heurte à l'opposition des privilégiés et n'a pas assez d'énergie pour maintenir au pouvoir, en dépit des critiques, des ministres « éclairés » comme Turgot ou Necker. Les difficultés financières s'accroissent sans cesse et provoquent finalement la convocation des États généraux.

La société, les mœurs

La Cour est supplantée dans son rôle intellectuel et social par les *Salons*, les *cafés* et les *clubs*. La « Cour de Sceaux » (1700-1753) accueille une société nombreuse sous l'égide de la petite-fille de Condé, la duchesse DU MAINE. Le salon de Mme DE LAMBERT (1710-1733), plus raffiné, est fréquenté par Fénelon, Fontenelle, Montesquieu, Marivaux. Le « bureau d'esprit » de Mme DE TENCIN (1726-1749) connaît des discussions hardies. Le salon de Mme DU DEFFAND (1740-1780) reçoit les encyclopédistes ainsi que Fontenelle, Marivaux, Montesquieu, malgré la préférence de l'hôtesse pour les mœurs et la littérature du XVIIe siècle. Mais c'est le « royaume » de Mme GEOFFRIN (1749-1777) qui est le véritable salon philosophique et encyclopédique. Riche bourgeoise, Mme Geoffrin reçoit rue Saint-Honoré artistes, écrivains et savants, en particulier Helvétius et D'Alembert, et elle subventionne l'Encyclopédie. Quant à Mlle DE LESPINASSE, après sa brouille avec Mme du Deffand dont elle était dame de compagnie, elle installe à son tour un salon (1764-1776) où elle reçoit D'Alembert, Condillac, Condorcet, Turgot.

Cependant les *cafés* (café de *la Régence* et ses joueurs d'échecs ; café *Procope*, rendez-vous d'écrivains et de philosophes) sont un lieu d'échange de nouvelles et d'idées. Les *clubs*, d'origine anglaise, réunissent des esprits sérieux et hardis qui s'intéressent aux problèmes politiques (*Club de l'Entresol* : 1720-1731).

Dans la haute société, à l'exemple du Régent et de ses compagnons de débauche, les *roués*, on tend à confondre bonheur et plaisir, et l'on pratique un épicurisme facile qui va parfois jusqu'à l'immoralité et au cynisme. Rousseau et Diderot réagissent, mais la morale de l'émotion qu'ils prêchent favorise la confusion entre attendrissement et vertu, bons sentiments et bonnes actions.

Le siècle
des lumières   Le XVIIIe siècle a *la passion des idées*. L'esprit philo-sophique qui se développe se caractérise par une entière *confiance dans la raison humaine* chargée de résoudre tous les problèmes et par une foi optimiste dans *le progrès*. C'est un nouvel humanisme qui trouve son expression la plus complète dans l'*Encyclopédie*, grande œuvre collective destinée à diffuser les « lumières », à combattre l'intolérance et le despotisme et à contribuer ainsi au bonheur de l'humanité.

La *science* joue désormais un grand rôle et les écrivains appuient tous leur réflexion sur des connaissances scientifiques. De même, des liens plus étroits s'établissent entre litté-rature et beaux-arts, que le goût de Voltaire unit dans son idéal de civilisation raffinée.

La grâce et la finesse règnent dans les tableaux de WATTEAU (1704-1788), BOUCHER (1703-1770) ou GREUZE. Le réalisme s'affirme dans les tableaux de genre de CHARDIN (1699-1779) et dans la sculpture de HOUDON (1741-1828). Les sentiments préromantiques sont répandus par les scènes tendres de FRAGONARD ou les paysages de Joseph VERNET et Hubert ROBERT.

Le cosmopolitisme   La civilisation brillante et raffinée de la France sert de modèle à l'Europe entière. Frédéric II de Prusse admire Voltaire et l'attire à sa cour ; la tzarine Catherine II agit de même à l'égard de Diderot. Les philosophes se disent *européens*, et même *citoyens du monde*, et ils répandent surtout un idéal de paix et de civilisation.

Cependant les influences étrangères sont bien accueillies, en particulier l'*influence anglaise*, tant au plan politique (monarchie constitutionnelle) que philosophique (Locke), scientifique (Newton) et littéraire (Shakespeare, Pope, Richardson).

RATIONALISME ET SENSIBILITÉ

Nous avons jusqu'ici présenté le XVIIIe siècle dans son unité, mais il est marqué vers les années 1750-1760 par un tournant décisif : le premier demi-siècle se place sous le signe du *rationalisme philosophique*, le second sous le signe de la *sensibilité préromantique*. On ne saurait toutefois parler de coupure brusque : en plein délire de la sensibilité, la raison ne perd pas ses droits, et inversement le courant émotionnel existait, sous-jacent, dès le début du siècle. ROUSSEAU et DIDEROT sont de vivants symboles de ce partage de leur époque entre deux tendances dominantes : ils ont puissamment contribué l'un et l'autre à faire triompher les forces instinctives, les élans irrationnels et même inconscients, mais ils restent tous deux des raisonneurs épris d'idées et de systèmes.

Rationalisme
et goût classique   La règle cartésienne de l'*évidence* est le point de départ du rationalisme critique. Les philosophes rejettent toute autre autorité que celle de la *raison*, même au plan religieux et métaphysique. Ils concluent à la religion et à la morale naturelles, à la tolérance et à l'abolition de privilèges injustifiés.

Cependant l'esthétique du premier demi-siècle reste timide et traditionaliste, VOLTAIRE se faisant le mainteneur du *goût classique*.

Sensibilité
préromantique   Avec DIDEROT et ROUSSEAU, les émotions envahissent les âmes et la littérature. Le culte de l'enthousiasme et de la passion prépare l'explosion romantique. Le lyrisme personnel reparaît avec Rousseau et ranime ensuite la poésie grâce à André Chénier.

Ainsi, malgré l'unité réelle qu'il doit avant tout à la *lutte philosophique*, préparant la Révolution française, le XVIIIe siècle se trouve partagé entre l'influence du siècle de Louis XIV et les tendances nouvelles qui s'épanouiront avec le romantisme. Tel est le sens de la célèbre formule de Gœthe : « Avec Voltaire, c'est un monde qui finit; avec Rousseau, c'est un monde qui commence ».

L'ÉVEIL
DE L'ESPRIT PHILOSOPHIQUE

Le progrès de l'*esprit d'examen* est favorisé par les récits de voyages (Tavernier en Turquie, en Perse et aux Indes, Bernier et le P. Le Comte en Chine, Chardin en Perse et aux Indes) ; ces récits donnent des leçons de *relativité*, tournent facilement à la *satire des mœurs* et fournissent des objections contre le christianisme. Le baron de Lahontan, à son retour d'Amérique, contribue à populariser le personnage du « *bon sauvage* », montrant la supériorité de la *morale naturelle* sur les contraintes de la société civilisée.

D'autre part, les progrès de l'exégèse (travaux du prêtre catholique Richard Simon) et le développement du *libre examen* des textes sacrés ont précédé la Révocation de l'Édit de Nantes en 1685 et la fuite de nombreux protestants. Exilés en Suisse, en Angleterre, en Allemagne, en Hollande, ces derniers vont contribuer au développement de la lutte contre l'absolutisme politique et l'orthodoxie religieuse.

A ces rebelles feront écho les philosophies *déistes* en lutte contre la religion chrétienne, et le *rationalisme* s'épanouit, à la suite de Spinoza (*Traité théologico-politique :* 1670), avec BAYLE et FONTENELLE.

PIERRE BAYLE

Fils d'un pasteur protestant du Comté de Foix, PIERRE BAYLE (1647-1706), converti au catholicisme en 1669, revenu au protestantisme en 1670, se réfugie à Genève où il complète sa culture. Après un passage à Paris, puis à l'Académie protestante de Sedan (1675), BAYLE s'installe à Rotterdam où il enseigne la philosophie et l'histoire. En 1682, les *Pensées sur la Comète de* 1680 établissent sa réputation, avant qu'il ne s'engage dans des controverses religieuses où se fortifient ses idées de tolérance : il s'oppose sur ce point aussi bien aux catholiques qu'aux protestants. Accusé d'athéisme (1693), privé de sa chaire, le philosophe se consacre à un *Dictionnaire historique et critique* (1697) d'où se dégage un scepticisme à peu près total : par son sens de l'incertitude des morales et des religions, il inspirera les philosophes du XVIIIᵉ siècle dans leur lutte en faveur de la tolérance.

Les Pensées sur la Comète

Le phénomène des comètes avait déjà été étudié, et celle de 1680 ne paraît pas avoir provoqué d'épouvante. Mais BAYLE, prétendant répondre « aux questions de plusieurs personnes curieuses et alarmées », saisit ce prétexte d'actualité pour exposer ses idées et combattre la superstition. En 1682-83, dans les *Pensées diverses écrites à un Docteur de Sorbonne à l'occasion de la Comète de* 1680, Bayle démontre par une argumentation rigoureuse que les comètes sont des *phénomènes naturels* et n'ont rien de miraculeux. Mais l'essentiel de l'ouvrage est dans les *digressions* qui occupent des chapitres entiers et annoncent la philosophie du XVIIIᵉ siècle : critique de la Tradition et de l'Autorité, légitimité du libre examen critique ; primauté de l'expérience et de l'esprit scientifique, négation du miracle ; indépendance de la morale par rapport à la religion. C'est en réalité la Religion qui est *indirectement* atteinte, car l'impression d'ensemble est celle de l'incompatibilité entre le mystère religieux et la Raison, de la séparation entre la religion et la morale, et, en définitive, du *scepticisme*.

DEUX PRÉJUGÉS : TRADITION ET AUTORITÉ

BAYLE vient de montrer que le préjugé de l'influence maléfique des comètes repose sur la tradition des poètes et des historiens. Il saisit cette occasion de ruiner le *respect de la tradition* comme il ruine, dans un autre chapitre, le *principe d'autorité*. Écrites à propos des comètes, ces considérations ont donc une portée plus générale, puisqu'en s'attaquant aux préjugés le philosophe légitime *le libre examen*, condition du progrès scientifique. Mais, du même coup, il remet en cause les bases séculaires de *la Religion* qui s'appuie sur la Tradition et l'Autorité. Dans la *Continuation des Pensées diverses*, il récusera le consentement universel comme preuve de l'existence de Dieu. (*Pensées sur la Comète*, 7 et 47).

Que ne pouvons-nous voir ce qui se passe dans l'esprit des hommes lorsqu'ils choisissent une opinion ! Je suis sûr que si cela était nous réduirions le suffrage d'une infinité de gens à l'autorité de deux ou trois personnes qui, ayant débité une doctrine que l'on supposait qu'ils avaient examinée à fond, l'ont persuadée à plusieurs autres par le préjugé [1] de leur mérite, et ceux-ci à plusieurs autres qui ont trouvé mieux leur compte, pour leur paresse naturelle, à croire tout d'un coup ce qu'on leur disait qu'à l'examiner soigneusement. De sorte que le nombre des sectateurs crédules et paresseux s'augmentant de jour en jour a été un
10 nouvel engagement aux autres hommes de se délivrer de la peine d'examiner une opinion qu'ils voyaient si générale et qu'ils se persuadaient bonnement n'être devenue telle que par la solidité des raisons desquelles on s'était servi d'abord pour l'établir ; et enfin on s'est vu réduit à la nécessité [2] de croire ce que tout le monde croyait, de peur de passer pour un factieux [3] qui veut lui seul en savoir plus que tous les autres et contredire la vénérable Antiquité [4] ; si bien qu'il y a eu du mérite à n'examiner plus rien et à s'en rapporter à la Tradition. Jugez vous-même si cent millions d'hommes engagés dans quelque sentiment, de la manière que je viens de le représenter, peuvent le rendre probable [5] et si tout le
20 grand préjugé qui s'élève sur la multitude de tant de sectateurs ne doit pas être réduit, faisant justice à chaque chose, à l'autorité de deux ou trois personnes qui apparemment ont examiné ce qu'ils enseignaient...

Les Savants sont quelquefois une aussi méchante caution que le peuple, et une Tradition fortifiée de leur témoignage n'est pas pour cela exempte de fausseté. Il ne faut donc pas que le nom et le titre de savant nous en impose. Que savons-nous si ce grand Docteur qui avance quelque doctrine a apporté plus de façon à s'en convaincre qu'un ignorant qui l'a crue sans l'examiner ? Si le Docteur en a fait autant, sa voix n'a pas plus d'autorité que celle de l'autre, puisqu'il est certain que le témoignage d'un
30 homme ne doit avoir de force qu'à proportion du degré de certitude qu'il s'est acquis en s'instruisant pleinement du fait.

Je vous l'ai déjà dit et je le répète encore : un sentiment ne peut devenir probable par la multitude de ceux qui le suivent qu'autant qu'il a

---

— 1 L'idée préconçue. — 2 L'obligation. — | *Querelle des Anciens et des Modernes.* — 5 Digne
3 Révolté. — 4 Argument fréquent dans la | d'être approuvé, cf. l. 33.

paru vrai à plusieurs, indépendamment de toute prévention et par la seule force d'un examen judicieux accompagné d'exactitude et d'une grande intelligence des choses ; et comme on a fort bien dit qu'un témoin qui a vu est plus croyable que dix qui parlent par ouï-dire, on peut aussi assurer qu'un habile homme qui ne débite que ce qu'il a extrêmement médité et qu'il a trouvé à l'épreuve de tous ses doutes, donne plus de
40   poids à son sentiment que cent mille esprits vulgaires qui se suivent comme des moutons, et se reposent de tout sur la bonne foi d'autrui.

FONTENELLE

Né à Rouen, Bernard Le Bovier de FONTENELLE (1657-1757) était le neveu de Corneille. Après des débuts de « bel esprit », il s'affirme comme critique et vulgarisateur de talent (*Entretiens sur la pluralité des mondes* et *Histoire des Oracles* en 1686). Sa *Digression sur les Anciens et les Modernes* (1688) le fait entrer dans le camp des « Modernes » qui célèbrent comme une victoire son élection à l'Académie française en 1691.

Secrétaire perpétuel de l'Académie des Sciences en 1697, FONTENELLE se consacre aux questions scientifiques, tout en fréquentant les salons où il manifeste son talent de brillant causeur.

L'Origine des Fables

Précurseur de la *méthode comparative* en matière religieuse, FONTENELLE publie en 1684 le court traité *De l'Origine des Fables* où il attribue à l'ignorance des premiers hommes la croyance au surnaturel : pour expliquer les phénomènes naturels, ils imaginaient des divinités supérieures. Cette étude tend à ruiner l'idée du surnaturel et du miracle. A travers les mythes païens, c'est le *christianisme* qui est visé : « *Tous les hommes se ressemblent si fort qu'il n'y a point de peuple dont les sottises ne doivent nous faire trembler* ».

L'Histoire des Oracles

L'Histoire des Oracles (1686) discrédite, à propos d'un cas particulier, le merveilleux surnaturel. FONTENELLE y reprend, mais en l'adaptant et en lui donnant le charme de son esprit, un lourd traité en latin du Hollandais VAN DALE. Les premiers chrétiens ont cru que les oracles païens étaient l'œuvre des *démons*, que certains d'entre eux annonçaient la venue du Christ, et que les oracles ont cessé après sa venue, preuve supplémentaire en faveur du christianisme. FONTENELLE explique d'abord que les chrétiens, croyant aux démons, leur ont tout naturellement attribué les oracles, pour s'éviter la peine « de contester le miracle même par une longue suite de recherches et de raisonnements ». Mais cette paresse était fautive, car la première précaution raisonnable est de *s'assurer des faits* avant d'en chercher les causes (cf. *La dent d'or*). Or FONTENELLE consacre huit chapitres mordants à démontrer, citations et références à l'appui, que les oracles ne pouvaient être rendus par les démons puisqu'ils étaient dus aux artifices des prêtres qui exploitaient la crédulité des fidèles. En second lieu, loin de se taire à la venue du Christ, les oracles ne disparaissent qu'au Ve siècle, quand leurs impostures sont dévoilées grâce aux progrès de la philosophie. Et voilà ridiculisée la *croyance aux miracles !*

La *religion chrétienne* est loin de sortir intacte de cette étude critique. Si l'on peut contester la tradition des premiers chrétiens, *où s'arrêtera ce doute ?* La croyance à la magie et au Diable, article de foi, résistera-t-elle à un sérieux examen ? Que penser enfin de la fourberie des prêtres de toutes les religions *sauf la vraie? — Attaquer indirectement le christianisme* en feignant de s'en prendre au seul paganisme, ce sera la tactique des « philosophes ».

LA DENT D'OR

Par cette anecdote déjà voltairienne, FONTENELLE, tout en se jouant, touche aux plus grands problèmes humains. On ne saurait mieux symboliser la *révolution* qui se fait alors dans les esprits : face aux erreurs de la scolastique, au respect aveugle de l'autorité et de la tradition, à la croyance aux miracles, l'esprit critique dresse les principes de la *science positive et expérimentale*. L'auteur montre les conséquences de ces principes en matière de physique, d'histoire, de religion, et l'on verra que ses réflexions ne vont pas sans un certain *scepticisme*. Pour qui sait lire entre les lignes, prétendre dégager la religion des superstitions qui la compromettent, n'est-ce pas porter *le doute* sur tout l'édifice religieux, amorcer déjà l'entreprise de VOLTAIRE ? (*Première Dissertation, IV*).

Assurons-nous bien du fait, avant que de nous inquiéter de la cause. Il est vrai que cette méthode est bien lente pour la plupart des gens [1] qui courent naturellement à la cause, et passent par-dessus la vérité du fait ; mais enfin nous éviterons le ridicule d'avoir trouvé la cause de ce qui n'est point [2].

Ce malheur arriva si plaisamment sur la fin du siècle passé à quelques savants d'Allemagne, que je ne puis m'empêcher d'en parler ici.

En 1593, le bruit courut que les dents étant tombées à un enfant de Silésie, âgé de sept ans, il lui en était venu une d'or à la place d'une de ses grosses dents. Hortius, professeur en médecine dans l'université de Helmstad, écrivit en 1595 l'histoire de cette dent, et prétendit qu'elle était en partie naturelle, en partie miraculeuse, et qu'elle avait été envoyée de Dieu à cet enfant, pour consoler les chrétiens affligés par les Turcs. Figurez-vous quelle consolation, et quel rapport de cette dent aux chrétiens ni aux Turcs. En la même année, afin que cette dent d'or ne manquât pas d'historiens, Rullandus en écrit encore l'histoire. Deux ans après, Ingolsteterus, autre savant, écrit contre le sentiment que Rullandus avait de la dent d'or, et Rullandus fait aussitôt une belle et docte réplique. Un autre grand homme, nommé Libavius, ramasse tout ce qui avait été dit de la dent, et y ajoute son sentiment particulier. Il ne manquait autre chose à tant de beaux ouvrages, sinon qu'il fût vrai que la dent était d'or. Quand un orfèvre l'eut examinée, il se trouva que c'était une feuille d'or appliquée à la dent, avec beaucoup d'adresse ; mais on commença par faire des livres, et puis on consulta l'orfèvre.

Rien n'est plus naturel que d'en faire autant sur toutes sortes de matières. Je ne suis pas si convaincu de notre ignorance par les choses qui sont, et dont la raison nous est inconnue, que par celles qui ne sont point, et dont nous trouvons la raison. Cela veut dire que, non seulement nous n'avons pas les principes qui mènent au vrai, mais que nous en avons d'autres qui s'accommodent très bien avec le faux.

De grands physiciens ont fort bien trouvé pourquoi les lieux souterrains sont chauds en hiver, et froids en été. De plus grands physiciens ont trouvé depuis peu que cela n'était pas.

— 1 Cf. ligne 25. — 2 La formule est de Bayle : *Pensées sur la Comète* (§ 49).

Les discussions historiques sont encore plus susceptibles de cette sorte d'erreur. On raisonne sur ce qu'ont dit les historiens ; mais ces historiens n'ont-ils été ni passionnés, ni crédules, ni mal instruits, ni négligents ? Il en faudrait trouver un qui eût été spectateur de toutes choses, indifférent, et appliqué.

40 Surtout quand on écrit des faits qui ont liaison avec la religion, il est assez difficile que, selon le parti dont on est, on ne donne à une fausse religion des avantages qui ne lui sont point dus ou qu'on ne donne à la vraie de faux avantages dont elle n'a pas besoin. Cependant on devrait être persuadé qu'on ne peut jamais ajouter de la vérité à celle qui est vraie, ni en donner à celles qui sont fausses.

La Pluralité des Mondes (1686)

FONTENELLE a été l'initiateur de cet *esprit de vulgarisation* si cher aux Encyclopédistes. Désormais la science cessera d'être pédante, de parler latin ou d'employer la langue spéciale des érudits. Avec les *Entretiens sur la Pluralité des Mondes*, c'est *l'astronomie* qui est mise à la portée du grand public cultivé. La plupart en étaient encore au système de Ptolémée qui plaçait la Terre au centre de l'Univers. Pour vulgariser *le système de Copernic*, FONTENELLE s'adresse à une dame qui n'est pas spécialiste, au cours d'une conversation aimable et même galante. Ces *Entretiens* sont divisés en six *Soirs* où il est question de la Terre, de la Lune, des autres Planètes, des Étoiles fixes qui sont autant de soleils, des découvertes récentes. Chemin faisant, le lecteur a l'occasion de réfléchir sur quelques *idées de l'auteur* : scepticisme à l'égard de la métaphysique et du merveilleux, foi dans la méthode scientifique, satire des hommes qui se croient au centre de l'univers et affirmation du relativisme, croyance au progrès qui fera de l'homme le maître de la nature.

IRONS-NOUS DANS LA LUNE ?

Au cours de la *Querelle des Anciens et des Modernes*, FONTENELLE a affirmé, non sans modération, sa *croyance au progrès*. Dans l'essai *De l'Origine des Fables*, il admet que l'esprit humain lui-même s'est perfectionné depuis les temps primitifs. On a déjà vu sa confiance en l'*esprit critique* pour ruiner les superstitions. La page qu'on va lire montre qu'il attendait du *progrès scientifique* un accroissement considérable des possibilités matérielles de l'homme. Cependant, bien des réflexions révèlent qu'il n'avait guère d'illusions sur « cette espèce bizarre de créatures qu'on appelle le genre humain » ; il fut, selon le mot de J.-R. Carré, un « *croyant pessimiste au progrès* » (Second Soir).

Ces gens de la lune, reprit-elle, on ne les connaîtra jamais, cela est désespérant. — Si je vous répondais sérieusement, répliquai-je, qu'on ne sait ce qui arrivera, vous vous moqueriez de moi, et je le mériterais sans doute. Cependant je me défendrais assez bien, si je le voulais. J'ai une pensée très ridicule, qui a un air de vraisemblance qui me surprend ; je ne sais où elle peut l'avoir pris, étant aussi impertinente [1] qu'elle est. Je gage que je vais vous réduire à avouer, contre toute raison, qu'il pourra y avoir un jour du commerce [2] entre la terre et la lune. Remettez-vous dans l'esprit l'état où était l'Amérique avant qu'elle eût été découverte 10 par Christophe Colomb. Ses habitants vivaient dans une ignorance

---

— 1 Peu raisonnable. — 2 Des relations.

extrême. Loin de connaître les sciences, ils ne connaissaient pas les arts
les plus simples et les plus nécessaires. Ils allaient nus, ils n'avaient point
d'autres armes que l'arc ; ils n'avaient jamais conçu que des hommes
pussent être portés par des animaux ; ils regardaient la mer comme un
grand espace défendu aux hommes, qui se joignait au ciel, et au-delà
duquel il n'y avait rien... Cependant voilà un beau jour le spectacle du
monde le plus étrange et le moins attendu qui se présente à eux. De grands
corps énormes qui paraissent avoir des ailes blanches, qui volent sur la
mer, qui vomissent le feu de toutes parts, et qui viennent jeter sur le rivage
20 des gens inconnus, tout écaillés de fer, disposant comme ils veulent des
monstres qui courent sous eux [3], et tenant en leur main des foudres dont
ils terrassent tout ce qui leur résiste [4]. D'où sont-ils venus ? Qui a pu les
amener par-dessus les mers ? Qui a mis le feu en leur disposition ? Sont-ce
les enfants du Soleil ? car assurément ce ne sont pas des hommes [5]. Je ne
sais, Madame, si vous entrez comme moi dans la surprise des Américains ;
mais jamais il ne peut y en avoir eu une pareille dans le monde. Après
cela, je ne veux plus jurer qu'il ne puisse y avoir commerce quelque jour
entre la lune et la terre. Les Américains eussent-ils cru qu'il eût dû y en
avoir entre l'Amérique et l'Europe qu'ils ne connaissaient seulement pas ?
30 Il est vrai qu'il faudra traverser ce grand espace d'air et de ciel qui est
entre la terre et la lune. Mais ces grandes mers paraissaient-elles aux
Américains plus propres à être traversées ? — En vérité, dit la Marquise
en me regardant, vous êtes fou. — Qui vous dit le contraire ? répondis-je.
— Mais je veux vous le prouver, reprit-elle ; je ne me contente pas de
l'aveu que vous en faites. Les Américains étaient si ignorants, qu'ils
n'avaient garde de soupçonner qu'on pût se faire des chemins au travers
des mers si vastes ; mais nous qui avons tant de connaissances, nous nous
figurerions bien qu'on pût aller par les airs, si l'on pouvait effectivement
y aller. — On fait plus que se figurer la chose possible, répliquai-je, on
40 commence déjà à voler un peu ; plusieurs personnes différentes ont trouvé
le secret de s'ajuster des ailes qui les soutiennent en l'air, de leur donner
du mouvement, et de passer par-dessus des rivières. A la vérité, ce n'a
pas été un vol d'aigle et il en a quelquefois coûté à ces nouveaux oiseaux
un bras ou une jambe mais enfin cela ne représente encore que
les premières planches que l'on a mises sur l'eau, et qui ont été le commencement de la navigation. De ces planches-là, il y avait bien loin jusqu'à
de gros navires qui pussent faire le tour du monde. Cependant peu à peu
sont venus les gros navires. L'art de voler ne fait encore que de naître ;
il se perfectionnera, et quelque jour on ira jusqu'à la lune. Prétendons-
50 nous avoir découvert toutes choses, ou les avoir mises à un point qu'on
n'y puisse rien ajouter ? Eh! de grâce, consentons qu'il y ait encore quelque
chose à faire pour les siècles à venir.

— 3 Les Américains ne connaissaient pas les chevaux. — 4 Ces images traduisent la surprise des
sauvages. — 5 Cf. « A mesure que l'on est plus
ignorant et que l'on a moins d'expérience, on
voit plus de prodiges » *(De l'Origine des Fables).*

LA COMÉDIE AVANT 1750

Le XVIIIᵉ siècle, passionné de théâtre, donna naissance à de nombreuses œuvres dramatiques, dont la plupart n'ont pas survécu à leur époque. Seuls MARIVAUX, au début du siècle, et BEAUMARCHAIS, à la fin, sont de véritables génies et continuent à trouver des spectateurs.

Avant 1750, on peut encore toutefois citer les noms de REGNARD (1655-1709), auteur de comédies pleines de verve dans la tradition de Molière (*Le Légataire universel*, 1708) et LE SAGE (1668-1747), auteur de comédies satiriques amères et réalistes (*Turcaret*, 1709).

MARIVAUX

Sa carrière
(1668-1763)

Pierre Carlet de Chamblain de MARIVAUX est né à Paris en 1688. Étudiant en droit, il se lie avec La Motte et Fontenelle et adhère au groupe des « *Modernes* ». Il compose des romans, une *Iliade travestie* (1717) et, dès 1720, deux comédies pour les Italiens (dont *Arlequin poli par l'amour*).

A la fin de 1720, Marivaux est ruiné par la banqueroute de Law et se consacre aux lettres. Brillant journaliste, il fonde plusieurs pièces périodiques ; mais c'est au théâtre que ses dons s'épanouissent surtout. Après *La Surprise de l'Amour* (1722) il donne vingt-sept comédies en prose, dont dix-huit en un acte ou trois actes pour le Théâtre Italien. Ses chefs-d'œuvre sont *Le Jeu de l'Amour et du Hasard* (1730) et *Les Fausses Confidences* (1737).

De 1731 à 1741, Marivaux revient au roman avec *La Vie de Marianne* et *Le Paysan parvenu*. Il fréquente les salons, est élu à l'Académie, contre Voltaire, en 1742, mais il meurt presque oublié en 1763.

La comédie
de Marivaux

Marivaux marque une prédilection évidente pour la peinture de la *psychologie amoureuse*. On lui a reproché, injustement d'ailleurs, de traiter toujours le même sujet, *la surprise de l'amour*, avec de légères variantes. Il écrivait lui-même : « J'ai guetté dans le cœur humain toutes les niches différentes où peut se cacher l'amour lorsqu'il craint de se montrer, et chacune de mes comédies a pour objet de le faire sortir d'une de ses niches... Dans mes pièces, c'est tantôt un amour ignoré des deux amants ; tantôt un amour qu'ils sentent et qu'ils veulent se cacher l'un à l'autre ; tantôt un amour timide qui n'ose se déclarer ; tantôt enfin un amour incertain et comme indécis, un amour à demi-né, pour ainsi dire, dont ils se doutent sans en être sûrs et qu'ils épient au dedans d'eux-mêmes avant de lui laisser prendre l'essor ». Dans ce type de comédies, *les héros nous amusent sans être ridicules*. Seuls les valets et quelques comparses grotesques, dans la tradition de la farce, nous font rire franchement. La plupart du temps, nous sourions, sensibles à l'atmosphère originale d'un théâtre où s'unissent la *vérité psychologique* et la *fantaisie*. Une poésie délicate émane de ces *fêtes galantes* de Marivaux comme des toiles de Watteau.

A la finesse de l'analyse correspond une extrême *subtilité du langage*. Le spectateur doit pouvoir saisir les moindres nuances dans les termes, dans l'intonation, comme les personnages eux-mêmes. Les maîtres ont le langage des salons, tandis que les valets font renaître la préciosité ridicule (cf. p. 314). Mais le *marivaudage* n'est jamais une affectation, car il n'est pas seulement un style : Marivaux « est singulier dans l'exécution parce qu'il est neuf dans l'invention... C'est la solidité du fond qui soutient la précieuse fragilité de la forme » (Brunetière). Diderot l'avait déjà senti, lorsqu'il disait des « écrivains qui ont l'imagination vive », songeant surtout à Marivaux : « Les situations qu'ils inventent, les nuances délicates qu'ils aperçoivent dans les caractères, la naïveté (vérité) des peintures qu'ils ont à faire, les écartent à tout moment des façons de parler ordinaires, et leur font adopter des tours de phrases qui sont admirables toutes les fois qu'ils ne sont ni précieux ni obscurs » *(Lettre sur les Aveugles)*.

Le Jeu de l'Amour et du Hasard

ACTE I. M. ORGON *voudrait voir sa fille* SILVIA *épouser* DORANTE, *fils d'un vieil ami. Les deux jeunes gens ne se connaissent pas, et Silvia montre peu d'enthousiasme pour le mariage. Ne pourrait-elle* prendre la place de LISETTE, sa femme de chambre, *pour examiner à loisir son prétendant, tandis que Lisette jouerait le rôle de Silvia?* M. Orgon acquiesce... d'autant plus volontiers que Dorante a eu la même idée : *il se présentera* « *sous la figure de son valet, qui, de son côté, fera le personnage de son maître* » ; *le père de Dorante en a averti* M. Orgon, *qui lui-même fait part à son fils* MARIO *de cette plaisante coïncidence. Mais ils se gardent bien de prévenir Silvia.* « Voyons si leur cœur ne les avertirait pas de ce qu'ils valent, *dit Mario*. Peut-être que Dorante prendra du goût pour ma sœur, toute soubrette qu'elle sera, et cela serait charmant pour elle ».

Survient DORANTE, *qui porte la livrée et se fait appeler* BOURGUIGNON. SILVIA *a revêtu les habits de* LISETTE. *Mario commence à* « *les agacer tous deux* » : *Bourguignon doit tutoyer* « Lisette », *mais qu'il ne s'avise pas de lui faire la cour, car Mario lui-même est amoureux d'elle !* Dès l'abord les deux jeunes gens sont charmés l'un par l'autre, *et fort surpris de ce qu'ils éprouvent* ; Bourguignon se montre galant et même tendre ; Silvia l'écoute sans déplaisir et doit se faire violence pour lui interdire de lui parler d'amour. *Le valet* ARLEQUIN *arrive à son tour* : *il joue un Dorante incongru qui ne risque pas de séduire Silvia !*

ACTE II. *Lisette a enflammé le cœur d'Arlequin, qu'elle prend pour Dorante. Elle vient honnêtement prévenir* M. Orgon : *elle ne répond plus de rien* ; *au train où vont ses amours, c'est elle qu'épousera le prétendant de Silvia. Elle est très surprise que* M. Orgon *ne prenne pas la chose au sérieux* : « Renverse, ravage, brûle, enfin épouse ; je te le permets, si tu le peux » !

DUO D'AMOUR BURLESQUE

C'est un procédé comique très sûr que d'opposer aux scènes d'amour entre *maîtres* des scènes d'amour entre *valets* qui en sont la *parodie*. MOLIÈRE l'avait déjà pratiqué dans le *Dépit amoureux ;* MARIVAUX en tire l'effet le plus plaisant et, toujours subtil, y ajoute un élément nouveau : ici *les valets jouent le rôle des maîtres, et inversement.* Le texte ci-dessous (II, 3 et 5) s'intercale entre la scène où Dorante a déjà parlé d'amour à Silvia (I, 7) et celle où il poussera beaucoup plus loin ses avantages. — M. Orgon vient de sortir, après avoir répondu « Point d'impatience » à Arlequin qui brûle d'épouser la fausse Silvia.

ARLEQUIN

Madame, il dit que je ne m'impatiente [1] pas ; il en parle bien à son aise, le bonhomme !

LISETTE

J'ai de la peine à croire qu'il vous en coûte tant d'attendre, Monsieur : c'est par galanterie que vous faites l'impatient ; à peine êtes-vous arrivé ! Votre amour ne saurait être bien fort ; ce n'est tout au plus qu'un amour naissant.

— 1 Subjonctif.

ARLEQUIN

Vous vous trompez, prodige de nos jours ; un amour de votre façon [2]
ne reste pas longtemps au berceau ; votre premier coup d'œil a fait naître
le mien, le second lui a donné des forces, et le troisième l'a rendu grand
garçon ; tâchons de l'établir [3] au plus vite ; ayez soin de lui, puisque vous
êtes sa mère.

LISETTE

Trouvez-vous qu'on le maltraite ? Est-il si abandonné ?

ARLEQUIN

En attendant qu'il soit pourvu, donnez-lui seulement votre belle main
blanche, pour l'amuser un peu.

LISETTE

Tenez donc, petit importun, puisqu'on ne saurait avoir la paix qu'en
vous amusant.

ARLEQUIN, *en lui baisant la main*

Cher joujou de mon âme ! cela me réjouit comme du vin délicieux.
Quel dommage de n'en avoir que roquille [4] !

LISETTE

Allons, arrêtez-vous ; vous êtes trop avide.

ARLEQUIN

Je ne demande qu'à me soutenir, en attendant que je vive.

LISETTE

Ne faut-il pas avoir de la raison ?

ARLEQUIN

De la raison ! hélas ! je l'ai perdue ; vos beaux yeux sont les filous qui
me l'ont volée.

LISETTE

Mais est-il possible que vous m'aimiez tant ? je ne saurais me le
persuader.

ARLEQUIN

Je ne me soucie pas de ce qui est possible, moi ; mais je vous aime
comme un perdu, et vous verrez bien dans votre miroir que cela est juste.

LISETTE

Mon miroir ne servirait qu'à me rendre plus incrédule.

— 2 Inspiré par vous. — 3 Lui donner une | situation solide (cf. *pourvu*, ligne 13). —
| 4 Quelques gouttes (litt. *quart de setier*).

ARLEQUIN

Ah ! mignonne adorable ! votre humilité ne serait donc qu'une hypocrite !

Ils sont interrompus par Dorante ; trop heureux de jouer le rôle du maître importuné par son valet, Arlequin l'envoie au diable, ce qui lui vaut un coup de pied au derrière donné discrètement par Dorante, sans que Lisette le voie (scène IV). Sur ce, Dorante sort et Arlequin reprend tant bien que mal ses propos galants.

ARLEQUIN

Ah ! Madame, sans lui j'allais vous dire de belles choses, et je n'en trouverai plus que de communes à cette heure, hormis mon amour qui est extraordinaire [5]. Mais, à propos de mon amour, quand est-ce que le vôtre lui tiendra compagnie ?

LISETTE

Il faut espérer que cela viendra.

ARLEQUIN

Et croyez-vous que cela vienne bientôt ?

LISETTE

La question est vive [6] ; savez-vous bien que vous m'embarrassez ?

ARLEQUIN

Que voulez-vous ? Je brûle, et je crie au feu.

LISETTE

S'il m'était permis de m'expliquer [7] si vite...

ARLEQUIN

Je suis du sentiment que vous le pouvez en conscience.

LISETTE

La retenue de mon sexe ne le veut pas.

ARLEQUIN

Ce n'est donc pas la retenue d'à présent ; elle donne bien d'autres permissions [8].

LISETTE

Mais, que me demandez-vous ?

ARLEQUIN

Dites-moi un petit brin que vous m'aimez. Tenez, je vous aime, moi ; faites l'écho ; répétez, princesse.

— 5 Mot du vocabulaire précieux. — 6 Pressante. — 7 Avouer mes sentiments. — 8 Trait satirique glissé par Marivaux.

LISETTE

Quel insatiable ! Eh bien ! Monsieur, je vous aime.

ARLEQUIN

Eh bien ! Madame, je me meurs ; mon bonheur me confond, j'ai peur d'en courir les champs [9]. Vous m'aimez ! cela est admirable !

LISETTE

50   J'aurais lieu à mon tour d'être étonnée de la promptitude de votre hommage. Peut-être m'aimeriez-vous moins, quand nous nous connaîtrons mieux.

ARLEQUIN

Ah ! Madame ! quand nous en serons là, j'y perdrai beaucoup ; il y aura bien à décompter [10].

LISETTE

Vous me croyez plus de qualités que je n'en ai.

ARLEQUIN

Et vous, Madame, vous ne savez pas les miennes, et je ne devrais vous parler qu'à genoux.

LISETTE

Souvenez-vous qu'on n'est pas le maître de son sort.

ARLEQUIN

Les pères et mères font tout à leur tête.

LISETTE

60   Pour moi, mon cœur vous aurait choisi, dans quelque état que vous eussiez été.

ARLEQUIN

Il a beau jeu pour me choisir encore.

LISETTE

Puis-je me flatter que vous soyez de même à mon égard ?

ARLEQUIN

Hélas ! quand vous ne seriez que Perrette ou Margot ; quand je vous aurais vue, le martinet [11] à la main, descendre à la cave, vous auriez toujours été ma princesse.

LISETTE

Puissent de si beaux sentiments être durables !

— 9 Déraisonner ; cf. *battre la campagne.* — 10 Vous serez bien déçue. — 11 Bougeoir.

ARLEQUIN

Pour les fortifier de part et d'autre, jurons-nous de nous aimer toujours, en dépit de toutes les fautes d'orthographe que vous aurez faites sur mon 70 compte.

LISETTE

J'ai plus d'intérêt à ce serment-là que vous, et je le fais de tout mon cœur.

ARLEQUIN *se met à genoux*

Votre bonté m'éblouit et je me prosterne devant elle.

LISETTE

Arrêtez-vous ; je ne saurais vous souffrir dans cette posture-là, je serais ridicule de vous y laisser ; levez-vous. Voilà encore quelqu'un.

L'AMOUR-PROPRE CONTRE L'AMOUR

Silvia aime Dorante, mais ne veut pas se l'avouer : *son amour-propre lutte contre son amour*. Avec des variantes, ce thème est constamment repris dans le théâtre de MARIVAUX. Dans le cas présent l'amour-propre a la partie belle : comment ? elle, Silvia, s'éprendre de Bourguignon, un valet ! Le triomphe de l'amour n'en sera que plus éclatant. Les remarques de Lisette obligent Silvia à prendre conscience de ce qu'elle ne voulait pas voir ; du même coup, en voulant se défendre, elle se trahit : d'où son *irritation* contre la soubrette et sa *nervosité croissante*, « qui va jusqu'aux larmes ». *Silvia vient d'ordonner à Lisette d'éconduire Arlequin-Dorante ; Lisette s'y refuse* (II, 7 et 8).

LISETTE

Mais, Madame, le futur, qu'a-t-il donc de si désagréable, de si rebutant ?

SILVIA

Il me déplaît, vous dis-je, et votre peu de zèle aussi.

LISETTE

Donnez-vous le temps de voir ce qu'il est ; voilà tout ce qu'on vous demande.

SILVIA

Je le hais assez, sans prendre [1] du temps pour le haïr davantage.

LISETTE

Son valet, qui fait l'important, ne vous aurait-il point gâté l'esprit sur son compte ?

SILVIA

Hum ! la sotte ! son valet a bien affaire ici.

— 1 Sans avoir besoin de prendre.

LISETTE

C'est que je me méfie de lui, car il est raisonneur.

SILVIA

10 Finissez vos portraits ; on n'en a que faire. J'ai soin que ce valet me parle peu, et dans le peu qu'il m'a dit, il ne m'a jamais rien dit que de très sage.

LISETTE

Je crois qu'il est homme à vous avoir conté des histoires maladroites pour faire briller son bel esprit.

SILVIA

Mon déguisement ne m'expose-t-il pas à m'entendre dire de jolies choses ? A qui en avez-vous ? D'où vient la manie d'imputer à ce garçon une répugnance à laquelle il n'a point de part ? Car enfin vous m'obligez à le justifier ; il n'est pas question de le brouiller avec son maître ni d'en faire un fourbe, pour me faire une imbécile, moi, qui écoute ses histoires.

LISETTE

20 Oh ! Madame, dès que vous le défendez sur ce ton-là, et que cela va jusqu'à vous fâcher, je n'ai plus rien à dire.

SILVIA

Dès que je le défends sur ce ton-là ! Qu'est-ce que c'est que le ton dont vous dites cela vous-même ? Qu'entendez-vous par ce discours ? Que se passe-t-il dans votre esprit ?

LISETTE

Je dis, Madame, que je ne vous ai jamais vue comme vous êtes et que je ne conçois rien à votre aigreur. Eh bien ! si ce valet n'a rien dit, à la bonne heure ; il ne faut pas vous emporter pour le justifier, je vous crois, voilà qui est fini ; je ne m'oppose pas à la bonne opinion que vous en avez, moi.

SILVIA

30 Voyez-vous le mauvais esprit ! comme elle tourne les choses ! Je me sens dans une indignation... qui... va jusqu'aux larmes.

LISETTE

En quoi donc, Madame ? Quelle finesse ² entendez-vous à ce que je dis ?

SILVIA

Moi, j'y entends finesse ! moi, je vous querelle pour lui ! j'ai bonne opinion de lui ! Vous me manquez de respect jusque-là ! Bonne opinion,

---

— 2 Intention malicieuse.

juste ciel ! bonne opinion ! Que faut-il que je réponde à cela ? Qu'est-ce que cela veut dire ? A qui parlez-vous ? Qui est-ce qui est à l'abri de ce qui m'arrive ? Où en sommes-nous ?

LISETTE

Je n'en sais rien ; mais je reviendrai de longtemps de la surprise où vous me jetez.

SILVIA

40 Elle a des façons de parler qui me mettent hors de moi. Retirez-vous ; vous m'êtes insupportable, laissez-moi ; je prendrai d'autres mesures.

SILVIA, *seule*

Je frissonne encore de ce que je lui ai entendu dire. Avec quelle impudence les domestiques ne nous traitent-ils pas dans leur esprit ! Comme ces gens-là vous dégradent ! Je ne saurais m'en remettre ; je n'oserais songer aux termes dont elle s'est servie, ils me font toujours peur. Il s'agit d'un valet ! Ah ! l'étrange chose ! Écartons l'idée dont cette insolente est venue me noircir l'imagination. Voici Bourguignon ; voilà cet objet [3] en question pour lequel je m'emporte ; mais ce n'est pas sa faute, le pauvre garçon ! et je ne dois pas m'en prendre à lui.

Dorante arrache à Silvia l'aveu de son amour. M. Orgon et Mario, témoins d'une partie de la scène, ne manquent pas de se divertir aux dépens de la jeune fille.

L'épreuve de Silvia ne peut se prolonger plus longtemps : le spectateur finirait par souffrir pour elle, et le charme délicat de la comédie s'en trouverait altéré. Le pseudo-Bourguignon finit par lui avouer son déguisement : « C'est moi qui suis Dorante », et la jeune fille, enfin soulagée, murmure en aparté : « Ah ! je vois clair dans mon cœur ». Va-t-elle révéler à Dorante sa propre identité ? non : nous saurons bientôt pourquoi.

ACTE III. *C'est maintenant au tour de Dorante de souffrir dans son amour-propre : Mario, qui feint toujours de ne voir en lui que Bourguignon et d'être épris de « Lisette », provoque sa jalousie et l'humilie devant Silvia. Celle-ci fait part de ses intentions à son père et à son frère : elle espère que Dorante ira jusqu'à lui offrir sa main quoiqu'il la prenne pour une soubrette ; quel triomphe si elle peut l'y amener ! Cependant Arlequin et Lisette ont de leur côté un aveu difficile à se faire. Dans une scène très comique, attendue depuis l'Acte II, ils commencent, prudemment, par bien s'assurer de leur flamme réciproque ; après quoi, au bout de savants détours, vient l'aveu : il n'est qu'un valet, elle une femme de chambre ; bref échange de mots vifs : « Faquin... magot... — Masque... magotte... » ! Mais ils sont bientôt remis de leur déconvenue : « LISETTE : Venons au fait. M'aimes-tu ? — ARLEQUIN : Pardi ! oui. En changeant de nom tu n'as pas changé de visage, et tu sais bien que nous nous sommes promis fidélité en dépit de toutes les fautes d'orthographe ». Avec un grand éclat de rire, ils singent de la façon la plus plaisante leurs grands airs de tantôt : « Monsieur, je suis votre servante. — Et moi votre valet, Madame ».*

— 3 Être pour qui on éprouve un sentiment vif.

LE TRIOMPHE DE SILVIA

Après la scène des valets, voici de nouveau la scène des maîtres (III, 8) ; le ton change brusquement. Cette fois, *c'est Silvia qui prend l'offensive*, et son plan nous est connu (cf. analyse). Elle veut une éclatante revanche à la récente humiliation de son amour-propre ; elle veut aussi mesurer par cette épreuve décisive l'amour de Dorante. « *Je serai charmée de triompher*, disait-elle tout à l'heure. *Mais il faut que j'arrache ma victoire, et non pas qu'il me la donne ; je veux un combat entre l'amour et la raison* ».

SILVIA

Quoi ! sérieusement vous partez ?

DORANTE

Vous avez bien peur que je ne change d'avis.

SILVIA

Que vous êtes aimable d'être si bien au fait !

DORANTE

Cela est bien naïf. Adieu. *(Il s'en va).*

SILVIA, *à part*

S'il part, je ne l'aime plus, je ne l'épouserai jamais... *(Elle le regarde aller.)* Il s'arrête pourtant ; il rêve ; il regarde si je tourne la tête, et je ne saurais le rappeler, moi... Il serait pourtant singulier qu'il partît, après tout ce que j'ai fait !... Ah ! voilà qui est fini, il s'en va ; je n'ai pas tant de pouvoir sur lui que je le croyais. Mon frère est un maladroit ; il s'y est 10 mal pris. Les gens indifférents gâtent tout. Ne suis-je pas bien avancée ? Quel dénoûment !... Dorante reparaît pourtant ; il me semble qu'il revient. Je me dédis donc ; je l'aime encore... Feignons de sortir, afin qu'il m'arrête ; il faut bien que notre réconciliation lui coûte quelque chose.

DORANTE, *l'arrêtant*

Restez, je vous prie ; j'ai encore quelque chose à vous dire.

SILVIA

A moi, Monsieur !

DORANTE

J'ai de la peine à partir sans vous avoir convaincue que je n'ai pas tort de le faire.

SILVIA

Eh ! Monsieur, de quelle conséquence [1] est-il de vous justifier auprès de moi ? Ce n'est pas la peine ; je ne suis qu'une suivante, et vous me le 20 faites bien sentir.

———

— 1 Importance.

DORANTE

Moi, Lisette ! est-ce à vous de vous plaindre, vous qui me voyez prendre mon parti sans me rien dire ?

SILVIA

Hum ! si je voulais, je vous répondrais bien là-dessus.

DORANTE

Répondez donc, je ne demande pas mieux que de me tromper. Mais que dis-je ? Mario vous aime.

SILVIA

Cela est vrai.

DORANTE

Vous êtes sensible à son amour ; je l'ai vu par l'extrême envie que vous aviez tantôt que je m'en allasse ; ainsi vous ne sauriez m'aimer.

SILVIA

Je suis sensible à son amour ! qui est-ce qui vous l'a dit ? Je ne saurais
30 vous aimer ! qu'en savez-vous ? Vous décidez bien vite.

DORANTE

Eh bien ! Lisette, par tout ce que vous avez de plus cher au monde, instruisez-moi de ce qui en est, je vous en conjure !

SILVIA

Instruire un homme qui part !

DORANTE

Je ne partirai point.

SILVIA

Laissez-moi. Tenez, si vous m'aimez, ne m'interrogez point. Vous ne craignez que mon indifférence et vous êtes trop heureux que je me taise. Que vous importent mes sentiments ?

DORANTE

Ce qu'ils m'importent, Lisette ! peux-tu douter encore que je ne t'adore ?

SILVIA

40   Non, et vous me le répétez si souvent que je vous crois ; mais pourquoi m'en persuadez-vous ? que voulez-vous que je fasse de cette pensée-là, Monsieur ? Je vais vous parler à cœur ouvert. Vous m'aimez ; mais votre amour n'est pas une chose bien sérieuse pour vous. Que de ressources n'avez-vous pas pour vous en défaire ? La distance qu'il y a de vous à moi, mille objets que vous allez trouver sur votre chemin, l'envie qu'on aura

de vous rendre sensible [2], les amusements d'un homme de votre condition, tout va vous ôter cet amour dont vous m'entretenez impitoyablement. Vous en rirez peut-être au sortir d'ici, et vous aurez raison. Mais moi, Monsieur, si je m'en ressouviens, comme j'en ai peur, s'il m'a frappée, quel secours aurai-je contre l'impression qu'il m'aura faite ? Qui est-ce qui me dédommagera de votre perte ? Qui voulez-vous que mon cœur mette à votre place ? Savez-vous bien que, si je vous aimais, tout ce qu'il y a de plus grand dans le monde ne me toucherait plus ? Jugez donc de l'état où je resterais. Ayez la générosité de me cacher votre amour. Moi qui vous parle, je me ferais un scrupule de vous dire que je vous aime, dans les dispositions où vous êtes. L'aveu de mes sentiments pourrait exposer votre raison, et vous voyez bien aussi que je vous les cache.

DORANTE

Ah ! ma chère Lisette, que viens-je d'entendre ? tes paroles ont un feu qui me pénètre. Je t'adore, je te respecte. Il n'est ni rang, ni naissance, ni fortune, qui ne disparaisse devant une âme comme la tienne. J'aurais honte que mon orgueil tînt encore contre toi, et mon cœur et ma main t'appartiennent.

SILVIA

En vérité, ne mériteriez-vous pas que je les prisse ? ne faut-il pas être bien généreuse pour vous dissimuler le plaisir qu'ils me font ? et croyez-vous que cela puisse durer ?

DORANTE

Vous m'aimez donc ?

SILVIA

Non, non ; mais si vous me le demandez encore, tant pis pour vous.

DORANTE

Vos menaces ne me font point de peur.

SILVIA

Et Mario, vous n'y songez donc plus ?

DORANTE

Non, Lisette. Mario ne m'alarme plus ; vous ne l'aimez point ; vous ne pouvez plus me tromper ; vous avez le cœur vrai ; vous êtes sensible à ma tendresse. Je ne saurais en douter au transport qui m'a pris, j'en suis sûr ; et vous ne sauriez plus m'ôter cette certitude-là.

SILVIA

Oh ! je n'y tâcherai point, gardez-la ; nous verrons ce que vous en ferez.

— 2 Amoureux.

DORANTE

Ne consentez-vous pas d'être à moi ?

SILVIA

Quoi ! vous m'épouseriez malgré ce que vous êtes, malgré la colère d'un père, malgré votre fortune ?

DORANTE

Mon père me pardonnera dès qu'il vous aura vue ; ma fortune nous
80 suffit à tous deux, et le mérite vaut bien la naissance. Ne disputons point ; car je ne changerai jamais.

SILVIA

Il ne changera jamais ! Savez-vous bien que vous me charmez, Dorante ?

DORANTE

Ne gênez ³ donc plus votre tendresse, et laissez-la répondre...

SILVIA

Enfin, j'en suis venue à bout. Vous... vous ne changerez jamais ?

DORANTE

Non, ma chère Lisette.

SILVIA

Que d'amour !

Silvia peut maintenant révéler à Dorante qu'elle est la fille de M. Orgon. Sûrs de s'aimer vraiment, ils vont s'épouser, ainsi que Lisette et Arlequin.

Destinée de l'œuvre

Au XVIIIe siècle, le succès de Marivaux ne fut jamais éclatant : les Comédiens Français et leur public lui firent longtemps grise mine, et le Théâtre-Italien restait une scène secondaire. D'autre part Marivaux s'est toujours tenu à l'écart du clan des philosophes. *Tout l'oppose à* VOLTAIRE : ses conceptions religieuses, ses liens avec les Modernes et son indépendance à l'égard de Molière, sa réserve, sa sensibilité délicate, sa bonté discrète. Dans la subtilité de ses analyses et de son style, Voltaire ne voit que métaphysique du cœur et préciosité ; il lui reproche de « peser des œufs de mouche dans les balances de toile d'araignée » ; il parle du « poison de Marivaux et consorts » ; lorsqu'il est le moins dur, il estime que son comique, trop fin et trop délié, ne peut séduire que quelques raffinés, et n'est pas fait pour la scène.

Mais au XIXe siècle le succès des comédies de MUSSET provoque une véritable *résurrection de* MARIVAUX. De nos jours nous reconnaissons en GIRAUDOUX un esprit de sa lignée ; JEAN ANOUILH s'inspire de lui *(La Répétition ou l'Amour puni)* ; Marivaux trouve un public enthousiaste qui goûte précisément cette *complexité*, très *moderne*, qu'on lui reprochait de son temps. Il nous semble que nous rencontrons en lui un contemporain, qui aurait écrit *pour nous*, voici deux siècles.

— 3 Contraignez (en la torturant).

LE ROMAN AVANT 1750

Le roman reste marqué par l'influence du XVIIe siècle, mais il évolue aussi selon les tendances générales de l'époque. LE SAGE donne une dignité nouvelle au roman de mœurs ; MARIVAUX accède à une grande *vérité* dans la peinture des *mœurs contemporaines* et des *caractères (La Vie de Marianne, Le Paysan parvenu)* ; l'abbé Prévost inaugure le préromantisme par sa conception de la passion fatale.

LE SAGE

Né en Bretagne en 1668, Alain-René LE SAGE fait des études de droit et devient avocat à Paris. Mais, obéissant à sa vocation littéraire, il ne tarde pas à quitter le barreau. Sans fortune, il ne peut compter, pour vivre et pour nourrir sa femme et ses enfants, que sur le produit de ses œuvres, ce qui l'amènera à écrire beaucoup et parfois hâtivement. Peut-être est-ce un peu pour cela qu'il dénoncera avec tant de vigueur le règne de l'argent mal acquis. Si sa plume est active, sa vie calme et sans aventures ne ressemble guère à celle de son héros Gil Blas. Il poursuit une double carrière, d'auteur dramatique et de romancier. En 1743, il se retire avec sa femme chez un de leurs fils, à Boulogne-sur-Mer, où il meurt en 1747.

Auteur du *Diable boiteux* (1707) et de l'histoire de *Gil Blas de Santillane* (1715 à 1735), LE SAGE emprunte à l'Espagne le genre du *roman picaresque*, qui raconte les aventures d'un « *picaro* », pauvre hère dont l'injustice sociale fait un fripon. Mais il s'intéresse moins aux aventures de son héros qu'aux milieux sociaux qu'il traverse. C'est une occasion de *satire* mordante et gaie, qui accompagne un *réalisme* parfois truculent.

GIL BLAS ET L'ARCHEVÊQUE DE GRENADE

On ne saurait résumer les innombrables aventures de Gil Blas. Après de multiples avatars, le voici au service de l'archevêque de Grenade. Charmé par son savoir, son zèle et ses flatteries, l'archevêque traite son secrétaire en ami et en confident. Mais les grands retirent leur faveur aussi aisément qu'ils l'accordent : Gil Blas va l'apprendre à ses dépens. Chargé d'une mission infiniment délicate, comment va-t-il s'en acquitter ? LE SAGE raille ici la *susceptibilité légendaire des auteurs ;* et l'homme de lettres en question se double d'un *grand seigneur* et d'un *prélat* (VII, 3 et 4).

Ainsi, mon cher Gil Blas, continua le prélat, j'exige une chose de ton zèle : quand tu t'apercevras que ma plume sentira la vieillesse, lorsque tu me verras baisser, ne manque pas de m'en avertir. Je ne me fie point à moi là-dessus : mon amour-propre pourrait me séduire [1]. Cette remarque demande un esprit désintéressé : je fais choix du tien, que je connais bon ; je m'en rapporterai à ton jugement. — Grâces au ciel, lui dis-je, Monseigneur, vous êtes encore fort éloigné de ce temps-là. De plus, un esprit de la trempe de celui de Votre Grandeur se conservera

---

— 1 M'égarer.

beaucoup mieux qu'un autre, ou, pour parler plus juste, vous serez
10 toujours le même. Je vous regarde comme un autre cardinal Ximénès [2],
dont le génie supérieur, au lieu de s'affaiblir par les années, semblait en
recevoir de nouvelles forces. — Point de flatterie, interrompit-il, mon
ami ! Je sais que je puis tomber tout d'un coup. A mon âge on commence
à sentir les infirmités, et les infirmités du corps altèrent l'esprit. Je te le
répète, Gil Blas, dès que tu jugeras que ma tête s'affaiblira, donne-m'en
aussitôt avis. Ne crains pas d'être franc et sincère ; je recevrai cet avertissement comme une marque d'affection pour moi. D'ailleurs, il y va de ton
intérêt ; si, par malheur pour toi, il me revenait qu'on dît dans la ville que
mes discours n'ont plus leur force ordinaire, et que je devrais me reposer,
20 je te le déclare tout net, tu perdrais avec mon amitié la fortune que je t'ai
promise. Tel serait le fruit de ta sotte discrétion. »...

Dans le temps de ma plus grande faveur, nous eûmes une chaude
alarme au palais épiscopal ; l'archevêque tomba en apoplexie. On le
secourut si promptement et on lui donna de si bons remèdes, que quelques
jours après il n'y paraissait plus. Mais son esprit en reçut une rude
atteinte. Je le remarquai bien dès la première homélie [3] qu'il composa. Je
ne trouvai pas toutefois la différence qu'il y avait de celle-là aux autres
assez sensible pour conclure que l'orateur commençait à baisser.
J'attendis encore une homélie pour mieux savoir à quoi m'en tenir. Oh !
30 pour celle-là, elle fut décisive. Tantôt le bon prélat se rebattait [4], tantôt
il s'élevait trop haut ou descendait trop bas : c'était un discours diffus,
une rhétorique de régent [5] usé, une capucinade [6].

Je ne fus pas le seul qui y prit garde. La plupart des auditeurs, comme
s'ils eussent été aussi gagés [7] pour l'examiner, se disaient tout bas les
uns aux autres : « Voilà un sermon qui sent l'apoplexie. » — « Allons,
monsieur l'arbitre des homélies, me dis-je alors à moi-même, préparez-
vous à faire votre office. Vous voyez que Monseigneur tombe ; vous devez
l'en avertir, non seulement comme dépositaire de ses pensées, mais
encore de peur que quelqu'un de ses amis ne fût [8] assez franc pour vous
40 prévenir [9]. En ce cas-là, vous savez ce qu'il en arriverait : vous seriez
biffé de son testament, où il y aura sans doute pour vous un meilleur
legs que la bibliothèque du licencié Sédillo [10]. »

Après ces réflexions, j'en faisais d'autres toutes contraires : l'avertissement dont il s'agissait me paraissait délicat à donner. Je jugeais qu'un
auteur entêté de ses ouvrages pourrait le recevoir mal ; mais, rejetant
cette pensée, je me représentais qu'il était impossible qu'il le prît en
mauvaise part, après l'avoir exigé de moi d'une manière si pressante.

— 2 Célèbre prélat et homme d'État espagnol
(1436-1517). — 3 Une *homélie* (« conversation »)
est un sermon familier. — 4 Se répétait. —
5 Pédagogue. — 6 Sermon banal, comme les
capucins en prononçaient devant des auditoires
populaires. — 7 Comme s'ils eussent reçu un
salaire. — 8 La concordance exigerait *soit*,
mais au XVIIe et au XVIIIe s., on employait
l'imparfait du subj. lorsque la phrase comportait
l'idée du *conditionnel :* il se pourrait qu'un de
ses amis *fût*... — 9 Pour l'en avertir avant vous.
— 10 Ancien maître de Gil Blas, qui ne lui
avait laissé que quelques livres sans valeur.

Ajoutons à cela que je comptais bien de lui parler avec adresse, et de lui
faire avaler la pilule tout doucement. Enfin, trouvant que je risquais
50 davantage [11] à garder le silence qu'à le rompre, je me déterminai à parler.

Je n'étais plus embarrassé que d'une chose : je ne savais de quelle
façon entamer la parole. Heureusement l'orateur lui-même me tira de cet
embarras, en me demandant ce qu'on disait de lui dans le monde, et si l'on
était satisfait de son dernier discours. Je répondis qu'on admirait toujours
ses homélies, mais qu'il me semblait que la dernière n'avait pas si bien
que les autres affecté l'auditoire. « Comment donc, mon ami, répliqua-t-il
avec étonnement, aurait-elle trouvé quelque Aristarque [12]? — Non,
Monseigneur, lui repartis-je, non. Ce ne sont pas des ouvrages tels que
les vôtres que l'on ose critiquer : il n'y a personne qui n'en soit charmé.
60 Néanmoins, puisque vous m'avez recommandé d'être franc et sincère, je
prendrai la liberté de vous dire que votre dernier discours ne me paraît
pas tout à fait de la force des précédents. Ne pensez-vous pas cela comme
moi ? »

Ces paroles firent pâlir mon maître, qui me dit avec un souris forcé :
« Monseigneur Gil Blas, cette pièce n'est donc pas de votre goût ? — Je ne
dis pas cela, Monseigneur, interrompis-je tout déconcerté. Je la trouve
excellente, quoique un peu au-dessous de vos autres ouvrages. — Je vous
entends, répliqua-t-il. Je vous parais baisser, n'est-ce pas ? Tranchez
le mot. Vous croyez qu'il est temps que je songe à la retraite. — Je n'aurais
70 pas été assez hardi, lui dis-je, pour vous parler si librement, si Votre
Grandeur ne me l'eût ordonné. Je ne fais donc que lui obéir, et je la
supplie très humblement de ne me point savoir de mauvais gré de ma
hardiesse. — A Dieu ne plaise, interrompit-il avec précipitation, à Dieu
ne plaise que je vous la reproche ! Il faudrait que je fusse bien injuste. Je
ne trouve point du tout mauvais que vous me disiez votre sentiment.
C'est votre sentiment seul que je trouve mauvais. J'ai été furieusement la
dupe de votre intelligence bornée. »

Quoique démonté, je voulus chercher quelque modification pour
rajuster [13] les choses ; mais le moyen d'apaiser un auteur irrité, et de plus
80 un auteur accoutumé à s'entendre louer ! « N'en parlons plus, dit-il,
mon enfant. Vous êtes encore trop jeune pour démêler le vrai du faux.
Apprenez que je n'ai jamais composé de meilleure homélie que celle qui a
le malheur de n'avoir pas votre approbation. Mon esprit, grâce au ciel,
n'a encore rien perdu de sa vigueur. Désormais je choisirai mieux mes
confidents. J'en veux de plus capables que vous de décider. Allez, pour-
suivit-il, en me poussant par les épaules hors de son cabinet, allez dire à
mon trésorier qu'il vous compte cent ducats, et que le ciel vous conduise
avec cette somme ! Adieu, monsieur Gil Blas, je vous souhaite toutes
sortes de prospérités, avec un peu plus de goût. »

— 11 *Davantage... que* n'est plus correct. — │ J.-C.) : type du critique intelligent, mais sévère.
12 Grammairien d'Alexandrie (IIe siècle av. │ — 13 Arranger.

L'ABBÉ PRÉVOST

Né en Artois, Antoine-François PRÉVOST (1697-1763) eut une existence très mouvementée. Pendant une vingtaine d'années, deux êtres semblent aux prises en lui : l'un aspire à la discipline de la vie religieuse, tandis que l'autre est possédé par le démon de l'aventure. Novice chez les Jésuites, il quitte le couvent à deux reprises, puis passe chez les Bénédictins et est ordonné prêtre en 1726 ; pourtant, dès 1728, il s'échappe de l'abbaye de Saint-Germain-des-Prés. Il doit gagner l'étranger, séjourne en Angleterre et en Hollande, puis rentre en France en 1734. Il devient l'aumônier du Prince de Conti, mais doit s'exiler une seconde fois. A son retour (1743), il semble définitivement assagi. Pourvu d'un bénéfice ecclésiastique, il travaille à une histoire des Condés ; la mort le surprend en 1763 alors qu'il méditait des ouvrages d'apologétique.

Écrivain intarissable, romancier, biographe, historien, journaliste, traducteur des romans anglais de RICHARDSON (*Pamela*, 1742 ; *Clarisse Harlowe*, 1751), l'abbé PRÉVOST reste pour la postérité l'auteur de *Manon Lescaut. L'Histoire du chevalier Des Grieux et de Manon Lescaut*, publiée au Tome VII des *Mémoires d'un Homme de qualité* en 1731, éditée séparément à partir de 1753, contient de nombreux éléments d'*autobiographie*. C'est aussi un *roman de mœurs* qui nous restitue tout un milieu social immoral et corrompu, caractéristique de l'époque. Mais c'est avant tout une *histoire d'amour* animée par une passion violente, fatale et instinctive. Toutefois, à la différence des œuvres romantiques que *Manon* a pu influencer, la passion y est *analysée*, mais non point chantée ni exaltée. Il ne s'agit pas de la réhabiliter, mais de constater lucidement son redoutable pouvoir et ses ravages dans une âme faible.

Le *style*, sobre, dépouillé, précis, vise au *naturel*, et l'émotion reste toujours contenue.

DES GRIEUX S'ÉPREND DE MANON

Destiné par ses parents à l'ordre de Malte, le jeune chevalier DES GRIEUX vient d'achever ses études de philosophie à Amiens. Il se dispose à rentrer dans sa famille, lorsqu'il rencontre une jeune fille du peuple, MANON LESCAUT, dont il s'éprend sur-le-champ. *Cette passion*, qui le transforme aussitôt, *bouleversera toute sa vie*. Des Grieux est censé raconter ses aventures à l'auteur longtemps après, alors que Manon est morte et qu'il pleure, inconsolable, à la fois sa maîtresse et ses fautes. Cette présentation, qui permet des anticipations sur un triste avenir, confère à la scène la résonance de *l'irréparable*.

J'avais marqué le temps [1] de mon départ d'Amiens. Hélas ! que ne le marquais-je un jour plus tôt ! j'aurais porté chez mon père toute mon innocence. La veille même de celui que [2] je devais quitter cette ville, étant à me promener avec mon ami, qui s'appelait Tiberge, nous vîmes [3] arriver le coche d'Arras, et nous le suivîmes jusqu'à l'hôtellerie où ces voitures descendent. Nous n'avions pas d'autre motif que la curiosité. Il en sortit quelques femmes, qui se retirèrent aussitôt. Mais il en resta une, fort jeune, qui s'arrêta, seule dans la cour, pendant qu'un homme d'âge avancé, qui paraissait lui servir de conducteur, s'empressait pour
10 faire tirer son équipage des paniers [4]. Elle me parut si charmante que

---

— 1 La date. — 2 Où. — 3 Constr. libre du part. *étant*. — 4 Ses bagages des coffres de la voiture.

moi, qui n'avais jamais pensé à la différence des sexes ni regardé une fille avec un peu d'attention, moi, dis-je, dont tout le monde admirait la sagesse et la retenue, je me trouvai enflammé tout d'un coup jusqu'au transport. J'avais le défaut d'être excessivement timide et facile à déconcerter ; mais, loin d'être arrêté alors par cette faiblesse, je m'avançai vers la maîtresse de mon cœur. Quoiqu'elle fût encore moins âgée que moi [5], elle reçut mes politesses sans paraître embarrassée. Je lui demandai ce qui l'amenait à Amiens et si elle y avait quelques personnes de connaissance. Elle me répondit ingénument qu'elle y était envoyée par ses parents pour être
20 religieuse. L'amour me rendait déjà si éclairé, depuis un moment qu'il était dans mon cœur, que je regardai ce dessein comme un coup mortel pour mes désirs. Je lui parlai d'une manière qui lui fit comprendre mes sentiments, car elle était bien plus expérimentée que moi. C'était malgré elle qu'on l'envoyait au couvent, pour arrêter sans doute son penchant au plaisir, qui s'était déjà déclaré et qui a causé, dans la suite, tous ses malheurs et les miens. Je combattis la cruelle intention de ses parents par toutes les raisons que mon amour naissant et mon éloquence scolastique [6] purent me suggérer. Elle n'affecta ni rigueur ni dédain. Elle me dit, après un moment de silence, qu'elle ne prévoyait que trop qu'elle
30 allait être malheureuse, mais que c'était apparemment la volonté du ciel, puisqu'il ne lui laissait nul moyen de l'éviter.

La douceur de ses regards, un air charmant de tristesse en prononçant ces paroles, ou plutôt l'ascendant [7] de ma destinée qui m'entraînait à ma perte, ne me permirent pas de balancer un moment sur ma réponse. Je lui assurai que, si elle voulait faire quelque fond sur [8] mon honneur et sur la tendresse infinie qu'elle m'inspirait déjà, j'emploierais ma vie pour la délivrer de la tyrannie de ses parents et pour la rendre heureuse. Je me suis étonné mille fois, en y réfléchissant, d'où me venait alors tant de hardiesse et de facilité à m'expliquer ; mais on ne ferait pas une divinité
40 de l'amour, s'il n'opérait souvent des prodiges. J'ajoutai mille choses pressantes. Ma belle inconnue savait bien qu'on n'est point trompeur à mon âge ; elle me confessa que, si je voyais quelque jour à [9] pouvoir la mettre en liberté, elle croirait m'être redevable de quelque chose de plus cher que la vie. Je lui répétai que j'étais prêt à tout entreprendre, mais, n'ayant point assez d'expérience pour imaginer tout d'un coup les moyens de la servir, je m'en tenais à cette assurance générale, qui ne pouvait être d'un grand secours pour elle et pour moi...

Je fus surpris, à l'arrivée de son conducteur, qu'elle m'appelât son cousin et que, sans paraître déconcertée le moins du monde, elle me dît
50 que, puisqu'elle était assez heureuse pour me rencontrer à Amiens, elle remettait au lendemain son entrée dans le couvent, afin de se procurer le plaisir de souper avec moi.

— 5 Des Grieux a 17 ans, Manon 15 ou 16. — 6 L'éloquence d'un écolier qui vient de terminer brillamment ses études. — 7 Terme d'astrologie : influence que les astres sont censés avoir sur la destinée d'un être. — 8 Accorder quelque confiance à. — 9 Quelque moyen de.

Manon se révélera tout à fait indigne de l'ardente passion que lui voue Des Grieux. Elle est charmante et l'aime aussi, à sa façon, mais elle est dénuée de tout sens moral, frivole et dépensière. « Je connaissais Manon ; je n'avais déjà que trop éprouvé que, quelque fidèle et quelque attachée qu'elle me fût dans la bonne fortune, il ne fallait pas compter sur elle dans la misère. Elle aimait trop l'abondance et les plaisirs pour me les sacrifier ». *Mais, quoiqu'elle le trahisse sans cesse, Des Grieux lui revient toujours et se laisse entraîner peu à peu aux pires bassesses. Finalement, Manon est déportée en Amérique avec d'autres filles de mauvaise vie. Des Grieux la suit, mais le neveu du gouverneur s'éprend de Manon : Des Grieux se bat en duel avec lui, reçoit un coup d'épée au bras et blesse lui-même son adversaire ; il croit l'avoir tué et s'enfuit dans le désert avec Manon qui, peu faite pour une vie rude et des émotions violentes, meurt soudain d'épuisement. Des Grieux lui survivra, mais pour traîner, comme une âme en peine, une existence sans but.*

L'ENTERREMENT DE MANON

Ce récit est remarquable par la vérité des sentiments, la précision des détails vécus et la sobriété du pathétique. Aucun débordement de sensibilité. Les sentiments sont violents, et certains gestes qu'ils inspirent annoncent le romantisme ou le réalisme, mais l'analyse est empreinte d'une réserve et d'une lucidité toutes classiques.

J e demeurai plus de vingt-quatre heures la bouche attachée sur le visage et sur les mains de ma chère Manon. Mon dessein était d'y mourir ; mais je fis réflexion, au commencement du second jour, que son corps serait exposé, après mon trépas, à devenir la pâture des bêtes sauvages. Je formai la résolution de l'enterrer et d'attendre la mort sur sa fosse. J'étais déjà si proche de ma fin, par l'affaiblissement que le jeûne et la douleur m'avaient causé, que j'eus besoin de quantité d'efforts pour me tenir debout. Je fus obligé de recourir aux liqueurs que j'avais apportées. Elles me rendirent autant de force qu'il m'en fallait pour le triste office que j'allais
10 exécuter. Il ne m'était pas difficile d'ouvrir la terre, dans le lieu où je me trouvais. C'était une campagne couverte de sable. Je rompis mon épée, pour m'en servir à creuser, mais j'en tirai moins de secours que de mes mains. J'ouvris une large fosse. J'y plaçai l'idole de mon cœur, après avoir pris soin de l'envelopper de tous mes habits pour empêcher le sable de la toucher. Je ne la mis dans cet état qu'après l'avoir embrassée mille fois, avec toute l'ardeur du plus parfait amour. Je m'assis encore près d'elle. Je la considérai longtemps. Je ne pouvais me résoudre à fermer la fosse. Enfin, mes forces recommençant à s'affaiblir, et craignant d'en manquer tout à fait avant la fin de mon entreprise, j'ensevelis pour toujours dans le
20 sein de la terre ce qu'elle avait porté de plus parfait et de plus aimable. Je me couchai ensuite sur la fosse, le visage tourné vers le sable, et, fermant les yeux avec le dessein de ne les ouvrir jamais, j'invoquai le secours du ciel et j'attendis la mort avec impatience.

Ce qui vous paraîtra difficile à croire, c'est que, pendant tout l'exercice de ce lugubre ministère, il ne sortit point une larme de mes yeux ni un soupir de ma bouche. La consternation profonde où j'étais et le dessein déterminé de mourir avaient coupé le cours à toutes les expressions du désespoir et de la douleur. Aussi ne demeurai-je pas longtemps dans la posture où j'étais sur la fosse sans perdre le peu de connaissance et de
30 sentiment qui me restait.

MONTESQUIEU

Sa vie (1689-1755)   Né au château de la Brède, au sud de Bordeaux, en janvier 1689, CHARLES-LOUIS DE SECONDAT, qui sera baron de LA BRÈDE et de MONTESQUIEU, appartient à la noblesse de robe. Son oncle Jean-Baptiste est président à mortier, son père a servi comme capitaine de chevau-légers avant de se retirer sur ses terres. Formé d'abord par les Oratoriens de Juilly, près de Paris, le jeune homme fait ensuite de solides études de droit, et devient, en 1714 conseiller, en 1716 *président à mortier* au Parlement de Guyenne.

    D'abord passionné par les recherches expérimentales et auteur de mémoires scientifiques, MONTESQUIEU devient célèbre avec les *Lettres Persanes* (1721) qui lui ouvrent la porte des salons parisiens. Mais, après avoir sacrifié à la mode galante dans quelques ouvrages, il se tourne de plus en plus vers l'histoire et la philosophie du droit. L'élection à l'Académie Française en 1728, un grand voyage en Europe de 1728 à 1731, sont les derniers événements d'une vie qui sera désormais tout entière consacrée à un travail harassant. En 1734, les *Considérations sur les causes de la grandeur des Romains et de leur décadence*, et en octobre 1748, l'*Esprit des Lois*, couronnent un labeur qui a coûté à Montesquieu la santé et la vue. Désormais presque aveugle, le philosophe poursuit néanmoins son travail avant de mourir à Paris le 10 février 1755.

    Équilibré et méthodique, MONTESQUIEU croyait au bonheur sur la terre et il était animé par un amour lucide et réfléchi de l'humanité.

    Le style de son œuvre, plus désinvolte dans les *Lettres Persanes*, atteint dans l'*Esprit des Lois* à une simplicité savante qui n'exclut ni l'élégance ni la vigueur.

LES LETTRES PERSANES

    Deux Persans, USBEK et RICA, visitent la France, de 1712 à 1720. Ils échangent des lettres, écrivent à divers amis pour leur faire part de leurs impressions et reçoivent des nouvelles de Perse, en particulier du sérail d'Usbek, à Ispahan, où le désordre règne depuis le départ du maître. L'Orient était très à la mode en France depuis les récits de voyages de Tavernier (1676-1679) et de Chardin (1711), et Montesquieu sacrifie à son tour à un *exotisme* piquant, assez artificiel et volontiers licencieux.

    Mais cette couleur orientale sert surtout à faire passer, sous une apparence badine, des *critiques très hardies contre la société du temps*. Montesquieu s'attaque par l'*ironie* aux manies, aux préjugés et aux abus.

    De nombreux passages contiennent aussi des éléments constructifs et annoncent déjà les théories de l'*Esprit des Lois*. Ainsi la lettre CII établit la distinction entre monarchie et despotisme : « La plupart des gouvernements d'Europe sont monarchiques, ou plutôt sont ainsi appelés : car je ne sais pas s'il y en a jamais eu de véritablement tels ; au moins est-il difficile qu'ils aient subsisté longtemps dans leur pureté. C'est un état violent qui dégénère toujours en despotisme ou en république : la puissance ne peut jamais être également partagée entre le peuple et le prince ; l'équilibre est trop difficile à garder. Il faut que le pouvoir diminue d'un côté, pendant qu'il augmente de l'autre ; mais l'avantage est ordinairement du côté du prince, qui est à la tête des armées. — Aussi le pouvoir des rois d'Europe est-il bien grand, et on peut dire qu'ils l'ont tel qu'ils le veulent. Mais ils ne l'exercent point avec autant d'étendue que nos sultans. » La lettre LXXXIX esquisse les principes des trois gouvernements : la *vertu*, l'*honneur* (appelé ici *désir de la gloire*) et la *crainte*. Dans les *Lettres Persanes*, Montesquieu est donc à la fois *bel esprit*, *moraliste* et *penseur*.

MŒURS ET COUTUMES FRANÇAISES

La lettre XXIV, qui traduit les *premières impressions* de RICA à Paris, offre une *vue
d'ensemble* sur les principaux thèmes de l'ouvrage : *satire* légère *des mœurs et habitudes
parisiennes, satire* plus hardie du *système politique* et de la *religion.* La feinte candeur du
Persan donne beaucoup de sel à ces remarques critiques, et un comique particulier naît
de la *désinvolture* avec laquelle l'auteur traite des questions sérieuses (ce sera le procédé
favori de Voltaire). MONTESQUIEU se montre ici brillant, incisif, mais assez superficiel :
avec l'âge il deviendra beaucoup plus grave, plus compréhensif et plus profond.

Rica à Ibben, à Smyrne.

Nous sommes à Paris depuis un mois, et nous avons toujours été
dans un mouvement continuel. Il faut bien des affaires avant qu'on soit
logé, qu'on ait trouvé les gens à qui on est adressé, et qu'on se soit pourvu
des choses nécessaires, qui manquent toutes à la fois.

Paris est aussi grand qu'Ispahan. Les maisons y sont si hautes qu'on
jugerait qu'elles ne sont habitées que par des astrologues. Tu juges bien
qu'une ville bâtie en l'air, qui a six ou sept maisons les unes sur les autres,
est extrêmement peuplée, et que, quand tout le monde est descendu dans
la rue, il s'y fait un bel embarras [1].

Tu ne le croirais pas peut-être : depuis un mois que je suis ici, je n'y
ai encore vu marcher personne. Il n'y a point de gens au monde qui
tirent mieux parti de leur machine [2] que les Français : ils courent ; ils
volent. Les voitures lentes d'Asie, le pas réglé de nos chameaux, les
feraient tomber en syncope. Pour moi, qui ne suis point fait à ce train,
et qui vais souvent à pied sans changer d'allure, j'enrage quelquefois
comme un chrétien : car encore passe qu'on m'éclabousse depuis les
pieds jusqu'à la tête, mais je ne puis pardonner les coups de coude que
je reçois régulièrement et périodiquement. Un homme qui vient après
moi, et qui me passe, me fait faire un demi-tour, et un autre, qui me
croise de l'autre côté, me remet soudain où le premier m'avait pris ;
et je n'ai pas fait cent pas, que je suis plus brisé que si j'avais fait dix
lieues.

Ne crois pas que je puisse, quant à présent, te parler à fond des mœurs
et des coutumes européennes : je n'en ai moi-même qu'une légère idée,
et je n'ai eu à peine que le temps de m'étonner.

Le roi de France est le plus puissant prince de l'Europe. Il n'a point
de mines d'or comme le roi d'Espagne [3], son voisin ; mais il a plus de
richesses que lui, parce qu'il les tire de la vanité [4] de ses sujets, plus inépuisable que les mines. On lui a vu entreprendre ou soutenir de grandes
guerres, n'ayant d'autres fonds que des titres d'honneur à vendre [5], et,
par un prodige de l'orgueil humain, ses troupes se trouvaient payées,
ses places munies [6], et ses flottes équipées.

— 1 Thème d'une éternelle actualité. Cf. Boileau, *Satire* VI. — 2 Organisme. — 3 Au Pérou.
— 4 Cette *vanité* annonce l'*honneur*, ressort
de la monarchie. — 5 Pour alimenter le Trésor,
on crée des charges inutiles, qui se vendent bien
car elles confèrent des privilèges et même la
noblesse. — 6 Mises en état de défense (latin
munire : fortifier).

D'ailleurs ce roi est un grand magicien : il exerce son empire sur l'esprit même de ses sujets ; il les fait penser comme il veut. S'il n'a qu'un million d'écus dans son trésor, et qu'il en ait besoin de deux, il n'a qu'à leur persuader qu'un écu en vaut deux, et ils le croient [7]. S'il a une guerre difficile à soutenir, et qu'il n'ait point d'argent, il n'a qu'à leur mettre dans la tête qu'un morceau de papier est de l'argent, et ils en sont aussitôt convaincus [8]. Il va même jusqu'à leur faire croire qu'il les guérit de
40 toutes sortes de maux en les touchant [9] ; tant est grande la force et la puissance qu'il a sur les esprits.

Ce que je te dis de ce prince ne doit pas t'étonner : il y a un autre magicien, plus fort que lui, qui n'est pas moins maître de son esprit qu'il l'est lui-même de celui des autres. Ce magicien s'appelle *le Pape*. Tantôt il lui fait croire que trois ne font qu'un, que le pain qu'on mange n'est pas du pain, ou que le vin qu'on boit n'est pas du vin [10], et mille autres choses de cette espèce...

De Paris, le 4 de la lune de Rediab 2, 1712.

" COMMENT PEUT-ON ÊTRE PERSAN ? "

Dans cette lettre (XXX) Montesquieu raille gentiment un trait de caractère tradition-nellement attribué aux Parisiens — et qu'ils partagent, sans doute, avec la plupart des hommes : la *curiosité naïve et indiscrète* pour tout ce qui sort de l'ordinaire. Mais que Rica cesse de porter son costume national, plus personne ne s'intéresse à lui. Quelle déception, s'il eût été vaniteux !

Rica à Ibben, à Smyrne.

Les habitants de Paris sont d'une curiosité qui va jusqu'à l'extra-vagance. Lorsque j'arrivai, je fus regardé comme si j'avais été envoyé du ciel : vieillards, hommes, femmes, enfants, tous voulaient me voir. Si je sortais, tout le monde se mettait aux fenêtres ; si j'étais aux Tuileries, je voyais aussitôt un cercle se former autour de moi : les femmes mêmes faisaient un arc-en-ciel, nuancé de mille couleurs, qui m'entourait ; si j'étais aux spectacles, je trouvais d'abord cent lorgnettes dressées contre ma figure : enfin jamais homme n'a été tant vu que moi. Je souriais quelquefois d'entendre des gens qui n'étaient presque jamais sortis de
10 leur chambre, qui disaient entre eux : « Il faut avouer qu'il a l'air bien persan. » Chose admirable ! je trouvais de mes portraits partout ; je me voyais multiplié dans toutes les boutiques, sur toutes les cheminées : tant on craignait de ne m'avoir pas assez vu.

Tant d'honneurs ne laissent pas d'être à charge : je ne me croyais pas un homme si curieux et si rare ; et, quoique j'aie très bonne opinion

---

— 7 Des édits fixaient arbitrairement la valeur des monnaies. — 8 On émit pour la première fois du papier-monnaie en 1701. Quant à l'émission de Law (1718), elle est postérieure à la date supposée de cette lettre. — 9 Les rois de France étaient censés guérir les *écrouelles* (scrofulose) par simple attouchement. — 10 Allusion au sacrement chrétien de l'Eucharistie.

de moi, je ne me serais jamais imaginé que je dusse troubler le repos
d'une grande ville où je n'étais point connu. Cela me fit résoudre à quitter
l'habit persan et à en endosser un à l'européenne, pour voir s'il resterait
encore dans ma physionomie quelque chose d'admirable. Cet essai me
20 fit connaître ce que je valais réellement : libre de tous les ornements
étrangers, je me vis apprécié au plus juste. J'eus sujet de me plaindre
de mon tailleur, qui m'avait fait perdre en un instant l'attention et l'estime
publique : car j'entrai tout à coup dans un néant affreux. Je demeurais
quelquefois une heure dans une compagnie sans qu'on m'eût regardé,
et qu'on m'eût mis en occasion d'ouvrir la bouche. Mais si quelqu'un,
par hasard, apprenait à la compagnie que j'étais Persan, j'entendais
aussitôt autour de moi un bourdonnement : « Ah ! ah ! Monsieur est
Persan ? c'est une chose bien extraordinaire ! Comment peut-on être
Persan ? »

LA MORGUE DES GRANDS

Sans être d'une hardiesse révolutionnaire, ce portrait (LXXIV) va néanmoins assez
loin. Pourquoi les grands seigneurs montrent-ils tant de *morgue*, et même de *sans-gêne* ?
La vraie noblesse n'a-t-elle pas de meilleurs moyens de se manifester ? On songe aux
tâches et aux responsabilités qui, d'après Montesquieu *(Esprit des Lois)*, incombent à la
noblesse dans la monarchie française.

Usbek à Rica, à ***.

Il y a quelques jours qu'un homme de ma connaissance me dit : « Je
vous ai promis de vous produire dans les bonnes maisons de Paris ; je
vous mène à présent chez un grand seigneur qui est un des hommes du
royaume qui représente le mieux. »

« Que veut dire cela, Monsieur ? Est-ce qu'il est plus poli, plus affable
que les autres ? [1] — Non, me dit-il. — Ah ! j'entends [2] ; il fait sentir à tous
les instants la supériorité qu'il a sur tous ceux qui l'approchent. Si cela
est, je n'ai que faire d'y aller : je la lui passe [3] tout entière, et je prends
condamnation [4]. »

10 Il fallut pourtant marcher, et je vis un petit homme si fier, il prit une
prise de tabac avec tant de hauteur, il se moucha si impitoyablement, il
cracha avec tant de flegme [5], il caressa ses chiens d'une manière si offen-
sante pour les hommes, que je ne pouvais me lasser de l'admirer [6]. « Ah !
bon Dieu ! dis-je en moi-même, si, lorsque j'étais à la cour de Perse, je
représentais ainsi, je représentais un grand sot ! » Il aurait fallu, Rica,
que nous eussions eu un bien mauvais naturel pour aller faire cent petites
insultes à des gens qui venaient tous les jours chez nous nous témoigner
leur bienveillance : ils savaient bien que nous étions au-dessus d'eux,

---

— 1 Cf. l. 18-21. — 2 Je comprends. —
3 Accorde sans discussion. — 4 Je m'avoue

vaincu d'avance. — 5 Cf. La Bruyère, portrait
de *Giton*, le riche. — 6 Le considérer avec stupéfaction.

et, s'ils l'avaient ignoré, nos bienfaits le leur auraient appris chaque jour.
20 N'ayant rien à faire pour nous faire respecter, nous faisions tout pour nous rendre aimables : nous nous communiquions [7] aux plus petits ; au milieu des grandeurs, qui endurcissent toujours, ils nous trouvaient sensibles ; ils ne voyaient que notre cœur au-dessus d'eux : nous descendions jusqu'à leurs besoins. Mais, lorsqu'il fallait soutenir la majesté du Prince dans les cérémonies publiques ; lorsqu'il fallait faire respecter la Nation aux étrangers ; lorsque, enfin, dans les occasions périlleuses, il fallait animer les soldats, nous remontions cent fois plus haut que nous n'étions descendus : nous ramenions la fierté sur notre visage, et l'on trouvait quelquefois que nous représentions assez bien.

De Paris, le 10 de la lune de Saphar, 1715.

HISTOIRE DES TROGLODYTES

Les lettres XI à XIV contiennent l'histoire d'un peuple imaginaire, les *Troglodytes*. Il s'agit d'une sorte de *mythe* destiné à prouver (contre Machiavel par exemple, et tous les politiques qui se piquent de « réalisme ») qu'il n'est pas de vie sociale possible sans vertus morales. Nous voyons ainsi l'insubordination et l'égoïsme entraîner l'anarchie avec tous ses maux, et au contraire les bons Troglodytes vivre heureux et prospères parce qu'ils sont vertueux. Enfin le dernier épisode annonce directement l'*Esprit des Lois* : la liberté ne peut subsister sans *vertu* civique et morale ; si un peuple se lasse de la vertu, il passe de l'état démocratique à l'état monarchique. — *Voici les méfaits de l'anarchie* (XI).

Il y avait en Arabie un petit peuple, appelé *Troglodyte*, qui descendait de ces anciens Troglodytes [1] qui, si nous en croyons les historiens, ressemblaient plus à des bêtes qu'à des hommes. Ceux-ci n'étaient point si contrefaits, ils n'étaient point velus comme des ours, ils ne sifflaient point, ils avaient deux yeux ; mais ils étaient si méchants et si féroces, qu'il n'y avait parmi eux aucun principe d'équité ni de justice.

Ils avaient un roi d'une origine étrangère, qui, voulant corriger la méchanceté de leur naturel, les traitait sévèrement ; mais ils conjurèrent [2] contre lui, le tuèrent, et exterminèrent toute la famille royale.
10   Le coup étant fait, ils s'assemblèrent pour choisir un gouvernement ; et, après bien des dissensions, ils créèrent des magistrats. Mais à peine les eurent-ils élus, qu'ils leur devinrent insupportables ; et ils les massacrèrent encore.

Ce peuple, libre de ce nouveau joug, ne consulta plus que son naturel sauvage. Tous les particuliers convinrent qu'ils n'obéiraient plus à personne ; que chacun veillerait uniquement à ses intérêts, sans consulter ceux des autres.

— 7 Nous réservions un aimable accueil.   — 1 Habitants des cavernes. — 2 Conspirèrent.

Cette résolution unanime flattait extrêmement tous les particuliers. Ils disaient : « Qu'ai-je affaire d'aller me tuer à travailler pour des gens
20 dont je ne me soucie point ? Je penserai uniquement à moi. Je vivrai heureux : que m'importe que les autres le soient ? Je me procurerai tous mes besoins ; et, pourvu que je les aie, je ne me soucie point que tous les autres Troglodytes soient misérables. »

On était dans le mois où l'on ensemence les terres ; chacun dit : « Je ne labourerai mon champ que pour qu'il me fournisse le blé qu'il me faut pour me nourrir ; une plus grande quantité me serait inutile :.je ne prendrai point de la peine pour rien. »

Les terres de ce petit royaume n'étaient pas de même nature : il y en avait d'arides et de montagneuses, et d'autres qui, dans un terrain bas,
30 étaient arrosées de plusieurs ruisseaux. Cette année la sécheresse fut très grande, de manière que les terres qui étaient dans les lieux élevés manquèrent [3] absolument, tandis que celles qui purent être arrosées furent très fertiles. Ainsi les peuples des montagnes périrent presque tous de faim par la dureté des autres, qui leur refusèrent de partager la récolte.

L'année d'ensuite fut très pluvieuse ; les lieux élevés se trouvèrent d'une fertilité extraordinaire, et les terres basses furent submergées. La moitié du peuple cria une seconde fois famine ; mais ces misérables trouvèrent des gens aussi durs qu'ils l'avaient été eux-mêmes [...]

Il y avait un homme qui possédait un champ assez fertile, qu'il cultivait
40 avec grand soin. Deux de ses voisins s'unirent ensemble, le chassèrent de sa maison, occupèrent son champ ; ils firent entre eux une union pour se défendre contre tous ceux qui voudraient l'usurper, et, effectivement, ils se soutinrent par là pendant plusieurs mois. Mais un des deux, ennuyé de partager ce qu'il pouvait avoir tout seul, tua l'autre et devint seul maître du champ. Son empire ne fut pas long : deux autres Troglodytes vinrent l'attaquer ; il se trouva trop faible pour se défendre, et il fut massacré. [...]

Cependant une maladie cruelle ravageait la contrée. Un médecin habile y arriva du pays voisin et donna ses remèdes si à propos qu'il guérit tous
50 ceux qui se mirent dans ses mains. Quand la maladie eut cessé, il alla chez tous ceux qu'il avait traités demander son salaire ; mais il ne trouva que des refus. Il retourna dans son pays, et il y arriva accablé des fatigues d'un si long voyage. Mais bientôt après il apprit que la même maladie se faisait sentir de nouveau et affligeait plus que jamais cette terre ingrate [4]. Ils allèrent à lui cette fois et n'attendirent pas qu'il vînt chez eux. « Allez, leur dit-il, hommes injustes ! Vous avez dans l'âme un poison plus mortel que celui dont vous voulez guérir ; vous ne méritez pas d'occuper une place sur la Terre, parce que vous n'avez point d'humanité et que les règles de l'équité vous sont inconnues : je croirais offenser les dieux, qui vous punissent, si je m'opposais à la justice de leur colère. »

— 3 Ne produisirent rien. — 4 L'ingratitude, tel est le vice illustré ici.

La découverte d'autres grandes civilisations. Carle Van Loo (1705-1765) : *le Grand Turc donnant un concert*.
Londres, collection Wallace. *(Photo Eileen Tweedy - E.R.L.)*

Le luxe et le raffinement opposés à « la vie de nature »; Nicolas Lancret (v. 1690 - v. 1743) :
la Danse dans un pavillon (détail). Château de Potsdam. *(Photo Eileen Tweedy - E.R.L.)*

Marivaux : *le Jeu de l'amour et du hasard*, acte II, scène v.
Avec Françoise Giret et Claude Brasseur. *(Photo Descamps - Télé-7 Jours.)*

Les institutions mises en question. Jean-Baptiste Van Loo : *Portrait de Louis XV*;
Détail : les insignes de la monarchie française. Musée de Versailles. *(Photo Eileen Tweedy - E.R.L.)*

L'ESPRIT DES LOIS

Dessein de l'auteur

Montesquieu veut créer la *science* des lois positives, en montrant qu'au sein de la prodigieuse confusion des lois de tous les pays et de toutes les époques, l'esprit humain peut discerner un *ordre*. « Ce n'est point le corps des lois que je cherche, mais leur âme », et encore : « Il faut toujours en revenir à la nature des choses ». Ainsi toute loi, même odieuse, même absurde en apparence, si elle n'est pas fondée en *raison*, a du moins sa *raison d'être* ».

C'est la démarche même de toute science : éliminer le hasard, expliquer par un principe commun des faits disparates ; substituer aux causes individuelles et accidentelles (caprice du législateur, fantaisies criminelles des tyrans) des causes générales et nécessaires telles que la nature de la constitution politique, la nature du climat, etc. ; éliminer également les explications métaphysiques (intervention de la Providence). La *science politique* permettra d'agir sur les phénomènes et Montesquieu, avec tout son siècle, croit le *progrès* possible : le but de ses recherches lucides est l'*utilité sociale* et le *bonheur de l'humanité*.

Plan de l'ouvrage

La structure de l'*Esprit des Lois* est complexe et parfois déroutante : XXXI livres groupés en VI parties, et subdivisés eux-mêmes en de nombreux chapitres, sans parler de l'émiettement des chapitres en paragraphes souvent très courts, qui font songer aux articles d'une loi. Pourtant, comme l'a montré Lanson, on peut discerner au milieu de ce dédale la pensée directrice de Montesquieu. *Sa démarche d'exposition est celle de Descartes :* partant des principes, il procède par ordre de complexité croissante en faisant intervenir l'*analyse* et ses distinctions ; l'analyse rebondit à l'apparition de deux facteurs essentiels, l'*espace*, puis le *temps*.

PRÉFACE

La Préface de l'*Esprit des Lois* est une très belle page, tant par sa perfection littéraire que par sa valeur humaine. Conscient de la grandeur de la tâche accomplie, MONTESQUIEU s'élève à un véritable *lyrisme* pour dire sa foi enthousiaste dans son œuvre et dans les bienfaits que la science politique, sereine et lucide, peut apporter au genre humain. Ce n'est pas ici un auteur qui vous parle, avec ses préjugés et ses passions, semble-t-il nous dire ; c'est la *nature*, c'est la *raison* : écoutez-les.

Si, dans le nombre infini de choses qui sont dans ce livre, il y en avait quelqu'une qui, contre mon attente, pût offenser, il n'y en a pas du moins qui ait été mise avec mauvaise intention. Je n'ai point naturellement l'esprit désapprobateur. Platon remerciait le ciel de ce qu'il était né du temps de Socrate ; et moi je lui rends grâces de ce qu'il m'a fait naître dans le gouvernement où je vis, et de ce qu'il a voulu que j'obéisse à ceux qu'il m'a fait aimer.

Je demande une grâce que je crains qu'on ne m'accorde pas : c'est de ne pas juger, par la lecture d'un moment, d'un travail de vingt années ;
10 d'approuver ou de condamner le livre entier, et non pas quelques phrases [1]. Si l'on veut chercher le dessein de l'auteur, on ne le peut bien découvrir que dans le dessein de l'ouvrage [2].

J'ai d'abord examiné les hommes, et j'ai cru que, dans cette infinie diversité de lois et de mœurs, ils n'étaient pas uniquement conduits par leurs fantaisies.

— 1 Cf. § 7. — 2 Donc ne pas prêter, *a priori*, telle ou telle thèse à l'auteur.

J'ai posé les principes, et j'ai vu les cas particuliers s'y plier comme d'eux-mêmes, les histoires de toutes les nations n'en être que les suites, et chaque loi particulière liée avec une autre loi, ou dépendre d'une autre plus générale [3].

20 Quand j'ai été rappelé à l'antiquité, j'ai cherché à en prendre l'esprit pour ne pas regarder comme semblables des cas réellement différents, et ne pas manquer les différences de ceux qui paraissent semblables [4].

Je n'ai point tiré mes principes de mes préjugés, mais de la nature des choses.

Ici, bien des vérités ne se feront sentir qu'après qu'on aura vu la chaîne qui les lie à d'autres [5]. Plus on réfléchira sur les détails, plus on sentira la certitude des principes. Ces détails mêmes, je ne les ai pas tous donnés : car, qui pourrait dire tout sans un mortel ennui ?

On ne trouvera point ici ces traits saillants qui semblent caractériser 30 les ouvrages d'aujourd'hui. Pour peu qu'on voie les choses avec une certaine étendue, les saillies s'évanouissent ; elles ne naissent d'ordinaire que parce que l'esprit se jette tout d'un côté, et abandonne tous les autres.

Je n'écris point pour censurer ce qui est établi dans quelque pays que ce soit [6]. Chaque nation trouvera ici les raisons de ses maximes, et on en tirera naturellement cette conséquence, qu'il n'appartient de proposer des changements qu'à ceux qui sont assez heureusement nés pour pénétrer d'un coup de génie toute la constitution d'un État [7].

Il n'est pas indifférent que le peuple soit éclairé. Les préjugés des magistrats [8] ont commencé par être les préjugés de la nation. Dans un 40 temps d'ignorance, on n'a aucun doute, même lorsqu'on fait les plus grands maux ; dans un temps de lumière, on tremble encore lorsqu'on fait les plus grands biens. On sent les abus anciens, on en voit la correction ; mais on voit encore les abus de la correction même. On laisse le mal, si l'on craint le pire ; on laisse le bien, si l'on est en doute du mieux.

On ne regarde les parties que pour juger du tout ensemble ; on examine toutes les causes pour voir tous les résultats [9].

Si je pouvais faire en sorte que tout le monde eût de nouvelles raisons pour aimer ses devoirs, son prince, sa patrie, ses lois ; qu'on pût mieux sentir son bonheur dans chaque pays, dans chaque gouvernement, dans 50 chaque poste où l'on se trouve, je me croirais le plus heureux des mortels.

Si je pouvais faire en sorte que ceux qui commandent augmentassent leurs connaissances sur ce qu'ils doivent prescrire, et que ceux qui obéissent trouvassent un nouveau plaisir à obéir, je me croirais le plus heureux des mortels.

Je me croirais le plus heureux des mortels, si je pouvais faire que les hommes pussent se guérir de leurs préjugés. J'appelle ici préjugés, non

---

— 3 Méthode *déductive* contrôlée par *l'expérience.* — 4 Définition de l'esprit historique. — 5 Tout se tient dans cet ouvrage, comme dans la réalité. — 6 S'il n'excuse pas tout, Montesquieu cherche à tout comprendre. — 7 La politique est une science. — 8 Des gouvernants. — 9 Il ne faut donc entreprendre de réformer un État qu'avec une extrême prudence.

pas ce qui fait qu'on ignore de certaines choses, mais ce qui fait qu'on s'ignore soi-même [10].

60 C'est en cherchant à instruire les hommes que l'on peut pratiquer cette vertu générale qui comprend l'amour de tous [11]. L'homme, cet être flexible, se pliant, dans la société, aux pensées et aux impressions des autres, est également capable de connaître sa propre nature lorsqu'on la lui montre, et d'en perdre jusqu'au sentiment lorsqu'on la lui dérobe.

J'ai bien des fois commencé, et bien des fois abandonné cet ouvrage ; j'ai mille fois envoyé aux vents les feuilles que j'avais écrites [12] ; je sentais tous les jours les mains paternelles tomber [13], je suivais mon objet sans former de dessein ; je ne connaissais ni les règles, ni les exceptions ; je ne trouvais la vérité que pour la perdre. Mais, quand j'ai découvert mes principes, tout ce que je cherchais est venu à moi ; et, dans le cours 70 de vingt années, j'ai vu mon ouvrage commencer, croître, s'avancer et finir.

Si cet ouvrage a du succès, je le devrai beaucoup à la majesté de mon sujet ; cependant, je ne crois pas avoir totalement manqué de génie. Quand j'ai vu ce que tant de grands hommes, en France, en Angleterre et en Allemagne, ont écrit avant moi, j'ai été dans l'admiration, mais je n'ai point perdu le courage : « Et moi aussi, je suis peintre », ai-je dit avec le Corrège [14].

LA NATURE DES GOUVERNEMENTS ET LEURS PRINCIPES

Nous groupons ici quelques *définitions* de Montesquieu, préambule indispensable à l'étude plus approfondie des *quatre types de gouvernement*.

Nature　　　　Il y a trois espèces de gouvernements : le RÉPUBLICAIN, le MONARCHIQUE et le DESPO-TIQUE. Pour en découvrir la nature, il suffit de l'idée qu'en ont les hommes les moins instruits. Je suppose trois définitions, ou plutôt trois faits : l'un, que « le gouvernement *républicain* est celui où le peuple en corps, ou seulement une partie du peuple, a la souveraine puissance ; le *monarchique*, celui où un seul gouverne, mais par des lois fixes et établies ; au lieu que, dans le *despotique*, un seul, sans loi et sans règle, entraîne tout par sa volonté et par ses caprices ».

Voilà ce que j'appelle la nature de chaque gouvernement. Il faut voir quelles sont les lois qui suivent directement de cette nature, et qui par conséquent sont les premières lois fondamentales (II, 1).

— 10 Il faut donc avant tout se *connaître* ; c'est le précepte socratique. — 11 La philanthropie (le mot date du XVIIIe siècle). — 12 Souvenir de l'*Énéide*, VI, 75. — 13 Cf. *Énéide*, VI, 33. — 14 Mot qu'aurait prononcé le Corrège devant la *Sainte Cécile* de Raphaël.

Le gouvernement républicain se subdivise lui-même en Démocratie *et* Aristocratie :

Lorsque, dans la république, le peuple en corps a la souveraine puissance, c'est une *Démocratie*. Lorsque la souveraine puissance est entre les mains d'une partie du peuple, cela s'appelle une *Aristocratie*.

Le peuple, dans la démocratie, est, à certains égards, le monarque ; à certains autres, il est le sujet (II, 2).

Dans l'aristocratie, la souveraine puissance est entre les mains d'un certain nombre de personnes. Ce sont elles qui font les lois et qui les font exécuter ; et le reste du peuple n'est tout au plus à leur égard que comme dans une monarchie les sujets sont à l'égard du monarque (II, 3).

Principe

Après avoir examiné quelles sont les lois relatives à la nature de chaque gouvernement, il faut voir celles qui le sont à son principe.

Il y a cette différence entre la nature du gouvernement et son principe que sa nature est ce qui le fait être tel, et son principe ce qui le fait agir. L'une est sa structure particulière, et l'autre les passions humaines qui le font mouvoir.

Or les lois ne doivent pas être moins relatives au principe de chaque gouvernement qu'à sa nature. Il faut donc chercher quel est ce principe. C'est ce que je vais faire dans ce livre-ci (III, 1).

DU PRINCIPE DE LA DÉMOCRATIE

Nourri de lettres grecques et romaines, MONTESQUIEU est plein d'admiration pour les *démocraties antiques* : en tant qu'humaniste, il a l'esprit *républicain*. Sa conception de la *vertu* républicaine est d'ailleurs complexe : les diverses définitions qu'il en donne précisent la notion sans l'épuiser ; il a affirmé qu'il avait en vue la vertu *politique*, mais il s'agit bien aussi de vertu *morale* : le moraliste rejoint ici l'écrivain politique.

Il ne faut pas beaucoup de probité pour qu'un gouvernement monarchique ou un gouvernement despotique se maintiennent ou se soutiennent. La force des lois dans l'un, le bras du prince toujours levé dans l'autre [1], règlent ou contiennent tout. Mais dans un État populaire, il faut un ressort de plus, qui est la VERTU [2].

Ce que je dis est confirmé par le corps entier de l'histoire, et est très conforme à la nature des choses [3]. Car il est clair que, dans une monarchie, où celui qui fait exécuter les lois se juge au-dessus des lois, on a besoin de moins de vertu que dans un gouvernement populaire, où celui qui fait exécuter les lois sent qu'il y est soumis lui-même et qu'il en portera le poids.

— 1 *Pour frapper*. Apprécier l'image. — 2 Cf. *Avertissement* : « Ce que j'appelle la *vertu* dans la république est l'amour de la patrie, c'est-à-dire de l'égalité » ; et aussi IV, 5 : « La vertu politique est un renoncement à soi-même, qui est toujours une chose très pénible. On peut définir cette vertu, l'amour des lois et de la patrie. Cet amour, demandant une préférence continuelle de l'intérêt public au sien propre, donne toutes les vertus particulières ; elles ne sont que cette préférence. » — 3 L'auteur fait appel à la fois à l'histoire et à la déduction.

Il est clair encore que le monarque qui, par mauvais conseil ou par négligence, cesse de faire exécuter les lois, peut aisément réparer le mal : il n'a qu'à changer de conseil, ou se corriger de cette négligence même. Mais lorsque, dans un gouvernement populaire, les lois ont cessé d'être exécutées, comme cela ne peut venir que de la corruption de la république, l'État est déjà perdu. [...]

... Lorsque cette vertu cesse, l'ambition entre dans les cœurs qui peuvent la recevoir, et l'avarice[4] entre dans tous. Les désirs changent d'objets :
20 ce qu'on aimait, on ne l'aime plus ; on était libre avec les lois, on veut être libre contre elles ; chaque citoyen est comme un esclave échappé de la maison de son maître ; ce qui était maxime, on l'appelle rigueur ; ce qui était règle, on l'appelle gêne ; ce qui était attention, on l'appelle crainte. C'est la frugalité qui y est l'avarice, et non pas le désir d'avoir. Autrefois le bien des particuliers faisait le trésor public ; mais pour lors le trésor public devient le patrimoine des particuliers. La république est une dépouille ; et sa force n'est plus que le pouvoir de quelques citoyens et la licence de tous (III, 3).

LA SÉPARATION DES POUVOIRS

Dans le chapitre VI du Livre XI, Montesquieu pose le principe de la *séparation des pouvoirs*, qui n'a rien perdu de son actualité. La liberté politique, qu'il a définie plus haut « le droit de faire tout ce que les lois permettent », ne peut régner que dans un gouvernement *modéré*, et trouve sa meilleure garantie dans l'équilibre des trois pouvoirs.

La liberté politique dans un citoyen est cette tranquillité d'esprit qui provient de l'opinion que chacun a de sa sûreté ; et pour qu'on ait cette liberté, il faut que le gouvernement soit tel qu'un citoyen ne puisse pas craindre un autre citoyen.

Lorsque, dans la même personne ou dans le même corps de magistrature, la puissance législative est réunie à la puissance exécutrice, il n'y a point de liberté, parce qu'on peut craindre que le même monarque ou le même sénat ne fasse des lois tyranniques pour les exécuter tyranniquement.

10 Il n'y a point encore de liberté si la puissance de juger n'est pas séparée de la puissance législative et de l'exécutrice. Si elle était jointe à la puissance législative, le pouvoir sur la vie et la liberté des citoyens serait arbitraire : car le juge serait législateur. Si elle était jointe à la puissance exécutrice, le juge pourrait avoir la force d'un oppresseur.

Tout serait perdu si le même homme, ou le même corps des principaux, ou des nobles, ou du peuple, exerçait ces trois pouvoirs : celui de faire des lois, celui d'exécuter les résolutions publiques, et celui de juger les crimes ou les différends des particuliers.

— 4 La cupidité (latin *avaritia*).

DE L'ESCLAVAGE DES NÈGRES

Pour combattre l'esclavage des nègres, Montesquieu emploie le procédé de l'*ironie* : il feint de parler en partisan de l'esclavage, mais les arguments qu'il apporte sont ridicules, absurdes et odieux ; la thèse esclavagiste s'en trouve absolument déconsidérée, et cette méthode indirecte se révèle donc plus *efficace* qu'un plaidoyer ému en faveur des nègres. D'ailleurs, sous la froideur affectée de l'ironie, il est aisé de discerner les véritables sentiments de l'auteur : sa généreuse *indignation* est sensible dès le début ; d'abord contenue, elle éclate à la fin du chapitre. L'action des philosophes aboutira à la suppression de l'esclavage par la Convention en 1794.

Si j'avais à soutenir le droit que nous avons eu de rendre les nègres esclaves, voici ce que je dirais :

Les peuples d'Europe ayant exterminé ceux de l'Amérique, ils ont dû mettre en esclavage ceux de l'Afrique, pour s'en servir à défricher tant de terres.

Le sucre serait trop cher, si l'on ne faisait travailler la plante qui le produit par des esclaves.

Ceux dont il s'agit sont noirs depuis les pieds jusqu'à la tête ; et ils ont le nez si écrasé, qu'il est presque impossible de les plaindre.

10   On ne peut se mettre dans l'esprit que Dieu, qui est un être très sage, ait mis une âme, surtout une âme bonne, dans un corps tout noir...

On peut juger de la couleur de la peau par celle des cheveux, qui, chez les Égyptiens, les meilleurs philosophes du monde, était d'une si grande conséquence [1], qu'ils faisaient mourir tous les hommes roux qui leur tombaient entre les mains.

Une preuve que les nègres n'ont pas le sens commun, c'est qu'ils font plus de cas d'un collier de verre que de l'or, qui, chez des nations policées [2], est d'une si grande conséquence [3].

Il est impossible que nous supposions que ces gens-là soient des 20   hommes, parce que, si nous les supposions des hommes, on commencerait à croire que nous ne sommes pas nous-mêmes chrétiens [4].

De petits esprits exagèrent trop l'injustice que l'on fait aux Africains : car, si elle était telle qu'ils le disent, ne serait-il pas venu dans la tête des princes d'Europe, qui font entre eux tant de conventions inutiles, d'en faire une générale en faveur de la miséricorde et de la pitié ? (XV, 5).

— 1 Importance. — 2 Civilisées. — 3 Voir note 1. — 4 Cf. *Lettres Persanes*, LXXV : « Les princes chrétiens... ont ensuite fait des conquêtes dans des pays où ils ont vu qu'il leur était avantageux d'avoir des esclaves ; ils ont permis d'en acheter et d'en vendre, oubliant ce principe de religion qui les touchait tant » (l'interdiction de l'esclavage par le christianisme).

TRÈS HUMBLE REMONTRANCE
AUX INQUISITEURS D'ESPAGNE ET DE PORTUGAL

Montesquieu attaque *l'intolérance* en matière de religion avec autant de vigueur et de conviction que l'esclavage des nègres. Mais ici il n'a pas recours à l'ironie : il fonde d'abord la *tolérance* sur la *raison :* « Lorsque les lois d'un État ont cru devoir souffrir plusieurs religions, il faut qu'elles les obligent aussi à se tolérer entre elles » (XXV, 9) ; puis, abordant un cas précis, il joint, dans le texte ci-dessous, *l'émotion* et *l'éloquence* au raisonnement. Par un artifice littéraire qui rend ce chapitre beaucoup plus pathétique, l'auteur ne parle pas en son nom personnel : il feint de citer l'ouvrage d'un auteur juif, composé à l'occasion du supplice d' « une juive de dix-huit ans, brûlée à Lisbonne au dernier auto-da-fé ». (Cf. Voltaire, *L'autodafé*).

« Vous vous plaignez, dit-il aux inquisiteurs, de ce que l'empereur du Japon fait brûler à petit feu tous les chrétiens qui sont dans ses États ; mais il vous répondra : Nous vous traitons, vous qui ne croyez pas comme nous, comme vous traitez vous-mêmes ceux qui ne croient pas comme vous ; vous ne pouvez vous plaindre que de votre faiblesse, qui vous empêche de nous exterminer, et qui fait que nous vous exterminons [1].

« Mais il faut avouer que vous êtes bien plus cruels que cet empereur [2]. Vous nous faites mourir, nous qui ne croyons que ce que vous croyez, parce que nous ne croyons pas tout ce que vous croyez. Nous suivons une
10 religion que vous savez vous-mêmes avoir été autrefois chérie de Dieu ; nous pensons que Dieu l'aime encore, et vous pensez qu'il ne l'aime plus ; et, parce que vous jugez ainsi, vous faites passer par le fer et par le feu ceux qui sont dans cette erreur si pardonnable, de croire que Dieu aime encore ce qu'il a aimé [3].

« Si vous êtes cruels à notre égard, vous l'êtes bien plus à l'égard de nos enfants ; vous les faites brûler, parce qu'ils suivent les inspirations que leur ont données ceux que la loi naturelle et les lois de tous les peuples leur apprennent à respecter comme des dieux [4].

« Vous vous privez de l'avantage que vous a donné sur les mahométans
20 la manière dont leur religion s'est établie. Quand ils se vantent du nombre de leurs fidèles, vous leur dites que la force les leur a acquis, et qu'ils ont étendu leur religion par le fer : pourquoi donc établissez-vous la vôtre par le feu ?

« Quand vous voulez nous faire venir à vous, nous vous objectons une source dont vous vous faites gloire de descendre [5]. Vous nous répondez que votre religion est nouvelle, mais qu'elle est divine ; et vous le prouvez parce qu'elle s'est accrue par la persécution des païens et par le sang de vos martyrs ; mais aujourd'hui vous prenez le rôle des Dioclétiens [6], et vous nous faites prendre le vôtre.

— 1 Tant que les chrétiens persécutent les juifs, ils n'ont pas le droit de se plaindre lorsqu'ils sont eux-mêmes persécutés. — 2 Nouvel argument : il y a moins de différence entre la religion juive et la religion chrétienne qu'entre celle-ci et celle des Japonais. — 3 Le christianisme, issu du judaïsme, continue à croire à l'*Ancien Testament*, auquel il a simplement ajouté le *Nouveau Testament*. — 4 C'est-à-dire *leurs parents*. — 5 Cf. le paragraphe 2. — 6 Empereur romain qui persécuta les chrétiens.

30   « Nous vous conjurons, non pas par le Dieu puissant que nous servons vous et nous, mais par le Christ que vous nous dites avoir pris la condition humaine pour vous proposer des exemples que vous puissiez suivre, nous vous conjurons d'agir avec nous comme il agirait lui-même s'il était encore sur la terre [7]. Vous voulez que nous soyons chrétiens et vous ne voulez pas l'être.

« Mais si vous ne voulez pas être chrétiens, soyez au moins des hommes : traitez-nous comme vous feriez, si, n'ayant que ces faibles lueurs de justice que la nature nous donne [8], vous n'aviez point une religion pour vous conduire, et une révélation pour vous éclairer.

« Si le Ciel vous a assez aimés pour vous faire voir la vérité, il vous a
40   fait une grande grâce ; mais est-ce aux enfants qui ont eu l'héritage de leur père de haïr ceux qui ne l'ont pas eu ?

« Que si vous avez cette vérité, ne nous la cachez pas par la manière dont vous nous la proposez. Le caractère de la vérité, c'est son triomphe sur les cœurs et les esprits, et non pas cette impuissance que vous avouez lorsque vous voulez la faire recevoir par des supplices.

« Si vous êtes raisonnables [9], vous ne devez pas nous faire mourir parce que nous ne voulons pas vous tromper. Si votre Christ est le fils de Dieu, nous espérons qu'il nous récompensera de n'avoir pas voulu profaner ses mystères [10] ; et nous croyons que le Dieu que nous servons, vous et
50   nous, ne nous punira pas de ce que nous avons souffert la mort pour une religion qu'il nous a autrefois donnée, parce que nous croyons qu'il nous l'a encore donnée.

« Vous vivez dans un siècle où la lumière naturelle est plus vive qu'elle n'a jamais été [11], où la philosophie a éclairé les esprits, où la morale de votre Évangile a été plus connue, où les droits respectifs des hommes les uns sur les autres, l'empire qu'une conscience a sur une autre conscience, sont mieux établis. Si donc vous ne revenez pas de vos anciens préjugés, qui, si vous n'y prenez garde, sont vos passions [12], il faut avouer que vous êtes incorrigibles, incapables de toute lumière et de toute instruction ;
60   et une nation est bien malheureuse, qui donne de l'autorité à des hommes tels que vous.

« Voulez-vous que nous vous disions naïvement [13] notre pensée ? Vous nous regardez plutôt comme vos ennemis, que comme les ennemis de votre religion ; car, si vous aimiez votre religion, vous ne la laisseriez pas corrompre par une ignorance grossière.

« Il faut que nous vous avertissions d'une chose : c'est que, si quelqu'un dans la postérité ose jamais dire que dans le siècle où nous vivons les peuples d'Europe étaient policés, on vous citera pour prouver qu'ils étaient barbares ; et l'idée que l'on aura de vous sera telle, qu'elle flétrira votre
70   siècle, et portera la haine sur tous vos contemporains. » (XXV, 13).

— 7 Argument capital : les persécutions sont contraires à l'enseignement du Christ (*Aimez-vous les uns les autres*). — 8 Appel aux *sentiments naturels d'humanité*. — 9 Appel à la *raison*. — 10 En nous convertissant par crainte, sans avoir la foi. — 11 Le *siècle des lumières*. — 12 En définitive ce sont des passions humaines, et non le zèle religieux, qui provoquent les persécutions (cf. § suivant). — 13 Ouvertement.

VOLTAIRE

Sa vie (1694-1778)   Né à Paris en 1694, François-Marie Arouet, fils d'un notaire, gardera de ses origines le sens des affaires et l'ambition d'égaler les nobles. Après de solides études classiques chez les jésuites de Louis-le-Grand (1704-1710), Arouet écrit des poèmes satiriques qui lui valent deux fois l'exil en province (1716) et un emprisonnement de onze mois à la Bastille (1717-1718). Sorti de prison, il prend le nom de Voltaire et devient célèbre à vingt-quatre ans grâce au succès d'une tragédie, *Œdipe* (1718) et d'un poème, *La Ligue* (1723). Une dispute l'oppose au chevalier de Rohan, plein de mépris pour ce bourgeois « qui n'a même pas un nom », et Voltaire est à nouveau embastillé, puis obligé de s'exiler en Angleterre (de mai 1726 à 1729). Il y publie *La Henriade*, remaniement de *La Ligue*, qu'il dédie à la reine d'Angleterre (1728).

De retour en France, il donne des tragédies inspirées de Shakespeare : *Brutus* (1730), *Zaïre* (1732), publie l'*Histoire de Charles XII* (1731), et les *Lettres Anglaises* ou *Lettres philosophiques* (1734), « première bombe lancée contre l'Ancien Régime » (Lanson). Une lettre de cachet l'oblige à s'exiler en Lorraine. Accueilli au château de Cirey, chez Madame du Chatelet (1734-1744), il multiplie les représentations dramatiques, s'occupe de physique, de chimie, d'astronomie, entreprend *Le Siècle de Louis XIV* et l'*Essai sur les mœurs*.

Rappelé à Versailles en 1744 par son ancien condisciple d'Argenson qui est devenu ministre, Voltaire devient historiographe du roi, puis gentilhomme ordinaire de la chambre. Il transpose dans *Zadig* (1747) ses mésaventures de courtisan. Mais ses imprudences entraînent sa disgrâce (1747).

Désorienté par la mort de Madame Du Châtelet (1749), il se rend à l'invitation de son disciple Frédéric II, roi de Prusse. C'est à Berlin qu'il publie *Le Siècle de Louis XIV* (1751) et qu'il s'engage définitivement, avec *Micromégas* (1752), dans la voie du conte philosophique. Il doit bientôt quitter la Prusse, déçu par le « despotisme éclairé », et il s'installe aux portes de Genève dans la propriété des Délices (1755-1760). Il y publie le *Poème sur le désastre de Lisbonne* et l'*Essai sur les mœurs* (1756), mais les calvinistes de Genève l'attaquent sévèrement. Cependant, il s'engage dans la bataille encyclopédique, se brouille définitivement avec Rousseau, et écrit *Candide* (1759), chef-d'œuvre du conte philosophique.

En 1760, Voltaire s'installe à Ferney, tout près de la Suisse, où il accueille de nombreux amis et d'où il est en relations avec toute l'Europe par sa vaste correspondance (6 000 lettres de 1760 à 1778). Champion de la justice, il lutte contre l'intolérance et les tares de la procédure. Il publie en 1764 son important *Dictionnaire philosophique*. Par ailleurs, il « civilise » la région de Ferney, y développant l'élevage et même l'industrie.

A quatre-vingt-quatre ans, Voltaire fait à Paris un retour triomphal. Il y meurt le 30 mai 1778, heureux d'avoir vu son buste couronné sur la scène après la représentation de sa dernière tragédie, *Irène*.

Les idées de Voltaire   Toute sa vie, Voltaire a combattu la métaphysique, considérée comme source d'angoisse et de fanatisme. La sagesse consiste à se détourner des problèmes insolubles et à rechercher le bonheur terrestre, « autant que la nature humaine le comporte ».

Mais si Voltaire s'oppose également à la foi, au mysticisme et aux religions révélées, il n'admet pas non plus l'athéisme. Selon lui, l'existence de Dieu s'impose à notre raison, comme celle de « l'horloger », « l'éternel architecte du monde », et elle est indispensable pour fonder la morale des esprits simples. Le philosophe établit ainsi une « religion naturelle », le culte de « l'Être suprême », « Dieu de tous les êtres, de tous les mondes et de tous les temps », qui favorise l'esprit de tolérance et l'amour du prochain.

Au plan *politique*, Voltaire fait l'éloge de la démocratie, mais il ne la croit applicable qu'aux petits États ; après avoir rêvé d'un « despote éclairé », il se tourne vers le régime constitutionnel anglais, qui garantit la liberté et limite le pouvoir royal, contrôlé par les élites sociales.

Ne croyant ni à la bonté primitive de l'homme ni à la chute originelle, Voltaire considère l'être humain comme *passable* et l'invite à organiser le *bonheur terrestre* avec les moyens qui sont à sa portée. Ainsi, la civilisation suppose la paix, la liberté et la justice, et elle est consacrée par le bien-être et le luxe, trouvant son couronnement dans les beaux-arts et l'activité intellectuelle.

LES LETTRES PHILOSOPHIQUES

Voltaire prend conscience de sa pensée au contact du peuple anglais, libre et respectueux de l'intelligence. Il y acquiert le sens de l'*œuvre philosophique* et découvre l'efficacité sociale de l'*humour*.

Les *Lettres Philosophiques* sont une date par la révélation de la prose voltairienne, claire, pétillante, perpétuellement ironique et porteuse d'idées.

En Angleterre cet écrivain exilé, qui se souvient d'avoir été embastillé, s'initie aux *libertés parlementaires* auprès de Bolingbroke, lord Peterborough, Walpole ; hôte du négociant FALKENER, il découvre les bienfaits du *commerce* et de l'*industrie ;* il étudie les *sectes religieuses* et fréquente des libres penseurs ; il s'entretient avec SWIFT, l'auteur de *Gulliver*, qui publie un journal satirique ; avec les poètes Pope, Gay, Young ; avec les philosophes Berkeley et Clarke ; il admire LOCKE et NEWTON ; il applaudit les drames de Shakespeare.

Les *Lettres Anglaises* (1734) sont une œuvre de propagande qui montre les bienfaits de la *liberté* religieuse, politique, philosophique, scientifique ou littéraire. C'est aussi une œuvre *satirique*, une critique permanente, directe ou déguisée, de la société française, avec son intolérance, son despotisme, ses privilèges et ses préjugés.

La XXVe lettre *Sur les Pensées de Pascal* révèle la portée profonde du livre : en réaction contre les bases théologiques et chrétiennes de la société française, Voltaire propose une notion purement *humaine et laïque* du bonheur terrestre.

L'entreprise était dangereuse. Voltaire retarda tant qu'il put la publication des *Lettres Philosophiques*. Mais la traduction parue en Angleterre (1733) et une contrefaçon de l'édition clandestine de Rouen provoquèrent une lettre de cachet (3 mai 1734). Aussitôt l'auteur s'enfuit en Lorraine ; l'imprimeur est mis à la Bastille ; le livre est condamné au feu par le Parlement, comme « propre à inspirer le libertinage le plus dangereux pour la religion et la société civile ». Mais cinq éditions s'épuisent dès 1734.

SUR LE COMMERCE

Hôte du riche marchand FALKENER, à qui il a dédié *Zaïre*, VOLTAIRE a pu mesurer le crédit dont jouissent en Angleterre les négociants, ainsi que les bienfaits de l'industrie et du commerce. Lui qui était surtout sensible à la civilisation mondaine, le voici qui s'intéresse aux *problèmes économiques* et s'enflamme, avec son sens pratique, pour le *bien-être matériel* et le *luxe :* il les considérera désormais comme inséparables de l'idée de civilisation. — Le pamphlétaire ne manque pas de railler, par contraste, la sottise du *préjugé nobiliaire (Lettre X).*

Le commerce, qui a enrichi les citoyens en Angleterre, a contribué à les rendre libres, et cette liberté a étendu le commerce à son tour ; de là s'est formée la grandeur de l'État. C'est le commerce qui a établi peu à peu les forces navales par qui les Anglais sont les maîtres des mers. Ils ont à présent près de deux cents vaisseaux de guerre. La postérité apprendra peut-être avec surprise qu'une petite île, qui n'a de soi-même qu'un peu de plomb, de l'étain, de la terre à foulon [1] et de la laine grossière, est devenue par son commerce assez puissante pour envoyer, en 1723 [2], trois flottes à la fois en trois extrémités du monde, l'une devant Gibraltar conquise et conservée par ses armes, l'autre à Portobello [3], pour ôter au roi d'Espagne la jouissance des trésors des Indes, et la troisième dans la mer Baltique, pour empêcher les puissances du Nord de se battre.

Quand Louis XIV faisait trembler l'Italie, et que ses armées, déjà maîtresses de la Savoie et du Piémont, étaient prêtes de prendre Turin, il fallut que le prince Eugène [4] marchât du fond de l'Allemagne au secours du duc de Savoie ; il n'avait point d'argent, sans quoi on ne prend ni ne défend les villes ; il eut recours à des marchands anglais : en une demi-heure de temps on lui prêta cinquante millions. Avec cela il délivra Turin, battit les Français, et écrivit à ceux qui avaient prêté cette somme ce petit billet : « Messieurs, j'ai reçu votre argent, et je me flatte de l'avoir employé à votre satisfaction [5] ».

Tout cela donne un juste orgueil à un marchand anglais et fait qu'il ose se comparer, non sans quelque raison, à un citoyen romain. Aussi le cadet d'un pair du royaume ne dédaigne point le négoce. Milord Townshend, ministre d'État, a un frère qui se contente d'être marchand dans la Cité. Dans le temps que milord Oxford gouvernait l'Angleterre, son cadet était facteur [6] à Alep, d'où il ne voulut pas revenir et où il est mort.

Cette coutume, qui pourtant commence trop à se passer, paraît monstrueuse à des Allemands entêtés de leurs quartiers [7] ; ils ne sauraient concevoir que le fils d'un pair d'Angleterre ne soit qu'un riche et puissant bourgeois, au lieu qu'en Allemagne tout est prince ; on a vu jusqu'à trente altesses du même nom n'ayant pour tout bien que des armoiries et de l'orgueil.

En France est marquis qui veut ; et quiconque arrive à Paris du fond d'une province avec de l'argent à dépenser, et un nom en *ac* ou en *ille*, peut dire : « Un homme comme moi, un homme de ma qualité », et mépriser souverainement un négociant. Le négociant entend lui-même parler si souvent avec mépris de sa profession, qu'il est assez sot pour en rougir [8] ; je ne sais pourtant lequel est le plus utile à un État, ou un seigneur bien poudré qui sait précisément à quelle heure le roi se lève, à quelle heure il se couche, et qui se donne des airs de grandeur en jouant le rôle d'esclave dans l'antichambre d'un ministre, ou un négociant qui enrichit son pays, donne de son cabinet des ordres à Surate [9] et au Caire, et contribue au bonheur du monde.

— 1 Argile qui sert à dégraisser les tissus. — 2 En réalité, juin 1726. — 3 Port de l'Amérique centrale. — 4 Prince français passé au service de l'Autriche, vainqueur à Turin en 1706. — 5 Voltaire a un peu « arrangé » les faits. Les merciers de Londres émirent un emprunt de 6 *millions* seulement, qui fut couvert en 6 *jours*, et le prince Eugène remercia *avant* la bataille en promettant d'en faire bon usage. — 6 Agent commercial dirigeant une « factorerie ». Alep est en Syrie du Nord. — 7 De noblesse. — 8 Cf. M. Jourdain dans *Le Bourgeois gentilhomme*, de Molière. — 9 Ville commerçante de l'Inde.

Sur les Pensées de Pascal
La Lettre XXV, *Remarques sur les Pensées de Pascal*, est comme l'aboutissement philosophique des leçons de l'Angleterre.

1. L'ANTI-PASCAL. Jusqu'à la veille de sa mort (*Dernières remarques*, 1777), VOLTAIRE s'attaque à Pascal comme à son adversaire direct. Il voit en lui un *fanatique* intellectuel qui égare l'homme dans la métaphysique et le dégoûte de la vie terrestre.

2. L'HOMME EST NÉ POUR L'ACTION. Pascal considérait le « divertissement », qui nous détourne de la méditation, comme « la plus grande de nos misères ». Pour VOLTAIRE au contraire l'*action* est la source du bonheur humain : « *L'homme est né pour l'action, comme le feu tend en haut et la pierre en bas. N'être point occupé et n'exister pas est la même chose pour l'homme* » (XXIII). « Cet instinct secret étant le premier principe et le fondement nécessaire de la société, il vient plutôt de la bonté de Dieu, et il est plutôt l'instrument de notre bonheur que le ressentiment de notre misère... N'est-il pas plaisant que des têtes pensantes aient pu imaginer que la paresse est un titre de grandeur, et l'action un rabaissement de notre nature ? » (XXIV). « Au contraire, l'homme est si heureux en ce point, et nous avons tant d'obligation à l'auteur de la nature, qu'il a attaché l'ennui à l'inaction, afin de nous forcer par là à être utiles au prochain et à nous-mêmes » (XXVI).

VOLTAIRE CONTRE PASCAL

Sous l'apparent hommage rendu à PASCAL, on notera le procédé de l'*insinuation* qui tend à déconsidérer son œuvre. Mais peut-on regarder Pascal comme un ennemi de l'espèce humaine et un défenseur maladroit du christianisme ? En réalité VOLTAIRE est au cœur du problème. Ce qu'il combat chez Pascal, c'est le *pessimisme* qui détourne l'homme de vivre « selon sa nature » ; c'est aussi la volonté de prouver *rationnellement* le christianisme, ce qui entraînerait l'adhésion *obligatoire* des hommes raisonnables, et favoriserait l'*intolérance*. Ces *Remarques* sont adressées à THIERIOT.

Je vous envoie les remarques critiques que j'ai faites depuis longtemps sur les *Pensées* de M. Pascal. Ne me comparez point ici, je vous prie, à Ezéchias qui voulut faire brûler tous les livres de Salomon. Je respecte le génie et l'éloquence de M. Pascal ; mais plus je les respecte, plus je suis persuadé qu'il aurait lui-même corrigé beaucoup de ces *Pensées*, qu'il avait jetées au hasard sur le papier pour les examiner ensuite : et c'est en admirant son génie que je combats quelques-unes de ses idées.

Il me paraît qu'en général l'esprit dans lequel M. Pascal écrivit ces *Pensées* était de montrer l'homme dans un jour odieux ; il s'acharne à
10 nous peindre tous méchants et malheureux [1] ; il écrit contre la nature humaine à peu près comme il écrivait contre les jésuites. Il impute à l'essence de notre nature ce qui n'appartient qu'à certains hommes : il dit éloquemment des injures au genre humain.

J'ose prendre le parti de l'humanité contre ce misanthrope sublime ; j'ose assurer que nous ne sommes ni si méchants ni si malheureux qu'il le dit. Je suis de plus très persuadé que s'il avait suivi, dans le livre qu'il méditait, le dessein qui paraît dans ses *Pensées*, il aurait fait un livre plein de paralogismes [2] éloquents et de faussetés admirablement déduites.

— 1 Songer au pessimisme janséniste ; mais | Pascal réduit-il l'homme au désespoir ? —
| 2 Erreurs involontaires de raisonnement.

Je crois même que tous ces livres qu'on a faits depuis peu pour prouver
20 la religion chrétienne, sont plus capables de scandaliser que d'édifier.
Ces auteurs prétendent-ils en savoir plus que Jésus-Christ et ses apôtres ?
C'est vouloir soutenir un chêne en l'entourant de roseaux ; on peut écarter
ces roseaux inutiles sans craindre de faire tort à l'arbre.

J'ai choisi avec discrétion [3] quelques *Pensées* de Pascal : j'ai mis les
réponses au bas. Au reste [4], on ne peut trop répéter ici combien il serait
absurde et cruel de faire une affaire de parti de cet examen des *Pensées*
de Pascal : je n'ai de parti que la vérité ; je pense qu'il est très vrai que ce
n'est pas à la métaphysique de prouver la religion chrétienne, et que la
raison est autant au-dessous de la foi que le fini est au-dessous de l'infini.
30 Il ne s'agit ici que de raison, et c'est si peu de chose chez les hommes que
cela ne vaut pas la peine de se fâcher.

LE BONHEUR SUR LA TERRE

« A l'égard de Pascal, le grand point de la question roule visiblement sur ceci, savoir
si la raison humaine peut prouver deux natures dans l'homme » (*A la Condamine*,
22 juin 1734). VOLTAIRE s'oppose en effet, essentiellement, à la prétention pascalienne
d'établir *en raison* le dogme de la chute originelle. Si le christianisme n'est plus qu'une
question de foi, le « sage » reste libre de fonder sa morale sur une connaissance *positive*
de l'homme et de ses limites.

III. « *Et cependant, sans ce mystère le plus incompréhensible de tous, nous sommes incom-*
préhensibles à nous-mêmes. Le nœud de notre condition prend ses retours et ses plis dans
l'abîme du péché originel ; de sorte que l'homme est plus inconcevable sans ce mystère que ce
mystère n'est inconcevable à l'homme. »

Est-ce raisonner que de dire : l'homme est inconcevable sans ce mystère
inconcevable [1] ? Pourquoi vouloir aller plus loin que l'Écriture ? n'y
a-t-il pas de la témérité à croire qu'elle a besoin d'appui, et que ces idées
philosophiques peuvent lui en donner [2] ? Qu'aurait répondu M. Pascal
à un homme qui lui aurait dit : « Je sais que le mystère du péché originel
est l'objet de ma foi et non de ma raison. Je conçois fort bien sans ce
mystère ce que c'est que l'homme [3]... L'homme n'est point une énigme
comme vous vous le figurez pour avoir le plaisir de la deviner. L'homme
paraît être à sa place dans la nature, supérieur aux animaux, auxquels
10 il est semblable par les organes ; inférieur à d'autres êtres, auxquels il
ressemble probablement par la pensée. Il est comme tout ce que nous
voyons, mêlé de mal et de bien, de plaisir et de peine. Il est pourvu de
passions pour agir [4], et de raison pour gouverner ses actions. Si l'homme

---

— 3 Discernement. — 4 Addition de l'éd. de
Kehl.

— 1 Autre rédact. : « Ne vaut-il pas mieux
dire : *Je ne sais rien* ? Un mystère ne fut jamais
une explication, c'est une chose divine et inexplicable ». — 2 « Encore une fois, adorons Dieu
sans vouloir percer dans l'obscurité de ses
mystères » (*Rem.* 12). — 3 Les Jésuites de

Trévoux donnèrent raison à Voltaire sur ce
point : la Révélation mise à part, l'homme peut
être ce qu'il est sans péché ni chute (Lanson). —
4 Voltaire réhabilite toujours les passions, contre
l'idée chrétienne de la corruption de l'homme.
A Pascal qui disait : « *Qui veut faire l'ange fait*
la bête », il réplique : « *Qui veut détruire les*
passions au lieu de les régler veut faire l'ange »
(Remarque 52).

était parfait, il serait Dieu, et ces prétendues contrariétés que vous appelez contradictions sont les ingrédients nécessaires qui entrent dans le composé de l'homme, qui est ce qu'il doit être [5]. » Voilà ce que la raison peut dire ; ce n'est donc point la raison qui apprend aux hommes la chute de la nature humaine ; c'est la foi seule à laquelle il faut avoir recours.

VI. « *En voyant l'aveuglement et la misère de l'homme, et ces contrariétés étonnantes qui se découvrent dans sa nature, en regardant tout l'univers muet, et l'homme sans lumière, abandonné à lui-même, et comme égaré dans ce recoin de l'univers, sans savoir qui l'y a mis, ce qu'il est venu y faire, ce qu'il deviendra en mourant, j'entre en effroi comme un homme qu'on aurait emporté endormi dans une île déserte et effroyable, et qui s'éveillerait sans connaître où il est et sans avoir aucun moyen d'en sortir ; et sur cela j'admire comment on n'entre pas en désespoir d'un si misérable état.* »

... Pour moi [6], quand je regarde Paris ou Londres, je ne vois aucune raison pour entrer dans ce désespoir dont parle M. Pascal ; je vois une ville qui ne ressemble en rien à une île déserte, mais peuplée, opulente, policée [7], et où les hommes sont heureux autant que la nature humaine le comporte. Quel est l'homme sage qui sera plein de désespoir parce qu'il ne sait pas la nature de sa pensée, parce qu'il ne connaît que quelques attributs de la matière, parce que Dieu ne lui a pas révélé ses secrets [8] ? Il faudrait autant se désespérer de n'avoir pas quatre pieds et deux ailes. Pourquoi nous faire horreur de notre être ? Notre existence n'est point si malheureuse qu'on veut nous le faire accroire. Regarder l'univers comme un cachot, et tous les hommes comme des criminels qu'on va exécuter, est l'idée d'un fanatique. Croire que le monde est un lieu de délices où l'on ne doit avoir que du plaisir, c'est la rêverie d'un sybarite. Penser que la terre, les hommes et les animaux sont ce qu'ils doivent être dans l'ordre de la Providence est, je crois, d'un homme sage.

X. « *S'il y a un Dieu, il ne faut aimer que lui et non les créatures.* »

Il faut aimer, et très tendrement, les créatures ; il faut aimer sa patrie, sa femme, son père, ses enfants ; et il faut si bien les aimer que Dieu nous les fait aimer malgré nous. Les principes contraires ne sont propres qu'à faire de barbares raisonneurs [9].

— 5 « L'état présent de l'homme n'est-il pas un bienfait du Créateur ? Qui vous a dit que Dieu vous en devait davantage ? Qui vous a dit que votre être exigeait plus de connaissances et plus de bonheur ? » (*Remarque 29 a*, éd. Lanson). — 6 Voltaire vient de citer une lettre de son ami Falkener qui trouve son bonheur sur la terre, sans la moindre angoisse métaphysique. — 7 *Bien administrée.* L'auteur songe à la prospérité matérielle des Anglais, due à l'industrie et au commerce. — 8 Autre rédact. : « Quel est l'homme sage qui sera prêt à se pendre parce qu'il ne sait pas comme on voit Dieu face à face et que sa raison ne peut débrouiller le mystère de la Trinité ? » — 9 Voltaire ne paraît pas comprendre que le chrétien doit aimer les créatures *par amour de Dieu.*

ROMANS ET CONTES

C'est le genre voltairien par excellence : en dehors des romans, beaucoup de *pamphlets*, de *Dialogues philosophiques*, d'articles du *Dictionnaire philosophique* se présentent sous la forme de dialogues ou de récits à idées. Mais bien entendu, les chefs-d'œuvre du genre sont les romans : *Zadig* (1747), *Babouc* (1748), *Micromégas* (1752), *Scarmentado* (1756), *Candide* (1759), *Jeannot et Colin* (1764), *l'Ingénu* (1767), *L'Homme aux quarante écus* (1768), *La Princesse de Babylone* (1768).

La *leçon* qui se dégage des contes est toujours la même : scepticisme envers la Providence, rôle prépondérant du hasard, médiocrité de l'homme, absurdité des religions, méfaits du fanatisme. Mais l'art du conteur fait oublier la sévérité de la thèse : verve pittoresque, esprit et humour sont toujours prêts à stimuler notre réflexion.

CANDIDE

Avec *Candide ou l'Optimisme* (1759), Voltaire réplique à Rousseau (*Lettre sur la Providence*) et surtout aux philosophes optimistes disciples de Leibnitz et de Wolf. Chaque chapitre nous découvre une forme nouvelle du mal, avant la conclusion, qui propose une solution de morale pratique, le travail, source de progrès matériels et moraux.

Candide porte à sa perfection l'art du roman philosophique par la diversité des aventures et la richesse psychologique du héros, et par les nuances incomparables de l'ironie voltairienne.

Le jeune CANDIDE *vivait heureux chez le baron de Thunder-ten-tronckh, en Westphalie :* « Il avait le jugement assez droit, avec l'esprit le plus simple... » *Dans le même château, le précepteur* PANGLOSS, *disciple de Leibnitz et de Wolf, professait un optimisme béat :* « Il prouvait admirablement qu'il n'y a point d'effet sans cause, et que, dans ce meilleur des mondes possibles, le château de monseigneur le baron était le plus beau des châteaux et madame la meilleure des baronnes possibles... Ceux qui ont avancé que tout est bien ont dit une sottise : il fallait dire que tout est au mieux ». CANDIDE *partageait d'autant plus volontiers cet optimisme qu'il était amoureux de* Mlle CUNÉGONDE, *fille du baron. Hélas ! le baron s'oppose à leurs amours et chasse l'infortuné Candide. Son existence ne sera plus, dès lors, qu'une suite de malheurs, réquisitoire accablant contre les illusions des optimistes.* CANDIDE *n'en restera pas moins fidèle aux leçons de* PANGLOSS : *c'est seulement au terme de ses infortunes qu'il comprendra enfin son erreur.*

Enrôlé de force, il assiste à une horrible bataille, déserte et passe en Hollande. Il y retrouve PANGLOSS *rongé d'une affreuse maladie, et apprend que tous les habitants du château ont été massacrés. Recueillis par un bon anabaptiste, les voici à Lisbonne juste au moment du terrible tremblement de terre ; le navire fait naufrage, leur bienfaiteur est noyé : hormis* CANDIDE *et* PANGLOSS, *la Providence n'épargne qu'un criminel ! Les deux hommes errent parmi les cadavres et les décombres ; une parole imprudente les fait condamner par l'Inquisition.* PANGLOSS *est pendu ; quant à* CANDIDE, *après avoir été supplicié, il est sauvé... par l'intervention de* CUNÉGONDE, *miraculeusement échappée au massacre de sa famille. Tout serait-il pour le mieux ? Non :* CANDIDE *est entraîné à tuer deux personnes et s'enfuit en Amérique. Il doit abandonner* CUNÉGONDE *et se réfugie auprès des Jésuites du Paraguay dont, grâce à la Providence, le colonel n'est autre que le frère de Cunégonde, lui aussi survivant. Hélas ! une dispute s'élève entre eux, et* CANDIDE, *pour la troisième fois meurtrier, pourfend son adversaire. Il échappe par bonheur aux sauvages Oreillons et séjourne au merveilleux pays d'Eldorado où les cailloux sont des diamants. Il en repart comblé de trésors et rencontre, à Surinam, un malheureux esclave. Après bien des mésaventures, le voici à Venise où il dîne avec six rois détrônés, venus au carnaval oublier leurs déboires. A Constantinople, il libère* PANGLOSS *miraculeusement sauvé, lui aussi, mais devenu galérien.* CANDIDE *ruiné retrouve enfin* CUNÉGONDE *enlaidie par ses malheurs ; il l'épouse néanmoins et s'installe avec ses compagnons d'infortune dans une métairie où, renonçant aux stériles bavardages métaphysiques, ils seront heureux grâce à leur travail.*

CANDIDE SOLDAT

A peine chassé de son château natal, CANDIDE verra les théories de PANGLOSS soumises à rude épreuve. Tout en ridiculisant l'optimisme, VOLTAIRE raille les méthodes militaires qu'il a observées en Prusse et dénonce *les horreurs de la guerre*. Le texte vaut avant tout par l'art de conter avec enjouement des choses pénibles et d'évoquer des atrocités avec une froideur affectée (CHAPITRES II ET III).

Rien n'était si beau, si leste, si brillant, si bien ordonné que les deux armées. Les trompettes, les fifres, les hautbois, les tambours, les canons, formaient une harmonie telle qu'il n'y en eut jamais en enfer. Les canons renversèrent d'abord à peu près six mille hommes de chaque côté ; ensuite la mousqueterie ôta du meilleur des mondes environ neuf à dix mille coquins qui en infectaient la surface. La baïonnette fut aussi la raison suffisante de la mort de quelques milliers d'hommes. Le tout pouvait bien se monter à une trentaine de mille âmes. Candide, qui tremblait comme un philosophe, se cacha du mieux qu'il put pendant cette
10 boucherie héroïque. Enfin, tandis que les deux rois faisaient chanter des *Te Deum*, chacun dans son camp, il prit le parti d'aller raisonner ailleurs des effets et des causes. Il passa par-dessus des tas de morts et de mourants, et gagna d'abord un village voisin ; il était en cendres : c'était un village abare que les Bulgares avaient brûlé, selon les lois du droit public. Ici des vieillards criblés de coups regardaient mourir leurs femmes égorgées, qui tenaient leurs enfants à leurs mamelles sanglantes ; là, des filles éventrées rendaient les derniers soupirs ; d'autres à demi brûlées criaient qu'on achevât de leur donner la mort. Des cervelles étaient répandues sur la terre à côté de bras et de jambes coupés.
20 Candide s'enfuit au plus vite dans un autre village : il appartenait à des Bulgares, et les héros abares l'avaient traité de même. Candide, toujours marchant sur des membres palpitants, ou à travers des ruines, arriva enfin hors du théâtre de la guerre, portant quelques petites provisions dans son bissac, et n'oubliant jamais Mlle Cunégonde.

L'AUTODAFÉ

Voici une spirituelle critique de l'optimisme : la principale victime de cet autodafé est *le philosophe optimiste lui-même*, et, par un humour qui lui est propre, Voltaire évoque la belle ordonnance de la « cérémonie » en parodiant le style béat du disciple de Leibnitz. Quant à la satire des *absurdités* et des pratiques *barbares* de l'Inquisition, encore vivantes à l'époque, elle nous aide à mieux comprendre l'acharnement de l'auteur contre le fanatisme et, peut-être, certaines de ses mesquineries antireligieuses (CHAPITRE VI).

Après le tremblement de terre qui avait détruit les trois quarts de Lisbonne[1], les sages du pays n'avaient pas trouvé un moyen plus efficace

―――――

— 1 Il y eut plus de 20 000 victimes.

Voltaire âgé
à sa table de travail.
Maquette en terre cuite
(vers 1773).
Paris, musée Carnavalet.
(Photo E.B.)

Voltaire,
seigneur de Ferney,
et ses amis les paysans,
d'après J. Huber
(fin XVIIIᵉ s.).
Genève, institut
et musée Voltaire.
(Photo Lauros-Giraudon.)

Ci-dessus,
Paris, capitale des lettres européennes au XVIIIᵉ s.
N.-J.-B. Raguenet : *le Pont-Neuf et la Samaritaine.*
Paris, musée Carnavalet.
(Photo Jeanbor - E.B.)

Ci-dessous,
Pierre-Antoine Demachy :
la Colonnade du Louvre (vers 1773).
Paris, musée Carnavalet.
(Photo Jeanbor - E.B.)

pour prévenir une ruine totale que de donner au peuple un bel autodafé[2] ;
il était décidé par l'université de Coïmbre que le spectacle de quelques
personnes brûlées à petit feu en grande cérémonie est un secret infaillible
pour empêcher la terre de trembler.

On avait en conséquence saisi un Biscayen[3] convaincu d'avoir épousé
sa commère[4], et deux Portugais qui, en mangeant un poulet, en avaient
arraché le lard[5] ; on vint lier après le dîner le docteur Pangloss et son
10 disciple Candide, l'un pour avoir parlé[6], et l'autre pour l'avoir écouté
d'un air d'approbation : tous deux furent menés séparément dans des
appartements d'une extrême fraîcheur, dans lesquels on n'était jamais
incommodé du soleil ; huit jours après ils furent tous deux revêtus d'un
san-benito[7] et on orna leurs têtes de mitres de papier : la mitre et le
san-benito de Candide étaient peints de flammes renversées et de diables
qui n'avaient ni queues ni griffes ; mais les diables de Pangloss portaient
griffes et queues, et les flammes étaient droites[8]. Ils marchèrent en
procession ainsi vêtus, et entendirent un sermon très pathétique, suivi
d'une belle musique en faux-bourdon[9]. Candide fut fessé en cadence,
20 pendant qu'on chantait ; le Biscayen et les deux hommes qui n'avaient
pas voulu manger le lard furent brûlés, et Pangloss fut pendu, quoique
ce ne soit pas la coutume. Le même jour la terre trembla de nouveau avec
un fracas épouvantable[10].

Candide épouvanté, interdit, éperdu, tout sanglant, tout palpitant, se
disait à lui-même : « Si c'est ici le meilleur des mondes possibles, que sont
donc les autres ? passe encore si je n'étais que fessé, je l'ai été chez les
Bulgares ; mais, ô mon cher Pangloss, le plus grand des philosophes,
faut-il vous avoir vu pendre, sans que je sache pourquoi ! Ô mon cher
anabaptiste[11], le meilleur des hommes, faut-il que vous ayez été noyé
30 dans le port ! Ô mademoiselle Cunégonde, la perle des filles, faut-il qu'on
vous ait fendu le ventre[12] ! »

Il s'en retournait, se soutenant à peine, prêché, fessé, absous et béni,
lorsqu'une vieille[13] l'aborda, et lui dit : « Mon fils, prenez courage,
suivez-moi. »

— 2 « *Acte de foi* » : cérémonie solennelle où
l'on exécutait des hérétiques. Cet autodafé eut
lieu réellement le 20 juin 1756. — 3 De la
province basque de Biscaye. — 4 *Marraine* d'un
enfant dont il était parrain. Un tel mariage est
interdit par l'Église. — 5 Selon l'usage des Juifs.
— 6 Pangloss, disant que « tout est nécessaire »,
a paru douter du libre arbitre de l'homme, condition de la chute originelle. — 7 Casaque jaune
des condamnés, rappelant le vêtement de l'ordre
de saint Benoît. — 8 Détails symboliques, selon
le degré de culpabilité (cf. l. 10). — 9 Chant
d'église à plusieurs voix. — 10 Il y eut en effet
d'autres secousses, mais en 1755. — 11 Les
anabaptistes différaient le baptême jusqu'à l'âge
de raison. — 12 Au moment du massacre de
sa famille. — 13 Elle est au service de Cunégonde qui, mêlée à la foule, assiste à l'autodafé.

« *IL FAUT CULTIVER NOTRE JARDIN* »

Loin de nous laisser sur l'impression décourageante d'un pessimisme fataliste et sans nuances, la *Conclusion* de *Candide* nous offre un *remède pratique* au mal qui règne dans le monde : si la Providence se désintéresse des hommes, il dépend de nous de « *cultiver notre jardin* ». La formule doit beaucoup aux préoccupations du « jardinier » qui vient d'acheter Ferney (oct. 1758), mais elle prend une valeur plus *largement symbolique* si l'on songe à l'activité universelle de ce vieillard, persuadé dès 1730 que l'*homme est né pour l'action*. VOLTAIRE est pessimiste sans doute, mais d'un *pessimisme viril*, tempéré par l'idée de la civilisation et du progrès dont il attend le bonheur des hommes.

Il y avait dans le voisinage un derviche [1] très fameux, qui passait pour le meilleur philosophe de la Turquie ; ils allèrent le consulter [2]. Pangloss porta la parole et lui dit : « Maître, nous venons vous prier de nous dire pourquoi un aussi étrange animal que l'homme a été formé. — De quoi te mêles-tu, lui dit le derviche ? est-ce là ton affaire ? — Mais, mon révérend père, dit Candide, il y a horriblement de mal sur la terre. — Qu'importe, dit le derviche, qu'il y ait du mal ou du bien ? quand Sa Hautesse [3] envoie un vaisseau en Égypte, s'embarrasse-t-elle si les souris qui sont dans le vaisseau sont à leur aise ou non ? — Que faut-il
10 donc faire ? dit Pangloss. — Te taire, dit le derviche. — Je me flattais, dit Pangloss, de raisonner un peu avec vous des effets et des causes, du meilleur des mondes possibles, de l'origine du mal, de la nature de l'âme et de l'harmonie préétablie [4]. » Le derviche, à ces mots, leur ferma la porte au nez.

Pendant cette conversation, la nouvelle s'était répandue qu'on venait d'étrangler à Constantinople deux vizirs du banc [5] et le mufti [6], et qu'on avait empalé plusieurs de leurs amis : cette catastrophe faisait partout un grand bruit pendant quelques heures. Pangloss, Candide et Martin [7], en retournant à la petite métairie, rencontrèrent un bon vieillard qui
20 prenait le frais à sa porte sous un berceau d'orangers. Pangloss, qui était aussi curieux que raisonneur, lui demanda comment se nommait le mufti qu'on venait d'étrangler. « Je n'en sais rien, répondit le bonhomme, et je n'ai jamais su le nom d'aucun mufti ni d'aucun vizir. J'ignore absolument l'aventure dont vous me parlez ; je présume qu'en général ceux qui se mêlent des affaires publiques périssent quelquefois misérablement, et qu'ils le méritent ; mais je ne m'informe jamais de ce qu'on fait à Constantinople ; je me contente d'y envoyer vendre les fruits du jardin que je cultive. » Ayant dit ces mots, il fit entrer les étrangers dans sa maison ; ses deux filles et ses deux fils leur présentèrent plusieurs sortes
30 de sorbets qu'ils faisaient eux-mêmes, du kaïmak [8] piqué d'écorces de cédrat confit, des oranges, des citrons, des limons [9], des ananas, des

---

— 1 Moine mahométan. — 2 Ils se trouvaient malheureux, et Martin disait que « l'homme était né pour vivre dans les convulsions de l'inquiétude ou dans la léthargie de l'ennui ». — 3 Le Sultan. — 4 Résumé amusant des théories de Leibnitz. — 5 Conseillers du Sultan. — 6 Chef religieux. — 7 Philosophe pessimiste qui accompagne Candide. — 8 Friandise à base de crème sucrée. — 9 *Cédrat, limons* : variétés de citrons.

pistaches, du café de Moka qui n'était point mêlé avec le mauvais café de Batavia et des îles : après quoi les deux filles de ce bon musulman parfumèrent les barbes de Candide, de Pangloss et de Martin. « Vous devez avoir, dit Candide au Turc, une vaste et magnifique terre ? — Je n'ai que vingt arpents [10], répondit le Turc ; je les cultive avec mes enfants : le travail éloigne de nous trois grands maux, l'ennui [11], le vice et le besoin ».

Candide, en retournant dans sa métairie, fit de profondes réflexions sur le discours du Turc ; il dit à Pangloss et à Martin : « Ce bon vieillard me paraît s'être fait un sort bien préférable à celui des six rois avec qui nous avons eu l'honneur de souper [12]. — Les grandeurs, dit Pangloss, sont fort dangereuses, selon le rapport de tous les philosophes : car enfin Eglon, roi des Moabites, fut assassiné par Aod ; Absalon fut pendu par les cheveux et percé de trois dards ; le roi Nadab, fils de Jéroboam, fut tué par Baza, le roi Ela par Zambri, Ochosias par Jéhu, Attalia par Joiada ; les rois Joachim, Jéchonias, Sédécias, furent esclaves. Vous savez comment périrent Crésus, Astyage, Darius, Denys de Syracuse, Pyrrhus, Persée, Annibal, Jugurtha, Arioviste, César, Pompée, Néron, Othon, Vitellius, Domitien, Richard II d'Angleterre, Édouard II, Henri VI, Richard III, Marie Stuart, Charles Ier, les trois Henri de France, l'empereur Henri IV. Vous savez... — Je sais aussi, dit Candide, qu'il faut cultiver notre jardin. — Vous avez raison, dit Pangloss ; car quand l'homme fut mis dans le jardin d'Éden, il y fut mis *ut operaretur eum*, pour qu'il travaillât : ce qui prouve que l'homme n'est pas né pour le repos. — Travaillons sans raisonner, dit Martin ; c'est le seul moyen de rendre la vie supportable. »

Toute la petite société entra dans ce louable dessein ; chacun se mit à exercer ses talents : la petite terre rapporta beaucoup. Cunégonde était, à la vérité, bien laide, mais elle devint une excellente pâtissière ; Paquette [13] broda, la vieille eut soin du linge. Il n'y eut pas jusqu'à frère Giroflée [14] qui ne rendît service ; il fut un très bon menuisier, et même devint honnête homme ; et Pangloss disait quelquefois à Candide : « Tous les événements sont enchaînés dans le meilleur des mondes possibles ; car enfin, si vous n'aviez pas été chassé d'un beau château à grands coups de pied dans le derrière pour l'amour de Mlle Cunégonde, si vous n'aviez pas été mis à l'Inquisition, si vous n'aviez pas couru l'Amérique à pied, si vous n'aviez pas donné un bon coup d'épée au baron, si vous n'aviez pas perdu tous vos moutons du bon pays d'Eldorado, vous ne mangeriez pas ici des cédrats confits et des pistaches. — Cela est bien dit, répondit Candide ; mais il faut cultiver notre jardin ».

— 10 *Arpent* : environ 35 ares. — 11 Au sens pascalien d'*inquiétude* (cf. *Lettres Philosophiques*). — 12 A Venise où, pour oublier leur sort, ces rois détrônés étaient venus « passer le carnaval ». — 13 Servante de Cunégonde. — 14 Moine libéré du couvent, rencontré à Venise.

VOLTAIRE HISTORIEN

Avant Voltaire, l'histoire est représentée par des mémorialistes (Retz, Saint-Simon), des compilateurs sans méthode critique (Mézeray, le P. Daniel, Rollin), des philosophes (Saint-Évremond), des théologiens (Bossuet). Toutefois, avec Bayle et Fontenelle, se précisent des exigences critiques, et Fénelon définit les notions d'impartialité et de couleur historique. Enfin Montesquieu inaugure la philosophie de l'histoire. Voltaire a sans cesse élargi le champ de sa curiosité : son *Charles XII* (1731) est l'histoire d'un roi, le *Siècle de Louis XIV* (1751) celle d'une nation, l'*Essai sur les Mœurs* (1756) est une histoire du monde.

La méthode historique

Le *Siècle de Louis XIV* est l'œuvre d'un philosophe autant que d'un historien, et l'*Essai sur les Mœurs* a tout le parti pris d'une œuvre de propagande. Néanmoins Voltaire a contribué à créer la notion de science historique.

S'élevant contre les portraits de fantaisie et les fausses harangues de l'histoire traditionnelle, il se livre à la chasse aux *documents*, car « un fait vaut mieux que cent antithèses ». L'historien est « comptable de la vérité » aux hommes de tous les pays. Mais qu'elle est difficile à établir ! « Les hommes diffèrent entre eux d'état, de parti, de religion. Le guerrier, le magistrat, le janséniste, le moliniste ne voient point les mêmes faits avec les mêmes yeux... Parlez de la Révocation de l'Édit de Nantes à un bourgmestre hollandais, c'est une tyrannie imprudente ; consultez un ministre de la cour de France, c'est une politique sage. Que dis-je ! La même nation, au bout de vingt ans, n'a plus les mêmes idées qu'elle avait sur le même événement et la même personne » (1744).

Voltaire s'est constitué une *méthode d'investigation*, contrôlant la chronologie, confrontant prudemment les témoignages passionnés. « Il n'y a peut-être qu'une règle sûre, c'est de croire le bien qu'un historien de parti ose dire des héros de la faction contraire et le mal qu'il ose dire des chefs de la sienne dont il n'aura pas à se plaindre » ; quant aux témoignages d'adversaires, « s'ils s'accordent, ils sont vrais ; s'ils se contrarient, doutez. » (*Dictionnaire Philosophique*, Histoire, III). Ne pouvant contrôler seul les huit siècles de l'*Essai sur les Mœurs*, il s'est résigné à agir en compilateur, mais avec circonspection, car « toute certitude qui n'est pas démonstration mathématique n'est qu'une extrême probabilité. Il n'y a pas d'autre certitude historique » (*Ibid.*).

Toutefois, dès le *Siècle de Louis XIV*, et surtout dans l'*Essai sur les Mœurs*, l'éclairage des faits exacts sera faussé par le *parti pris philosophique :* Voltaire insiste sur les petitesses de l'histoire, l'intolérance, le fanatisme, mais il est fermé au sentiment religieux et aux enthousiasmes nobles.

Aux exigences de la science, Voltaire ajoute celles de l'*art :* l'histoire doit se lire avec intérêt, et les détails doivent être choisis pour éclairer les événements.

L'histoire de la civilisation

« On n'a fait que l'histoire des rois, mais on n'a point fait celle de la nation. Il semble que pendant quatorze cents ans il n'y ait eu dans les Gaules que des rois, des ministres et des généraux ; mais nos mœurs, nos lois, nos coutumes, notre esprit ne sont-ils donc rien ? » (*A d'Argenson*, 1740).

Cet élargissement du champ de l'histoire conduit Voltaire à modifier l'optique traditionnelle : « J'aimerais mieux des détails sur Racine et Despréaux, sur Quinault, Lulli, Molière, Le Brun, Bossuet, Poussin, Descartes, etc., que sur la bataille de Steinkerque. Il ne reste plus rien que le nom de ceux qui ont conduit des bataillons et des escadrons ; il ne revient rien au genre humain de cent batailles données ; mais les grands hommes dont je vous parle ont préparé des plaisirs purs et durables aux hommes qui ne sont pas encore nés. Une écluse du canal qui joint les deux mers, un tableau du Poussin, une belle tragédie, une vérité découverte sont des choses mille fois plus précieuses que toutes les relations de campagnes ; vous savez que chez moi les grands hommes sont les premiers et les héros les derniers. J'appelle grands hommes tous ceux qui ont excellé dans l'utile ou dans l'agréable. Les saccageurs de provinces ne sont que héros. » (A Thieriot, 15 juillet 1735). Charles XII n'était qu'un héros ; Louis XIV intéresse désormais Voltaire parce que c'est un « grand homme » qui a encouragé la civilisation et les arts : le *Siècle* sera conçu plus tard comme l'aboutissement de l'*Essai sur les Mœurs*.

La philosophie de l'histoire   L'auteur cherche dans l'histoire une confirmation de sa *philosophie*. Le *hasard* y domine, des causes infimes expliquant les plus grands événements. Cependant, Voltaire croit discerner dans l'ensemble une sorte de tendance diffuse vers la *civilisation*. Même si le progrès n'est pas continu, il est possible de réaliser sur la terre une société heureuse. « Les guerres civiles ont très longtemps désolé l'Allemagne, l'Angleterre, la France ; mais ces malheurs ont été bientôt réparés, et l'état florissant de ces pays prouve que l'industrie des hommes a été beaucoup plus loin encore que leur fureur... Quand une nation connaît les arts, quand elle n'est point subjuguée et transportée par les étrangers, elle sort aisément de ses ruines et se rétablit toujours » (Conclusion de l'*Essai sur les Mœurs*).

LA LUTTE PHILOSOPHIQUE

L'Affaire Calas   A Toulouse, en 1761, le jeune Marc-Antoine CALAS est trouvé pendu dans sa propre maison. La rumeur publique accuse son père, le calviniste Jean Calas, de l'avoir assassiné pour l'empêcher de se faire catholique. Les passions religieuses déchaînées influent sur les juges eux-mêmes : bien qu'il crie jusqu'au bout son innocence, *Jean Calas est rompu vif sur la roue* (10 mars 1762). Sa femme est acquittée, son fils Pierre condamné au bannissement, ses deux filles enfermées dans des couvents.

Après une enquête sérieuse, VOLTAIRE acquiert la *conviction* que Calas est innocent et il déploie une activité extraordinaire pour obtenir la *révision du procès*. Obtenant un premier arrêt en faveur de Calas, le philosophe saisit l'occasion de stigmatiser le fanatisme dans le *Traité sur la Tolérance* (1763). Il obtient la cassation du jugement en 1764, et en 1765, la réhabilitation de Calas.

Traité sur la Tolérance (1763)   *Dans ces 25 chapitres, après avoir évoqué l'innocence de Calas et les méfaits du fanatisme, VOLTAIRE plaide la cause des protestants. Les progrès de la raison, l'adoucissement des mœurs, la force du gouvernement permettraient de tolérer maintenant les calvinistes sans craindre de désordres : le retour des exilés enrichirait la France.*

Le philosophe fait alors l'historique de l'intolérance à travers les âges, montre qu'elle n'est pas de droit naturel, conte les atrocités des guerres de religion, et s'étonne que les chrétiens puissent recourir à la persécution quand leurs dogmes sont si incertains. Jésus-Christ n'a-t-il pas répudié la violence, pour prêcher la douceur et le pardon ? Contre l'intolérance, n'avons-nous pas les témoignages des philosophes et des hommes d'Église : Saint Augustin, Saint Bernard, Fléchier, Fénelon ? Attachons donc moins d'importance aux dogmes incertains qu'aux actes vertueux, et les persécutions feront place à la tolérance universelle : « Je vous dis qu'il faut regarder tous les hommes comme nos frères : Quoi ! mon frère le Turc ? mon frère le Chinois ? le Juif ? le Siamois ? — Oui, sans doute : ne sommes-nous pas tous enfants du même père et créatures du même Dieu ? »

PRIÈRE A DIEU

VOLTAIRE se tourne avec émotion vers le « Dieu de tous les êtres ». Son *déisme* lui permet de s'élever au-dessus des religions et de considérer la faiblesse humaine avec une commisération qui conduit logiquement à la *tolérance*. Mais cet appel, dont les intentions sont très nobles, peut-il être vraiment efficace alors qu'il repose sur le *doute rationnel*, c'est-à-dire sur la négation même de la foi religieuse ? Dans ce morceau d'apparat où l'auteur adjure les religions de se respecter mutuellement, l'*esprit voltairien* reprend çà et là le dessus pour railler, avec une irrévérence mesquine, les singularités de leurs rites.

Ce n'est plus aux hommes que je m'adresse ; c'est à toi, Dieu de tous les êtres, de tous les mondes, et de tous les temps [1] : s'il est permis à de faibles créatures perdues dans l'immensité, et imperceptibles au reste de l'univers, d'oser te demander quelque chose, à toi qui as tout donné, à toi dont les décrets sont immuables comme éternels [2], daigne regarder en pitié les erreurs attachées à notre nature ; que ces erreurs ne fassent point nos calamités. Tu ne nous as point donné un cœur pour nous haïr, et des mains pour nous égorger ; fais que nous nous aidions mutuellement à supporter le fardeau d'une vie pénible et passagère [3] ; que les petites
10 différences entre les vêtements qui couvrent nos débiles corps, entre tous nos langages insuffisants, entre tous nos usages ridicules, entre toutes nos lois imparfaites, entre toutes nos opinions insensées, entre toutes nos conditions si disproportionnées à nos yeux, et si égales devant toi ; que toutes ces petites nuances qui distinguent les atomes appelés *hommes* ne soient pas des signaux de haine et de persécution ; que ceux qui allument des cierges en plein midi pour te célébrer supportent [4] ceux qui se contentent de la lumière de ton soleil ; que ceux qui couvrent leur robe d'une toile blanche pour dire qu'il faut t'aimer ne détestent pas ceux qui disent la même chose sous un manteau de laine noire ; qu'il soit égal
20 de t'adorer dans un jargon formé d'une ancienne langue [5], ou dans un jargon plus nouveau ; que ceux dont l'habit est teint en rouge ou en violet [6], qui dominent sur une petite parcelle d'un petit tas de la boue de ce monde et qui possèdent quelques fragments arrondis d'un certain métal, jouissent sans orgueil de ce qu'ils appellent *grandeur* et *richesse* [7], et que les autres les voient sans envie : car tu sais qu'il n'y a dans ces vanités ni de quoi envier, ni de quoi s'enorgueillir.

Puissent tous les hommes se souvenir qu'ils sont frères ! qu'ils aient en horreur la tyrannie exercée sur les âmes, comme ils ont en exécration

---

— 1 Voltaire vient de ridiculiser les sectes qui disent : « Il y a 900 millions de petites fourmis comme nous sur la terre, mais il n'y a que ma fourmilière qui soit chère à Dieu ; toutes les autres lui sont en horreur de toute éternité ; elle seule sera heureuse ». — 2 Cf. DIALOGUES, *Providence* : « Je crois la Providence générale, ma chère sœur, celle dont est émanée de toute éternité la loi qui règle toute chose ; mais je ne crois point qu'une Providence particulière change l'économie du monde pour votre moineau ou pour votre chat ». — 3 « La nature dit à tous les hommes : *Puisque vous êtes faibles, secourez-vous ; puisque vous êtes ignorants, éclairez-vous et supportez-vous* » (chap. XXV). Cf. la Conclusion de Candide. — 4 C'est le sens même du latin *tolerare*. — 5 Le latin. — 6 Cardinaux et évêques. — 7 Dans le *Dictionnaire Philosophique*, Voltaire, partisan de donner un salaire décent aux prêtres de toutes les religions (art. *Curé de Campagne*), s'élève contre les richesses et les ambitions temporelles des hauts dignitaires (art. *Abbé*).

le brigandage qui ravit par la force le fruit du travail et de l'industrie
30 paisible ! Si les guerres sont inévitables, ne nous haïssons pas, ne nous
déchirons pas les uns les autres dans le sein de la paix, et employons
l'instant de notre existence à bénir également en mille langages divers,
depuis Siam jusqu'à la Californie, ta bonté qui nous a donné cet instant.

Au terme de cette Prière à Dieu, VOLTAIRE *se félicite de la révision du procès Calas :* « *Il y
a donc de l'humanité et de la justice chez les hommes... Je sème un grain qui pourra un jour
produire une moisson* ».

Le Dictionnaire Philosophique

Le *Dictionnaire Philosophique portatif* ou *La Raison par
alphabet* (1764) est devenu un ensemble de 614 articles
quand les éditeurs de Kehl y ont inséré ceux des
Questions sur l'Encyclopédie (1771-1773) et de l'*Opinion par alphabet*. Il y a des articles
d'esthétique et de critique littéraire : *Anciens et Modernes, Art dramatique, Beau, Épopée,
Goût, Histoire ;* de philosophie : *Ame, Aristote, Athéisme, Bien, Tout est bien, Blé* (cf.
ci-après), *Causes finales, Homme, Nature, Philosophie ;* de critique religieuse : *Abbaye,
Abraham, Alcoran, Apôtres, Catéchismes, Dieu, Dogmes, Martyrs, Prières, Religion ;* de
critique politique et sociale : *Certitude, Démocratie, Égalité, Esclaves, Fertilisation, Guerre,
Impôts, Lois, Torture, Patrie.*

VOLTAIRE croyait cette formule du « *Portatif* » mieux adaptée à la lutte philosophique
que les gros volumes de l'*Encyclopédie.* Beaucoup d'articles, d'une variété extrême, tant
pour les sujets que pour la forme et le ton, ont en effet *le charme de ses meilleurs pamphlets*
et nous ramènent sans cesse aux thèmes préférés de la propagande voltairienne : superstition, fanatisme, erreurs judiciaires, injustice sociale.

BLÉ

Paru en 1770 dans les *Questions sur l'Encyclopédie*, l'article *Blé* résume sous une forme
piquante l'esprit du *Dictionnaire Philosophique :* lutte contre les erreurs et les superstitions, action prudente mais persévérante de la *philosophie* en faveur du progrès. La
philosophie a pour fonction « d'exterminer la barbarie » : « Vous me répliquez qu'on n'en
viendra pas à bout. Non, chez le peuple et chez les imbéciles ; mais chez tous les honnêtes
gens, votre affaire est faite » (*Dictionnaire Philosophique*, Philosophie, section I). On verra
que, même du côté du peuple, VOLTAIRE n'abandonnait pas totalement la partie.

On dit proverbialement : « *Manger son blé en herbe ; être pris comme
dans un blé ; crier famine sur un tas de blé.* » Mais de tous les proverbes
que cette production de la nature et de nos soins a fournis, il n'en est
point qui mérite plus d'attention des législateurs que celui-ci : « *Ne
nous remets pas au gland quand nous avons du blé.* »

Cela signifie une infinité de bonnes choses, comme par exemple : Ne
nous gouverne pas dans le XVIIIe siècle comme on gouvernait du temps
d'Albouin, de Gondebald, de Clodevick [1], nommé en latin Clodovœus.
Ne parle plus des lois de Dagobert, quand nous avons les œuvres du
10 chancelier d'Aguesseau, les discours de MM. les gens du roi, Montclar,
Servan, Castillon, La Chalotais, Dupaty [2], etc.

Ne nous cite plus les miracles de saint Amable, dont les gants et le
chapeau furent portés en l'air pendant tout le voyage qu'il fit à pied du

---

— 1 Rois des Lombards, des Bourguignons,
des Francs (VIe siècle). — 2 Jurisconsultes
contemporains qui réclamaient des améliorations
de la législation et de la justice : égalité devant
la loi, abolition de la torture, état civil aux protestants, etc. La Chalotais avait été emprisonné
en 1765, Dupaty en 1770.

fond de l'Auvergne à Rome. Laisse pourrir tous les livres remplis de pareilles inepties, songe dans quel siècle nous vivons.

Si jamais on assassine à coups de pistolet un maréchal d'Ancre, ne fais point brûler sa femme en qualité de sorcière [3], sous prétexte que son médecin italien lui a ordonné de prendre du bouillon fait avec un coq blanc, tué au clair de lune, pour la guérison de ses vapeurs.

20 Distingue toujours les honnêtes gens qui pensent, de la populace qui n'est point faite pour penser. Si l'usage t'oblige à faire une cérémonie ridicule en faveur de cette canaille [4], et si en chemin tu rencontres quelques gens d'esprit, avertis-les par un signe de tête, par un coup d'œil, que tu penses comme eux [5], mais qu'il ne faut pas rire [6].

Affaiblis peu à peu toutes les superstitions anciennes, et n'en introduis aucune nouvelle.

Les lois doivent être pour tout le monde ; mais laisse chacun suivre ou rejeter à son gré ce qui ne peut être fondé que sur un usage indifférent.

Si la servante de Bayle meurt entre tes bras, ne lui parle point comme à Bayle, ni à Bayle comme à sa servante.

30 Si les imbéciles veulent encore du gland, laisse-les en manger ; mais trouve bon qu'on leur présente du pain [7].

En un mot, ce proverbe est excellent en mille occasions.

HOMME

Presque tout l'article *Homme (Questions sur l'Encyclopédie,* 1771) est une satire des idées de Rousseau sur l'*état de nature.* Voltaire vient de soutenir que, loin d'être fait pour la solitude, l'homme est fait pour vivre en société ; « *loin que le besoin de la société ait dégradé l'homme, c'est l'éloignement de la société qui le dégrade* ». On verra dans le passage suivant comment Voltaire réfute le tableau idyllique de l'homme à l'état de nature selon Rousseau. Entraîné par la polémique ou par une expérience plus amère du monde, il considère la condition humaine d'un œil *moins optimiste* qu'au temps des *Lettres Anglaises.*

Que serait l'homme dans l'état qu'on nomme de *pure nature?* Un animal fort au-dessous des premiers Iroquois qu'on trouva dans le nord de l'Amérique. Il serait très inférieur à ces Iroquois, puisque ceux-ci savaient allumer du feu et se faire des flèches. Il fallut des siècles pour parvenir à ces deux arts.

L'homme abandonné à la pure nature n'aurait pour tout langage que quelques sons mal articulés ; l'espèce serait réduite à un très petit nombre par la difficulté de la nourriture et par le défaut des secours, du moins

---

— 3 Après le meurtre de Concini (1617), sa femme fut brûlée comme sorcière. Voltaire cite souvent cet exemple de superstition populaire. — 4 Terme de mépris par lequel Voltaire désigne couramment la populace. — 5 Cf. *Dialogues,* XVIII, où Voltaire fait définir par Rabelais sa tactique philosophique : « Je pris mes compatriotes par leur faible ; je parlai de boire, je dis des ordures, et avec ce secret tout me fut permis. Les gens d'esprit y entendirent finesse et m'en surent gré ; les gens grossiers ne virent que les ordures et les savourèrent ; tout le monde m'aima, loin de

me persécuter ». — 6 La plupart des philosophes durent garder l'anonymat pour éviter les persécutions ; plusieurs (Voltaire, Diderot) furent emprisonnés. — 7 Voltaire ne désespère pas d'instruire « la partie saine du peuple ». Il s'élève, dans l'article *Fraude,* contre ceux qui veulent « user de fraudes pieuses avec le peuple » et lui enseigner des erreurs pour son bien : « Nos lettrés sont de la même pâte que nos tailleurs, nos tisserands et nos laboureurs... pourquoi ne pas daigner instruire nos ouvriers comme nous instruisons nos lettrés ? »

dans nos tristes climats. Il n'aurait pas plus de connaissance de Dieu et
10 de l'âme que des mathématiques, ses idées seraient renfermées dans le
soin de se nourrir [1]. L'espèce des castors serait très préférable.

C'est alors que l'homme ne serait précisément qu'un enfant robuste [2],
et on a vu beaucoup d'hommes qui ne sont pas fort au-dessus de cet état.

Les Lapons, les Samoïèdes, les habitants du Kamtchatka, les Cafres, les
Hottentots sont à l'égard de l'homme en l'état de pure nature ce qu'étaient
autrefois les cours de Cyrus et de Sémiramis en comparaison des habitants des Cévennes. Et cependant ces habitants du Kamtchatka et ces
Hottentots de nos jours, si supérieurs à l'homme entièrement sauvage,
sont des animaux qui vivent six mois de l'année dans des cavernes, où ils
20 mangent à pleines mains la vermine dont ils sont mangés.

En général l'espèce humaine n'est pas de deux ou trois degrés plus
civilisée que les gens du Kamtchatka. La multitude des bêtes brutes
appelées *hommes*, comparée avec le petit nombre de ceux qui pensent,
est au moins dans la proportion de cent à un chez beaucoup de nations [3].

Il est plaisant de considérer d'un côté le P. Malebranche qui s'entretient
familièrement avec le Verbe [4], et de l'autre ces millions d'animaux
semblables à lui qui n'ont jamais entendu parler du Verbe, et qui n'ont
pas une idée métaphysique. Entre les hommes à pur instinct et les hommes
de génie flotte ce nombre immense occupé uniquement de subsister [5].

30 Cette subsistance coûte des peines si prodigieuses qu'il faut souvent,
dans le nord de l'Amérique, qu'une image de Dieu [6] coure cinq ou six
lieues pour avoir à dîner, et que chez nous l'image de Dieu arrose la
terre de ses sueurs toute l'année pour avoir du pain.

Ajoutez à ce pain ou à l'équivalent une hutte et un méchant habit ; voilà
l'homme tel qu'il est en général d'un bout de l'univers à l'autre. Et ce
n'est que dans une multitude de siècles qu'il a pu arriver à ce haut degré.

Enfin, après d'autres siècles, les choses viennent au point où nous les
voyons. Ici on représente une tragédie en musique ; là on se tue sur la
mer dans un autre hémisphère avec mille pièces de bronze ; l'opéra et
40 un vaisseau de guerre du premier rang étonnent toujours mon imagination. Je doute qu'on puisse aller plus loin dans aucun des globes dont
l'étendue est semée. Cependant plus de la moitié de la terre habitable
est encore peuplée d'animaux à deux pieds qui vivent dans cet horrible
état qui approche de la pure nature, ayant à peine le vivre et le vêtir,
jouissant à peine du don de la parole, s'apercevant à peine qu'ils sont
malheureux, vivant et mourant presque sans le savoir.

— 1 Cf. « La populace reste toujours dans la profonde ignorance où la nécessité de gagner sa vie la condamne, et où l'on a cru longtemps que le bien de l'État devait la tenir » (*Dialogues*, IV).
— 2 Thèse de l'Anglais Hobbes combattue par Rousseau, car l'enfant n'est pas libre. —
3 Cf. « Il y a peu d'êtres pensants. Mon ancien disciple couronné me mande qu'il n'y en a guère qu'un sur mille : c'est à peu près le nombre de la bonne compagnie » (*A d'Alembert*, 1765). — 4 Terme biblique désignant la Divi-

nité. — 5 Cf. « Ce monde-ci est composé de fripons, de fanatiques et d'imbéciles parmi lesquels il y a un petit troupeau séparé qu'on appelle la bonne compagnie ; ce petit troupeau étant riche, bien élevé, instruit, poli, est comme la fleur du genre humain ; c'est pour lui que les plaisirs honnêtes sont faits » (*Dialogues*, XI). Pour Voltaire, la richesse est importante parce qu'elle libère l'homme des occupations vulgaires et lui permet de s'adonner aux « plaisirs honnêtes » de la civilisation. — 6 Cf. *Genèse* : « Dieu créa l'homme à son image ».

Poésie lyrique La *poésie légère* ou *«fugitive»* convenait à la verve malicieuse et impertinente de VOLTAIRE, à son esprit pétillant et naturellement badin. Il s'y mêle parfois une *discrète mélancolie* qui fait de ces œuvres gracieuses des chefs-d'œuvre de la *poésie élégiaque*.

L'amour et l'amitié

Le premier de ces deux poèmes est extrait d'une *lettre* de VOLTAIRE à son cher ami CIDEVILLE (1741) ; quant à l'autre, croirait-on que la *mélancolie* d'un octogénaire puisse s'exprimer avec cette *grâce légère* et *fluide?* *(Stances à Mme Lullin,* 1773). C'est encore dans ces pièces de circonstance que VOLTAIRE est le plus véritablement *lyrique*, par la souplesse et l'abandon de la phrase, par le frémissement du *rythme* attendri ou mélancolique.

« Si vous voulez que j'aime encore,
Rendez-moi l'âge des amours :
Au crépuscule de mes jours
Rejoignez, s'il se peut, l'aurore.

Des beaux lieux où le dieu du vin
Avec l'Amour tient son empire,
Le Temps, qui me prend par la main,
M'avertit que je me retire.

De son inflexible rigueur
Tirons au moins quelque avantage.
Qui n'a pas l'esprit de son âge,
De son âge a tout le malheur.

Laissons à la belle jeunesse
Ses folâtres emportements ;
Nous ne vivons que deux moments,
Qu'il en soit un pour la sagesse.

Quoi ! pour toujours vous me fuyez,
Tendresse, illusion, folie,
Dons du ciel, qui me consoliez
Des amertumes de la vie !

On meurt deux fois, je le vois bien :
Cesser d'aimer et d'être aimable,
C'est une mort insupportable ;
Cesser de vivre, ce n'est rien. »

Ainsi je déplorais la perte
Des erreurs de mes premiers ans,
Et mon âme, aux désirs ouverte,
Regrettait ses égarements.

Du ciel alors daignant descendre,
L'Amitié vint à mon secours :
Elle était peut-être aussi tendre,
Mais moins vive que les Amours.

Touché de sa beauté nouvelle,
Et de sa lumière éclairé,
Je la suivis ; mais je pleurai
De ne pouvoir plus suivre qu'elle.

Hé quoi ! vous êtes étonnée
Qu'au bout de quatre-vingts hivers,
Ma muse faible et surannée
Puisse encor fredonner des vers ?

Quelquefois un peu de verdure
Rit sous les glaçons de nos champs ;
Elle console la nature
Mais elle sèche en peu de temps.

Un oiseau peut se faire entendre
Après la saison des beaux jours ;
Mais sa voix n'a plus rien de tendre,
Il ne chante plus ses amours.

Ainsi je touche encor ma lyre,
Qui n'obéit plus à mes doigts ;
Ainsi j'essaie encor ma voix
Au moment même qu'elle expire.

« Je veux dans mes derniers adieux,
Disait Tibulle à son amante,
Attacher mes yeux sur tes yeux,
Te presser de ma main mourante. »

Mais quand on sent qu'on va passer,
Quand l'âme fuit avec la vie,
A-t-on des yeux pour voir Délie,
Et des mains pour la caresser ?

Dans ce moment chacun oublie
Tout ce qu'il a fait en santé.
Quel mortel s'est jamais flatté
D'un rendez-vous à l'agonie ?

Délie elle-même, à son tour,
S'en va dans la nuit éternelle,
En oubliant qu'elle fut belle,
Et qu'elle a vécu pour l'amour.

Nous naissons, nous vivons, bergère,
Nous mourons sans savoir comment ;
Chacun est parti du néant :
Où va-t-il ?... Dieu le sait, ma chère.

DIDEROT

Sa vie (1713-1784)

Aîné d'une famille de sept enfants, DENIS DIDEROT naquit à Langres en octobre 1713. Son père, maître coutelier, était un artisan aisé. Destiné à l'état ecclésiastique, le jeune Diderot fait de brillantes études qu'il va poursuivre à Paris, où il devient maître ès-arts en 1732. Il perd alors la foi et mène une vie de bohème sur laquelle nous avons peu de renseignements. Il fait la connaissance de ROUSSEAU (sans doute en 1742) et, par son intermédiaire, de GRIMM. Il épouse en 1743 une lingère, Antoinette Champion, malgré l'opposition de son père. Il ne sera pas heureux en ménage, mais sa fille, née en 1753, lui procurera de grandes joies.

En 1745, DIDEROT se lance dans la lutte philosophique en traduisant librement un ouvrage de l'Anglais Shaftesbury. *Les Pensées Philosophiques* en 1746, puis la *Lettre sur les aveugles* en 1749, le rendent suspect par un déisme qui s'oriente de plus en plus vers le matérialisme. De juillet à novembre 1749, Diderot est enfermé au château de Vincennes. En 1756, il rencontre SOPHIE VOLLAND ; il éprouve pour elle une tendresse passionnée, et les lettres qu'il lui écrit (1759-1774) constituent peut-être son chef-d'œuvre. Cependant, le philosophe a accepté la direction d'une énorme tâche, l'*Encyclopédie*, qu'il mène de 1746 à 1765, lui consacrant le meilleur de son temps et de ses forces.

Les activités littéraires de Diderot sont très variées :

DRAMATURGE, il rêve d'un genre nouveau, le drame ou comédie sérieuse, dont il fait la théorie : *Entretiens sur le fils naturel* (1757) ; *De la Poésie dramatique* (1758). Il écrit lui-même des drames et il manifeste sa connaissance des problèmes du théâtre dans le *Paradoxe du comédien* (1773) : il y soutient la thèse que l'acteur doit garder dans son jeu toute sa lucidité et non se laisser posséder par le personnage qu'il incarne.

CRITIQUE D'ART, il rédige l'article *Beau* de l'*Encyclopédie*, et écrit de nombreux *Salons* (1759-1781).

ROMANCIER et conteur, il a laissé deux chefs-d'œuvre, le *Neveu de Rameau*, commencé en 1762, et *Jacques le fataliste* (1773).

PHILOSOPHE enfin, il tente de fonder une morale sur l'analyse scientifique des conditions de l'existence humaine : *Entretien entre D'Alembert et Diderot, Rêve de D'Alembert* (1769), *Supplément au voyage de Bougainville* (vers 1772).

De 1765 à 1784, la fin de la vie de Diderot est marquée par ses voyages à Saint-Pétersbourg, où la tsarine CATHERINE II, qui a acheté sa bibliothèque en lui en laissant la jouissance, lui fait mesurer les possibilités du despotisme éclairé.

Diderot meurt à Paris le 30 juillet 1784.

Son tempérament

DIDEROT est dominé par une prodigieuse vitalité, qui le soumet à tous les enthousiasmes et à tous les excès. « Dogmatique pour, le matin, dogmatique contre, l'après-midi », il accumule les contradictions dans sa vie comme dans son œuvre. Sa *contradiction* essentielle le pousse à se soumettre tantôt à la *raison*, tantôt à une *sensibilité* qui le jette au culte de la passion et de l'instinct, préfigurant les inquiétudes de la génération romantique. Mais la vivacité de ce tempérament est une des raisons essentielles du charme de Diderot. Tantôt lyrique, tantôt paradoxale, sa pensée se coule dans un art frémissant qui se modèle sur le jaillissement même de la vie. Il nous force à réagir en nous présentant, souvent sous forme de dialogue, des idées contradictoires entre lesquelles il ne choisit pas. Gœthe écrivait à son sujet : « La plus haute efficacité de l'esprit est d'éveiller l'esprit. »

LA POÉSIE DE L'AVENIR

Opposant la force *instinctive* et *sauvage* de l'inspiration au goût classique, Diderot semble *prophétiser* la tourmente révolutionnaire et la poésie romantique. Cet idéal correspond à un besoin des générations montantes, comme vont le prouver, deux ans plus tard (1760), les accents « barbares » des poèmes attribués à Ossian par l'Écossais Macpherson (*De la Poésie dramatique*, ch. XVIII).

Qu'est-ce qu'il faut au poète ? Est-ce une nature brute ou cultivée, paisible ou troublée ? Préférera-t-il la beauté d'un jour pur et serein à l'horreur d'une nuit obscure, où le sifflement interrompu des vents se mêle par intervalles au murmure[1] sourd et continu d'un tonnerre éloigné, et où il voit l'éclair allumer le ciel sur sa tête[2] ? Préférera-t-il le spectacle d'une mer tranquille à celui des flots agités ? Le muet et froid édifice d'un palais à la promenade parmi des ruines ? Un édifice construit, un espace planté de la main des hommes, au touffu d'une antique forêt, au creux ignoré d'une roche déserte ? Des nappes d'eau, des bassins,
10   des cascades, à la vue d'une cataracte qui se brise en tombant à travers des rochers, et dont le bruit se fait entendre au loin du berger qui a conduit son troupeau dans la montagne, et qui l'écoute avec effroi ?

La poésie veut quelque chose d'énorme, de barbare et de sauvage.

C'est lorsque la fureur de la guerre civile ou du fanatisme arme les hommes de poignards, et que le sang coule à grands flots sur la terre, que le laurier d'Apollon[3] s'agite et verdit. Il en veut être arrosé. Il se flétrit dans les temps de la paix et du loisir. Le siècle d'or[4] eût produit une chanson peut-être, ou une élégie. La poésie épique et la poésie dramatique demandent d'autres mœurs.
20   Quand verra-t-on naître des poètes ? Ce sera après les temps de désastres et de grands malheurs ; lorsque les peuples harassés commenceront à respirer. Alors les imaginations, ébranlées par des spectacles terribles, peindront des choses inconnues à ceux qui n'en ont pas été les témoins. N'avons-nous pas éprouvé, dans quelques circonstances, une sorte de terreur qui nous était étrangère[5] ? Pourquoi n'a-t-elle rien produit ? N'avons-nous plus de génie ?

Le génie est de tous les temps ; mais les hommes qui le portent en eux demeurent engourdis, à moins que des événements extraordinaires n'échauffent la masse, et ne les fassent paraître[6]. Alors les sentiments
30   s'accumulent dans la poitrine, la travaillent ; et ceux qui ont un organe[7], pressés de parler, le déploient et se soulagent.

— 1 *Grondement :* sens étymologique. — 2 Cf. Chateaubriand : « Levez-vous vite, orages désirés... » ; « Je marchais à grands pas, le visage enflammé, le vent sifflant dans ma chevelure, ne sentant ni pluie, ni frimas... » *(René).* — 3 Dieu de la grande poésie. — 4 Époque fabuleuse où les hommes auraient connu un bonheur parfait. — 5 L'inspiration ainsi conçue est une sorte de délire. — 6 Comparer la formule de Voltaire : « Le génie n'a qu'un siècle, après quoi il faut qu'il dégénère » — 7 Le don du verbe, de l'expression poétique.

LE CONTEUR RÉALISTE

Les Goncourt ont salué en DIDEROT le créateur du roman réaliste. Mais, si les contes de Diderot sont pleins de détails pittoresques finement observés et souvent empruntés à la vie quotidienne du XVIIIᵉ siècle, le *réalisme* est toujours associé à une *satire* mordante et à une thèse qu'il s'agit de mettre en valeur.

Le Neveu
de Rameau — Commencée en 1762, restée en chantier une vingtaine d'années, cette œuvre, inédite du vivant de DIDEROT, fut connue d'abord par une traduction allemande de Gœthe (1805), puis par des copies de seconde main, jusqu'au jour où un érudit découvrit chez un bouquiniste le manuscrit autographe de Diderot (1891). Le *Neveu de Rameau* est une satire, à la fois au sens ordinaire du terme, et au sens de « *pot-pourri* » qu'avait à l'origine le mot latin *satura*. L'auteur y déverse, dans un dialogue brillant, la plupart de ses idées morales et esthétiques. Deux personnages s'y affrontent : Jean-François Rameau (LUI), neveu du musicien Jean-Philippe Rameau, et Diderot (MOI). Sans prendre à son compte tous les scandaleux paradoxes de Rameau, Diderot est fasciné par des *tendances anarchiques* qu'il refoule généralement dans sa vie.

UN SINGULIER PERSONNAGE

Le neveu de Rameau est un bohème, une « espèce » comme on disait alors. DIDEROT le connaît « de longue main », et il éprouve à son égard des sentiments contradictoires : *il ne l'estime pas*, nous dit-il, et pourtant *il est très attiré par lui* : c'est que de tels *originaux* agissent comme un *ferment* et obligent à réagir contre le conformisme et la tyrannie des conventions sociales. La présente rencontre a lieu au café de la Régence, place du Palais-Royal, rendez-vous des joueurs d'échecs.

Un après-dîner, j'étais là, regardant beaucoup, parlant peu et écoutant le moins que je pouvais [1], lorsque je fus abordé par un des plus bizarres personnages de ce pays où Dieu n'en a pas laissé manquer. C'est un composé de hauteur et de bassesse, de bon sens et de déraison. Il faut que les notions de l'honnête et du déshonnête soient bien étrangement brouillées dans sa tête, car il montre ce que la nature lui a donné de bonnes qualités sans ostentation, et ce qu'il en a reçu de mauvaises sans pudeur. Au reste, il est doué d'une organisation forte, d'une chaleur d'imagination singulière, et d'une vigueur de poumons peu commune. Si vous le rencontrez jamais et que son originalité ne vous arrête [2] pas, ou vous mettrez vos doigts dans vos oreilles, ou vous vous enfuirez. Dieux, quels terribles poumons ! Rien ne dissemble [3] plus de lui que lui-même. Quelquefois il est maigre et hâve comme un malade au dernier degré de la consumption ; on compterait ses dents à travers ses joues, on dirait qu'il a passé plusieurs jours sans manger, ou qu'il sort de la Trappe [4]. Le mois suivant, il est gras et replet comme s'il n'avait

---

— 1 Parce que les joueurs d'échecs sont parfois des sots. — 2 Retienne. — 3 Verbe forgé par Diderot, d'après *ressembler* et *dissemblable*. — 4 Couvent dont la règle est extrêmement sévère. Les *Bernardins* passaient au contraire pour de bons vivants.

pas quitté la table d'un financier, ou qu'il eût été renfermé dans un couvent de Bernardins. Aujourd'hui en linge sale, en culotte déchirée, couvert de lambeaux, presque sans souliers, il va la tête basse, il se
20 dérobe, on serait tenté de l'appeler pour lui donner l'aumône. Demain poudré, chaussé, frisé, bien vêtu, il marche la tête haute, il se montre, et vous le prendriez à peu près pour un honnête homme. Il vit au jour la journée ; triste ou gai, selon les circonstances. Son premier soin [5] le matin, quand il est levé, est de savoir où il dînera ; après dîner, il pense où il ira souper. La nuit amène aussi son inquiétude : ou il regagne, à pied, un petit grenier qu'il habite, à moins que l'hôtesse ennuyée d'attendre son loyer ne lui en ait redemandé la clef ; ou il se rabat dans une taverne du faubourg où il attend le jour entre un morceau de pain et un pot de bière. Quand il n'a pas six sous dans sa poche, ce qui lui
30 arrive quelquefois, il a recours soit à un fiacre [6] de ses amis, soit au cocher d'un grand seigneur qui lui donne un lit sur de la paille, à côté de ses chevaux. Le matin il a encore une partie de son matelas dans ses cheveux. Si la saison est douce, il arpente toute la nuit le Cours [7] ou les Champs-Élysées. Il reparaît avec le jour à la ville, habillé de la veille pour le lendemain, et du lendemain quelquefois pour le reste de la semaine. Je n'estime pas ces originaux-là ; d'autres en font leurs connaissances familières, même leurs amis. Ils m'arrêtent une fois l'an, quand je les rencontre, parce que leur caractère tranche avec celui des autres, et qu'ils rompent cette fastidieuse uniformité que notre éducation, nos
40 conventions de société, nos bienséances d'usage, ont introduite. S'il en paraît un dans une compagnie, c'est un grain de levain qui fermente et qui restitue à chacun une portion de son individualité naturelle [8]. Il secoue, il agite ; il fait approuver ou blâmer ; il fait sortir la vérité, il fait connaître les gens de bien ; il démasque les coquins ; c'est alors que l'homme de bon sens écoute et démêle son monde.

L'HOMME ORCHESTRE

Entre autres talents, le neveu de Rameau possède, à un degré rare, celui de la *pantomime :* il faut le voir exécuter un morceau de musique sans violon ni clavecin ! Un peu plus loin il se surpassera, « faisant lui seul les danseurs, les danseuses, les chanteurs, les chanteuses, tout un orchestre, tout un théâtre lyrique ». Diderot a su peindre avec une vie étonnante cette gesticulation forcénée, mais infiniment expressive.

En même temps, il se met dans l'attitude d'un joueur de violon ; il fredonne de la voix un *allegro* [1] de Locatelli [2], son bras droit imite le mouvement de l'archet, sa main gauche et ses doigts semblent se promener sur la longueur du manche ; s'il fait un faux ton, il s'arrête, il remonte ou

---

— 5 Souci. — 6 Cocher de fiacre. — 7 Le Cours-la-Reine. — 8 Or Diderot aime les indivi-   dualités bien marquées, les caractères tranchés.

— 1 Mouvement vif et gai d'une sonate. — 2 Virtuose et compositeur italien.

baisse la corde ; il la pince de l'ongle pour s'assurer si elle est juste ; il reprend le morceau où il l'a laissé. Il bat la mesure du pied, il se démène de la tête, des pieds, des mains, des bras, du corps, comme vous avez vu quelquefois, au concert spirituel [3], Ferrari ou Chiabran [4], ou quelque autre virtuose dans les mêmes convulsions, m'offrant l'image du même
10 supplice et me causant à peu près la même peine ; car n'est-ce pas une chose pénible à voir que le tourment dans celui qui s'occupe à me peindre le plaisir ? Tirez entre cet homme et moi un rideau qui me le cache, s'il faut qu'il me montre un patient appliqué à [5] la question. Au milieu de ses agitations et de ses cris, s'il se présentait une tenue [6], un de ces endroits harmonieux où l'archet se meut lentement sur plusieurs cordes à la fois, son visage prenait l'air de l'extase ; sa voix s'adoucissait, il s'écoutait avec ravissement. Il est sûr que les accords résonnaient dans ses oreilles et dans les miennes. Puis remettant son instrument sous son bras gauche de la même main dont il le tenait, et laissant tomber sa main droite avec
20 son archet : Eh bien, me disait-il, qu'en pensez-vous ?

Moi : A merveille !

Lui : Cela va, ce me semble ; cela résonne à peu près comme les autres. Et aussitôt il s'accroupit comme un musicien qui se met au clavecin [7]. « Je vous demande grâce pour vous et pour moi », lui dis-je.

Lui : Non, non ; puisque je vous tiens, vous m'entendrez. Je ne veux point d'un suffrage [8] qu'on m'accorde sans savoir pourquoi. Vous me louerez d'un ton plus assuré, et cela me vaudra quelque écolier.

Moi : Je suis si peu répandu [9], et vous allez vous fatiguer en pure perte.

Lui : Je ne me fatigue jamais.

30 Comme je vis que je voudrais inutilement avoir pitié de mon homme, car la sonate sur le violon l'avait mis tout en eau, je pris le parti de le laisser faire. Le voilà donc assis au clavecin, les jambes fléchies, la tête élevée vers le plafond où l'on eût dit qu'il voyait une partition notée, chantant, préludant, exécutant une pièce d'Alberti ou de Galuppi [10], je ne sais lequel des deux. Sa voix allait comme le vent et ses doigts voltigeaient sur les touches, tantôt laissant le dessus [11] pour prendre la basse, tantôt quittant la partie d'accompagnement pour revenir au-dessus. Les passions se succédaient sur son visage [12]. On y distinguait la tendresse, la colère, le plaisir, la douleur ; on sentait les piano, les forte [13], et je suis sûr qu'un
40 plus habile que moi aurait reconnu le morceau au mouvement, au caractère, à ses mines et à quelques traits [14] de chant qui lui échappaient par intervalle. Mais ce qu'il y avait de bizarre, c'est que de temps en temps il tâtonnait, se reprenait comme s'il eût manqué, et se dépitait de n'avoir plus la pièce dans les doigts.

— 3 Concert de musique religieuse, fondé par Philidor en 1725. — 4 Violonistes italiens. — 5 Soumis à. — 6 Note soutenue pendant deux ou plusieurs mesures. — 7 Instrument à clavier et à cordes, remplacé depuis par le piano. — 8 Éloge. — 9 J'ai si peu de relations. — 10 Compositeurs italiens. — 11 Les notes aiguës. — 12 Comme dans la musique qu'il mime. — 13 Mots italiens indiquant, sur une partition, qu'il faut adoucir ou renforcer le son. — 14 Passages caractéristiques.

Jacques le fataliste Le *Neveu de Rameau* était une « satire », *Jacques le fataliste* (composé en 1773) est un *conte philosophique*, où Diderot pose, sous une forme apparemment désinvolte et grâce au procédé du dialogue, le *problème de la liberté*. Il s'inspire de *Tristram Shandy*, roman de l'ironiste STERNE (1713-1768), qu'il appelait le Rabelais des Anglais, mais Sterne ne lui fournit guère qu'un stimulant, et une confirmation de ses propres tendances. Diderot se moque des romans d'aventures : il affecte d'arrêter l'action au moment pathétique, de montrer que les choses auraient tourné autrement dans une histoire inventée à plaisir, d'affirmer qu'il respecte scrupuleusement la vérité. En fait, ces constantes interventions du meneur de jeu nous rappellent sans cesse qu'il s'agit d'une fiction, et l'illusion qui fait le charme d'un vrai roman ne peut pas naître. D'ailleurs le « récit des amours de Jacques » n'est pas le sujet de l'œuvre, ce n'est qu'un prétexte. Pourtant, à *l'intérêt philosophique* de l'ensemble se joint *l'intérêt romanesque et humain* d'une foule d'*épisodes et récits secondaires*.

LE PARDON DU MARQUIS DES ARCIS

La trame très lâche de *Jacques le fataliste* est constamment coupée par des récits secondaires : voici le dénouement du plus important de ces épisodes, qui constitue à lui seul un bref roman. Par amour pour le marquis des Arcis, la marquise de La Pommeraye a compromis sa réputation ; mais elle s'aperçoit que le marquis se détache d'elle ; pour le lui faire avouer, elle feint elle-même de désirer reprendre sa liberté : ils ne s'aiment plus, que cela ne les empêche pas de rester bons amis. En fait, cruellement blessée, elle brûle de se venger, et prépare longuement, lucidement sa vengeance avec un machiavélisme qui annonce les *Liaisons dangereuses*. Elle amène une fille de mauvaise vie, la d'Aisnon, à feindre la vertu et à mener avec sa mère une vie irréprochable ; puis elle ménage une rencontre entre cette fille et le marquis, et manœuvre si bien que M. des Arcis tombe dans le piège, s'éprend éperdument de la d'Aisnon qu'il croit honnête, et l'épouse. Aussitôt après le mariage, la marquise lui apprend la vérité. M. des Arcis fait alors une scène violente à sa femme, puis il s'absente pendant quinze jours.

A son retour, le marquis s'enferma dans son cabinet, et écrivit deux lettres, l'une à sa femme, l'autre à sa belle-mère. Celle-ci partit dans la même journée, et se rendit au couvent des Carmélites de la ville prochaine, où elle est morte il y a quelques jours. Sa fille s'habilla, et se traîna dans l'appartement de son mari où il lui avait apparemment enjoint de venir. Dès la porte, elle se jeta à genoux. « Levez-vous » lui dit le marquis...

Au lieu de se lever, elle s'avança vers lui sur ses genoux ; elle tremblait de tous ses membres ; elle était échevelée ; elle avait le corps un peu
10 penché, les bras portés de son côté, la tête relevée, le regard attaché sur ses yeux, et le visage inondé de pleurs. « Il me semble », lui dit-elle, un sanglot séparant chacun de ses mots, « que votre cœur justement irrité s'est radouci, et que peut-être avec le temps j'obtiendrai miséricorde. Monsieur, de grâce, ne vous hâtez pas de me pardonner. Tant de filles honnêtes sont devenues de malhonnêtes femmes, que peut-être serai-je un exemple contraire. Je ne suis pas encore digne que vous vous rapprochiez de moi ; attendez, laissez-moi seulement l'espoir du pardon. Tenez-vous

loin de moi ; vous verrez ma conduite ; vous la jugerez : trop heureuse
mille fois, trop heureuse si vous daignez quelquefois m'appeler ! Marquez-
20 moi le recoin obscur de votre maison où vous permettez que j'habite ;
j'y resterai sans murmure. Ah ! si je pouvais m'arracher le nom et le
titre qu'on m'a fait usurper, et mourir après, à l'instant vous seriez
satisfait ! Je me suis laissé conduire par faiblesse, par séduction[1], par
autorité, par menaces, à une action infâme ; mais ne croyez pas, monsieur,
que je sois méchante[2] : je ne le suis pas, puisque je n'ai pas balancé[3]
à paraître devant vous quand vous m'avez appelée, et que j'ose à présent
lever les yeux sur vous et vous parler. Ah ! si vous pouviez lire au fond
de mon cœur, et voir combien mes fautes passées sont loin de moi ;
combien les mœurs de mes pareilles me sont étrangères ! La corruption
30 s'est posée sur moi ; mais elle ne s'y est point attachée. Je me connais,
et une justice que je me rends, c'est que par mes goûts, par mes sentiments,
par mon caractère, j'étais née digne de l'honneur de vous appartenir. Ah !
s'il m'eût été libre de vous voir[4], il n'y avait qu'un mot à dire, et je crois
que j'en aurais eu le courage. Monsieur, disposez de moi comme il vous
plaira ; faites entrer vos gens : qu'ils me dépouillent, qu'ils me jettent
la nuit dans la rue : je souscris à tout. Quel que soit le sort que vous me
préparez, je m'y soumets : le fond d'une campagne, l'obscurité d'un
cloître peut me dérober pour jamais à vos yeux : parlez, et j'y vais. Votre
bonheur n'est point perdu sans ressources, et vous pouvez m'oublier...
40 — Levez-vous, lui dit doucement le marquis ; je vous ai pardonné :
au moment même de l'injure j'ai respecté ma femme en vous ; il n'est
pas sorti de ma bouche une parole qui l'ait humiliée, ou du moins je m'en
repens, et je proteste[5] qu'elle n'en entendra plus aucune qui l'humilie,
si elle se souvient qu'on ne peut rendre son époux malheureux sans le
devenir. Soyez honnête, soyez heureuse, et faites que je le sois.
Levez-vous, je vous en prie, ma femme, levez-vous et embrassez-moi ;
madame la marquise, levez-vous, vous n'êtes pas à votre place ; madame
des Arcis, levez-vous... »
Pendant qu'il parlait ainsi, elle était restée le visage caché dans ses
50 mains, et la tête appuyée sur les genoux du marquis ; mais au mot de
ma femme, au mot de *madame des Arcis*, elle se leva brusquement, et se
précipita sur le marquis, elle le tenait embrassé, à moitié suffoquée par
la douleur et par la joie ; puis elle se séparait de lui, se jetait à terre, et
lui baisait les pieds.
« Ah ! lui disait le marquis, je vous ai pardonné ; je vous l'ai dit ; et je
vois que vous n'en croyez rien.
— Il faut, lui répondit-elle, que cela soit, et que je ne le croie
jamais. »

— 1 *Séduire :* tromper, induire en erreur. — | 3 Puisque je n'ai pas hésité. — 4 C'est préci-
2 On peut agir mal, sans être foncièrement | sément ce qu'a évité Mme de La Pommeraye. —
méchant : Rousseau fait la même distinction. — | 5 J'affirme solennellement.

LA PHILOSOPHIE DE DIDEROT

La philosophie de Diderot consiste en une vaste *enquête sur l'homme :* il n'est pas exagéré de dire que toute son œuvre a plus ou moins directement pour sujet la *nature* de l'homme et le sens de son destin. « L'homme est le terme unique d'où il faut partir et auquel il faut tout ramener », lit-on dans l'*Encyclopédie*.

L'enquête morale

Il faut savoir « si la vie est une bonne ou une mauvaise chose, si la nature humaine est bonne ou méchante, ce qui fait notre bonheur ou notre malheur ». La méthode traditionnelle consiste à s'étudier soi-même et à observer autrui : ce sera l'un des moyens de Diderot, qui prolonge à cet égard la lignée de nos moralistes classiques. L'homme *est-il bon? est-il méchant?* Entre optimisme et pessimisme la *raison* ne peut se prononcer. On aboutit à une *impasse*.

Diderot tente alors de fonder une *morale positive* sur une connaissance *scientifique* de l'homme, grâce à la méthode expérimentale, qu'il définit ainsi dans les *Pensées sur l'interprétation de la nature* (1753) : « Nous avons trois moyens principaux : l'observation de la nature, la réflexion et l'expérience. L'observation recueille les faits ; la réflexion les combine ; l'expérience vérifie le résultat de la combinaison ».

Dès la *Lettre sur les aveugles* (1749), le philosophe se place dans l'hypothèse d'un *déterminisme matérialiste* : connaissances et idées (donc morale et métaphysique) viennent de nos sens et sont liées à l'état de nos organes.

Dans l'*Entretien entre D'Alembert et Diderot* et le *Rêve de D'Alembert* (1769), Diderot s'attaque à la distinction des deux substances, *matière* et *esprit :* pour lui il n'existe qu'une seule substance, la *matière, douée d'une sensibilité soit active* (végétaux, animaux), *soit inerte* (minéraux). On passe ainsi du minéral à l'être sensible et de l'être sensible à l'être pensant par des phénomènes purement mécaniques. L'homme n'est donc qu'un moment, un accident, dans l'immense devenir d'un *univers matériel*. Diderot établit un parallèle frappant entre la naissance, la croissance, la décrépitude et la dissolution d'un être, et l'origine, la transformation et la disparition des espèces, car son imagination prodigieuse devine ce qui sera plus tard l'hypothèse évolutionniste.

Le destin individuel

Mais une *contradiction* surgit au niveau de l'*individu :* l'homme se nourrit de l'illusion de la *liberté* et il est entièrement *déterminé*. Une fois de plus, l'intelligence et l'instinct du philosophe ne sont pas d'accord. « Il est dur de s'abandonner aveuglément au torrent universel ; il est impossible de lui résister. Les efforts impuissants ou victorieux sont aussi dans l'ordre. Si je crois que je vous aime librement, je me trompe. Il n'en est rien. O le beau système pour les ingrats ! J'enrage d'être empêtré d'une diable de philosophie que mon esprit ne peut s'empêcher d'approuver, ni mon cœur de démentir. Je ne puis souffrir que mes sentiments pour vous, que vos sentiments pour moi soient assujettis à quoi que ce soit au monde, et que Naigeon les fasse dépendre du passage d'une comète » (*Correspondance*, fragment sans date).

L'humanisme

S'il ne parvient pas à fonder la liberté, ni même à la concevoir, Diderot donne pourtant au problème une solution pratique, qui est son *humanisme*. Il maintient malgré tout, contre Helvétius, une certaine autonomie de l'homme au sein de la matière : « Je suis homme, et il me faut des causes propres à l'homme ». Par son goût pour les individualités marquées et les passions fortes, sa revendication des droits exceptionnels du génie, il préserve également l'autonomie de la personne humaine au sein de la collectivité. Il croit au sens moral et à l'efficacité de l'éducation. Sa confiance en l'homme a les caractères d'une *foi*, car elle demeure imperméable aux objections de sa raison.

Cet humanisme est *très moderne* par ce qu'il a de presque anarchique ; il pose des antinomies sans les résoudre : cœur et raison, individu et société. Il semble renoncer à découvrir des certitudes, plaçant la dignité de l'homme dans la recherche plutôt que dans la découverte de la vérité.

LE GRAND TRAVAIL DE LA NATURE

Les pages les plus saisissantes du *Rêve de D'Alembert* sont celles où Diderot semble pressentir l'hypothèse scientifique de la *transformation des espèces* et de la sélection naturelle, avant l'évolutionnisme de Lamarck (1744-1829) et Darwin (1809-1882). Mais il ne s'agit encore que d'un « *rêve* », d'une vision poétique qui s'appuie d'ailleurs sur un style lyrique et passionné.

Qui sait si la fermentation et ses produits [1] sont épuisés ? Qui sait à quel instant de la succession de ces générations animales nous en sommes ? Qui sait si ce bipède déformé, qui n'a que quatre pieds de hauteur, qu'on appelle encore dans le voisinage du pôle un homme, et qui ne tarderait pas à perdre ce nom en se déformant un peu davantage, n'est pas l'image d'une espèce qui passe [2] ? Qui sait s'il n'en est pas ainsi de toutes les espèces d'animaux ? Qui sait si tout ne tend pas à se réduire à un grand sédiment inerte et immobile ? Qui sait quelle sera la durée de cette inertie ? Qui sait quelle race nouvelle peut résulter
10 derechef d'un amas aussi grand de points sensibles et vivants ? Pourquoi pas un seul animal ? Qu'était l'éléphant dans son origine ? Peut-être l'animal énorme tel qu'il nous paraît, peut-être un atome, car tous les deux sont également possibles ; ils ne supposent que le mouvement et les propriétés diverses de la matière... L'éléphant, cette masse énorme, organisée, le produit subit de la fermentation ! Pourquoi non ? Le rapport de ce grand quadrupède à sa matrice première est moindre que celui du vermisseau à la molécule de farine qui l'a produit ; mais le vermisseau n'est qu'un vermisseau... C'est-à-dire que la petitesse qui vous dérobe son organisation lui ôte le merveilleux... Le prodige, c'est la vie, c'est la
20 sensibilité ; et ce prodige n'en est plus un... Lorsque j'ai vu la matière inerte passer à l'état sensible [3], rien ne doit plus m'étonner. Quelle comparaison d'un petit nombre d'éléments mis en fermentation dans le creux de ma main, et de ce réservoir immense d'éléments divers épars dans les entrailles de la terre, à sa surface, au sein des mers, dans le vague des airs !... Cependant, puisque les mêmes causes subsistent, pourquoi les effets ont-ils cessé [4] ? Pourquoi ne voyons-nous plus le taureau percer la terre de sa corne, appuyer ses pieds contre le sol, et faire effort pour en dégager son corps pesant [5] ?... Laissez passer la race présente des animaux subsistants ; laissez agir le grand sédiment inerte quelques
30 millions de siècles. Peut-être faut-il, pour renouveler les espèces, dix fois plus de temps qu'il n'en est accordé à leur durée. Attendez, et ne vous hâtez pas de prononcer sur le grand travail de la nature. Vous avez

---

— 1 Allusion à la génération spontanée : sur la foi d'expériences mal interprétées, Diderot, et d'autres savants de son époque, croyaient avoir constaté que la vie pouvait naître de la matière. — 2 Contre l'anthropocentrisme. — 3 Nouvelle allusion à la génération spontanée. — 4 Contrairement à l'une des règles formulées par Bacon. — 5 Vision saisissante, digne de Lucrèce, mais la chose est inconcevable du point de vue scientifique.

deux grands phénomènes, le passage de l'état d'inertie à l'état de sensibilité, et les générations spontanées ; qu'ils vous suffisent : tirez-en de
justes conséquences, et dans un ordre de choses où il n'y a ni grand ni
petit, ni durable ni passager absolus, garantissez-vous du sophisme de
l'éphémère [6].

ET VOUS PARLEZ D'INDIVIDUS !

Mlle DE LESPINASSE et le célèbre médecin BORDEU sont au chevet de D'ALEMBERT ;
celui-ci recommence à rêver tout haut. Bien entendu, comme dans l'extrait précédent, ce
sont les idées de DIDEROT qu'il exprime. Tous les êtres sont soumis au déterminisme
universel ; non seulement les espèces se transforment, mais encore il y a *continuité* entre
le règne minéral, le règne végétal, le règne animal et l'homme. *La notion d'individu n'a
pas de sens :* tout être n'est qu'une parcelle du grand *tout*, au même titre qu'une molécule
(ou une cellule) est une parcelle d'un organisme.

Tous les êtres circulent les uns dans les autres, par conséquent toutes
les espèces... tout est en un flux perpétuel... Tout animal est plus ou
moins homme ; tout minéral est plus ou moins plante ; toute plante est
plus ou moins animal. Il n'y a rien de précis en nature... Le ruban du
père Castel [1]... Oui, père Castel, c'est votre ruban et ce n'est que cela.
Toute chose est plus ou moins une chose quelconque, plus ou moins
terre, plus ou moins eau, plus ou moins air, plus ou moins feu ; plus ou
moins d'un règne ou d'un autre... donc rien n'est de l'essence d'un être
particulier... Non, sans doute, puisqu'il n'y a aucune qualité dont aucun
10 être ne soit participant... et que c'est le rapport plus ou moins grand de
cette qualité qui nous la fait attribuer à un être exclusivement à un autre...
Et vous parlez d'individus, pauvres philosophes ! laissez-là vos individus ; répondez-moi. Y a-t-il un atome en nature rigoureusement
semblable à un autre atome ?... Non... ne convenez-vous pas que tout
tient en nature et qu'il est impossible qu'il y ait un vide dans la chaîne ?
Que voulez-vous donc dire avec vos individus ? Il n'y en a point, non,
il n'y en a point... Il n'y a qu'un seul grand individu, c'est le tout. Dans
ce tout comme dans une machine, dans un animal quelconque, il y a une
partie que vous appellerez telle ou telle ; mais quand vous donnerez le
20 nom d'individu à cette partie du tout, c'est par un concept aussi faux que
si, dans un oiseau, vous donniez le nom d'individu à l'aile, à une plume
de l'aile... Et vous parlez d'essences, pauvres philosophes ! laissez-là
vos essences. Voyez la masse générale, ou si, pour l'embrasser, vous avez
l'imagination trop étroite, voyez votre première origine et votre fin
dernière.

— 6 Les êtres éphémères (l'homme en l'occur-
rence) se trompent lorsqu'ils croient éternel tout
ce qui dépasse leur propre durée ; ainsi cette
rose qui disait que de mémoire de rose on
n'avait vu mourir un jardinier (Fontenelle).

— 1 Inventeur d'un « clavecin oculaire »
fondé sur la gamme des couleurs comme le
clavecin sur la gamme des sons ; Diderot fait
allusion au passage *insensible* d'une couleur à
l'autre dans les teintes de l'arc-en-ciel.

LE « *FATALISME* » *EN ACTION*

Peut-on mettre en pratique, dans la vie quotidienne, *une philosophie déterministe* ne laissant aucune place à la liberté morale ? Tel est le problème que DIDEROT pose tout au long de *Jacques le fataliste* et en particulier dans ce passage, sous une forme très vivante et très concrète. Le sens des notions morales et le *fondement de la morale* vont se trouver transformés, mais pratiquement Jacques se conduira à peu près comme s'il se croyait libre.

Jacques ne connaissait ni le nom de vice, ni le nom de vertu ; il prétendait qu'on était heureusement ou malheureusement né. Quand il entendait prononcer les mots *récompenses* ou *châtiments*, il haussait les épaules. Selon lui la récompense était l'encouragement des bons ; le châtiment, l'effroi des méchants [1]. Qu'est-ce autre chose, disait-il, s'il n'y a point de liberté, et que notre destinée soit écrite là-haut ? Il croyait qu'un homme s'acheminait aussi nécessairement à la gloire ou à l'ignominie, qu'une boule qui aurait la conscience d'elle-même suit la pente d'une montagne ; et que, si l'enchaînement des causes et des effets
10 qui forment la vie d'un homme depuis le premier instant de sa naissance jusqu'à son dernier soupir nous était connu, nous resterions convaincus qu'il n'a fait que ce qu'il était nécessaire de faire. Je l'ai plusieurs fois contredit, mais sans avantage et sans fruit. En effet, que répliquer à celui qui vous dit : Quelle que soit la somme des éléments dont je suis composé, je suis un ; or, une cause n'a qu'un effet ; j'ai toujours été une cause une ; je n'ai donc jamais eu qu'un effet à produire ; ma durée n'est donc qu'une suite d'effets nécessaires [2]. C'est ainsi que Jacques raisonnait d'après son capitaine. La distinction d'un monde physique et d'un monde moral lui semblait vide de sens. Son capitaine lui avait
20 fourré dans la tête toutes ces opinions qu'il avait puisées, lui, dans son Spinoza qu'il savait par cœur. D'après ce système, on pourrait imaginer que Jacques ne se réjouissait, ne s'affligeait de rien ; cela n'était pourtant pas vrai. Il se conduisait à peu près comme vous et moi. Il remerciait son bienfaiteur, pour qu'il lui fît encore du bien. Il se mettait en colère contre l'homme injuste ; et quand on lui objectait qu'il ressemblait alors au chien qui mord la pierre qui l'a frappé : « Nenni, disait-il, la pierre mordue par le chien ne se corrige pas ; l'homme injuste est corrigé par le bâton ». Souvent il était inconséquent comme vous et moi, et sujet à oublier ses principes, excepté dans quelques circonstances où sa philo-
30 sophie le dominait évidemment ; c'était alors qu'il disait : « Il fallait que cela fût, car cela était écrit là-haut. » Il tâchait à prévenir le mal ; il était prudent avec le plus grand mépris pour la prudence. Lorsque l'accident était arrivé, il en revenait à son refrain ; et il était consolé. Du reste, bon homme, franc, honnête, brave, attaché, fidèle, très têtu, encore plus bavard.

— 1 Inversement, noter ce que *ne sont pas* récompense et châtiment, aux yeux de Jacques. — 2 « Ce qui nous trompe, c'est la prodigieuse variété de nos actions, jointe à l'habitude que nous avons prise tout en naissant de confondre le volontaire avec le libre ».

LE DRAME

Pendant la seconde moitié du XVIIIᵉ siècle, notre théâtre voit naître et triompher momentanément un genre nouveau, intermédiaire entre la tragédie et la comédie, le DRAME. Le drame s'apparente à la *comédie* par la peinture réaliste de milieux bourgeois ; à la *tragédie* par le sérieux du ton et la gravité des malheurs qui menacent les héros, dont l'honneur, la vie ou le bonheur sont en danger. On veut émouvoir et édifier le spectateur d'une façon directe et efficace grâce à une imitation fidèle de la réalité courante et des mœurs contemporaines. DIDEROT, créateur de ce genre, aborde le théâtre avec un *système* que ses deux drames, le *Fils Naturel* (1757) et le *Père de famille* (1758) sont chargés d'illustrer. Ils sont accompagnés de deux manifestes, les *Entretiens sur le Fils Naturel* et *De la Poésie dramatique*, où l'auteur expose une foule d'idées concernant la substance, la forme et la mise en scène des pièces de théâtre. Ces idées seront reprises, avec quelques modifications, par Beaumarchais dans l'*Essai sur le genre dramatique sérieux* (1767).

Le déclin de la tragédie, l'évolution de la comédie vers le genre sérieux, la confusion de la sensibilité et de la vertu, l'essor de la bourgeoisie contribuent à la naissance de ce genre nouveau : les *intentions moralisatrices* s'y associent à la peinture de la vie quotidienne dans les classes moyennes. « Le drame est un genre nouveau créé par le parti philosophique pour attendrir et moraliser la bourgeoisie et le peuple en leur présentant un tableau touchant de leurs propres aventures et de leur propre milieu » (Félix Gaiffe).

Tragédie domestique et bourgeoise

Le drame est, pour Diderot, une « tragédie domestique et bourgeoise » par opposition à la tragédie héroïque qui met en scène des rois et des princes. « Un renversement de fortune, la crainte de l'ignominie, les suites de la misère, une passion qui conduit l'homme à sa ruine, de sa ruine au désespoir, du désespoir à une mort violente, ne sont pas des événements rares ; et vous croyez qu'ils ne vous affecteraient pas autant que la mort fabuleuse d'un tyran, ou le sacrifice d'un enfant aux autels des dieux d'Athènes ou de Rome ? » *(IIIᵉ Entretien)*. Un siècle auparavant, Corneille avait déjà discerné la possibilité de « faire une tragédie entre des personnes médiocres [de condition moyenne], quand leurs infortunes ne sont pas au-dessous de sa dignité » (*Épître dédicatoire de Don Sanche d'Aragon*, 1654). N'est-il pas vrai, disait-il, que nous pourrions être plus vivement impressionnés « par la vue des malheurs arrivés aux personnes de notre condition, à qui nous ressemblons tout à fait, que par l'image de ceux qui font trébucher de leurs trônes les plus grands monarques, avec qui nous n'avons aucun rapport qu'en tant que nous sommes susceptibles des passions qui les ont jetés dans ce précipice : ce qui ne se rencontre pas toujours ? » C'était, en germe, la théorie de l'*intérêt* et de la *moralité dramatiques* chère aux créateurs du genre sérieux. Beaumarchais la présentera, simplement, d'une façon beaucoup plus catégorique et cavalière : « Que me font à moi, sujet paisible d'un état monarchique du XVIIIᵉ siècle, les révolutions d'Athènes et de Rome ? quel véritable intérêt puis-je prendre à la mort d'un tyran du Péloponèse, au sacrifice d'une jeune princesse en Aulide ? il n'y a dans tout cela rien à voir pour moi, aucune moralité qui me convienne » *(Essai)*.

On va donc porter à la scène un événement dramatique intervenant dans la vie quotidienne d'une famille bourgeoise. C'est ce que se propose un ami de Diderot, Michel-Jean SEDAINE (1719-1797), en particulier dans *Le Philosophe sans le savoir* donné à la Comédie-Française en 1765. Il s'agit dans cette pièce de faire triompher le genre nouveau, de répondre aux diatribes de PALISSOT contre les *Philosophes* dans la comédie qui porte ce titre (1760) et d'exalter, après Diderot, le rôle du *père de famille*. Mais, malgré des réussites limitées, le système de Diderot, qui annonce le théâtre réaliste de la fin du XIXᵉ siècle, n'en a pas moins échoué, par l'abus d'un *moralisme fade* et *grandiloquent* à la fois.

L'ENCYCLOPÉDIE

La bataille encyclopédique

Il manquait à la France un dictionnaire *moderne*. En 1745, le libraire LE BRETON eut l'idée de publier une traduction de la *Cyclopaedia*, de l'Anglais Chambers, dictionnaire doté de planches et d'articles sur les arts mécaniques. Il confia l'entreprise à DIDEROT (1746), qui élargit le projet ; au lieu d'être une simple traduction, l'*Encyclopédie* fera le point des connaissances contemporaines, dissipant les préjugés et accordant une large place aux arts mécaniques. En 1750, après un travail acharné, DIDEROT lance le *Prospectus* qui expose l'objet du *Dictionnaire* et attire deux mille souscripteurs ; et le 1er juillet 1751, paraît le premier volume, précédé du *Discours préliminaire* de D'ALEMBERT, dont Diderot s'est assuré la collaboration pour la partie scientifique.

Les Jésuites du *Journal de Trévoux* s'en prennent aussitôt aux opinions religieuses de l'abbé de Prades, collaborateur de Diderot. Mais, malgré une interdiction du Conseil d'État (février 1752), les *Tomes III à VII* peuvent paraître de 1753 à 1757, grâce à la protection de Mme de Pompadour, ennemie des Jésuites, et à la politique libérale de MALESHERBES, directeur de la librairie.

Cependant, les polémiques s'aggravent et D'Alembert se retire de l'entreprise (1758). Un nouvel arrêt du Conseil d'État révoque le privilège du *Dictionnaire* et interdit la vente des volumes parus (8 mars 1759). L'expulsion des Jésuites en 1762 facilite toutefois la tâche de Diderot, qui peut faire distribuer clandestinement les *Tomes VIII à XVII* au début de 1766. Quant aux *onze volumes de planches*, ils paraissent sans encombre entre 1762 et 1772.

Principaux artisans

DIDEROT fut l'animateur et le principal rédacteur de l'*Encyclopédie*. Avec plus de mille articles touchant à la philosophie et à la littérature, à la religion, à la politique, à l'économie, et aux arts appliqués, il apparaît comme universel. D'ALEMBERT (1717-1783), auteur du *Discours préliminaire* et de l'article *Genève*, a surtout traité de questions mathématiques et contrôlé toute la partie scientifique. Il a laissé également des *Mélanges de philosophie, d'histoire et de littérature* (1783). Quant au chevalier de JAUCOURT (1704-1779), s'il s'intéressait particulièrement à la médecine, il a touché comme Diderot à tous les sujets : physique, littérature, histoire, droit, politique, etc. Sous leur direction, l'*Encyclopédie* est l'œuvre d'une multitude d'ouvriers plus obscurs, de spécialistes judicieusement choisis : Duclos (morale), Marmontel (littérature), Le Blond (fortification et tactique), Le Roy (astronomie), Blondel (architecture), Belin (marine), Toussaint (jurisprudence), abbé Yvon (métaphysique et morale), abbé Mallet (théologie, histoire et littérature), La Condamine (mathématiques).

L'esprit de l'Encyclopédie

A travers cette extrême diversité, un *esprit commun* ordonne tous les efforts. Il s'agit d'abattre les préjugés et de faire triompher la *raison :* entreprise audacieuse qui explique la tactique prudente des renvois d'un article à l'autre, à la manière de BAYLE. Les Encyclopédistes prétendent mettre à la portée d'un large public, par un puissant effort de *vulgarisation*, toutes les branches de la connaissance. Leur esprit est *réaliste* et *pratique :* ils observent la nature humaine comme une donnée, avec le désir d'en tirer le meilleur parti. A l'idée religieuse de l'humanité déchue, ils opposent la volonté optimiste d'assurer le bonheur humain par le *progrès de la civilisation*. Par cette foi, l'*Encyclopédie* est l'ouvrage le plus représentatif du XVIIIe siècle.

De plus, DIDEROT et D'ALEMBERT ont voulu réhabiliter les *travailleurs manuels* et les *techniciens*. Les « arts mécaniques » tiennent une place considérable dans l'ouvrage, grâce à des articles précis, bien documentés, très abondants, et éclairés par des *planches* explicatives.

PHILOSOPHE

Ce portrait, rédigé par Dumarsais et revu par Diderot, définit, en réponse à la satire contemporaine, l'esprit qui anime les Encyclopédistes : le philosophe est un savant plein de raison, un *honnête homme* plein d'humanité pour qui la *société* est « une divinité sur la terre ». La partie la plus originale de cette apologie est celle qui concerne la *vertu ;* pour Diderot il y a naturellement au fond de l'homme éclairé un *élan spontané* vers le bien qui peut se développer sous l'action du milieu social. Cette interprétation optimiste de la nature humaine explique la foi de Diderot dans les progrès de la civilisation.

La raison est à l'égard du philosophe ce que la grâce est à l'égard du chrétien. La grâce détermine le chrétien à agir ; la raison détermine le philosophe [...].

Le philosophe forme ses principes sur une infinité d'observations particulières [1]. Le peuple adopte le principe sans penser aux observations qui l'ont produit : il croit que la maxime existe, pour ainsi dire, par elle-même [2] ; mais le philosophe prend la maxime dès sa source ; il en examine l'origine ; il en connaît la propre valeur, et n'en fait que l'usage qui lui convient.

10   De cette connaissance que les principes ne naissent que des observations particulières, le philosophe en conçoit de l'estime pour la science des faits ; il aime à s'instruire des détails et de tout ce qui ne se devine point ; ainsi, il regarde comme une maxime très opposée au progrès des lumières de l'esprit que de se borner à la seule méditation et de croire que l'homme ne tire la vérité que de son propre fonds [3]... La vérité n'est pas pour le philosophe une maîtresse qui corrompe son imagination, et qu'il croie trouver partout ; il se contente de la pouvoir démêler où il peut l'apercevoir. Il ne la confond point avec la vraisemblance ; il prend pour vrai ce qui est vrai, pour faux ce qui est faux, pour douteux ce qui est douteux, 20   et pour vraisemblable ce qui n'est que vraisemblable. Il fait plus, et c'est ici une grande perfection du philosophe, c'est que lorsqu'il n'a point de motif pour juger, il sait demeurer indéterminé [4] [...].

L'esprit philosophique est donc un esprit d'observation et de justesse, qui rapporte tout à ses véritables principes ; mais ce n'est pas l'esprit seul que le philosophe cultive, il porte plus loin son attention et ses soins.

L'homme n'est point un monstre qui ne doive vivre que dans les abîmes de la mer ou au fond d'une forêt ; les seules nécessités de la vie lui rendent le commerce des autres nécessaire ; et dans quelque état où il puisse se trouver, ses besoins et le bien-être l'engagent à vivre en société [5]. Ainsi,

---

— 1 D'Alembert insistait dans le *Discours Préliminaire* sur les vertus de l'observation et de l'expérience. — 2 Cf. Voltaire qui oppose sans cesse les esprits éclairés à la « canaille ». — 3 Critique de l'esprit de système de Descartes, Leibnitz, etc., déjà critiqué par Condillac dans son *Traité des systèmes* (1749). — 4 Idéal de parfaite rigueur, difficile à appliquer dans les sciences morales et politiques. — 5 C'est peut-être une allusion aux premiers Discours de Rousseau, qui venait de rompre avec l'Encyclopédie, et à sa retraite à Montmorency où il vivait en misanthrope.

30 la raison exige de lui qu'il étudie, et qu'il travaille à acquérir les qualités sociables.

Notre philosophe ne se croit pas en exil dans ce monde, il ne croit point être en pays ennemi [6] ; il veut jouir en sage économe des biens que la nature lui offre ; il veut trouver du plaisir avec les autres ; et pour en trouver il en faut faire [7] : ainsi il cherche à convenir à ceux avec qui le hasard ou son choix le font vivre ; et il trouve en même temps ce qui lui convient : c'est un honnête homme qui veut plaire et se rendre utile. [...]

La société civile est, pour ainsi dire, une divinité pour lui sur la terre ; il l'encense, il l'honore par la probité, par une attention exacte à 40 ses devoirs, et par un désir sincère de n'en être pas un membre inutile ou embarrassant. Les sentiments de probité entrent autant dans la constitution mécanique [8] du philosophe que les lumières de l'esprit. Plus vous trouverez de raison dans un homme, plus vous trouverez en lui de probité. Au contraire, où règne le fanatisme et la superstition [9], règnent les passions et l'emportement. Le tempérament du philosophe, c'est d'agir par esprit d'ordre ou par raison ; comme il aime extrêmement la société, il lui importe bien plus qu'au reste des hommes de disposer tous ses ressorts à ne produire que des effets conformes à l'idée d'honnête homme...

Cet amour de la société si essentiel au philosophe fait voir combien 50 est véritable la remarque de l'empereur Antonin : « Que les peuples seront heureux quand les rois seront philosophes, ou quand les philosophes seront rois ! »... Le vrai philosophe est donc un honnête homme qui agit en tout par raison, et qui joint à un esprit de réflexion et de justesse, les mœurs et les qualités sociables. Entez [10] un souverain sur un philosophe d'une telle trempe, et vous aurez un parfait souverain [11].

Idées religieuses

L'*Encyclopédie* était accusée « d'élever les fondements de l'irréligion et de l'incrédulité » (arrêt de 1752). Cependant pour déjouer la censure, on se gardait de prendre position trop ouvertement. Les abbés MALLET et YVON respectent l'orthodoxie tout en revendiquant la liberté de penser. Mais DIDEROT et ses amis glissaient bien des hardiesses dans des articles où ils proclamaient leur soumission à l'Église. A l'autorité de la foi et de la révélation, ils opposent les droits de la raison *(Raison)* : ils rejettent les faits insuffisamment prouvés *(Imposture)*, doutent des miracles *(Oracle)*, étudient les textes sacrés « en littérateurs, en philosophes même, et en historiens de l'esprit humain » *(Langue hébraïque)*. Ils sont virulents contre la dévotion extérieure, les ordres religieux, les ambitions des papes *(Papes)*. Au catholicisme, ils reprochent d'être intolérant et fanatique *(Christianisme, Hérétiques, Réfugiés)*. Plus indulgents envers les protestants *(Genève)*, ils n'en jugent pas moins sévèrement Luther et Calvin.

En réalité, les Encyclopédistes sont *déistes* et certains penchent vers l'*athéisme*. Ils professent la *philosophie naturaliste* : DIDEROT croit comme ROUSSEAU à la bonté naturelle de l'homme *(Homme)* et justifie les passions comme étant les mouvements légitimes de

---

— 6 Allusion satirique à la doctrine de la chute originelle. — 7 Noter l'effort pour fonder la morale sociale sur le raisonnement. — 8 La probité est chez lui un réflexe automatique : il n'a besoin d'aucune règle ajoutée à sa nature pour être moral. Idée fondamentale chez Diderot. — 9 Les grands ennemis de la raison et, par conséquent, des Encyclopédistes. — 10 Greffez. — 11 Catherine II représentait aux yeux de Diderot cet idéal du despotisme éclairé, source de désillusions pour Voltaire.

l'âme *(Passions)*. Selon les Encyclopédistes, la moralité consiste à prendre conscience des données de notre nature pour fonder le bonheur individuel et social sur les besoins humains et sur la raison : il n'est plus question de préparer la vie future par la mortification et la pénitence.

CHRISTIANISME

Dans l'article *Athéisme*, type même du développement de nature à satisfaire les censeurs ecclésiastiques, l'abbé Yvon avait justifié la répression de l'athéisme et même de l'impiété. L'article *Christianisme* (anonyme), encore orthodoxe en apparence, se révèlera plus hardi. Le christianisme s'y voit honoré des qualités qu'il *devrait* avoir et que lui contestent, en fait, les philosophes : contre les autres religions l'auteur élève des critiques dont il n'absout le christianisme que par une tardive clause de style. Partout affleure le *scepticisme* des Encyclopédistes dont on trouvera confirmation dans les notes : on saisira ainsi sur le vif l'*esprit* et la *méthode insinuante* de l'*Encyclopédie*.

Le christianisme, je le sais, a eu ses guerres de religion, et les flammes en ont été souvent funestes aux sociétés [1] : cela prouve qu'il n'y a rien de si bon dont la malignité humaine ne puisse abuser. Le fanatisme est une peste qui reproduit de temps en temps des germes capables d'infecter la terre ; mais c'est le vice des particuliers et non du christianisme, qui par sa nature est également éloigné des fureurs outrées du fanatisme et des craintes imbéciles de la superstition. La religion rend le païen superstitieux et le mahométan fanatique : leurs cultes les conduisent là naturellement (voyez *Paganisme*, voyez *Mahométisme*) ; mais lorsque le chrétien s'aban-
10 donne à l'un ou l'autre de ces deux excès, dès lors il agit contre ce que lui prescrit sa religion. En ne croyant rien que ce qui lui est proposé par l'autorité la plus respectable qui soit sur la terre, je veux dire l'Église catholique, il n'a point à craindre que la superstition vienne remplir son esprit de préjugés et d'erreurs [2]. Elle est le partage des esprits faibles et imbéciles, et non de cette société d'hommes qui, perpétuée depuis Jésus-Christ jusqu'à nous, a transmis dans tous les âges la révélation dont elle est la fidèle dépositaire [3]. En se conformant aux maximes d'une religion toute sainte et tout ennemie de la cruauté, d'une religion qui s'est accrue par le sang de ses martyrs, d'une religion enfin qui n'affecte [4]
20 sur les esprits et sur les cœurs d'autre triomphe que celui de la vérité qu'elle est bien éloignée de faire recevoir par des supplices, il ne sera ni fanatique ni enthousiaste [5], il ne portera point dans sa patrie le fer et la flamme, et il ne prendra point le couteau sur l'autel pour faire des victimes de ceux qui refuseront de penser comme lui.

— 1 Plus loin Diderot exposera complaisamment ces méfaits, sous prétexte d'évoquer en regard tous les bienfaits du christianisme. — 2 Oui, mais à l'article *Junon*, le culte des saints et de la Vierge est assimilé aux superstitions du culte de Junon. — 3 Oui, mais l'article *Langue Hébraïque* proclame la nécessité de soumettre les livres révélés à un sérieux examen critique ; et l'article *Évangiles* dénonce les nombreux évangiles apocryphes, « ouvrages du fanatisme et du mensonge ». — 4 Recherche. — 5 Voltaire condamne aussi « l'enthousiasme », duperie du cœur qui s'affranchit du contrôle de la raison.

Vous me direz peut-être que le meilleur remède contre le fanatisme et la superstition serait de s'en tenir à une religion qui, prescrivant au cœur une morale pure, ne commanderait point à l'esprit une créance aveugle des dogmes qu'il ne comprend pas ; les voiles mystérieux qui les enveloppent ne sont propres, dites-vous, qu'à faire des fanatiques et des enthousiastes. Mais raisonner ainsi, c'est bien peu connaître le nature humaine : un culte révélé est nécessaire aux hommes, c'est le seul frein qui les puisse arrêter. La plupart des hommes que la seule raison guiderait, feraient des efforts impuissants pour se convaincre des dogmes [6] dont la créance est absolument essentielle à la conservation des États... La voie des raisonnements n'est pas faite pour le peuple [7]. Qu'ont gagné les philosophes avec leurs discours pompeux, avec leur style sublime, avec leurs raisonnements si artificiellement arrangés ? Tant qu'ils n'ont montré que l'homme dans leurs discours sans y faire intervenir la divinité, ils ont toujours trouvé l'esprit du peuple fermé à tous les enseignements. Ce n'est pas ainsi qu'en agissaient les législateurs, les fondateurs d'États, les instituteurs de religion : pour entraîner les esprits et les plier à leurs desseins politiques, ils mettaient entre eux et le peuple le dieu qui leur avait parlé ; ils avaient eu des visions nocturnes ou des avertissements divins ; le ton impérieux des oracles se faisait sentir dans les discours vifs et impétueux qu'ils prononçaient dans la chaleur de l'enthousiasme [8]. C'est en revêtant cet extérieur imposant, c'est en tombant dans ces convulsions surprenantes, regardées par le peuple comme l'effet d'un pouvoir surnaturel, c'est en lui présentant l'appas d'un songe ridicule que l'imposteur de la Mecque [9] osa tenter la foi des crédules humains, et qu'il éblouit les esprits qu'il avait su charmer, en excitant leur admiration et captivant leur confiance. Les esprits fascinés par le charme vainqueur de son éloquence ne virent plus dans ce hardi et sublime imposteur qu'un prophète qui agissait, parlait, punissait et pardonnait en Dieu. A Dieu ne plaise que je confonde les révélations dont se glorifie à si juste titre le christianisme [10] avec celles que vantent avec ostentation les autres religions ; je veux seulement insinuer par là qu'on ne réussit à échauffer les esprits qu'en faisant parler le dieu dont on se dit l'envoyé, soit qu'il ait véritablement parlé, comme dans le christianisme et le judaïsme, soit que l'imposture le fasse parler, comme dans le paganisme et le mahométisme. Or il ne parle point par la voix du philosophe déiste : une religion ne peut donc être utile qu'à titre de religion révélée. Voyez *Déisme* et *Révélation*.

— 6 Affirmation lourde de conséquences. Cf. : « Partout où nous avons une décision claire et évidente de la *raison*, nous ne pouvons être obligés d'y renoncer pour embrasser l'opinion contraire sous prétexte que c'est une matière de foi. La raison de cela, c'est que nous sommes hommes avant d'être chrétiens » *(Raison).* — 7 A l'art. *Aius Locutius* Diderot déclare, comme Voltaire, qu'il faut une religion pour le peuple, mais revendique pour les philosophes la liberté de penser. — 8 Cf. Fontenelle, *Histoire des Oracles*, dont la thèse sera exposée à l'article *Oracle*. — 9 Mahomet. — 10 Oui, mais les articles *Bible, Certitude, Probabilité* opposent à la révélation les principes de l'examen critique « d'après lesquels on accordera ou refusera la croyance, si l'on ne veut pas donner dans des rêveries et si l'on aime sincèrement la vérité ».

Idées politiques   En politique, l'*Encyclopédie* est moins hardie que sur le plan religieux. Dans l'ensemble elle se rallie aux idées de MONTESQUIEU, à qui elle fait de larges emprunts. Elle condamne le despotisme et considère la république comme bonne seulement pour un petit État *(République)* ; JAUCOURT fait l'éloge de la monarchie anglaise où l'on trouve « le mélange égal de la liberté et de la royauté » *(Monarchie)* ; il flétrit les régimes fondés sur la violence et leur oppose les régimes reposant sur le consentement des peuples, dont le but est « d'assurer le bien-être général de la nation » *(Gouvernement)*. L'article *Autorité Politique* de DIDEROT contient une ferme condamnation du droit divin et de l'absolutisme. Sur la question de l'*égalité*, JAUCOURT partage l'avis de Voltaire : « Dans l'état de nature, les hommes naissent bien dans l'égalité, mais ils n'y sauraient rester : la société la leur fait perdre ; ils ne redeviennent égaux que par les lois » *(Égalité)*. Si l'*Encyclopédie* dénonce les privilèges, les impôts mal répartis, les atteintes à la liberté du travail, *elle n'est pas révolutionnaire :* elle veut seulement *réformer les abus* les plus scandaleux. Elle annonce ainsi le mouvement d'opinion qui aboutira aux États Généraux et à la Constituante.

AUTORITÉ POLITIQUE

Paru dans le Tome I, cet article est le plus hardi du *Dictionnaire* en matière politique. S'inspirant assez directement de LOCKE *(Du Gouvernement civil, 1690)* et annonçant dix ans à l'avance le *Contrat Social*, DIDEROT reprend, avec une fermeté remarquable, les idées qui s'exprimaient depuis le XVIe siècle sous la plume des polémistes protestants. C'est à juste titre que l'arrêt de 1752 reprochait aux Encyclopédistes « d'insérer plusieurs maximes tendant à détruire l'autorité royale, à établir l'esprit d'indépendance et de révolte ». Les répliques du *Journal de Trévoux* citées dans les notes donneront une idée de la lutte engagée pied à pied contre l'*Encyclopédie*.

Aucun homme n'a reçu de la nature le droit de commander aux autres. La liberté est un présent du ciel, et chaque individu de la même espèce a le droit d'en jouir aussitôt qu'il jouit de la raison [1]. Si la nature a établi quelque *autorité*, c'est la puissance paternelle : mais la puissance paternelle a ses bornes ; et dans l'état de nature elle finirait aussitôt que les enfants seraient en état de se conduire [2]. Toute autre *autorité* vient d'une autre origine que la nature. Qu'on examine bien et on la fera toujours remonter à l'une de ces deux sources : ou la force et la violence de celui qui s'en est emparé [3], ou le consentement de ceux qui s'y sont
10 soumis par un contrat fait ou supposé entre eux et celui à qui ils ont déféré l'*autorité* [4].

— 1 Dès 1690, Locke définissait l'état de nature comme « un état de parfaite liberté » auquel les hommes accèdent quand « l'âge et la raison » les délivrent de la domination paternelle, et dont nul ne peut être privé « sans son propre consentement ». — 2 Cf. *Journal de Trévoux* : « Croira-t-on encore que, dans l'état de nature, toute puissance d'un père doive être finie à cet âge ? N'est-il pas plus dans l'ordre de la nature que durant tout le cours de la vie des enfants il reste des traces de cette puissance ? ». — 3 Thèse de Rousseau dans le *Discours sur*
l'*inégalité*. Cf. Pascal *(Pensées)*. — 4 C'est déjà l'idée du *Contrat Social*. Selon le *Journal de Trévoux*, ces principes seraient empruntés à un livre « réfuté en Angleterre même comme autorisant la *révolte* et la *trahison*. Il est beaucoup parlé dans ce livre de contrat, de convention entre le Roi et le Peuple ; il y est dit que quand on choisit un Roi, il s'engage à gouverner la société suivant les conditions stipulées dans l'accord ; que le Prince tient son autorité du Peuple qui le choisit, qui l'établit et dont il n'est que l'exécuteur ».

La puissance qui s'acquiert par la violence n'est qu'une usurpation et ne dure qu'autant que la force de celui qui commande l'emporte sur celle de ceux qui obéissent ; en sorte que si ces derniers deviennent à leur tour les plus forts, et qu'ils secouent le joug, ils le font avec autant de droit et de justice que l'autre qui le leur avait imposé [5]. La même loi qui a fait l'*autorité* la défait alors : c'est la loi du plus fort.

Quelquefois l'*autorité* qui s'établit par la violence change de nature ; c'est lorsqu'elle continue et se maintient du consentement exprès de
20 ceux qu'on a soumis : mais elle rentre par là dans la seconde espèce dont je vais parler ; et celui qui se l'était arrogée devenant alors prince cesse d'être tyran [6].

La puissance qui vient du consentement des peuples suppose nécessairement des conditions qui en rendent l'usage légitime utile à la société, avantageux à la république [7], et qui la fixent et la restreignent entre des limites [8] ; car l'homme ne peut ni ne doit se donner entièrement et sans réserve à un autre homme, parce qu'il a un maître supérieur au-dessus de tout, à qui seul il appartient tout entier [9]. C'est Dieu dont le pouvoir est toujours immédiat [10] sur la créature, maître aussi jaloux qu'absolu,
30 qui ne perd jamais de ses droits et ne les communique point [11]. Il permet pour le bien commun et le maintien de la société que les hommes établissent entre eux un ordre de subordination, qu'ils obéissent à l'un d'eux ; mais il veut que ce soit par raison et avec mesure, et non pas aveuglément et sans réserve [12], afin que la créature ne s'arroge pas les droits du créateur. Toute autre soumission est le véritable crime d'idolâtrie. Fléchir le genou devant un homme ou devant une image n'est qu'une cérémonie extérieure [13], dont le vrai Dieu qui demande le cœur et l'esprit ne se soucie guère, et qu'il abandonne à l'institution des hommes pour en faire, comme il leur conviendra, des marques d'un
40 culte civile et politique, ou d'un culte de religion. Ainsi ce ne sont pas ces cérémonies en elles-mêmes, mais l'esprit de leur établissement qui en rend la pratique innocente ou criminelle. Un Anglais n'a point de scrupule à servir le roi le genou en terre ; le cérémonial ne signifie que ce qu'on a voulu qu'il signifiât, mais livrer son cœur, son esprit et sa conduite sans aucune réserve à la volonté et au caprice d'une pure créature, en faire l'unique et dernier motif de ses actions, c'est assurément un crime de lèse-majesté divine au premier chef. [...]

Le prince tient de ses sujets mêmes l'autorité qu'il a sur eux [14] ; et cette autorité est bornée par les lois de la nature et de l'État... Le prince

---

— 5 Justification de l'insurrection sous un roi absolu. — 6 Usurpateur. — 7 L'État. — 8 Cf. Fénelon. — 9 Argument habile, mais un peu suspect chez un admirateur de Frédéric II et de Catherine II. — 10 Sans intermédiaire. — 11 Bossuet admettait au contraire le droit divin des princes à qui « Dieu communique sa puissance ». — 12 Rousseau (*Contrat Social*, V. 6) parlera au contraire de « l'aliénation totale » et « sans réserve » de « chaque associé avec tous ses droits à toute la communauté », qui est, selon lui, le vrai *souverain*. — 13 Ce sont les « respects d'établissement », purement conventionnels, que Pascal opposait aux « respects naturels ». — 14 Négation formelle du droit divin.

50 ne peut donc pas disposer de son pouvoir et de ses sujets sans le consentement de la nation et indépendamment du choix marqué dans le contrat de soumission... Les conditions de ce pacte sont différentes dans les différents États. Mais partout la nation est en droit de maintenir envers et contre tout le contrat qu'elle a fait ; aucune puissance ne peut le changer ; et quand il n'a plus lieu [15], elle rentre dans le droit et dans la pleine liberté d'en passer un nouveau avec qui et comme il lui plaît. C'est ce qui arriverait en France si, par le plus grand des malheurs, la famille entière régnante venait à s'éteindre jusque dans ses moindres rejetons : alors le sceptre et la couronne retourneraient à la nation.

Revendications   L'*Encyclopédie* s'associe à l'action humanitaire des
sociales et humaines   philosophes. Elle s'attaque à l'*intolérance* avec une indi-
                            gnation assez rare dans l'ouvrage, montrant que « l'into-
lérant est un méchant homme, un mauvais chrétien, un sujet dangereux, un mauvais politique et un mauvais citoyen » *(Intolérance ;* cf. aussi *Fanatisme* et *Réfugiés).* Elle flétrit l'*esclavage* au nom du droit naturel et de la dignité humaine : « L'esclave n'est pas seulement un état humiliant pour celui qui le subit, mais pour l'humanité qui en est dégradée ». Elle condamne la *torture* et la *question,* et si elle admet les pénalités extrêmes comme la peine de mort, c'est non pour punir la faute, mais pour prévenir de nouveaux crimes (art. *Crimes).* Les articles *Guerre* (de JAUCOURT) et *Paix* (DAMILAVILLE ?) sont une condamnation catégorique de la guerre : seule est admise la guerre de légitime défense, à condition qu'elle soit menée avec le désir d'aboutir à une paix durable.

PAIX

Moins sarcastique que LA BRUYÈRE, moins humoriste que VOLTAIRE, l'auteur déplore comme eux les atrocités de la guerre, mais il est surtout sensible à son caractère *antisocial :* elle est la négation de toutes les activités qui assurent la santé du corps social. Aussi pourra-t-on dégager de ce texte l'idéal encyclopédique d'une société harmonieuse où tout tendrait au bonheur humain.

La guerre est un fruit de la dépravation des hommes ; c'est une maladie convulsive et violente du corps politique ; il n'est en santé, c'est-à-dire dans son état naturel, que lorsqu'il jouit de la *paix ;* c'est elle qui donne de la vigueur aux empires ; elle maintient l'ordre parmi les citoyens ; elle laisse aux lois la force qui leur est nécessaire ; elle favorise la population [1], l'agriculture et le commerce ; en un mot, elle procure au peuple le bonheur qui est le but de toute société. La guerre, au contraire, dépeuple les États ; elle y fait régner le désordre ; les lois sont forcées de se taire à la vue de la licence qu'elle introduit ; elle rend incertaines la liberté et
10 la propriété des citoyens ; elle trouble et fait négliger le commerce ; les terres deviennent incultes et abandonnées. Jamais les triomphes les plus éclatants ne peuvent dédommager une nation de la perte d'une multitude

—————————————

— 15 Est inapplicable.   — 1 Le peuplement.

de ses membres que la guerre sacrifie. Ses victoires même lui font des plaies profondes que la *paix* seule peut guérir.

Si la raison gouvernait les hommes, si elle avait sur les chefs des nations l'empire qui lui est dû, on ne les verrait point se livrer inconsidérément aux fureurs de la guerre. Ils ne marqueraient point cet acharnement qui caractérise les bêtes féroces. Attentifs à conserver une tranquillité de qui dépend leur bonheur, ils ne saisiraient point toutes les occasions de
20 troubler celles des autres. Satisfaits des biens que la nature a distribués à tous ses enfants, ils ne regarderaient point avec envie ceux qu'elle a accordés à d'autres peuples ; les souverains sentiraient que des conquêtes payées du sang de leurs sujets ne valent jamais le prix qu'elles ont coûté. Mais, par une fatalité déplorable, les nations vivent entre elles dans une défiance réciproque ; perpétuellement occupées à repousser les entreprises injustes des autres ou à en former elles-mêmes, les prétextes les plus frivoles leur mettent les armes à la main. Et l'on croirait qu'elles ont une volonté permanente de se priver des avantages que la Providence ou l'industrie [2] leur ont procurés. Les passions aveugles des princes les
30 portent à étendre les bornes de leurs États ; peu occupés du bien de leurs sujets, ils ne cherchent qu'à grossir le nombre des hommes qu'ils rendent malheureux. Ces passions, allumées ou entretenues par des ministres ambitieux ou par des guerriers dont la profession est incompatible avec le repos, ont eu, dans tous les âges, les effets les plus funestes pour l'humanité. L'histoire ne nous fournit que des exemples de *paix* violées, de guerres injustes et cruelles, de champs dévastés, de villes réduites en cendres. L'épuisement seul semble forcer les princes à la *paix ;* ils s'aperçoivent toujours trop tard que le sang du citoyen s'est mêlé à celui de l'ennemi ; ce carnage inutile n'a servi qu'à cimenter l'édifice
40 chimérique de la gloire du conquérant et de ses guerriers turbulents ; le bonheur de ses peuples est la première victime qui est immolée à son caprice ou aux vues intéressées de ses courtisans.

Autour de l'Encyclopédie

Montesquieu, Voltaire, Rousseau, Buffon n'apportèrent à *L'Encyclopédie* qu'une contribution fort limitée. Sans jouir du même rayonnement, d'autres écrivains, protecteurs ou collaborateurs occasionnels de l'entreprise, ont laissé des œuvres importantes et exercé une vive influence sur l'esprit encyclopédique. C'est, par exemple, le cas de CONDILLAC *(Essai sur l'origine des connaissances humaines,* 1746 ; *Traité des Sensations,* 1754), HELVÉTIUS *(De l'Esprit,* 1758 ; *De l'Homme,* 1772), D'HOLBACH *(Système de la Nature,* 1770 ; *Morale Universelle,* 1776), TURGOT *(Réflexions sur la formation et la distribution des richesses,* 1766) et CONDORCET *(Esquisse d'un Tableau des progrès de l'esprit humain,* 1793-1794). Les idées qu'ils répandaient concernaient la nécessité de fonder la *science de l'homme* sur le concret et d'élargir le champ des *connaissances positives,* la volonté de substituer à l'impératif religieux une *morale sociale* reposant sur l'*éducation,* et enfin l'aspiration humanitaire à une meilleure organisation de la société.

— 2 L'activité (latin : *industria*).

BUFFON

Sa vie (1708-1788)

Fils d'un conseiller au Parlement de Dijon, Georges-Louis Leclerc de BUFFON est né à Montbard, en Bourgogne, en 1707. Mathématicien remarquable, il est admis à l'Académie des Sciences à 26 ans. En 1739, il est nommé *intendant du Jardin du Roi* (jardin des Plantes) : il se consacre désormais à son œuvre de naturaliste. Tous les ans il passe quatre mois sur douze à Paris, s'occupant d'agrandir et d'enrichir le Jardin du Roi et fréquentant quelques salons, notamment celui de Mme Necker. Mais le reste du temps, il séjourne au château de Montbard où il compose en 40 ans les 36 volumes de l'*Histoire Naturelle*. Le « seigneur de Montbard » mène une vie familiale, assure en « philosophe » la prospérité de ses vassaux, exploite ses terres, dirige ses forges, se livre à des expériences scientifiques. Jusqu'à sa mort (1788), il poursuit dans le calme son œuvre de savant : attaqué en 1751 par la Sorbonne malgré sa sympathie pour le catholicisme, il donne aux théologiens des apaisements de pure forme ; il se refuse de même à la controverse avec Voltaire et les Encyclopédistes qui affectent de ne voir en lui qu'un faiseur de phrases.

L'Histoire Naturelle

Publiée régulièrement de 1749 à 1789, l'*Histoire Naturelle*, avec ses beaux livres bien illustrés, est un des « monuments » du siècle. Elle comprend 36 volumes : 1 sur la *Théorie de la Terre*, 2 sur l'*Homme* (T. I à III, publiés en 1749), 12 sur les *Quadrupèdes vivipares* (1753-1778), 9 sur les *Oiseaux* (1770-1783), 5 sur les *Minéraux* (1783-1788), et 7 volumes de *suppléments* (1774-1789), contenant les célèbres *Époques de la Nature* (1788).

BUFFON y procède par *monographies* consacrées aux espèces animales. De chaque *espèce*, il étudie l'aspect physique, les mœurs, l'anatomie, « l'histoire », et il décrit les bêtes vivantes avec un incomparable talent d'écrivain.

Sans avoir la hardiesse d'un Diderot, le naturaliste pressent les grandes hypothèses du XIXe siècle et il s'achemine peu à peu vers un *transformisme limité*, agissant seulement à l'intérieur de l'espèce.

Au début des *Époques de la Nature*, BUFFON définit, dans une magnifique image, la *méthode* d'une science nouvelle : « Comme dans l'histoire civile on consulte les titres, on recherche les médailles, on déchiffre les inscriptions antiques, pour déterminer les époques des révolutions humaines et constater la date des événements moraux : de même dans l'histoire naturelle, il faut *fouiller les archives du monde*, tirer des entrailles de la terre les vieux monuments, recueillir leurs débris, et rassembler en un corps de preuves tous les indices des changements physiques qui peuvent nous faire remonter aux différents âges de la nature. [...] Si nous l'embrassons dans toute son étendue, nous ne pourrons douter qu'elle ne soit aujourd'hui très différente de ce qu'elle était au commencement et de ce qu'elle est devenue dans la succession des temps : ce sont ces changements divers que nous appelons ses *époques* ».

Dans les *Époques de la Nature*, l'auteur trace une histoire ordonnée et cohérente de la formation de la terre, et il rend possible les progrès de cette science en cessant de la subordonner à la théologie. Il distingue sept Époques depuis le moment où une comète, heurtant la masse solaire en fusion, en aurait détaché la Terre et les planètes, jusqu'au moment où « la puissance de l'homme a secondé celle de la nature ».

Atelier de distillateur d'eau-forte ;
Atelier de serrurier.
Maquettes d'après les planches de l'*Encyclopédie*, exécutées vers 1783 par Etienne Calla, sur l'ordre
e Mme de Genlis. Paris, musée des Arts et Métiers. *(Photo Jeanbor - E.B.)*

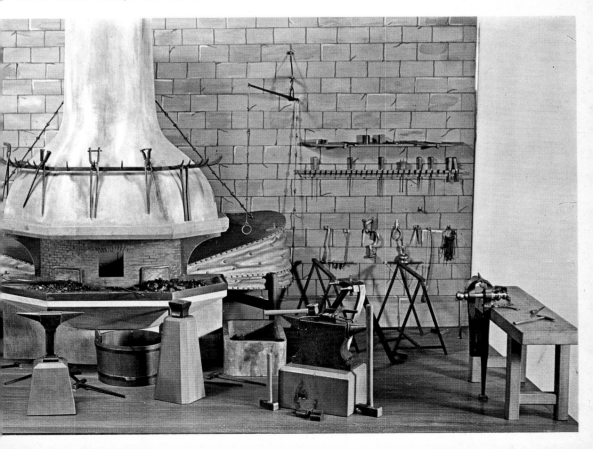

Lemonnier : *Une soirée chez Madame Geoffrin* (détail).
Lekain lisant « l'Orphelin de la Chine » de Voltaire en présence
de Buffon, Réaumur, J.-J. Rousseau, d'Alembert, Diderot, etc.
Rouen, musée des Beaux-Arts. *(Photo Snark International.)*

LES PREMIERS HOMMES

Début de la *Septième Époque*. Si BUFFON ne distingue pas encore les divers âges de la préhistoire, cette reconstitution des activités primitives, reposant sur des *faits précis* et des *données raisonnables*, n'en constitue pas moins par rapport au mythe de l'âge d'or un progrès vers l'archéologie scientifique. Mais ce tableau nous frappe surtout par la vigueur de l'*imagination* pittoresque, souvent comparée à celle de LUCRÈCE (Livre V). C'est l'épopée de l'homme primitif ; c'est aussi l'épopée du *progrès* matériel et moral.

Les premiers hommes, témoins des mouvements convulsifs de la terre encore récents et très fréquents, n'ayant que les montagnes pour asiles contre les inondations, chassés souvent de ces mêmes asiles par le feu des volcans, tremblants sur une terre qui tremblait sous leurs pieds, nus d'esprit et de corps, exposés aux injures de tous les éléments, victimes de la fureur des animaux féroces, dont ils ne pouvaient éviter de devenir la proie ; tous également pénétrés du sentiment commun [1] d'une terreur funeste, tous également pressés par la nécessité, n'ont-ils pas très promptement cherché à se réunir, d'abord pour se défendre par le nombre,
10 ensuite pour s'aider et travailler de concert à se faire un domicile et des armes [2] ? Ils ont commencé par aiguiser en forme de haches, ces cailloux durs, ces jades [3], ces *pierres de foudre* [4], que l'on a crues tombées des nues et formées par le tonnerre, et qui néanmoins ne sont que les premiers monuments de l'art de l'homme dans l'état de pure nature : il aura bientôt tiré du feu de ces mêmes cailloux en les frappant les uns contre les autres ; il aura saisi la flamme des volcans ou profité du feu de leurs laves brûlantes pour le communiquer, pour se faire jour dans les forêts, les broussailles ; car, avec le secours de ce puissant élément, il a nettoyé, assaini, purifié les terrains qu'il voulait habiter ; avec la hache de pierre, il a tranché,
20 coupé les arbres, menuisé [5] le bois, façonné des armes et les instruments de première nécessité. Et, après s'être munis de massues et d'autres armes pesantes et défensives, ces premiers hommes n'ont-ils pas trouvé le moyen d'en faire d'offensives plus légères, pour atteindre de loin ? un nerf, un tendon d'animal, des fils d'aloès, ou l'écorce souple d'une plante ligneuse, leur ont servi de corde pour réunir les deux extrémités d'une branche élastique dont ils ont fait leur arc ; ils ont aiguisé d'autres petits cailloux pour en armer la flèche. Bientôt ils auront eu des filets, des radeaux, des canots, et s'en sont tenus là tant qu'ils n'ont formé que de petites nations composées de quelques familles, ou plutôt de parents
30 issus d'une même famille [6], comme nous le voyons encore aujourd'hui chez les sauvages [7] qui veulent demeurer sauvages et qui le peuvent, dans les lieux où l'espace libre ne leur manque pas plus que le gibier, le poisson

---

— 1 Cf. « La société dépend moins des convenances physiques que des relations morales » (*Hist. Nat.* IV). — 2 Bienfaits de la société : « Auparavant, l'homme était peut-être l'animal le plus sauvage et le moins redoutable de tous ». — 3 Pierres verdâtres, très dures. — 4 Antoine de Jussieu avait établi en 1723 que ces silex étaient des armes préhistoriques. — 5 Découpé et façonné. — 6 Cf. « Une famille est une société naturelle, d'autant mieux fondée qu'il y a plus de besoins, plus de causes d'attachement » (*Hist. Nat.*, IV, 1753). — 7 Comme Rousseau, Buffon voit dans le sauvage un primitif attardé.

et les fruits. Mais dans tous ceux où l'espace s'est trouvé confiné par les eaux, ou resserré par les hautes montagnes, ces petites nations, devenues trop nombreuses, ont été forcées de partager leur terrain entre elles, et c'est de ce moment que la terre est devenue le domaine de l'homme : il en a pris possession par ses travaux de culture, et l'attachement à la patrie a suivi de très près les premiers actes de sa propriété. L'intérêt particulier faisant partie de l'intérêt national, l'ordre, la police [8] et les
40 lois ont dû succéder, et la société prendre de la consistance et des forces [9].

Néanmoins, ces hommes, profondément affectés des calamités de leur premier état, et ayant encore sous les yeux les ravages des inondations, les incendies des volcans, les gouffres ouverts par les secousses de la terre, ont conservé un souvenir durable et presque éternel de ces malheurs du monde : l'idée qu'il doit périr par un déluge universel ou par un embrasement général ; le respect pour certaines montagnes sur lesquelles ils s'étaient sauvés des inondations ; l'horreur pour ces autres montagnes qui lançaient des feux plus terribles que ceux du tonnerre [10] ; la vue de ces combats de la terre contre le ciel, fondement de la fable des Titans [11]
50 et de leurs assauts contre les dieux ; l'opinion de l'existence réelle d'un être malfaisant [12], la crainte et la superstition qui en sont le premier produit ; tous ces sentiments, fondés sur la terreur, se sont dès lors emparés à jamais du cœur et de l'esprit de l'homme : à peine est-il encore rassuré par l'expérience des temps, par le calme qui a succédé à ces siècles d'orages, enfin par la connaissance des effets et des opérations de la Nature [13] ; connaissance qui n'a pu s'acquérir qu'après l'établissement de quelque grande société dans les terres paisibles.

Buffon et les philosophes

Penseur indépendant, BUFFON fut attaqué par les Encyclopédistes. Néanmoins sa *générosité* lui a dicté des protestations contre l'esclavage, l'avidité des riches, la misère des paysans. Il a condamné la guerre et exprimé sa ferveur pour *le progrès de la civilisation*. « Qui sait jusqu'à quel point l'homme pourrait perfectionner sa nature, soit au moral, soit au physique ? Y a-t-il une seule nation qui puisse se vanter d'être arrivée au *meilleur gouvernement possible*, qui serait de rendre tous les hommes, non pas également heureux, mais moins inégalement malheureux, en veillant à leur conservation, à l'épargne de leurs sueurs et de leur sang par la paix, par l'abondance des subsistances, par les aisances de la vie et les facilités pour leur propagation ? Voilà *le but moral de toute société...*

Il semble que de tout temps l'homme ait fait moins de réflexions sur le bien que de recherches pour le mal : toute société est mêlée de l'un et de l'autre ; et comme de tous les sentiments qui affectent la multitude la crainte est le plus puissant, les grands talents dans l'art de faire du mal ont été les premiers qui aient frappé l'esprit de l'homme ; ensuite ceux qui l'ont amusé ont occupé son cœur ; et ce n'est qu'après un trop long usage de ces deux moyens de faux honneur et de plaisir stérile, qu'enfin il a reconnu que *sa vraie gloire est la science, et la paix son vrai bonheur* » (*Conclusion* des *Époques de la Nature*).

— 8 Organisation de la vie sociale. — 9 Réplique aux diatribes de Rousseau contre la société et la propriété. Cf. « L'homme a vu que la solitude n'était pour lui qu'un état de danger et de guerre, il a cherché la sûreté et la paix dans la société... Il n'est tranquille, il n'est fort, il n'est grand, il ne commande à l'univers que parce qu'il a su se commander à lui-même, se dompter, se soumettre et s'imposer des lois ; l'homme, en un mot, n'est l'homme que parce qu'il a su se réunir à l'homme ». — 10 Légendes des Cyclopes, de Cacus, etc. — 11 Géants qui voulaient escalader le ciel. — 12 Satan. — 13 Lucrèce croyait déjà qu'en expliquant les phénomènes, la physique nous délivre de la superstition. Idée familière aux Encyclopédistes.

SENSIBILITÉ ET PRÉROMANTISME

La sensibilité après 1750   Vers le milieu du siècle, en réaction contre le rationalisme desséchant et l'abus de l'esprit, la *sensibilité* trop longtemps contenue envahit la littérature et les mœurs.
On a vu l'importance que prend chez DIDEROT l'élément émotionnel : il analyse lui-même les manifestations de sa sensibilité passionnée. Mais c'est surtout ROUSSEAU, tempérament ardent et impétueux, qui va déchaîner les instincts profonds et assurer le triomphe de la passion. La *Nouvelle Héloïse* offre à un public tout prêt à l'accueillir la *peinture exaltante de ses sentiments passionnés* et la *divinisation des élans du cœur.* Désormais la mode sera aux effusions, aux ravissements et aux extases, aux soupirs, aux larmes et aux désespoirs. La sensibilité apparaît comme un guide infaillible pour mener à la *vertu,* à travers mille émotions délicieuses, à travers mille souffrances aussi, car les cœurs sensibles sont plus vivement déchirés que les autres. Rarement une joie sera goûtée sans mélange ; toutefois il y a tant de charme à se découvrir une âme sensible qu'on goûte déjà dans la souffrance même une sorte de *volupté.*

Si la passion envahit la littérature, elle triomphe aussi dans les mœurs, et le témoignage le plus sincère nous en est offert par la correspondance de quelques femmes célèbres, comme Mme DU DEFFAND ou Mlle DE LESPINASSE.

Le préromantisme   Cet épanouissement de la sensibilité fit accueillir avec ferveur les *œuvres étrangères* placées sous le signe de la passion. Les traductions de RICHARDSON par l'abbé Prévost enthousiasment les cœurs sensibles ; la littérature anglaise connaîtra une vogue croissante avec les traductions de SHAKESPEARE, des poésies sombres et mélancoliques de GRAY et de YOUNG, des chants rêveurs ou exaltés d'OSSIAN ; vers la fin du siècle, c'est l'Allemagne qui attire les regards, surtout le *Werther* de GŒTHE. Ces œuvres étrangères, d'ailleurs connues par des traductions fort édulcorées, exerceront bientôt leur influence sur le *mouvement romantique.* Mais si l'on veut remonter aux sources profondes du romantisme, il faut les chercher d'abord dans la libération progressive de la *sensibilité* au cours du XVIIIᵉ siècle.

THÈMES PRÉROMANTIQUES. La sensibilité conduit les écrivains à *se mettre au centre de leurs œuvres,* largement autobiographiques, avec leur orgueil, leur mélancolie, leurs émotions. Aussi trouve-t-on chez ROUSSEAU et ses successeurs la plupart des thèmes qui seront chers aux romantiques.

1. LE SENTIMENT DE LA NATURE. Avant Chateaubriand, JEAN-JACQUES a été sensible à la grandeur et au mystère de la *nature ;* il y voit le cadre idéal des *émotions humaines,* qu'elle contribue à souligner et à suggérer.

L'automne, le clair de lune, les bruits sourds et mystérieux, les ruines et les tombeaux sont désormais liés à l'évocation de la mélancolie.

2. LE SENTIMENT RELIGIEUX. La solitude, le mystère de la nature aident l'âme à se rapprocher de Dieu. Les « élévations » romantiques sont annoncées par les extases et l'exaltation de ROUSSEAU. On trouve déjà chez lui ce *mal de l'infini* qui aboutira aux élans de Chateaubriand dans *René* et de Lamartine dans *L'Isolement.*

3. L'AMOUR. Les thèmes essentiels de l'amour romantique apparaissent dans la *Nouvelle Héloïse* : la fatalité de la passion, la prédestination des amants, les tourments de la séparation, la recherche de l'oubli dans les voyages et les dangers, l'idée du suicide, le sentiment douloureux du temps qui passe et du bonheur qui s'enfuit, et surtout les émotions qui s'emparent de l'âme, au retour dans les lieux témoins du bonheur passé.

JEAN-JACQUES ROUSSEAU

La jeunesse Né à Genève le 28 juin 1712, d'une famille protestante d'origine française, JEAN-JACQUES ROUSSEAU perdit sa mère en naissant. Son père Isaac Rousseau, horloger, était d'humeur fantasque. L'enfant, livré à lui-même, puisait sans discernement dans sa bibliothèque : l'*Astrée* éveilla de bonne heure son esprit romanesque, Plutarque sa passion de la vertu. Le père dut s'exiler à la suite d'une rixe et JEAN-JACQUES, mis en pension, à Bossey, chez le pasteur LAMBERCIER, y vécut deux années heureuses en pleine campagne, abandonné à sa paresse et à ses rêves (1722-1724). De retour à Genève, il fut mis en apprentissage en 1727 chez le graveur Ducommun qui le traitait brutalement : timide et fier, l'enfant devint dissimulé, menteur, fainéant et chapardeur.

Après une fugue en mars 1728, il est recueilli à Annecy par la pieuse Mme de WARENS qui l'envoie recevoir le baptême à l'hospice des catéchumènes de Turin. Il mène alors une vie misérable et insouciante et revient en 1729 chez Mme de Warens qu'il appellera désormais Maman. Vivant d'expédients, il court les grands chemins, poussant jusqu'à Paris où on lui offre une place de laquais. Il revient à pied chez Mme de WARENS, installée maintenant à Chambéry, et il y connaît une vie agréable, comblant les lacunes d'une éducation longtemps négligée et goûtant jusqu'en 1737 un calme bonheur aux Charmettes, maison de campagne aux portes de Chambéry.

A la conquête
de la gloire En 1742, Rousseau tente en vain de faire triompher à Paris un nouveau mode de notation musicale. Secrétaire de l'ambassadeur à Venise, en 1743, il ne supporte pas d'être traité en valet et revient à Paris où il vit pauvrement. Il s'attache à une servante d'auberge, THÉRÈSE LEVASSEUR : elle lui donnera cinq enfants qu'il aurait abandonnés aux « enfants trouvés ».

Cependant, le *Discours sur les Sciences et les Arts* lui vaut en 1750 le prix de l'Académie de Dijon et la célébrité, et il précise son idée de la bonté naturelle de l'homme dans le *Discours sur l'Inégalité* (1755). Entre-temps, son opéra le *Devin du Village* (1752) avait obtenu un beau succès. Mais sa timidité, son humeur étrange commencent à le brouiller avec ses amis.

L'Ermitage
et Montmorency Invité par Mme d'ÉPINAY, il s'installe à l'Ermitage, au nord de Paris, non loin de Montmorency (1756-1757). C'est une période d'intense activité créatrice (préparation de l'*Émile*, du *Contrat Social*, de *La Nouvelle Héloïse*). Mais les Encyclopédistes l'accusent de déserter et d'affecter par système un faux amour de la solitude. Il se brouille avec GRIMM et DIDEROT, et sa passion pour Mme d'HOUDETOT, belle-sœur de Mme d'Épinay, indispose son hôtesse.

Bientôt accueilli par le Maréchal de Luxembourg dans une dépendance du château de Montmorency, Rousseau y connaît pendant quatre ans une période de calme relatif. Il publie en 1758 la *Lettre à D'Alembert*, en 1761 la *Nouvelle Héloïse*, en 1762 *Le Contrat Social* et l'*Émile*. Malheureusement, la *Profession de foi du Vicaire Savoyard* au livre IV de l'*Émile* irrite le Parlement : décrété de prise de corps, il se hâte de passer en Suisse (1762).

La fin de sa vie   Désormais Rousseau connaîtra huit années de vie errante, persécuté par des haines religieuses ou par les mesquineries de ses anciens amis les philosophes, mais aussi victime de ses soupçons morbides qui le brouillent avec tous. En septembre 1765, sa maison de Motiers est lapidée par la population et il doit se réfugier dans l'île de Saint-Pierre, au milieu du lac de Bienne où il goûte six semaines délicieuses. A partir de 1765, il entreprend la rédaction des *Confessions.*

Revenu à Paris en 1770, toujours obsédé par l'idée du complot universel dirigé contre lui, il écrit pour se justifier les derniers livres des *Confessions* et les *Dialogues : Rousseau, juge de Jean-Jacques* (1772-1776).

Enfin il prend le parti de ne plus penser à ses ennemis et de se replier sur lui-même, enchantant ses dernières années en rédigeant les *Rêveries du promeneur solitaire.*

A la veille de sa mort, il venait d'accepter l'hospitalité de M. de GIRARDIN au château d'Ermenonville où il mourra le 2 juillet 1778. Il fut enterré à l'île des Peupliers, dans le parc d'Ermenonville. Ses cendres furent transférées au Panthéon en 1794.

DISCOURS SUR L'ORIGINE DE L'INÉGALITÉ

Quelle est l'origine de l'inégalité des conditions parmi les hommes ; et si elle est autorisée par la loi naturelle ? Tel était, en 1753, le nouveau sujet proposé par l'Académie de Dijon. C'est au cours d'un séjour à Saint-Germain que ROUSSEAU conçut en réponse son *Discours sur l'Inégalité :* « Enfoncé dans la forêt, j'y cherchais, j'y trouvais l'image des premiers temps, dont je traçais fièrement l'histoire ; je faisais main basse sur les petits mensonges des hommes ; j'osais dévoiler à nu leur nature, suivre le progrès du temps et des choses qui l'ont défigurée, et, comparant l'homme de l'homme avec l'homme naturel, leur montrer dans son perfectionnement prétendu la véritable source de ses misères. Mon âme, exaltée par ces contemplations sublimes, s'élevait auprès de la divinité ; et, voyant de là mes semblables suivre, dans l'aveugle route de leurs préjugés, celle de leurs erreurs, de leurs malheurs, de leurs crimes, je leur criais d'une faible voix qu'ils ne pouvaient entendre : *Insensés qui vous plaigniez sans cesse de la nature, apprenez que tous vos maux viennent de vous !* » (*Confessions*, VIII). La racine du mal était donc dans la *vie sociale*, puisque la nature avait fait l'homme pour la vie isolée. Mais, plus directement, le problème de l'*inégalité* remettait en question les bases mêmes de la société contemporaine.

L'Académie de Dijon ayant reculé devant tant de hardiesse, ROUSSEAU ne reçut pas le prix, mais le *Discours sur l'Inégalité*, publié en 1755, assura sa gloire et son influence.

LA PROPRIÉTÉ SOURCE DE LA SOCIÉTÉ ET DE L'INÉGALITÉ

Voici les thèmes essentiels de l'ouvrage : le rêve paradisiaque d'un *âge d'or* de l'humanité primitive, la diatribe contre la *propriété* et ses conséquences néfastes, l'idée que la *société civile*, corruptrice des âmes, est née de la propriété. Le texte offre une image fidèle du *Discours :* un vigoureux effort de *raisonnement* reposant sur des conjectures parfois contestables ; une *imagination ardente* appuyée sur des documents sérieux mais aujourd'hui dépassés ; une *éloquence* parfois brutale, parfois harmonieusement rythmée, toujours vibrante et spontanée.

Le premier qui ayant enclos un terrain s'avisa de dire : *Ceci est à moi*[1], et trouva des gens assez simples pour le croire, fut le vrai fondateur de la société civile[2]. Que de crimes, de guerres, de meurtres, que de

---

— 1 Cf. Pascal, *Pensées*, 295. — 2 Organisée.

misères et d'horreurs n'eût point épargnés au genre humain celui qui,
arrachant les pieux ou comblant le fossé, eût crié à ses semblables :
« Gardez-vous d'écouter cet imposteur ; vous êtes perdus si vous
oubliez que les fruits sont à tous, et que la terre n'est à personne [3] ! »
Mais il y a grande apparence qu'alors les choses en étaient déjà venues
au point de ne pouvoir plus durer comme elles étaient : car cette idée de
10 propriété, dépendant de beaucoup d'idées antérieures qui n'ont pu naître
que successivement, ne se forma pas tout d'un coup dans l'esprit humain :
il fallut faire bien des progrès, acquérir bien de l'industrie [4] et des
lumières, les transmettre et les augmenter d'âge en âge, avant que d'arriver
à ce dernier terme de l'état de nature [5]. [...]

*Peu à peu les hommes primitifs, vivant isolés, ont conquis la supériorité sur les animaux.
Puis s'établit la famille qui « introduisit une sorte de propriété », et la liaison entre familles
créa des groupes. Déjà différent de la pure nature, cet état antérieur à la propriété et à la
société fut néanmoins selon Rousseau le plus heureux de l'histoire du monde.*

Quoique les hommes fussent devenus moins endurants, et que la
pitié naturelle [6] eût déjà souffert quelque altération, cette période du
développement des facultés humaines, tenant un juste milieu entre l'indo-
lence de l'état primitif et la pétulante activité de notre amour-propre,
dut être l'époque la plus heureuse et la plus durable. Plus on y réfléchit,
20 plus on trouve que cet état était le moins sujet aux révolutions, le meilleur
à l'homme, et qu'il n'en a dû sortir que par quelque funeste hasard [7],
qui, pour l'utilité commune, eût dû ne jamais arriver. L'exemple des
sauvages qu'on a presque tous trouvés à ce point, semble confirmer que
le genre humain était fait pour y rester toujours, que cet état est la véritable jeunesse du monde, et que tous les progrès ultérieurs ont été en
apparence autant de pas vers la perfection de l'individu, et en effet [8]
vers la décrépitude de l'espèce.

Tant que les hommes se contentèrent de leurs cabanes rustiques,
tant qu'ils se bornèrent à coudre leurs habits de peaux avec des épines
30 ou des arêtes, à se parer de plumes et de coquillages, à se peindre le
corps de diverses couleurs, à perfectionner ou embellir leurs arcs et
leurs flèches, à tailler avec des pierres tranchantes quelques canots de
pêcheurs, ou quelques grossiers instruments de musique, en un mot,
tant qu'ils ne s'appliquèrent qu'à des ouvrages qu'un seul pouvait faire,

---

— 3 C'est une idée chrétienne. — 4 Activité. —
5 Avec la propriété va en effet commencer la vie
en société. — 6 L'âme primitive aurait été
partagée entre deux sentiments élémentaires :
l'amour de soi-même et la *pitié* qui modérait cet
égoïsme. — 7 L'invention de la métallurgie et de
l'agriculture, origine de la propriété (cf. l. 45-63).
— 8 En réalité.

et qu'à des arts [9] qui n'avaient pas besoin du concours de plusieurs mains, ils vécurent libres, sains, bons [10] et heureux autant qu'ils pouvaient l'être par leur nature et continuèrent à jouir entre eux des douceurs d'un commerce indépendant [11]; mais dès l'instant qu'un homme eut besoin du secours d'un autre, dès qu'on s'aperçut qu'il était utile à un
40 seul d'avoir des provisions pour deux, l'égalité disparut, la propriété s'introduisit, le travail devint nécessaire et les vastes forêts se changèrent en des campagnes riantes qu'il fallut arroser de la sueur des hommes, et dans lesquelles on vit bientôt l'esclavage et la misère germer et croître avec les moissons.

La métallurgie et l'agriculture furent les deux arts dont l'invention produisit cette grande révolution. Pour le poète, c'est l'or et l'argent ; mais pour le philosophe, ce sont le fer et le blé qui ont civilisé les hommes et perdu le genre humain. [...] Dès qu'il fallut des hommes pour fondre et forger le fer, il fallut d'autres hommes pour nourrir ceux-là [12]. [...]

50 De la culture des terres s'ensuivit nécessairement leur partage, et de la propriété une fois reconnue les premières règles de justice [13] : car, pour rendre à chacun le sien, il faut que chacun puisse avoir quelque chose ; de plus, les hommes commençant à porter leurs vues dans l'avenir, et se voyant tous quelques biens à perdre, il n'y en avait aucun qui n'eût à craindre pour soi la représaille [14] des torts qu'il pouvait faire à autrui. Cette origine est d'autant plus naturelle, qu'il est impossible de concevoir l'idée de la propriété naissant d'ailleurs que de la main-d'œuvre ; car on ne voit pas ce que, pour s'approprier les choses qu'il n'a point faites, l'homme y peut mettre de plus que son travail. C'est le seul travail qui,
60 donnant droit au cultivateur sur le produit de la terre qu'il a labourée, lui en donne par conséquent sur le fonds, au moins jusqu'à la récolte, et ainsi d'année en année ; ce qui, faisant une possession continue, se transforme aisément en propriété.

L'inégalité des conditions éveille dans l'âme primitive l'ambition, la jalousie, la tromperie, l'avarice, etc. Constamment en lutte avec les pauvres, les riches leur proposent habilement d'instituer un contrat, sous prétexte de protéger les faibles, de contenir les ambitieux, et d'assurer à chacun la possession de ce qui lui appartient. « Telle fut ou dut être l'origine de la société et des lois, qui donnèrent de nouvelles entraves au faible et de nouvelles forces au riche, détruisirent sans retour la liberté naturelle, fixèrent pour jamais la loi de la propriété et de l'inégalité, d'une adroite usurpation firent un droit irrévocable, et, pour le profit de quelques ambitieux, assujettirent désormais tout le genre humain au travail, à la servitude et à la misère ».

— 9 Métiers (lat. *artes*). — 10 Cf. « Les hommes, dans cet état, n'ayant entre eux aucune sorte de relation morale ni de devoirs connus, ne pouvaient être bons, ni méchants et n'avaient ni vices ni vertus ». Pour eux, *être bon* c'était obéir aux impulsions de la nature. —

11 Tout le début de ce § est inspiré de Buffon et des « reportages » de voyageurs sur les peuplades sauvages. — 12 La division du travail favorisa le progrès, mais l'interdépendance mit fin à la liberté. — 13 De proche en proche la propriété va donner naissance à l'organisation sociale et politique. — 14 Vengeance.

LA NOUVELLE HÉLOÏSE (1761)

En avril 1756, Rousseau s'installe à l'Ermitage. Dans cette paisible retraite, en proie à une crise, il demande à la création littéraire une évasion, une revanche sur la vie. Un *roman* par lettres s'ébauche dans son esprit et dans son cœur : « L'impossibilité d'atteindre aux êtres réels me jeta dans le pays des chimères, et ne voyant rien d'existant qui fût digne de mon délire, je le nourris dans un monde idéal que mon imagination créatrice eut bientôt peuplé d'êtres selon mon cœur. Je me figurai l'amour, l'amitié, les deux idoles de mon cœur, sous les plus ravissantes images... » (*Confessions*, IX). Les héros du roman, Julie, Claire, Saint-Preux, échangent des lettres et Rousseau leur prête sa passion et son lyrisme enflammé. Peu à peu leurs aventures se précisent : toutefois le dénouement reste incertain. Mais au printemps suivant (1757), Rousseau s'éprend de Mme d'Houdetot : il croit voir se matérialiser en elle Julie, l'idéale créature de ses songes. La vie se mêle au roman dont elle va compléter la trame. Rousseau caresse le rêve de goûter un impossible bonheur entre Mme d'Houdetot et son amant Saint-Lambert. Ce rêve transposé, épuré, deviendra le centre d'intérêt des trois dernières parties du roman : Saint-Preux accueilli au foyer de M. et Mme de Wolmar. Dès lors l'ouvrage est terminé rapidement (septembre 1758). Il paraîtra à Amsterdam en 1761 sous le titre suivant : *Julie ou la Nouvelle Héloïse, Lettres de deux amants, habitants d'une petite ville au pied des Alpes, recueillies et publiées par Jean-Jacques Rousseau.*

L'intérêt du roman réside moins dans l'intrigue que dans la peinture de la *passion* et le désir de la concilier avec la *vertu*. L'amour interdit de Julie et de Saint-Preux n'abaisse pas les cœurs qu'il enflamme, bien au contraire. Cependant une évolution s'opère au cours du roman : les deux héros combattent leur passion au nom de la *vertu* dont ils ont retrouvé le véritable sens. La sensibilité de Rousseau se traduit encore dans la *Nouvelle Héloïse* sous la forme du *sentiment de la nature*. Le cadre du roman sera donc le lac de Genève et les montagnes du Valais. Mais Rousseau ne recherche jamais les notations purement pittoresques : ce qui l'intéresse, c'est l'*influence de la nature sur l'âme*, ce sont les harmonies, les mystérieuses *correspondances* qui *unissent le paysage aux sentiments*. Son amour de la nature se traduit également par l'*éloge de la vie champêtre*, opposée aux tracas, aux mensonges et aux vaines ambitions de la vie urbaine. Il ne s'agit point de revenir à l'état sauvage, ni de « marcher à quatre pattes », mais on peut trouver le *bonheur* dans une existence saine et utile.

L'influence morale et littéraire de la *Nouvelle Héloïse* fut considérable. La passion véritable, même coupable, devait avoir une influence bienfaisante sur une société cynique et perverse. Au plan littéraire, l'ouvrage de Rousseau prépare la voie au roman personnel de l'époque romantique et il marque le renouveau du *lyrisme*.

Iʳᵉ *PARTIE. Précepteur de* Julie *d'Étange,* Saint-Preux *s'est épris de son élève,* qui partage son amour. *Ainsi, au Moyen Age, Héloïse avait répondu à l'amour de son maître, le philosophe Abélard : d'où le titre du roman. Mais Saint-Preux est roturier et les jeunes gens n'osent espérer que le baron d'Étange consente à les unir ; il était absent jusqu'ici, mais son retour à Vevey est proche ; Julie obtient de Saint-Preux qu'il consente à s'éloigner quelque temps : il a justement des affaires à régler dans le Valais.*

A son retour du Valais, Saint-Preux s'installe à Meillerie, en face de Vevey, de l'autre côté du lac de Genève ; les deux jeunes gens se voient en secret. Claire, cousine et intime amie de Julie, Milord Edouard, ami anglais de Saint-Preux, et Julie elle-même ont beau tenter de fléchir M. d'Étange, celui-ci ne veut pas entendre parler d'une mésalliance ; il a d'ailleurs promis la main de sa fille à un gentilhomme qui lui a sauvé la vie, M. de Wolmar. Il faut donc que Saint-Preux s'éloigne de nouveau.

IIᵉ *PARTIE.* Julie et Saint-Preux *souffrent cruellement de leur* séparation. *Milord Edouard leur propose de se réfugier en Angleterre, où les lois leur permettraient de se marier. Mais Julie refuse, pour ne pas désespérer ses parents. De Paris, Saint-Preux lui fait part de ses réflexions critiques sur la société française et sur les spectacles, opéra, comédie, tragédie.*

IIIe PARTIE. Cependant Julie tombe gravement malade ; Saint-Preux accourt auprès d'elle et contracte à son tour la petite vérole. Une fois remise, Julie doit se résigner à épouser M. de Wolmar. Saint-Preux lui a rendu sa liberté, mais il touche au fond du désespoir. Il pense au suicide, tentation qui a hanté Rousseau lui-même. Milord Edouard parvient à l'en dissuader, et le décide à s'embarquer sur une escadre anglaise qui va faire le tour du monde.

IVe PARTIE. A Clarens, sur la rive est du lac, entourée de son mari, de leurs deux fils, de Claire d'Orbe, maintenant veuve, et de sa fille, Julie semble avoir trouvé la paix. M. de Wolmar n'ignore rien de ce qui s'est passé entre elle et Saint-Preux, mais, dans sa grandeur d'âme, il invite Saint-Preux à venir vivre parmi eux dès son retour de voyage. On imagine l'émotion des deux amants lorsqu'ils se retrouvent ; mais pourront-ils vivre ainsi côte à côte sans succomber à la passion ? une telle existence ne risque-t-elle pas, loin de les rendre heureux, d'être un supplice de tous les instants ?

LA PROMENADE SUR LE LAC

M. de Wolmar est absent : il s'est proposé de « guérir » les deux amants, et son départ est une *épreuve* dont il est persuadé qu'ils sortiront vainqueurs. Voici donc Saint-Preux et Julie seul à seule, livrés au charme périlleux de leurs *souvenirs d'amour*. La matinée est calme cependant : la présence des bateliers, un coup de vent sur le lac sont venus les distraire. Mais après le repas de midi, ils parcourent ensemble les rochers de Meillerie où jadis Saint-Preux errait, solitaire, songeant à sa Julie. Avec les souvenirs, l'émotion les envahit : elle va croître peu à peu jusqu'à un paroxysme. La *vérité psychologique, l'harmonie* subtile et prenante *du décor, des sentiments et de l'expression* font de cette page célèbre l'un des plus beaux moments de la *Nouvelle Héloïse*. (IV, 17 ; SAINT-PREUX à Milord Edouard).

Revenus lentement au port après quelques détours, nous nous séparâmes. Elle voulut rester seule, et je continuai de me promener sans trop savoir où j'allais. A mon retour, le bateau n'étant pas encore prêt, ni l'eau tranquille, nous soupâmes tristement, les yeux baissés, l'air rêveur, mangeant peu et parlant encore moins. Après le souper, nous fûmes nous asseoir sur la grève en attendant le moment du départ. Insensiblement la lune se leva, l'eau devint plus calme, et Julie me proposa de partir. Je lui donnai la main pour entrer dans le bateau ; et, en m'asseyant à côté d'elle, je ne songeai plus à quitter sa main. 10 Nous gardions un profond silence. Le bruit égal et mesuré[1] des rames m'excitait à rêver[2]. Le chant assez gai des bécassines, me retraçant les plaisirs d'un autre âge, au lieu de m'égayer m'attristait. Peu à peu je sentis augmenter la mélancolie dont j'étais accablé. Un ciel serein, la fraîcheur de l'air, les doux rayons de la lune, le frémissement argenté dont l'eau brillait autour de nous, le concours des plus agréables sensations, la présence même de cet objet[3] chéri, rien ne put détourner de mon cœur mille réflexions douloureuses.

Je commençai par me rappeler une promenade semblable faite autrefois avec elle durant le charme de nos premières amours. Tous les

— 1 Régulier. — 2 Cf. *Rêveries :* La rêverie au bord du lac (l. 9-18). — 3 Être.

10 sentiments délicieux qui remplissaient alors mon âme s'y retracèrent pour l'affliger ; tous les événements de notre jeunesse, nos études, nos entretiens, nos lettres, nos rendez-vous, nos plaisirs,

> *E tanta fede, e si dolce memorie,*
> *E si lungo costume* [4] *!*

ces foules de petits objets qui m'offraient l'image de mon bonheur passé ; tout revenait, pour augmenter ma misère présente, prendre place en mon souvenir. « C'en est fait, disais-je en moi-même, ces temps, ces temps heureux ne sont plus ; ils ont disparu pour jamais. Hélas ! ils ne reviendront plus ; et nous vivons, et nous sommes ensemble, et nos cœurs sont toujours unis ! » Il me semblait que j'aurais porté [5] plus patiemment sa mort ou son absence, et que j'avais moins souffert tout 20 le temps que j'avais passé loin d'elle. Quand je gémissais dans l'éloignement, l'espoir de la revoir soulageait mon cœur ; je me flattais qu'un instant de sa présence effacerait toutes mes peines ; j'envisageais au moins dans les possibles un état moins cruel que le mien. Mais se trouver auprès d'elle, mais la voir, la toucher, lui parler, l'aimer, l'adorer, et, presque en la possédant encore, la sentir perdue à jamais pour moi ; voilà ce qui me jetait dans des accès de fureur et de rage qui m'agitèrent par degrés jusqu'au désespoir. Bientôt je commençai de rouler dans mon esprit des projets funestes, et dans un transport dont je frémis en y pensant, je fus violemment tenté de la précipiter avec moi dans les 30 flots, et d'y finir dans ses bras ma vie et mes longs tourments. Cette horrible tentation devint à la fin si forte que je fus obligé de quitter brusquement sa main pour passer à la pointe du bateau.

Là, mes vives agitations commencèrent à prendre un autre cours ; un sentiment plus doux s'insinua peu à peu dans mon âme, l'attendrissement surmonta le désespoir, je me mis à verser des torrents de larmes ; et cet état, comparé à celui dont je sortais, n'était pas sans quelque plaisir ; je pleurai fortement, longtemps, et fus soulagé. Quand je me trouvai bien remis, je revins auprès de Julie, je repris sa main. Elle tenait son mouchoir ; je le sentis fort mouillé. « Ah ! lui dis-je tout 40 bas, je vois que nos cœurs n'ont jamais cessé de s'entendre ! — Il est vrai, dit-elle d'une voix altérée, mais que ce soit la dernière fois qu'ils auront parlé sur ce ton. »

*V*e *PARTIE. Rousseau célèbre* la vie simple à la campagne *et* l'égalité sociale : *dans un beau cadre naturel, parmi les occupations utiles, les affections domestiques et les joies de la bienfaisance, les cœurs purs goûtent le bonheur.*

*VI*e *PARTIE. Julie est-elle vraiment guérie de sa passion ? Elle a recours à la* prière *et y trouve l'apaisement ; mais divers signes nous inquiètent. Lors d'une absence de Saint-Preux, Claire la trouve « pâle et changée ». Elle écrit elle-même à Saint-Preux : «* On étouffe de grandes passions, rarement on les épure ». *Soudain survient un* incident dramatique : *au*

— 4 « Et cette foi si pure, et ces doux souvenirs, | vers de Métastase (1698-1782), poète italien que et cette longue familiarité. » (Trad. de Rousseau); | Rousseau cite volontiers. — 5 Supporté.

cours d'une promenade à Chillon, son fils Marcellin tombe dans le lac et elle se jette à l'eau pour le sauver. L'enfant est sain et sauf, mais sous l'effet de l'émotion, de la chute, du refroidissement, Julie tombe gravement malade et ne peut être arrachée à la mort.

Avant de mourir, Julie a écrit une dernière fois à Saint-Preux : elle lui avoue qu'elle n'a jamais cessé de l'aimer passionnément. A vivre constamment auprès de lui, elle devait toujours craindre une défaillance coupable ; aussi accueille-t-elle la mort avec joie : *c'est sans regret qu'elle a sacrifié sa vie pour sauver son fils, puisqu'elle ne pouvait trouver le bonheur en ce monde. C'est vers l'autre vie qu'elle tourne maintenant son espoir :* « Non, je ne te quitte pas, je vais t'attendre. La vertu qui nous sépara sur la terre nous unira dans le séjour éternel. Je meurs dans cette douce attente, trop heureuse d'acheter au prix de ma vie le droit de t'aimer toujours sans crime, et de te le dire encore une fois! »
Elle conseille à Saint-Preux d'épouser Claire qui est veuve et depuis longtemps amoureuse de lui. Mais Saint-Preux n'en fera rien : fidèle à la mémoire de Julie, il se consacrera à l'éducation de ses fils.

ÉMILE OU DE L'ÉDUCATION (1762)

Au moment où, dénonçant la corruption de son siècle, ROUSSEAU soumettait à ses contemporains une conception plus naturelle de la famille *(Nouvelle Héloïse)* et de la société *(Contrat Social)*, il fut logiquement entraîné à exposer les principes d'une éducation conforme à la nature. Écrit entre 1757 et 1760, l'*Émile* parut en 1762.
Croyant à la bonté originelle de l'homme, Rousseau veut former les qualités du cœur et la vertu par une *éducation naturelle* qui laisse à l'enfant beaucoup de liberté. Il veut aussi former le jugement par des notions concrètes utiles pour la vie pratique.
Même si, dans le détail, un certain nombre de points restent contestables, l'*Émile* contient beaucoup d'*idées excellentes* : l'adaptation de l'enseignement aux facultés des enfants, la portée de la connaissance sensible et du travail manuel, les vertus de l'observation, l'enseignement actif, l'incidence des méthodes pédagogiques sur la formation morale. Le livre fourmille de *recettes* et de *remarques sensées* où l'on trouve toujours à glaner.

Livre I

JUSQU'A 5 ANS. L'éducation consiste à empêcher « les préjugés, l'autorité, la nécessité, l'exemple, toutes les institutions sociales » de défigurer la nature. ROUSSEAU se donne un *élève imaginaire* que, précepteur muni de tous les droits, il conduira de la naissance au mariage. ÉMILE sera d'intelligence moyenne ; il sera *riche et noble :* il faudra le défendre contre les préjugés de sa caste. Il faut le préparer à « *l'état d'homme* » : « Vivre est le métier que je lui veux apprendre ».

1. OBÉISSONS A LA NATURE. Pas de *maillot*, qui gênerait le développement naturel de l'enfant. Pas de *nourrice :* c'est la mère qui doit allaiter son bébé, afin d'accomplir physiquement et moralement sa mission naturelle.

2. LA PREMIÈRE ÉDUCATION. Elle doit favoriser *l'épanouissement physique :* liberté de se mouvoir, de prendre contact avec le monde par *les sens* et de découvrir ainsi la chaleur, le froid, la pesanteur, les distances. Peu à peu on accoutume l'enfant aux intempéries et on le rend courageux en le familiarisant avec des spectacles effrayants ou des bruits impressionnants. On doit éviter d'introduire en lui des sentiments *étrangers à la nature :* les pleurs étant le langage naturel de l'enfant pour exprimer ses besoins, il faut les satisfaire sans qu'il puisse l'interpréter comme une obéissance à sa volonté ; sinon on éveillerait artificiellement l'esprit de domination, la fantaisie capricieuse, l'orgueil.

Livre II   DE 5 A 12 ANS. Ne devançons pas l'évolution naturelle: il faut savoir « perdre du temps ».

1. ÉDUCATION DU CORPS ET DES SENS. L'enfant n'est pas encore apte à raisonner : laissons-le « jouir de son enfance ». C'est le moment d'exercer « *son corps, ses organes, ses sens, ses forces* ». Pratiquant tous les sports, vêtu légèrement, dormant sur une couche dure, il s'affermira contre la douleur et trempera son âme. Par des jeux dans l'obscurité, il acquerra un toucher aussi fin que celui des aveugles ; il exercera sa vue à apprécier les distances ; on lui formera l'ouïe, la voix et l'odorat.

2. « LIBERTÉ BIEN RÉGLÉE ». Pour être heureux, ÉMILE doit être *libre* : puisque son inexpérience exige qu'il soit guidé, on lui laissera une « *liberté bien réglée* ». Le précepteur évitera les sermons que l'enfant comprendrait de travers ; il le maintiendra « *sous la seule dépendance des choses* » et le mettra devant des nécessités physiques : le bien et le mal seront pour ÉMILE le possible et l'impossible. Pas de châtiments incompréhensibles pour lui : que la punition lui apparaisse comme la suite naturelle de sa faute. Ainsi les leçons de conduite, les premières notions morales, c'est de *sa propre expérience* qu'il les recevra.

3. PAS DE LIVRES. « *La première éducation doit être purement négative* » : elle consiste à « garantir le cœur du vice et l'esprit de l'erreur ». N'ayant pas de jugement, les enfants ne retiennent que les mots, non les idées. C'est donc une erreur de vouloir leur enseigner les langues, la géographie, l'histoire. Quant aux *fables*, elles sont incompréhensibles et dangereuses. Il suffira qu'ÉMILE apprenne à lire. A douze ans, il est vigoureux, adroit, heureux de vivre : il n'a guère de notions abstraites, mais son *intelligence pratique* s'est formée par l'expérience.

Livre III   DE 12 A 15 ANS : *éducation intellectuelle et technique.* Il faut se hâter, car les passions approchent et « sitôt qu'elles frapperont à la porte, votre élève n'aura plus d'attention que pour elles ». On limitera donc l'enseignement à « ce qui est utile ».

1. LES LEÇONS DE LA NATURE. L'abstraction ne convenant guère à cet âge, on fondera l'éducation sur *l'observation de la nature.* « Point d'autre livre que le monde, point d'autre instruction que les faits ». ÉMILE apprendra ainsi la physique, la cosmographie et la géographie. Sa seule lecture sera *Robinson Crusoë.*

2. PRÉPARATION A LA VIE SOCIALE : LES MÉTIERS. Par le travail manuel, on intéresse ÉMILE aux arts mécaniques et on l'éveille à l'idée de l'interdépendance des hommes, de l'utilité des échanges, de l'égalité, de la nécessité de travailler. ÉMILE, qui sait déjà manier tous les outils, apprendra un métier. Les travaux manuels lui donneront « le goût de la réflexion et de la méditation » et lui formeront le jugement.

PREMIÈRE LEÇON D'ASTRONOMIE

Que d'idées fécondes, initiatrices de la *pédagogie moderne* : l'appel à l'observation directe et aux *leçons de choses* ; l'art de stimuler la curiosité et d'instruire en amusant, les rapports confiants entre le maître et l'élève. On rapprochera de celle de MONTAIGNE cette méthode qui tend à rendre l'élève *actif* et l'invite à *raisonner* sur ses observations. On s'attachera néanmoins à préciser le rôle un peu différent du maître, ce « meneur de jeu », et l'on pourra se demander ce qu'il adviendrait si Émile se mettait à observer... le précepteur lui-même ! Rousseau évoque un lever de soleil avec un mélange d'impressions vécues et de clichés conventionnels ; mais quelle harmonie dans ce style de *poème en prose !*

Rendez votre élève attentif aux phénomènes de la nature, bientôt vous le rendrez curieux ; mais, pour nourrir sa curiosité ne vous pressez jamais de la satisfaire. Mettez les questions à sa portée, et laissez-les lui résoudre. Qu'il ne sache rien parce que vous le lui avez dit, mais parce qu'il l'a compris lui-même ; qu'il n'apprenne pas la science, qu'il l'invente. Si jamais vous substituez dans son esprit l'autorité à la raison, il ne raisonnera plus ; il ne sera plus que le jouet de l'opinion des autres.

Vous voulez apprendre la géographie à cet enfant, et vous lui allez chercher des globes, des sphères [1], des cartes : que de machines ! Pourquoi 10 toutes ces représentations ? que ne commencez-vous par lui montrer l'objet même, afin qu'il sache au moins de quoi vous lui parlez !

Une belle soirée on va se promener dans un lieu favorable, où l'horizon bien découvert laisse voir à plein le soleil couchant, et l'on observe les objets qui rendent reconnaissable le lieu de son coucher. Le lendemain, pour respirer le frais, on retourne au même lieu avant que le soleil se lève. On le voit s'annoncer de loin par les traits de feu qu'il lance au-devant de lui. L'incendie augmente, l'orient paraît tout en flammes : à leur éclat on attend l'astre longtemps avant qu'il se montre : à chaque instant on croit le voir paraître ; on le voit enfin. Un point brillant part comme un 20 éclair et remplit aussitôt tout l'espace ; le voile des ténèbres s'efface et tombe. L'homme reconnaît son séjour et le trouve embelli. La verdure a pris durant la nuit une vigueur nouvelle ; le jour naissant qui l'éclaire, les premiers rayons qui la dorent, la montrent couverte d'un brillant réseau de rosée qui réfléchit à l'œil la lumière et les couleurs. Les oiseaux en chœur se réunissent et saluent de concert le Père de la vie ; en ce moment pas un seul ne se tait ; leur gazouillement, faible encore, est plus lent et plus doux que dans le reste de la journée, il se sent de la langueur d'un paisible réveil. Le concours de tous ces objets porte aux sens une impression de fraîcheur qui semble pénétrer jusqu'à l'âme. Il y 30 a là une demi-heure d'enchantement auquel nul homme ne résiste : un spectacle si grand, si beau, si délicieux, n'en laisse aucun de sang-froid.

Plein de l'enthousiasme qu'il éprouve, le maître veut le communiquer à l'enfant : il croit l'émouvoir en le rendant attentif aux sensations dont il est ému lui-même. Pure bêtise ! c'est dans le cœur de l'homme qu'est la vie du spectacle de la nature ; pour le voir, il faut le sentir. L'enfant aperçoit les objets : mais il ne peut apercevoir les rapports qui les lient, il ne peut entendre la douce harmonie de leur concert. Il faut une expérience qu'il n'a point acquise, il faut des sentiments qu'il n'a point éprouvés, pour sentir l'impression composée qui résulte à la fois de toutes ces 40 sensations [2]. [...]

Ne tenez point à l'enfant des discours qu'il ne peut entendre... Point de descriptions, point d'éloquence, point de figures, point de poésie. Il n'est pas maintenant question de sentiment ni de goût. Continuez d'être

---

— 1 Sphères célestes. — 2 Idée originale : le sentiment de la nature s'enrichit de l'expérience humaine (souffrances, passions, idée de Dieu).

VOLTAIRE voulut assister à un lever de soleil pour voir si Rousseau disait vrai ; saisi d'émotion et de respect, il ne cessait de s'écrier : *Dieu puissant, je crois !*

clair, simple et froid ; le temps ne viendra que trop tôt de prendre un autre langage.

Dans cette occasion, après avoir bien contemplé avec lui le soleil levant, après lui avoir fait remarquer du même côté les montagnes et les autres objets voisins, après l'avoir laissé causer là-dessus tout à son aise, gardez quelques moments le silence comme un homme qui rêve, et puis vous
50 lui direz : Je songe qu'hier au soir le soleil s'est couché là, et qu'il s'est levé là ce matin, comment cela peut-il se faire ? N'ajoutez rien de plus : s'il vous fait des questions, n'y répondez point ; parlez d'autre chose. Laissez-le à lui-même, et soyez sûr qu'il y pensera.

Pour qu'un enfant s'accoutume à être attentif, et qu'il soit bien frappé de quelque vérité sensible, il faut bien qu'elle lui donne quelques jours d'inquiétude avant de la découvrir. S'il ne conçoit pas assez celle-ci de cette manière, il y a moyen de la lui rendre plus sensible encore, et ce moyen c'est de retourner la question. S'il ne sait pas comment le soleil parvient de son coucher à son lever, il sait au moins comment il parvient
60 de son lever à son coucher, ses yeux seuls le lui apprennent. Éclaircissez donc la première question par l'autre : ou votre élève est absolument stupide, ou l'analogie est trop claire pour lui pouvoir échapper. Voilà sa première leçon de cosmographie.

ÉMILE APPREND UN MÉTIER MANUEL

ÉMILE a beau être *seul* à la campagne, il ne pourra échapper à la *vie sociale*, que ROUSSEAU se défend de vouloir détruire : le retour à l'état de nature impossible et dangereux. « En sortant de l'état de nature, nous forçons nos semblables d'en sortir aussi ; nul n'y peut demeurer malgré les autres ». Il faut donc *préparer l'adolescent à la société*, mais en le gardant des idées fausses et des préjugés. Égalité des hommes, devoir pour tout citoyen de travailler, dignité de tout métier utile, tels sont les *principes démocratiques* que le « citoyen de Genève » soutient avec une ardeur plébéienne, une vivacité de ton et parfois un parti pris d'insolence cinglante qui annoncent les orages révolutionnaires. Dans le choix du métier, on notera que JEAN-JACQUES s'efforce de concilier le devoir d'être utile à la société et le souci d'échapper à ses servitudes : activité manuelle, indépendance de l'artisan, voilà qui nous rapproche de l'heureux *état de nature*.

Vous vous fiez à l'ordre actuel de la société sans songer que cet ordre est sujet à des révolutions inévitables, et qu'il vous est impossible de prévoir ni de prévenir celle qui peut regarder vos enfants. Le grand devient petit, le riche devient pauvre, le monarque devient sujet ; les coups du sort sont-ils si rares que vous puissiez compter d'en être exempt ? Nous approchons de l'état de crise et du siècle des révolutions [1]. Qui peut vous répondre de ce que vous deviendrez alors ? Tout ce qu'ont fait les hommes, les hommes peuvent le détruire ; il n'y a de caractères ineffaçables que ceux qu'imprime la nature, et la nature ne fait ni princes, ni

---

— 1 Phrase prophétique, Rousseau ajoute | *monarchies de l'Europe aient encore longtemps à* en note : « *Je tiens pour impossible que les grandes* | *durer* ».

10 riches, ni grands seigneurs. Que fera donc, dans la bassesse, ce satrape [2] que vous n'aurez élevé que pour la grandeur ! Que fera, dans la pauvreté, ce publicain [3] qui ne sait vivre que d'or ? Que fera, dépourvu de tout, ce fastueux imbécile qui ne sait point user de lui-même, et ne met son être que dans ce qui est étranger à lui ? Heureux qui sait alors quitter l'état qui le quitte, et rester homme en dépit du sort ! Qu'on loue tant qu'on voudra ce roi vaincu [4] qui veut s'enterrer en furieux [5] sous les débris de son trône ; moi je le méprise : je vois qu'il n'existe que par sa couronne, et qu'il n'est rien du tout s'il n'est roi ; mais celui qui la perd et s'en passe est alors au-dessus d'elle. Du rang de roi, qu'un lâche, un méchant, un

20 fou peut remplir comme un autre, il monte à l'état d'homme, que si peu d'hommes savent remplir. [...]

L'homme et le citoyen, quel qu'il soit, n'a d'autre bien à mettre dans la société que lui-même, tous ses autres biens y sont malgré lui, et quand un homme est riche, ou il ne jouit pas de sa richesse, ou le public en jouit aussi. Dans le premier cas, il vole aux autres ce dont il se prive ; et dans le second, il ne leur donne rien. Ainsi la dette sociale lui reste tout entière, tant qu'il ne paie que de son bien. « Mais mon père, en le gagnant, a servi la société... — Soit ; il a payé sa dette mais non pas la vôtre. Vous devez plus aux autres que si vous fussiez né sans bien, puisque vous êtes

30 né favorisé. Il n'est point juste que ce qu'un homme a fait pour la société en décharge un autre de ce qu'il doit ; car chacun, se devant tout entier, ne peut payer que pour lui, et nul père ne peut transmettre à son fils le droit d'être inutile à ses semblables : or, c'est pourtant ce qu'il fait, selon vous, en lui transmettant ses richesses, qui sont la preuve et le prix du travail. Celui qui mange dans l'oisiveté ce qu'il n'a pas gagné lui-même, le vole ; et un rentier [6] que l'État paye pour ne rien faire ne diffère guère, à mes yeux, d'un brigand qui vit aux dépens des passants. Hors de la société, l'homme isolé, ne devant rien à personne, a le droit de vivre comme il lui plaît ; mais dans la société, où il vit nécessairement aux

40 dépens des autres, il leur doit en travail le prix de son entretien ; cela est sans exception. Travailler est donc un devoir indispensable à l'homme social. Riche ou pauvre, puissant ou faible, tout citoyen oisif est un fripon. »

Or, de toutes les occupations qui peuvent fournir la subsistance à l'homme, celle qui le rapproche le plus de l'état de nature est le travail des mains : de toutes les conditions, la plus indépendante de la fortune et des hommes est celle de l'artisan [7]. L'artisan ne dépend que de son travail : il est libre, aussi libre que le laboureur est esclave, car celui-ci tient à son champ, dont la récolte est à la discrétion d'autrui [8]... Toutefois l'agri-

---

— 2 Grand seigneur, dans l'ancienne Perse. — 3 Financier, dans l'antiquité. — 4 Sarda-napale. — 5 Fou. — 6 Ici, un homme qui a *hérité* de titres de rente. — 7 Rousseau avait commencé à apprendre le métier de graveur. — 8 L'auteur s'indigne fréquemment de la dé-tresse des paysans menacés par « l'ennemi, le prince, un voisin puissant, un procès ».

50 culture est le premier métier de l'homme [9] : c'est le plus honnête, le
plus utile, et par conséquent le plus noble [10] qu'il puisse exercer. Je ne
dis pas à Émile : « Apprends l'agriculture » ; il la sait. Tous les travaux
rustiques lui sont familiers : c'est par eux qu'il a commencé, c'est à eux
qu'il revient sans cesse. Je lui dis donc : « Cultive l'héritage de tes pères.
Mais si tu perds cet héritage, ou si tu n'en as point, que faire ? Apprends
un métier. — Un métier à mon fils ! mon fils artisan ! Monsieur, y pensez-
vous ? — J'y pense mieux que vous, Madame, qui voulez les réduire à
ne pouvoir jamais être qu'un lord, un marquis, un prince, et peut-être
un jour moins que rien : moi, je veux lui donner un rang qu'il ne puisse
60 perdre, un rang qui l'honore dans tous les temps, je veux l'élever à l'état
d'homme ; et, quoi que vous puissiez dire, il aura moins d'égaux à ce
titre qu'à tous ceux qu'il tiendra de vous. »
    La lettre tue, et l'esprit vivifie. Il s'agit moins d'apprendre un métier
pour savoir un métier, que pour vaincre les préjugés qui le méprisent [11].
Vous ne serez jamais réduit à travailler pour vivre. Eh ! tant pis, tant pis
pour vous ! Mais n'importe ; ne travaillez point par nécessité, travaillez par
gloire. Abaissez-vous à l'état d'artisan pour être au-dessus du vôtre. Pour
vous soumettre la fortune et les choses, commencez par vous en rendre
indépendant. Pour régner par l'opinion, commencez par régner sur elle.
70   Souvenez-vous que ce n'est point un talent que je vous demande, c'est
un métier, un vrai métier, un art purement mécanique, où les mains
travaillent plus que la tête, et qui ne mène point à la fortune, mais avec
lequel on peut s'en passer [12]... Je veux absolument qu'Émile apprenne
un métier. Un métier honnête [13], au moins, direz-vous ? Que signifie ce
mot ? Tout métier utile au public n'est-il pas honnête ? Je ne veux point
qu'il soit brodeur, ni doreur, ni vernisseur [14] ; je ne veux qu'il soit musicien,
ni comédien, ni faiseur de livres [15]. [...] J'aime mieux qu'il soit cordonnier
que poète ; j'aime mieux qu'il pave les grands chemins que de faire des
fleurs de porcelaine. [...] Tout bien considéré, le métier que j'aimerais
80 le mieux qui fût du goût de mon élève est celui de menuisier. Il est
propre, il est utile, il peut s'exercer dans la maison ; il tient suffisamment le
corps en haleine ; il exige dans l'ouvrier de l'adresse et de l'industrie [16],
et dans la forme des ouvrages que l'utilité détermine, l'élégance et le goût
ne sont pas exclus [17].

— 9 Dès 1750, on remet en vogue les travaux rustiques. — 10 Idée de l'*utilité sociale*, chère aux Encyclopédistes. — 11 Le métier a donc une utilité *morale* dans cette pédagogie. Ces préjugés étaient déjà combattus par l'abbé de Saint-Pierre (1730), l'abbé de Pons (1738), l'abbé Pluche (1739) ; la réhabilitation des « arts mécaniques » est un des thèmes majeurs de l'*Encyclopédie*. — 12 Précepte qui eut une grande influence : Louis XVI aura à Versailles son atelier de serrurier et, un jour, beaucoup de nobles émigrés seront bien aises d'exercer pour vivre le métier appris dans leur enfance. — 13 Honorable. — 14 Toujours l'hostilité contre le luxe. — 15 « Vous l'êtes bien, me dira-t-on ?... Je n'écris pas pour excuser mes fautes, mais pour empêcher mes lecteurs de les imiter ». — 16 Ingéniosité. — 17 Émile et son précepteur auront « l'honneur » de partager deux jours par semaine la rude vie des ouvriers menuisiers. Ainsi seront menés de front l'apprentissage du métier manuel et celui du « métier d'homme ».

N.-H. Jeaurat de Bertry : *En l'honneur de J.-J. Rousseau.*
Paris, musée Carnavalet. *(Photo Jeanbor - E.B.)*

Ci-dessus,
Dunouy : Jean-Jacques Rousseau dans le parc
de la Rochecardon près de Lyon.
Paris, musée Marmottan.
(Photo SNARK international.)

Ci-dessous,
Jean Broc : : *le Départ pour la promenade,*
d'après « Paul et Virginie ».
Papier peint (1823). Atelier Dufour et Leroy.
(Photo Giraudon.)

Ci-dessus,
les Noces de Figaro, opéra bouffe de W.A. Mozart,
composé à Vienne en 1785-1786
d'après « le Mariage de Figaro » de Beaumarchais.
Représentation au Festival international
de musique d'Aix (1968).
(Photo Fernand de Cantelar.)

Ci-dessous à gauche,
Costume de Suzanne dans « le Mariage de Figaro ».
Ci-dessous à droite,
l'acteur Dugazon dans le rôle de Figaro,
du « Mariage de Figaro ».
Lithographies de Delpech extraites des Costumes
de théâtre de 1600 à 1820, par H. Lecomte.
Paris, bibliothèque de l'Arsenal.
(Photo Jeanbor - E.B.)

14 juillet 1789. Prise de la Bastille.
Château de Versailles. *Photo Giraudon*.

Livre IV   DE 15 à 20 ANS : *éducation morale et religieuse*. C'est
l'âge des passions : vouloir les détruire serait absurde,
puisqu'elles sont dans la nature. Mieux vaut favoriser les *passions naturelles*, douces et
affectueuses, et conjurer la vanité, l'ambition, la jalousie, la haine, qui sont l'œuvre de
la société.

1. GUIDER LA SENSIBILITÉ. Il faut retarder les passions violentes, en détournant
l'attention, en calmant l'imagination. On favorisera au contraire les passions qui rendent
l'homme *sociable*, l'amitié, la pitié, la sympathie.

Vient le jour où la passion va régner dans le cœur d'ÉMILE : le précepteur le traite alors
en *homme*. Loin de combattre son besoin d'aimer, il se fait agréer comme guide amical,
le met en garde contre les désirs aveugles et lui dépeint la *femme idéale*.

2. LA CONNAISSANCE DES HOMMES. Le besoin social qui s'éveille conduit
ÉMILE à étudier la société, l'égalité, la justice. Il faut l'en instruire plutôt « par l'expérience
d'autrui que par la sienne », de crainte qu'il ne sorte irrémédiablement blessé de ce premier
contact avec les hommes. Cette initiation sera donnée par l'*Histoire (*les *Vies des hommes
illustres* de Plutarque*)*, et par les *fables*.

3. LA RELIGION ET LA MORALE. Sous peine d'en faire un idolâtre égaré par
son imagination, il ne faut pas lui parler de Dieu avant qu'il ne soit en âge de le concevoir.
Dans une digression, la *Profession de foi du Vicaire Savoyard*, Rousseau prêche la *religion
naturelle* et la morale de *la conscience*.

« CONSCIENCE ! INSTINCT DIVIN... »

« Après avoir ainsi déduit les principales vérités qu'il m'importait de connaître, il
me reste à chercher quelles maximes j'en dois tirer pour ma conduite, et quelle règles
je dois me prescrire pour *remplir ma destination sur la terre*, selon l'intention de celui
qui m'y a placé ». Selon ROUSSEAU la morale est un *jaillissement de l'âme* qui prend conscience
de sa bonté naturelle, et l'on peut concevoir, chez les « belles âmes » comme celles de la
Nouvelle Héloïse, la possibilité d'être moral sans obéir à des règles.

Livre IV. Profession de foi du Vicaire Savoyard.

En suivant toujours ma méthode, je ne tire point ces règles des
principes d'une haute philosophie, mais je les trouve au fond de mon
cœur écrites par la nature en caractères ineffaçables [1]. Je n'ai qu'à me
consulter sur ce que je veux faire : tout ce que je sens être bien est bien,
tout ce que je sens être mal est mal [2] : le meilleur de tous les casuistes [3]
est la conscience ; et ce n'est que quand on marchande avec elle qu'on a
recours aux subtilités du raisonnement. Le premier de tous les soins
est celui de soi-même [4] : cependant, combien de fois la voix intérieure
nous dit qu'en faisant notre bien aux dépens d'autrui nous faisons mal !
10 Nous croyons suivre l'impulsion de la nature, et nous lui résistons ; en
écoutant ce qu'elle dit à nos sens, nous méprisons ce qu'elle dit à nos
cœurs : l'être actif obéit, l'être passif commande [5]. La conscience est la

---

— 1 Rousseau affirme par ce terme l'*universalité* de ces règles, s'opposant ainsi à Voltaire, Diderot, Helvétius, d'Holbach, qui insistaient sur la *relativité* de la conscience. — 2 Cette formule va se nuancer dans la suite du §. — 3 Les *casuistes* déterminent dans les cas d'espèce, ce qui est permis ou défendu. — 4 C'est l'*amour-propre* ou *égoïsme*. — 5 Rousseau a distingué le *corps* qui est *passif*, et *l'âme*, qui est *active*.

voix de l'âme, les passions sont la voix du corps. Est-il étonnant que souvent ces deux langages se contredisent ? et alors lequel faut-il écouter ? Trop souvent la raison nous trompe, nous n'avons que trop acquis le droit de la récuser, mais la conscience ne trompe jamais ; elle est le vrai guide de l'homme : elle est à l'âme ce que l'instinct est au corps ; qui la suit obéit à la nature, et ne craint point de s'égarer.

20 Toute la moralité de nos actions est dans le jugement que nous en portons nous-mêmes [6]. S'il est vrai que le bien soit bien, il doit l'être au fond de nos cœurs comme dans nos œuvres, et le premier prix de la justice est de sentir qu'on la pratique. Si la bonté morale est conforme à notre nature, l'homme ne saurait être sain d'esprit ni bien constitué qu'autant qu'il est bon. Si elle ne l'est pas, et que l'homme soit méchant naturellement, il ne peut cesser de l'être sans se corrompre, et la bonté n'est en lui qu'un vice contre nature. Fait [7] pour nuire à ses semblables comme le loup pour égorger sa proie, un homme humain serait un animal aussi dépravé qu'un loup pitoyable ; et la vertu seule nous laisserait des remords.

30 Rentrons en nous-mêmes, ô mon jeune ami [8] ! examinons, tout intérêt personnel à part, à quoi nos penchants nous portent. Quel spectacle nous flatte le plus, celui des tourments ou du bonheur d'autrui ? Qu'est-ce qui nous est le plus doux à faire, et nous laisse une impression plus agréable après l'avoir fait, d'un acte de bienfaisance ou d'un acte de méchanceté ? Pour qui vous intéressez-vous sur vos théâtres ? Est-ce aux forfaits que vous prenez plaisir ? est-ce à leurs auteurs punis que vous donnez des larmes ?... S'il n'y a rien de moral dans le cœur de l'homme, d'où lui viennent donc ces transports d'admiration pour les actions héroïques, ces ravissements d'amour pour les grandes âmes ? 40 Cet enthousiasme de la vertu, quel rapport a-t-il avec notre intérêt privé ? Pourquoi voudrais-je être Caton [9] qui déchire ses entrailles, plutôt que César triomphant ? Ôtez de nos cœurs cet amour du beau, vous ôtez tout le charme de la vie. Celui dont les viles passions ont étouffé dans son âme étroite les sentiments délicieux ; celui qui, à force de se concentrer au-dedans de lui, vient à bout de n'aimer que lui-même, n'a plus de transports, son cœur glacé ne palpite plus de joie ; un doux attendrissement n'humecte jamais ses yeux ; il ne jouit plus de rien ; le malheureux ne sent plus, ou ne vit plus ; il est déjà mort...

Il est donc au fond des âmes un principe inné de justice et de vertu, 50 sur lequel, malgré nos propres maximes, nous jugeons nos actions et celles d'autrui comme bonnes ou mauvaises, et c'est à ce principe que je donne le nom de conscience...

— 6 La moralité n'est donc pas liée à un absolu, mais à l'intention d'être vertueux. — 7 S'il était fait. — 8 Le vicaire savoyard s'adresse à son disciple. — 9 Vaincu par les troupes de César, Caton d'Utique se tua pour ne pas survivre à la liberté. Rousseau dit que les récits de Plutarque lui ont donné « le goût héroïque et romanesque » (2e *Lettre à Malesherbes*).

Conscience ! conscience ! instinct divin, immortelle et céleste voix ; guide assuré d'un être ignorant et borné, mais intelligent et libre ; juge infaillible du bien et du mal, qui rend l'homme semblable à Dieu, c'est toi qui fais l'excellence de sa nature et la moralité de ses actions ; sans toi je ne sens rien en moi qui m'élève au-dessus des bêtes, que le triste privilège de m'égarer d'erreurs en erreurs à l'aide d'un entendement sans règle et d'une raison sans principe.

Livre V   L'ÉDUCATION FÉMININE. « Toute l'éducation des femmes doit être relative aux hommes. Leur plaire, leur être utiles, se faire aimer et honorer d'eux, les élever jeunes, les soigner grands, les conseiller, les consoler, leur rendre la vie agréable et douce : voilà les devoirs des femmes dans tous les temps, et ce qu'on doit leur apprendre dès l'enfance ».

1. UNE FEMME AGRÉABLE, UNE MAÎTRESSE DE MAISON. Sophie a été élevée pour former avec l'homme naturel un couple heureux. A 15 ans, elle est pleine de sensibilité et de charme, musicienne, élégante avec simplicité, coquette sans effronterie : tout en elle est *grâce* et *modestie*. Sa conversation est agréable et spontanée ; elle est gaie sans exubérance ni médisance, obligeante et attentive, d'une politesse issue du cœur. La couture, la cuisine, le ménage n'ont pas de secret pour elle. « Elle dévoue sa vie entière à servir Dieu en faisant le bien » ; elle aime la *vertu* avec passion et la considère comme « la seule route du vrai bonheur ».

2. LE ROMAN D'ÉMILE ET DE SOPHIE. Au cours d'un voyage à pied, ÉMILE, guidé par son précepteur, reçoit l'hospitalité d'une famille... qui se trouve être celle de SOPHIE. C'est alors un *petit roman :* la rencontre d'Émile et de Sophie, les visites empressées du jeune homme, les progrès de leur passion. Toutefois le mariage n'aura lieu que dans deux ans : ÉMILE les passera à voyager en Europe pour compléter son éducation politique. Au retour *il épouse Sophie ;* il éduquera lui-même son fils.

DU CONTRAT SOCIAL (1762)

Rousseau, qui méditait depuis 1743 un traité des *Institutions politiques*, résume enfin sa pensée dans le *Contrat Social*. Il emprunte à Locke et aux protestants français qui contestaient le droit divin, l'idée du pacte social.

La nature a fait l'homme *libre*. Mais on ne rétrograde pas : la société existe, « l'homme est né libre et partout il est dans les fers ». A l'injuste contrat où le fort a subjugué le faible, il faut substituer un nouveau *Contrat Social* qui assure à chaque citoyen la protection de la communauté et lui rende les avantages de la *liberté* et de l'*égalité*. MONTESQUIEU étudiait les gouvernements en historien : ROUSSEAU, lui, médite en philosophe et en moraliste sur ce qui doit être une *société juste*, il pose des *principes absolus* et en tire des conséquences d'une valeur *universelle*.

Les citoyens qui adhèrent, librement, au « *pacte social* », reconnaissent la souveraineté de la « *volonté générale* », directement exprimée dans les lois, qui sont applicables à tous. Le *peuple souverain* ne saurait déléguer à des représentants le pouvoir de légiférer à sa place. En revanche, il confie l'exécutif à un gouvernement *(« le prince »)* qui peut à tout instant être révoqué.

Peu connu à l'origine, le *Contrat Social* aura une grande influence. ROUSSEAU souscrit théoriquement à l'idée de la liberté individuelle, chère à Montesquieu et Voltaire, mais il la subordonne à la *souveraineté de la nation*, à l'*égalité politique* ou même *économique*. Il proclame le droit à l'insurrection quand le contrat social est violé. Mirabeau, Danton, Robespierre justifieront leur politique parfois tyrannique par ces principes que l'on retrouve en partie dans la Déclaration des droits de l'homme et la Constitution de 1793.

LE CONTRAT SOCIAL

« Je ne sais pas l'art d'être clair pour qui ne veut pas être attentif », dit ROUSSEAU en nous invitant à le lire « posément ». La lecture de ces chapitres doit être en effet *lente* et *réfléchie*. Pour une fois JEAN-JACQUES renonce à sa fougue oratoire ; il ne reste plus ici que la froide *rigueur* d'un logicien qui pousse ses *déductions* jusqu'à leurs conséquences extrêmes.

Du pacte social   LIVRE I, CHAP. 6. — L'abdication *totale* au profit de la communauté paraîtra d'une rigueur tyrannique. Mais aux yeux de ROUSSEAU, elle sauvegarde l'*égalité* et la *liberté*, puisque la condition est *égale* pour tous et qu'en obéissant à la volonté générale dont il a reconnu d'avance la souveraineté, l'individu ne fait que ce qu'il a *librement* consenti. N'y a-t-il pas sous cette logique austère une argumentation quelque peu spécieuse ?

« Trouver une forme d'association qui défende et protège de toute la force commune la personne et les biens de chaque associé, et par laquelle chacun, s'unissant à tous, n'obéisse pourtant qu'à lui-même, et reste aussi libre qu'auparavant. » Tel est le problème fondamental dont le *Contrat social* donne la solution.

Les clauses de ce contrat sont tellement déterminées par la nature de l'acte, que la moindre modification les rendrait vaines et de nul effet ; en sorte que, bien qu'elles n'aient peut-être jamais été formellement énoncées, elles sont partout les mêmes, partout tacitement admises et reconnues, jusqu'à ce que, le pacte social étant violé, chacun rentre alors dans ses premiers droits, et reprenne sa liberté naturelle [1], en perdant la liberté conventionnelle pour laquelle il y renonça.

Ces clauses, bien entendues, se réduisent toutes à une seule : savoir, l'aliénation totale de chaque associé avec tous ses droits à toute la communauté [2] : car, premièrement, chacun se donnant tout entier, la condition est égale pour tous ; et la condition étant égale pour tous, nul n'a intérêt de la rendre onéreuse aux autres.

De plus, l'aliénation se faisant sans réserve [3], l'union est aussi parfaite qu'elle peut l'être, et nul associé n'a plus rien à réclamer : car, s'il restait quelques droits aux particuliers, comme il n'y aurait aucun supérieur commun qui pût prononcer entre eux et le public, chacun, étant en quelque point son propre juge, prétendrait bientôt l'être en tous ; l'état de nature subsisterait, et l'association deviendrait nécessairement tyrannique ou vaine [4].

Enfin, chacun se donnant à tous ne se donne à personne ; et comme il n'y a pas un associé sur lequel on n'acquière le même droit qu'on lui cède

---

— 1 Cf. *Constitution de l'an I :* en cas de violation du contrat, « l'insurrection est le plus sacré des devoirs ». — 2 Cf. « Quiconque refusera d'obéir à la volonté générale y sera contraint par tout le corps : ce qui ne signifie pas autre chose sinon qu'on le forcera à être libre ». — 3 Au

Livre II, chap. 4, Rousseau dit que le citoyen conserve ses droits naturels et inaliénables, et n'abandonne que la partie de ses droits qui intéresse la communauté. Mais comme cette dernière en est seule juge, l'aliénation est en effet sans réserve. — 4 Certains usurperaient le pouvoir, et la liberté ne serait plus garantie.

sur soi, on gagne l'équivalent de tout ce qu'on perd, et plus de force pour conserver ce qu'on a [5].

Si donc on écarte du pacte social ce qui n'est pas de son essence, on trouvera qu'il se réduit aux termes suivants : « Chacun de nous met en commun sa personne et toute sa puissance sous la suprême direction de la volonté générale : et nous recevons [6] encore chaque membre comme partie indivisible du tout [7]. »

De l'état civil

LIVRE I, CHAP. 8. — Par le libre renoncement qu'implique le contrat, les hommes font « un échange avantageux d'une manière très incertaine et précaire contre une autre meilleure et plus sûre, de l'indépendance naturelle contre la liberté ; du pouvoir de nuire à autrui contre leur propre sûreté ; et de leur force, que d'autres pouvaient surmonter, contre un droit que l'union sociale rend invincible ». Ainsi ROUSSEAU, qui a tant souligné les méfaits de la vie sociale, considère maintenant qu'une société bien organisée offre à l'individu plus d'avantages que l'état de nature et l'élève à une plus haute dignité morale.

Ce passage de l'*état de nature* à l'*état civil* produit dans l'homme un changement très remarquable, en substituant dans sa conduite la justice à l'instinct, et donnant à ses actions la moralité [8] qui leur manquait auparavant. C'est alors seulement que, la voix du devoir succédant à l'impulsion physique, et le droit à l'appétit, l'homme qui jusque là n'avait regardé que lui-même se voit forcé d'agir sur d'autres principes, et de consulter sa raison avant d'écouter ses penchants. Quoiqu'il se prive dans cet état de plusieurs avantages qu'il tient de la nature, il en regagne de si grands, ses facultés s'exercent et se développent, ses idées s'étendent, ses sentiments s'ennoblissent, son âme tout entière s'élève à tel point que, si les abus de cette nouvelle condition ne le dégradaient souvent au-dessous de celle dont il est sorti, il devrait bénir sans cesse l'instant heureux qui l'en arracha pour jamais, et qui, d'un animal stupide et borné, fit un être intelligent et un homme.

Réduisons toute cette balance à des termes faciles à comparer : ce que l'homme perd par le contrat social, c'est sa *liberté naturelle* et un droit illimité à tout ce qui le tente et qu'il peut atteindre ; ce qu'il gagne, c'est la *liberté civile* et la propriété de tout ce qu'il possède. Pour ne pas se tromper dans ces compensations, il faut bien distinguer la liberté *naturelle* qui n'a de bornes que les forces de l'individu, de la liberté *civile* qui est limitée par la volonté générale [9] ; et la *possession* qui n'est que l'effet de la force ou du droit du premier occupant, de la *propriété* qui ne peut être fondée que sur un titre positif [10].

— 5 Cf. « Les hommes naissent et demeurent libres et égaux en droits » (*Déclaration des droits de l'homme*, I). — 6 Considérons. — 7 Ainsi, chacun est à la fois *sujet* et *souverain*. — 8 La *moralité* commence en effet avec la vie sociale. — 9 Cf. « La liberté consiste à pouvoir faire tout ce qui ne nuit pas à autrui... Ces bornes ne peuvent être déterminées que par la loi » (*Déclaration*, 4). — 10 Les « droits naturels et imprescriptibles » de l'homme » sont « la liberté, la propriété, la sûreté et la résistance à l'oppression » (*Déclaration*, 2).

On pourrait, sur ce qui précède, ajouter à l'acquis de l'état civil la *liberté morale*, qui seule rend l'homme vraiment maître de lui : car l'impulsion du seul appétit est l'esclavage, et l'obéissance à la loi qu'on
60 s'est prescrite est liberté.

LES CONFESSIONS

Après *Le Sentiment des Citoyens*, libelle anonyme où VOLTAIRE attaquait sa vie privée et révélait l'abandon de ses enfants, ROUSSEAU entreprit les *Confessions* pour se justifier. La PREMIÈRE PARTIE (livres I à VI : 1712-1741) a été écrite de 1765 à 1767. La SECONDE PARTIE (livres VII à XII : 1741-1765) fut rédigée en 1769-1770. Au cours de l'hiver 1770-1771, Rousseau lut ses *Confessions* dans plusieurs salons, mais, craignant ses révélations, ses ennemis firent interdire ces lectures. La *Première Partie*, publiée par Moultou, ne paraîtra qu'en 1782 ; la *Seconde* paraîtra en 1789.

La PREMIÈRE PARTIE, rédigée dans une période de calme et retraçant une jeunesse insouciante, est pleine de fraîcheur et de poésie. La SECONDE PARTIE, écrite dans l'inquiétude, réveille le souvenir désagréable de la brouille avec Mme d'Épinay et les philosophes : le ton devient plus âpre, les faits sont déformés et interprétés pour aboutir à une apologie de plus en plus appuyée. Ce récit, sincère mais partial, est un plaidoyer.

Les *Confessions* veulent être « le seul portrait d'homme peint exactement d'après nature et dans toute sa vérité ». Mais plus que « la vérité de la nature », c'est le *document humain* qui nous intéresse, la connaissance de JEAN-JACQUES et de l'âme humaine.

L'INFLUENCE des *Confessions* sera considérable. On a pu dire qu'elles ont, en partie, « enseigné le Romantisme » par leur *lyrisme*, par la tendance à transformer l'œuvre littéraire en *confidence* directe ou voilée. Au point de vue moral, elles offrirent une justification aux âmes ardentes qui proclamaient les « droits supérieurs de la passion ». Enfin, elles ont contribué à la naissance d'un goût nouveau, celui du *plein air*, des voyages, du tourisme, dont les adeptes modernes peuvent se réclamer de ROUSSEAU.

PREMIÈRE RENCONTRE AVEC Mme DE WARENS

LIVRE II. — Rebuté par les mœurs brutales du graveur Ducommun, le jeune apprenti s'est enfui de Genève. A deux lieues de la ville, il a été recueilli par l'abbé de Pontverre, heureux de gagner cette âme au catholicisme. Le petit vagabond est envoyé à Annecy chez Mme DE WARENS, nouvelle convertie qui se consacre à des œuvres charitables. *Rencontre capitale* : cet émerveillement romanesque va décider de la vie et de la formation de JEAN-JACQUES. Le récit, où l'on découvre déjà quelques traits essentiels de son caractère, est admirable de *jeunesse* et de *fraîcheur*.

J e me sentais fort humilié d'avoir besoin d'une bonne dame bien charitable. J'aimais fort qu'on me donnât mon nécessaire, mais non pas qu'on me fît la charité ; et une dévote n'était pas pour moi fort attirante. Toutefois, pressé par M. de Pontverre, par la faim qui me talonnait, bien aise aussi de faire un voyage et d'avoir un but, je prends mon parti, quoique avec peine, et je pars pour Annecy. J'y pouvais être aisément en un jour ; mais je ne me pressais pas, j'en mis trois. Je ne voyais pas un château à droite ou à gauche sans aller chercher l'aventure que j'étais sûr

qui m'y attendait [1]... J'arrive enfin ; je vois Mme de Warens. Cette
10 époque de ma vie a décidé de mon caractère ; je ne puis me résoudre à
la passer légèrement. J'étais au milieu de ma seizième année. Sans être ce
qu'on appelle un beau garçon, j'étais bien pris dans ma petite taille ;
j'avais un joli pied, la jambe fine, l'air dégagé, la physionomie animée,
la bouche mignonne, les sourcils et les cheveux noirs, les yeux petits et
même enfoncés, mais qui lançaient avec force le feu dont mon sang était
embrasé. Malheureusement je ne savais rien de tout cela, et de ma vie il
ne m'est arrivé de songer à ma figure que lorsqu'il n'était plus temps
d'en tirer parti. Ainsi j'avais avec la timidité de mon âge celle d'un naturel
très aimant, toujours troublé par la crainte de déplaire. D'ailleurs, quoique
20 j'eusse l'esprit assez orné, n'ayant jamais vu le monde, je manquais totalement de manières, et mes connaissances, loin d'y suppléer, ne servaient
qu'à m'intimider davantage, en me faisant sentir combien j'en manquais.
　Craignant donc que mon abord ne prévînt pas en ma faveur, je pris
autrement mes avantages, et je fis une belle lettre en style d'orateur, où
cousant des phrases des livres avec des locutions d'apprenti, je déployais
toute mon éloquence pour capter la bienveillance de Mme de Warens.
J'enfermai la lettre de M. de Pontverre dans la mienne, et je partis pour
cette terrible audience. Je ne trouvai point Mme de Warens ; on me dit
qu'elle venait de sortir pour aller à l'église. C'était le jour des Rameaux
30 de l'année 1728. Je cours pour la suivre : je la vois, je l'atteins, je lui parle...
Je dois me souvenir du lieu ; je l'ai souvent depuis mouillé de mes larmes
et couvert de mes baisers. Que ne puis-je entourer d'un balustre d'or
cette heureuse place ! que n'y puis-je attirer les hommages de toute la
terre ! Quiconque aime à honorer les monuments du salut des hommes
n'en devrait approcher qu'à genoux.
　C'était un passage derrière sa maison, entre un ruisseau à main droite
qui la séparait du jardin, et le mur de la cour à gauche, conduisant par
une fausse porte à l'église des Cordeliers. Prête à entrer dans cette porte,
Mme de Warens se retourne à ma voix. Que devins-je à cette vue ! Je
40 m'étais figuré une vieille dévote bien rechignée ; la bonne dame de
M. de Pontverre ne pouvait être autre chose à mon avis. Je vois un visage
pétri de grâces [2], de beaux yeux bleus pleins de douceur, un teint
éblouissant, le contour d'une gorge enchanteresse. Rien n'échappa au
rapide coup d'œil du jeune prosélyte [3], car je devins à l'instant le sien,
sûr qu'une religion prêchée par de tels missionnaires ne pouvait manquer
de mener au paradis. Elle prend en souriant la lettre que je lui présente
d'une main tremblante, l'ouvre, jette un coup d'œil sur celle de
M. de Pontverre, revient à la mienne, qu'elle lit tout entière, et qu'elle
eût relue encore si son laquais ne l'eût avertie qu'il était temps d'entrer.

　— 1 Comme dans les romans de la bibliothèque paternelle, que Rousseau avait tous lus
dès l'âge de sept ans. Cf. « *Ces émotions confuses...*
me donnèrent de la vie humaine des notions | *bizarres et romanesques dont l'expérience et la*
réflexion n'ont jamais bien pu me guérir ». —
2 Mme de Warens avait 28 ans. — 3 Nouveau
converti.

50 « Eh ! mon enfant, me dit-elle d'un ton qui me fit tressaillir, vous voilà courant le pays bien jeune ; c'est dommage en vérité ». Puis, sans attendre ma réponse, elle ajouta : « Allez chez moi m'attendre ; dites qu'on vous donne à déjeuner ; après la messe j'irai causer avec vous. »

Désormais, vagabond, laquais, étudiant, musicien, précepteur, copiste de musique, secrétaire du cadastre, JEAN-JACQUES *ira d'aventure en aventure, gardant devant ses yeux l'image enchanteresse de sa protectrice vers qui, aux heures de détresse, son instinct le ramènera toujours.*

ROMAN ET RÉALITÉ : JULIE ET Mme D'HOUDETOT

Ces pages du LIVRE IX évoquent, avec une richesse d'analyse vraiment racinienne, un phénomène extraordinaire : *la rencontre du rêve et de la réalité*, et la projection du roman dans la vie de l'auteur. Elles nous livrent aussi un secret que ROUSSEAU a voulu nous cacher. Nous pressentons aujourd'hui qu'après avoir espéré se faire aimer comme Saint-Preux, le « pauvre Jean-Jacques » dut voiler son demi-échec par ce mythe de l'amour pur qu'il place ici *au début* de l'aventure, et qui sera, dans la deuxième moitié de la *Nouvelle Héloïse*, le lien immortel des « belles âmes ». Ainsi, *revanche de l'amour déçu*, la médiocre réalité s'est à son tour transfigurée pour ennoblir le roman.

Le retour du printemps avait redoublé mon tendre délire, et dans mes érotiques transports[1] j'avais composé pour les dernières parties de la *Julie* plusieurs lettres qui se sentent du ravissement dans lequel je les écrivis. Je puis citer entre autres celle de l'Élysée et de la promenade sur le lac[2], qui, si je m'en souviens bien, sont à la fin de la quatrième partie. Quiconque, en lisant ces deux lettres, ne sent pas amollir et fondre son cœur dans l'attendrissement qui me les dicta, doit fermer le livre : il n'est pas fait pour juger des choses de sentiment.

10 Précisément dans le même temps, j'eus de madame d'Houdetot une seconde visite imprévue... A ce voyage, elle était à cheval et en homme. Quoique je n'aime guère ces sortes de mascarades, je fus pris à l'air romanesque de celle-là, et, pour cette fois, ce fut de l'amour. Comme il fut le premier et l'unique en toute ma vie, et que ses suites le rendront à jamais mémorable et terrible à mon souvenir[3], qu'il me soit permis d'entrer dans quelque détail sur cet article[4]... C'était un peu par goût, à ce que j'ai pu croire, mais beaucoup pour complaire à Saint-Lambert, qu'elle venait me voir. Il l'y avait exhortée, et il avait raison de croire que l'amitié qui commençait à s'établir entre nous rendrait cette société agréable à tous les trois. Elle savait que j'étais instruit de leur liaison ; et, 20 pouvant me parler de lui sans gêne, il était naturel qu'elle se plût avec moi.

Elle vint ; je la vis ; j'étais ivre d'amour sans objet[5] : cette ivresse fascina mes yeux, cet objet se fixa sur elle, je vis ma Julie en madame d'Houdetot, et bientôt je ne vis plus que madame d'Houdetot, mais

— 1 A l'Ermitage, « dévoré du besoin d'aimer sans jamais l'avoir pu bien satisfaire », Rousseau se console en imaginant un roman d'amour (printemps 1757). — 2 Cf. p. 393. — 3 Mme d'Houdetot se détachera de lui, et cette aventure provoquera la brouille avec Mme d'Épinay. — 4 Rousseau évoque ici l'amour de la comtesse d'Houdetot pour le poète Saint-Lambert, alors aux armées. — 5 C'est déjà le « vague des passions » (cf. Chateaubriand, p. 451).

revêtue de toutes les perfections dont je venais d'orner l'idole de mon
cœur. Pour m'achever, elle me parla de Saint-Lambert en amante
passionnée. Force contagieuse de l'amour ! En l'écoutant, en me sentant
auprès d'elle, j'étais saisi d'un frémissement délicieux, que je n'avais
jamais éprouvé auprès de personne. Elle parlait, et je me sentais ému ;
je croyais ne faire que m'intéresser à ses sentiments, quand j'en prenais de
30 semblables ; j'avalais à longs traits la coupe empoisonnée dont je ne sentais
encore que la douceur. Enfin, sans que je m'en aperçusse et sans qu'elle
s'en aperçût, elle m'inspira pour elle-même tout ce qu'elle exprimait
pour son amant. Hélas ! ce fut bien tard, ce fut bien cruellement brûler
d'une passion non moins vive que malheureuse, pour une femme dont le
cœur était plein d'un autre amour !

Malgré les mouvements extraordinaires que j'avais éprouvés auprès
d'elle, je ne m'aperçus pas d'abord de ce qui m'était arrivé : ce ne fut
qu'après son départ que, voulant penser à Julie, je fus frappé de ne pouvoir
plus penser qu'à madame d'Houdetot. Alors mes yeux se dessillèrent ;
40 je sentis mon malheur, j'en gémis, mais je n'en prévis pas les suites.

J'hésitai longtemps sur la manière dont je me conduirais avec elle,
comme si l'amour véritable laissait assez de raison pour suivre des déli-
bérations. Je n'étais pas déterminé [6] quand elle revint me prendre au
dépourvu. Pour lors j'étais instruit [7]. La honte, compagne du mal, me
rendit muet, tremblant devant elle ; je n'osais ouvrir la bouche ni fermer
les yeux ; j'étais dans un trouble inexprimable, qu'il était impossible
qu'elle ne vît pas. Je pris le parti de lui avouer, et de lui en laisser deviner
la cause : c'était la lui dire assez clairement.

Si j'eusse été jeune et aimable, et que dans la suite madame d'Houdetot
50 eût été faible, je blâmerais ici sa conduite ; mais tout cela n'était pas : je ne
puis que l'applaudir et l'admirer. Le parti qu'elle prit était également
celui de la générosité et de la prudence. Elle ne pouvait s'éloigner
brusquement de moi sans en dire la cause à Saint-Lambert, qui l'avait
lui-même engagée à me voir : c'était exposer deux amis à une rupture,
et peut-être à un éclat qu'elle voulait éviter. Elle avait pour moi de l'estime
et de la bienveillance. Elle eut pitié de ma folie ; sans la flatter, elle la
plaignit, et tâcha de m'en guérir. Elle était bien aise de conserver à son
amant et à elle-même un ami dont elle faisait cas ; elle ne me parlait de
rien avec plus de plaisir que de l'intime et douce société que nous pourrions
60 former entre nous trois, quand je serais devenu raisonnable [8]. Elle ne se
bornait pas toujours à ces exhortations amicales, et ne m'épargnait pas au
besoin les reproches plus durs que j'avais bien mérités.

Je me les épargnais encore à moi-même. Sitôt que je fus seul, je revins
à moi ; j'étais plus calme après avoir parlé : l'amour connu de celle qui
l'inspire en devient plus supportable. La force avec laquelle je me
reprochais le mien m'en eût dû guérir, si la chose eût été possible.

— 6 Je n'avais pas pris de décision. — 7 | d'avoir pu le réaliser, le rêve que Rousseau
De mes vrais sentiments. — 8 C'est, à défaut | transcrira dans la *Nouvelle Héloïse*.

ROUSSEAU PEINT PAR LUI-MÊME

Un parent de Mme de Warens qui s'intéresse à l'avenir du jeune ROUSSEAU et l'observe en secret conclut qu'en dépit de sa « physionomie animée », il est « *sinon tout à fait inepte, au moins un garçon de peu d'esprit, sans idées, presque sans acquis, très borné en un mot à tous égards* ». JEAN-JACQUES saisit, dès le LIVRE III, cette occasion d'expliquer par la *singularité de son caractère* les jugements défavorables qui seront portés sur lui à maintes reprises, et de répondre ainsi aux calomnies de la « coterie holbachique ». C'est un de ses nombreux portraits apologétiques : remarquable par la finesse et la lucidité de l'analyse, il nous renseigne sur ROUSSEAU penseur, romancier et styliste.

Deux choses presque inalliables s'unissent en moi sans que j'en puisse concevoir la manière : un tempérament très ardent, des passions vives, impétueuses, et des idées lentes à naître, embarrassées et qui ne se présentent jamais qu'après coup. On dirait que mon cœur et mon esprit n'appartiennent pas au même individu. Le sentiment, plus prompt que l'éclair, vient remplir mon âme [1] ; mais au lieu de m'éclairer, il me brûle et m'éblouit [2]. Je sens tout et je ne vois rien. Je suis emporté, mais stupide [3] ; il faut que je sois de sang-froid pour penser. Ce qu'il y a d'étonnant est que j'ai cependant le tact assez sûr [4], de la pénétration,
10 de la finesse même, pourvu qu'on m'attende : je fais d'excellents impromptus à loisir [5], mais sur le temps [6] je n'ai jamais rien fait ni dit qui vaille. Je ferais une fort jolie conversation par la poste, comme on dit que les Espagnols jouent aux échecs. Quand je lus le trait d'un duc de Savoie qui se retourna, faisant route, pour crier : *A votre gorge, marchand de Paris* [7], je dis : « Me voilà. »

Cette lenteur de penser, jointe à cette vivacité de sentir, je ne l'ai pas seulement dans la conversation, je l'ai même seul et quand je travaille. Mes idées s'arrangent dans ma tête avec la plus incroyable difficulté : elles y circulent sourdement, elles y fermentent jusqu'à m'émouvoir,
20 m'échauffer, me donner des palpitations ; et, au milieu de toute cette émotion, je ne vois rien nettement, je ne saurais écrire un seul mot, il faut que j'attende. Insensiblement, ce grand mouvement s'apaise, ce chaos se débrouille, chaque chose vient se mettre à sa place, mais lentement, et après une longue et confuse agitation [8]... Si j'avais su premièrement attendre, et puis rendre dans leur beauté les choses qui se sont peintes dans mon cerveau, peu d'auteurs m'auraient surpassé.

— 1 Cf. les manifestations de l'enthousiasme chez Diderot. — 2 Cf. le texte précédent. — 3 « Dont l'âme paraît immobile et sans sentiment » (Furetière). — 4 Première rédaction : *le tact sûr*. Mais Rousseau a dû se souvenir de ses nombreux impairs. — 5 Mot plaisant de Mascarille (*Précieuses Ridicules*, IX). — 6 Sur le moment. — 7 Au temps d'Henri IV un duc de Savoie, insulté à Paris par un marchand, n'y prit garde et ne lança cette réplique menaçante qu'en approchant de Lyon. — 8 C'est ainsi, explique Rousseau, qu'à l'Opéra italien, le tumulte des changements de scène est suivi d'un spectacle ravissant.

De là vient l'extrême difficulté que je trouve à écrire. Mes manuscrits, raturés, barbouillés, mêlés, indéchiffrables, attestent la peine qu'ils m'ont coûtée. Il n'y en a pas un qu'il ne m'ait fallu transcrire quatre
30 ou cinq fois avant de le donner à la presse[9]. Je n'ai jamais pu rien faire la plume à la main, vis-à-vis d'une table et de mon papier : c'est à la promenade, au milieu des rochers et des bois, c'est la nuit dans mon lit et durant mes insomnies, que j'écris dans mon cerveau ; l'on peut juger avec quelle lenteur, surtout pour un homme absolument dépourvu de mémoire verbale, et qui de la vie n'a pu retenir six[10] vers par cœur. Il y a telle de mes périodes que j'ai tournée et retournée cinq ou six nuits dans ma tête avant qu'elle fût en état d'être mise sur le papier. De là vient encore que je réussis mieux aux ouvrages qui demandent du travail qu'à ceux qui veulent être faits avec une certaine légèreté, comme
40 les lettres, genre dont je n'ai jamais pu prendre le ton, et dont l'occupation me met au supplice[11]. Je n'écris point de lettres sur les moindres sujets qui ne me coûtent des heures de fatigue, ou, si je veux écrire de suite[12] ce qui me vient, je ne sais ni commencer ni finir ; ma lettre est un long et confus verbiage ; à peine m'entend-on quand on la lit.

Non seulement les idées me coûtent à rendre, elles me coûtent même à recevoir[13]. J'ai étudié les hommes, et je me crois assez bon observateur : cependant je ne sais rien voir de ce que je vois ; je ne vois bien que ce que je me rappelle, et je n'ai de l'esprit que dans mes souvenirs. De tout ce qu'on dit, de tout ce qu'on fait, de tout ce qui se passe en ma
50 présence, je ne sens rien, je ne pénètre rien. Le signe extérieur est tout ce qui me frappe. Mais ensuite tout cela me revient : je me rappelle le lieu, le temps, le ton, le regard, le geste, la circonstance ; rien ne m'échappe. Alors, sur[14] ce qu'on a fait ou dit, je trouve ce qu'on a pensé, et il est rare que je me trompe[15].

Si peu maître de mon esprit seul avec moi-même, qu'on juge de ce que je dois être dans la conversation, où, pour parler à propos, il faut penser à la fois et sur-le-champ à mille choses. La seule idée de tant de convenances, dont je suis sûr d'oublier au moins quelqu'une, suffit pour m'intimider. Je ne comprends pas même comment on ose parler dans
60 un cercle : car à chaque mot il faudrait passer en revue tous les gens qui sont là ; il faudrait connaître tous leurs caractères, savoir leurs histoires, pour être sûr de ne rien dire qui puisse offenser quelqu'un... Dans le tête-à-tête, il y a un autre inconvénient que je trouve pire, la nécessité de parler toujours : quand on vous parle il faut répondre, et si l'on ne dit mot il faut relever la conversation. Cette insupportable contrainte m'eût seule dégoûté de la société ; c'est assez qu'il faille

---

— 9 *De l'imprimeur*. Nous avons en effet deux brouillons et plusieurs copies de la *Nouvelle Héloïse* présentant de nombreuses variantes. — 10 Première rédaction : *vingt vers*. Aux Charmettes, Rousseau apprenait beaucoup par cœur. — 11 Opposer l'aisance des lettres de Voltaire. — 12 A la suite. — 13 Première rédaction : *former*. — 14 D'après. — 15 Pareille certitude n'est-elle pas dangereuse chez un maniaque de la persécution ?

absolument que je parle pour que je dise une sottise infailliblement [16]...
Ce détail contient la clef de bien des choses extraordinaires qu'on m'a vu
faire et qu'on attribue à une humeur sauvage que je n'ai point. J'aimerais
70 la société comme un autre, si je n'étais sûr de m'y montrer non seulement
à mon désavantage, mais tout autre que je ne suis [17]. Le parti que j'ai
pris d'écrire et de me cacher est précisément celui qui me convenait.

LES RÊVERIES DU PROMENEUR SOLITAIRE

Après l'interdiction de lire en public ses *Confessions*, ROUSSEAU se persuade de plus en
plus que la société tout entière s'est liguée contre lui en un vaste complot unissant « les
grands, les viziers, les robins (hommes de loi), les financiers, les médecins, les prêtres »,
et dirigé par ses ennemis les philosophes. Renonçant à se faire entendre des contemporains, il rédige les trois *Dialogues* intitulés *Rousseau juge Jean-Jacques* (1772-1776),
dernier effort désespéré pour se justifier du moins devant la postérité.

Persuadé qu'on ne lui permettra même pas de transmettre aux générations futures
une image exacte de sa personne et de sa pensée, il se résigne et trouve enfin l'apaisement
dans la retraite et l'oubli des hommes. Les dix *Promenades* des *Rêveries* ont été rédigées
à Paris de 1776 à 1778 et publiées en 1782. Écrites pour lui-même, pour son amélioration
morale et son plaisir, elles constituent *son œuvre la plus sincère*. ROUSSEAU s'y livre à un
examen de conscience qui s'élargit parfois jusqu'à la réflexion philosophique et, se réfu-
giant dans ses souvenirs, il enchante le présent avec les *images charmantes* du passé.

Mais ses plus grandes jouissances sont liées à *l'apaisement* que lui procure la *solitude*.
Le thème le plus original des *Promenades* est la *rêverie dans la nature*, exprimée dans un
style harmonieux qui annonce parfois les rythmes de Chateaubriand.

PENSÉES D'AUTOMNE

« Je consacre mes derniers jours à m'étudier moi-même et à préparer d'avance le
compte que je ne tarderai pas à rendre de moi » *(Première Promenade)*. Rousseau goûte
au début de la SECONDE PROMENADE la douceur de « converser avec son âme », et c'est
un véritable *bilan de son existence* qu'il fait au cours de cette sortie dans la banlieue parisienne. Page nettement *préromantique* par la mélancolie du thème, par l'harmonie entre
le paysage et les sentiments et surtout par la sincérité du témoignage : même au moment
où il se dédouble et se contemple avec lucidité, nous sentons que ROUSSEAU *ne sort pas
de lui-même* et qu'il s'engage tout entier dans ce retour sur le passé.

Depuis quelques jours on avait achevé la vendange ; les promeneurs
de la ville s'étaient déjà retirés ; les paysans aussi quittaient les champs
jusqu'aux travaux d'hiver. La campagne, encore verte et riante, mais
défeuillée en partie et déjà presque déserte, offrait partout l'image de
la solitude et des approches de l'hiver. Il résultait de son aspect

---

— 16 Il cite dans les *Confessions* quelques-unes
de ses « balourdises ». — 17 Cf. *Rousseau juge de
Jean-Jacques :* « On le prendrait, dans la conversation, non pour un penseur plein d'idées vives
et neuves, pensant avec force et s'exprimant avec
justesse, mais pour un écolier embarrassé du choix
de ses termes, et subjugué par la suffisance des
gens qui en savent plus que lui» *(Dialogue II)*.

un mélange d'impression douce et triste, trop analogue à mon âge et
à mon sort pour que je ne m'en fisse pas l'application [1]. Je me voyais au
déclin d'une vie innocente [2] et infortunée [3], l'âme encore pleine de
sentiments vivaces, et l'esprit encore orné de quelques fleurs, mais déjà
10 flétries par la tristesse et desséchées par les ennuis [4]. Seul et délaissé,
je sentais venir le froid des premières glaces, et mon imagination taris-
sante ne peuplait plus ma solitude d'êtres formés selon mon cœur.
Je me disais en soupirant : « Qu'ai-je fait ici bas ? J'étais fait pour vivre,
et je meurs sans avoir vécu. Au moins ce n'a pas été ma faute, et je
porterai à l'auteur de mon être, sinon l'offrande des bonnes œuvres
qu'on ne m'a pas laissé faire, du moins un tribut de bonnes intentions [5]
frustrées, de sentiments sains, mais rendus sans effet, et d'une patience [6]
à l'épreuve des mépris des hommes. » Je m'attendrissais sur ces réflexions ;
je récapitulais les mouvements de mon âme dès ma jeunesse, et pendant
20 mon âge mûr, et depuis qu'on m'a séquestré [7] de la société des hommes,
et durant la longue retraite dans laquelle je dois achever mes jours.
Je revenais avec complaisance sur toutes les affections de mon cœur,
sur ses attachements si tendres, mais si aveugles, sur les idées moins
tristes que consolantes dont mon esprit s'était nourri depuis quelques
années, et je me préparais à les rappeler assez pour les décrire avec un
plaisir presque égal à celui que j'avais pris à m'y livrer.

LA RÊVERIE AU BORD DU LAC

Dès sa jeunesse aventureuse, puis à l'Ermitage, l'imagination et les rêves constituaient
pour JEAN-JACQUES l'ultime refuge, « le grand remède aux misères de ce monde » : mais
quelle amertume quand il retombait dans la médiocre réalité ! Au terme de cette longue
expérience, il découvre enfin à l'île de Saint-Pierre le secret de « la suprême félicité ».
Ce serait une erreur de ne voir dans cette « *rêverie* » qu'un anéantissement : au fond de
cette inertie la *sensibilité* subsiste, assez vive pour goûter le bonheur sous la forme élémentaire du présent vécu à l'état pur. Si, dans ces moments privilégiés, JEAN-JACQUES épouse
de tout son être la vie universelle, c'est, comme dirait Montaigne, « non pas pour s'y
perdre, mais pour s'y trouver » : dans cette communion subconsciente se renoue l'alliance
profonde de l'homme avec la nature ; l'euphorie qui en résulte est celle d'une unité
retrouvée. Cette psychologie si nouvelle en son siècle fait de ROUSSEAU le *précurseur du
romantisme* et, à certains égards, de la littérature moderne (Ve PROMENADE).

Quand le lac agité ne me permettait pas la navigation, je passais
mon après-midi à parcourir l'île, en herborisant à droite et à gauche,
m'asseyant tantôt dans les réduits les plus riants et les plus solitaires
pour y rêver à mon aise, tantôt sur les terrasses et les tertres, pour par-

---

— 1 Ainsi René, le héros de Chateaubriand,
verra partout dans la nature le symbole de sa
destinée. — 2 Idée qui domine les *Confessions*,
les *Dialogues* et les *Rêveries*. Cf. l. 14. — 3 Complaisance déjà romantique dans l'attitude du
malheur. — 4 Tourments. — 5 Condition de
« la moralité de nos actions ». — 6 Fermeté qui
permet de supporter la douleur avec constance.
— 7 Séparé.

courir des yeux le superbe et ravissant coup d'œil du lac et de ses rivages [1], couronnés d'un côté par des montagnes prochaines [2], et de l'autre élargis en riches et fertiles plaines, dans lesquelles la vue s'étendait jusqu'aux montagnes bleuâtres, plus éloignées [3], qui la bornaient.

10   Quand le soir approchait, je descendais des cimes de l'île, et j'allais volontiers m'asseoir au bord du lac, sur la grève, dans quelque asile caché ; là, le bruit des vagues et l'agitation de l'eau, fixant mes sens et chassant de mon âme toute autre agitation [4], la plongeaient dans une rêverie délicieuse, où la nuit me surprenait souvent sans que je m'en fusse aperçu. Le flux et reflux [5] de cette eau, son bruit continu, mais renflé par intervalles, frappant sans relâche mon oreille et mes yeux, suppléaient aux mouvements internes [6] que la rêverie éteignait en moi, et suffisaient pour me faire sentir avec plaisir mon existence, sans prendre la peine de penser [7]. De temps à autre naissait quelque faible et courte réflexion sur l'instabilité des choses de ce monde dont la surface des eaux m'offrait 20   l'image [8] ; mais bientôt ces impressions légères s'effaçaient dans l'uniformité du mouvement continu qui me berçait [9], et qui, sans aucun concours actif de mon âme, ne laissait pas de m'attacher au point qu'appelé par l'heure et par le signal convenu, je ne pouvais m'arracher de là sans efforts...

De quoi jouit-on dans une pareille situation ? De rien d'extérieur à soi, de rien sinon de soi-même et de sa propre existence [10] ; tant que cet état dure, on se suffit à soi-même, comme Dieu [11]. Le sentiment de l'existence dépouillé de toute autre affection [12] est par lui-même un sentiment précieux de contentement et de paix, qui suffirait seul pour 30   rendre cette existence chère et douce à qui saurait écarter de soi toutes les impressions sensuelles et terrestres qui viennent sans cesse nous en distraire, et en troubler ici-bas la douceur. Mais la plupart des hommes, agités de passions continuelles, connaissent peu cet état, et, ne l'ayant goûté qu'imparfaitement durant peu d'instants, n'en conservent qu'une idée obscure et confuse, qui ne leur en fait pas sentir le charme. Il ne serait pas même bon, dans la présente constitution des choses, qu'avides

---

— 1 Cf. « La terre offre à l'homme, dans l'harmonie des trois règnes, un spectacle plein de vie, d'intérêt et de charmes, le seul spectacle au monde dont ses yeux et son cœur ne se lassent jamais. Plus un contemplateur a l'âme sensible, plus il se livre aux extases qu'excite en lui cet accord » *(Septième Promenade)*. — 2 Le Jura. — 3 Les Alpes Bernoises. — 4 Cf. l. 18-24. — 5 Telle est, selon M. Raymond, la leçon du manuscrit. Le premier éditeur avait imprimé à tort : « Le flux et *le* reflux ». — 6 Les pensées et les sentiments. — 7 « Quelquefois mes rêveries finissent par la méditation, mais plus souvent mes méditations finissent par la rêverie ; et, durant ces égarements, mon âme erre et plane dans l'univers sur les ailes de l'imagination, dans des extases qui passent toute autre jouissance » *(Septième Promenade)*. — 8 Symbolisme déjà romantique. — 9 « Je sens des extases, des ravissements inexprimables à me fondre, pour ainsi dire, dans le système des êtres, à m'identifier avec la nature entière » *(Septième Promenade)*. — 10 Plaisir conforme à notre vraie nature : dans le *Discours sur l'inégalité*, Rousseau évoquait ainsi le bonheur de l'homme primitif : « Son âme, que rien n'agite, se livre *au seul sentiment de son existence actuelle* sans aucune idée de l'avenir ». — 11 Aspiration orgueilleuse et ingénue qui revient assez souvent dans les *Rêveries*. — 12 Aussi a-t-on pu qualifier cet état de « rêverie existentielle ». *Affection :* émotion des sens et de l'âme.

de ces douces extases, ils s'y dégoûtassent de la vie active dont leurs besoins toujours renaissants leur prescrivent le devoir [13]. Mais un infortuné qu'on a retranché de la société humaine, et qui ne peut plus 40 rien faire ici-bas d'utile et de bon pour autrui ni pour soi, peut trouver, dans cet état, à toutes les félicités humaines des dédommagements que la fortune et les hommes ne lui sauraient ôter.

« Que ne puis-je aller finir mes jours dans cette île chérie !... Délivré de toutes les passions terrestres qu'engendre le tumulte de la voie sociale, mon âme s'élancerait fréquemment au-dessus de cette atmosphère et commercerait d'avance avec les intelligences célestes, dont elle espère augmenter le nombre dans peu de temps. Les hommes se garderont, je le sais, de me rendre un si doux asile où ils n'ont pas voulu me laisser. Mais ils ne m'empêcheront pas du moins de m'y transporter chaque jour sur les ailes de l'imagination, et d'y goûter durant quelques heures le même plaisir que si je l'habitais encore ».

BERNARDIN DE SAINT-PIERRE

Sa vie (1737-1814)
Né au Havre, BERNARDIN DE SAINT-PIERRE fait dès l'âge de 12 ans un voyage à la Martinique. Devenu ingénieur (1758), il est hanté par l'aventure et rêve de fonder une république idéale. Il voyage en Hollande, en Allemagne, en Russie, en Pologne (1761-1766), et surtout il fait un *long séjour à l'île de France* (1768-1770) qui lui laissera des souvenirs inoubliables. De retour en France, il se lie d'amitié avec ROUSSEAU, dont il partage l'amour de la nature et l'horreur de la civilisation. A partir de 1784, il publie les *Études de la Nature*, dont le 4e volume est un court roman, *Paul et Virginie* (1787). Il publiera encore la *Chaumière Indienne* et le *Café de Surate* (1790), et ses *Harmonies de la Nature* paraîtront en 1815.

Sa douceur humanitaire, ses romans idylliques donneraient de lui une image assez fausse : c'était sans doute un esprit chimérique, un enjôleur, mais aussi comme ROUSSEAU un nerveux à la sensibilité maladive. Cette sensibilité a fait de lui un grand artiste.

FÉERIE COLORÉE DES NUAGES

Voici, à propos de l'harmonie de la nature dans ses couleurs *(Étude X)*, une description des nuages au coucher du soleil, sous les tropiques, comme il n'en existait pas encore dans notre langue. Sensible à tous les spectacles pittoresques, BERNARDIN DE SAINT-PIERRE a voulu peindre la nature pour elle-même : il excelle à mettre en place les éléments d'un tableau, à décrire les lignes, les formes, les mouvements et surtout les couleurs. « L'art de rendre la nature est si nouveau, disait-il, que les termes n'en sont pas encore inventés ». On verra comment son langage s'enrichit de termes techniques, de comparaisons, d'images, de notations subtiles, pour traduire avec exactitude ses sensations colorées et nous imposer la vision concrète du monde extérieur.

J'ai aperçu dans les nuages des tropiques, principalement sur la mer et dans les tempêtes, toutes les couleurs qu'on peut voir sur la terre. Il y en a alors de cuivrées, de couleur de fumée de pipe, de brunes, de

---

— 13 Mise au point essentielle. Rousseau a le sens des réalités, plus qu'on ne l'a prétendu.

rouges, de noires, de grises, de livides [1], de couleur marron, et de celle
de gueule de four enflammé. Quant à celles qui y paraissent dans les
jours sereins, il y en a de si vives et de si éclatantes qu'on n'en verra
jamais de semblables dans aucun palais, quand on y rassemblerait
toutes les pierreries du Mogol [2]. Quelquefois les vents alisés [3] du nord-est
ou du sud-est, qui y soufflent constamment, cardent les nuages comme
si c'étaient des flocons de soie ; puis ils les chassent à l'occident en les
croisant les uns sur les autres comme les mailles d'un panier à jour.
Ils jettent sur les côtés de ce réseau les nuages qu'ils n'ont pas employés
et qui ne sont pas en petit nombre ; ils les roulent en énormes masses
blanches comme la neige, les contournent sur leurs bords en forme de
croupes, et les entassent les uns sur les autres comme les Cordillères du
Pérou, en leur donnant des formes de montagnes, de cavernes et de
rochers ; ensuite vers le soir, ils calmissent [4] un peu, comme s'ils
craignaient de déranger leur ouvrage. Quand le soleil vient à descendre
derrière ce magnifique réseau, on voit passer par toutes ses losanges [5]
une multitude de rayons lumineux qui y font un tel effet que les deux
côtés de chaque losange qui en sont éclairés paraissent relevés [6] d'un
filet d'or, et les deux autres, qui devraient être dans l'ombre, sont teints
d'un superbe nacarat [7]. Quatre ou cinq gerbes de lumière, qui s'élèvent
du soleil couchant jusqu'au zénith, bordent de franges d'or les sommets
indécis de cette barrière céleste et vont frapper des reflets de leurs feux
les pyramides des montagnes aériennes collatérales qui semblent être
d'argent et de vermillon [8]. C'est dans ce moment qu'on aperçoit au
milieu de leurs croupes redoublées une multitude de vallons qui s'étendent
à l'infini, en se distinguant à leur ouverture par quelque nuance de couleur
chair ou de rose. Ces vallons célestes présentent, dans leurs divers
contours, des teintes inimitables de blanc, qui fuient à perte de vue dans
le blanc, où des ombres se prolongent sans se confondre, sur d'autres
ombres. Vous voyez çà et là, sortis des flancs caverneux de ces montagnes,
des fleuves de lumière qui se précipitent en lingots d'or et d'argent sur
des rochers de corail. Ici, ce sont de sombres rochers percés à jour, qui
laissent apercevoir, par leurs ouvertures, le bleu pur du firmament ;
là ce sont de longues grèves sablées d'or, qui s'étendent sur de riches
fonds du ciel, ponceaux [9], écarlates et verts comme l'émeraude. La réver-
bération de ces couleurs occidentales se répand sur la mer dont elle glace
les flots azurés de safran et de pourpre. Les matelots, appuyés sur les
passavents [10] du navire, admirent en silence ces paysages aériens.
Quelquefois ce spectacle sublime se présente à eux à l'heure de la prière
et semble les inviter à élever leurs cœurs comme leurs yeux vers les cieux.

— 1 « De couleur plombée » (Littré). —
2 Souverain du Nord de l'Inde. — 3 Vents
réguliers des tropiques. — 4 Se calment (terme de
marine). — 5 Encore féminin au XVIIIe s. — 6
Rehaussés. — 7 Rouge orangé (terme technique).
— 8 Rouge vif. — 9 Nom du coquelicot, puis
de sa *couleur*. — 10 Bastingages du pont supérieur.

LA POÉSIE AU XVIIIᵉ SIÈCLE

A en croire les contemporains qui égalent un J.-B. ROUSSEAU à ORPHÉE, un ÉCOUCHARD-LEBRUN à PINDARE, un BERTIN à PROPERCE, le XVIIIᵉ siècle pourrait s'enorgueillir d'une pléiade de génies poétiques. En fait, après l'éclatante floraison du lyrisme romantique, ces réputations paraîtront bien surfaites et l'on s'apercevra que le siècle des lumières a connu au contraire une véritable *crise de la poésie*, et n'offre — encore est-ce sur son déclin — qu'un seul grand poète, ANDRÉ CHÉNIER.

De l'épopée à l'épigramme, tous les genres traditionnels subsistent ; pourtant, faute d'un milieu favorable, *la poésie manque d'âme* et *tend à dégénérer en versification artificielle ;* elle se réduit à des *procédés* : allusions mythologiques, mots « nobles », périphrases, figures de rhétorique, éloquence. Soumise à une attaque en règle au début du siècle, elle reste entravée ensuite par le rationalisme philosophique et risque de n'être plus qu'ornement frivole ou divertissement mondain.

Pourtant la seconde moitié du siècle verra s'accomplir une évolution. Sans renoncer à la rhétorique ni à l'imitation des anciens et des maîtres du XVIIᵉ siècle, les poètes s'orientent vers un lyrisme plus personnel et plus moderne. Gagnés peu à peu par le goût de la *sensibilité*, moins épris de froide raison, auteurs et lecteurs communient dans une mélancolie élégiaque. A la *poésie pseudo-classique* se substitue insensiblement le *lyrisme préromantique*. D'autre part, Diderot revendique les droits du génie et se fait l'annonciateur de temps nouveaux. Sa prophétie ne se réalisera qu'au XIXᵉ siècle, mais elle traduit un changement d'atmosphère. La poésie va cesser d'être l'esclave de la raison ; lyrisme préromantique, enthousiasme créateur, ces aspirations nouvelles trouveront en CHÉNIER un interprète inspiré.

En dehors de ce grand poète, on peut citer les noms de Jean-Baptiste ROUSSEAU (1671-1741), DELILLE (1738-1813), LEBRUN (1729-1807) et GILBERT (1751-1780).

ANDRÉ CHÉNIER

Sa vie (1762-1794)

ANDRÉ CHÉNIER naquit en 1762 à Constantinople où son père était consul de France. Sa mère, belle et cultivée, se croyait d'origine grecque et le petit André conçut un véritable culte pour l'antique Hellade. Après de brillantes études au Collège de Navarre à Paris (1773-1781), le jeune homme voyage en Suisse et en Italie, compose des *Bucoliques* et des *Élégies* de 1785 à 1787 et, durant un séjour en Angleterre comme secrétaire d'ambassade, il ébauche deux grandioses épopées scientifiques, l'*Hermès* et l'*Amérique*.

De retour en France en 1790, il est enthousiasmé par la Révolution, mais modéré, il collabore à la défense de Louis XVI et devient suspect après l'exécution du roi. Arrêté en mars 1794, il est incarcéré à Saint-Lazare. Dans sa prison, il écrit les *Iambes*, où il attaque violemment la tyrannie jacobine. Condamné à mort comme « ennemi du peuple », il est guillotiné le 7 thermidor an II (25 juillet 1794), deux jours avant la chute de Robespierre.

Les Bucoliques

Chénier renouvelle la doctrine classique de l'imitation par son admiration fervente pour la Grèce antique. Dans les *Bucoliques*, il retrouve, par sa *poésie plastique et musicale*, le sens de la beauté païenne, de l'harmonie et de la lumière hellènes. Son influence se fera sentir sur Vigny, Hugo, Musset et surtout sur les Parnassiens qui, épris de poésie plastique et d'art pur, verront en lui un précurseur.

LA JEUNE TARENTINE

La lecture d'un passage de Manilius (poète latin du Iᵉʳ Siècle ap. J.-C.) et de diverses épigrammes funéraires de l'*Anthologie grecque* a inspiré à CHÉNIER cette *idylle*, petit tableau à la manière antique. Ce qui est original dans cette pièce, l'une des plus belles des *Bucoliques*, c'est d'abord le *détail de la facture*, et surtout la *sensibilité*, mise en valeur par la *musique des vers*. Chénier, qui lui-même mourra jeune, ressent profondément la mélancolie d'une aimable destinée prématurément achevée, d'une jeune vie fauchée dans sa fleur.

> Pleurez, doux alcyons [1], ô vous, oiseaux sacrés,
> Oiseaux chers à Thétis [2], doux alcyons, pleurez.
> Elle a vécu, Myrto, la jeune Tarentine [3]
> Un vaisseau la portait aux bords de Camarine [4].
> Là l'hymen [5], les chansons, les flûtes, lentement
> Devaient la reconduire au seuil de son amant.
> Une clef vigilante a pour cette journée
> Dans le cèdre [6] enfermé sa robe d'hyménée
> Et l'or dont au festin ses bras seraient parés
> 10 Et pour ses blonds cheveux les parfums préparés.
> Mais, seule sur la proue, invoquant les étoiles,
> Le vent impétueux qui soufflait dans les voiles
> L'enveloppe. Étonnée, et loin des matelots,
> Elle crie, elle tombe, elle est au sein des flots.
> Elle est au sein des flots, la jeune Tarentine.
> Son beau corps a roulé sous la vague marine.
> Thétis, les yeux en pleurs, dans le creux d'un rocher
> Aux monstres dévorants eut soin de le cacher.
> Par ses ordres bientôt les belles Néréides [7]
> 20 L'élèvent au-dessus des demeures humides,
> Le portent au rivage, et dans ce monument [8]
> L'ont, au cap du Zéphyr [9], déposé mollement.
> Puis de loin à grands cris appelant leurs compagnes,
> Et les Nymphes des bois, des sources, des montagnes,
> Toutes, frappant leur sein [10] et traînant un long deuil,
> Répétèrent : « Hélas ! » autour de son cercueil.
> Hélas ! chez ton amant tu n'es point ramenée.
> Tu n'as point revêtu ta robe d'hyménée.
> L'or autour de tes bras n'a point serré de nœuds.
> 30 Les doux parfums n'ont point coulé sur tes cheveux [11].

— 1 Oiseaux de mer ; on disait qu'ils faisaient leur nid sur les flots. Noter la grâce mélodieuse du mot, cf. *Thétis, Myrto*, etc... — 2 Virgile, *Géorg*. I, 399 : « Dilectae Thetidi alcyones ». *Thétis* : divinité marine, l'une des Néréides. — 3 *Tarente* : port de Grande-Grèce (Italie méri-dionale). — 4 Port de Sicile. — 5 Cortège nuptial. — 6 Coffret en bois de cèdre (métonymie). — 7 Nymphes de la mer, filles de Nérée. — 8 Le tombeau où est censée figurer cette épigramme funéraire. — 9 En Grande-Grèce. — 10 En signe de deuil. — 11 Cf. vers 5-10.

LE COMBAT DES LAPITHES ET DES CENTAURES

Dans *L'Aveugle*, CHÉNIER adopte le ton épique pour évoquer HOMÈRE. Un aveugle inconnu charme par ses chants trois jeunes pasteurs de l'île de Syros. Les belles légendes de la mythologie grecque inspirent le vieil aède qui aborde maintenant un sujet *plastique* entre tous (cf. le fronton ouest du temple de Zeus à Olympie), le combat des Lapithes et des Centaures. Chénier imite ici HOMÈRE lui-même, et aussi OVIDE (*Métam.*, XII, 210-536), mais il est beaucoup moins diffus, beaucoup plus lapidaire que le poète latin.

Enfin, l'Ossa, l'Olympe et les bois du Pénée [1]
Voyaient ensanglanter les banquets d'hyménée,
Quand Thésée, au milieu de la joie et du vin,
La nuit où son ami [2] reçut à son festin
Le peuple monstrueux des enfants de la nue [3],
Fut contraint d'arracher l'épouse demi-nue
Au bras ivre et nerveux du sauvage Eurytus.
Soudain, le glaive en main, l'ardent Pirithoüs :
« Attends [4] ; il faut ici que mon affront s'expie,
10   Traître ! » Mais, avant lui, sur le Centaure impie [5],
Dryas a fait tomber, avec tous ses rameaux,
Un long arbre de fer hérissé de flambeaux.
L'insolent quadrupède en vain s'écrie, il tombe [6] ;
Et son pied bat le sol qui doit être sa tombe.
Sous l'effort de Nessus, la table du repas
Roule [7], écrase Cymèle, Évagre, Périphas.
Pirithoüs égorge Antimaque, et Pétrée,
Et Cyllare aux pieds blancs, et le noir [8] Macarée,
Qui de trois fiers [9] lions, dépouillés par sa main,
20   Couvrait ses quatre flancs, armait son double sein [10].
Courbé, levant un roc choisi pour leur vengeance,
Tout à coup, sous l'airain d'un vase antique, immense,
L'imprudent [11] Bianor, par Hercule surpris,
Sent de sa tête énorme éclater les débris.
Hercule et la massue entassent en trophée
Clanis, Démoléon, Lycotas, et Riphée [12]
Qui portait sur ses crins, de taches colorés,
L'héréditaire éclat des nuages dorés [13].
Mais d'un double combat Eurynome est avide ;
30   Car ses pieds agités en un cercle rapide
Battant [14] à coups pressés l'armure de Nestor,

— 1 Montagnes et fleuve de Thessalie. — 2 Pirithoüs, qui célèbre ses noces avec Hippodamie. — 3 Les Centaures, qualifiés de *nubigenae* par Ovide. — 4 La rapidité du tour traduit la vivacité de l'action. — 5 Il a violé les lois de l'hospitalité. — 6 Remarquer la coupe. — 7 Rejet expressif. — 8 Première rédaction : *l'affreux*. — 9 Farouches. — 10 Rappel de la nature hybride des Centaures ; cf. v. 29. — 11 Bianor *qui ne s'y attend pas*. — 12 Chénier aime ces accumulations sonores de noms grecs ; cf. v. 16. — 13 Cf. v. 5 ; on croirait lire un vers parnassien. — 14 Tandis que les pieds d'Eurynome... battent...

Le quadrupède Hélops fuit. L'agile Crantor,
Le bras levé, l'atteint. Eurynome l'arrête [15] :
D'un érable noueux il va fendre sa tête ;
Lorsque le fils d'Égée [16], invincible, sanglant,
L'aperçoit, à l'autel prend un chêne brûlant [17],
Sur sa croupe indomptée [18], avec un cri terrible,
S'élance, va saisir sa chevelure horrible [19],
L'entraîne, et quand sa bouche, ouverte avec effort,
40   Crie [20], il y plonge ensemble et la flamme et la mort.
L'autel est dépouillé. Tous vont s'armer de flamme,
Et le bois porte au loin les hurlements de femme,
L'ongle [21] frappant la terre, et les guerriers meurtris [22],
Et les vases brisés, et l'injure, et les cris [23].

Ainsi le grand vieillard, en images hardies,
Déployait le tissu des saintes mélodies [24].
Les trois enfants, émus à son auguste aspect.
Admiraient, d'un regard de joie et de respect,
De sa bouche abonder [25] les paroles divines,
50   Comme en hiver la neige aux sommets des collines.

Les Iambes   Dans les *Iambes*, Chénier révèle un superbe talent *satirique* : avec une *indignation éloquente et enflammée*, il fustige les Jacobins qui, traîtres à la liberté, organisent la terreur. La sincérité de ce lyrisme ardent, la gravité de ces fureurs vengeresses, le martèlement des cadences, l'ampleur des mouvements oratoires renouvellent entièrement le genre satirique. L'exemple de ce poète citoyen inspirera des accents à Auguste Barbier dans ses *Iambes*, à Victor Hugo dans ses *Châtiments*.

« COMME UN DERNIER RAYON... »

Si CHÉNIER pleure en songeant à la mort cruelle et prématurée qui attend les victimes de la Terreur, sa muse sait aussi rester jusqu'au bout *âpre* et *combattive*. Prisonnier, vaincu, il conserve pourtant une arme redoutable, sa *plume vengeresse* qui appelle la malédiction sur les bourreaux et lutte ardemment pour la Justice et la Vérité. On notera le rythme des *Iambes* : distiques formés de vers de 12 et 8 syllabes, rimant a-b-a-b.

Comme un dernier rayon, comme un dernier zéphyre
Animent la fin d'un beau jour,
Au pied de l'échafaud j'essaye encor ma lyre.
Peut-être est-ce bientôt mon tour.

— 15 Ce rythme heurté traduit la vivacité des réactions. — 16 Thésée. — 17 Enflammé. — 18 Qui n'avait jamais porté de cavalier. Chénier adapte ici librement une expression d'Ovide. — 19 Hérissée (latin *horridus*). — 20 On croit entendre ce cri. — 21 Le *sabot* (poétique). — 22 Tués (cf. *meurtre*), expliquer le rapport de ce complément, et du suivant, avec le verbe (*porte* au loin). — 23 Noter l'élargissement final et l'effet obtenu. — 24 Le ton devient calme et majestueux. — 25 Cette construction du verbe *admirer* (cf. *voir, entendre*) n'est plus couramment admise.

Peut-être avant que l'heure en cercle promenée
    Ait posé sur l'émail brillant [1],
Dans les soixante pas [2] où sa route est bornée,
    Son pied sonore et vigilant,
Le sommeil du tombeau pressera ma paupière.
10   Avant que de ses deux moitiés
Ce vers que je commence ait atteint la dernière,
    Peut-être en ces murs effrayés
Le messager de mort, noir recruteur des ombres [3],
    Escorté d'infâmes soldats,
Ébranlant de mon nom ces longs corridors sombres,
    Où seul dans la foule à grands pas
J'erre, aiguisant ces dards persécuteurs du crime,
    Du juste trop faibles soutiens,
Sur mes lèvres soudain va suspendre la rime ;
20   Et chargeant mes bras de liens,
Me traîner amassant en foule à mon passage
    Mes tristes compagnons reclus,
Qui me connaissaient tous avant l'affreux message,
    Mais qui ne me connaissent plus.
Eh bien ! j'ai trop vécu. Quelle franchise auguste,
    De mâle constance et d'honneur
Quels exemples sacrés, doux à l'âme du juste,
    Pour lui quelle ombre de bonheur,
Quelle Thémis [4] terrible aux têtes criminelles,
30   Quels pleurs d'une noble pitié,
Des antiques bienfaits quels souvenirs fidèles,
    Quels beaux échanges d'amitié,
Font digne de regrets l'habitacle [5] des hommes ?
    La peur fugitive [6] est leur Dieu ;
La bassesse ; la feinte. Ah ! lâches que nous sommes
    Tous, oui, tous. Adieu, terre, adieu.
Vienne, vienne la mort ! — Que la mort me délivre !
    Ainsi donc mon cœur abattu
Cède aux poids de ses maux ? Non, non. Puissé-je vivre !
40   Ma vie importe à la vertu.
Car l'honnête homme enfin, victime de l'outrage,
    Dans les cachots, près du cercueil,
Relève plus altiers son front et son langage,
    Brillants d'un généreux orgueil.
S'il est écrit aux cieux que jamais une épée
    N'étincellera dans mes mains,

— 1 Du cadran. — 2 Les soixante minutes. — 3 Le commissaire chargé de l'appel des condamnés devient une sombre divinité infernale. — 4 Déesse de la justice. — 5 La demeure (poétique). — 6 *Qui fait fuir.* Cf. « La peur, qui est un des premiers mobiles de toutes les choses humaines, joue aussi un grand rôle dans les révolutions. » (Chénier, *Journal de Paris*, avril 1791).

Dans l'encre et l'amertume une autre arme trempée
  Peut encor servir les humains.
Justice, Vérité, si ma main, si ma bouche,
50 Si mes pensers les plus secrets
Ne froncèrent jamais votre sourcil farouche,
  Et si les infâmes progrès,
Si la risée atroce, ou, plus atroce injure,
  L'encens de hideux scélérats [7]
Ont pénétré vos cœurs d'une longue blessure,
  Sauvez-moi. Conservez un bras
Qui lance votre foudre, un amant qui vous venge.
  Mourir sans vider mon carquois !
Sans percer, sans fouler, sans pétrir dans leur fange
60 Ces bourreaux barbouilleurs de lois,
Ces vers cadavéreux de la France asservie,
  Égorgée ! O mon cher trésor,
O ma plume ! fiel, bile, horreur, Dieux de ma vie !
  Par vous seuls je respire encor :
Comme la poix brûlante agitée en ses veines [8]
  Ressuscite un flambeau mourant,
Je souffre ; mais je vis. Par vous loin de mes peines,
  D'espérance un vaste torrent
Me transporte. Sans vous, comme un poison livide [9],
70 L'invisible dent du chagrin,
Mes amis opprimés, du menteur homicide
  Les succès, le sceptre d'airain [10],
Des bons [11] proscrits par lui la mort ou la ruine,
  L'opprobre de subir sa loi,
Tout eût tari ma vie ; ou contre ma poitrine
  Dirigé mon poignard. Mais quoi !
Nul ne resterait donc pour attendrir l'histoire
  Sur tant de justes massacrés ?
Pour consoler leurs fils, leurs veuves, leur mémoire,
80 Pour que des brigands abhorrés
Frémissent aux portraits noirs de leur ressemblance,
  Pour descendre jusqu'aux enfers
Nouer le triple [12] fouet, le fouet de la vengeance,
  Déjà levé sur ces pervers ?
Pour cracher sur leurs noms, pour chanter leur supplice ?
  Allons, étouffe tes clameurs ;
Souffre, ô cœur gros de haine, affamé de justice.
  Toi, Vertu, pleure si je meurs.

— 7 Les Révolutionnaires qui célèbrent la justice et la vérité sans les pratiquer. — 8 Le mot complète l'assimilation du *flambeau* avec un être vivant. — 9 Qui rend livide (cf. *fugitive*, v. 34). — 10 L'inflexible tyrannie. — 11 Adjectif substantivé. — 12 Le fouet des *trois* Furies qui punissent le crime.

BEAUMARCHAIS

La vie de BEAUMARCHAIS est un véritable *roman d'aventures*. Alors que la biographie de tant d'écrivains se ramène à peu près à la chronologie de leurs œuvres, dans celle de Beaumarchais, la carrière dramatique n'occupe qu'une place secondaire : elle est éclipsée par de multiples activités dans les domaines les plus divers.

Le chemin de la fortune

PIERRE-AUGUSTIN CARON naît à Paris en 1732, d'un père horloger. Apprenti à 13 ans, il invente en 1753 un nouvel échappement pour le mécanisme des montres et devient horloger du roi. En 1755, il achète la charge du sieur Francquet, contrôleur clerc d'office de la maison du roi, puis épouse sa veuve. Anobli en 1761 par l'achat d'une charge de secrétaire du roi, il prend le nom de M. DE BEAUMARCHAIS.

Après un voyage entrepris à Madrid en 1764-1765 pour défendre l'honneur de sa sœur, à qui un Espagnol avait promis puis refusé le mariage, il ébauche sa carrière dramatique avec un mélodrame, *Eugénie* (1767), précédé de l'*Essai sur le genre dramatique sérieux*.

La crise

Veuf après dix mois de mariage, BEAUMARCHAIS se remarie en 1768, et sa deuxième femme meurt à son tour, en 1770. La même année le financier Pâris-Duverney lui laisse une créance sur sa succession ; mais l'héritier, le comte de La Blache, obtient la condamnation de Beaumarchais, accusé de faux (1773). Celui-ci s'en prend alors au conseiller Goëzman, rapporteur de son affaire, et lui reproche sa malhonnêteté. Le Parlement condamne Goëzman mais rend contre son adversaire un arrêt de *blâme* (déchéance civique).

Chargé de missions secrètes à Londres et en Allemagne, BEAUMARCHAIS donne à Paris le *Barbier de Séville* (février 1775) qui, après de nombreuses transformations, finit par obtenir un grand succès.

Le triomphe

En 1775 éclate l'insurrection des colonies anglaises d'Amérique : BEAUMARCHAIS fait parvenir armes et équipements aux insurgés, pour le compte de la France. Cependant, il est réhabilité (1776), le jugement de l'affaire La Blache est cassé et il obtient gain de cause (1778).

Auteur d'une édition complète des œuvres de Voltaire, imprimée à Kehl (1783-1790), il atteint le sommet de sa carrière avec le *Mariage de Figaro* (27 avril 1784). Mais imprudent dans son triomphe, il est emprisonné à Saint-Lazare pour quelques jours (mars 1785).

La fin de sa vie

En 1791, BEAUMARCHAIS s'installe dans la superbe maison qu'il s'est fait construire près de la Bastille ; le moment est mal choisi, ce luxe le rend suspect. Pourtant il veut servir la patrie en négociant l'achat de 60 000 fusils en Hollande. Après de longs voyages et mille péripéties, cette affaire des fusils finit par échouer (1792-1795). Tenu pour émigré quoiqu'il ait été chargé d'une mission à l'étranger, Beaumarchais souffre de la misère à Hambourg.

Il peut enfin rentrer à Paris en 1796 et marie la fille qu'il a eue d'une troisième femme. Mais il est vieilli, sourd, usé après cette vie mouvementée, et il meurt en 1799.

Le renouveau de la comédie

BEAUMARCHAIS a restauré le franc comique à peu près banni du Théâtre-Français, en l'assaisonnant de l'esprit cher au XVIIIe siècle. L'*intrigue*, qui donne lieu à de perpétuels jeux de scènes, à des quiproquos, à des surprises et rebondissements incessants, tient constamment le spectateur en haleine.

Mais la *satire sociale* et même *politique* est aussi très hardie dans son œuvre, et le succès du *Mariage de Figaro* fut pour une large part un succès de scandale.

Quant aux *caractères*, sans avoir la profondeur de ceux de Molière, ils sont bien dessinés et attachants, et le personnage de Figaro, gai, vif, frondeur, entreprenant, cynique en paroles, sentimental au fond, épris de justice et de liberté, est un véritable type.

Le Mariage de Figaro

Dans le Barbier de Séville, Figaro *avait favorisé les amours du comte* Almaviva *et de la belle* Rosine, *pupille de* Bartholo. *Maintenant, trois ans ont passé ; Figaro, devenu concierge du château d'Aguas Frescas, va épouser* Suzanne, *camériste de la comtesse. Mais le comte, naguère si épris, délaisse maintenant sa femme et voudrait obtenir un rendez-vous de Suzanne, le jour même du mariage. A l'*Acte I *Suzanne apprend à Figaro les intentions du Comte. Un autre obstacle risque d'empêcher leur union :* Marceline *(gouvernante de Bartholo dans le* Barbier de Séville*) a prêté de l'argent à Figaro moyennant promesse de mariage ; or Figaro n'a pas de quoi payer sa dette, et Marceline, qui désire vivement l'épouser, lui intente un procès.*

LE PROCÈS

Essentielle du point de vue de la *satire*, cette scène (III, 15) est *inutile à l'action*, doublement inutile puisque Figaro va se révéler le fils de Marceline et que Suzanne interviendra de son côté en offrant de payer Marceline avec la dot que lui donne la Comtesse. Mais on comprend aisément que Beaumarchais tenait à placer son *procès bouffon* : il n'a pas oublié ses pénibles *démêlés avec la justice* et le nom même du juge bégayant, Don Guzman Brid'Oison, est une allusion transparente au conseiller Goezman. Quant à Bartholo, qui joue l'avocat de mauvaise foi, il veut se venger de Figaro à qui il garde rancune depuis le *Barbier de Séville*.

Le Comte est pressé d'aborder la requête de Marceline, puisqu'il souhaite mettre obstacle au mariage de Figaro et de Suzanne : il est, en somme, juge et partie. Aussi se hâte-t-il d'expédier les deux premières causes, à propos desquelles Beaumarchais ne manque d'ailleurs pas de glisser quelques allusions satiriques.

Brid'oison, *à Double-Main (le greffier)*

Double-Main, a-appelez les causes.

Double-Main *lit un papier*

Noble, très noble, infiniment noble, *Don Pedro George, Hidalgo, Baron de los Altos, y Montes Fieros, y otros montes*, contre *Alonzo Calderon*, jeune auteur dramatique. Il est question d'une comédie mort-née, que chacun désavoue, et rejette sur l'autre.

Le Comte

Ils ont raison tous deux. Hors de Cour. S'ils font ensemble un autre ouvrage, pour qu'il marque un peu dans le grand monde, ordonné que le noble y mettra son nom, le poète son talent.

Double-Main *lit un autre papier*

André Petruthio, laboureur ; contre le Receveur de la Province. Il s'agit
10 d'un forcement arbitraire.

Le Comte

L'affaire n'est pas de mon ressort. Je servirai mieux mes vassaux en les protégeant près du Roi. Passez.

DOUBLE-MAIN *en prend un troisième... Bartholo et Figaro se lèvent*
Barbe-Agar-Raab-Madeleine-Nicole-Marceline de Verte-Allure, fille majeure *(Marceline se lève et salue)* ; contre *Figaro...* nom de baptême en
blanc.

FIGARO

Anonyme.

BRID'OISON

A-anonyme ? Qué-el patron est-ce là ?

FIGARO

C'est le mien.

DOUBLE-MAIN *écrit*

Contre *Anonyme Figaro.* Qualités ?

FIGARO

20   Gentilhomme.

LE COMTE

Vous êtes gentilhomme ? *(Le greffier écrit.)*

FIGARO

Si le ciel l'eût voulu, je serais le fils d'un Prince.

LE COMTE, *au greffier*

Allez.

L'HUISSIER, *glapissant*

Silence, Messieurs !

DOUBLE-MAIN *lit...*

Pour cause d'opposition faite au mariage dudit *Figaro* par la dite
de Verte-Allure. Le Docteur *Bartholo* plaidant pour la demanderesse, et
ledit *Figaro* pour lui-même [1], si la Cour le permet, contre le vœu de
l'usage et la jurisprudence du siège.

FIGARO

L'usage, maître Double-Main, est souvent un abus ; le client un peu
30 instruit sait toujours mieux sa cause que certains avocats qui, suant à
froid, criant à tue-tête, et connaissant tout, hors le fait, s'embarrassent
aussi peu de ruiner le plaideur que d'ennuyer l'auditoire et d'endormir
Messieurs ; plus boursouflés après que s'ils eussent composé l'*oratio pro*
Murena [2]. Moi, je dirai le fait en peu de mots. Messieurs...

DOUBLE-MAIN

En voilà beaucoup d'inutiles, car vous n'êtes pas demandeur, et n'avez
que la défense [3]. Avancez, Docteur, et lisez la promesse.

— 1 Comme Beaumarchais qui, par suite de
la défaillance des avocats, dut se défendre seul | devant le Parlement d'Aix. — 2 Le célèbre
plaidoyer de Cicéron. — 3 Étant *défendeur*
Figaro ne doit pas parler le premier.

FIGARO

Oui, promesse !

BARTHOLO, *mettant ses lunettes*

Elle est précise.

BRID'OISON

I-il faut la voir.

DOUBLE-MAIN

40 Silence donc, Messieurs !

L'HUISSIER, *glapissant*

Silence !

BARTHOLO *lit*

Je soussigné reconnais avoir reçu de Damoiselle, etc... Marceline de Verte-Allure, dans le château d'Aguas-Frescas, la somme de deux mille piastres fortes [4] *cordonnées* [5] *; laquelle somme je lui rendrai à sa réquisition, dans ce château, et je l'épouserai, par forme de reconnaissance, etc.* Signé : *Figaro*, tout court. Mes conclusions sont au paiement du billet et à l'exécution de la promesse, avec dépens. *(Il plaide.)* Messieurs... jamais cause plus intéressante ne fut soumise au jugement de la Cour ! et depuis Alexandre le Grand, qui promit mariage à la belle Thalestris [6]...

LE COMTE, *interrompant*

50 Avant d'aller plus loin, avocat, convient-on de la validité du titre ?

BRID'OISON, *à Figaro*

Qu'oppo... qu'oppo-osez-vous à cette lecture ?

FIGARO

Qu'il y a, Messieurs, malice, erreur ou distraction dans la manière dont on a lu la pièce ; car il n'est pas dit dans l'écrit : *laquelle somme je lui rendrai*, ET *je l'épouserai ;* mais : *laquelle somme je lui rendrai*, OU *je l'épouserai ;* ce qui est bien différent.

LE COMTE

Y a-t-il ET dans l'acte, ou bien OU ?

BARTHOLO

Il y a ET.

FIGARO

Il y a OU.

BRID'OISON

Dou-ouble-Main, lisez vous-même.

— 4 On distinguait *piastres fortes* et demi- *piastres.* — 5 Portant un *cordon* gravé autour de l'effigie. — 6 Cf. *Plaideurs*, III, 3.

DOUBLE-MAIN, *prenant le papier*

60 Et c'est le plus sûr ; car souvent les parties déguisent en lisant. *(il lit.)* E.e.e. *Damoiselle* e.e.e. *de Verte-Allure* e. e. e. Ha ! *laquelle somme je lui rendrai à sa réquisition, dans ce château...* ET... OU... ET... OU... Le mot est si mal écrit... il y a un pâté.

BRID'OISON

Un pâ-âté ? je sais ce que c'est.

BARTHOLO, *plaidant*

Je soutiens, moi, que c'est la conjonction copulative ET qui lie les membres corrélatifs de la phrase ; je payerai la demoiselle, ET je l'épouserai.

FIGARO, *plaidant*

Je soutiens, moi, que c'est la conjonction alternative OU, qui sépare lesdits membres ; je payerai la donzelle, OU je l'épouserai ; à pédant, pédant et demi ; qu'il s'avise de parler latin, j'y suis grec ; je l'extermine.

LE COMTE

70 Comment juger pareille question ?

BARTHOLO

Pour la trancher, Messieurs, et ne plus chicaner sur un mot, nous passons [7] qu'il y ait OU.

FIGARO

J'en demande acte.

BARTHOLO

Et nous y adhérons. Un si mauvais refuge ne sauvera pas le coupable : examinons le titre en ce sens. *(Il lit.) Laquelle somme je lui rendrai dans ce château où je l'épouserai.* C'est ainsi qu'on dirait, Messieurs : *vous vous ferez saigner dans ce lit* où *vous resterez chaudement* [8] *;* c'est « dans lequel ». *Il prendra deux grains de rhubarbe* où *vous mêlerez un peu de tamarin* : dans lesquels on mêlera... Ainsi *château* où *je l'épouserai*, Messieurs, c'est 80 *château dans lequel...*

FIGARO

Point du tout : la phrase est dans le sens de celle-ci : ou *la maladie vous tuera,* ou *ce sera le médecin ;* ou bien *le médecin ;* c'est incontestable. Autre exemple : ou *vous n'écrirez rien qui plaise,* ou *les sots vous dénigreront ;* ou bien *les sots ;* le sens est clair ; car, audit cas, *sots et méchants* sont le substantif qui gouverne [9]. Maître Bartholo croit-il donc que j'aie oublié ma syntaxe ? Ainsi, je la payerai dans ce château, *virgule ;* ou je l'épouserai...

BARTHOLO, *vite*

Sans virgule.

— 7 Admettons. — 8 N'oublions pas que | Bartholo est médecin ; cf. la réplique de Figaro. — 9 Trait satirique.

FIGARO, *vite*

Elle y est. C'est *virgule*, Messieurs, ou bien je l'épouserai.

BARTHOLO, *regardant le papier, vite*

Sans virgule, Messieurs.

FIGARO, *vite*

90   Elle y était, Messieurs. D'ailleurs, l'homme qui épouse est-il tenu de rembourser ?

BARTHOLO, *vite*

Oui, nous nous marions séparés de biens.

FIGARO, *vite*

Et nous de corps, dès que [10] le mariage n'est pas quittance. *(Les juges se lèvent, et opinent tout bas.)*

BARTHOLO

Plaisant acquittement [11] !

DOUBLE-MAIN

Silence, messieurs.

L'HUISSIER, *glapissant*

Silence !

BARTHOLO

Un pareil fripon appelle cela payer ses dettes !

FIGARO

Est-ce votre cause, avocat, que vous plaidez ?

BARTHOLO

100   Je défends cette Demoiselle.

FIGARO

Continuez à déraisonner, mais cessez d'injurier. Lorsque, craignant l'emportement des plaideurs, les tribunaux ont toléré qu'on appelât des tiers, ils n'ont pas entendu que ces défenseurs modérés deviendraient impunément des insolents privilégiés [12]. C'est dégrader le plus noble institut [13]. *(Les juges continuent d'opiner tout bas.)*

ANTONIO, *à Marceline, montrant les juges*

Qu'ont-ils à balbucifier [14] ?

MARCELINE

On a corrompu le grand juge [15], il corrompt l'autre, et je perds mon procès.

BARTHOLO, *bas, d'un ton sombre*

J'en ai peur.

_____

— 10 Du moment que. — 11 Moyen d'*acquitter* | — 13 Institution. — 14 Déformation plaisante la dette. — 12 C'est Beaumarchais qui parle ici. | de *balbutier*. — 15 Le Comte.

FIGARO, *gaiement*

110 Courage, Marceline !

DOUBLE-MAIN, *se lève ; à Marceline*

Ah ! c'est trop fort ! Je vous dénonce et, pour l'honneur du tribunal, je demande qu'avant faire droit [16] sur l'autre affaire, il soit prononcé sur celle-ci [17].

LE COMTE *s'assied*

Non, Greffier, je ne prononcerai point sur mon injure personnelle [18] : un Juge espagnol n'aura point à rougir d'un excès digne au plus des tribunaux asiatiques [19] : c'est assez des autres abus ! J'en vais corriger un second, en vous motivant mon arrêt : tout Juge qui s'y refuse est un grand ennemi des lois [20] ! Que peut requérir la demanderesse ? mariage à défaut de payement, les deux ensemble impliqueraient [21].

DOUBLE-MAIN

120 Silence, Messieurs !

L'HUISSIER, *glapissant*

Silence !

LE COMTE

Que nous répond le défendeur ? Qu'il veut garder sa personne ; à lui permis.

FIGARO, *avec joie*

J'ai gagné !

LE COMTE

Mais comme le texte dit : *laquelle somme je payerai à la première réquisition, ou bien j'épouserai, etc...,* la Cour condamne le défenseur à payer deux mille piastres fortes à la demanderesse ; ou bien à l'épouser dans le jour. *(Il se lève.)*

FIGARO, *stupéfait*

J'ai perdu.

*On découvre soudain que Figaro est le fils de Marceline... et de Bartholo. Marceline avait pris pour de l'amour sa tendresse maternelle inconsciente ! C'est un vieux « truc » de théâtre que ce procédé de la reconnaissance (cf. le dénouement de l'*École des Femmes *et celui de* l'Avare*) ; mais le tort de Beaumarchais, toujours attaché au genre sérieux, est d'avoir voulu attendrir et édifier les spectateurs par une péripétie bouffonne parfaitement invraisemblable.*

A l'Acte IV le manque d'action est compensé par l'intérêt du spectacle : la musique, les danses font de la noce de Figaro et de Suzanne un aimable divertissement. Du point de vue de l'intrigue, un seul élément important : on a remis un billet doux au Comte ; Figaro, qui ignore le petit complot de Suzanne et de la Comtesse, apprend que ce billet vient de sa Suzon : le voilà consterné.

ACTE V : *Il fait nuit, la scène représente une salle de marronniers, dans le parc du château : c'est le lieu du rendez-vous. Dans une atmosphère de mystère et de conspiration, Figaro machine un plan pour se venger du Comte et de Suzanne. Puis il reste seul en scène.*

— 16 Langue juridique : *avant de statuer.* — 17 Sur l'accusation d'injure au tribunal. — 18 Beaumarchais avait été jugé par les pairs du conseiller Goëzman. — 19 Dans l'*Esprit des Lois,* les exemples de *despotisme* sont empruntés à l'Asie. — 20 L'arrêt de *blâme* n'était pas motivé. — 21 Impliqueraient contradiction.

MONOLOGUE DE FIGARO

Au Ve Acte paraît un Figaro inattendu : vêtu d'un grand manteau, coiffé d'un large chapeau rabattu, le joyeux barbier serait-il devenu conspirateur ? Il se croit trahi par Suzanne et, comme il l'aime sincèrement, ce coup le bouleverse. Mais il est bavard, et son désarroi se traduit par un flot de paroles. Il s'exalte, déclame, revit toute son existence... Lorsqu'il eut composé ce monologue (V, 3), Beaumarchais lui-même, dit-on, fut effrayé de sa longueur. Pourtant le monologue passe la rampe, mais il a divisé les critiques : les uns le trouvent insupportable, d'autres y voient le morceau capital de la pièce.

FIGARO, *seul, se promenant dans l'obscurité, dit du ton le plus sombre :*

O femme ! femme ! femme ! créature faible et décevante [1] !... nul animal créé ne peut manquer à son instinct ; le tien est-il donc de tromper ?... Après m'avoir obstinément refusé quand je l'en pressais devant sa maîtresse ; à l'instant qu'elle me donne sa parole ; au milieu même de la cérémonie... Il riait en lisant, le perfide [2] ! et moi, comme un benêt [3]...! Non, Monsieur le Comte, vous ne l'aurez pas... vous ne l'aurez pas... Parce que vous êtes un grand Seigneur, vous vous croyez un grand génie !... Noblesse, fortune, un rang, des places : tout cela rend si fier ! Qu'avez-vous fait pour tant de biens ? Vous vous êtes donné

10 la peine de naître, et rien de plus ; du reste, homme assez ordinaire ! tandis que moi, morbleu ! perdu dans la foule obscure, il m'a fallu déployer plus de science et de calculs pour subsister seulement, qu'on n'en a mis depuis cent ans à gouverner toutes les Espagnes : et vous voulez jouter [4]... On vient... c'est elle... ce n'est personne. — La nuit est noire en diable, et me voilà faisant le sot métier de mari, quoique je ne le sois qu'à moitié ! *(Il s'assied sur un banc.)* Est-il rien de plus bizarre que ma destinée ! Fils de je ne sais pas qui, volé par des bandits, élevé dans leurs mœurs, je m'en dégoûte [5] et veux courir une carrière honnête ; et partout je suis repoussé ! J'apprends la chimie,

20 la pharmacie, la chirurgie ; et tout le crédit d'un grand seigneur peut à peine me mettre à la main une lancette vétérinaire ! — Las d'attrister des bêtes malades, et pour faire un métier contraire [6], je me jette à corps perdu dans le théâtre ; me fussé-je mis [7] une pierre au cou ! Je broche [8] une comédie dans les mœurs du sérail ; auteur espagnol, je crois pouvoir y fronder Mahomet sans scrupule ; à l'instant un envoyé... de je sais où se plaint que j'offense dans mes vers la Sublime Porte, la Perse, une partie de la presqu'île de l'Inde, toute l'Égypte, les royaumes de Barca [9], de Tripoli, de Tunis, d'Alger et de Maroc : et voilà ma comédie flambée [10] pour plaire aux princes mahométans,

30 dont pas un, je crois, ne sait lire, et qui nous meurtrissent l'omoplate

---

— 1 Trompeuse. — 2 En lisant le billet remis par Suzanne (IV, 9). — 3 Figaro se moquait du Comte : « Ah ! c'est une drôle de tête ! ». — 4 Vous mesurer avec moi. — 5 Comme Gil Blas. — 6 Égayer des hommes bien portants. — 7 J'aurais mieux fait de me mettre... (tour vieilli). — 8 Bâcle. — 9 Cyrénaïque. — 10 *Perdue* (familier).

en nous disant : « Chiens de chrétiens ! » — Ne pouvant avilir l'esprit, on se venge en le maltraitant. — Mes joues creusaient, mon terme était échu ; je voyais de loin arriver l'affreux recors [11], la plume fichée dans sa perruque ; en frémissant je m'évertue. Il s'élève une question sur la nature des richesses [12], et, comme il n'est pas nécessaire de tenir [13] les choses pour en raisonner, n'ayant pas un sou, j'écris sur la valeur de l'argent et sur son produit net ; sitôt je vois, du fond d'un fiacre, baisser pour moi le pont d'un château fort [14], à l'entrée duquel je laissai l'espérance et la liberté. *(Il se lève)*. Que je voudrais bien tenir un de
40 ces puissants de quatre jours, si légers sur le mal qu'ils ordonnent, quand une bonne disgrâce a cuvé son orgueil ! Je lui dirais... que les sottises imprimées n'ont d'importance qu'aux lieux où l'on en gêne le cours ; que, sans la liberté de blâmer, il n'est point d'éloge flatteur, et qu'il n'y a que les petits hommes qui redoutent les petits écrits. *(Il se rassied.)* Las de nourrir un obscur pensionnaire, on me met un jour dans la rue ; et comme il faut dîner quoiqu'on ne soit plus en prison, je taille encore ma plume, et demande à chacun de quoi il est question [15] : on me dit que pendant ma retraite économique [16] il s'est établi dans Madrid un système de liberté sur la vente des productions, qui s'étend à celles de la presse ;
50 et que, pourvu que je ne parle en mes écrits ni de l'autorité, ni du culte, ni de la politique, ni de la morale, ni des gens en place, ni des corps en crédit [17], ni de l'Opéra, ni des autres spectacles, ni de personne qui tienne à quelque chose, je puis tout imprimer librement, sous l'inspection de deux ou trois censeurs. Pour profiter de cette douce liberté, j'annonce un écrit périodique, et, croyant n'aller sur les brisées [18] d'aucun autre, je le nomme *Journal inutile*. Pou-ou ! je vois s'élever contre moi mille pauvres diables à la feuille [19] ; on me supprime, et me voilà derechef sans emploi ! — Le désespoir m'allait saisir ; on pense à moi pour une place, mais par malheur j'y étais propre : il fallait un calculateur, ce fut
60 un danseur qui l'obtint. Il ne me restait plus qu'à voler ; je me fais banquier de pharaon [20] : alors, bonnes gens ! je soupe en ville, et les personnes dites *comme il faut* m'ouvrent poliment leur maison en retenant pour elles les trois quarts du profit. J'aurais bien pu me remonter ; je commençais même à comprendre que, pour gagner du bien, le savoir-faire vaut mieux que le savoir. Mais comme chacun pillait autour de moi en exigeant que je fusse honnête, il fallut bien périr encore. Pour le coup je quittais le monde, et vingt brasses d'eau m'en allaient séparer, lorsqu'un Dieu bienfaisant m'appelle à mon premier état. Je reprends ma trousse et mon cuir anglais ; puis, laissant la fumée [21] aux sots qui s'en nourrissent,
70 et la honte au milieu du chemin, comme trop lourde à un piéton, je vais

---

— 11 Adjoint d'un huissier. — 12 Question étudiée par les physiocrates. — 13 Posséder. — 14 Rédaction antérieure : « Mon livre ne se vendit point, fut arrêté et, pendant qu'on fermait la porte de mon libraire, on m'ouvrit celle de la Bastille, où je fus fort bien reçu en faveur de la recommandation qui m'y attirait », etc... — 15 Quelle est la question d'actualité. — 16 Il était nourri et logé gratis ! — 17 Influents. — 18 Faire concurrence à... (terme de vénerie). — 19 *Feuillistes*, payés tant la feuille. — 20 Jeu de cartes ; le *banquier* mise contre les autres joueurs. — 21 Les illusions.

rasant de ville en ville, et je vis enfin sans souci. Un grand seigneur passe à Séville ; il me reconnaît, je le marie, et pour prix d'avoir eu par mes soins son épouse, il veut intercepter la mienne [22] ! Intrigue, orage à ce sujet. Prêt à tomber dans un abîme, au moment d'épouser ma mère, mes parents m'arrivent à la file. *(Il se lève en s'échauffant.)* On se débat ; c'est vous, c'est lui, c'est moi, c'est toi ; non, ce n'est pas nous : eh mais, qui donc ? *(Il retombe assis.)* O bizarre suite d'événements ! Comment cela m'est-il arrivé ? Pourquoi ces choses et non pas d'autres ? Qui les a fixées sur ma tête ? Forcé de parcourir la route où je suis entré sans le savoir,
80 comme j'en sortirai sans le vouloir, je l'ai jonchée d'autant de fleurs que ma gaieté me l'a permis : encore je dis ma gaieté, sans savoir si elle est à moi plus que le reste, ni même quel est ce *moi* dont je m'occupe : un assemblage informe de parties inconnues, puis un chétif être imbécile, un petit animal folâtre, un jeune homme ardent au plaisir, ayant tous les goûts pour jouir, faisant tous les métiers pour vivre ; maître ici, valet là, selon qu'il plaît à la fortune ! ambitieux par vanité, laborieux par nécessité, mais paresseux... avec délices ! orateur selon le danger, poète par délassement, musicien par occasion, amoureux par folles bouffées, j'ai tout vu, tout fait, tout usé. Puis l'illusion s'est détruite, et trop
90 désabusé... Désabusé !... Suzon, Suzon, Suzon ! que tu me donnes de tourments ! — J'entends marcher... on vient. Voici l'instant de la crise.

Il est impossible de résumer la suite de l'Acte : c'est, dans la demi-obscurité, un délicieux imbroglio où soufflets et baisers se trompent de joue, un véritable ballet de carnaval réglé par les caprices du petit dieu hasard. Le Comte se montre très tendre avec sa femme qu'il prend pour Suzanne. Figaro veut les surprendre, lorsqu'il rencontre Suzanne... qu'il prend pour la Comtesse, les deux jeunes femmes ayant échangé leurs vêtements.

On finit par se reconnaître au milieu de tous les quiproquos, et tout s'arrange le mieux du monde : la Comtesse a reconquis son mari qui ne songe plus à disputer Suzanne à Figaro. Dans l'accord parfait du vaudeville final, chaque personnage vient chanter son couplet : ainsi, comme le dit Brid'oison, Tout fini-it par des chansons.

FIGARO	BRID'OISON
Septième couplet	*Dixième couplet*
Par le sort de la naissance,	Or, Messieurs, la Co-omédie
L'un est Roi, l'autre est Berger ;	Que l'on juge en ce-et instant,
Le hasard fit leur distance ;	Sauf erreur, nous pein-eint la vie
L'esprit seul peut tout changer,	Du bon peuple qui l'entend.
De vingt Rois que l'on encense	Qu'on l'opprime, il peste, il crie ;
Le trépas brise l'autel ;	Il s'agite de cent fa-açons ;
Et Voltaire est immortel... *(Bis)*	Tout fini-it par des chansons... *(Bis)*

BALLET GÉNÉRAL

— 22 Retour à la situation présente.

LA LITTÉRATURE RÉVOLUTIONNAIRE

La Révolution s'accompagne d'une production littéraire *intense* mais *médiocre*. Populaire et moralisateur, le THÉÂTRE tend au mélodrame ; l'actualité inspire quelques grands POÈMES à Lebrun-Pindare, à André Chénier, à son frère Marie-Joseph Chénier. Avec la liberté de la presse, le JOURNALISME prend un essor considérable, mais les journaux quotidiens sont d'une affligeante vulgarité. Les articles les plus remarquables sont ceux de CAMILLE DESMOULINS (1760-1794) qui servit généreusement la Révolution naissante, puis eut le courage de s'élever contre la Terreur et de proposer dans *Le Vieux Cordelier* l'institution d'un Comité de Clémence : cette initiative lui coûta la vie.

L'éloquence

Très vite, dans les Assemblées et les Clubs, l'éloquence devint l'arme des hommes politiques pour décider des plus graves questions, abattre leurs adversaires ou défendre leur tête. La plupart des *tribuns révolutionnaires* sont des hommes jeunes au tempérament passionné, dont l'ardeur lyrique enflamme les foules.

MIRABEAU (1749-1791) s'impose à la Constituante par sa carrure et son masque terrible, son tempérament de lutteur, ses images éclatantes, ses phrases puissamment rythmées, la logique pressante de son argumentation.

VERGNIAUD (1753-1793) est d'une éloquence plus souple, alanguie par ses rêves humanitaires. Il trouve pourtant des accents virils pour appeler aux armes en 1792 et déploie en faveur des Girondins aux abois une dialectique désespérée.

DANTON (1759-1794) s'est formé au Club des Cordeliers : c'est le « *Mirabeau de la populace* ». Vainqueur des Girondins, il domine les masses par son verbe impétueux et brutal jusqu'au jour où il est lui-même victime de Robespierre.

A la différence de son ami SAINT-JUST (1769-1794), dont la phrase sèche et tranchante est celle d'un homme d'action, ROBESPIERRE (1759-1794) n'a pas un tempérament d'orateur : il supplée au défaut d'enthousiasme par son argumentation serrée et la vertueuse austérité de ses principes.

CONTRE LA BANQUEROUTE

26 septembre 1789 : la *banqueroute* menace la France. Necker propose d'y faire face immédiatement par une *contribution volontaire du quart des revenus*. MIRABEAU soutient ce projet et combat victorieusement une proposition d'ajournement. Voici la vibrante *péroraison* de son discours improvisé, où l'on reconnaît la puissante personnalité de l'orateur unissant à la logique de l'argumentation son réalisme, sa véhémence et son art de soulever les passions.

Mes amis, écoutez un mot, un seul mot. Deux siècles de déprédations et de brigandages ont creusé le gouffre où le royaume est près de s'engloutir. Il faut le combler, ce gouffre effroyable ! eh bien, voici la liste des propriétaires français. Choisissez parmi les plus riches, afin de sacrifier moins de citoyens ; mais choisissez ; car ne faut-il pas qu'un petit nombre périsse pour sauver la masse du peuple ? Allons, ces deux mille notables possèdent de quoi combler le déficit. Ramenez l'ordre dans vos finances, la paix et la prospérité dans le royaume... Frappez, immolez sans pitié ces tristes victimes ! précipitez-les dans l'abîme ! il va se refermer... Vous reculez d'horreur... Hommes inconséquents ! hommes pusillanimes [1] ! eh ! ne voyez-vous donc pas qu'en décrétant la banqueroute ou, ce qui est plus odieux encore, en la rendant inévitable sans la décréter, vous vous souillez d'un acte mille fois plus criminel, et, chose inconcevable, gratuitement [2] criminel ; car enfin cet horrible sacrifice ferait du moins disparaître le déficit. Mais croyez-vous, parce que vous n'avez pas payé, que vous ne devrez plus rien [3] ? Croyez-vous que les milliers, les millions d'hommes qui perdront en un instant, par l'explosion terrible ou par ses contrecoups, tout ce qui faisait la consolation de leur vie, et peut-être leur unique moyen de la sustenter [4], vous laisseront paisiblement jouir de votre crime ?

Contemplateurs stoïques [5] des maux incalculables que cette catastrophe vomira sur la France, impassibles égoïstes qui pensez que ces convulsions du désespoir et de la misère passeront comme tant d'autres, et d'autant plus rapidement qu'elles seront plus violentes, êtes-vous bien sûrs que tant d'hommes sans pain vous laisseront tranquillement savourer les mets dont vous n'aurez voulu diminuer ni le nombre ni la délicatesse ?... Non, vous périrez, et dans la conflagration [6] universelle que vous ne frémissez pas d'allumer, la perte de votre honneur ne sauvera pas une seule de vos détestables jouissances.

Voilà où nous marchons... J'entends parler de patriotisme, d'élans de patriotisme, d'invocations au patriotisme. Ah ! ne prostituez pas ces mots de patrie et de patriotisme. Il est donc bien magnanime, l'effort de donner une portion de son revenu pour sauver tout ce qu'on possède ! Eh ! messieurs, ce n'est là que de la simple arithmétique, et celui qui hésitera ne peut désarmer l'indignation que par le mépris que doit inspirer sa stupidité. Oui, messieurs, c'est la prudence la plus ordinaire, la sagesse la plus triviale [7] ; c'est votre intérêt le plus grossier que j'invoque. Je ne vous dis plus, comme autrefois : « Donnerez-vous les premiers aux nations le spectacle d'un peuple assemblé pour manquer à la foi publique ? » Je ne vous dis plus : « Eh ! quels titres avez-vous à la liberté, quels moyens vous resteront pour la maintenir si, dès votre premier pas, vous surpassez les turpitudes des gouvernements les plus corrompus, si le besoin de votre concours et de votre surveillance n'est pas le garant de votre Constitution ? » Je vous dis : « Vous serez tous entraînés dans la ruine universelle, et les premiers intéressés au sacrifice que le gouvernement vous demande, c'est vous-mêmes. »

— 1 A l'âme faible et médiocre. — 2 Sans résultat profitable. — 3 Il s'agit de la dette de l'État. — 4 Soutenir au moyen de nourriture. — 5 Sans émotion. — 6 L'embrasement. — 7. Commune (*litt. :* qu'on trouve aux carrefours).

Votez donc ce subside extraordinaire, et puisse-t-il être suffisant ! Votez-le, parce que, si vous avez des doutes sur les moyens (doutes vagues et non éclairés), vous n'en avez pas sur sa nécessité et sur notre impuissance à le remplacer, immédiatement du moins. Votez-le parce que les circonstances publiques ne souffrent aucun retard et que nous serions comptables de tout délai. Gardez-vous de demander du temps ; le malheur n'en accorde jamais... Ah ! messieurs, à propos d'une ridicule motion du Palais-Royal, d'une risible insurrection qui n'eut jamais d'importance que dans les imaginations faibles ou les desseins pervers de quelques hommes de mauvaise foi, vous avez entendu naguère ces mots forcenés : « Catilina est aux portes de Rome et l'on délibère [8] ! » Et certes, il n'y avait autour de nous ni Catilina, ni périls, ni factions, ni Rome... Mais aujourd'hui la banqueroute, la hideuse banqueroute est là ; elle menace de consumer, vous, vos propriétés, votre honneur, et vous délibérez ?...

« DE L'AUDACE, ENCORE DE L'AUDACE »

2 septembre 1792 : *la Patrie est en danger*. L'armée des princes, commandée par le duc de Brunswick, s'est emparée de Longwy et encercle Verdun. Prise de panique, l'Assemblée veut se replier sur la Loire. DANTON, qui vient de faire créer le Tribunal révolutionnaire et de réduire les ennemis de l'intérieur, lance ce pathétique *appel à la levée en masse*. Son éloquence *directe* et *populaire* rompt avec l'ordonnance classique : d'instinct, l'orateur accumule tous les éléments de nature à réveiller l'*espérance* et l'*énergie* de l'Assemblée Législative.

Il est bien satisfaisant, Messieurs, pour les ministres d'un peuple libre, d'annoncer à ses représentants que la patrie va être sauvée. Tout s'émeut, tout s'ébranle, tout brûle de combattre, tout se lève en France d'un bout de l'empire [1] à l'autre.

Vous savez que Verdun n'est pas encore au pouvoir de l'ennemi. Vous savez que la garnison a juré de mourir plutôt que de se rendre. Une partie du peuple va se porter aux frontières ; une autre va creuser des retranchements, et la troisième, avec des piques, défendra l'intérieur de nos villes.

Paris va seconder ces grands efforts. Tandis que nos ministres se concertaient avec les généraux, une grande nouvelle nous est arrivée. Les commissaires de la Commune [2] proclament de nouveau, en cet instant, le danger de la patrie, avec plus d'éclat qu'il ne le fut. Tous les citoyens de la capitale vont se rendre au Champ-de-Mars, se partager en trois divisions : les uns vont voler à l'ennemi, ce sont ceux qui ont des armes ; les autres travailleront aux retranchements, tandis que la troisième

---

— 8 Allusion au discours de Cicéron pour décider le Sénat à agir contre la conjuration de Catilina.

— 1 L'ensemble du pays. — 2 La Commune de Paris, qui fournit en quelques jours 20.000 volontaires.

division restera et présentera un énorme bataillon hérissé de piques
(Applaudissements).

C'est en ce moment, Messieurs, que vous pouvez déclarer que la capitale
a bien mérité de la France entière ; c'est en ce moment que l'Assemblée
20 nationale va devenir un véritable comité de guerre ; c'est à vous à favoriser
ce grand mouvement et à adopter les mesures que nous allons vous
proposer avec cette confiance qui convient à la puissance d'une nation
libre.

Nous vous demandons de ne point être contrariés dans nos opérations.
Nous demandons que vous concouriez avec nous à diriger ce mouvement
sublime du peuple en nommant des commissaires qui nous seconderont
dans ces grandes mesures. Nous demandons qu'à quarante lieues du point
où se fait la guerre les citoyens qui ont des armes soient tenus de marcher
à l'ennemi ; ceux qui resteront s'armeront de piques. Nous demandons
30 que quiconque refusera de servir de sa personne ou de remettre ses armes
soit puni de mort. — Il faut des mesures sévères ; nul, quand la patrie
est en danger, nul ne peut refuser son service sans être déclaré infâme
et traître à la patrie. Prononcez la peine de mort contre tout citoyen qui
refusera de marcher ou de céder son arme à son concitoyen plus généreux [3]
que lui, ou contrariera directement ou indirectement les mesures prises
pour le salut de l'État...

Le tocsin qui sonne va se propager dans toute la France. Ce n'est point
un signal d'alarme, c'est la charge sur les ennemis de la patrie
(on applaudit). Pour les vaincre, Messieurs, il nous faut de l'audace,
40 encore de l'audace, toujours de l'audace, et la France est sauvée
(Applaudissements).

— 3 Animé de nobles sentiments.

XIXᵉ SIÈCLE

Les Événements	Les Auteurs	Poésie	Roman	Théâtre et divers
Directoire	1797 Vigny 1798 Michelet			
1799 **CONSULAT**	1799 Balzac 1802 Hugo 1803 Mérimée		1801 *Atala* 1802 *René*	1800 *De la Littérature* 1802 *Génie du Christianisme*
1804 **EMPIRE**	1804 Sainte-Beuve			
	1808 Nerval 1810 Musset		1809 *Les Martyrs*	1810-13 *De l'Allemagne*
1814 **RESTAURATION** 1815 Cent-jours Waterloo, Louis XVIII	1818 Leconte de Lisle	1820 *Les Méditations* 1822 Hugo : *Les Odes* Vigny : *Poèmes*	1816 *Adolphe*	**Le Drame romantique**
	1821 Baudelaire Flaubert			
1824 Charles X	1823 Renan 1828 Taine	1826 *P. Antiques et M.* 1829 *Les Orientales* 1830 *Les Harmonies*	1826 *Cinq-Mars* 1830 *Le Rouge et le Noir*	1827 Préf. de *Cromwell*
1830 **LOUIS-PHILIPPE**		1831 *F. d'Automne* 1835 *Chants du crépuscule* 1835-41 *Les Nuits, Souvenir* 1836 *Jocelyn* 1837 *Voix intérieures*	1831 *N.-D. de Paris* 1834 *Le Père Goriot* 1835 *Le Lys dans la vallée* 1839 *Chartreuse de Parme*	1830 *Hernani* 1835 *Chatterton* *Lorenzaccio* 1838 *Ruy Blas*
	1842 Stendhal(†) Mallarmé 1844 Verlaine A. France	1840 *Rayons et Ombres*	1840 *Colomba* 1842 *Comédie humaine*	1843 *Les Burgraves*
1848 **IIe RÉPUBLIQUE**	1848 Chateaubriand (†)		1845 *Carmen*	1833-44 Michelet : *Hist. de France* (I à VI) 1847 *Révolution* 1848-50 *Mém. d'O.-T* 1848-90 *L'Avenir de la Science*
1851 Coup d'État 2 déc.	1850 Balzac (†) Loti			
1852 **IIe EMPIRE**	1852 P. Bourget 1854 Rimbaud 1855 Nerval (†)	1852 *Poèmes antiques* 1853 *Les Châtiments*		1851-62 Sainte-Beuve *Lundis*
	1857 Musset (†)	1856 *Contemplations* 1857 *Fleurs du Mal* 1859 *Lég. des Siècles*	1856 *Madame Bovary*	1855-67 Michelet : *Histoire de France* (VII à XVII)
	1862 Barrès 1863 Vigny (†) 1867 Lamartine (†)	1862 *Poèmes barbares* 1864 *Les Destinées*	1862 *Les Misérables* *Salammbô* *Dominique*	1863 Taine : *Hist. de la Littérature anglaise*
1870-1871 guerre franco-allemande	Baudelaire (†) 1869 Sainte-Beuve (†)	1866 *Parnasse contemporain.*	1866-69 *Lettres de mon Moulin* 1869 *L'Éducation sentimentale*	1863-70 Sainte-Beuve : *Nouveaux Lundis*
1870 **IIIe RÉPUBLIQUE** (4 septembre) 1871 La Commune	1870 Mérimée(†) 1874 Michelet(†)	1871 Rimbaud écrit *Bateau ivre,* 1873 *Saison en Enfer* 1874 *et Illuminations*		
Constitution de 1875	1880 Flaubert (†) 1885 Hugo (†)	1876 *L'Après-midi d'un Faune* 1881 *Sagesse* 1886 *Manifeste Symboliste*	1877 *Trois Contes* 1877 *L'assommoir* 1880-90 Maupassant : *Contes* 1885 *Germinal* 1886 *Pêcheur d'Islande*	**Théâtre Naturaliste et Symboliste** 1882 Becque : *Les Corbeaux* 1887 Antoine fonde le *Théâtre libre*
	1891 Rimbaud (†) 1892 Renan (†)	1891 *École romane*	1889 *Le Disciple*	1892 Maeterlinck : *Pelléas et Mélisande*
	1893 Taine (†) 1894 L. de Lisle (†) 1896 Verlaine (†) 1898 Mallarmé (†)	1893 *Les Trophées* Mallarmé : *Poésies*	1897-1901 *L'Histoire Contemporaine*	

HISTOIRE ET CIVILISATION

De 1800 à 1900 la France a connu, sans compter le bref épisode des Cent-jours, *sept régimes politiques :* le Consulat, l'Empire, la Restauration, la Monarchie de Juillet, la Seconde République, le Second Empire et la Troisième République. Parvenue au sommet de la puissance et de la gloire militaire sous Napoléon Ier, elle a subi ensuite deux *invasions* au terme de l'épopée impériale (1814-1815) et une troisième en 1870-1871 ; accrue de la Savoie et du comté de Nice en 1860, elle s'est vu amputer de l'Alsace-Lorraine par le traité de Francfort (1871). C'est dire que le XIXe siècle apparaît dans notre histoire comme *une période d'extrême instabilité.*

C'est aussi une période d'intense *activité économique et intellectuelle.* Les sciences connaissent un essor remarquable (travaux de PASTEUR : 1822-1895 ; de PIERRE et MARIE CURIE sur le radium), au point que le « scientisme » accorde une confiance absolue au développement des connaissances et au progrès en général (influence de la « philosophie positive » d'AUGUSTE COMTE). Les applications techniques révolutionnent les moyens de transport (la machine à vapeur) et développent l'industrie. Par voie de conséquence, la bourgeoisie riche devient, à partir du règne de Louis-Philippe, la classe dirigeante du pays. L'*argent*, ressort politique et social, est aussi, dans les romans de BALZAC, puis de ZOLA, un thème littéraire de premier plan.

La misère du prolétariat ouvrier amène des théoriciens à poser la *question sociale.* Certains républicains, comme LAMARTINE (chef du gouvernement provisoire en 1848), veulent conserver la propriété individuelle, tandis que les socialistes (PROUDHON en France, 1809-1865 ; Karl Marx en Allemagne avec *Le Manifeste communiste* en 1847 et *Le Capital* en 1867) en attaquent le principe même.

Cependant l'*expansion coloniale*, dès la prise d'Alger en 1830, donne un nouvel essor à la France, en particulier après la défaite de 1871, et elle favorise le développement de l'*exotisme.*

LES GRANDS COURANTS LITTÉRAIRES ET ARTISTIQUES

Le XIXe siècle est traversé par trois grands courants, le ROMANTISME, le RÉALISME (prolongé par le Naturalisme) et le SYMBOLISME. Approximativement, le Romantisme triomphe sous la Restauration et la Monarchie de Juillet, le Réalisme sous le Second Empire et le Symbolisme sous la IIIe République. Le Romantisme et le Symbolisme apparaissent comme des mouvements européens, sous l'influence du *Werther* de Gœthe, de Walter Scott et de Byron pour le premier, sous celle de Wagner pour le second. Cependant la découverte des écrivains russes à la fin du XIXe siècle amorce une transformation des techniques romanesques.

Le romantisme Des *Méditations* de Lamartine (1820) à l'échec des *Burgraves* de Victor Hugo (1843), en passant par la « bataille » d'*Hernani* à la Comédie-Française (1830), le romantisme semble nettement daté ; mais sa vitalité déborde largement cette période et marque tout le siècle. En fait, les écrivains nés vers 1820, BAUDELAIRE, RENAN, FLAUBERT, sont profondément marqués par le romantisme de leur jeunesse, même lorsqu'ils le renient ou veulent s'en « guérir ».

Il est difficile de définir le romantisme dans sa diversité. Préférant l'*imagination* et la *sensibilité* à la raison classique, il se manifeste d'abord par un magnifique épanouissement du *lyrisme personnel*, qu'avait préparé CHATEAUBRIAND, et avant lui le préromantisme du XVIIIe siècle. Il est inspiré par l'*exaltation du moi*, exaltation inquiète et orgueilleuse dans le « vague des passions » et le « mal du siècle », exaltation épicurienne et passionnée chez STENDHAL. Ce lyrisme traduit aussi un large mouvement de *communion avec la nature et avec l'humanité tout entière.*

Le romantisme poursuit la *libération de l'art :* le drame rejette les règles de la tragédie classique ; tout devient sujet pour la poésie, qui peut s'exprimer en prose comme en vers ; elle abandonne la superstition du langage noble et prend ainsi une vigueur nouvelle. Par ailleurs, on associe la libération de l'art et le libéralisme politique : pour VICTOR HUGO, l'artiste doit participer aux luttes de son temps et apporter aux idées libérales la caution et la puissance du génie.

La sensibilité romantique s'exprime admirablement dans la musique de CHOPIN ou dans les hardiesses de BERLIOZ, cependant que la peinture trouve son maître en DELACROIX (1799-1863).

Le réalisme

Né du souci romantique de respecter la nature, le réalisme se révolte bientôt contre lui. Le goût du rêve, du mystère, de l'imagination, du fantastique, conduisaient parfois les romantiques à déformer la vérité pour des raisons esthétiques ou sentimentales. C'est ce qui explique la *réaction réaliste*. En relation avec le positivisme et le scientisme, une nouvelle école va professer le *respect des faits matériels*, étudier les hommes d'après leur comportement, dans leur milieu, à la lumière de théories sociales ou physiologiques ; elle se défiera du rêve, de l'imagination, de la métaphysique.

Le domaine d'élection du réalisme est le *roman*, qui connaît au XIXᵉ siècle une prodigieuse fortune. BALZAC le conçoit comme « l'histoire des mœurs » et l'enracine solidement dans la *réalité matérielle*. Le réalisme de STENDHAL est surtout psychologique, mais il s'étend aussi à la peinture des mœurs. Pour FLAUBERT le réalisme est d'abord une discipline qu'il impose à son romantisme spontané, puis il devient son mode d'expression naturel.

Avec ZOLA, le réalisme se systématise : il crée le *naturalisme* et le *roman expérimental*. A tomber dans cet excès, l'écrivain risque d'infliger au réel une autre mutilation en ignorant des faits d'expérience comme le sentiment religieux et les aspirations idéalistes, ou en se cantonnant dans des sujets rejetés jusque-là par la littérature.

Le danger était aussi d'abaisser l'art littéraire en donnant dans le vérisme ou la reproduction pure et simple des objets. Mais, en fait, les maîtres du réalisme ont été aussi des *artistes*. FLAUBERT communie avec les poètes de l'*art pour l'art* et les Parnassiens, dans le même effort pour immortaliser, grâce au miracle d'une forme impeccable, les spectacles passagers et les êtres éphémères. Si le réalisme a été illustré par un peintre comme COURBET, les plus grands artistes qu'il ait inspirés sont Flaubert et Leconte de Lisle.

Le symbolisme

Le symbolisme marque une réaction contre la rigueur des tendances réalistes et l'excès du naturalisme qui tourne au document et au reportage.

BAUDELAIRE lui ouvre la voie en découvrant de mystérieuses correspondances entre les sensations et l'univers suprasensible, et en orientant la poésie vers un art de la suggestion musicale et incantatoire. La contradiction entre réalisme et idéalisme se trouve ainsi dépassée.

RIMBAUD et MALLARMÉ, reniant la « littérature », demandent à la poésie ce que les mystiques demandent à la contemplation, *une communion totale avec l'Être*, et tentent de suggérer l'impondérable par les ressources des mots.

La poésie symboliste n'a pas toujours été aussi ambitieuse, mais des caractères communs distinguent ses adeptes. Ils éprouvent un frisson sacré devant le *mystère universel*, scrutent les profondeurs du *subconscient* et les dédales du *rêve*. Pour transcrire leurs impressions, leurs visions, ou les impalpables émanations de l'âme des choses, ils ont recours au « paysage intérieur », au symbole, à la métaphore, à l'allusion ; au lieu de *nommer* un objet, ils tentent, avec Mallarmé, de créer en nous, par toutes les ressources du verbe poétique, l'*impression* que nous donnerait sa présence, ou son absence.

GABRIEL FAURÉ et CLAUDE DEBUSSY apportent à la musique des innovations analogues, et les peintres impressionnistes, RENOIR, DEGAS, MONET cherchent moins à reproduire le réel qu'à le transposer en valeurs de lumière.

MADAME DE STAËL

Politique et littérature

Née à Paris en 1766, fille du banquier genevois Necker, qui sera plus tard premier ministre de Louis XVI, Germaine NECKER brille dans le salon de sa mère dès l'âge de quinze ans. Admiratrice des philosophes, elle écrit à vingt ans ses premières nouvelles et épouse l'ambassadeur de Suède à Paris. Elle tient alors un salon politique et accueille la révolution avec joie, mais son indépendance la rend suspecte et, par deux fois, elle doit se réfugier à Coppet près du lac de Genève (1792-1795). Elle rencontre BENJAMIN CONSTANT en 1794. C'est le début d'une liaison orageuse qui ne cessera qu'en 1808. En 1796 son idéologie romantique apparaît dans un essai traitant *De l'influence des passions sur le bonheur des individus et des nations* puis dans un ouvrage plus important : *De la littérature considérée dans ses rapports avec les institutions sociales* (1798).

Dès son retour à Paris en 1797 elle fait sans succès des avances à Bonaparte, dirige l'opposition contre lui et publie son premier roman *Delphine* (1803). Ses opinions libérales lui valent l'ordre de s'éloigner à « quarante lieues » au moins de Paris (1803) et elle essaiera en vain de rejoindre la capitale.

Coppet et les voyages

Ainsi exilée, Mme de Staël va partager sa vie entre les voyages et les séjours à Coppet. Un voyage en Italie lui inspire un second roman *Corinne* (1807) et, après des séjours en Allemagne et en Autriche, elle s'apprête à faire publier son principal ouvrage, *De l'Allemagne*, lorsqu'il est saisi et détruit par ordre de Napoléon (1810). *De l'Allemagne* paru (Paris, 1814), elle revient à Paris après la chute de Napoléon et y meurt bientôt, paralysée (1817).

Mme de Staël et le romantisme

Dans sa personne, dans sa vie et dans son œuvre, MME DE STAËL unit à l'héritage du XVIIIe siècle toutes les aspirations de la jeune génération. Héroïne romantique, elle contribue à l'élaboration d'une *doctrine romantique*.

Si elle conserve du XVIIIe siècle le goût pour les idées abstraites et un souci de clarté, son caractère *enthousiaste* et *passionné* se retrouve dans ses romans où elle exprime son expérience de la passion et ses revendications en faveur de la femme, victime des contraintes sociales.

Dans ses ouvrages théoriques, *De la Littérature* (1800) et *De l'Allemagne* (1813) elle lance les mots d'ordre qui inspireront la poésie nouvelle.

1. LE MAL DU SIÈCLE. Mme de Staël discerne admirablement l'inquiétude, la mélancolie et aussi l'enthousiasme qui caractérisent l'âme romantique.

2. LE RENOUVEAU POÉTIQUE. En affirmant la relativité du goût et la primauté du génie, en renversant les barrières littéraires qui séparaient jusqu'alors les différents pays, elle libère l'inspiration et ouvre la porte à des influences nouvelles (Shakespeare, Schiller, Gœthe).

En dépit de ses erreurs et de ses vues critiques parfois superficielles et hasardeuses, son influence sera considérable : elle a aidé le romantisme à prendre conscience de lui-même.

De la Littérature

Dans cet ouvrage, Mme de Staël examine les rapports de la littérature et des institutions sociales, et applique la fameuse théorie de Montesquieu sur *l'influence du climat* au cas particulier de la France. Elle pousse la littérature nouvelle à oublier l'antiquité, à renoncer à la mythologie et à se tourner vers la peinture de la passion. Un climat de *liberté* sera la condition de ce progrès intellectuel.

De l'Allemagne   L'ouvrage comprend quatre parties : *De l'Allemagne et des mœurs des Allemands, De la littérature et des arts, La philosophie et la morale, La religion et l'enthousiasme.* Mme de Staël y donne une vue d'ensemble du pays, du tempérament et des mœurs des Allemands, définit le génie des écrivains, compare la philosophie allemande aux philosophies française et anglaise et surtout exalte le rôle de l'*enthousiasme* indispensable au bonheur et à la création littéraire et artistique.

POÉSIE CLASSIQUE ET POÉSIE ROMANTIQUE

Reprenant l'antithèse entre poésie du Midi et poésie du Nord, Mme de Staël établit ici un parallèle, demeuré célèbre, entre la *poésie classique* et la *poésie romantique*. C'est ainsi qu'en s'opposant à la tradition antique, païenne et plastique, la littérature romantique « celle qui est née de la chevalerie et du christianisme » va s'affirmer comme une littérature *moderne et nationale, chrétienne, lyrique,* inspirée par *l'inquiétude* et *l'exaltation du moi.*

Le nom de *romantisme* a été introduit nouvellement en Allemagne, pour désigner la poésie dont les chants des troubadours[1] ont été l'origine, celle qui est née de la chevalerie et du christianisme. Si l'on n'admet pas que le paganisme et le christianisme, le Nord et le Midi, l'antiquité et le moyen âge, la chevalerie et les institutions grecques et romaines, se sont partagé l'empire de la littérature, l'on ne parviendra jamais à juger sous un point de vue philosophique le goût antique et le goût moderne.

On prend quelquefois le mot classique comme synonyme de perfection. Je m'en sens ici dans une autre acception, en considérant la poésie
10 classique comme celle des anciens, et la poésie romantique comme celle qui tient de quelque manière aux traditions chevaleresques. Cette division se rapporte également aux deux ères du monde : celle qui a précédé l'établissement du christianisme, et celle qui l'a suivi[2]. [...]

La nation française, la plus cultivée des nations latines, penche vers la poésie classique, imitée des Grecs et des Romains. La nation anglaise, la plus illustre des nations germaniques, aime la poésie romantique et chevaleresque, et se glorifie des chefs-d'œuvre qu'elle possède en ce genre. Je n'examinerai point ici lequel de ces deux genres de poésie mérite la préférence : il suffit de montrer que la diversité des goûts, à
20 cet égard, dérive non seulement de causes accidentelles, mais aussi des sources primitives de l'imagination et de la pensée.

Il y a dans les poèmes épiques et dans les tragédies des anciens un genre de simplicité qui tient à ce que les hommes étaient identifiés à cette époque avec la nature, et croyaient dépendre du destin comme elle dépend de la nécessité. [...]

L'homme personnifiait la nature ; des nymphes habitaient les eaux, des hamadryades les forêts[3] : mais la nature, à son tour, s'emparait de

---

— 1 Au Moyen Age, poètes de langue d'oc (dans les pays de langue d'oil, on disait : *trouvères*). — 2 Cf. Hugo, Préface de *Cromwell*. — 3 Cf. Chateaubriand. *Génie du Christianisme* (II, IV, I).

l'homme, et l'on eût dit qu'il ressemblait au torrent, à la foudre, au volcan, tant il agissait par une impulsion involontaire, et sans que la
30 réflexion pût en rien altérer les motifs ni les suites de ses actions [4]. Les anciens avaient, pour ainsi dire, une âme corporelle, dont tous les mouvements étaient forts, directs et conséquents ; il n'en est pas de même du cœur humain développé par le christianisme : les modernes ont puisé dans le repentir chrétien l'habitude de se replier continuellement sur eux-mêmes [...]

Les sources des effets de l'art sont donc différentes, à beaucoup d'égards, dans la poésie romantique : dans l'une, c'est le sort qui règne ; dans l'autre, c'est la Providence ; le sort ne compte pour rien les sentiments des hommes, la Providence ne juge les actions que d'après les sentiments.
40 Comment la poésie ne créerait-elle pas un monde d'une tout autre nature, quand il faut peindre l'œuvre d'un destin aveugle et sourd, toujours en lutte avec les mortels, ou cet ordre intelligent auquel préside un Être Suprême, que notre cœur interroge et qui répond à notre cœur [5] ?

La poésie païenne doit être simple et saillante comme les objets extérieurs ; la poésie chrétienne a besoin de toutes les couleurs de l'arc-en-ciel pour ne pas se perdre dans les nuages [6]. La poésie des anciens est plus pure comme art, celle des modernes fait verser plus de larmes ; mais la question pour nous n'est pas entre la poésie classique et la poésie romantique, mais entre l'imitation de l'une et l'inspiration de l'autre.
50 La littérature des anciens est chez les modernes une littérature transplantée : la littérature romantique ou chevaleresque est chez nous indigène, et c'est notre religion et nos institutions qui l'ont fait éclore. Les écrivains imitateurs des anciens se sont soumis aux règles du goût les plus sévères ; car, ne pouvant consulter ni leur propre nature, ni leurs propres souvenirs, il a fallu qu'ils se conformassent aux lois d'après lesquelles les chefs-d'œuvre des anciens peuvent être adaptés à notre goût, bien que toutes les circonstances politiques et religieuses qui ont donné le jour à ces chefs-d'œuvre soient changées. Mais ces poésies d'après l'antique, quelque parfaites qu'elles soient, sont rarement populaires,
60 parce qu'elles ne tiennent, dans le temps actuel, à rien de national...

Nos poètes français sont admirés par tout ce qu'il y a d'esprits cultivés chez nous et dans le reste de l'Europe ; mais ils sont tout à fait inconnus aux gens du peuple et aux bourgeois même des villes, parce que les arts en France ne sont pas, comme ailleurs [7], natifs du pays même où leurs beautés se développent [...]

La littérature romantique est la seule qui soit susceptible encore d'être perfectionnée, parce qu'ayant ses racines dans notre propre sol, elle est

---

— 4 Ne croirait-on pas plutôt qu'il s'agit du héros romantique ? Cf. Hernani : « Je suis une force qui va ». — 5 Cette opposition, logiquement déduite, vous paraît-elle confirmée par la lecture des tragédies d'Eschyle et de Sophocle, ou de l'Énéide ? — 6 On lit dans ce même chapitre : « On a comparé ... la poésie antique à la sculpture, et la poésie romantique à la peinture ». — 7 Mme de Staël cite l'Espagne, le Portugal, l'Angleterre et l'Allemagne.

la seule qui puisse croître et se vivifier de nouveau : elle exprime notre religion ; elle rappelle notre histoire ; son origine est ancienne, mais
70 non antique.

La poésie classique doit passer par les souvenirs du paganisme pour arriver jusqu'à nous : la poésie des Germains est l'ère chrétienne des beaux-arts : elle se sert de nos impressions personnelles pour nous émouvoir : le génie qui l'inspire s'adresse immédiatement à notre cœur, et semble évoquer notre vie elle-même comme un fantôme, le plus puissant et le plus terrible de tous.

De l'Allemagne, II, 11.

L'AME ROMANTIQUE

Mme de Staël a peint d'une façon remarquable l'âme romantique, à la fois *exaltée* et *mélancolique*. Elle définit ici l'élément le plus profond de ce *mal du siècle* que vont ressentir tous les héros, le *sentiment douloureux de l'incomplet de la destinée*.

Ce que l'homme a fait de plus grand, il le doit au sentiment douloureux de l'incomplet de sa destinée [1]. Les esprits médiocres sont, en général, assez satisfaits de la vie commune ; ils arrondissent, pour ainsi dire, leur existence, et suppléent à ce qui peut leur manquer encore par les illusions de la vanité ; mais le sublime de l'esprit, des sentiments et des actions, doit son essor au besoin d'échapper aux bornes qui circonscrivent l'imagination. L'héroïsme de la morale, l'enthousiasme de l'éloquence, l'ambition de la gloire, donnent des jouissances surnaturelles qui ne sont nécessaires qu'aux âmes à la fois exaltées et mélancoliques, fatiguées de tout ce qui se mesure, de tout ce qui est passager, d'un terme enfin, à quelque distance qu'on le place. C'est cette disposition de l'âme, source de toutes les passions généreuses, comme de toutes les idées philosophiques, qu'inspire particulièrement la poésie du Nord. *(De la Littérature,* I, 11*)*.

Le célèbre métaphysicien allemand Kant, en examinant la cause du plaisir que font éprouver l'éloquence, les beaux-arts, tous les chefs-d'œuvre de l'imagination, dit que ce plaisir tient au besoin de reculer les limites de la destinée humaine : ces limites qui resserrent douloureusement notre cœur, une émotion vague, un sentiment élevé les fait oublier pendant quelques instants ; l'âme se complaît dans le sentiment inexprimable que produit en elle ce qui est noble et beau, et les bornes de la terre disparaissent quand la carrière immense du génie et de la vérité s'ouvre à nos yeux : en effet, l'homme supérieur ou l'homme sensible se soumet avec effort aux lois de la vie, et l'imagination mélancolique rend heureux un moment en faisant rêver l'infini. [...] A l'époque où nous vivons, la mélancolie est la véritable inspiration du talent : qui ne se sent pas atteint par ce sentiment ne peut prétendre à une grande gloire comme écrivain ; c'est à ce prix qu'elle est achetée. *(De la Littérature,* II, 5*)*.

— 1 Cf. Chateaubriand et *René*, Benjamin Constant et *Adolphe*.

BENJAMIN CONSTANT

De la même veine que René *paraît en 1816 un roman de* BENJAMIN CONSTANT *:* Adolphe.
Jeune homme timide, ADOLPHE *entreprend par légèreté et désœuvrement la conquête
d'*ELLÉNORE, *de dix ans son aînée. Celle-ci qui lui a tout sacrifié, l'enchaîne au moment où
il s'aperçoit qu'il ne l'a jamais aimée. Mais, par faiblesse et par pitié, il est incapable de la
quitter, alors qu'il a fait à son père une promesse de rupture. Ellénore apprend cette promesse
et brisée par cette nouvelle dépérit et meurt, Adolphe se retrouve libre mais condamné à la
solitude et au remords.*

Adolphe, roman autobiographique en grande partie, est une transposition de la liaison
de BENJAMIN CONSTANT avec MME DE STAËL, une confession des débats de conscience
de l'auteur au cours de ses amours tourmentées.

Au-delà des circonstances, c'est aussi un roman d'analyse où il expose avec lucidité
les sentiments qui animent chacun de ces deux êtres, et dans lequel, en passant du cas
particulier au cas général, Benjamin Constant se fait volontiers moraliste.

Classique par l'acuité de l'observation psychologique, *Adolphe* comme *René*, porte
en lui des éléments romantiques : la passion d'Ellénore, l'ennui, la rêverie vague ; et le
héros incarne le mal de sa génération, le mal du siècle.

« *L'AMOUR ÉTAIT TOUTE MA VIE* »

ELLÉNORE ayant appris indirectement qu'ADOLPHE était résolu à la quitter, est tombée
malade. Cependant son état s'améliore assez pour qu'elle puisse recevoir celui qu'elle
aime. Le jeune homme tente de lui rendre espoir, mais Ellénore, trop lucide, lui répond
avec une générosité accablante et désespérée.

Son agitation devint extrême. Elle posa son front sur ma main ; il
était brûlant ; une contraction terrible défigurait ses traits. « Au nom du
ciel, m'écriai-je, chère Ellénore, écoutez-moi. Oui, je suis coupable : cette
lettre... ». Elle frémit et voulut s'éloigner. Je la retins. « Faible,
tourmenté [1], continuai-je, j'ai pu céder un moment à une instance [2] cruelle ;
mais n'avez-vous pas vous-même mille preuves que je ne puis vouloir
ce qui nous sépare ? J'ai été mécontent, malheureux, injuste ; peut-être,
en luttant avec trop de violence contre une imagination rebelle, avez-vous
donné de la force à des velléités passagères que je méprise aujourd'hui ;
10 mais pouvez-vous douter de mon affection profonde ? nos âmes ne
sont-elles pas enchaînées l'une à l'autre par mille liens que rien ne peut
rompre ? Tout le passé ne nous est-il pas commun ? Pouvons-nous jeter
un regard sur les trois années qui viennent de finir, sans nous retracer
des impressions que nous avons partagées, des plaisirs que nous avons

— 1 Tout en s'excusant, Adolphe s'analyse | instances de M. de T*** pour l'amener à
et se juge avec sa lucidité coutumière. — 2 Les | rompre avec Ellénore.

goûtés, des peines que nous avons supportées ensemble ? Ellénore, commençons en ce jour une nouvelle époque, rappelons les heures du bonheur et de l'amour. » Elle me regarda quelque temps avec l'air du doute. « Votre père, reprit-elle enfin, vos devoirs, votre famille, ce qu'on attend de vous !... — Sans doute, répondis-je, une fois, un jour peut-être... ». Elle remarqua que j'hésitais. « Mon Dieu, s'écria-t-elle, pourquoi m'avait-il rendu l'espérance pour me la ravir aussitôt ? Adolphe, je vous remercie de vos efforts : ils m'ont fait du bien, d'autant plus de bien qu'ils ne vous coûteront, je l'espère, aucun sacrifice ; mais, je vous en conjure, ne parlons plus de l'avenir... Ne vous reprochez rien, quoi qu'il arrive. Vous avez été bon pour moi. J'ai voulu ce qui n'était pas possible. L'amour était toute ma vie : il ne pouvait être la vôtre. Soignez-moi maintenant quelques jours encore. » Des larmes coulèrent abondamment de ses yeux ; sa respiration fut moins oppressée ; elle appuya sa tête sur mon épaule. « C'est ici, dit-elle, que j'ai toujours désiré mourir. » Je la serrai contre mon cœur, j'abjurai de nouveau mes projets, je désavouai mes fureurs cruelles. « Non, reprit-elle, il faut que vous soyez libre et content. — Puis-je l'être si vous êtes malheureuse ? — Je ne serai pas longtemps malheureuse, vous n'aurez pas longtemps à me plaindre. » Je rejetai loin de moi des craintes que je voulais croire chimériques. « Non, non, cher Adolphe, me dit-elle, quand on a longtemps invoqué la mort, le Ciel nous envoie, à la fin, je ne sais quel pressentiment infaillible qui nous avertit que notre prière est exaucée. » Je lui jurai de ne jamais la quitter. « Je l'ai toujours espéré, maintenant j'en suis sûre. »

C'était une de ces journées d'hiver où le soleil semble éclairer tristement la campagne grisâtre, comme s'il regardait en pitié la terre qu'il a cessé de réchauffer. Ellénore me proposa de sortir. « Il fait bien froid, lui dis-je. — N'importe, je voudrais me promener avec vous. » Elle prit mon bras ; nous marchâmes longtemps sans rien dire ; elle avançait avec peine, et se penchait sur moi presque tout entière. « Arrêtons-nous un instant. — Non, me répondit-elle, j'ai du plaisir à me sentir encore soutenue par vous. » Nous retombâmes dans le silence. Le ciel était serein ; mais les arbres étaient sans feuilles ; aucun souffle n'agitait l'air, aucun oiseau ne le traversait : tout était immobile, et le seul bruit qui se fît entendre était celui de l'herbe glacée qui se brisait sous nos pas. « Comme tout est calme, me dit Ellénore ; comme la nature se résigne ! Le cœur aussi ne doit-il pas apprendre à se résigner ? » Elle s'assit sur une pierre ; tout à coup elle se mit à genoux, et, baissant la tête, elle l'appuya sur ses deux mains. J'entendis quelques mots prononcés à voix basse. Je m'aperçus qu'elle priait. Se relevant enfin : « Rentrons, dit-elle, le froid m'a saisie. J'ai peur de me trouver mal. Ne me dites rien ; je ne suis pas en état de vous entendre. »

Adolphe, Chapitre X.

CHATEAUBRIAND

**Les rêves
et l'aventure**   Né à Saint-Malo en 1768, élevé par un père taciturne et une mère maladive et pieuse, François-René de CHATEAUBRIAND, après des études décousues dans les collèges de Bretagne, passe deux années tristes au *château de Combourg*, où il mène une existence étrange dans la *mélancolie* et la *solitude*.

Devenu sous-lieutenant en 1780, il fréquente les salons parisiens et la Cour et perd sa foi religieuse. En 1791, il s'embarque pour l'Amérique et y passe cinq mois. Contrairement à ce qu'il a laissé croire dans son *Voyage en Amérique* (1826), il ne dépasse guère la région des Grands Lacs, et les souvenirs exotiques de cette nature *vierge* et de ses contacts avec les Indiens feront ses premiers succès littéraires.

A la nouvelle de l'arrestation de Louis XVI, il se rembarque pour se mettre au service de la monarchie menacée. Rentré à Saint-Malo, CHATEAUBRIAND se marie, puis rejoint *l'armée des émigrés*. Blessé au siège de Thionville, il se réfugie à Londres (1793). Il mène là une existence misérable travaillant à l'*Essai sur les Révolutions* (1797), son premier ouvrage, où se résument les angoisses et les déceptions de sa jeunesse. En 1798, frappé par la mort de sa mère puis de sa sœur Julie, CHATEAUBRIAND revient à la religion de son enfance dont il entreprend l'apologie dans le *Génie du Christianisme*.

La gloire littéraire   Rentré en France, il devient célèbre grâce à *Atala* (1801) et publie enfin en 1802 le *Génie du Christianisme* qui lui assure la gloire. Il est alors nommé secrétaire d'ambassade à Rome mais il démissionne pour protester contre l'exécution du duc d'Enghien. En quête d' « images » pour l'épopée des *Martyrs* (1809), il fait un long voyage à travers la Grèce, la Turquie, l'Asie Mineure, l'Espagne et recueille les souvenirs qui enrichiront, à son retour, les *Martyrs* (1809), l'*Itinéraire de Paris à Jérusalem* (1811), et en 1826 les *Aventures du Dernier Abencérage*.

C'est dans son ermitage de la Vallée-aux-Loups qu'il travaille à ces ouvrages, en même temps il poursuit une lutte de plus en plus ouverte contre Napoléon (*De Buonaparte et des Bourbons*, 1814).

La vie politique   Malgré sa fidélité à Louis XVIII pendant les Cent Jours, il est nommé, à la Restauration, pair de France et non ministre, comme il l'espérait.

Chef de la droite, CHATEAUBRIAND fonde un journal, *Le Conservateur*, où brille son talent de polémiste ; mais pour éloigner cet éternel opposant, le roi l'élève aux honneurs en le nommant d'abord ambassadeur puis *ministre des Affaires Étrangères* (1823). De nouveau, il indispose le roi et tombe en disgrâce, il mène alors au *Journal des Débats* l'opposition libérale. Nommé par Charles X ambassadeur à Rome, il démissionne lors de la constitution du ministère Polignac.

La vieillesse   A l'avènement de Louis-Philippe, CHATEAUBRIAND, restant fidèle à la monarchie légitime, préfère disparaître de la scène politique et s'il accepte une dernière mission auprès de Charles X réfugié à Prague (1833), il consacre sa vieillesse à la littérature. Il publie un *Essai sur la littérature anglaise* (1836), une relation sur le *Congrès de Vérone* (1838) et une *Vie de Rancé* (1844), mais il travaille surtout aux *Mémoires d'Outre-Tombe* dont il donne parfois lecture devant un groupe de fidèles. Au terme d'une vieillesse mélancolique, lié par une « respectueuse tendresse » à Madame RÉCAMIER, il s'éteint en juillet 1848.

ATALA (1801)

Détachée de l'épopée en prose des *Natchez* (1826), l'histoire d'Atala fut insérée dans l'édition anglaise du *Génie du Christianisme* pour illustrer « les harmonies de la religion chrétienne avec les scènes de la nature et les passions du cœur humain ». De retour en France, Chateaubriand publia cet épisode un an avant le *Génie* sous le titre suivant : *Atala ou les Amours de deux sauvages dans le désert.*

En 1725, « poussé par des passions et des malheurs », un Français nommé RENÉ *s'est réfugié en Louisiane dans la tribu indienne des Natchez.* CHACTAS, *un vieil Indien de cette tribu raconte à René les aventures de sa jeunesse : il avait vingt ans lorsqu'il fut capturé par une tribu ennemie et sauvé par* ATALA *la fille du chef, une jeune Indienne élevée dans la religion chrétienne. Tous deux fuient longtemps dans la savane et, au cours d'un orage, sont recueillis par un missionnaire qui leur promet de les marier. Mais Atala, consacrée à la Vierge par sa mère, par terreur de manquer à son serment, se donne la mort.*

1. « LES AMOURS DE DEUX SAUVAGES ». Dès le XVIIIᵉ siècle, Bernardin de Saint-Pierre avait peint dans *Paul et Virginie* les mœurs candides des peuples qui n'ont pas été corrompus par la civilisation. Chateaubriand reprend ce thème et se plaît à décrire la vie simple et heureuse de deux êtres primitifs au sein d'une nature accueillante et bonne, puis le conflit entre leurs aspirations naturelles et la loi religieuse.

2. « TRIOMPHE DU CHRISTIANISME » ? Chateaubriand semble avoir conçu cet épisode pour illustrer le *Génie du Christianisme*, et nous montrer « la religion première législatrice des hommes » et « le triomphe du christianisme sur le sentiment le plus fougueux et la crainte la plus terrible, l'amour et la mort ».
On peut cependant contester la valeur apologétique du roman, les sermons du P. AUBRY ne sont pas indispensables. Atala est sacrifiée à un vœu illégitime, et les vertus des sauvages n'arrivent guère à compenser leur férocité.

3. EXOTISME ET POÉSIE. Avec un talent de magicien, Chateaubriand fait un tableau splendide de la *nature américaine*, des forêts, des tempêtes, des fêtes et de la vie des sauvages ; la nature cesse d'être un simple décor et s'accorde secrètement avec la situation et les sentiments des personnages.

LES FUNÉRAILLES D'ATALA

Cette scène célèbre est déjà *romantique* par le sujet, les sentiments, le deuil de la nature associé à celui des hommes. Chateaubriand garde pourtant une sobriété toute classique dans la description du « sommeil » d'Atala et dans la lenteur solennelle de la scène des funérailles ; il montre ainsi un sens très sûr de la plénitude artistique.

Nous convînmes que nous partirions le lendemain au lever du soleil pour enterrer Atala sous l'arche du pont naturel [1], à l'entrée des Bocages de la mort [2]. Il fut aussi résolu que nous passerions la nuit en prière auprès du corps de cette sainte.

— 1 Une « merveille » de la nature améri- | caine qui a jeté une *arche* entre deux rochers. — 2 Le cimetière des Indiens.

Vers le soir, nous transportâmes ses précieux restes à une ouverture de la grotte qui donnait vers le Nord. L'ermite les avait roulés dans une pièce de lin d'Europe, filé par sa mère : c'était le seul bien qui lui restât de sa patrie, et depuis longtemps il le destinait à son propre tombeau. Atala était couchée sur un gazon de sensitives [3] des montagnes ; ses pieds, sa tête, ses épaules et une partie de son sein étaient découverts. On voyait dans ses cheveux une fleur de magnolia fanée [4].... Ses lèvres, comme un bouton de rose cueilli depuis deux matins, semblaient languir et sourire. Dans ses joues d'une blancheur éclatante, on distinguait quelques veines bleues. Ses beaux yeux étaient fermés, ses pieds modestes étaient joints, et ses mains d'albâtre pressaient sur son cœur un crucifix d'ébène ; le scapulaire [5] de ses vœux était passé à son cou. Elle paraissait enchantée [6] par l'Ange de la mélancolie, et par le double sommeil de l'innocence et de la tombe. Je n'ai rien vu de plus céleste. Quiconque eût ignoré que cette jeune fille avait joui de la lumière, aurait pu la prendre pour la statue de la Virginité endormie.

Le religieux ne cessa de prier toute la nuit. J'étais assis en silence au chevet du lit funèbre de mon Atala. Que de fois, durant son sommeil, j'avais supporté sur mes genoux cette tête charmante ! Que de fois je m'étais penché sur elle, pour entendre et pour respirer son souffle ! Mais à présent aucun bruit ne sortait de ce sein immobile, et c'était en vain que j'attendais le réveil de la beauté !

La lune prêta son pâle flambeau à cette veillée funèbre. Elle se leva au milieu de la nuit, comme une blanche vestale [7] qui vient pleurer sur le cercueil d'une compagne. Bientôt elle répandit dans les bois ce grand secret de mélancolie, qu'elle aime à raconter aux vieux chênes et aux rivages antiques des mers. De temps en temps, le religieux plongeait un rameau fleuri dans une eau consacrée, puis secouant la branche humide, il parfumait la nuit des baumes du ciel. Parfois il répétait sur un air antique quelques vers d'un vieux poète nommé Job [8] ; il disait :

« J'ai passé comme une fleur : j'ai séché comme l'herbe des champs [9].

« Pourquoi la lumière a-t-elle été donnée à un misérable, et la vie à ceux qui sont dans l'amertume du cœur [10] ? »

Ainsi chantait l'ancien des hommes. Sa voix grave et un peu cadencée allait roulant dans le silence des déserts. Le nom de Dieu et du tombeau sortait de tous les échos, de tous les torrents, de toutes les forêts. Les roucoulements de la colombe de Virginie, la chute d'un torrent dans la montagne, les tintements de la cloche qui appelait les voyageurs, se

---

— 3 Plantes dont les feuilles se replient quand on les touche. — 4 En la quittant, Chactas avait déposé cette fleur, « humectée des larmes du matin », sur la tête d'Atala endormie. — 5 Pièce d'étoffe bénite qui lui rappelait son serment. — 6 *Au sens classique* : rendue immobile par un « charme », un sortilège magique. — 7 Prêtresse de Vesta, vouée à la virginité, qui entretenait à Rome le feu sacré. — 8 Le *Génie du Christianisme* signalera le caractère poétique de la Bible, dont s'inspireront désormais les romantiques. — 9 Tiré du *Psaume CII*. — 10 Job, III, 20 « Jamais les entrailles de l'homme n'ont fait sortir de leur profondeur un cri plus douloureux » (Chateaubriand, *Génie du Christianisme*).

mêlaient à ces chants funèbres, et l'on croyait entendre dans les Bocages de la mort le chœur lointain des décédés, qui répondait à la voix du solitaire.

Cependant une barre d'or se forma dans l'Orient. Les éperviers criaient sur les rochers et les martres rentraient dans le creux des ormes [11] : c'était le signal du convoi d'Atala. Je chargeai le corps sur mes épaules ; l'ermite marchait devant moi, une bêche à la main. Nous commençâmes à descendre
50 de rochers en rochers ; la vieillesse et la mort ralentissaient également nos pas. A la vue du chien qui nous avait trouvés dans la forêt, et qui maintenant, bondissant de joie, nous traçait une autre route, je me mis à fondre en larmes. Souvent la longue chevelure d'Atala, jouet des brises matinales, étendait son voile d'or sur mes yeux ; souvent, pliant sous le fardeau, j'étais obligé de le déposer sur la mousse et de m'asseoir auprès, pour reprendre des forces. Enfin, nous arrivâmes au lieu marqué par ma douleur ; nous descendîmes sous l'arche du pont. O mon fils [12] ! il eût fallu voir un jeune sauvage et un vieil ermite, à genoux l'un vis-à-vis de l'autre dans un désert, creusant avec leurs mains un tombeau pour
60 une pauvre fille dont le corps était étendu près de là, dans la ravine desséchée d'un torrent !

Quand notre ouvrage fut achevé, nous transportâmes la beauté dans son lit d'argile. Hélas ! j'avais espéré de préparer une autre couche pour elle ! Prenant alors un peu de poussière dans ma main, et gardant un silence effroyable, j'attachai pour la dernière fois mes yeux sur le visage d'Atala. Ensuite je répandis la terre du sommeil sur un front de dix-huit printemps ; je vis graduellement disparaître les traits de ma sœur, et ses grâces se cacher sous le rideau de l'éternité ; son sein surmonta quelque temps le sol noirci, comme un lis blanc s'élève du milieu d'une sombre
70 argile : « Lopez [13], m'écriai-je alors, vois ton fils inhumer ta fille ! » et j'achevai de couvrir Atala de la terre du sommeil.

RENÉ (1802)

Paru en 1802 dans la première édition du *Génie du Christianisme* afin d'illustrer le chapitre intitulé « *Du vague des passions* », *René* en a été détaché en 1805 pour être réuni désormais à *Atala*.

L'épisode de RENÉ *nous est, en effet, présenté comme la suite d'Atala. Accueilli dans la tribu de* CHACTAS, RENÉ *lui raconte à son tour sa douloureuse histoire. Après une enfance mélancolique et rêveuse, après des voyages qui ne parvinrent pas à calmer son inquiétude, après une retraite à Paris puis à la campagne et des années d'exaltation passées en compagnie de sa sœur* AMÉLIE, *René s'est décidé à quitter la France pour l'Amérique, cependant qu'Amélie, torturée par la tendresse excessive qu'elle portait à son frère, s'est retirée dans un couvent. René vient d'apprendre qu'elle est morte comme une sainte « en soignant ses compagnes ».*

— 11 Signes de l'aurore : « ce sont des traits qui ne se trouvent point si on ne les a observés. C'est ce qui met à l'idéal même le sceau de la réalité » (Sainte-Beuve). — 12 Chactas s'adresse à René. — 13 Père d'Atala et père adoptif de Chactas.

1. AUTOBIOGRAPHIE ET FICTION ROMANESQUE. L'enfance rêveuse du héros ressemble beaucoup à celle de Chateaubriand ; le mal de René, « ce vague des passions » semble être la peinture d'un état d'âme réellement éprouvé par l'auteur. Mais les souvenirs font place à la *fiction romanesque* dans le récit de ces grands voyages en Méditerranée où son imagination se complaît, et surtout dans la création du personnage d'Amélie.

2. LE MAL DE RENÉ : LE MAL DU SIÈCLE. Le roman nous offre la peinture d'une *âme inquiète*, torturée par un besoin tyrannique de s'abandonner à la violence des *passions* et incapable de fixer sur un objet cette « surabondance de vie ». René soulevé par ce *désir de l'infini* n'aboutit qu'à une conscience plus aiguë du néant des choses terrestres, à l'idée du suicide.

Ce besoin d'infini qui s'exprimait déjà dans les *Rêveries* de Rousseau, dans le *Werther* de Gœthe, chez Mme de Staël et dans l'*Oberman* de Senancour, est repris ici par Chateaubriand d'une manière originale. René au lieu d'être désespéré de son état, se console en songeant à la singularité de son destin, en admirant et en chérissant sa tristesse. Loin de présenter René comme un modèle, Chateaubriand le condamne, mais la portée édifiante du roman fut vite négligée. Le mal dont souffrait René devint vite le *mal du siècle :* son ennui, son inquiétude, son désespoir se retrouveront dans les œuvres des poètes du XIXᵉ siècle ; il incarna la première *figure romantique :* toute une génération crut se reconnaître en lui.

L'APPEL DE L'INFINI

Chateaubriand peint ici dans une sorte de *poème lyrique* l'évolution de la rêverie de René ; le héros analysant sa mélancolie et ses incertitudes en vient à une exaltation et à un *élan vers l'infini* dont se souviendront bien des romantiques.

Mais comment exprimer cette foule de sensations fugitives, que j'éprouvais dans mes promenades ? Les sons que rendent les passions dans le vide d'un cœur solitaire ressemblent au murmure que les vents et les eaux font entendre dans le silence d'un désert ; on en jouit, mais on ne peut les peindre.

L'automne [1] me surprit au milieu de ces incertitudes : j'entrai avec ravissement dans les mois des tempêtes. Tantôt j'aurais voulu être un de ces guerriers errant au milieu des vents, des nuages et des fantômes [2] ; tantôt j'enviais jusqu'au sort du pâtre que je voyais réchauffer ses mains à l'humble feu de broussailles qu'il avait allumé au coin d'un bois. J'écoutais ses chants mélancoliques, qui me rappelaient que dans tout pays le chant naturel de l'homme est triste, lors même qu'il exprime le bonheur. Notre cœur est un instrument incomplet, une lyre où il manque des cordes, et où nous sommes forcés de rendre les accents de la joie sur le ton consacré aux soupirs.

Le jour, je m'égarais sur de grandes bruyères terminées par des forêts [3]. Qu'il fallait peu de choses à ma rêverie ! une feuille séchée que le vent chassait devant moi, une cabane dont la fumée s'élevait dans la

— 1 Ce sera la saison romantique. — 2 C'est l'atmosphère des poèmes d'Ossian. — 3 Souvenir des landes de Combourg.

cime dépouillée des arbres, la mousse qui tremblait au souffle du Nord
20 sur le tronc d'un chêne, une roche écartée, un étang désert où le jonc
flétri murmurait ! Le clocher solitaire s'élevant au loin dans la vallée
a souvent attiré mes regards ; souvent j'ai suivi des yeux les oiseaux de
passage qui volaient au-dessus de ma tête. Je me figurais les bords
ignorés, les climats lointains où ils se rendent ; j'aurais voulu être sur
leurs ailes. Un secret instinct me tourmentait : je sentais que je n'étais
moi-même qu'un voyageur, mais une voix du ciel semblait me dire :
« Homme, la saison de ta migration n'est pas encore venue ; attends que
le vent de la mort se lève, alors tu déploieras ton vol vers ces régions
inconnues que ton cœur demande. »

30   « Levez-vous vite [4], orages désirés qui devez emporter René dans les
espaces d'une autre vie ! » Ainsi disant, je marchais à grands pas, le visage
enflammé, le vent sifflant dans ma chevelure, ne sentant ni pluie, ni frimas,
enchanté, tourmenté, et comme possédé par le démon de mon cœur.

La nuit, lorsque l'aquilon ébranlait ma chaumière, que les pluies
tombaient en torrent sur mon toit, qu'à travers ma fenêtre je voyais la lune
sillonner les nuages amoncelés, comme un pâle vaisseau qui laboure les
vagues, il me semblait que la vie redoublait au fond de mon cœur, que
j'aurais la puissance de créer des mondes.

LE GÉNIE DU CHRISTIANISME (1802)

Revenu en 1799 au christianisme, CHATEAUBRIAND aurait entrepris de se réhabiliter
en mettant son talent au service de la religion ; il contribue ainsi au grand mouvement
de renaissance religieuse qui se dessine au lendemain de la révolution. Le *Génie du
Christianisme* paraît à Paris en 1802 quelques jours avant la proclamation du Concordat.
L'ouvrage se compose de quatre parties :

I. DOGMES ET DOCTRINES. *Chateaubriand évoque la beauté et la noblesse morale
du christianisme dans ses mystères, ses sacrements, ses vertus et ses textes. L'existence de
Dieu est prouvée par les merveilles de la nature et l'harmonie des choses.*

II. POÉTIQUE DU CHRISTIANISME. *Plus que le paganisme, le christianisme
favorise l'inspiration poétique, comprend les mystères de l'âme humaine et ressent les beautés
de l'univers. Chateaubriand s'attache à prouver que la Bible, dans sa simplicité, est plus
belle que l'Iliade.*

III. LITTÉRATURE ET BEAUX-ARTS. *Le christianisme a favorisé l'essor des
beaux-arts et créé la cathédrale gothique ; il a inspiré les philosophes, les historiens, les
orateurs.*

IV. CULTE. *Chateaubriand souligne le charme poétique des cloches, des chants, des
prières et des solennités religieuses ; il fait une peinture générale du clergé, des missionnaires
et conclut que le christianisme a sauvé la civilisation : il sortira triomphant de l'épreuve qui
vient de la purifier.*

———

— 4 Cf. Ossian « *Levez-vous, ô vents orageux | je mourir au milieu de la tempête, enlevé dans un
d'Érin ; mugissez, ouragans des bruyères ; puissé- | nuage par les fantômes irrités des morts !* ».

Une œuvre
d'art chrétien   Le dessein de l'auteur est de répondre aux philosophes
du XVIIIᵉ siècle qui ont déclaré la religion absurde et
ridicule. Pour cela, CHATEAUBRIAND s'attache moins à
établir la vérité du christianisme qu'à en prouver la beauté « en portant un grand coup
au cœur » et en « frappant vivement l'imagination ». Une semblable méthode séduit
plutôt qu'elle ne convainc ; Chateaubriand atteignit pourtant le but qu'il avait visé et
déclencha par cette œuvre d'artiste un grand mouvement de religiosité qui influença
tous les romantiques.

Originalité
et influence   En publiant le *Génie du Christianisme*, Chateaubriand
fit beaucoup pour la religion chrétienne, mais plus encore
pour le *renouvellement de la littérature* et *l'évolution de*
la critique.

    1. RENOUVELLEMENT DE L'INSPIRATION. Chateaubriand propose de supprimer les
conventions et les règles, de puiser dans les beautés poétiques de la Bible, de s'inspirer
des grandes épopées étrangères et de porter un intérêt nouveau au Moyen Age.
    2. ÉVOLUTION DE LA CRITIQUE. Au dogmatisme de Boileau, il substitue la *critique*
historique qui ne juge pas mais replace l'œuvre dans son temps et dans son milieu, en en
recherchant les *beautés* plus que les défauts.

QUE LA MYTHOLOGIE RAPETISSAIT LA NATURE

    Pour illustrer la poétique du christianisme, Chateaubriand n'hésite pas à condamner
injustement la *mythologie* et le *merveilleux païen*. Cependant par la théorie et par la beauté
de ses descriptions, il contribue à élaborer une conception moderne du *sentiment de la*
nature.

On ne peut guère supposer que des hommes aussi sensibles que les
anciens eussent manqué d'yeux pour voir la nature et de talent pour la
peindre si quelque cause puissante ne les avait aveuglés. Or cette cause
était la mythologie, qui, peuplant l'univers d'élégants fantômes [1], ôtait à
la création sa gravité, sa grandeur et sa solitude. Il a fallu que le christia-
nismes vînt chasser ce peuple de faunes, de satyres et de nymphes [2], pour
rendre aux grottes leur silence et aux bois leur rêverie. Les déserts ont
pris sous notre culte un caractère plus triste, plus grave, plus sublime :
le dôme des forêts s'est exhaussé ; les fleuves ont brisé leurs petites urnes [3],
10 pour ne plus verser que les eaux de l'abîme du sommet des montagnes :
le vrai Dieu, en rentrant dans ses œuvres, a donné son immensité à la
nature.
    Le spectacle de l'univers ne pouvait faire sentir aux Grecs et aux
Romains les émotions qu'il porte à notre âme. Au lieu de ce soleil couchant,
dont le rayon allongé tantôt illumine une forêt, tantôt forme une tangente
d'or sur l'arc roulant des mers ; au lieu de ces accidents de lumière qui

— 1 Êtres inconsistants. — 2 Divinités des | artistes représentaient les fleuves sous la forme
champs, des forêts et des sources. — 3 Les | de nymphes tenant des urnes d'où s'écoulait
l'eau de la source.

nous retracent chaque matin le miracle de la création, les anciens ne voyaient partout qu'une uniforme machine d'opéra.

Si le poète s'égarait dans les vallées du Taygète [4], au bord du Sperchius [5], sur le Ménale [6] aimé d'Orphée, ou dans les campagnes d'Élore [7], malgré la douceur de ces dénominations, il ne rencontrait que des faunes, il n'entendait que des dryades [8] ; Priape [9] était là sur un tronc d'olivier, et Vertumne [10] avec les zéphyrs menait des danses éternelles. Des sylvains et des naïades peuvent frapper agréablement l'imagination, pourvu qu'ils ne soient pas sans cesse reproduits ; nous ne voulons point.

> ... Chasser les tritons de l'empire des eaux,
> Oter à Pan sa flûte, aux Parques leurs ciseaux [11]...

Mais enfin, qu'est-ce que tout cela laisse au fond de l'âme ? qu'en résulte-t-il pour le cœur ? quel fruit peut en tirer la pensée ? Oh ! que le poète chrétien est plus favorisé dans la solitude où Dieu se promène avec lui ! Libres de ce troupeau de dieux ridicules qui les bornaient de toutes parts, les bois se sont remplis d'une Divinité immense. Le don de prophétie et de sagesse, le mystère et la religion semblent résider éternellement dans leurs profondeurs sacrées.

Pénétrez dans ces forêts américaines aussi vieilles que le monde : quel profond silence dans ces retraites quand les vents reposent ! quelles voix inconnues quand les vents viennent à s'élever ! Êtes-vous immobile, tout est muet ; faites-vous un pas, tout soupire. La nuit s'approche, les ombres s'épaississent : on entend des troupeaux de bêtes sauvages passer dans les ténèbres ; la terre murmure sous vos pas ; quelques coups de foudre font mugir les déserts ; la forêt s'agite, les arbres tombent, un fleuve inconnu coule devant vous. La lune sort enfin de l'Orient ; à mesure que vous passez au pied des arbres, elle semble errer devant vous dans leur cime et suivre tristement vos yeux. Le voyageur s'assied sur le tronc d'un chêne pour attendre le jour ; il regarde tout à tour l'astre des nuits, les ténèbres, le fleuve ; il se sent inquiet, agité, et, dans l'attente de quelque chose d'inconnu, un plaisir inouï, une crainte extraordinaire font palpiter son sein comme s'il allait être admis à quelque secret de la Divinité : il est seul au fond des forêts, mais l'esprit de l'homme remplit aisément les espaces de la nature, et toutes les solitudes de la terre sont moins vastes qu'une seule pensée de son cœur.

Oui, quand l'homme renierait la Divinité, l'être pensant, sans cortège et sans spectateur, serait encore plus auguste au milieu des mondes solitaires que s'il y paraissait environné des petites déités de la fable ; le désert vide aurait encore quelques convenances avec l'étendue de ses idées, la tristesse de ses passions et le dégoût même d'une vie sans illusion et sans espérance.

— 4 Près de Sparte. — 5 En Thessalie. — 6 En Arcadie. — 7 Ville de Sicile. — 8 Nymphes des chênes. — 9 Dieu des jardins. — 10 Dieu qui présidait au changement des saisons. — 11 Boileau, *Art Poétique* (III, 221-222).

Il y a dans l'homme un instinct qui le met en rapport avec les scènes de la nature. Eh ! qui n'a passé des heures entières assis, sur le rivage d'un fleuve, à voir s'écouler les ondes ! Qui ne s'est plu, au bord de la mer, à regarder blanchir l'écueil éloigné ! Il faut plaindre les anciens,
60 qui n'avaient trouvé dans l'Océan que le palais de Neptune et la grotte de Protée [12] ; il était dur de ne voir que les aventures des tritons et des néréides dans cette immensité des mers, qui semble nous donner une mesure confuse de la grandeur de notre âme, dans cette immensité qui fait naître en nous un vague désir de quitter la vie pour embrasser la nature et nous confondre avec son auteur [13].

Génie du Christianisme, II, IV, I.

LES MARTYRS (1809)

Une épopée à thèse L'auteur des *Martyrs*, épopée en prose, a voulu illustrer une thèse du *Génie* :

I. « J'ai avancé que la *religion chrétienne* me paraissait plus favorable que le paganisme au développement des *caractères* et au jeu des *passions* dans l'épopée ».

2. « J'ai dit encore que le *merveilleux* de cette religion pouvait peut-être lutter contre le merveilleux emprunté de la mythologie » *(Préface)*.

LE RÉCIT D'EUDORE. Sous Dioclétien (IIIe siècle après J.-C.), en Messénie, le prêtre d'Homère, DÉMODOCUS, et sa fille, CYMODOCÉE, écoutent le récit des aventures vécues par le jeune Grec chrétien EUDORE. Envoyé à Rome comme otage à 16 ans, Eudore a oublié sa religion dans une vie de débauches, en compagnie de jeunes gens, Jérôme et Augustin qui se convertiront plus tard et deviendront des saints. Envoyé à l'armée du Rhin, il participe à la guerre contre les Francs, et sera fait prisonnier ; gouverneur de l'Armorique, il conquiert la druidesse VELLÉDA qui, découverte, se donne la mort.

LES AMOURS ET LE MARTYRE D'EUDORE. Cymodocée s'éprend d'Eudore et décide de se convertir. Mais la persécution éclate contre les chrétiens ; EUDORE sera exposé aux fauves dans l'amphithéâtre où CYMODOCÉE, venue le rejoindre, subira avec lui le martyre.

Richesse du sujet et de l'évocation historique CHATEAUBRIAND a voulu enfermer « dans un même cadre le tableau de deux religions, la morale, les sacrifices, les pompes des deux cultes ». Le moment historique, le choix des personnages permettaient d'évoquer parallè-lement le christianisme et le paganisme, et ainsi cette épopée va dans le sens du *Génie* en contribuant à l'apologie de la religion chrétienne. Grâce à une description géographique précise, grâce à une *documentation minutieuse*, Chateaubriand fait revivre avec un art éclatant l'empire romain finissant et la Gaule.

Faiblesse du merveilleux Sur ce point CHATEAUBRIAND a reconnu son échec : il a commis l'erreur de créer à l'image de la mythologie païenne une *mythologie chrétienne* artificielle et ridicule. Les tableaux du ciel, de l'enfer, des anges et des démons sont ennuyeux et inutiles.

— 12 Dieu marin qui avait la faculté de changer de forme. — 13 Cf. Rousseau, *XVIIIe Siècle*.

L'ARMÉE DES FRANCS

Opposant à la belle ordonnance de l'armée romaine le « troupeau de bêtes féroces » qu'est l'armée des Francs, Chateaubriand nous fait assister, aux côtés d'Eudore, à une formidable bataille. Empruntant des détails aux historiens anciens, il anime cet épisode grâce à son *imagination* et à son goût de l'*épopée* : nous y voyons le choc de deux civilisations.

Parés [1] de la dépouille des ours, des veaux marins [2], des urochs [3] et des sangliers, les Francs se montraient de loin comme un troupeau de bêtes féroces. Une tunique courte et serrée laissait voir toute la hauteur de leur taille, et ne leur cachait pas le genou. Les yeux de ces barbares ont la couleur d'une mer orageuse ; leur chevelure blonde, ramenée en avant sur leur poitrine et teinte d'une liqueur rouge, est semblable à du sang et à du feu [4]. La plupart ne laissent croître leur barbe qu'au-dessus de la bouche, afin de donner à leurs lèvres plus de ressemblance avec le mufle des dogues et des loups. Les uns chargent leur main droite d'une
10 longue framée [5], et leur main gauche d'un bouclier qu'ils tournent comme une roue rapide ; d'autres, au lieu de ce bouclier, tiennent une espèce de javelot, nommé angon, où s'enfoncent deux fers recourbés, mais tous ont à la ceinture la redoutable francisque, espèce de hache à deux tranchants, dont le manche est recouvert d'un dur acier ; arme funeste que le Franc jette en poussant un cri de mort, et qui manque rarement de frapper le but qu'un œil intrépide a marqué.
Ces barbares, fidèles aux usages des anciens Germains [6], s'étaient formés en coin, leur ordre accoutumé de bataille. Le formidable triangle, où l'on ne distinguait qu'une forêt de framées, des peaux de bêtes et des
20 corps demi-nus, s'avançait avec impétuosité, mais d'un mouvement égal, pour percer la ligne romaine. À la pointe de ce triangle étaient placés des braves qui conservaient une barbe longue et hérissée, et qui portaient au bras un anneau de fer. Ils avaient juré de ne quitter ces marques de servitude qu'après avoir sacrifié un Romain. Chaque chef dans ce vaste corps était environné des guerriers de sa famille afin que, plus ferme dans le choc, il remportât la victoire ou mourût avec ses amis ; chaque tribu se ralliait sous un symbole : la plus noble d'entre elles se distinguait par des abeilles ou trois fers de lance [7]. Le vieux roi des Sicambres [8], Pharamond, conduisait l'armée entière et laissait une partie
30 du commandement à son petit-fils Mérovée [9]. Les cavaliers Francs, en

---

— 1 « Ce n'était pas l'habillement des Francs, mais c'était leur parure » (Chateaubriand, d'après César et Tacite). — 2 Ou *phoques*. — 3 Ou *aurochs :* bœufs sauvages. — 4 « Tout ce paragraphe est tiré de Sidoine Apollinaire » (Chateaubriand). — 5 Javeline. — 6 Les détails de ce § dérivent de Tacite *(La Germanie)*. —

7 « Je place ici l'origine des armes de la monarchie » (Chateaubriand). Allusion aux fleurs de lis et peut-être aux abeilles de l'Empire. — 8 Peuplade germanique. — 9 « Il y aura ici anachronisme, si l'on veut ; ou l'on dira que c'est un Pharamond, un Mérovée, un Clodion, ancêtres des princes de ce nom que nous voyons dans l'histoire » (Chateaubriand).

face de la cavalerie romaine, couvraient les deux côtés de leur infanterie : à leurs casques en forme de gueules ouvertes ombragées de deux ailes de vautour, à leurs corselets de fer, à leurs boucliers blancs, on les eût pris pour des fantômes ou pour ces figures bizarres que l'on aperçoit au milieu des nuages pendant une tempête [10]. Clodion, fils de Pharamond et père de Mérovée, brillait à la tête de ces cavaliers menaçants.

Sur une grève, derrière cet essaim d'ennemis, on apercevait leur camp, semblable à un marché de laboureurs et de pêcheurs ; il était rempli de femmes et d'enfants, et retranché avec des bateaux de cuir et des chariots
40 attelés de grands bœufs. Non loin de ce camp champêtre, trois sorcières en lambeaux faisaient sortir de jeunes poulains d'un bois sacré, afin de découvrir par leur course à quel parti Tuiston [11] promettait la victoire. La mer d'un côté, des forêts de l'autre, formaient le cadre de ce grand tableau.

Les Martyrs, Livre VI.

LES MÉMOIRES D'OUTRE-TOMBE

Histoire de l'œuvre   I. RÉDACTION. Dès 1803, Chateaubriand songeait à rédiger des *Mémoires*, et il se met à l'œuvre en 1809, précisant à cette date : « J'entreprends l'histoire de mes idées et de mes sentiments plutôt que l'histoire de ma vie ». Une première phase de la rédaction aboutit à ce qu'on appelle le *manuscrit de 1826*. Après 1830 commence une nouvelle phase : Chateaubriand adopte le titre de *Mémoires d'Outre-Tombe* et se propose alors d'écrire l'*épopée* de *sa vie entière* ainsi que de *son temps*. Durant les années qui suivent, il attire l'attention du public sur ses *Mémoires* en procédant à la lecture de quelques passages dans le salon de Mme Récamier (1834) et continue à y travailler avec la hantise d'une publication prématurée. Il achève la rédaction en 1841, à l'âge de 73 ans.

II. PUBLICATION. Poussé par des besoins d'argent, il vend la propriété littéraire de ses *Mémoires* à une société d'actionnaires (1836), mais du vivant de l'auteur la société vend à un quotidien *La Presse* le droit de les publier. Ils paraissent en feuilletons découpés du 21 octobre 1848 au 3 juillet 1850. La première édition critique est de 1928.

Poésie et vérité   La valeur documentaire des *Mémoires* n'est pas à nier mais il ne faut pas pourtant y chercher le personnage de Chateaubriand dans toute sa sincérité. En effet, tout au long de son œuvre, l'auteur veut rester digne de lui-même, cacher ses faiblesses et laisser un monument à sa gloire : il atteint ainsi à une vérité esthétique et poétique supérieure littérairement à la stricte vérité des faits. Ce n'est pas non plus une histoire de son temps, mais plutôt « l'épopée de son temps ». Les *Mémoires d'Outre-Tombe* constituent un immense poème en prose, lyrique et épique.

LE POÈME LYRIQUE. Tous les grands thèmes lyriques se retrouvent dans l'épopée de sa vie : la nature, le rêve, la jeunesse, la souffrance, l'insatisfaction et surtout le double thème du *souvenir* et de la *mort*.

— 10 Atmosphère des poèmes d'Ossian. — 11 Dieu des Enfers.

LE POÈME ÉPIQUE. Chateaubriand laisse un tableau saisissant d'une des époques les plus troublées de notre histoire et des différents régimes politiques qu'il a connus. Il trace des portraits expressifs des grands hommes politiques du temps, des souverains et surtout de l'homme qu'il a à la fois admiré et haï : Napoléon.

Les *Mémoires* restent vivants dans tous leurs aspects et répondent aux vœux de l'auteur en lui assurant à eux seuls l'immortalité.

LA VIE A COMBOURG

CHATEAUBRIAND passa deux années de son adolescence (1784-1786) dans le décor austère du château de Combourg, et ce cadre sauvage n'est pas sans avoir influencé son caractère. A travers ses souvenirs et ses soucis esthétiques d'homme mûr, il nous présente sous un jour presque *fantastique* l'atmosphère de Combourg.

Le calme morne du château de Combourg était augmenté par l'humeur taciturne et insociable de mon père [1]. Au lieu de resserrer sa famille et ses gens autour de lui, il les avait dispersés à toutes les aires de vent [2] de l'édifice. Sa chambre à coucher était placée dans la petite tour de l'est, et son cabinet dans la petite tour de l'ouest. Les meubles de ce cabinet consistaient en trois chaises de cuir noir et une table couverte de titres et de parchemins. Un arbre généalogique de la famille des Chateaubriand tapissait le manteau de la cheminée [3], et dans l'embrasure d'une fenêtre on voyait toutes sortes d'armes depuis le pistolet jusqu'à l'espingole [4].

10 L'appartement de ma mère régnait au-dessus de la grand'salle, entre les deux petites tours : il était parqueté et orné de glaces de Venise à facettes. Ma sœur habitait un cabinet dépendant de l'appartement de ma mère. La femme de chambre couchait loin de là dans le corps de logis des grandes tours. Moi, j'étais niché dans une espèce de cellule isolée, au haut de la tourelle de l'escalier qui communiquait de la cour intérieure aux diverses parties du château. Au bas de cet escalier, le valet de chambre de mon père et le domestique gisaient dans des caveaux voûtés, et la cuisinière tenait garnison dans la grosse tour de l'ouest.

Mon père se levait à quatre heures du matin, hiver comme été : il venait
20 dans la cour intérieure appeler et éveiller son valet de chambre, à l'entrée de l'escalier de la tourelle. On lui apportait un peu de café à cinq heures ; il travaillait ensuite dans son cabinet jusqu'à midi. Ma mère et ma sœur déjeunaient chacune dans leur chambre, à huit heures du matin. Je n'avais aucune heure fixe, ni pour me lever, ni pour déjeuner ; j'étais censé étudier jusqu'à midi : la plupart du temps je ne faisais rien [5].

A onze heures et demie, on sonnait le dîner que l'on servait à midi. La grand'salle était à la fois salle à manger et salon : on dînait et l'on

---

— 1 Cf. « Un des caractères les plus sombres qui aient été » ou « Son état habituel était une tristesse profonde que l'âge augmenta et un silence dont il ne sortait que par des emportements » (I, 1, 2). — 2 Terme de marine : *divisions du cercle de la boussole* (cf. *rose des vents*). — 3 « Une seule passion dominait mon père, celle de son nom » (I, 1, 2). — 4 Ancien fusil, court et à canon évasé. — 5 Circonstances propices au *vague des passions*.

soupait à l'une de ses extrémités du côté de l'est ; après les repas, on se venait placer à l'autre extrémité du côté de l'ouest, devant une énorme
30 cheminée. La grand'salle était boisée, peinte en gris blanc et ornée de vieux portraits depuis le règne de François Ier jusqu'à celui de Louis XIV ; parmi ces portraits, on distinguait ceux de Condé et de Turenne : un tableau représentant Hector tué par Achille sous les murs de Troie était suspendu au-dessus de la cheminée.

Le dîner fait, on restait ensemble jusqu'à deux heures. Alors, si [6] l'été, mon père prenait le divertissement de la pêche, visitait ses potagers, se promenait dans l'étendue du vol du chapon [7] ; si l'automne et l'hiver, il partait pour la chasse, ma mère se retirait dans la chapelle, où elle passait quelques heures en prière. Cette chapelle était un oratoire sombre, embelli
40 de bons tableaux des plus grands maîtres, qu'on ne s'attendait guère à trouver dans un château féodal, au fond de la Bretagne. J'ai aujourd'hui en ma possession une *Sainte Famille* de l'Albane [8], peinte sur cuivre, tirée de cette chapelle : c'est tout ce qui me reste de Combourg.

Mon père parti et ma mère en prière, Lucile s'enfermait dans sa chambre ; je regagnais ma cellule, ou j'allais courir les champs.

A huit heures, la cloche annonçait le souper. Après le souper, dans les beaux jours, on s'asseyait sur le perron. Mon père, armé de son fusil, tirait les chouettes qui sortaient des créneaux à l'entrée de la nuit. Ma mère, Lucile et moi, nous regardions le ciel, les bois, les derniers rayons
50 du soleil, les premières étoiles. A dix heures, on rentrait et l'on se couchait.

Les soirées d'automne et d'hiver étaient d'une autre nature. Le souper fini et les quatre convives revenus de la table à la cheminée, ma mère se jetait, en soupirant, sur un vieux lit de jour [9] de siamoise flambée [10] ; on mettait devant elle un guéridon avec une bougie. Je m'asseyais auprès du feu avec Lucile ; les domestiques enlevaient le couvert et se retiraient. Mon père commençait alors une promenade, qui ne cessait qu'à l'heure de son coucher. Il était vêtu d'une robe de ratine [11] blanche, ou plutôt d'une espèce de manteau que je n'ai vu qu'à lui. Sa tête, demi-chauve, était couverte d'un grand bonnet blanc qui se tenait tout droit [12]. Lorsqu'en
60 se promenant il s'éloignait du foyer, la vaste salle était si peu éclairée par une seule bougie qu'on ne le voyait plus ; on l'entendait seulement encore marcher dans les ténèbres ; puis il revenait lentement vers la lumière et émergeait peu à peu de l'obscurité, comme un spectre, avec sa robe blanche, son bonnet blanc, sa figure longue et pâle. Lucile et moi, nous échangions quelques mots à voix basse, quand il était à l'autre bout de la salle ; nous nous taisions quand il se rapprochait de nous. Il nous

---

— 6 Si *c'était...* — 7 Vieux terme de droit : espace d'un demi-hectare environ autour d'un manoir. — 8 Peintre italien (1587-1660). — 9 Sorte de divan. — 10 Étoffe de coton, du genre des toiles de Siam, qu'on passait à la flamme pour enlever le duvet. — 11 Tissu de laine à poil long. — 12 « M. de Chateaubriand était grand et sec ; il avait le nez aquilin, les lèvres minces et pâles, les yeux enfoncés, petits et pers ou glauques, comme ceux des lions ou des anciens barbares. Je n'ai jamais vu un pareil regard : quand la colère y montait, la prunelle étincelante semblait se détacher et venir vous frapper comme une balle » (I, 1, 2).

disait, en passant : « De quoi parliez-vous ? » Saisis de terreur, nous ne répondions rien ; il continuait sa marche. Le reste de la soirée, l'oreille n'était plus frappée que du bruit mesuré de ses pas, des soupirs de ma mère
70 et du murmure du vent.

Dix heures sonnaient à l'horloge du château : mon père s'arrêtait ; le même ressort, qui avait soulevé le marteau de l'horloge, semblait avoir suspendu ses pas. Il tirait sa montre, la montait, prenait un flambeau d'argent surmonté d'une grande bougie, entrait un moment dans la petite tour de l'ouest, puis revenait, son flambeau à la main, et s'avançait vers sa chambre à coucher, dépendante de la petite tour de l'est. Lucile et moi, nous nous tenions sur son passage ; nous l'embrassions, en lui souhaitant une bonne nuit. Il penchait vers nous sa joue sèche et creuse sans nous répondre, continuait sa route et se retirait au fond de la tour, dont nous
80 entendions les portes se refermer sur lui.

Le talisman était brisé ; ma mère, ma sœur et moi, transformés en statues par la présence de mon père, nous recouvrions les fonctions de la vie. Le premier effet de notre désenchantement se manifestait par un débordement de paroles : si le silence nous avait opprimés, il nous le payait cher.

Mémoires d'Outre-Tombe, Ire Partie, III, 3.

LA BATAILLE DE WATERLOO

CHATEAUBRIAND a-t-il réellement entendu le canon de Waterloo ? à vol d'oiseau, une soixantaine de kilomètres séparent Gand du champ de bataille. Peut-être nous trouvons-nous ici en présence d'une *stylisation dramatique et épique*. Authentique ou non, l'épisode ainsi présenté donne une intensité concrète au drame qui se joue dans l'âme de Chateaubriand, partagée entre son *loyalisme* et son *patriotisme*.

Le 18 juin 1815, vers midi, je sortis de Gand[1] par la porte de Bruxelles ; j'allai seul achever ma promenade sur la grande route. J'avais emporté les *Commentaires de César* et je cheminais lentement, plongé dans ma lecture. J'étais déjà à plus d'une lieue de la ville, lorsque je crus ouïr un roulement sourd : je m'arrêtai, regardai le ciel assez chargé de nuées, délibérant en moi-même si je continuerais d'aller en avant, ou si je me rapprocherais de Gand dans la crainte d'un orage. Je prêtai l'oreille ; je n'entendis plus que le cri d'une poule d'eau dans les joncs et le son d'une horloge de village. Je poursuivis ma route : je n'avais pas fait trente
10 pas que le roulement recommença, tantôt bref, tantôt long, et à intervalles inégaux ; quelquefois il n'était sensible que par une trépidation de l'air, laquelle se communiquait à la terre sur ces plaines immenses, tant il était éloigné. Ces détonations moins vastes, moins onduleuses, moins liées ensemble que celles de la foudre, firent naître dans mon esprit l'idée d'un

— 1 Où il avait accompagné Louis XVIII.

combat. Je me trouvais devant un peuplier planté à l'angle d'un champ de houblon. Je traversai le chemin et je m'appuyai debout contre le tronc de l'arbre, le visage tourné du côté de Bruxelles. Un vent du sud s'étant levé m'apporta plus distinctement le bruit de l'artillerie. Cette grande bataille, encore sans nom, dont j'écoutais les échos au pied d'un peuplier,
20 et dont une horloge de village venait de sonner les funérailles inconnues, était la bataille de Waterloo !

Auditeur silencieux et solitaire du formidable arrêt des destinées, j'aurais été moins ému si je m'étais trouvé dans la mêlée : le péril, le feu, la cohue de la mort ne m'eussent pas laissé le temps de méditer ; mais seul sous un arbre, dans la campagne de Gand, comme le berger des troupeaux qui paissaient autour de moi, le poids des réflexions m'accablait : Quel était ce combat ? Était-il définitif ? Napoléon était-il là en personne ? Le monde, comme la robe du Christ [2], était-il jeté au sort ? Succès ou revers de l'une ou l'autre armée, quelle serait la conséquence
30 de l'événement pour les peuples, liberté ou esclavage ? Mais quel sang coulait ! chaque bruit parvenu à mon oreille n'était-il pas le dernier soupir d'un Français ? Était-ce un nouveau Crécy, un nouveau Poitiers, un nouvel Azincourt, dont allaient jouir les plus implacables ennemis de la France ? S'ils triomphaient, notre gloire n'était-elle pas perdue ? Si Napoléon l'emportait, que devenait notre liberté ? Bien qu'un succès de Napoléon m'ouvrît un exil éternel [3], la patrie l'emportait dans ce moment dans mon cœur ; mes vœux étaient pour l'oppresseur de la France, s'il devait, en sauvant notre honneur, nous arracher à la domination étrangère.

Wellington triomphait-il ? La légitimité [4] rentrerait donc dans Paris
40 derrière ces uniformes rouges qui venaient de reteindre leur pourpre au sang des Français ! La royauté aurait donc pour carrosses de son sacre les chariots d'ambulance remplis de nos grenadiers mutilés ! Que sera-ce qu'une restauration accomplie sous de tels auspices ?... Ce n'est là qu'une bien petite partie des idées qui me tourmentaient. Chaque coup de canon me donnait une secousse et doublait le battement de mon cœur. A quelques lieues d'une catastrophe immense, je ne la voyais pas ; je ne pouvais toucher le vaste monument funèbre croissant de minute en minute à Waterloo, comme du rivage de Boulaq, au bord du Nil, j'étendais vainement mes mains vers les Pyramides [5].

Mémoires d'Outre-Tombe, III, Ire Époque, VI, 16.

— 2 Quand le Christ fut crucifié, les soldats tirèrent sa robe au sort (saint Matthieu, XXVII, 35 ; saint Jean, XIX, 23-24). — 3 Chateaubriand était compromis par sa brochure *De Buonaparte et des Bourbons*. — 4 La monarchie légitime, les Bourbons. — 5 Cf. *Itinéraire de Paris à Jérusalem :* « Nous découvrîmes le sommet des Pyramides : nous en étions à plus de dix lieues. Pendant le reste de notre navigation, qui dura encore près de huit heures, je demeurai sur le pont à contempler ces tombeaux ; ils paraissaient s'agrandir et monter dans le ciel à mesure que nous approchions ».

LAMARTINE

Un jeune aristocrate Alphonse de LAMARTINE, né à Mâcon en 1790, passe à Milly, en petit campagnard, ses premières années. Il reçoit une éducation catholique, fait ses études à Lyon et à Belley, puis mène à Milly une vie oisive consacrée à la poésie et à la rêverie. Pour dissiper son ennui, il voyage en Italie et noue une idylle avec une Napolitaine qui sera l'héroïne de *Graziella* (1849). Il devient garde du roi en 1814, puis revient à Milly.

Des Méditations
aux Harmonies En 1816, sur les bords du lac du Bourget, il rencontre JULIE CHARLES ; ils se retrouvent à Paris au cours de l'hiver, mais la maladie emporte la jeune femme, et la douleur de cet amour brisé inspire à LAMARTINE les plus beaux poèmes des *Méditations* (1820). Ce recueil le rend célèbre. Il reçoit un poste diplomatique à Naples, se marie avec une jeune Anglaise, Mary-Ann Birch, voyage, puis partage sa vie entre Paris et le château de Saint-Point. C'est dans cette période que Lamartine publie les *Nouvelles Méditations* (1823), *La Mort de Socrate* (1823), et *Le Dernier Chant du Pèlerinage d'Harold* (1825). Après trois années à Florence, comme secrétaire d'ambassade, il rentre à Paris, est reçu académicien et publie les *Harmonies Poétiques et Religieuses* (1830).

L'action
philosophique
et politique Après la Révolution de 1830, LAMARTINE évolue vers le libéralisme et quitte la diplomatie pour la politique. Il entreprend un voyage aux Lieux Saints mais a la douleur d'y perdre sa fille. Son désespoir s'exprimera encore dans *Gethsémani* (1834). Pendant son absence il est élu député à Bergues (Nord) en 1833 ; bientôt élu à Mâcon, il devient un des plus grands orateurs politiques de son temps. Libéral, homme de progrès, il passe à une opposition de plus en plus ardente. Joignant l'activité littéraire à l'action politique, il s'efforce de réaliser son rêve de littérature sociale. *Le Voyage en Orient* (1835), *Jocelyn* (1836), *La Chute d'un Ange* (1838), *Recueillements* (1839), l'*Histoire des Girondins* (1847) révèlent l'orientation nouvelle de sa pensée. Quand survient la Révolution de 1848, il est porté à la tête du Gouvernement Provisoire et est élu triomphalement à la Constituante, mais bien vite il voit ses partisans l'abandonner et sa carrière politique est pratiquement terminée en décembre 1848.

Le « galérien
des lettres » Condamné aux « *travaux forcés littéraires* » pour payer ses dettes, Lamartine rédige les *Confidences* (1849), *Raphaël* (1849), des romans sociaux : *Le Tailleur de pierres de Saint-Point* (1851), et des compilations historiques. A partir de 1856 il adresse chaque mois à ses abonnés le *Cours familier de Littérature*. Il finit par vendre Milly et meurt à Paris en 1869.

LES « MÉDITATIONS » ET LES « HARMONIES »

Méditations
poétiques Le public de 1820 fut enthousiasmé de trouver dans ce recueil de 24 poèmes les thèmes et les sentiments *nouveaux* mis à la mode depuis Gœthe, Byron et Chateaubriand. LAMARTINE s'y exprimait d'une façon douloureusement personnelle, donnant à sa muse « au lieu d'une lyre à sept cordes de convention, *les fibres mêmes du cœur de l'homme* ».

Les plus célèbres de ces *Méditations* traduisaient la plainte d'un cœur affligé par l'épreuve de l'*amour brisé (Le Lac, L'Isolement, Le Vallon, l'Automne)* et la façon dont la *nature amie* s'associait aux joies et aux peines du poète.

Par l'importance des thèmes de l'*amour* et de la *nature*, par leur *accent personnel*, elles répondaient à l'attente de la génération romantique et rejoignaient le classicisme dans ce qu'il a d'éternellement humain.

Au thème de l'amour brisé se lie étroitement le thème de l'*inquiétude religieuse*. Certaines *Méditations* sont consacrées plus particulièrement à la philosophie morale, aux problèmes métaphysiques et surtout au *problème de l'au-delà*. Dans les élégies inspirées par l'amour, Lamartine donne une telle spiritualité à l'amour humain qu'il apparaît comme une étape vers l'amour divin. Ce christianisme poétique, qui rappelle celui de Chateaubriand, fit de Lamartine, en son temps, le poète de la religion chrétienne.

Harmonies poétiques et religieuses
Conçues à Florence (1825-1828) et publiées en 1830, les *Harmonies* sont un chef-d'œuvre lyrique, par la magnificence du *sentiment de la nature*, la spontanéité de l'*émotion religieuse*, la richesse des *images*, la variété des rythmes.

Dans quelques *Harmonies* on retrouve la veine intime et personnelle des *Méditations (Premier Regret, Milly ou la Terre natale)*. Mais la plupart sont d'inspiration religieuse : Lamartine voulait écrire des « Psaumes Modernes », des hymnes à la bonté et à la puissance du Créateur. Il cherche « dans la Création » *des degrés pour monter jusqu'à Dieu* : à celui qui sait voir, la splendeur d'un paysage (l'*Infini dans les Cieux*) ou la force d'un chêne *(Le Chêne)* révèlent l'existence et la toute-puissance de Dieu.

Les *Harmonies* sont donc animées d'un élan religieux très vif, qu'elles soient d'inspiration réellement chrétienne *(Hymne au Christ)* ou plus simplement d'aspiration platonicienne : la communion avec la nature n'est qu'un moyen d'élever l'âme jusqu'aux beautés éternelles. A la fin du recueil perce pourtant une angoisse nouvelle : « *Je regarde en avant et je ne vois que doute* ». Ces incertitudes marquent une nouvelle étape dans la pensée du poète.

LE LAC

Le *Lac*, poème romantique par excellence, est la plus célèbre des *Méditations*. Lamartine, revenu seul sur les bords du lac du Bourget, évoque le souvenir de la femme qu'il a aimée quelques mois auparavant et son bonheur menacé. Par delà cet élan lyrique, le poète exprime toute l'inquiétude humaine devant l'amour éphémère aspirant à l'éternité (1817).

> Ainsi, toujours poussés vers de nouveaux rivages,
> Dans la nuit éternelle emportés sans retour,
> Ne pourrons-nous jamais sur l'océan des âges
>   Jeter l'ancre un seul jour ?
>
> O lac ! l'année à peine a fini sa carrière [1],
> Et près des flots chéris qu'elle devait revoir,
> Regarde ! Je viens seul m'asseoir sur cette pierre
>   Où tu la vis s'asseoir !

---

1 Depuis octobre 1816.

Tu mugissais ainsi sous ces roches profondes ;
10   Ainsi tu te brisais sur leurs flancs déchirés ;
Ainsi le vent jetait l'écume de tes ondes
        Sur ses pieds adorés.

Un soir, t'en souvient-il ? nous voguions en silence [2] ;
On n'entendait au loin, sur l'onde et sous les cieux,
Que le bruit des rameurs qui frappaient en cadence
        Tes flots harmonieux.

Tout à coup des accents inconnus à la terre [3]
Du rivage charmé [4] frappèrent les échos ;
Le flot fut attentif, et la voix qui m'est chère
20   Laissa tomber ces mots :

« O temps, suspends ton vol ! et vous, heures propices [5],
        Suspendez votre cours !
Laissez-nous savourer les rapides délices
        Des plus beaux de nos jours [6] !

« Assez de malheureux ici-bas vous implorent :
        Coulez, coulez pour eux ;
Prenez avec leurs jours les soins [7] qui les dévorent ;
        Oubliez les heureux.

« Mais je demande en vain quelques moments encore,
30   Le temps m'échappe et fuit ;
Je dis à cette nuit : « Sois plus lente » ; et l'aurore
        Va dissiper la nuit.

« Aimons donc, aimons donc ! de l'heure fugitive,
        Hâtons-nous, jouissons [8] !
L'homme n'a point de port, le temps n'a point de rive ;
        Il coule, et nous passons ! »

Temps jaloux [9], se peut-il que ces moments d'ivresse,
Où l'amour à long flots nous verse le bonheur,
S'envolent loin de nous de la même vitesse
40   Que les jours de malheur ?

Hé quoi ! n'en pourrons-nous fixer au moins la trace ?
Quoi ! passés pour jamais ? quoi ! tout entiers perdus ?
Ce temps qui les donna, ce temps qui les efface,
        Ne nous les rendra plus ?

— 2 Cf. Rousseau : « Nous gardions un profond silence. Le bruit égal et mesuré des rames m'excitait à rêver ». — 3 Elvire est pour lui un être supra-terrestre. — 4 *Comme soumis à un enchantement* (sens classique). Cf. le v. 19. — 5 Favorables. — 6 Souhait déjà exprimé par Lamartine dans un poème écrit en 1814. — 7 *Soucis* (sens classique). — 8 Conclusion épicurienne dans la veine d'Horace, de Catulle, des poètes du XVIIIᵉ siècle, ou encore de Ronsard. — 9 Jaloux *du bonheur humain*. Ici commence la méditation philosophique, qui prolonge la plainte d'Elvire.

Éternité, néant, passé, sombres abîmes [10],
Que faites-vous des jours que vous engloutissez ?
Parlez : nous rendrez-vous ces extases sublimes
    Que vous nous ravissez ?

O lac ! rochers muets ! grottes ! forêt obscure !
50 Vous que le temps épargne ou qu'il peut rajeunir,
Gardez de cette nuit, gardez, belle nature,
    Au moins le souvenir !

Qu'il soit dans ton repos, qu'il soit dans tes orages,
Beau lac, et dans l'aspect de tes riants coteaux,
Et dans ces noirs sapins, et dans ces rocs sauvages [11]
    Qui pendent sur tes eaux !

Qu'il soit dans le zéphyr qui frémit et qui passe,
Dans les bruits de tes bords par tes bords répétés,
Dans l'astre au front d'argent qui blanchit ta surface
60   De ses molles clartés !

Que le vent qui gémit, le roseau qui soupire,
Que les parfums légers de ton air embaumé,
Que tout ce qu'on entend, l'on voit ou l'on respire,
    Tout dise : « Ils ont aimé ! »

L'ISOLEMENT

L'*Isolement* est le premier poème des *Méditations*. Dans cette élégie profondément sincère, LAMARTINE développe le grand thème de l'absence de la bien-aimée : « *Un seul être vous manque et tout est dépeuplé* ». Cherchant à s'arracher au monde qui le sépare de son amour, il dit son aspiration à la mort et à l'au-delà. Poème essentiel des méditations lamartiniennes (1819).

Souvent sur la montagne [1], à l'ombre du vieux chêne,
Au coucher du soleil, tristement je m'assieds ;
Je promène au hasard mes regards sur la plaine,
Dont le tableau changeant se déroule à mes pieds.

Ici gronde le fleuve aux vagues écumantes ;
Il serpente, et s'enfonce en un lointain obscur ;
Là le lac immobile [2] étend ses eaux dormantes
Où l'étoile du soir se lève dans l'azur.

— 10 *Sombres abîmes* est en apposition aux trois termes précédents. — 11 Ces contrastes évoquent les deux aspects du paysage sur les rives du lac du Bourget.

— 1 Le Craz, au-dessus de Milly, où le poète allait se recueillir. — 2 Aucun lac n'est visible de Milly. A quoi pense le poète ?

Au sommet de ces monts couronnés de bois sombres,
10 Le crépuscule encor jette un dernier rayon ;
Et le char vaporeux de la reine des ombres
Monte, et blanchit déjà les bords de l'horizon.

Cependant, s'élançant de la flèche gothique ³,
Un son religieux se répand dans les airs :
Le voyageur s'arrête, et la cloche rustique
Aux derniers bruits du jour mêle de saints concerts.

Mais à ces doux tableaux mon âme indifférente
N'éprouve devant eux ni charme ni transports ;
Je contemple la terre ainsi qu'une ombre errante :
20 Le soleil des vivants n'échauffe plus les morts.

De colline en colline en vain portant ma vue,
Du sud à l'aquilon, de l'aurore au couchant,
Je parcours tous les points de l'immense étendue,
Et je dis : « Nulle part le bonheur ne m'attend. »

Que me font ces vallons, ces palais, ces chaumières,
Vains objets dont pour moi le charme est envolé ?
Fleuves, rochers, forêts, solitudes si chères,
Un seul être vous manque, et tout est dépeuplé !

Que le tour du soleil ou commence ou s'achève,
30 D'un œil indifférent je le suis dans son cours ;
En un ciel sombre ou pur qu'il se couche ou se lève,
Qu'importe le soleil ? je n'attends rien des jours.

Quand je pourrais le suivre en sa vaste carrière,
Mes yeux verraient partout le vide et les déserts :
Je ne désire rien de tout ce qu'il éclaire ;
Je ne demande rien à l'immense univers.

Mais peut-être au-delà des bornes de sa sphère,
Lieux où le vrai soleil ⁴ éclaire d'autres cieux,
Si je pouvais laisser ma dépouille à la terre,
40 Ce que j'ai tant rêvé paraîtrait à mes yeux !

Là, je m'enivrerais à la source où j'aspire ;
Là, je retrouverais et l'espoir et l'amour,
Et ce bien idéal que toute âme désire,
Et qui n'a pas de nom au terrestre séjour !

— 3 Noter l'influence du *Génie du Christianisme*.
— 4 Expression chrétienne qui désigne Dieu,
et qui rejoint la doctrine platonicienne des

Idées : les objets sensibles ne sont que des
reflets d'un monde idéal, celui des réalités
véritables que l'âme contemplera après la mort.

Que ne puis-je, porté sur le char de l'Aurore,
Vague objet de mes vœux, m'élancer jusqu'à toi !
Sur la terre d'exil [5] pourquoi resté-je encore ?
Il n'est rien de commun entre la terre et moi.

50   Quand la feuille des bois tombe dans la prairie,
Le vent du soir s'élève et l'arrache aux vallons ;
Et moi, je suis semblable à la feuille flétrie :
Emportez-moi comme elle, orageux aquilons !

L'AUTOMNE

Toujours prisonnier de sa tristesse amoureuse, LAMARTINE associe à son désir de mourir « les jours d'automne où la nature expire » mais, en dépit de lui-même, il glisse dans ces vers mélancoliques quelques images d'espérance (1819).

Salut, bois couronnés d'un reste de verdure,
Feuillages jaunissants sur les gazons épars [1] !
Salut, derniers beaux jours ! le deuil de la nature
Convient à la douleur [2] et plaît à mes regards.

Je suis d'un pas rêveur le sentier solitaire ;
J'aime à revoir encor, pour la dernière fois,
Ce soleil pâlissant, dont la faible lumière
Perce à peine à mes pieds l'obscurité des bois.

10   Oui, dans ces jours d'automne où la nature expire,
A ses regards voilés [3] je trouve plus d'attraits ;
C'est l'adieu d'un ami, c'est le dernier sourire
Des lèvres que la mort va fermer pour jamais.

Ainsi, prêt à [4] quitter l'horizon de la vie,
Pleurant de mes longs jours l'espoir évanoui,
Je me retourne encore, et d'un regard d'envie
Je contemple ses biens dont je n'ai pas joui.

Terre, soleil, vallons, belle et douce nature,
Je vous dois une larme aux bords de mon tombeau ;
L'air est si parfumé ! la lumière est si pure !
20   Aux regards d'un mourant le soleil est si beau !

— 5 Cf. « L'homme est un dieu tombé qui se souvient des cieux » *(Méditation II)*.

— 1 Épithète de *feuillages*. Quel est l'effet de l'inversion ? — 2 Comparer ce sentiment à celui de René. — 3 Qui perdent leur éclat. — 4 Près de.

Je voudrais maintenant vider jusqu'à la lie
Ce calice mêlé de nectar et de fiel :
Au fond de cette coupe où je buvais la vie,
Peut-être restait-il une goutte de miel !

Peut-être l'avenir me gardait-il encore
Un retour de bonheur dont l'espoir est perdu [5] !
Peut-être, dans la foule, une âme que j'ignore
Aurait compris mon âme, et m'aurait répondu !...

L'inspiration politique et sociale A partir de 1830, LAMARTINE va s'orienter de plus en plus vers l'*activité politique et sociale*, et devenir l'interprète des souffrances humaines, à l'imitation du Christ qui s'est chargé des maux de l'humanité pour les offrir à Dieu.

Puis mon cœur, insensible à ses propres misères,
S'est élargi plus tard aux douleurs de mes frères.

A Félix Guillemardet (1839)

I. LA PENSÉE POLITIQUE DE LAMARTINE. Légitimiste au moment des *Méditations*, il évolue vers la gauche, s'efforçant tout d'abord de réunir conservateurs et libéraux. Il veut en effet préserver la propriété, qui représente pour lui la seule forme sociale viable, et en même temps conduire le peuple à la conquête de la démocratie et des avantages sociaux. Porté au pouvoir par une sorte d'unanimité en février 1848, il tombera par fidélité à cet *idéal démocratique :* il refuse de mener contre le prolétariat la guerre ouverte que l'assemblée conservatrice attendait de lui.

II. LA MISSION SOCIALE DU POÈTE. Dès 1831, dans sa *Réponse à Némésis*, LAMARTINE proclame avec vigueur que le poète a le devoir d'oublier son art quand sa patrie est menacée. Quelques années plus tard, continuant dans cette voie, il affirme la mission sociale du poète : « *La poésie sera de la raison chantée ;* [...] elle sera philosophique, religieuse, politique, sociale comme les époques que le genre humain va accomplir [...]. Elle va se faire peuple, et devenir populaire comme la religion, la raison et la philosophie. » (*Des Destinées de la Poésie*, 1834). Cette conception de la littérature va se manifester dans *Jocelyn, la Chute d'un Ange, Recueillements*, et dans l'*Histoire des Girondins*.

III. LES IDÉES ET LES ŒUVRES. Favorable au progrès, LAMARTINE en vient à approuver la Révolution de 1789. Comme la caravane qui n'hésite pas à abattre une forêt pour continuer sa route (*Jocelyn*, 8e époque), ainsi la Révolution, expression d'une *volonté divine*, contribue au progrès, malgré ses atrocités, en apportant l'égalité.

Il présente aussi la démocratie comme la traduction politique de l'idéal évangélique : la justice sociale sera un jour dépassée par la charité et la fraternité des hommes. Pour exposer ses rêves démocratiques, pour réclamer l'instruction du peuple, l'abolition de l'esclavage ou le suffrage universel, Lamartine se montre grand orateur et déploie une *éloquence frémissante et prophétique*.

Au delà de la fraternité sociale, Lamartine prêche à plusieurs reprises la *fraternité des Nations* (*La Marseillaise de la Paix*, 1841) et proclame dans son *Manifeste aux puissances :* « Le monde et nous, nous voulons marcher à la fraternité et à la paix. »

La pensée religieuse de Lamartine Élevé par une mère pieuse, catholique pratiquant au moment des *Méditations*, LAMARTINE partagé entre la foi et le rationalisme, en vient peu à peu à douter. Son pèlerinage en Palestine (1832) le détache finalement du catholicisme. Refusant les dogmes, les miracles et les « impostures », Lamartine fait de la *charité* son vrai culte.

— 5 Lamartine « sans emploi, ni fortune » a été refusé par la mère de Miss Birch.

Dans le *Voyage en Orient* (1835), *Jocelyn* (1836), *La Chute d'un Ange* (1838), il essaie de transmettre aux catholiques son *déisme*, mais le Pape condamne ces ouvrages.

Pourtant, loin de renier la religion, Lamartine souffre de ce qui est l'écueil même du déisme : « Je meurs de ne pouvoir nommer ce que j'adore ». Sa révolte naît aussi quand la mauvaise fortune l'accable ; mais, après la tentation du blasphème, le poète aboutit à la résignation :

> « Mais c'est Dieu qui t'écrase, ô mon âme, sois forte :
> Baise sa main sous la douleur ! »

En dépit de ce perpétuel balancement entre l'orthodoxie et la révolte, c'est en définitive ce *désir de servir Dieu*, de collaborer à ce qu'il prend pour la volonté divine qui paraît présider à la pensée religieuse de LAMARTINE, comme à son action politique.

JOCELYN (1836). Cet ensemble de 8 000 vers répartis en neuf époques constitue une confidence personnelle du poète et une œuvre symbolique chargée d'un message politique et religieux.

Pour aider sa sœur à se marier, le jeune JOCELYN entre au séminaire, mais la Révolution l'oblige à gagner une grotte du Dauphiné. Il y recueille un jeune proscrit de 16 ans, LAURENCE, qui un jour se révèlera être une jeune fille, et leur amitié se mue en un chaste amour. Mais l'évêque de Grenoble, condamné à mort, ordonne Jocelyn prêtre, pour recevoir de lui la communion.

Contraint d'oublier son amour, JOCELYN devient curé d'un pauvre village de montagne. Il y mène une vie de sacrifice, se consacrant à la prière, au travail, à l'éducation des enfants, et se dévouant pour les humbles. Il médite sur les révolutions et le progrès, enseigne un bonheur simple et résigné, prêche la tolérance. Il s'abstient des cérémonies pompeuses, ne s'attache pas aux dogmes, et par la charité et la fidélité à l'esprit de l'Évangile rejoint le déisme lamartinien.

LAURENCE, devenue une mondaine dissipée, revient mourir près de lui. Il entend sa confession et adoucit ses derniers instants. Il mourra à son tour en soignant des pestiférés. Dans un Épilogue (1839), un pâtre raconte au poète dans le miroir du lac, non loin de la grotte qui leur avait servi de refuge, les ombres des deux amants unies pour des « noces éternelles ».

LA VIGNE ET LA MAISON

A 67 ans, LAMARTINE, compose *La Vigne et la Maison*, long poème inspiré par une visite aux lieux de son enfance. Il évoque le passé, les souvenirs heureux, les joies et les deuils que la vieille demeure a connus. Tous ces thèmes profondément humains, chargés de symbolisme et de spiritualité, sont développés dans un *dialogue* entre le MOI et l'AME, où tour à tour s'harmonisent et s'opposent la sensibilité du poète et son accablement. Voici les derniers vers de ces « *Psalmodies de l'âme* » parues en 1857 dans le *Cours familier de littérature*.

> Efface ce séjour, ô Dieu ! de ma paupière,
> Ou rends-le moi semblable à celui d'autrefois [1],
> Quand la maison vibrait comme un grand cœur de pierre [2]
> De tous ces cœurs joyeux qui battaient sous ses toits !
>
> A l'heure où la rosée au soleil s'évapore,
> Tous ces volets fermés s'ouvraient à sa chaleur,
> Pour y laisser entrer, avec la tiède aurore,
> Les nocturnes parfums de nos vignes en fleur.

— 1 Cf. plus bas : « *Non plus grand, non plus beau, mais pareil, mais le même* ». — 2 Cf. v. 9.

On eût dit que ces murs respiraient comme un être
10　Des pampres réjouis la jeune exhalaison ;
La vie apparaissait rose, à chaque fenêtre,
Sous les beaux traits d'enfants nichés dans la maison.

Leurs blonds cheveux, épars au vent de la montagne,
Les filles [3], se passant leurs deux mains sur les yeux,
Jetaient des cris de joie à l'écho des montagnes,
Ou sur leurs seins naissants croisaient leurs doigts pieux.

La mère, de sa couche à ces doux bruits levée,
Sur ces fronts inégaux se penchait tour à tour,
Comme la poule heureuse assemble sa couvée,
20　Leur apprenant les mots qui bénissent le jour [4].

Moins de balbutiements sortent du nid sonore,
Quand, au rayon d'été qui vient la réveiller,
L'hirondelle, au plafond qui les abrite encore,
A ses petits sans plume apprend à gazouiller.

Et les bruits du foyer que l'aube fait renaître,
Les pas des serviteurs sur les degrés de bois,
Les aboiements du chien qui voit sortir son maître,
Le mendiant plaintif qui fait pleurer sa voix,

Montaient avec le jour ; et, dans les intervalles,
30　Sous des doigts de quinze ans répétant leur leçon,
Les claviers résonnaient ainsi que des cigales
Qui font tinter l'oreille au temps de la moisson !

Puis ces bruits d'année en année
Baissèrent d'une vie, hélas ! et d'une voix ;
Une fenêtre en deuil, à l'ombre condamnée,
Se ferma sous le bord des toits.

Printemps après printemps, de belles fiancées
Suivirent de chers ravisseurs,
Et, par la mère en pleurs sur le seuil embrassées,
40　Partirent en baisant leurs sœurs [5].

Puis sortit un matin, pour le champ où l'on pleure,
Le cercueil tardif de l'aïeul [6].
Puis un autre, et puis deux [7], et puis dans la demeure
Un vieillard morne resta seul [8] !

— 3 Lamartine avait cinq sœurs. — 4 La prière du matin. — 5 Elles se marièrent toutes entre 1813 et 1827. — 6 Sans doute un *oncle* du poète (1827). — 7 Une sœur, puis la mère. — 8 Le père de Lamartine (mort en 1840).

Puis la maison glissa sur la pente rapide
Où le temps entasse les jours ;
Puis la porte à jamais se ferma sur le vide,
Et l'ortie envahit les cours !...

L'Ame *retrouve le souvenir de ses chers absents :* « *Oui, je vous revois tous, et toutes, âmes mortes !...* » *Elle se console à l'idée que Dieu leur rendra, dans ses* « *globes sans nombre* », *un toit semblable à celui-ci, où* la famille *se trouvera réunie comme autrefois.*

Toi qui formas ces nids rembourrés de tendresses
Où la nichée humaine est chaude de caresses,
Est-ce pour en faire un cercueil ?
N'as-tu pas, dans un pan de tes globes sans nombre,
Une pente au soleil, une vallée à l'ombre
Pour y rebâtir ce doux seuil ?

Non plus grand, non plus beau, mais pareil, mais le même,
Où l'instinct serre un cœur contre les cœurs qu'il aime,
Où le chaume et la tuile abritent tout l'essaim,
Où le père gouverne, où la mère aime et prie,
Où dans ses petits-fils l'aïeule est réjouie
De voir multiplier son sein !

Toi qui permets, ô Père ! aux pauvres hirondelles
De fuir sous d'autres cieux la saison des frimas,
N'as-tu donc pas aussi pour tes petits sans ailes
D'autres toits préparés dans tes divins climats ?
O douce Providence ! ô mère de famille
Dont l'immense foyer de tant d'enfants fourmille,
Et qui les vois pleurer, souriante au milieu,
Souviens-toi, cœur du ciel, que la terre est ta fille
Et que l'homme est parent de Dieu !

MOI

Pendant que l'âme oubliait l'heure,
Si courte dans cette saison,
L'ombre de la chère demeure
S'allongeait sur le froid gazon ;
Mais de cette ombre sur la mousse
L'impression funèbre et douce
Me consolait d'y pleurer seul :
Il me semblait qu'une main d'ange
De mon berceau prenait un lange
Pour m'en faire un sacré linceul !

ALFRED DE VIGNY

ALFRED DE VIGNY, né à Loches en Touraine (1797), appartient à une famille d'ancienne noblesse ruinée par la Révolution. Dès sa jeunesse qu'il passe à Paris, il apprend de ses parents la *fierté d'être noble* et tout à la fois découvre l'*amertume* de cette situation. A la pension Hix où il entre en 1807, il est jalousé par ses camarades qui lui reprochent sa naissance et envient ses succès.

Servitude militaire

Son père lui avait inspiré le *culte des armes et de l'honneur* : « Je vis dans la noblesse une grande famille de soldats héréditaires ». Aussi, rêvant de gloire militaire, il prépare l'École Polytechnique (1811-1814) tout en restant hostile à l'Empire. A la Restauration il s'engage comme *sous-lieutenant* de cavalerie aux Compagnies Rouges, mais après les Cent Jours, versé dans l'infanterie il subit avec lassitude la monotonie de la *vie de garnison*. En 1825, il quitte le métier militaire dont il n'a connu que les amertumes : journées d'ennui, camarades décevants, ambitions brisées.

Le poète romantique

Mais, de 1816 à 1825, le jeune officier a consacré ses loisirs forcés à la poésie. En 1820, il donne ses premiers vers au *Conservateur Littéraire* de Victor Hugo et en 1822 il publie, non sans succès, un recueil anonyme de dix *Poèmes*. Au moment de l'intervention en Espagne, en 1823, pendant les longues étapes vers les Pyrénées, il compose *Éloa*, épopée en trois chants. En 1825, alors qu'il vient d'obtenir un congé qui sera indéfiniment renouvelé, il épouse une jeune anglaise, LYDIA BUNBURY ; il s'installe à Paris et se consacre essentiellement à son œuvre ; coup sur coup il publie les *Poèmes Antiques et Modernes* (1826) et *Cinq Mars* (1826), un roman historique où il raconte une conjuration ourdie en 1639 contre le cardinal de Richelieu. Il se laisse alors tenter par le théâtre qui suscite les passions autour de 1830. Il adapte en alexandrins plusieurs pièces de Shakespeare : celle d'*Othello* remporte en 1829 un assez vif succès ; il donnera encore, avec moins d'éclat, *la Maréchale d'Ancre* (1831), avant de trouver sa voie avec *Chatterton* (1835).

Philosophie politique et sociale

La Révolution de 1830 apporte à VIGNY de nouvelles déceptions. Bien qu'il réprouve les Ordonnances et blâme la politique de Charles X, il demeure attaché à la monarchie légitime. Sous Louis-Philippe, il devient commandant d'un bataillon de la garde nationale ; gagné par des *sentiments humanitaires*, il évolue lentement vers des idées républicaines.

Renonçant momentanément à la poésie, il consacre son œuvre, plus *philosophique*, aux « parias » de la société moderne : il évoque la condition du poète dans *Stello* (1832) et dans *Chatterton* (1835), celle du soldat dans *Servitude et Grandeur Militaires* (1835), celle du théosophe dans *Daphné* (1837).

« La sainte solitude »

ALFRED DE VIGNY traverse alors une série d'épreuves : la mort de sa mère et la rupture de la liaison orageuse qu'il entretenait depuis six ans avec l'actrice MARIE DORVAL. Se renfermant dans son amertume, il vivra de plus en plus retiré du monde.

Au lendemain de cette crise, il revient à la poésie et mûrit ses grands poèmes : *La Mort du Loup* (1838), *La colère de Samson* (1839), *La Bouteille à la Mer* (1847). Élu à l'Académie Française après cinq échecs (1845), il retrouve alors la sérénité mais subit une nouvelle déception lors de son échec aux élections en Charente (1848). Il y possède le manoir du Maine-Giraud où il se retire jusqu'en 1853, pour y vivre en *gentilhomme campagnard*.

Désabusé, il passe les dix dernières années de sa vie à Paris en solitaire. Après sa mort (1863) paraissent *Les Destinées* (1864) et le *Journal d'un Poète*.

POÈMES ANTIQUES ET MODERNES

Les *Poèmes* de 1822 sont repris pour la plupart dans les *Poèmes Antiques et Modernes* de 1826, complétés en 1837 et répartis en trois groupes comme une *Légende des Siècles* :

I. LIVRE MYSTIQUE. *Moïse* (1822) symbolise le génie solitaire. Le *Déluge* montre Dieu sans pitié. *Éloa ou la Sœur des Anges* (1824) est une épopée en trois chants.

Né d'une larme du Christ, l'ange féminin ÉLOA *entend raconter l'histoire de* LUCIFER (Chant I). *Prise de pitié, Éloa va trouver Lucifer qui la fascine* (Chant II). *Troublé un instant par sa pureté, Lucifer se ressaisit, la retient par des pleurs fallacieux et l'entraîne dans une chute tragique : le mal triomphe* (Chant III).

II. LIVRE ANTIQUE. Ce *Livre* se subdivise en antiquité biblique et antiquité homérique. *La Fille de Jephté* montre l'injustice de Dieu qui exige de Jephté le sacrifice de sa fille. *Symétha, La Dryade, Le Bain d'une Dame Romaine*, pastiches de l'antique, rappellent la manière de Chénier.

III. LIVRE MODERNE. Vigny évoque le Moyen Age *(La Neige, Le Cor)*, les guerres de religion, le règne de Louis XIV *(La Prison)*, le XIXᵉ siècle *(La Frégate « La Sérieuse »)* ; ce *Livre* s'achève par deux *Élévations* inspirées par des événements récents : *Paris, Les Amants de Montmorency* (1832).

Bien que ces poèmes soient de valeur inégale, ils ont en propre une originalité. VIGNY y met en scène ses idées sous forme de symbole : « Le seul mérite qu'on n'ait jamais disputé à ces compositions, c'est d'avoir devancé en France toutes celles de ce genre dans lesquelles *une pensée philosophique est mise en scène sous une forme épique ou dramatique*» (Préface de 1837). Nous y trouvons aussi les thèmes qui seront désormais au cœur de la réflexion philosophique de l'auteur : la pitié, l'amour, la solitude du génie, les rapports de Dieu et de l'humanité.

MOÏSE

Dans cet épisode écrit en 1822, VIGNY reste fidèle au récit biblique pour évoquer le pays et les mœurs des Hébreux, mais il prête à Moïse un *découragement plein d'amertume* que le patriarche n'a pas dans la Bible. A travers la plainte de Moïse VIGNY a voulu exprimer l'angoisse et l'isolement de l'*homme de génie* et ses premiers doutes devant le *mystère de la justice divine*.

Tandis que le soleil se couche, MOISE, *l'homme de Dieu, gravit le Mont Nébo et s'attarde à contempler la Terre Promise. Aux pieds du mont les enfants d'Israël prient tandis que le prophète s'adresse à son Seigneur.*

> Prophète centenaire, environné d'honneur,
> Moïse était parti pour trouver le Seigneur.
> On le suivait des yeux aux flammes de sa tête,
> Et lorsque du grand mont il atteignit le faîte,
> Lorsque son front perça le nuage de Dieu
> Qui couronnait d'éclairs la cime du haut lieu,
> L'encens brûla partout sur les autels de pierre. [...]
>
> Et, debout devant Dieu, Moïse ayant pris place,
> Dans le nuage obscur lui parlait face à face [1].

— 1 Expression tirée de la Bible.

10 Il disait au Seigneur : « Ne finirai-je pas [2] ?
Où voulez-vous encor que je porte mes pas ?

Je vivrai donc toujours puissant et solitaire ?
Laissez-moi m'endormir du sommeil de la terre.
Que vous ai-je donc fait pour être votre élu ?
J'ai conduit votre peuple où vous avez voulu.
Voilà que son pied touche à la terre promise.
De vous à lui qu'un autre accepte l'entremise,
Au coursier d'Israël qu'il attache le frein ;
Je lui lègue mon livre [3] et la verge d'airain [4].

20 Pourquoi vous fallut-il tarir mes espérances,
Ne pas me laisser homme avec mes ignorances,
Puisque du mont Horeb [5] jusques au mont Nébo
Je n'ai pas pu trouver le lieu de mon tombeau ?
Hélas ! vous m'avez fait sage parmi les sages !
Mon doigt du peuple errant a guidé les passages [6].
J'ai fait pleuvoir le feu sur la tête des rois [7] ;
L'avenir à genoux adorera mes lois [8] ;
Des tombes des humains j'ouvre la plus antique,
La mort trouve à ma voix une voix prophétique ;
30 Je suis très grand, mes pieds sont sur les nations,
Ma main fait et défait les générations [9] —
Hélas ! je suis, Seigneur, puissant et solitaire,
Laissez-moi m'endormir du sommeil de la terre !

Hélas ! je sais aussi tous les secrets des Cieux ;
Et vous m'avez prêté la force de vos yeux.
Je commande à la nuit de déchirer ses voiles ;
Ma bouche par leur nom a compté les étoiles,
Et dès qu'au firmament mon geste l'appela,
Chacune s'est hâtée en disant : « Me voilà ».
40 J'impose mes deux mains sur le front des nuages

— 2 Dans le *Deutéronome*, Moïse *sait* qu'il va mourir. Vigny s'inspire ici d'un autre livre (*Nombres*, XI, 14-15) : « Pourquoi avez-vous affligé votre serviteur ? et pourquoi n'ai-je pas trouvé grâce devant vos yeux pour que vous ayez mis sur moi la charge de tout ce peuple ?... Au lieu de me traiter ainsi, faites-moi mourir plutôt, afin que je ne sois point témoin de mon malheur ! » Mais dans la Bible, cette lassitude est *passagère* et le ton moins âpre que chez Vigny. — 3 Le *Pentateuque*, formé des cinq premiers livres de la Bible, attribués à Moïse. — 4 Insigne miraculeux de son pouvoir avec lequel il changea l'eau en sang, et fit jaillir une source d'un rocher. — 5 Dans le désert du Sinaï, en Arabie, où l'*humble berger* Moïse, déjà octogénaire, avait reçu de Dieu, qui lui apparut dans un buisson ardent, la mission de conduire les Hébreux d'Égypte en Palestine. — 6 Mer Rouge et déserts. — 7 Une grêle mêlée de feu : septième plaie d'Égypte. — 8 Le *Décalogue*, demeuré la loi des chrétiens. — 9 Il tient en ses mains la *vie* et la *mort* des générations : il a fait périr les premiers nés des Égyptiens et fait massacrer d'un coup 24.000 Hébreux idolâtres.

Pour tarir dans leurs flancs la source des orages ;
J'engloutis les cités sous les sables mouvants ;
Je renverse les monts sous les ailes des vents ;
Mon pied infatigable est plus fort que l'espace ;
Le fleuve aux grandes eaux se range quand je passe,
Et la voix de la mer se tait devant ma voix [10].
Lorsque mon peuple souffre, ou qu'il lui faut des lois,
J'élève mes regards, votre esprit me visite ;
La terre alors chancelle et le soleil hésite [11],
50 Vos anges sont jaloux et m'admirent entre eux. —
Et cependant, Seigneur, je ne suis pas heureux ;
Vous m'avez fait vieillir puissant et solitaire,
Laissez-moi m'endormir du sommeil de la terre.

Sitôt que votre souffle a rempli le berger,
Les hommes se sont dit : « Il nous est étranger » ;
Et leurs yeux se baissaient devant mes yeux de flamme,
Car ils venaient, hélas ! d'y voir plus que mon âme.
J'ai vu l'amour s'éteindre et l'amitié tarir ;
Les vierges se voilaient et craignaient de mourir [12].
60 M'enveloppant alors de la colonne noire [13],
J'ai marché devant tous, triste et seul dans ma gloire,
Et j'ai dit dans mon cœur : « Que vouloir à présent ? »
Pour dormir sur un sein mon front est trop pesant,
Ma main laisse l'effroi sur la main qu'elle touche,
L'orage est dans ma voix, l'éclair est sur ma bouche ;
Aussi, loin de m'aimer, voilà qu'ils tremblent tous,
Et, quand j'ouvre les bras, on tombe à mes genoux.
O Seigneur ! j'ai vécu puissant et solitaire,
Laissez-moi m'endormir du sommeil de la terre ! »

70 Or, le peuple attendait, et, craignant son courroux,
Priait sans regarder le mont du Dieux jaloux ;
Car, s'il levait les yeux, les flancs noirs du nuage
Roulaient et redoublaient les foudres de l'orage,
Et le feu des éclairs, aveuglant les regards,
Enchaînait tous les fronts courbés de toutes parts.
Bientôt le haut du mont reparut sans Moïse [14] —
Il fut pleuré. — Marchant vers la terre promise,
Josué [15] s'avançait pensif et pâlissant,
Car il était déjà l'élu du Tout-Puissant.

— 10 Au passage de la Mer Rouge. — 11 Cf. les Hébreux. — 14 Sa mort reste mystérieuse Josué arrêtant le soleil. — 12 La vue de Dieu comme dans la Bible : « Personne ne connut anéantit les non-élus. — 13 Nuée qui guide son tombeau ». — 15 Successeur de Moïse.

LES DESTINÉES

Entre 1838 et sa mort, Vigny rédigea plusieurs poèmes philosophiques dont il rêvait de faire deux recueils. Après sa mort, et selon ses volontés, les onze pièces furent réunies en un seul recueil (1864) avec pour titre *Les Destinées*.

I LA « PHILOSOPHIE » DES DESTINÉES. Le recueil s'ouvre avec le poème liminaire intitulé *Les Destinées* qui donne son titre à l'ouvrage ; aussitôt après, selon la justification de M. Pierre Moreau, *La Maison du Berger* « annoncera avec l'idéal même et l'inspiration du livre entier — inspiration et idéal *de poésie, d'amour, de pitié* — le plan général selon lequel chaque poème s'ordonnera » : le philosophe sensible aux souffrances humaines se reconnaît la mission de guider ses semblables.

« Tour à tour le Mal Social sera envisagé dans les problèmes de la politique *(Les Oracles)*, des races et de la civilisation *(La Sauvage)*, de l'amour même *(La Colère de Samson)*, dans les lourdes tâches du devoir » *(La Mort du Loup)*.

Puis ce sera le Mal Philosophique *(La Flûte, Le Mont des Oliviers)*.

Enfin, renonçant à l'amertume qui domine dans ces pièces, Vigny affirme plus de confiance dans le Progrès de l'humanité *(La Bouteille à la Mer)* et, après une dénonciation de la cruauté des tyrans *(Wanda)*, le dernier poème *(L'Esprit Pur)* apparaît comme le testament spirituel du poète.

L'architecture de ce recueil permet de saisir le cheminement de la pensée de Vigny. Seuls, le *silence*, la *pitié* et par-dessus tout la « *religion de l'honneur* » permettent d'endurer avec dignité cette condition terrestre ; mais, au-delà de ce pessimisme stoïque, le poète affirme sa foi dans la civilisation qui permettra à l'homme, abandonné à lui-même par la divinité, de triompher des destinées qui l'écrasent. Ainsi naît la *religion de l'Esprit* : « Ton règne est arrivé, Pur Esprit, roi du monde » (*L'Esprit Pur*).

II. LA POÉSIE DES DESTINÉES. La poésie de Vigny prend sa source dans l'expérience intime du poète, dans ses angoisses et dans ses espérances. Pour donner à sa pensée une expression concrète, il tranpose ses angoisses et ses espérances par le *symbole*, et une fois le symbole trouvé, il excelle à choisir l'atmosphère de son épisode et à lui imprimer son rythme, tantôt dramatique, tantôt d'une majestueuse sérénité.

LA MORT DU LOUP

Lorsque Vigny écrit ce poème, retiré dans son manoir du Maine-Giraud, il vient de subir de dures épreuves : la mort de sa mère, la rupture avec Marie Dorval. En comparant la condition de l'homme à celle de l'animal traqué, il affirme sa *volonté de rester libre* au prix d'un isolement farouche, et surtout sa résolution de s'élever par un *silence stoïque* au-dessus de la fatalité, de la souffrance, et même de la mort.

I

Les nuages couraient sur la lune enflammée
Comme sur l'incendie on voit fuir la fumée,
Et les bois étaient noirs jusques à l'horizon.
Nous marchions, sans parler, dans l'humide gazon,
Dans la bruyère épaisse, et dans les hautes brandes [1],
Lorsque, sous des sapins [2] pareils à ceux des Landes,
Nous avons aperçu les grands ongles marqués
Par les loups voyageurs que nous avions traqués [3].
Nous avons écouté, retenant notre haleine

— 1 Bruyère sèche des terrains maigres. — │ *sapins*. — 3 *Encerclés*. Dans l'*Esprit Pur* il
2 Les Landes sont plantées de *pins* et non de │ s'agira au contraire d'une chasse à courre.

10 Et le pas suspendu. — Ni le bois ni la plaine
Ne poussait un soupir dans les airs ; seulement
La girouette en deuil criait au firmament ;
Car le vent, élevé bien au-dessus des terres,
N'effleurait de ses pieds que les tours solitaires [4],
Et les chênes d'en bas, contre les rocs penchés,
Sur leurs coudes semblaient endormis et couchés.
Rien ne bruissait donc, lorsque, baissant la tête,
Le plus vieux des chasseurs qui s'étaient mis en quête
A regardé le sable en s'y couchant ; bientôt,
20 Lui que jamais ici l'on ne vit en défaut,
A déclaré tout bas que ces marques récentes
Annonçaient la démarche et les griffes puissantes
De deux grands loups-cerviers [5] et de deux louveteaux.
Nous avons tous alors préparé nos couteaux,
Et, cachant nos fusils et leurs lueurs trop blanches,
Nous allions pas à pas en écartant les branches.
Trois s'arrêtent, et moi, cherchant ce qu'ils voyaient,
J'aperçois tout à coup deux yeux qui flamboyaient,
Et je vois au delà quatre [6] formes légères
30 Qui dansaient sous la lune au milieu des bruyères,
Comme font chaque jour, à grand bruit sous nos yeux,
Quand le maître revient, les lévriers joyeux.
Leur forme était semblable et semblable la danse ;
Mais les enfants du Loup se jouaient [7] en silence,
Sachant bien qu'à deux pas, ne dormant qu'à demi,
Se couche dans ses murs l'homme, leur ennemi.
Le père était debout, et plus loin, contre un arbre,
Sa louve reposait, comme celle de marbre
Qu'adoraient les Romains, et dont les flancs velus
40 Couvaient les demi-dieux Rémus et Romulus [8].
Le Loup vient et s'assied, les deux jambes dressées,
Par leurs ongles crochus dans le sable enfoncées.
Il s'est jugé perdu, puisqu'il était surpris,
Sa retraite coupée et tous ses chemins pris.
Alors il a saisi, dans sa gueule brûlante,
Du chien le plus hardi la gorge pantelante,
Et n'a pas desserré ses mâchoires de fer,
Malgré nos coups de feu, qui traversaient sa chair,
Et nos couteaux aigus qui, comme des tenailles,
50 Se croisaient en plongeant dans ses larges entrailles,
Jusqu'au dernier moment où le chien étranglé,

— 4 Vigny dit que son manoir du Maine-Giraud est posé sur une colline « comme sur un piédestal formé d'un seul roc » et « isolé au milieu des bois et des rochers ». — 5 C'est un félin appelé aussi *lynx* ; mais dans certaines campagnes on donnait ce nom à un loup assez vigoureux pour s'attaquer aux cerfs. — 6 Les deux *louveteaux* et leurs *ombres*, au clair de lune. — 7 Jouaient (tour classique). — 8 Allusion à la statue de *bronze* de la *Louve romaine*, allaitant deux enfants.

Mort longtemps avant lui, sous ses pieds a roulé.
Le Loup le quitte alors et puis il nous regarde.
Les couteaux lui restaient au flanc jusqu'à la garde,
Le clouaient au gazon tout baigné dans son sang ;
Nos fusils l'entouraient en sinistre croissant.
Il nous regarde encore, ensuite il se recouche,
Tout en léchant le sang répandu sur sa bouche,
Et, sans daigner savoir comment il a péri,
60 Refermant ses grands yeux, meurt sans jeter un cri.

II

J'ai reposé mon front sur mon fusil sans poudre,
Me prenant à penser, et n'ai pu me résoudre
A poursuivre sa Louve et ses fils, qui, tous trois,
Avaient voulu l'attendre, et, comme je le crois,
Sans ses deux louveteaux, la belle et sombre veuve
Ne l'eût pas laissé seul subir la grande épreuve ;
Mais son devoir était de les sauver, afin
De pouvoir leur apprendre à bien souffrir la faim [9],
A ne jamais entrer dans le pacte des villes [10]
70 Que l'homme a fait avec les animaux serviles [11]
Qui chassent devant lui, pour avoir le coucher,
Les premiers possesseurs du bois et du rocher.

III

Hélas ! ai-je pensé, malgré ce grand nom d'Hommes,
Que j'ai honte de nous, débiles que nous sommes !
Comment on doit quitter la vie et tous ses maux,
C'est vous qui le savez, sublimes animaux [12].
A voir ce que l'on fut sur terre et ce qu'on laisse,
Seul le silence est grand ; tout le reste est faiblesse.
— Ah ! je t'ai bien compris, sauvage voyageur,
80 Et ton dernier regard m'est allé jusqu'au cœur.
Il disait : « Si tu peux, fais que ton âme arrive,
A force de rester studieuse [13] et pensive,
Jusqu'à ce haut degré de stoïque fierté [14]
Où, naissant dans les bois, j'ai tout d'abord [15] monté.
Gémir, pleurer, prier, est également lâche.
Fais énergiquement ta longue et lourde tâche
Dans la voie où le sort a voulu t'appeler,
Puis, après, comme moi, souffre et meurs sans parler. »

— 9 Qui veut *rester libre* doit *savoir souffrir.* — 10 Au contraire, dans *La Sauvage* (1842), les Indiens qui reculent devant la colonisation sont comparés à « des loups perdus qui se mordent entre eux... Sauvages animaux sans but, sans loi, sans âme » ; ils haïssent « l'ordre et les lois civiles. Vigny oscille entre l'élan fraternel vers les hommes et l'aspiration « sauvage » à la liberté. — 11 Les chiens. — 12 Il s'agit de ceux qui conservent leur dignité, comme les loups. — 13 Appliquée. — 14 Cf. la maxime : *Supporte et abstiens-toi.* — 15 Du premier coup.

LA MAISON DU BERGER

Après *La Mort du Loup*, poème de désespoir, Vigny s'oriente vers des vues moins pessimistes. De 1840 à 1844 il compose *La Maison du Berger* et, malgré la diversité des thèmes, il est possible de suivre l'enchaînement très souple de cette *pensée vivante*.

Dans la Première Partie, le poète invite Éva à quitter le joug des contraintes sociales pour goûter avec lui les charmes de la *nature* dans la Maison du Berger. A cette vie calme et libre il oppose la fièvre de la civilisation matérielle, symbolisée par les chemins de fer.

La retraite du poète sera favorable à la poésie, mais elle n'est pas la sécession égoïste dans « une tour d'ivoire ». Dans la Deuxième Partie, Vigny explique que la poésie a perdu de sa dignité parce qu'elle a été avilie par les poètes galants ou érotiques, et elle a été subordonnée à la politique. Or le poète a une autre mission, c'est d'élaborer les idées qui guideront les hommes vers le *progrès* et le *bonheur*.

Dans la Troisième Partie, Vigny poursuit par un hymne à la Femme, compagne délicate, à la fois faible et intuitive, mais surtout capable de *pitié*. Il l'invite à se retirer auprès de lui pour l'aider à entendre l'appel des victimes de l'injustice, pour ne pas le laisser seul avec la Nature trop cruelle, et pour partager avec lui son amour de l'humanité.

Éva, j'aimerai tout dans les choses créées,
Je les contemplerai dans ton regard rêveur
Qui partout répandra ses flammes colorées,
Son repos gracieux, sa magique saveur :
Sur mon cœur déchiré viens poser ta main pure,
Ne me laisse jamais seul avec la Nature,
Car je la connais trop pour n'en pas avoir peur.

Elle me dit : « Je suis l'impassible théâtre
Que ne peut remuer le pied de ses acteurs ;
10 Mes marches d'émeraude et mes parvis d'albâtre,
Mes colonnes de marbre ont les dieux pour sculpteurs.
Je n'entends ni vos cris ni vos soupirs ; à peine
Je sens passer sur moi la comédie humaine
Qui cherche en vain au ciel ses muets spectateurs.

Je roule avec dédain, sans voir et sans entendre,
A côté des fourmis les populations ;
Je ne distingue pas leur terrier de leur cendre,
J'ignore en les portant les noms des nations.
On me dit une mère, et je suis une tombe,
20 Mon hiver prend vos morts comme son hécatombe,
Mon printemps ne sent pas vos adorations.

Avant vous, j'étais belle et toujours parfumée,
J'abandonnais au vent mes cheveux tout entiers :
Je suivais dans les cieux ma route accoutumée,
Sur l'axe harmonieux des divins balanciers.
Après vous, traversant l'espace où tout s'élance,
J'irai seule et sereine, en un chaste silence
Je fendrai l'air du front et de mes seins altiers. »

C'est là ce que me dit sa voix triste et superbe [1],
30 Et dans mon cœur alors je la hais, et je vois
Notre sang dans son onde et nos morts sous son herbe
Nourrissant de leurs sucs la racine des bois.
Et je dis à mes yeux qui lui trouvaient des charmes :
« Ailleurs tous vos regards, ailleurs toutes vos larmes,
Aimez ce que jamais on ne verra deux fois [2]. »

Oh ! qui verra deux fois ta grâce et ta tendresse,
Ange doux et plaintif qui parle en soupirant ?
Qui naîtra comme toi portant une caresse
Dans chaque éclair tombé de ton regard mourant,
40 Dans les balancements de ta tête penchée,
Dans ta taille dolente et mollement couchée,
Et dans ton pur sourire amoureux et souffrant ?

Vivez, froide Nature, et revivez sans cesse
Sous nos pieds, sur nos fronts, puisque c'est votre loi ;
Vivez et dédaignez, si vous êtes déesse,
L'homme, humble passager, qui dut [3] vous· être un roi ;
Plus que tout votre règne et que ses splendeurs vaines,
J'aime la majesté des souffrances humaines [4] ;
Vous ne recevrez pas un cri d'amour de moi.

50 Mais toi, ne veux-tu pas, voyageuse indolente,
Rêver sur mon épaule, en y posant ton front ?
Viens du paisible seuil de la maison roulante
Voir ceux qui sont passés et ceux qui passeront.
Tous les tableaux humains [5] qu'un Esprit pur m'apporte
S'animeront pour toi quand devant notre porte
Les grands pays muets longuement s'étendront.

Nous marcherons ainsi, ne laissant que notre ombre
Sur cette terre ingrate où les morts ont passé ;
Nous nous parlerons d'eux à l'heure où tout est sombre,
60 Où tu te plais à suivre un chemin effacé,
A rêver, appuyée aux branches incertaines,
Pleurant comme Diane au bord de ses fontaines [6],
Ton amour taciturne et toujours menacé [7].

— 1 Grave et orgueilleuse. — 2 Cf. « J'aime l'humanité. J'ai pitié d'elle. La nature est pour moi une décoration dont la durée est insolente et sur laquelle est jetée cette passagère et sublime marionnette appelée l'homme » (*Journal*, 1835). — 3 *Aurait dû* (tour classique). — 4 « *Ce vers est le sens de tous mes poèmes philosophiques :* l'esprit d'humanité ; l'amour entier de l'humanité et de l'amélioration de ses destinées » (*Journal*, 1844). — 5 Vigny désigne ainsi ses poèmes, cf. *L'Esprit Pur*, v. 63. — 6 Peut-être souvenir de Shakespeare, évoquant (dans *Comme il vous plaira*) la *Diane*, toujours en pleurs, de la pastorale de Montemayor. Mais Vigny applique ce trait à Diane, déesse chasseresse, qui hante les bois. — 7 Ce vers, qui rappelle le thème de la *I*re *Partie*, reprend aussi le thème essentiel de la *III*e *Partie*.

VICTOR HUGO

Sa vie, son œuvre.   VICTOR HUGO est né à Besançon en 1802 d'une mère nantaise et d'un père lorrain, alors commandant, qui deviendra général et comte d'Empire. Il garde un souvenir enchanteur de son enfance à Paris, avant de souffrir de la mésentente qui sépare ses parents. Alors qu'il est élève du lycée Louis-le-Grand (1815-1818), ses succès scolaires et ses dons littéraires nourrissent une ambition immense : « Je veux être Chateaubriand ou rien », écrit-il en 1816.

Ses débuts dans les lettres se placent sous le signe du catholicisme et du royalisme. A la même époque, il épouse ADÈLE FOUCHER (1822), dont il aura quatre enfants, Léopoldine (1824), Charles (1826), François (1828) et Adèle (1830). Son premier recueil poétique, _Les Odes_ (1822) groupe des pièces intimes et des poèmes officiels, d'inspiration catholique et légitimiste. Mais la préface de la première édition contient des vues prophétiques sur l'essence de la poésie, et celle de 1824 esquisse l'idée de la fonction sociale du poète.

Hugo amorce également une carrière de romancier avec _Han d'Islande_ (1823) et _Bug-Jargal_ (1826).

Cependant, il se tourne de plus en plus vers le Romantisme, dont il devient le chef de file avec la Préface de _Cromwell_ (1827), un drame en vers injouable, et surtout avec la représentation à la Comédie-Française du drame d'_Hernani_ (25 février 1830) qui est l'occasion d'un affrontement entre partisans des classiques et jeunes romantiques.

La carrière littéraire de Hugo se résume alors en une longue suite de succès :
Romans : _Notre-Dame de Paris_ (1831).
Poésies lyriques : _Les Feuilles d'automne_ (1831), _Les Chants du Crépuscule_ (1835), _Les Voix Intérieures_ (1837), _Les Rayons et les Ombres_ (1840).
Drames : _Ruy-Blas_ (1838).

Mais l'année 1843 marque un tournant dans la vie du poète, douloureusement frappé par l'échec d'un drame, _Les Burgraves_, et surtout par la mort de sa fille Léopoldine, qui se noie dans la Seine, à Villequier, le 4 septembre, avec son mari, Charles Vacquerie.

Détourné en partie de l'activité littéraire par sa douleur, le poète cherche un dérivatif dans _l'action politique_. Pair de France, puis député de Paris, Hugo se montre d'abord partisan du prince Louis Napoléon. Mais il se rapproche de la gauche et doit s'exiler après le coup d'État du 2 décembre. A Bruxelles en 1851-52, à Jersey de 1852 à 1855, et enfin à Guernesey de 1855 à 1870, Hugo publie _Les Châtiments_ (1853), satire éloquente où il clame son mépris pour Napoléon III et son amour de la liberté, il achève _Les Contemplations_ son chef-d'œuvre lyrique, publié en 1856, il ébauche une épopée philosophique sous forme de visions apocalyptiques _(La fin de Satan et Dieu)_, et il met au point son épopée de l'humanité, _La Légende des Siècles_ (1859). Son activité créatrice se déploie également dans le roman : _Les Misérables_ (1862), _Les Travailleurs de la mer_ (1866), _L'homme qui rit_ (1869).

De retour à Paris dès la proclamation de la République en septembre 1870, Hugo, sénateur inamovible en 1876, jouit d'une immense popularité et garde jusqu'à sa mort, le 22 mai 1885, une intense activité créatrice (poèmes : _L'art d'être grand-père_, 1877 ; romans : _Quatre-vingt-treize_, 1874).

Un génie lyrique
et épique   L'œuvre de VICTOR HUGO est puissante, riche et variée. Mais, jusque dans ses ouvrages en prose, Hugo est d'abord poète, et sa poésie est essentiellement _lyrique_ et _épique_.
Le lyrisme, qui va des émotions les plus discrètes jusqu'aux rêves cosmiques, permet au poète d'aborder tous les grands thèmes, qu'il renouvelle par son abondance verbale et par la vigueur de sa sensibilité. Quant à l'inspiration épique, elle règne en maîtresse dans _La Légende des Siècles_ et dans _Les Misérables_, servie par une prodigieuse imagination.

Malgré certaines outrances, l'œuvre de Victor Hugo a résisté au temps grâce à l'alliance du génie et d'un art parfaitement maîtrisé. Après avoir fait triompher les hardiesses romantiques, le poète a su utiliser les libertés prosodiques dans le cadre d'une poétique nouvelle fondée sur la magie évocatrice des rythmes et des mots.

LES RAYONS ET LES OMBRES

FONCTION DU POÈTE

Le recueil intitulé *Les Rayons et les Ombres* associe une réflexion sur la mission du poète et une inspiration largement humaine sur les mystères de la vie. Dans la Préface des *Voix Intérieures*, HUGO avait déjà parlé de la « fonction sérieuse » du poète, de sa mission *civilisatrice*. L'idée s'affirme et se précise ici : sans descendre dans l'arène politique, *le poète doit guider les peuples ;* il est *l'annonciateur de l'avenir*, inspiré par l'éternelle vérité, et ne saurait sans trahir sa mission se limiter à la poésie pure. Cette conviction caractérise la tendance dominante du romantisme après 1830, mais elle est aussi tout à fait personnelle à Hugo chez qui elle ira s'amplifiant ; dès cette date, quelques formules frappantes (v. 21, 32) révèlent sa conception du poète *mage*, du poète *voyant (Les Rayons et les Ombres*, I ; 25 mars-1er avril 1839).

Dieu le veut, dans les temps contraires,
Chacun travaille et chacun sert [1].
Malheur à qui dit à ses frères :
Je retourne dans le désert !
Malheur à qui prend ses sandales
Quand les haines et les scandales
Tourmentent le peuple agité !
Honte au penseur qui se mutile
Et s'en va, chanteur inutile,
10 Par la porte de la cité !

Le poète en des jours impies
Vient préparer des jours meilleurs.
Il est l'homme des utopies,
Les pieds ici, les yeux ailleurs.
C'est lui qui sur toutes les têtes,
En tout temps, pareil aux prophètes,
Dans sa main, où tout peut tenir,
Doit, qu'on l'insulte ou qu'on le loue,
Comme une torche qu'il secoue,
20 Faire flamboyer l'avenir !

Il voit, quand les peuples végètent !
Ses rêves, toujours pleins d'amour,
Sont faits des ombres que lui jettent
Les choses qui seront un jour.
On le raille. Qu'importe ! il pense.
Plus d'une âme inscrit en silence
Ce que la foule n'entend pas.
Il plaint ses contempteurs frivoles ;
Et maint faux sage à ses paroles
Rit tout haut et songe tout bas !...   30

Peuples ! écoutez le poète !
Écoutez le rêveur sacré !
Dans votre nuit, sans lui complète,
Lui seul a le front éclairé.
Des temps futurs perçant les ombres,
Lui seul distingue en leurs flancs
Le germe qui n'est pas éclos. [sombres
Homme, il est doux comme une femme.
Dieu parle à voix basse à son âme
Comme aux forêts et comme aux flots.   40

— 1 Le poète répond à un interlocuteur qui lui conseille d'abandonner l'action politique : « Va dans les bois ! va sur les plages !... Dans les champs tout vibre et soupire. La nature est la grande lyre, Le poète est l'archet divin ! »

C'est lui qui, malgré les épines,
L'envie et la dérision,
Marche, courbé dans vos ruines,
Ramassant la tradition.
De la tradition féconde
Sort tout ce qui couvre le monde,
Tout ce que le ciel peut bénir.
Toute idée, humaine ou divine,
Qui prend le passé pour racine
50 A pour feuillage l'avenir.

Il rayonne ! il jette sa flamme
Sur l'éternelle vérité !
Il la fait resplendir pour l'âme
D'une merveilleuse clarté.
Il inonde de sa lumière
Ville et désert, Louvre et chaumière,
Et les plaines et les hauteurs ;
A tous d'en haut il la dévoile ;
Car la poésie est l'étoile
Qui mène à Dieu rois et pasteurs [2].   60

TRISTESSE D'OLYMPIO

En 1833, HUGO s'éprend de Juliette DROUET, liaison passionnée d'abord, puis sereine et inaltérable. Lorsqu'en octobre 1837, le poète revient dans la vallée de la Bièvre, où il rejoignait Juliette durant l'automne de 1834 et 1835, une poignante *mélancolie* l'étreint devant le *fuite inexorable du temps*. Mais si la nature oublie, *l'homme se souvient*, et Hugo parvient à surmonter sa tristesse. — C'est dans *Les Voix Intérieures* (1837) qu'était apparu pour la première fois le personnage d'OLYMPIO ce frère intérieur du poète.

Les champs n'étaient point noirs, les cieux n'étaient pas mornes.
Non, le jour rayonnait dans un azur sans bornes
            Sur la terre étendu,
L'air était plein d'encens et les prés de verdures
Quand il revit ces lieux où par tant de blessures
            Son cœur s'est répandu !

L'automne souriait ; les coteaux vers la plaine
Penchaient leurs bois charmants qui jaunissaient à peine ;
            Le ciel était doré ;
10 Et les oiseaux, tournés vers celui que tout nomme,
Disant peut-être à Dieu quelque chose de l'homme,
            Chantaient leur chant sacré !

Il voulut tout revoir, l'étang près de la source,
La masure où l'aumône avait vidé leur bourse,
            Le vieux frêne plié,
Les retraites d'amour au fond des bois perdues,
L'arbre où dans les baisers leurs âmes confondues
            Avaient tout oublié !

———

— 2 Rappel de l'étoile qui guida bergers et rois mages vers l'étable de Bethléem ; cf. d'autre part Vigny disant du poète : « Il lit dans es astres la route que nous montre le doigt du Seigneur. »(*Chatterton*, III, 6 ; ci-dessous, p. 527).

Il chercha le jardin, la maison isolée,
20 La grille d'où l'œil plonge en une oblique allée,
    Les vergers en talus.
Pâle, il marchait. — Au bruit de son pas grave et sombre,
Il voyait à chaque arbre, hélas ! se dresser l'ombre
    Des jours qui ne sont plus [1] !

Il entendait frémir dans la forêt qu'il aime
Ce doux vent qui, faisant tout vibrer en nous-même,
    Y réveille l'amour,
Et, remuant le chêne ou balançant la rose,
Semble l'âme de tout qui va sur chaque chose
30   Se poser [2] tour à tour !

Les feuilles qui gisaient dans le bois solitaire,
S'efforçant sous ses pas de s'élever de terre,
    Couraient dans le jardin ;
Ainsi, parfois, quand l'âme est triste, nos pensées
S'envolent un moment sur leurs ailes blessées,
    Puis retombent soudain.

Il contempla longtemps les formes magnifiques
Que la nature prend dans les champs pacifiques ;
    Il rêva jusqu'au soir ;
40 Tout le jour il erra le long de la ravine,
Admirant tour à tour le ciel, face divine,
    Le lac, divin miroir !

Hélas ! se rappelant ses douces aventures,
Regardant, sans entrer, par-dessus les clôtures,
    Ainsi qu'un paria,
Il erra tout le jour. Vers l'heure où la nuit tombe,
Il se sentit le cœur triste comme une tombe ;
    Alors il s'écria :

« O douleur ! j'ai voulu, moi dont l'âme est troublée,
50 Savoir si l'urne encor conservait la liqueur,
Et voir ce qu'avait fait cette heureuse vallée
De tout ce que j'avais laissé là de mon cœur !

« Que peu de temps suffit pour changer toutes choses !
Nature au front serein, comme vous oubliez !
Et comme vous brisez dans vos métamorphoses
Les fils mystérieux où nos cœurs sont liés !

— 1 Première rédaction : ... *Le jardin, les* | *son passage* | *L'ombre des jours passés.* —
fossés ; | *Il marchait, et voyait, dans ce vallon* | 2 D'abord, *souffle*, l'âme devient *papillon* (cf.
sauvage | *Se dresser à chaque arbre au bruit de* | v. 34-35).

« Nos chambres de feuillage en halliers sont changées !
L'arbre où fut notre chiffre est mort ou renversé ;
Nos roses dans l'enclos ont été ravagées
60 Par les petits enfants qui sautent le fossé.

« Un mur clôt la fontaine où, par l'heure échauffée,
Folâtre, elle buvait en descendant des bois ;
Elle prenait de l'eau dans sa main, douce fée,
Et laissait retomber des perles de ses doigts !

« On a pavé la route âpre et mal aplanie,
Où, dans le sable pur se dessinant si bien,
Et de sa petitesse étalant l'ironie,
Son pied charmant semblait rire à côté du mien !

« La borne du chemin, qui vit des jours sans nombre,
70 Où jadis pour m'entendre elle aimait à s'asseoir,
S'est usée en heurtant, lorsque la route est sombre,
Les grands chars gémissants qui reviennent le soir.

« La forêt ici manque et là s'est agrandie...
De tout ce qui fut nous presque rien n'est vivant :
Et, comme un tas de cendre éteinte et refroidie,
L'amas des souvenirs se disperse à tout vent !

« N'existons-nous donc plus ? Avons-nous eu notre heure ?
Rien ne la rendra-t-il à nos cris superflus [3] ?
L'air joue avec la branche au moment où je pleure ;
80 Ma maison me regarde et ne me connaît plus [4].

« D'autres vont maintenant passer où nous passâmes.
Nous y sommes venus, d'autres vont y venir ;
Et le songe qu'avaient ébauché nos deux âmes,
Ils le continueront sans pouvoir le finir !

« Car personne ici-bas ne termine et n'achève ;
Les pires des humains sont comme les meilleurs ;
Nous nous réveillons tous au même endroit du rêve.
Tout commence en ce monde et tout finit ailleurs. [...]

« Dieu nous prête un moment les prés et les fontaines,
90 Les grands bois frissonnants, les rocs profonds et sourds,
Et les cieux azurés et les lacs et les plaines,
Pour y mettre nos cœurs, nos rêves, nos amours ;

— 3 Cf. *Le Lac*, v. 41-44. — 4 Olympio s'afflige
à la pensée que d'autres amants viendront abriter
leur bonheur dans ces lieux qui lui semblaient
consacrés à jamais à *son* amour. Puis il lance
une apostrophe pathétique : quand il sera mort
ainsi que sa bien-aimée, la nature pourra-t-elle
continuer sa fête paisible, toujours sourire et
chanter toujours ?

« Puis il nous les retire. Il souffle notre flamme.
Il plonge dans la nuit l'antre où nous rayonnons ;
Et dit à la vallée, où s'imprima notre âme,
D'effacer notre trace et d'oublier nos noms.

« Eh bien ! oubliez-nous, maison, jardin, ombrages ;
Herbe, use notre seuil ! ronce, cache nos pas !
Chantez, oiseaux ! ruisseaux, coulez ! croissez, feuillages !
100 Ceux que vous oubliez ne vous oublieront pas.

« Car vous êtes pour nous l'ombre de l'amour même,
Vous êtes l'oasis qu'on rencontre en chemin !
Vous êtes, ô vallon, la retraite suprême
Où nous avons pleuré nous tenant par la main !

« Toutes les passions s'éloignent avec l'âge,
L'une emportant son masque et l'autre son couteau,
Comme un essaim chantant d'histrions en voyage
Dont le groupe décroît derrière le coteau.

« Mais toi, rien ne t'efface, amour ! toi qui nous charmes !
110 Toi qui, torche ou flambeau, luis dans notre brouillard !
Tu nous tiens par la joie, et surtout par les larmes ;
Jeune homme on te maudit, on t'adore vieillard.

« Dans ces jours où la tête au poids des ans s'incline,
Où l'homme, sans projets, sans but, sans visions,
Sent qu'il n'est déjà plus qu'une tombe en ruine
Où gisent ses vertus et ses illusions ;

« Quand notre âme en rêvant descend dans nos entrailles,
Comptant dans notre cœur, qu'enfin la glace atteint,
Comme on compte les morts sur un champ de batailles,
120 Chaque douleur tombée et chaque songe éteint,

« Comme quelqu'un qui cherche en tenant une lampe,
Loin des objets réels, loin du monde rieur,
Elle arrive à pas lents par une obscure rampe
Jusqu'au fond désolé du gouffre intérieur [5] ;

« Et là, dans cette nuit qu'aucun rayon n'étoile,
L'âme, en un repli sombre où tout semble finir,
Sent quelque chose encor palpiter sous un voile... —
C'est toi qui dors dans l'ombre, ô sacré souvenir ! »

21 octobre 1837.

— 5 Cf. «... Une pente insensible | Va du monde
réel à la sphère invisible ; | La spirale est pro-
fonde... » (*Feuilles d'Automne*, XXIX, 5-7) ; et
« Spirale aux bords douteux, aux profondeurs
énormes » (*Voix Intérieures*, XXVII, 6).

LES CHATIMENTS

La fureur vengeresse de Victor Hugo contre Napoléon III s'exprime dans des poèmes satiriques qui s'élèvent fréquemment jusqu'au lyrisme ou à l'épopée, en particulier par le recours à la Bible, qui transfigure le combat mené par le poète.

SONNEZ, SONNEZ TOUJOURS...

Dans ce poème HUGO utilise, ou plutôt *revit en imagination* un épisode célèbre de la Bible *(Josué,* VI*)*, la prise de JÉRICHO par les Hébreux, les murailles de la ville écroulées miraculeusement au son des trompettes de Josué. Il resserre l'action, ne retenant de la Bible que les sept tours du septième jour ; il l'introduit et la conclut par deux vers lapidaires, et invente l'attitude railleuse du roi et des habitants. Mais l'histoire du peuple hébreu est constamment *symbolique :* chaque événement illustre une *vérité éternelle.* A l'évocation de cette scène l'âme de Victor Hugo s'exalte car il y trouve une confirmation grandiose de *sa mission*, de la *fonction du poète* et de *l'efficacité de la pensée* (VII, 1).

Sonnez, sonnez toujours, clairons de la pensée.

Quand Josué rêveur, la tête aux cieux dressée,
Suivi des siens, marchait, et, prophète irrité,
Sonnait de la trompette autour de la cité,
Au premier tour qu'il fit le roi se mit à rire ;
Au second tour, riant toujours, il lui fit dire :
— Crois-tu donc renverser ma ville avec du vent ?
A la troisième fois l'arche ¹ allait en avant,
Puis les trompettes, puis toute l'armée en marche,
10 Et les petits enfants venaient cracher sur l'arche,
Et, soufflant dans leur trompe, imitaient le clairon ;
Au quatrième tour, bravant les fils d'Aaron ²,
Entre les vieux créneaux tout brunis par la rouille,
Les femmes s'asseyaient en filant leur quenouille,
Et se moquaient, jetant des pierres aux Hébreux ;
A la cinquième fois, sur ces murs ténébreux,
Aveugles et boiteux vinrent, et leurs huées
Raillaient le noir clairon sonnant sous les nuées ;
A la sixième fois, sur sa tour de granit
20 Si haute qu'au sommet l'aigle faisait son nid,
Si dure que l'éclair l'eût en vain foudroyée,
Le roi revint, riant à gorge déployée,
Et cria : — Ces Hébreux sont bons musiciens ! —
Autour du roi joyeux riaient tous les anciens
Qui le soir sont assis au temple et délibèrent.

A la septième fois, les murailles tombèrent.

— 1 L'arche d'alliance est le coffret sacré qui renferme les Tables de la Loi. — 2 Les Hébreux.

LES CONTEMPLATIONS

« Qu'est-ce que *les Contemplations ?* C'est ce qu'on pourrait appeler... les Mémoires d'une âme » (Préface). Le livre retrace en effet l'itinéraire moral et spirituel du poète pendant un quart de siècle, de 1830 environ à 1855, avec une coupure tragique, le 4 septembre 1843, date de la mort de Léopoldine : « C'est une âme qui se raconte dans ces deux volumes. *Autrefois, Aujourd'hui.* Un abîme les sépare, le tombeau ».

Chacun des deux volumes *(Autrefois, Aujourd'hui)* est divisé en trois livres : *Aurore, L'Ame en fleur, Les Luttes et les Rêves ;* puis *Pauca meae, En marche,* et *Au bord de l'infini.*

Dans cette œuvre, Hugo passe du lyrisme le plus intime à l'inspiration humanitaire et à la poésie philosophique. Croyant au caractère surnaturel de son verbe, le poète devient un Mage inspiré, et la contemplation se termine en apocalypse.

A VILLEQUIER

A Villequier constitue le sommet de *Pauca meae* [1] et du drame humain des *Contemplations.* La plus grande partie du poème a été composée dès 1844, mais Hugo a ajouté quelques strophes en 1846 et daté l'ensemble du 4ᵉ anniversaire de la mort de Léopoldine sans doute pour marquer que le temps ne changerait plus rien à sa résignation désolée. Mûri par la douleur, le poète dépasse les querelles d'écoles littéraires ; il approfondit sa communion avec l'humanité souffrante et retrouve, au fond de son cœur, les accents pathétiques qui, depuis le Livre de *Job,* dans la Bible, ont chanté le malheur incompréhensible de l'homme et la soumission à la volonté de Dieu (IV, 15).

> Maintenant que Paris, ses pavés et ses marbres,
> Et sa brume et ses toits sont bien loin de mes yeux ;
> Maintenant que je suis sous les branches des arbres,
> Et que je puis songer à la beauté des cieux ;
>
> Maintenant que du deuil qui m'a fait l'âme obscure
> Je sors, pâle et vainqueur,
> Et que je sens la paix de la grande nature
> Qui m'entre dans le cœur ;
>
> Maintenant que je puis, assis au bord des ondes [2],
> 10 Ému par ce superbe et tranquille horizon,
> Examiner en moi les vérités profondes
> Et regarder les fleurs qui sont dans le gazon ;
>
> Maintenant, ô mon Dieu, que j'ai ce calme sombre
> De pouvoir désormais
> Voir de mes yeux la pierre où je sais que dans l'ombre
> Elle dort pour jamais ;
>
> Maintenant qu'attendri par ces divins spectacles,
> Plaines, forêts, rochers, vallons, fleuve argenté,
> Voyant ma petitesse et voyant vos miracles,
> 20 Je reprends ma raison devant l'immensité :

— 1 Titre inspiré par VIRGILE : « *Quelques* | *poèmes pour ma chérie...* ». — 2 Au bord de la Seine, à Villequier. Cf. v. 13-16 et v. 18.

Je viens à vous, Seigneur, père auquel il faut croire ;
    Je vous porte, apaisé,
Les morceaux de ce cœur tout plein de votre gloire
    Que vous avez brisé ;

Je viens à vous, Seigneur ! confessant que vous êtes
Bon, clément, indulgent et doux, ô Dieu vivant !
Je conviens que vous seul savez ce que vous faites,
Et que l'homme n'est rien qu'un jonc qui tremble au vent [3] ;

Je dis que le tombeau qui sur les morts se ferme
30   Ouvre le firmament ;
Et que ce qu'ici-bas nous prenons pour le terme
    Est le commencement ;

Je conviens à genoux que vous seul, père auguste,
Possédez l'infini, le réel, l'absolu ;
Je conviens qu'il est bon, je conviens qu'il est juste
Que mon cœur ait saigné, puisque Dieu l'a voulu !

Je ne résiste plus à tout ce qui m'arrive
    Par votre volonté.
L'âme de deuils en deuils, l'homme de rive en rive,
40   Roule à l'éternité.

Nous ne voyons jamais qu'un seul côté des choses [4] ;
L'autre plonge en la nuit d'un mystère effrayant.
L'homme subit le joug sans connaître les causes,
Tout ce qu'il voit est court, inutile et fuyant.

Vous faites revenir toujours la solitude
    Autour de tous ses pas.
Vous n'avez pas voulu qu'il eût la certitude
    Ni la joie ici-bas !

Dès qu'il possède un bien, le sort le lui retire.
50 Rien ne lui fut donné, dans ses rapides jours
Pour qu'il s'en puisse faire une demeure, et dire :
C'est ici ma maison, mon champ et mes amours !

Il doit voir peu de temps tout ce que ses yeux voient.
    Il vieillit sans soutiens.
Puisque ces choses sont, c'est qu'il faut qu'elles soient ;
    J'en conviens, j'en conviens [5] !...

— 3 Cf. Pascal : « L'homme n'est qu'un roseau, le plus faible de la nature... ». — 4 Vers 41-56 ajoutés par le poète en 1846. Hugo ne dit plus *je*, mais *nous* ou *l'homme*. — 5 Dans les strophes 15-20, Hugo orchestre le même thème ; il se soumet à *l'ordre du monde* en dépit des maux incompréhensibles qu'il comporte : « Il faut que l'herbe pousse et que les enfants meurent. Je le sais, ô mon Dieu ! »

Nos destins ténébreux vont sous des lois immenses
Que rien ne déconcerte et que rien n'attendrit.
Vous ne pouvez avoir de subites clémences
60 Qui dérangent le monde, ô Dieu, tranquille esprit !

Je vous supplie, ô Dieu, de regarder mon âme,
    Et de considérer
Qu'humble comme un enfant et doux comme une femme,
    Je viens vous adorer [6] !...

Aujourd'hui, moi qui fut faible comme une mère,
Je me courbe à vos pieds devant vos cieux ouverts.
Je me sens éclairé dans ma douleur amère
Par un meilleur regard jeté sur l'univers.

Seigneur, je reconnais que l'homme est en délire
70   S'il ose murmurer ;
Je cesse d'accuser, je cesse de maudire,
    Mais laissez-moi pleurer !

Hélas ! laissez les pleurs couler de ma paupière,
Puisque vous avez fait les hommes pour cela !
Laissez-moi me pencher sur cette froide pierre
Et dire à mon enfant : Sens-tu que je suis là ?

Laissez-moi lui parler, incliné sur ses restes,
    Le soir, quand tout se tait,
Comme si, dans sa nuit rouvrant ses yeux célestes,
80   Cet ange m'écoutait !

Hélas ! vers le passé tournant un œil d'envie,
Sans que rien ici-bas puisse m'en consoler,
Je regarde toujours ce moment de ma vie
Où je l'ai vue ouvrir son aile et s'envoler.

Je verrai cet instant jusqu'à ce que je meure,
    L'instant, pleurs superflus !
Où je criai : L'enfant que j'avais tout à l'heure,
    Quoi donc ! je ne l'ai plus !

Ne vous irritez pas que je sois de la sorte,
90 O mon Dieu ! cette plaie a si longtemps saigné !
L'angoisse dans mon âme est toujours la plus forte,
Et mon cœur est soumis, mais n'est pas résigné.

— 6 Hugo avait-il donc mérité d'être ainsi frappé ? Il avoue *qu'il a pu blasphémer :* dans le malheur, comment se pourrait-il que l'homme « Ait présente à l'esprit la sérénité sombre Des constellations » ? (strophes 23-28).

Ne vous irritez pas ! fronts que le deuil réclame,
    Mortels sujets aux pleurs.
Il nous est malaisé de retirer notre âme
    De ces grandes douleurs.

Voyez-vous, nos enfants nous sont bien nécessaires,
Seigneur ; quand on a vu dans sa vie, un matin,
Au milieu des ennuis, des peines, des misères,
100 Et de l'ombre que fait sur nous notre destin,

Apparaître un enfant, tête chère et sacrée,
    Petit être joyeux,
Si beau, qu'on a cru voir s'ouvrir à son entrée
    Une porte des cieux ;

Quand on a vu, seize ans, de cet autre soi-même
Croître la grâce aimable et la douce raison,
Lorsqu'on a reconnu que cet enfant qu'on aime
Fait le jour dans notre âme et dans notre maison,

Que c'est la seule joie ici-bas qui persiste
110   De tout ce qu'on rêva,
Considérez que c'est une chose bien triste
    De le voir qui s'en va !

                Villequier, 4 septembre 1847.

DEMAIN, DÈS L'AUBE...

    Aux accents amples et pathétiques, mais trop éloquents parfois de *A Villequier*, on peut préférer l'intimité bouleversante de cette courte pièce et la parfaite sobriété de son art. Quatre ans ont passé depuis la disparition de Léopoldine sans atténuer la douleur de Victor Hugo ; mais il lui semble maintenant sentir comme une *présence* de son enfant chérie : il lui parle à mi-voix, tendrement, comme si elle était encore vivante. Elle l'appelle, elle l'attend, et il sera fidèle au rendez-vous sur sa tombe, dans le petit cimetière qui domine la Seine. Avec cet humble bouquet, il lui offrira symboliquement toute la beauté du paysage, toute cette splendeur du monde à laquelle il ne veut plus être sensible. Le poème a été composé le 4 octobre 1847, mais la date du 3 septembre, veille du douloureux anniversaire, contribue davantage encore à ce culte du souvenir (IV, 14).

Demain, dès l'aube, à l'heure où blanchit la campagne,
Je partirai. Vois-tu, je sais que tu m'attends.
J'irai par la forêt, j'irai par la montagne.
Je ne puis demeurer loin de toi plus longtemps [1].

Je marcherai les yeux fixés sur mes pensées,
Sans rien voir au dehors, sans entendre aucun bruit,
Seul, inconnu, le dos courbé, les mains croisées,
Triste, et le jour pour moi sera comme la nuit.

---

1 Une des douleurs de l'exil sera, pour le poète, de ne pouvoir accomplir ce pèlerinage annuel.

Je ne regarderai ni l'or du soir qui tombe,
10   Ni les voiles au loin descendant vers Harfleur [2],
Et quand j'arriverai, je mettrai sur ta tombe
Un bouquet de houx vert et de bruyère en fleur.

PAROLES SUR LA DUNE

Triste jour pour l'exilé que l'anniversaire de son arrivée à Jersey : voilà l'une des raisons de cette heure d'abattement, dans un été qui lui a inspiré pourtant des pièces beaucoup plus optimistes. Le poète est en proie à la lassitude et au doute : quel est le sens de la vie, et le sens de la mort ? que signifie pour l'homme le spectacle inquiétant ou serein de la nature indifférente ? Dans le Ve Livre, *En Marche*, ce poème constitue comme un temps d'arrêt, une halte morne et découragée. Le voyant reprendra sa *marche vers l'Infini* ; de nouveau la mort lui apparaîtra comme une seconde naissance, comme une *aube* : « Ne dites pas : mourir ; dites : naître. Croyez. » (VI, 22, *Ce que c'est que la Mort*) ; de nouveau il pénètrera le mystère des choses. Mais ces accents d'*angoisse* et de *désarroi* éveillent en notre âme un écho profond, et jamais l'art du poète n'a été plus *riche de suggestion* (V, 13 ; 5 août 1854).

Maintenant que mon temps décroît comme un flambeau,
Que mes tâches sont terminées ;
Maintenant que voici que je touche au tombeau
Par le deuil et par les années,

Et qu'au fond de ce ciel que mon essor rêva,
Je vois fuir, vers l'ombre entraînées,
Comme le tourbillon du passé qui s'en va,
Tant de belles heures sonnées ;

Maintenant que je dis : — Un jour, nous triomphons,
10   Le lendemain tout est mensonge ! —
Je suis triste, et je marche au bord des flots profonds,
Courbé comme celui qui songe.

Je regarde, au-dessus du mont et du vallon,
Et des mers sans fin remuées,
S'envoler sous le bec du vautour aquilon [1],
Toute la toison des nuées [2] ;

J'entends le vent dans l'air, la mer sur le récif,
L'homme liant la gerbe mûre ;
J'écoute, et je confronte en mon esprit pensif
20   Ce qui parle à ce qui murmure [3] ;

— 2 Sur la rive droite de l'estuaire, entre le Havre, d'où part probablement le poète, et Villequier.

— 1 *Vautour* prend ici la valeur d'un adjectif.

— 2 Cf. « La laine des moutons sinistres de la mer » *(pasteurs et troupeaux)*. — 3 Dans les *Feuilles d'automne*, Hugo se demandait pourquoi le Seigneur « Mêle éternellement dans un fatal hymen | Le chant de la nature au cri du genre humain ».

Et je reste parfois couché sans me lever
        Sur l'herbe rare de la dune,
Jusqu'à l'heure où l'on voit apparaître et rêver
        Les yeux sinistres de la lune.

Elle monte, elle jette un long rayon dormant
        A l'espace, au mystère, au gouffre ;
Et nous nous regardons tous les deux fixement,
        Elle qui brille et moi qui souffre.

Où donc s'en sont allés mes jours évanouis ?
30   Est-il quelqu'un qui me connaisse ?
Ai-je encor quelque chose en mes yeux éblouis,
        De la clarté de ma jeunesse ?

Tout s'est-il envolé ? Je suis seul, je suis las ;
        J'appelle sans qu'on me réponde ;
O vents ! ô flots ! ne suis-je aussi qu'un souffle, hélas !
        Hélas ! ne suis-je aussi qu'une onde ?

Ne verrai-je plus rien de tout ce que j'aimais ?
        Au dedans de moi le soir tombe.
O terre, dont la brume efface les sommets,
40   Suis-je le spectre, et toi la tombe ?

Ai-je donc vidé tout, vie, amour, joie, espoir ?
        J'attends, je demande, j'implore ;
Je penche tour à tour mes urnes pour avoir
        De chacune une goutte encore.

Comme le souvenir est voisin du remord [4] !
        Comme à pleurer tout nous ramène !
Et que je te sens froide en te touchant, ô mort,
        Noir verrou de la porte humaine !

Et je pense, écoutant gémir le vent amer,
50   Et l'onde aux plis infranchissables ;
L'été rit, et l'on voit sur le bord de la mer
        Fleurir le chardon bleu des sables.

— 4 Orthographe qui évoque le verbe *mordre*.

ÉCLAIRCIE

Durant l'été de 1855, Hugo connaît des heures sereines et lumineuses. Il écoute, extasié, la grande voix de la nature qui lui révèle alors non plus des mystères d'effroi et de ténèbres, mais l'immense appel de la vie et de l'amour. *Mugitusque boum* (26 juillet) fait retentir, sous l'invocation de Virgile, le chant géorgique de la fécondité. L'hymne à la vie est plus large encore dans *Éclaircie* (4 juillet, VI, 10) : il englobe la terre, la mer et le ciel, sous le regard de Dieu ; il nous entraîne, avec le poète, *au bord de l'Infini*.

L'océan resplendit sous sa vaste nuée.
L'onde, de son combat sans fin exténuée,
S'assoupit, et, laissant l'écueil se reposer,
Fait de toute la rive un immense baiser.
On dirait qu'en tous lieux en même temps, la vie
Dissout le mal, le deuil, l'hiver, la nuit, l'envie,
Et que le mort couché dit au vivant debout :
Aime ! et qu'une âme obscure, épanouie en tout,
Avance doucement sa bouche vers nos lèvres.
10 L'être, éteignant dans l'ombre et l'extase ses fièvres,
Ouvrant ses flancs, ses seins, ses yeux, ses cœurs épars,
Dans ses pores profonds reçoit de toutes parts
La pénétration de la sève sacrée.
La grande paix d'en haut vient comme une marée.
Le brin d'herbe palpite aux fentes du pavé ;
Et l'âme a chaud. On sent que le nid est couvé.
L'infini semble plein d'un frisson de feuillée.
On croit être à cette heure où la terre éveillée
Entend le bruit que fait l'ouverture du jour,
20 Le premier pas du vent, du travail, de l'amour,
De l'homme, et le verrou de la porte sonore,
Et le hennissement du blanc cheval aurore.
Le moineau d'un coup d'aile, ainsi qu'un fol esprit,
Vient taquiner le flot monstrueux qui sourit ;
L'air joue avec la mouche, et l'écume avec l'aigle ;
Le grave laboureur fait ses sillons et règle
La page où s'écrira le poème des blés ;
Des pêcheurs sont là-bas sous un pampre attablés ;
L'horizon semble un rêve éblouissant où nage
30 L'écaille de la mer, la plume du nuage,
Car l'océan est hydre et le nuage oiseau.
Une lueur, rayon vague, part du berceau
Qu'une femme balance au seuil d'une chaumière,
Dore les champs, les fleurs, l'onde, et devient lumière
En touchant un tombeau qui dort près du clocher.
Le jour plonge au plus noir du gouffre, et va chercher
L'ombre, et la baise au front sous l'eau sombre et hagarde.
Tout est doux, calme, heureux, apaisé ; Dieu regarde.

Marine-Terrace, juillet 1855.

LA LÉGENDE DES SIÈCLES

La tendance épique, expression du tempérament de Hugo, s'affirme dans *Les Châtiments* et triomphe dans *La Légende des Siècles*.

L'ambition du poète est immense : « Exprimer l'humanité dans une espèce d'œuvre cyclique ; la peindre successivement et simultanément sous tous ses aspects, histoire, fable, philosophie, religion, science... ; faire apparaître... cette grande figure une et multiple, lugubre et rayonnante, fatale et sacrée, l'Homme... »

Cette épopée ne sera pas, selon la tradition antique, un récit continu, mais groupera un grand nombre de pièces constituant autant d'« empreintes successives du profil humain... moulées sur le masque des siècles », autant de *Petites Épopées*, selon le titre primitif. Hugo surmonte ainsi l'un des obstacles auxquels se heurtait toute tentative d'épopée moderne.

Mais toutes ces petites épopées s'organisent en un mouvement d'ensemble, « un seul et immense mouvement d'ascension vers la lumière ». Nous assistons à « l'épanouissement du genre humain de siècle en siècle », nous voyons « l'homme montant des ténèbres à l'idéal..., l'éclosion lente et suprême de la liberté ». Un fil unit le passé, depuis la création, au présent et à l'avenir entrevu, « le grand fil mystérieux du labyrinthe humain, le Progrès ». L'épopée a donc son héros : *l'homme*, et son sujet : *l'ascension de l'humanité vers la lumière*.

BOOZ ENDORMI

Hugo a conté avec quel émerveillement il se plongea, tout enfant, dans une Bible découverte au grenier par ses deux frères et lui-même : « Nous lûmes tous les trois ainsi, tout le matin, Joseph, Ruth et Booz, le bon Samaritain, Et toujours plus charmés, le soir nous le relûmes » *(Aux Feuillantines, Contemplations)*. C'est l'histoire de Ruth et Booz qui lui inspira, bien des années plus tard, l'un des plus purs poèmes de la *Légende des Siècles*, « un poème de paix biblique, patriarcale, nocturne » disait Péguy. — *D'Ève à Jésus*, pièce VI ; 1er mai 1859.

Booz s'était couché, de fatigue accablé ;
Il avait tout le jour travaillé dans son aire,
Puis avait fait son lit à sa place ordinaire ;
Booz dormait auprès des boisseaux pleins de blé.

Ce vieillard possédait des champs de blés et d'orge ;
Il était, quoique riche[1] à la justice enclin ;
Il n'avait pas de fange en l'eau de son moulin ;
Il n'avait pas d'enfer dans le feu de sa forge[2].

Sa barbe était d'argent comme un ruisseau d'avril,
10 Sa gerbe n'était point avare ni haineuse ;
Quand il voyait passer quelque pauvre glaneuse :
« Laissez tomber exprès des épis, » disait-il[3].

— 1 Dans l'Écriture, les mauvais riches sont maudits de Dieu. — 2 Chez Hugo, comme dans la Bible, le monde matériel correspond symboliquement au monde moral ; cf. v. 14. — 3 Trait emprunté au *Livre de Ruth*.

Cet homme marchait pur loin des sentiers obliques,
Vêtu de probité candide et de lin blanc ;
Et, toujours du côté des pauvres ruisselant,
Ses sacs de grains semblaient des fontaines publiques.

Booz était bon maître et fidèle parent ;
Il était généreux, quoiqu'il fût économe ;
Les femmes regardaient Booz plus qu'un jeune homme,
20 Car le jeune homme est beau, mais le vieillard est grand.

Le vieillard, qui revient vers la source première,
Entre aux jours éternels et sort des jours changeants ;
Et l'on voit de la flamme aux yeux des jeunes gens,
Mais dans l'œil du vieillard on voit de la lumière [4].

* *

Donc, Booz dans la nuit dormait parmi les siens ;
Près des meules, qu'on eût prises pour des décombres,
Les moissonneurs couchés faisaient des groupes sombres ;
Et ceci se passait dans des temps très anciens [5].

Les tribus d'Israël avaient pour chef un juge ;
30 La terre, où l'homme errait sous la tente, inquiet
Des empreintes de pieds de géants qu'il voyait,
Était encor mouillée et molle du déluge.

Comme dormait Jacob [6], comme dormait Judith [7],
Booz, les yeux fermés, gisait sous la feuillée ;
Or, la porte du ciel s'étant entre-bâillée
Au-dessus de sa tête, un songe en descendit.

Et ce songe était tel, que Booz vit un chêne [8]
Qui, sorti de son ventre, allait jusqu'au ciel bleu ;
Une race y montait comme une longue chaîne ;
40 Un roi [9] chantait en bas, en haut mourait un Dieu [10].

Et Booz murmurait avec la voix de l'âme :
« Comment se pourrait-il que de moi ceci vînt ?
Le chiffre de mes ans a passé quatre-vingt [11],
Et je n'ai pas de fils, et je n'ai plus de femme.

— 4 Hugo a 57 ans; dès 1830, dans *Hernani* (III, 1) il prêtait au vieux Ruy Gomez des vues du même genre. — 5 Pour conférer à ces *temps très anciens* le mystère du mythe, Hugo va mêler les âges : à l'époque du *Livre de Ruth* (évoquée par le v. 29) les Hébreux n'étaient plus nomades (cf. v. 30) ; le vers 31 (inspiré de la *Genèse*) nous fait remonter plus loin encore, avant le déluge : le v. 32 nous ramène au lendemain du déluge. — 6 Jacob vit en songe une échelle reliant la terre aux cieux, sur laquelle montaient et descendaient des anges (*Genèse*, XXVIII, 10-14). — 7 La Bible ne mentionne pas de songe de Judith, mais elle aussi fut visitée par l'esprit de Dieu. — 8 A l'échelle de Jacob se substitue *l'arbre de Jessé*, arbre généalogique du Christ, souvent représenté par l'art du Moyen Age (Jessé est le petit-fils de Ruth et de Booz). — 9 David, aïeul de Booz. — 10 Le Christ. — 11 Cf. Abraham : « Naîtrait-il un fils à un homme âgé de cent ans ? » (*Genèse*, XVII, 17).

Ci-dessus,
un site lamartinien :
le lac du Bourget (*cf.*, p. 465).
(Photo aérienne Alain Perceval.)

Ci-dessous,
un haut lieu du romantisme :
Combourg, « visage de pierre » (*cf.*, p. 460).
(Photo Lauros - Giraudon).

vitrail représentant
l'arbre de Jessé « ... Booz vit
un chêne,
qui sorti de son ventre... »
Église Sainte-Madeleine
à Troyes (Aube).
(Photo Giraudon.)

Ci-dessous,
Élection de Victor Hugo
à l'Académie française (1841),
par Vogel.
Paris, musée Victor-Hugo.
(Photo Jeanbor - E.B.)

Léopoldine Hugo au livre d'heures,
par Auguste de Châtillon.
Paris, musée Victor-Hugo.
(Photo Jeanbor - E.B.)

Ci-dessous,
Louis Boulanger :
aquarelle en rapport avec
« les Orientales » de Victor Hugo
Paris, musée Victor-Hugo.
(Photo Jeanbor - E.B.)

Frontispice pour « la Légende des siècles », aquarelle de Victor Hugo.
Paris, musée Victor-Hugo. *(Photo Giraudon.)*

« Voilà longtemps que celle avec qui j'ai dormi,
O Seigneur ! a quitté ma couche pour la vôtre ;
Et nous sommes encor tout mêlés l'un à l'autre,
Elle à demi vivante et moi mort à demi.

« Une race naîtrait de moi ! Comment le croire ?
50 Comment se pourrait-il que j'eusse des enfants ?
Quand on est jeune, on a des matins triomphants,
Le jour sort de la nuit comme d'une victoire ;

« Mais, vieux, on tremble ainsi qu'à l'hiver le bouleau[12] ;
Je suis veuf, je suis seul, et sur moi le soir tombe,
Et je courbe, ô mon Dieu ! mon âme vers la tombe,
Comme un bœuf ayant soif penche son front vers l'eau. »

Ainsi parlait Booz dans le rêve et l'extase,
Tournant vers Dieu ses yeux par le sommeil noyés ;
Le cèdre ne sent pas une rose à sa base,
60 Et lui ne sentait pas une femme à ses pieds.

*
**

Pendant qu'il sommeillait, Ruth, une Moabite[13],
S'était couchée aux pieds de Booz, le sein nu,
Espérant on ne sait quel rayon inconnu,
Quand viendrait du réveil la lumière subite.

Booz ne savait point qu'une femme était là,
Et Ruth ne savait point ce que Dieu voulait d'elle.
Un frais parfum sortait des touffes d'asphodèle ;
Les souffles de la nuit flottaient sur Galgala[14].

L'ombre était nuptiale, auguste et solennelle ;
70 Les anges y volaient sans doute obscurément,
Car on voyait passer dans la nuit, par moment,
Quelque chose de bleu qui paraissait une aile.

La respiration de Booz qui dormait
Se mêlait au bruit sourd des ruisseaux sur la mousse.
On était dans le mois où la nature est douce,
Les collines ayant des lis sur leur sommet.

Ruth songeait et Booz dormait ; l'herbe était noire,
Les grelots des troupeaux palpitaient vaguement ;
Une immense bonté tombait du firmament ;
80 C'était l'heure tranquille où les lions vont boire.

— 12 C'est la contrepartie des vers 19-24. Rédactions antérieures : « *Je perds ma feuille* ainsi... *Je plie* et tremble ainsi... ». — 13 Du pays de Moab, en Arabie Pétrée. — 14 Collines près de Bethléem.

Tout reposait dans Ur [15] et dans Jérimadeth [16] ;
Les astres émaillaient le ciel profond et sombre ;
Le croissant fin et clair parmi ces fleurs de l'ombre
Brillait à l'occident, et Ruth se demandait,

Immobile, ouvrant l'œil à moitié sous ses voiles,
Quel dieu, quel moissonneur de l'éternel été
Avait, en s'en allant, négligemment jeté
Cette faucille d'or dans le champ des étoiles.

L'AIGLE DU CASQUE

Ce poème a paru en 1877 dans la nouvelle série de la *Légende des Siècles* ; mais le sujet avait été fourni à Hugo par un article du médiéviste Jubinal, paru en 1846, et qui lui inspira également *Le Mariage de Roland* et *Aymerillot*. Dans le cas présent, c'est la *Geste de Raoul de Cambrai* que Jubinal a révélée au poète. Hugo a transporté la scène en Écosse, sans doute sous l'influence d'Ossian et de Walter Scott ; il a déployé, pour animer la poursuite, toutes les ressources de sa rythmique ; enfin il a imaginé un dénouement grandiose où passe le frisson sacré du *merveilleux épique*. (Vers 252-280, 372-fin ; cycle des *Avertissements et Châtiments*.)

Chargé par son grand-père mourant de venger l'honneur de sa famille dès qu'il serait armé chevalier, ANGUS, *à seize ans, ose défier le terrible* TIPHAINE, *Il attaque vaillamment, mais lorsque Tiphaine à son tour fond sur lui,* « *le pauvre petit* », *pris de panique, jette sa lance et s'enfuit.* « *Alors commença l'âpre et sauvage poursuite, Et vous ne lirez plus ceci qu'en frémissant.* »

Tremblant, piquant des deux, du côté qui descend,
Devant lui, n'importe où, dans la profondeur fauve,
Les bras au ciel, l'enfant épouvanté se sauve.
Son cheval l'aime et fait de son mieux. La forêt
L'accepte et l'enveloppe, et l'enfant disparaît.
Tous se sont écartés pour lui livrer passage.
En le risquant ainsi son aïeul fut-il sage ?
Nul ne le sait. Le sort est de mystères plein ;
Mais la panique existe et le triste orphelin
10 Ne peut plus que s'enfuir devant la destinée.
Ah ! pauvre douce tête au gouffre abandonnée !
Il s'échappe, il s'esquive, il s'enfonce à travers
Les hasards de la fuite obscurément ouverts,
Hagard, à perdre haleine, et sans choisir sa route ;
Une clairière s'offre, il s'arrête, il écoute,
Le voilà seul ; peut-être un dieu l'a-t-il conduit ?
Tout à coup il entend dans les branches du bruit... —

— 15 En Chaldée. — 16 Dans ce nom de ville forgé par Hugo, on a pu voir un calembour | (j'ai rime à *dait*), mais il existe des mots hébreux assez voisins (Jérahméel, Jérimoth).

Ainsi dans le sommeil notre âme d'effroi pleine
Parfois s'évade et sent derrière elle l'haleine
20 De quelque noir cheval de l'ombre et de la nuit ;
On s'aperçoit qu'au fond du rêve on vous poursuit.
Angus tourne la tête, il regarde en arrière ;
Tiphaine monstrueux bondit dans la clairière,
O terreur ! et l'enfant, blême, égaré, sans voix,
Court et voudrait se fondre avec l'ombre des bois.
L'un fuit, l'autre poursuit. Acharnement lugubre.
Rien, ni le roc debout, ni l'étang insalubre,
Ni le houx épineux, ni le torrent profond,
Rien n'arrête leur course ; ils vont ! ils vont ! ils vont !

La nuit tombe. Un vieillard, des religieuses, une femme supplient en vain Tiphaine d'épargner
Angus : il les repousse sauvagement.

30 Ce fut dans on ne sait quel ravin inconnu
Que Tiphaine atteignit le pauvre enfant farouche ;
L'enfant pris n'eut pas même un râle dans la bouche ;
Il tomba de cheval, et, morne, épuisé, las,
Il dressa ses deux mains suppliantes ; hélas !
Sa mère morte était dans le fond de la tombe,
Et regardait [1]. — Tiphaine accourt, s'élance, tombe
Sur l'enfant, comme un loup dans les cirques romains,
Et d'un revers de hache il abat ses deux mains
Qui dans l'ombre élevaient vers les cieux la prière ;
40 Puis, par ses blonds cheveux dans une fondrière
Il le traîne. — Et riant de fureur, haletant,
Il tua l'orphelin, et dit : Je suis content !
Ainsi rit dans son antre infâme la tarasque [2].

Alors l'aigle d'airain qu'il avait sur son casque,
Et qui, calme, immobile et sombre, l'observait,
Cria : Cieux étoilés, montagnes que revêt
L'innocente blancheur des neiges vénérables,
O fleuves, ô forêts, cèdres, sapins, érables,
Je vous prends à témoin que cet homme est méchant !
50 Et, cela dit, ainsi qu'un piocheur fouille un champ,
Comme avec sa cognée un pâtre brise un chêne,
Il se mit à frapper à coups de bec Tiphaine ;
Il lui creva les yeux ; il lui broya les dents ;
Il lui pétrit le crâne en ses ongles ardents
Sous l'armet [3] d'où le sang sortait comme d'un crible,
Le jeta mort à terre, et s'envola terrible.

— 1 Hugo croit fermement que les morts restent en contact avec les vivants. — 2 Monstre dont sainte Marthe aurait débarrassé le midi de la France. — 3 Casque en fer en usage du XVᵉ au XVIIᵉ siècle.

LES MISÉRABLES

L'ÉVÊQUE ET LE FORÇAT. Jean Valjean *a été envoyé au bagne pour avoir volé du pain. À sa libération, son passeport jaune d'ancien forçat le rend partout suspect. Farouche et hagard, le voilà réduit à l'état de bête errante, et prêt à devenir un vrai criminel. Accueilli avec une charité évangélique par l'évêque de Digne,* Mgr Myriel, *Jean Valjean lui vole de l'argenterie. Les gendarmes l'arrêtent, mais le saint prélat le disculpe en affirmant qu'il lui avait donné ces couverts, auxquels il joint deux chandeliers d'argent.* Ce geste admirable va transformer le paria *qui n'avait connu jusqu'ici que les rigueurs de la loi et la méchanceté des hommes. Après un dernier vol*, il éprouve de cruels remords et décide de se réhabiliter.

MONSIEUR MADELEINE. Établi dans le Pas-de-Calais, sous le nom de M. Made-leine, *il s'enrichit honnêtement, répand autour de lui la prospérité, multiplie les actes charitables, devient maire de Montreuil-sur-Mer et reçoit la Légion d'honneur. Seul un policier,* Javert, *croit parfois reconnaître en lui un ancien forçat. Soudain on arrête un individu que tout le monde prend pour Jean Valjean. Au terme d'un terrible* débat de cons-cience, *le pseudo M. Madeleine se rend aux Assises, à Saint-Omer, et* se dénonce *au moment où l'innocent va être condamné.*

UNE GRANDE AME. Avant de se livrer à la justice, il avait secouru une malheureuse, Fantine, *et avait adouci son agonie en lui promettant de s'occuper de sa fille* Cosette. *Il s'évade du bagne où on l'a renvoyé, arrache la petite Cosette à un couple de malfaiteurs, les* Thénardier, *et lui fait donner une bonne éducation ; Cosette devient sa raison de vivre. Cependant il doit se cacher sans cesse car Javert a retrouvé sa trace. A Paris, l'étudiant* Marius Pontmercy *s'éprend de Cosette devenue une charmante jeune fille.*
Au cours d'une émeute, Jean Valjean sauve la vie de Javert : *chargé par les insurgés d'abattre ce « mouchard », il le laisse s'échapper. Il sauve aussi Marius blessé en le portant sur ses épaules à travers les égouts de Paris. Ainsi Marius pourra épouser Cosette. Quant à Javert, il retrouve encore une fois la piste du forçat, mais ne peut se résoudre à arrêter l'homme qui l'a sauvé : désespéré d'avoir trahi son devoir, il se jette dans la Seine. Une dernière épreuve est réservée à Jean Valjean : apprenant sa véritable identité mais ignorant qu'il lui doit la vie, Marius écarte Cosette de son père adoptif. Enfin, mieux informé, le jeune homme revient à Jean Valjean qui a la joie suprême de revoir sa chère Cosette avant de* mourir comme un saint : « Sans doute, dans l'ombre, quelque ange immense était debout, les ailes déployées, attendant l'âme ».

UNE TEMPÊTE SOUS UN CRANE

Apprenant qu'un nommé Champmathieu, qu'on prend pour lui, va comparaître aux Assises, Jean Valjean se trouve placé devant *un épouvantable dilemme :* va-t-il retourner au bagne ou laisser condamner un innocent à sa place ? Au cours d'une nuit d'agonie, dans une angoisse qui va parfois jusqu'au délire, il envisage tour à tour les deux solutions sans parvenir à une décision. Dans tout un long chapitre, Hugo nous peint avec autant de *puissance* que de *précision* la torture morale qu'endure le malheureux ; il vit ce *drame* et nous le fait vivre avec une extraordinaire *intensité*.

Il reculait maintenant avec une égale épouvante devant les deux réso-lutions qu'il avait prises tour à tour. Les deux idées qui le conseillaient lui paraissaient aussi funestes l'une que l'autre. — Quelle fatalité ! quelle rencontre que ce Champmathieu pris pour lui ! Être précipité justement par le moyen que la providence paraissait d'abord avoir employé pour l'affermir ¹ !

Il y eut un moment où il considéra l'avenir. Se dénoncer, grand Dieu ! se livrer ! Il envisagea avec un immense désespoir tout ce qu'il faudrait quitter, tout ce qu'il faudrait reprendre. Il faudrait donc dire adieu à cette existence si bonne, si pure, si radieuse, à ce respect de tous, à l'honneur, à la liberté ! Il n'irait plus se promener dans les champs, il n'entendrait plus chanter les oiseaux au mois de mai, il ne ferait plus l'aumône aux petits enfants ! Il ne sentirait plus la douceur des regards de reconnaissance et d'amour fixés sur lui ! Il quitterait cette maison qu'il avait bâtie, cette chambre, cette petite chambre ! Tout lui paraissait charmant à cette heure. Il ne lirait plus dans ces livres, il n'écrirait plus sur cette petite table de bois blanc ! Sa vieille portière, la seule servante qu'il eût, ne lui monterait plus son café le matin. Grand Dieu ! au lieu de tout cela, la chiourme ², le carcan ³, la veste rouge, la chaîne au pied, la fatigue, le cachot, le lit de camp, toutes ces horreurs connues ! A son âge, après avoir été ce qu'il était ! Si encore il était jeune ! Mais, vieux, être tutoyé par le premier venu, être fouillé par le garde-chiourme, recevoir le coup de bâton de l'argousin ⁴ ! avoir les pieds nus dans des souliers ferrés ! tendre matin et soir sa jambe au marteau du rondier ⁵ qui visite la manille ⁶ ! subir la curiosité des étrangers auxquels on dirait : *Celui-là, c'est le fameux Jean Valjean, qui a été maire à Montreuil-sur-Mer !* Le soir, ruisselant de sueur, accablé de lassitude, le bonnet vert ⁷ sur les yeux, remonter deux à deux, sous le fouet du sergent, l'escalier-échelle du bagne flottant ⁸ ! Oh ! quelle misère ! La destinée peut-elle donc être méchante comme un être intelligent et devenir monstrueuse comme le cœur humain !

Et, quoi qu'il fît, il retombait toujours sur ce poignant dilemme qui était au fond de sa rêverie : — rester dans le paradis, et y devenir démon ! rentrer dans l'enfer, et y devenir ange !

Que faire, grand Dieu ! que faire ?

La tourmente dont il était sorti avec tant de peine se déchaîna de nouveau en lui. Ses idées recommencèrent à se mêler. Elles prirent ce je ne sais quoi de stupéfié et de machinal qui est propre au désespoir. Ce nom de Romainville ⁹ lui revenait sans cesse à l'esprit avec deux vers

---

— 1 Un peu plus tôt, cédant un moment à la tentation de ne pas se dénoncer, Jean Valjean se disait : « Après tout, s'il y a du mal pour quelqu'un, ce n'est aucunement de ma faute. C'est la providence qui a tout fait... Ai-je le droit de déranger ce qu'elle arrange ?... Le but auquel j'aspire depuis tant d'années, le songe de mes nuits, l'objet de mes prières au ciel, la sécurité, je l'atteins ! C'est Dieu qui le veut. Je n'ai rien à faire contre la volonté de Dieu. » — 2 Le bagne. — 3 Collier de fer fixé au cou des forçats. — 4 Surveillant du bagne. — 5 Garde-chiourme qui fait des *rondes*. — 6 Anneau auquel s'attachait la chaîne des forçats. — 7 Porté par les condamnés à perpétuité. — 8 A cette époque, les forçats étaient détenus sur des pontons, à Toulon. — 9 Souvenir obsédant, insignifiant d'ailleurs et sans rapport avec la situation : « Il se rappela que quelques jours auparavant il avait vu chez un marchand de ferrailles une cloche à vendre sur laquelle ce nom était écrit : *Antoine Albin de Romainville.*

d'une chanson qu'il avait entendue autrefois. Il songeait que Romainville
40 est un petit bois près Paris où les jeunes amoureux vont cueillir des lilas
au mois d'avril.

Il chancelait au dehors comme au dedans. Il marchait comme un petit
enfant qu'on laisse aller seul.

A de certains moments, luttant contre sa lassitude, il faisait effort pour
ressaisir son intelligence. Il tâchait de se poser une dernière fois, et définitivement, le problème sur lequel il était en quelque sorte tombé d'épuisement. Faut-il se dénoncer ? Faut-il se taire ? — Il ne réussissait à rien
voir de distinct. Les vagues aspects de tous les raisonnements ébauchés
par sa rêverie tremblaient et se dissipaient l'un après l'autre en fumée.
50 Seulement il sentait que, à quelque parti qu'il s'arrêtât, nécessairement,
et sans qu'il fût possible d'y échapper, quelque chose de lui allait mourir ;
qu'il entrait dans un sépulcre à droite comme à gauche ; qu'il accomplissait une agonie, l'agonie de son bonheur ou l'agonie de sa vertu.

Hélas ! toutes ses irrésolutions l'avaient repris. Il n'était pas plus avancé
qu'au commencement.

Ainsi se débattait sous l'angoisse cette malheureuse âme. Dix-huit
cents ans avant cet homme infortuné, l'être mystérieux, en qui se résument
toutes les saintetés et toutes les souffrances de l'humanité, avait aussi lui,
pendant que les oliviers frémissaient au vent farouche de l'infini, longtemps
60 écarté de la main l'effrayant calice [10] qui lui apparaissait ruisselant d'ombre
et débordant de ténèbres dans des profondeurs pleines d'étoiles.

Les Misérables, I, VII, 30

LA MORT DE GAVROCHE

Le 5 juin 1832, une manifestation républicaine organisée à l'occasion des funérailles du
général Lamarque se termine en *émeute*. HUGO groupe derrière *la barricade de la rue de
la Chanvrerie*, dans le quartier des Halles, les principaux personnages du roman : Jean
Valjean, Marius, Javert et le petit GAVROCHE, fils des Thénardier, qui va mourir
en chantant.... Gavroche est resté le type du *gamin de Paris*, gai, impertinent, spirituel et
débrouillard, mauvaise tête et grand cœur.

Une vingtaine de morts gisaient çà et là dans toute la longueur de
la rue sur le pavé. Une vingtaine de gibernes pour Gavroche. Une
provision de cartouches pour la barricade.

La fumée était dans la rue comme un brouillard. Quiconque a
vu un nuage tombé dans une gorge de montagnes entre deux escarpe-
ments à pic, peut se figurer cette fumée resserrée et comme épaissie
par deux sombres lignes de hautes maisons. Elle montait lentement et se
renouvelait sans cesse ; de là un obscurcissement graduel qui blêmissait

---

— 10 Évocation de la dernière nuit du Christ au mont des Oliviers.

même le plein jour. C'est à peine si, d'un bout à l'autre de la rue, pourtant
10 fort courte, les combattants s'apercevaient.

Cet obscurcissement, probablement voulu et calculé par les chefs qui
devaient diriger l'assaut de la barricade, fut utile à Gavroche.

Sous les plis de ce voile de fumée, et grâce à sa petitesse, il put s'avancer
assez loin dans la rue sans être vu. Il dévalisa les sept ou huit premières
gibernes sans grand danger.

Il rampait à plat ventre, galopait à quatre pattes, prenait son panier aux
dents, se tordait, glissait, ondulait, serpentait d'un mort à l'autre, et vidait
la giberne ou la cartouchière comme un singe ouvre une noix.

De la barricade, dont il était encore assez près, on n'osait lui crier de
20 revenir, de peur d'appeler l'attention sur lui.

Sur un cadavre, qui était un caporal, il trouva une poire à poudre.

— Pour la soif [1], dit-il, en la mettant dans sa poche.

A force d'aller en avant, il parvint au point où le brouillard de la fusillade
devenait transparent.

Si bien que les tirailleurs de la ligne [2] rangés et à l'affût derrière leur
levée de pavés, et les tirailleurs de la banlieue [3] massés à l'angle de la rue,
se montrèrent soudainement quelque chose qui remuait dans la fumée.

Au moment où Gavroche débarrassait de ses cartouches un sergent
gisant près d'une borne, une balle frappa le cadavre.

30 — Fichtre ! fit Gavroche. Voilà qu'on me tue mes morts.

Une deuxième balle fit étinceler le pavé à côté de lui. Une troisième
renversa son panier. Gavroche regarda, et vit que cela venait de la banlieue.

Il se dressa tout droit, debout, les cheveux au vent, les mains sur les
hanches, l'œil fixé sur les gardes nationaux qui tiraient, et il chanta :

> *On est laid à Nanterre,*
> *C'est la faute à Voltaire,*
> *Et bête à Palaiseau,*
> *C'est la faute à Rousseau* [4].

Puis il ramassa son panier, y remit, sans en perdre une seule, les cartouches qui en étaient tombées, et, avançant vers la fusillade, alla dépouiller
une autre giberne. Là une quatrième balle le manqua encore. Gavroche
chanta :

> *Je ne suis pas notaire,*
> *C'est la faute à Voltaire,*
> *Je suis petit oiseau,*
> *C'est la faute à Rousseau.*

— 1 Jeu de mots sur l'expression *une poire pour la soif.* — 2 De l'infanterie de ligne. — 3 Gardes nationaux de la banlieue de Paris. —

4 Les vers 2 et 4 formaient un refrain populaire raillant les doléances des ennemis de la Révolution ; par les vers 1 et 3 Gavroche nargue les gardes nationaux de la banlieue.

Une cinquième balle ne réussit qu'à tirer de lui un troisième couplet :

> *Joie est mon caractère,*
> *C'est la faute à Voltaire,*
> *Misère est mon trousseau,*
> *C'est la faute à Rousseau.*

40 Cela continua ainsi quelque temps.

Le spectacle était épouvantable et charmant. Gavroche, fusillé, taquinait la fusillade. Il avait l'air de s'amuser beaucoup. C'était le moineau becquetant les chasseurs. Il répondait à chaque décharge par un couplet. On le visait sans cesse, on le manquait toujours. Les gardes nationaux et les soldats riaient en l'ajustant. Il se couchait, puis se redressait, s'effaçait dans un coin de porte, puis bondissait, disparaissait, reparaissait, se sauvait, revenait, ripostait à la mitraille par des pieds de nez, et cependant pillait les cartouches, vidait les gibernes et remplissait son panier. Les insurgés, haletants d'anxiété, le suivaient des yeux. La barricade tremblait ; lui,
50 il chantait. Ce n'était pas un enfant, ce n'était pas un homme ; c'était un étrange gamin fée [5]. On eût dit le nain invulnérable de la mêlée. Les balles couraient après lui, il était plus leste qu'elles. Il jouait on ne sait quel effrayant jeu de cache-cache avec la mort ; chaque fois que la face camarde du spectre s'approchait, le gamin lui donnait une pichenette.

Une balle pourtant, mieux ajustée ou plus traître que les autres, finit par atteindre l'enfant feu follet. On vit Gavroche chanceler, puis il s'affaissa. Toute la barricade poussa un cri ; mais il y avait de l'Antée [6] dans ce pygmée ; pour le gamin toucher le pavé, c'est comme pour le géant toucher la terre ; Gavroche n'était tombé que pour se redresser ; il resta assis sur
70 son séant, un long filet de sang rayait son visage, il éleva ses deux bras en l'air, regarda du côté d'où était venu le coup, et se mit à chanter :

> *Je suis tombé par terre,*
> *C'est la faute à Voltaire,*
> *Le nez dans le ruisseau,*
> *C'est la faute à...*

Il n'acheva point. Une seconde balle du même tireur l'arrêta court. Cette fois il s'abattit la face contre le pavé, et ne remua plus. Cette petite grande âme venait de s'envoler.

Les Misérables, V, 1, 15.

— 5 Victor Hugo aime accoler ainsi deux noms : cf. *le pâtre promontoire, le vautour aquilon*, et ici, l. 56, *l'enfant feu follet ;* ce raccourci jette une lumière nouvelle sur la réalité. — 6 Géant vaincu par Hercule, qui reprenait des forces au contact de la terre sa mère.

ALFRED DE MUSSET

Sa vie, son œuvre. Né à Paris en 1810, ALFRED DE MUSSET, brillant élève au Lycée Henri IV, étudie ensuite le droit, la médecine et la musique, mais seule la littérature l'intéresse. En 1828 il est introduit dans le Cénacle romantique où on l'admire comme l'*enfant prodige du Romantisme*. Il débute dans la poésie en publiant les *Contes d'Espagne et d'Italie* (1830), mais sa fantaisie railleuse inquiète les romantiques et l'entraîne en marge de la nouvelle école. La même année, il fait jouer *La Nuit Vénitienne* qui échoue ; il écrit alors pour la lecture et non pour la scène, et donne un recueil intitulé *Un spectacle dans un Fauteuil* qui comprend un conte : *Namouna*, un drame : *La Coupe et les Lèvres*, et une comédie : *A quoi rêvent les Jeunes Filles* ; il publiera encore en 1833 *Les Caprices de Marianne*, puis en 1834 *Fantasio, On ne badine pas avec l'Amour* et *Lorenzaccio*, un des chefs-d'œuvre du drame romantique.

Il rencontre GEORGE SAND en 1833 et voyage avec elle en Italie. A Venise en 1834, George Sand trahit Musset malade avec le médecin qui le soigne. Il rentre seul à Paris et c'est le début d'une suite de réconciliations et de ruptures. Cette douloureuse passion contribue à mûrir le génie du poète qui traduit ses souffrances dans *La Confession d'un Enfant du Siècle* (1836) et surtout dans la série de poèmes intitulés *Les Nuits* (1835-1837).

Au cours de ces années 1835-1840, MUSSET publie encore des comédies, *Le Chandelier* (1835), *Il ne faut jurer de rien* (1836), des nouvelles, des poèmes satiriques, parmi lesquels *Une soirée perdue* (1840), une œuvre de critique : *Lettres de Dupuis et Cotonet* (1836-37).

A trente ans, épuisé par les plaisirs et l'alcoolisme, menacé d'une maladie de cœur, MUSSET publie encore quelques comédies *(Il faut qu'une porte soit ouverte ou fermée,* 1845), mais son inspiration poétique se tarit et il meurt dans l'obscurité en 1857.

Rien n'évoque mieux sa destinée mélancolique que le sonnet qu'il avait écrit *pour lui-même* dès 1840, et qui fut publié plus tard sous le titre de TRISTESSE :

J'ai perdu ma force et ma vie,
Et mes amis et ma gaîté ;
J'ai perdu jusqu'à la fierté
Qui faisait croire à mon génie.

Quand j'ai connu la Vérité,
J'ai cru que c'était une amie ;
Quand je l'ai comprise et sentie,
J'en étais déjà dégoûté.

Et pourtant elle est éternelle,
Et ceux qui se sont passés d'elle
Ici-bas ont tout ignoré.

Dieu parle, il faut qu'on lui réponde.
— Le seul bien qui me reste au monde
Est quelquefois d'avoir pleuré.

Romantisme et fantaisie

A dix-neuf ans, MUSSET, familier du Cénacle, admirateur de Victor Hugo, publie les *Contes d'Espagne et d'Italie*. Ce recueil est comme une somme des *thèmes* et des *procédés* romantiques : exotisme facile et couleur locale éclatante, passions violentes, versification tourmentée, rimes provocantes. Dans *Don Paëz* Musset évoque l'Espagne romantique, le duel féroce de Don Paëz et de son rival, et sa tragique passion ; dans *Les Marrons du feu* il décrit l'Italie du XVIIIe siècle et la vengeance de la danseuse Camargo ; dans *Portia* c'est Venise romantique qui sert de cadre à l'histoire de Dalti et Portia.

Cependant, à travers les artifices du romantisme le plus conventionnel, la personnalité de Musset révèle déjà sa *double nature :* une *âme fougueuse*, un sens tragique de la passion qui éclate dans les fureurs de la vengeance ; et par ailleurs une *fantaisie légère*, impertinente et ironique qui l'empêche de prendre entièrement au sérieux ces drames atroces.

Dans la même veine, la célèbre BALLADE A LA LUNE est un chef-d'œuvre de fantaisie et de verve gracieuse. C'est une ballade à la Victor Hugo où Musset raille avec pittoresque les extravagances romantiques sur un thème à la mode, la lune, la nuit et son mystère :

C'était dans la nuit brune Sur le clocher jauni, 　　La lune Comme un point sur un i.	Es-tu l'œil du ciel borgne ? Quel chérubin cafard 　　Nous lorgne Sous ton masque blafard ? [...]
Lune, quel esprit sombre Promène au bout d'un fil 　　Dans l'ombre Ta face et ton profil ?	Est-ce un ver qui te ronge Quand ton disque noirci 　　S'allonge En croissant rétréci ?...

Vers le romantisme éternel

Entre 1830 et 1833, MUSSET trop *indépendant* pour se rattacher à une école va affirmer sa *personnalité*.

I. RETOUR AU GOUT CLASSIQUE. Sans renoncer à l'inspiration moderne, Musset chante à maintes reprises la Grèce classique. Dans *Les Secrètes pensées de Rafaël* (1830) il exprime son désir de renouer avec la tradition française et surtout avec une forme plus régulière.

II. REFUS DE LA POÉSIE SOCIALE. A l'opposé de la plupart des romantiques (cf. Lamartine, Hugo, Vigny) qui veulent être à la fois poètes et hommes d'action, Musset invite à être uniquement poète « il ne doit pas faire de la politique » (1831). Musset ne se veut pas impassible, mais il sera poète lyrique puisque « joie et douleur, tout demande sans cesse à sortir de *son* cœur » *(Les Vœux Stériles)*.

III. LA POÉSIE DU CŒUR. En effet, proclamant la vanité des disputes d'école et refusant d'aliéner sa liberté d'inspiration, Musset renouvelle à maintes reprises sa profession de foi selon laquelle ce qu'il faut à l'artiste ou au poète, c'est l'*émotion : « Ah ! frappe-toi le cœur, c'est là qu'est le génie »* (à Édouard Bocher, 1832).

« *Sachez-le, — c'est le cœur qui parle et qui soupire Lorsque la main écrit, — c'est le cœur qui se fond* » (Namouna, 1832).

C'est ainsi qu'en puisant son inspiration dans les émotions profondes et sincères, Musset s'engage dans la voie du romantisme éternel, celui qui nous émeut encore. Son idéal est celui d'un *lyrisme largement humain* venant du cœur et allant au cœur : « *Un artiste est un homme, il écrit pour des hommes* ».

Le drame intime de Musset

Avant de se placer lui-même au cœur de son œuvre, Musset s'est surtout exprimé indirectement par les héros de ses poèmes et de son théâtre. On le retrouve sous les traits de Coelio et d'Octave dans *les Caprices de Marianne* (1833), sous le masque de *Fantasio* (1834) ou de Lorenzo (*Lorenzaccio*, 1834). De plus en plus écartelé entre la débauche et la pureté, le poète s'émeut de voir que cette débauche altère la fraîcheur de l'âme et laisse l'homme désemparé ; il traduit cette angoisse dans *La Coupe et les Lèvres* (1832) et surtout dans *Rolla* (1833), dont le héros corrompu par le siècle sans foi et sans idéal se suicide. Rolla parut à l'époque le symbole de toute une génération.

Le lyrisme personnel

Après son aventure avec George Sand, MUSSET compose ses poèmes lyriques les plus célèbres : *Les Nuits* (1835-36-37), *Lettre à Lamartine* (1839) et *Souvenir* (1841). Si l'on ne peut voir dans cet ensemble lyrique l'évolution d'une seule crise sentimentale, on peut néanmoins en suivre les étapes naturelles : de *La Nuit de Mai* à *La Nuit d'Octobre*, Musset traduit dans un dialogue entre le Poète tourmenté et sa Muse les différentes phases de ses souffrances ; on assiste à l'apaisement progressif de l'âme qui passe de la douleur aiguë *(Nuit de Mai)* au souvenir calme et attendri *(Souvenir)*.

Ainsi Musset exprime avec sincérité ses émotions les plus intimes, saisies dans les moments de crise où elles sont les plus vibrantes. Gardant au sentiment toute sa spontanéité, il fonde sa poésie sur la *sincérité totale* et découvre au fond de lui-même des vérités psychologiques qui nous émeuvent parce qu'elles sont celles de tous les hommes.

LA NUIT DE MAI

La *Nuit de Mai* fut composée en 1835 dans un grand élan poétique. On y entend dialoguer le Poète toujours marqué par la douleur de ses amours mortes et la Muse qui l'invite avec passion à reprendre son chant. Elle lui parle comme une amoureuse, comme une force mystérieuse, et elle semble capable de dissiper « l'amère souffrance » de son cœur blessé. Elle le pousse à se tourner résolument vers l'avenir et à oublier le passé.

LA MUSE

Poète, prends ton luth [1] et me donne un baiser [2] ;
La fleur de l'églantier sent ses bourgeons éclore.
Le printemps naît ce soir ; les vents vont s'embraser ;
Et la bergeronnette, en attendant l'aurore,
Aux premiers buissons verts commence à se poser.
Poète, prends ton luth et me donne un baiser.

LE POÈTE

Comme il fait noir dans la vallée !
J'ai cru qu'une forme voilée
Flottait là-bas sur la forêt.
10 Elle sortait de la prairie ;
Son pied rasait l'herbe fleurie ;
C'est une étrange rêverie ;
Elle s'efface et disparaît.

LA MUSE

Poète, prends ton luth ; la nuit, sur la pelouse,
Balance le zéphyr dans son voile odorant.
La rose, vierge encor, se referme jalouse
Sur le frelon nacré qu'elle enivre en mourant [3].
Écoute ! tout se tait ; songe à ta bien-aimée [4].
Ce soir, sous les tilleuls, à la sombre ramée
20 Le rayon du couchant laisse un adieu plus doux.
Ce soir, tout va fleurir : l'immortelle nature
Se remplit de parfums, d'amour et de murmure,
Comme le lit joyeux de deux jeunes époux.

LE POÈTE

Pourquoi mon cœur bat-il si vite ?
Qu'ai-je donc en moi qui s'agite
Dont je me sens épouvanté ?

— 1 Instrument à cordes qui, comme la lyre, symbolise l'inspiration poétique. — 2 Cf. v. 39 et 66 et expliquer ce que symbolise ce baiser. — 3 Se rapporte à *frelon* (construction *archaïque*). — 4 La Muse.

Ne frappe-t-on pas à ma porte ?
Pourquoi ma lampe à demi morte
M'éblouit-elle de clarté ?
30 Dieu puissant ! tout mon corps frissonne.
Qui vient ? qui m'appelle ? — Personne.
Je suis seul ; c'est l'heure qui sonne ;
O solitude ! ô pauvreté !

La Muse

Poète, prends ton luth ; le vin de la jeunesse
Fermente cette nuit dans les veines de Dieu [5].
Mon sein est inquiet ; la volupté l'oppresse,
Et les vents altérés m'ont mis la lèvre en feu.
O paresseux enfant ! regarde, je suis belle.
Notre premier baiser, ne t'en souviens-tu pas,
40 Quand je te vis si pâle au toucher de mon aile,
Et que, les yeux en pleurs, tu tombas dans mes bras ?
Ah ! Je t'ai consolé d'une amère souffrance [6] !
Hélas ! bien jeune encor, tu te mourais d'amour.
Console-moi ce soir, je me meurs d'espérance ;
J'ai besoin de prier pour vivre jusqu'au jour.

Le Poète

Est-ce toi dont la voix m'appelle,
O ma pauvre Muse ! est-ce toi ?
O ma fleur ! ô mon immortelle !
Seul être pudique et fidèle
50 Où vive encor l'amour de moi !
Oui, te voilà, c'est toi, ma blonde,
C'est toi, ma maîtresse et ma sœur !
Et je sens, dans la nuit profonde,
De ta robe d'or qui m'inonde
Les rayons glisser dans mon cœur.

La Muse

Poète, prends ton luth ; c'est moi, ton immortelle,
Qui t'ai vu cette nuit triste et silencieux,
Et qui, comme un oiseau que sa couvée appelle,
Pour pleurer avec toi descends du haut des cieux.
60 Viens, tu souffres, ami. Quelque ennui solitaire
Te ronge, quelque chose a gémi dans ton cœur ;
Quelque amour t'est venu, comme on en voit sur terre,
Une ombre de plaisir, un semblant de bonheur.

— 5 Idée panthéiste et païenne : la nature devient la forme matérielle du Grand Être. — 6 Allusion à un amour du poète adolescent, source de sa première souffrance et de sa première inspiration.

Viens, chantons devant Dieu ; chantons dans tes pensées,
Dans tes plaisirs perdus, dans tes peines passées ;
Partons, dans un baiser, pour un monde inconnu.
Éveillons au hasard les échos de ta vie,
Parlons-nous de bonheur, de gloire et de folie,
Et que ce soit un rêve, et le premier venu.
70 Inventons quelque part des lieux où l'on oublie ;
Partons, nous sommes seuls, l'univers est à nous [...].

*Bien qu'il soit touché par cet appel si vibrant, le Poète trahi, presque égaré par son malheur,
n'aura pas la force de reprendre son chant :*

O Muse ! spectre insatiable,
Ne m'en demande pas si long.
L'homme n'écrit rien sur le sable
A l'heure où passe l'aquilon.
J'ai vu le temps où ma jeunesse
Sur mes lèvres était sans cesse
Prête à chanter comme un oiseau ;
Mais j'ai souffert un dur martyre,
80 Et le moins que j'en pourrais dire,
Si je l'essayais sur ma lyre,
La briserait comme un roseau.

LA NUIT D'OCTOBRE

Après la *Nuit de Décembre* (1835) et la *Nuit d'Août* (1836), la *Nuit d'Octobre* (1837) reprend le thème de l'amour trahi et de la douleur, mais l'inspiration s'élève et s'enrichit d'une large méditation sur les bienfaits de la souffrance dont on lira ci-dessous le passage le plus célèbre. Musset comprend mieux la femme qui lui a brisé le cœur : il la plaint ; il lui doit même de la reconnaissance puisqu'elle lui a appris à aimer.

La Muse

Poète, c'est assez. Auprès d'une infidèle,
Quand ton illusion n'aurait duré qu'un jour,
N'outrage pas ce jour lorsque tu parles d'elle :
Si tu veux être aimé [1], respecte ton amour.
Si l'effort est trop grand pour la faiblesse humaine
De pardonner les maux qui nous viennent d'autrui,
Épargne-toi du moins le tourment de la haine ;
A défaut du pardon, laisse venir l'oubli.
Les morts dorment en paix dans le sein de la terre ;
10 Ainsi doivent dormir nos sentiments éteints.

— 1 *A l'avenir encore.* Expliquer cette conception de l'amour et du bonheur qu'il procure.

Ces reliques du cœur ont aussi leur poussière ;
Sur leurs restes sacrés ne portons pas les mains.
Pourquoi, dans ce récit d'une vive souffrance,
Ne veux-tu voir qu'un rêve et qu'un amour trompé ?
Est-ce donc sans motif qu'agit la Providence ?
Et crois-tu donc distrait le Dieu qui t'a frappé ?
Le coup dont tu te plains t'a préservé peut-être,
Enfant ; car c'est par là que ton cœur s'est ouvert [2].
L'homme est un apprenti, la douleur est son maître,
20 Et nul ne se connaît tant qu'il n'a pas souffert [3].
C'est une dure loi, mais une loi suprême,
Vieille comme le monde et la fatalité,
Qu'il nous faut du malheur recevoir le baptême [4],
Et qu'à ce triste prix tout doit être acheté.
Les moissons pour mûrir ont besoin de rosée ;
Pour vivre et pour sentir [5], l'homme a besoin de pleurs ;
La joie a pour symbole une plante brisée,
Humide encor de pluie et couverte de fleurs.
Ne te disais-tu pas guéri de ta folie ?
30 N'es-tu pas jeune, heureux, partout le bienvenu,
Et ces plaisirs légers qui font aimer la vie [6],
Si tu n'avais pleuré, quel cas en ferais-tu ?
Lorsqu'au déclin du jour, assis sur la bruyère,
Avec un vieil ami tu bois en liberté,
Dis-moi, d'aussi bon cœur lèverais-tu ton verre,
Si tu n'avais senti le prix de la gaîté ?
Aimerais-tu les fleurs, les prés et la verdure,
Les sonnets de Pétrarque et le chant des oiseaux,
Michel-Ange et les arts, Shakespeare et la nature,
40 Si tu n'y retrouvais quelques anciens sanglots ?
Comprendrais-tu des cieux l'ineffable harmonie,
Le silence des nuits, le murmure des flots,
Si quelque part là-bas [7] la fièvre et l'insomnie
Ne t'avaient fait songer à l'éternel repos [8] ? [...]
De quoi te plains-tu donc ? L'immortelle espérance
S'est retrempée en toi sous la main du malheur.
Pourquoi veux-tu haïr ta jeune expérience,
Et détester un mal qui t'a rendu meilleur ?
O mon enfant ! plains-la, cette belle infidèle,
50 Qui fit couler jadis les larmes de tes yeux ;

— 2 A une vie émotionnelle intense. — 3 Montrer la vérité profonde de cette maxime. — 4 Le baptême est une *purification* qui fait naître à la *vie véritable*. — 5 Pour goûter pleinement la vie, avec une riche sensibilité. — 6 Plaisirs épi-curiens auxquels Musset n'a que trop sacrifié ! — 7 A Venise. — 8 La Muse rappelle alors la passion récente de Musset pour la belle Aimée d'Alton : ses épreuves ne le rendent-elles pas plus sensible à ce nouveau bonheur ?

Plains-la ! c'est une femme [9], et Dieu t'a fait, près d'elle,
Deviner, en souffrant, le secret des heureux [10].
Sa tâche fut pénible ; elle t'aimait peut-être ;
Mais le destin voulait qu'elle brisât ton cœur.
Elle savait la vie, et te l'a fait connaître ;
Une autre a recueilli le fruit de ta douleur.
Plains-la ! son triste amour a passé comme un songe ;
Elle a vu ta blessure et n'a pu la fermer.
Dans ses larmes, crois-moi, tout n'était pas mensonge.
60 Quand tout l'aurait été, plains-la ! tu sais aimer...

SOUVENIR

Sur un thème essentiel à tous les romantiques, le *souvenir*, MUSSET qui a rencontré par hasard George Sand, cinq ans après leur liaison, affirme la valeur et la richesse de l'amour dont il se souvient maintenant sans haine. Le temps écoulé l'a embelli et son génie s'est enrichi de cette passion malheureuse (1841).

J'espérais bien pleurer, mais je croyais souffrir
En osant te revoir, place à jamais sacrée,
O la plus chère tombe et la plus ignorée
    Où dorme un souvenir !

Que redoutiez-vous donc de cette solitude,
Et pourquoi, mes amis, me preniez-vous la main,
Alors qu'une si douce et si vieille habitude
    Me montrait ce chemin ?

Les voilà ces coteaux, ces bruyères fleuries,
10 Et ces pas argentins [1] sur le sable muet,
Ces sentiers amoureux, remplis de causeries,
    Où son bras m'enlaçait.

Les voilà ces sapins à la sombre verdure,
Cette gorge profonde aux nonchalants détours,
Ces sauvages amis, dont l'antique murmure
    A bercé mes beaux jours.

Les voilà ces buissons, où toute ma jeunesse
Comme un essaim d'oiseaux chante au bruit de mes pas.
Lieux charmants, beau désert où passa ma maîtresse,
20   Ne m'attendiez-vous pas ?

Ah ! laissez-les couler, elles me sont bien chères [2],
Ces larmes que soulève un cœur encor blessé !
Ne les essuyez pas, laissez sur mes paupières
    Ce voile du passé !

— 9 Plus sensible encore à la douleur (cf. v. 53). — 10 En comprenant le sens de la souffrance et en appréciant les plaisirs de la vie.

— 1 « Qui ont le son clair de l'argent ». Musset évoque les rendez-vous dans la forêt de Fontainebleau. — 2 Noter l'évolution des sentiments depuis la *Nuit d'Octobre*.

Je ne viens point jeter un regret inutile
Dans   l'écho de ces bois témoins de mon bonheur.
Fière est cette forêt dans sa bauté tranquille,
         Et fier aussi mon cœur

     Que celui-là se livre à des plaintes amères,
30 Qui s'agenouille et prie au tombeau d'un ami.
     Tout respire en ces lieux ; les fleurs des cimetières
         Ne poussent point ici [3].

     Voyez ! la lune monte à travers ces ombrages ;
     Ton regard tremble encor, belle reine des nuits,
     Mais du sombre horizon déjà tu te dégages
         Et tu t'épanouis.

     Ainsi de cette terre, humide encor de pluie,
     Sortent, sous tes rayons, tous les parfums du jour ;
     Aussi calme, aussi pur, de mon âme attendrie
40   Sort mon ancien amour.

     Que sont-ils devenus, les chagrins de ma vie ?
     Tout ce qui m'a fait vieux [4] est bien loin maintenant ;
     Et rien qu'en regardant cette vallée amie
         Je redeviens enfant.

     O puissance du temps ! ô légères années !
     Vous emportez nos pleurs, nos cris et nos regrets ;
     Mais la pitié vous prend, et sur nos fleurs fanées
         Vous ne marchez jamais.

     Tout mon cœur te bénit, bonté consolatrice !
50 Je n'aurais jamais cru que l'on pût tant souffrir
     D'une telle blessure, et que sa cicatrice
         Fût si douce à sentir.

     Loin de moi les vains mots, les frivoles pensées,
     Des vulgaires douleurs linceul accoutumé,
     Que viennent étaler sur leurs amours passées
         Ceux qui n'ont point aimé.

     Dante, pourquoi dis-tu qu'il n'est pire misère
     Qu'un souvenir heureux dans les jours de douleur ?
     Quel chagrin t'a dicté cette parole amère,
60   Cette offense au malheur ?

— 3 Comment concilier cette affirmation avec les v. 3 et 4 ? — 4 Musset a trente ans !

Bonnington :
Venise : le Grand Canal et la Salute.
Paris, collection particulière.
(Photo Giraudon).

Gérard Philipe dans le rôle
de Lorenzo de Médicis, de « Lorenzaccio »,
drame d'Alfred de Musset,
Festival d'Avignon, 1952.
(Photo Agnès Varda.)

Le monde onirique de Gérard de Nerval.
Gravure à l'eau-forte en couleurs de Leonor Fini pour *Aurelia*. *(Photo Bibliothèque nationale, Paris.)*

En est-il donc moins vrai que la lumière existe,
Et faut-il l'oublier du moment qu'il fait nuit ?
Est-ce bien toi, grande âme immortellement triste,
  Est-ce toi qui l'as dit [5] ?

Non, par ce pur flambeau dont la splendeur m'éclaire,
Ce blasphème vanté [6] ne vient pas de ton cœur.
Un souvenir heureux est peut-être sur terre
  Plus vrai que le bonheur.

Le poète s'indigne ensuite contre les négateurs qui raillent le bonheur éphémère parce que son souvenir enlaidit, par contraste, le reste de l'existence :

  Ce fugitif instant fut toute votre vie : Ne le regrettez pas !

Musset *lui-même vient d'être soumis à une épreuve. Il a retrouvé récemment sa « seule amie, à jamais la plus chère », « jeune et belle encor » et souriante, mais devenue étrangère.*

  Mais non : il me semblait qu'une femme inconnue
70 Avait pris par hasard cette voix et ces yeux ;
 Et je laissai passer cette froide statue
  En regardant les cieux.

Eh bien ! ce fut sans doute une horrible misère
Que ce riant adieu d'un être inanimé [7].
Eh bien ! qu'importe encore ? O nature ! ô ma mère !
  En ai-je moins aimé ?

La foudre maintenant peut tomber sur ma tête ;
Jamais ce souvenir ne peut m'être arraché !
Comme le matelot brisé par la tempête,
80 Je m'y tiens attaché.

Je ne veux rien savoir, ni si les champs fleurissent,
Ni ce qu'il adviendra du simulacre humain,
Ni si ces vastes cieux éclaireront demain
  Ce qu'ils ensevelissent.

Je me dis seulement : « A cette heure, en ce lieu,
Un jour, je fus aimé, j'aimais, elle était belle.
J'enfouis ce trésor dans mon âme immortelle,
  Et je l'emporte à Dieu ! »

— 5 Dans l'*Enfer* de Dante (V, 121), ces paroles sont prononcées par l'ombre de Françoise de Rimini qui expie sa passion coupable pour son beau-frère Paolo : leur supplice est lié au souvenir sans cesse renaissant de leur amour. — 6 Pourtant, en 1831, dans *Le Saule*, Musset avait repris en l'approuvant cette formule de Dante. — 7 *Insensible* et, aux yeux de Musset, *sans âme.*

LE THÉATRE ROMANTIQUE

L'évolution sociale et l'avènement du Romantisme vont appeler le théâtre à de nouvelles formules.

I. LE MÉLODRAME. A la fin du XVIIIᵉ siècle un genre nouveau s'impose sur les boulevards, le *mélodrame*. Il procure des *émotions fortes* au public populaire, accorde la première place à l'*intrigue* et au *spectacle* et ramène les caractères à quelques *types élémentaires* : le traître odieux, la victime vertueuse, le jeune premier beau et héroïque. Ce genre populaire applaudi par un public toujours croissant n'est pas sans influer sur les conceptions du drame romantique.

II. ÉLABORATION DES THÉORIES DU DRAME. La théorie du drame romantique recevra son expression la plus vivante dans la *Préface de Cromwell*. Mais ce manifeste n'est que l'aboutissement d'idées nouvelles nées dans le premier quart du XIXᵉ siècle.

La connaissance plus précise des dramaturges allemands et de Shakespeare par des traductions ou par des représentations, la diffusion du *Cours de Littérature dramatique* de Schlegel (traduit en 1814) élargissent le goût et permettent des comparaisons entre les systèmes dramatiques. Le *Racine et Shakespeare* (1823-1825) de STENDHAL sera l'ouvrage théorique le plus important avant la *Préface de Cromwell* (1827), de Victor Hugo.

STENDHAL souligne la nécessité vitale de plaire au public contemporain : c'est à ses yeux la définition même du romantisme. Ainsi Racine et Shakespeare étaient l'un et l'autre *romantiques* en leur temps puisqu'ils ont donné à leurs compatriotes la tragédie réclamée par leur mœurs. C'est au tour des modernes de plaire à leurs contemporains.

LA THÉORIE DU DRAME ROMANTIQUE

Dans la *Préface de Cromwell* (1827), VICTOR HUGO rassemble avec éclat les idées jusque là éparses qui définissent l'esthétique du drame.

Le mélange des genres Au début de la *Préface*, Hugo distingue arbitrairement trois âges de l'humanité. A chaque étape correspond une forme d'expression littéraire : « Les temps modernes sont *dramatiques* ». C'est l'idée chrétienne de l'*homme double*, composé de deux êtres « l'un charnel, l'autre éthéré » qui est à l'origine du drame.

I. UNE PEINTURE TOTALE DE LA RÉALITÉ. Puisque l'homme est double, « la muse moderne » respectera cette dualité ; elle sentira que dans la création « le *laid* existe à côté du *beau* », elle mêlera « le *grotesque* au *sublime*, le corps à l'âme, la bête à l'esprit ». Vouloir isoler ces deux éléments c'est trahir le réel : dans le drame « le corps joue son rôle comme l'âme ». Ainsi le *mélange des genres* permet une peinture plus complète des individus.

II. LE DRAME, POÉSIE COMPLÈTE. Le drame romantique doit pouvoir embrasser tous les genres. « Le drame tient de la *tragédie* par la peinture des passions et de la *comédie* par la peinture des caractères » (Préface de *Ruy Blas*). « L'ode et l'épopée ne le contiennent qu'en germe ; il les contient l'une et l'autre en développement » (Préface de Cromwell). Toutefois, parmi les romantiques, Hugo fut le seul à faire du mélange des genres une obligation.

**Le drame
et les unités**
Des trois unités de la tragédie classique, seule l'*unité d'action* était justifiée. Hugo l'assouplit en la définissant comme l'*unité d'ensemble* : « L'unité d'ensemble est la loi de perspective du théâtre ». Quant aux unités de *temps* et de *lieu*, elles constituent des conventions absurdes. Victor Hugo les ridiculise avec une verve éclatante : « Quoi de plus invraisemblable et de plus absurde en effet que ce vestibule, ce péristyle, cette antichambre, lieu banal où nos tragédies ont la complaisance de venir se dérouler ? » Plus loin il reproche à la tragédie classique de se dérouler dans la coulisse : « Au lieu de scènes, nous avons des récits, au lieu de tableaux, des descriptions ».

« L'unité de temps n'est pas plus solide que l'unité de lieu. L'action encadrée de force dans les vingt-quatre heures, est aussi ridicule qu'encadrée dans le vestibule. *Toute action a sa durée propre comme son lieu particulier.* » Dans l'idéologie romantique, l'unité de temps était surtout une entrave au développement vraisemblable des passions.

**La nature
« transfigurée »**
Le règne des unités était donc révolu. Une autre forme dramatique prenait corps et sa revendication essentielle était la *liberté dans l'art*. Hugo indique avec bon sens les limites de cette liberté. Il proclame d'abord l'*indépendance du génie* et proscrit l'imitation : « il n'y a d'autres règles que les lois générales de la nature ». Mais loin d'être une copie servile de la nature, l'art doit choisir, condenser, interpréter : « *L'art est la vérité choisie* ».

Pour faire du drame une *œuvre d'art*, le poète doit élaborer « sous la baguette magique de l'art » une réalité supérieure. Il doit se méfier d'une apparente couleur locale mais la mettre « dans le cœur même de l'œuvre » et ne pas craindre l'usage du *vers*, un vers libre et audacieux dont Hugo donnera l'exemple, pour assurer l'esthétique du drame.

LE THÉÂTRE DE VICTOR HUGO

Théorie et pratique
Après la démonstration théorique de *Cromwell*, Hugo n'est pas toujours resté fidèle à ses idées sur l'esthétique du drame. Dans *Hernani* déjà, le mélange des genres devient moins sensible, et les pièces qui suivent : *Lucrèce Borgia, Marie Tudor, Angelo* sont uniformément sombres. Avec *Ruy Blas*, Hugo réagit et donne de propos délibéré une illustration éclatante du *mélange des genres*. De même, Hugo qui s'était déclaré en faveur du drame en vers renonce à sa théorie dans plusieurs mélodrames. Ses chefs-d'œuvre, *Hernani, Ruy Blas* seront pourtant des drames en vers.

Caractères généraux
Dans le théâtre de V. Hugo, l'action, parfois surchargée, manque bien souvent de vraisemblance, et le *hasard* qui remplace le destin tragique y joue un rôle excessif. Mais l'intrigue brillante, spectaculaire, riche en rebondissements, enthousiasma la jeunesse. Les personnages, tel Don Salluste, sont parfois trop typés et ressemblent à ceux du mélodrame ; pourtant leurs sentiments ardents, leurs passions émouvantes en font une illustration brillante des héros romantiques.

Mais son théâtre est transfiguré par la poésie. Lyrique ou épique, elle fait le *charme* et la *grandeur* des principaux drames. Les héros chantent leur enthousiasme, leurs rêves avec *lyrisme* et leurs duos d'amour sont inoubliables. L'inspiration *épique* du poète se retrouve dans les fresques historiques de l'Angleterre ou de l'Espagne comme dans les méditations morales d'un Charles-Quint.

LE TIGRE ET LE LION

Alors que Don Salluste s'apprête à perdre la Reine désespérée d'apprendre que « *Don César* » est un laquais, Ruy Blas révolté, complice malgré lui d'un atroce complot contre la femme qu'il aime, devient soudain *le Justicier*. — *Ruy Blas*, V, 3.

Ruy Blas, *terrible, l'épée de don Salluste à la main*
Je crois que vous venez d'insulter votre reine !

Don Salluste se précipite vers la porte. Ruy Blas la lui barre.

— Oh ! n'allez point par là, ce n'en est pas la peine,
J'ai poussé le verrou depuis longtemps déjà. —
Marquis, jusqu'à ce jour Satan te protégea,
Mais, s'il veut t'arracher de mes mains, qu'il se montre.
— A mon tour ! — On écrase un serpent qu'on rencontre.
— Personne n'entrera, ni tes gens, ni l'enfer !
Je te tiens écumant sous mon talon de fer !
— Cet homme vous parlait insolemment, madame ?
10   Je vais vous expliquer. Cet homme n'a point d'âme,
C'est un monstre. En riant hier il m'étouffait.
Il m'a broyé le cœur à plaisir. Il m'a fait
Fermer une fenêtre [1], et j'étais au martyre !
Je priais ! je pleurais ! je ne peux pas vous dire.

Au marquis

Vous contiez vos griefs dans ces derniers moments.
Je ne répondrai pas à vos raisonnements,
Et d'ailleurs — je n'ai pas compris. — Ah ! misérable !
Vous osez, — votre reine, une femme adorable !
Vous osez l'outrager quand je suis là ! — Tenez,
20   Pour un homme d'esprit, vraiment, vous m'étonnez !
Et vous vous figurez que je vous verrai faire
Sans rien dire ! — Écoutez, quelle que soit sa sphère,
Monseigneur, lorsqu'un traître, un fourbe tortueux,
Commet de certains faits rares et monstrueux,
Noble ou manant, tout homme a droit, sur son passage,
De venir lui cracher sa sentence au visage,
Et de prendre une épée, une hache, un couteau !... —
Pardieu ! j'étais laquais ! quand je serais bourreau ?

La Reine
Vous n'allez pas frapper cet homme ?

Ruy Blas
Je me blâme
30   D'accomplir devant vous ma fonction, madame.
Mais il faut étouffer cette affaire en ce lieu.

———— 1 Pour lui rappeler qu'il n'était qu'un laquais.

Il pousse don Salluste vers le cabinet

C'est dit, monsieur ! allez-là dedans prier Dieu !

DON SALLUSTE

C'est un assassinat !

RUY BLAS

Crois-tu ?

DON SALLUSTE, *désarmé, et jetant un regard plein de rage autour de lui*

                                           Sur ces murailles
Rien ! pas d'armes ! *A Ruy Blas :* Une épée au moins !

RUY BLAS

                          Marquis ! tu railles !
Maître ! est-ce que je suis un gentilhomme, moi ?
Un duel ! fi donc ! je suis un de tes gens à toi,
Valetaille de rouge et de galons vêtue,
Un maraud qu'on châtie et qu'on fouette, — et qui tue !
Oui, je vais te tuer, monseigneur, vois-tu bien ?
40 Comme un infâme ! comme un lâche ! comme un chien !

LA REINE

Grâce pour lui !

RUY BLAS, *à la reine, saisissant le marquis*

                    Madame, ici chacun se venge.
Le démon ne peut plus être sauvé par l'ange !

LA REINE, *à genoux*

Grâce !

DON SALLUSTE, *appelant*

Au meurtre ! au secours !

RUY BLAS, *levant l'épée*

                      As-tu bientôt fini ?

DON SALLUSTE, *se jetant sur lui en criant*

Je meurs assassiné ! Démon !

RUY BLAS, *le poussant dans le cabinet*

                        Tu meurs puni !

Ils disparaissent dans le cabinet dont la porte se referme sur eux.

Lorsque Ruy Blas reparaît après avoir tué Don Salluste, la reine refuse de lui pardonner. *Alors* Ruy Blas s'empoisonne. *La reine, désespérée, lui crie qu'elle lui pardonne et qu'elle l'aime.* « Si j'avais pardonné ?... — J'aurais agi de même » répond le héros, qui meurt content ; *la Reine, l'étreignant une dernière fois, ne l'a plus appelé Don César mais* Ruy Blas.

LE THÉATRE DE MUSSET

Les premières pièces publiées par MUSSET après l'échec de *La Nuit Vénitienne* (1830) seront écrites pour la lecture et non pour la scène. Affranchi de toute convention scénique, Musset multiplie les tableaux, étale l'intrigue, mélange les tons avec audace et fantaisie.

Les drames de Musset Dans le poème dramatique de *La Coupe et les Lèvres* (1833), le héros Franck, en révolte contre la société et contre Dieu, corrompu par la gloire et la richesse, annonçait déjà par sa nostalgie de la pureté le drame moral de Lorenzo. En 1834, Musset publie *Lorenzaccio*, un des chefs-d'œuvre du théâtre romantique. C'est une vaste fresque historique où revit la Florence du XVIᵉ siècle, ses rues et ses palais, où se côtoient la noblesse, les marchands et le peuple florentin. Le sujet, emprunté à une chronique florentine, retrace la chute de LORENZO, héros tombé dans la débauche et devenu prisonnier de son vice. En évoquant la déchéance de Lorenzo, Musset se représente tel qu'il sera bientôt et ce cri d'angoisse nous émeut profondément.

Lorenzaccio *Florence vit sous la tyrannie d'une brute débauchée, le duc* ALEXANDRE *et de son cousin* LORENZO DE MÉDICIS, *qu'on appelle avec mépris* LORENZACCIO, *un personnage odieux et sans scrupule. Pourtant Lorenzo révèle à* PHILIPPE STROZZI, *un vieux républicain idéaliste qui a gardé confiance en lui, qu'il trompe Alexandre et qu'il l'a suivi dans ses orgies pour pouvoir le tuer facilement. Ce meurtre est son ultime raison de vivre.*

ULTIME RAISON DE VIVRE

Dans une confidence émouvante, LORENZO désabusé explique au vieux STROZZI qu'il est allé trop loin dans l'apprentissage du vice pour pouvoir revenir à la vertu : « Ce meurtre, c'est tout ce qui me reste de ma vertu ».

PHILIPPE

Pauvre enfant, tu me navres le cœur ! Mais si tu es honnête, quand tu auras délivré ta patrie, tu le redeviendras...

LORENZO

Il est trop tard. Je me suis fait à mon métier. Le vice a été pour moi un vêtement ; maintenant il est collé à ma peau. Je suis vraiment un ruffian [1], et quand je plaisante sur mes pareils, je me sens sérieux comme la mort au milieu de ma gaieté. Brutus a fait le fou pour tuer Tarquin [2], et ce qui m'étonne en lui, c'est qu'il n'y ait pas laissé sa raison. Profite de moi [3], Philippe, voilà ce que j'ai à te dire ; ne travaille pas pour ta patrie.

— 1 Un débauché. — 2 Brutus pour venger la mort de son père et de ses frères, simula la folie et s'introduit comme bouffon près du dernier roi de Rome, Tarquin le Superbe ; il souleva le peuple, chassa les Tarquins et abolit la royauté. Confusion entre le Brutus qui a chassé Tarquin et celui qui a tué César. — 3 Pour te venger personnellement.

PHILIPPE, *l'idéaliste, a foi dans l'action des républicains pour rétablir la liberté. Mais* LORENZO *lui oppose le pessimisme d'un homme d'expérience :* « *Tu auras toujours affaire aux hommes... Je te gage que ni eux ni le peuple ne feront rien... Laisse-moi faire mon coup. Tu as les mains pures et moi je n'ai rien à perdre.* »

PHILIPPE

10   Mais pourquoi tueras-tu le duc, si tu as des idées pareilles ?

LORENZO

Pourquoi ? tu le demandes ?

PHILIPPE

Si tu crois que c'est un meurtre inutile à ta patrie, comment le commets-tu ?

LORENZO

Tu me demandes cela en face ? Regarde-moi un peu. J'ai été beau, tranquille, vertueux.

PHILIPPE

Quel abîme ! Quel abîme tu m'ouvres !

LORENZO

Tu me demandes pourquoi je tue Alexandre ? Veux-tu donc que je m'empoisonne, ou que je saute dans l'Arno ? veux-tu donc que je sois un spectre, et qu'en frappant sur ce squelette *(Il frappe sa poitrine)*
20 il n'en sorte aucun son ? Si je suis l'ombre de moi-même [4], veux-tu donc que je m'arrache le seul fil qui rattache aujourd'hui mon cœur à quelques fibres de mon cœur d'autrefois ? Songes-tu que ce meurtre, c'est tout ce qui me reste de ma vertu [5] ? Songes-tu que je glisse depuis deux ans sur un mur taillé à pic, et que ce meurtre est le seul brin d'herbe où j'aie pu cramponner mes ongles ? Crois-tu donc que je n'aie plus d'orgueil, parce que je n'ai plus de honte ? et veux-tu que je laisse mourir en silence l'énigme de ma vie ? Oui, cela est certain, si je pouvais revenir à la vertu, si mon apprentissage du vice pouvait s'évanouir, j'épargnerais peut-être ce conducteur de bœufs [6]. Mais j'aime le vin,
30 le jeu et les filles ; comprends-tu cela ? Si tu honores en moi quelque chose, toi qui me parles, c'est mon meurtre que tu honores, peut-être justement parce que tu ne le ferais pas. Voilà assez longtemps, vois-tu, que les républicains me couvrent de boue et d'infamie ; voilà assez longtemps que les oreilles me tintent [7] et que l'exécration des hommes empoisonne le pain que je mâche ; j'en ai assez d'entendre brailler en plein vent le bavardage [8] humain ; il faut que le monde sache un peu

---

— 4 Moralement et même physiquement. Cf. Marie Soderini disant : « Ah ! il n'est même plus beau ; comme une fumée malfaisante la souillure de son cœur lui est montée au visage ». —

5 Expliquer cette vigoureuse expression. — 6 Alexandre avait un physique bestial et des mœurs peu raffinées. — 7 Parce qu'on le maudit. — 8 Ce mot abstrait est sujet de *brailler*.

qui je suis et qui il est. Dieu merci ! c'est peut-être demain que je tue Alexandre ; dans deux jours j'aurai fini. Ceux qui tournent autour de moi avec des yeux louches, comme autour d'une curiosité monstrueuse
40 apportée d'Amérique [9], pourront satisfaire leur gosier et vider leur sac à paroles. Que les hommes me comprennent ou non, qu'ils agissent ou n'agissent pas, j'aurai dit tout ce que j'ai à dire ; je leur ferai tailler leur plume, si je ne leur fais pas nettoyer leurs piques [10], et l'humanité gardera sur sa joue le soufflet de mon épée marqué en traits de sang [11]. Qu'ils m'appellent comme ils voudront, Brutus [12] ou Érostrate [13], il ne me plaît pas qu'ils m'oublient. Ma vie entière est au bout de ma dague [14], et que la Providence retourne ou non la tête en m'entendant frapper, je jette la nature humaine à pile ou face sur la tombe d'Alexandre [15] ; dans deux jours les hommes comparaîtront devant le tribunal de ma volonté.

Lorenzaccio, III, 3.

LORENZO *finit par attirer le tyran chez lui et le tue. Mais il avait vu juste : ce meurtre reste inutile.* On proclame duc COME DE MÉDICIS *et les Florentins s'inclinent sans résistance. La tête de Lorenzo est mise à prix : traqué, il se réfugie à Venise où il périt assassiné. Le peuple jette son corps dans la lagune.*

Les comédies de Musset

A la tension extrême du drame, MUSSET préfère les comédies légères *(Un Caprice, Il faut qu'une porte soit ouverte ou fermée)*, les proverbes *(Il ne faut jurer de rien)* et les pièces à mi-chemin entre la comédie et le drame *(Les Caprices de Marianne, On ne badine pas avec l'amour)*. Le sujet éternel de ses comédies sera *l'amour* avec ses nuances variées : sentiment à peine éclos, passion vibrante et parfois douloureuse ou caprice léger, mais toujours traité avec *fantaisie* et *émotion*.

Les intrigues souvent irréelles se situent dans un monde de *rêve*. Pourtant les personnages demeurent profondément *humains ;* ils souffrent et espèrent avec un cœur qui est bien souvent celui de Musset lui-même.

Fantaisie légère et émotion profonde, poésie et vérité : cet *équilibre subtil entre le rêve et la réalité* assure aux comédies de Musset une place unique dans notre théâtre.

On ne badine pas avec l'amour

Au terme de ses études, PERDICAN *revient au château paternel en même temps que sa cousine* CAMILLE *dont il va s'éprendre. La résistance et la réserve de Camille amènent Perdican à faire la cour à une paysanne,* ROSETTE. *Mais Camille, jalouse, fait venir Rosette dans sa chambre et la cache derrière une tapisserie, d'où elle assistera à un entretien de Camille et de Perdican.*

— 9 Découverte récemment. — 10 Il croit les Florentins trop veules pour se libérer par les armes. — 11 Pourquoi veut-il *souffleter* ainsi l'humanité ? — 12 Il s'agit probablement ici du meurtrier de César. — 13 Pour se rendre célèbre, l'obscur Érostrate brûla le temple d'Artémis à Éphèse, une des sept merveilles du monde (351 av. J.-C.). — 14 N'a de sens que si elle aboutit à ce coup de dague. — 15 Jeu de hasard.

UN JEU CRUEL

Musset, qui se souvient encore de Venise, traite ici l'amour d'une manière sombre : Camille, coquette, sera bientôt cruelle.

CAMILLE

Bonjour, cousin, asseyez-vous.

PERDICAN

Quelle toilette, Camille ! A qui en voulez-vous ?

CAMILLE

A vous, peut-être ; je suis fâchée de n'avoir pu me rendre au rendez-vous que vous m'avez demandé ; vous aviez quelque chose à me dire ?

PERDICAN, *à part*

Voilà, sur ma vie, un petit mensonge assez gros pour un agneau sans tache ; je l'ai vue derrière un arbre écouter la conversation. (*Haut.*) Je n'ai rien à vous dire, qu'un adieu, Camille ; je croyais que vous partiez ; cependant votre cheval est à l'écurie, et vous n'avez pas l'air d'être en robe de voyage.

CAMILLE

10 J'aime la discussion ; je ne suis pas bien sûre de ne pas avoir eu envie de me quereller encore avec vous.

PERDICAN

A quoi sert de se quereller, quand le raccommodement est impossible ? Le plaisir des disputes, c'est de faire la paix.

CAMILLE

Êtes-vous convaincu que je ne veuille pas la faire ?

PERDICAN

Ne raillez pas ; je ne suis pas de force à vous répondre.

CAMILLE

Je voudrais qu'on me fît la cour ! je ne sais si c'est que j'ai une robe neuve, mais j'ai envie de m'amuser. Vous m'avez proposé d'aller au village, allons-y, je veux bien ; mettons-nous en bateau ; j'ai envie d'aller dîner sur l'herbe, ou de faire une promenade dans la forêt. Fera-t-il 20 clair de lune, ce soir ? Cela est singulier, vous n'avez plus au doigt la bague que je vous ai donnée ?

PERDICAN

Je l'ai perdue.

CAMILLE

C'est pour cela que je l'ai trouvée ; tenez, Perdican, la voilà.

PERDICAN

Est-ce possible ? Où l'avez-vous trouvée ?

CAMILLE

Vous regardez si mes mains sont mouillées, n'est-ce pas ? En vérité,
j'ai gâté ma robe de couvent pour retirer ce petit hochet d'enfant de la
fontaine. Voilà pourquoi j'en ai mis une autre, et, je vous dis, cela m'a
changée ; mettez donc cela à votre doigt.

PERDICAN

Tu as retiré cette bague de l'eau, Camille, au risque de te précipiter ?
30 Est-ce un songe ? La voilà ; c'est toi qui me la mets au doigt ! Ah ! Camille,
pourquoi me le rends-tu, ce triste gage d'un bonheur qui n'est plus ?
Parle, coquette et imprudente fille, pourquoi pars-tu ? pourquoi restes-tu ?
Pourquoi, d'une heure à l'autre, changes-tu d'apparence et de couleur,
comme la pierre de cette bague à chaque rayon du soleil ?

CAMILLE

Connaissez-vous le cœur des femmes, Perdican ? Êtes-vous sûr de leur
inconstance, et savez-vous si elles changent réellement de pensée en
changeant quelquefois de langage ? Il y en a qui disent que non. Sans
doute, il nous faut souvent jouer un rôle, souvent mentir ; vous voyez
que je suis franche ; mais êtes-vous sûr que tout mente dans une femme,
40 lorsque sa langue ment ? Avez-vous bien réfléchi à la nature de cet être
faible et violent, à la rigueur avec laquelle on le juge, aux principes qu'on
lui impose ? Et qui sait si, forcée à tromper par le monde, la tête de ce
petit être sans cervelle ne peut pas y prendre plaisir, et mentir quelquefois par passe-temps, par folie, comme elle ment par nécessité ?

PERDICAN

Je n'entends rien à tout cela, et je ne mens jamais. Je t'aime, Camille,
voilà tout ce que je sais.

CAMILLE

Vous dites que vous m'aimez, et vous ne mentez jamais ?

PERDICAN

Jamais.

CAMILLE

En voilà une qui dit pourtant que cela vous arrive quelquefois. *(Elle
50 lève la tapisserie ; Rosette paraît dans le fond, évanouie sur une chaise.)*
Que répondrez-vous à cette enfant, Perdican, lorsqu'elle vous demandera
compte de vos paroles ? Si vous ne mentez jamais, d'où vient donc qu'elle
s'est évanouie en vous entendant me dire que vous m'aimez ? Je vous laisse
avec elle ; tâchez de la faire revenir.

On ne badine pas avec l'amour, III, 6.

PERDICAN *s'entête à vouloir épouser* ROSETTE ; *et* CAMILLE, *folle de jalousie, raille
cruellement ce projet. Mais ils ne peuvent dominer leur amour : ils finissent par convenir
qu'ils sont insensés et se jettent dans les bras l'un de l'autre. A ce moment un cri retentit :
c'est* ROSETTE *qui les épiait et qui n'a pu résister à ce coup. Elle tombe morte et sa fin tragique
sépare à jamais Camille et Perdican :* On ne badine pas avec l'amour.

LE THÉATRE DE VIGNY

Après des adaptations de Shakespeare, puis un drame historique (*La Maréchale d'Ancre*, 1831), Vigny donne *Chatterton* (1835) un drame en trois actes, tiré d'une des trois nouvelles qu'il avait publiées en 1832 dans *Stello*.

Dans le roman, STELLO est un poète plein d'ardeur, avide de consacrer son talent à la cause publique. Pour le guérir de ses illusions, son ami le DOCTEUR-NOIR lui conte l'histoire de *trois poètes* qui ont été victimes de gouvernements pareillement hostiles et méprisants qui les ont conduits à la mort. A son malade le Docteur-Noir conseille de guider le peuple par ses écrits sans se mêler aux luttes politiques.

Reprenant cette thèse, VIGNY fait de *Chatterton* un « drame de la pensée » : « *J'ai voulu montrer l'homme spiritualiste étouffé par la société matérialiste où le calculateur avare exploite sans pitié l'intelligence et le travail* ». Déformant la réalité historique, Vigny fait du vrai CHATTERTON, poète anglais et pamphlétaire vendu à tous les partis, le symbole du poète le plus pur : il dépeint, à travers lui, la détresse du poète incompris et attire sur lui l'attention de la société indifférente.

Derrière ce drame, souligne VIGNY, il y a le *drame d'amour* de CHATTERTON et de KITTY, « cet amour de deux êtres si purs qu'ils n'oseront jamais se parler ni rester seuls qu'au moment de la mort ».

Romantique par la thèse qu'elle soutient, par le souci d'exactitude dans le décor et les costumes, par le mélange des tons et le style, la pièce de Vigny *se rapproche de l'art classique* par l'extrême simplicité de l'intrigue et par l'action tout intérieure qui progresse par le jeu des caractères.

Chatterton

ACTE I. *La scène est à Londres en 1770. Un riche industriel* JOHN BELL *autoritaire envers ses ouvriers et sa femme, la douce* KITTY BELL, *loue une chambre au jeune* CHATTERTON, *poète pauvre et incompris qui se confie à un vieux* QUAKER.

ACTE II. *Lord* TALBOT, *un condisciple d'Oxford du poète, le complimente devant ses hôtes pour le succès de sa poésie et le raille pour son intimité avec la jeune femme. Irritée de cet incident, Kitty avoue au Quaker sa pitié.*

ACTE III. CHATTERTON *est découragé, et, pour le détourner du suicide, le* QUAKER *lui avoue l'amour de* KITTY BELL. *Un instant l'espoir renaît, mais le lord-maire* BECKFORD, *à qui le poète a demandé un emploi, lui offre une place de valet ; humilié, Chatterton s'empoisonne et Kitty meurt, à son tour, de chagrin.*

A QUOI SERT LE POÈTE ?

CHATTERTON découragé a demandé secours à Lord BECKFORD qui est, à ses yeux, le gouvernement. Dans ce débat symbolique entre le poète et la société matérialiste, Vigny résume la thèse de *Stello*.

M. BECKFORD

John Bell, n'avez-vous pas chez vous un jeune homme nommé Chatterton, pour qui j'ai voulu venir moi-même ?

CHATTERTON

C'est moi, milord, qui vous ai écrit.

M. BECKFORD

Ah ! c'est vous, mon cher ! Venez donc ici un peu, que je vous voie en face. J'ai connu votre père, un digne homme s'il en fut ; un pauvre soldat, mais qui avait bravement fait son chemin. Ah ! c'est vous qui êtes Thomas Chatterton ? Vous vous amusez à faire des vers, mon petit ami ; c'est bon pour une fois, mais il ne faut pas continuer. Il n'y a personne qui n'ait eu cette fantaisie. Hé ! hé ! j'ai fait comme vous dans mon printemps, et 10 jamais Littleton, Swift et Wilkes [1] n'ont écrit pour les belles dames des vers plus galants et plus badins que les miens.

CHATTERTON

Je n'en doute pas, milord.

M. BECKFORD

Mais je ne donnais aux Muses que le temps perdu. Je savais bien ce qu'en dit Ben Johnson [2] : que la plus belle Muse au monde ne peut suffire à nourrir son homme, et qu'il faut avoir ces demoiselles-là pour maîtresses, mais jamais pour femmes. *(Lauderdale, Kingston et les lords rient.)*

LAUDERDALE

Bravo ! milord ! c'est bien vrai !

LE QUAKER, *à part*

Il veut le tuer à petit feu.

CHATTERTON

Rien de plus vrai, je le vois aujourd'hui, milord.

M. BECKFORD

20 Votre histoire est celle de mille jeunes gens ; vous n'avez rien pu faire que vos maudits vers, et à quoi sont-ils bons, je vous prie ? Je vous parle en père, moi, à quoi sont-ils bons ? — Un bon Anglais doit être utile au pays. — Voyons un peu, quelle idée vous faites-vous de nos devoirs à tous tant que nous sommes ?

CHATTERTON, *à part*

Pour elle ! pour elle ! je boirai le calice jusqu'à la lie. — *(Haut.)* Je crois les comprendre, milord. — L'Angleterre est un vaisseau [3]. Notre île en a la forme : la proue tournée au nord, elle est comme à l'ancre au milieu des mers, surveillant le continent. Sans cesse elle tire de ses flancs d'autres vaisseaux faits à son image, et qui vont la représenter sur toutes les côtes 30 du monde. Mais c'est à bord du grand navire qu'est notre ouvrage à tous.

— 1 Littleton et Wilkes, écrivains du XVIIIe siècle, ont écrit des vers incidemment ; Swift (1665-1745) est l'auteur des *Voyages de* | *Gulliver.* — 2 Dramaturge célèbre (1573-1637), auteur de *Volpone ;* il mourut dans la misère. — 3 Étudier la justesse et la poésie du symbole. —

Le Roi, les Lords, les Communes sont au pavillon, au gouvernail et à la boussole ; nous autres, nous devons tous avoir les mains aux cordages, monter aux mâts, tendre les voiles et charger les canons : nous sommes tous de l'équipage, et nul n'est inutile dans la manœuvre de notre glorieux navire.

M. BECKFORD

Pas mal ! pas mal ! quoiqu'il fasse encore de la poésie ; mais en admettant votre idée, vous voyez que j'ai encore raison. Que diable peut faire le Poète dans la manœuvre ? (*Un moment d'attente.*)

CHATTERTON

Il lit dans les astres la route que nous montre le doigt du Seigneur.

LORD TALBOT

40 Qu'en dites-vous, milord ? Lui donnez-vous tort ? Le pilote n'est pas inutile [4].

M. BECKFORD

Imagination, mon cher ! ou folie, c'est la même chose ; vous n'êtes bon à rien, et vous vous êtes rendu tel par ces billevesées. — J'ai des renseignements sur vous... à vous parler franchement... et...

LORD TALBOT

Milord, c'est un de mes amis, et vous m'obligerez en le traitant bien...

M. BECKFORD

Oh ! vous vous y intéressez, George ? Eh bien ! vous serez content ; j'ai fait quelque chose pour votre protégé, malgré les recherches de Bale [5]... Chatterton ne sait pas qu'on a découvert ses petites ruses de manuscrit ; mais elles sont bien innocentes, et je les lui pardonne de bon cœur. Le 50 *Magisterial* est un bien bon écrit ; je vous l'apporte pour vous convertir, avec une lettre où vous trouverez mes propositions : il s'agit de cent livres sterling par an. Ne faites pas le dédaigneux, mon enfant ; que diable ! votre père n'était pas sorti de la côte d'Adam ; il n'était pas frère du roi, votre père ; et vous n'êtes bon à rien qu'à ce qu'on vous propose, en vérité. C'est un commencement ; vous ne me quitterez pas, et je vous surveillerai de près [6].

(*Kitty Bell supplie Chatterton, par un regard, de ne pas refuser. Elle a deviné son hésitation.*)

---

4 A l'acte I, sc. 5, Chatterton justifiait moins ambitieusement sa mission : « *N'ai-je pas quelque droit à l'amour de mes frères, moi qui travaille pour eux nuit et jour ; moi qui cherche avec tant de fatigues, dans les ruines nationales, quelques fleurs de poésie dont je puisse extraire un parfum durable ; moi qui veux ajouter une perle de plus à la couronne de l'Angleterre, et qui plonge dans tant de mers et de fleuves pour la chercher ?... Si vous saviez mes travaux !* » — 5 Ce personnage paraît inventé par Vigny, de même que le *Magisterial*, journal littéraire. — 6 Le poste proposé reste encore imprécis.

CHATTERTON *hésite, puis après avoir regardé Kitty*
Je consens à tout, milord.

LORD LAUDERDALE
Que milord est bon !

JOHN BELL
Voulez-vous accepter le premier toast, milord ?

KITTY BELL, *à sa fille*
60   Allez lui baiser la main.

LE QUAKER, *serrant la main à Chatterton*
Bien, mon ami, tu as été courageux.

LORD TALBOT
J'étais sûr de mon gros cousin, Tom. — Allons, j'ai fait tant qu'il est
à bon port.

M. BECKFORD
John Bell, mon honorable Bell, conduisez-moi au souper de ces jeunes
fous, que je les voie se mettre à table. — Cela me rajeunira.

LORD TALBOT
Parbleu ! tout ira, jusqu'au Quaker. — Ma foi, milord, que ce soit par
vous ou par moi, voilà Chatterton tranquille ; allons, — n'y pensons plus.

JOHN BELL
Nous allons tous conduire milord. *(A Kitty Bell :)* Vous allez revenir
faire les honneurs, je le veux. *(Elle va vers sa chambre.)*

CHATTERTON, *au Quaker*
70   N'ai-je point fait tout ce que vous vouliez ? *(A lord Beckford :)* Milord,
je suis à vous tout à l'heure, j'ai quelques papiers à brûler.

M. BECKFORD
Bien, bien !... Il se corrige de la Poésie, c'est bien. *(Ils sortent.)*

JOHN BELL *revient à sa femme brusquement*
Mais rentrez donc chez vous, et souvenez-vous que je vous attends.

(Kitty Bell s'arrête sur la porte un moment et regarde Chatterton avec inquiétude.)

KITTY BELL, *à part*
Pourquoi veut-il rester seul, mon Dieu ?

(Elle sort avec ses enfants et porte le plus jeune dans ses bras.)

Chatterton, III, 6.

THÉOPHILE GAUTIER

Né à Tarbes en 1811, THÉOPHILE GAUTIER fait ses études à Paris, entre à 18 ans dans un atelier de peinture, mais opte bientôt pour la poésie et manifeste son enthousiasme pour Victor Hugo, lors de la bataille d'*Hernani*. La même année (1830) il publie son premier recueil de *Poésies* puis en 1832 un long poème, *Albertus* : c'est l'histoire d'un jeune peintre victime d'une sorcière. En 1833, dans *Les Jeunes-France*, suite de récits humoristiques, Gautier raille le romantisme frénétique de ses contemporains.

En effet, dans la préface à son premier roman *Mademoiselle de Maupin* (1830), il réagit contre le romantisme moralisateur, politique et social et célèbre la Beauté pure. Dans le recueil lyrique *La Comédie de la Mort* (1836), Gautier, plus pessimiste, exprime son angoisse et son inquiétude devant la condition humaine. En 1836, il commence une carrière de *journaliste* qui lui assure la sécurité matérielle, mais c'est dans le *culte de l'art* qu'il trouvera son idéal et sa raison de vivre.

Le culte de l'art

Un séjour de six mois en *Espagne* lui donne le goût des voyages : il visitera plus tard l'Italie, la Grèce, la Russie, la Turquie. Dans *Tra los Montes* (1843), il donne une relation de son voyage, puis dans les poèmes d'*España* (1845) il transpose ses souvenirs de la péninsule ibérique. Désormais Gautier a choisi *l'art pour l'art*. C'est en effet dans la création poétique que Gautier trouve une évasion à la vie et aux événements quotidiens. Il publie en 1852 son chef-d'œuvre *Émaux et Camées*, recueil de poèmes apparemment sans lien, où passent « la vie et l'âme du poète ». On retrouve son goût pour le dépaysement dans ses romans *Arria Marcella* (1852), *Le Roman de la Momie* (1858), *Le Spirite* (1866), et dans le plus célèbre d'entre eux, *Le Capitaine Fracasse* (1863), où sont contées les aventures d'un jeune noble ruiné, dans une troupe de comédiens ambulants. Il meurt en 1872, atteint d'une maladie de cœur.

L'art pour l'art

Gautier a été *l'animateur du mouvement de l'art pour l'art* ; son œuvre en offre une théorie complète et une éclatante illustration.

1. LIBÉRATION DE L'ART. « Il n'y a de vraiment beau que ce qui ne peut servir à rien ; tout ce qui est utile est laid » (Préface de *Mademoiselle de Maupin*). L'art, désintéressé, doit demeurer indépendant de la morale et de la politique ; pour rester pur, il se défiera de la sentimentalité et du lyrisme.

2. LA BEAUTÉ. L'artiste ne connaît qu'un culte, celui de la beauté. Elle seule peut fixer son rêve et apaiser son inquiétude ; elle seule est éternelle. N'ayant d'autre fin que la beauté, la poésie resserrera ses liens avec les arts plastiques.

3. LA TECHNIQUE. La beauté s'obtient par le travail de la forme et les recherches techniques : il faut bannir la facilité. Gautier adopte des mètres difficiles, il soigne la rime, choisit des sonorités évocatrices, transpose les sensations visuelles en impressions musicales, unit à la vision du peintre la minutie de l'émailleur ou de l'orfèvre.

Si les théories esthétiques de Gautier ne sont pas sans danger, son œuvre, néanmoins, marque *un tournant dans l'histoire de la poésie française*. Il ouvre la voie aux poètes *parnassiens* qui voueront un culte à la beauté plastique, et en faisant de l'art un but, et non un moyen, il procède à une *libération* de la poésie.

L'ART

Ce poème, ajouté comme une conclusion à la fin d'*Émaux et Camées*, résume *l'idéal de l'art pour l'art*. Pour atteindre la beauté éternelle, GAUTIER met sa *technique* au service de sa doctrine, il choisit des rimes riches, des sonorités pleines, et s'impose la contrainte d'un mètre étroit.

Oui, l'œuvre sort plus belle
D'une forme au travail
  Rebelle [1],
Vers, marbre, onyx, émail.

Point de contraintes fausses !
Mais que pour marcher droit
  Tu chausses,
Muse, un cothurne étroit.

Fi du rythme commode,
10 Comme un soulier trop grand,
  Du mode [2]
Que tout pied quitte et prend !

Statuaire, repousse
L'argile que pétrit
  Le pouce,
Quand flotte ailleurs l'esprit ;

Lutte avec le carrare [3],
Avec le paros dur
  Et rare,
20 Gardiens du contour pur ;

Emprunte à Syracuse
Son bronze où fermement
  S'accuse
Le trait fier et charmant ;

D'une main délicate
Poursuis dans un filon
  D'agate
Le profil d'Apollon.

Peintre, fuis l'aquarelle
Et fixe la couleur   30
  Trop frêle
Au four de l'émailleur [4].

Fais les Sirènes bleues,
Tordant de cent façons
  Leurs queues,
Les monstres des blasons [5];

Dans son nimbe trilobe [6]
La Vierge et son Jésus,
  Le globe
Avec la croix dessus.   40

Tout passe. — L'art robuste
Seul à l'éternité ;
  Le buste
Survit à la cité.

Et la médaille austère
Que trouve un laboureur
  Sous terre
Révèle un empereur.

Les dieux eux-mêmes meurent,
Mais les vers souverains   50
  Demeurent
Plus forts que les airains [7].

Sculpte, lime, cisèle ;
Que ton rêve flottant
  Se scelle
Dans le bloc résistant !

— 1 Apprécier l'effet du rejet, et du vers court dans chaque strophe. — 2 Terme de musique (cf. *rythme*). — 3 Marbre d'Italie ; *paros* : marbre de Grèce. — 4 Cf. *Émaux et Camées*. — 5 Cf. Heredia, *Blason céleste*. — 6 Auréole trilobée (en forme de feuille de trèfle). — 7 Souvenir d'Horace disant de ses vers : *Exegi monumentum aere perennius* : j'ai élevé un monument plus durable que l'airain (*Odes*, III, xxx, 1).

GÉRARD DE NERVAL

Sa vie, son œuvre

Né à Paris en 1808, GÉRARD DE NERVAL (de son vrai nom GÉRARD LABRUNIE), fils d'un médecin militaire, perdit de bonne heure sa mère et fut élevé dans le Valois par un grand-oncle. Il fait ses études au collège Charlemagne et fréquente alors la bohème littéraire ; attiré par la littérature allemande, il traduit le *Faust* de Gœthe (1828), compose des *Odelettes* dans le goût de Ronsard et écrit son premier conte, *La Maison de Gloire* (1832).

En 1836, Nerval s'éprend d'une actrice, JENNY COLON, qui, sensible un moment à son amour, épouse cependant un musicien. Profondément déçu, ébranlé dans sa raison par cette passion malheureuse, Nerval garde le sentiment d'avoir aimé, en Jenny Colon, l'image passagère d'une éternelle figure féminine, susceptible de multiples réincarnations. La traduction du *Second Faust* de Gœthe (1840) le confirme dans cette croyance et, en 1841, il doit être soigné, pour troubles mentaux, dans une maison de santé.

La mort de Jenny Colon, en 1842, donne un nouvel essor à ses rêves mystiques ; il s'enfuit en Orient, où il se passionne pour les mythologies et les mystères antiques. A son retour il étudie les cultes ésotériques et les doctrines des *Illuminés* du XVIIIe s. (Cazotte, Restif de La Bretonne), et exprime ses hantises dans la rédaction de son *Voyage en Orient* (1851). La même année, Nerval traverse une nouvelle crise et reste hanté par les idées mystiques. A partir de 1853 les périodes d'équilibre alternent avec des périodes de folie, et par deux fois il est traité dans une maison de santé. Durant les intervalles d'entière lucidité, Nerval compose alors ses œuvres maîtresses. Après *Lorely* et les *Nuits d'Octobre* (1852), il publie *Sylvie* (1853), une des nouvelles qui seront réunies dans *Les Filles du Feu*, et les sonnets des *Chimères*. Il rédige en 1853 un récit en prose *Aurélia* (paru en 1855) où il retrace toute l'histoire de sa vie intérieure ; dans son dernier ouvrage, *Pandora* (1853-1854), il donne une image de son désarroi et de son angoisse.

Un matin de janvier 1855, on découvre Gérard de Nerval pendu dans une ruelle parisienne. Cette mort tragique reste entourée de mystère ; pourtant, tout porte à croire que le malheureux avait mis fin à ses jours.

Du réel au surréel

Marqué par son extraordinaire expérience, NERVAL transfigure la vie par le rêve, transforme ses souvenirs par le songe, confond son passé et son destin avec ceux de l'humanité. *Une mystérieuse correspondance s'établit entre le monde familier et le monde surréel du rêve* : « Je ne sais comment expliquer que, dans mes idées, les événements terrestres pouvaient coïncider avec ceux du monde surnaturel, cela est plus facile à sentir qu'à évoquer clairement » (*Aurélia*).

Dès lors, la poésie *symboliste* et la poésie *surréaliste* devront beaucoup à Nerval et parce que tout dans son œuvre devient signe et symbole, et parce qu'il s'est efforcé d'accéder à une nouvelle forme de connaissance par l'analyse du rêve.

SYLVIE. Dans cette nouvelle, Nerval évoque le charme simple de la vie réelle et la douce compagne de jeux qu'était SYLVIE, petite paysanne du Valois ; il décrit en même temps la mystérieuse séduction d'ADRIENNE qui l'éloigna de ce calme bonheur, et l'entraîna dans le monde du rêve.

LES CHIMÈRES. *Les Chimères* nous font participer de façon constamment allusive et symbolique à l'expérience de Nerval. C'est la hantise mystique qui domine à partir de souvenirs à demi-rêvés (cf. *El Desdichado*).

AURÉLIA. Transcrivant sa vie, ses rêves, ses illuminations dans ce récit, NERVAL, puni pour avoir trop aimé AURÉLIA (Jenny Colon), la perd pour la seconde fois. Mais, dans l'émouvante communion avec toutes les souffrances humaines, il trouve un moyen de salut, et l'identification d'Aurélia à sa mère et à la Vierge Marie le délivre de l'obsession de sa faute.

L'art de Nerval   Nerval, pour transmettre ce message ineffable, tantôt recherche les vertus d'incantation de l'obscurité et du symbole (« *Rends moi le Pausilippe et la mer d'Italie* »), tantôt cède à la simplicité des évocations et à l'humilité des confidences. Ainsi, toujours sensible à la musique du vers et à ses résonances, il accède à une poésie pure où s'allient la grâce, la délicatesse et la profondeur.

FANTAISIE

La musique de cette romance nostalgique emporte le poète dans un monde où s'unissent le souvenir et le rêve, et où se glisse l'idée obsédante d'une vie antérieure qui sera l'un des grands thèmes symbolistes (1832).

> Il est un air pour qui je donnerais
> Tout Rossini, tout Mozart [1] et tout Weber [2],
> Un air très vieux, languissant et funèbre,
> Qui pour moi seul a des charmes secrets.
>
> Or, chaque fois que je viens à l'entendre,
> De deux cents ans mon âme rajeunit :
> C'est sous Louis-Treize... — et je crois voir s'étendre
> Un coteau vert que le couchant jaunit ;
>
> Puis un château de brique à coins de pierre,
> Aux vitraux teints de rougeâtres couleurs,
> Ceint de grands parcs, avec une rivière
> Baignant ses pieds, qui coule entre des fleurs.
>
> Puis une dame, à sa haute fenêtre,
> Blonde aux yeux noirs, en ses habits anciens...
> Que, dans une autre existence, peut-être [3],
> J'ai déjà vue — et dont je me souviens [4] !

— 1 Noter le rythme de *valse* de ce vers. — 2 Prononcer *Wèbre*, à l'allemande. — 3 La croyance, orphique et pythagoricienne, à la métempsycose (réincarnation des âmes) deviendra pour Nerval une véritable obsession. — 4 Ainsi se fondent souvenirs, rêves, et réminiscences de vies antérieures (cf. Baudelaire).

EL DESDICHADO

C'est le sonnet qui révèle le mieux la personnalité et le tempérament de Nerval, à la fois malade et visionnaire. Tous les thèmes qui lui sont chers s'y retrouvent : abandon, solitude, mélancolie, espoirs fous, descente aux enfers, rêves mystiques et païens mêlés. C'est à partir d'un tel poème que la poésie française s'engage résolument dans l'incantation verbale.

Je suis le ténébreux, — le veuf, — l'inconsolé,
Le prince d'Aquitaine à la tour abolie [1] :
Ma seule *étoile* est morte [2], — et mon luth constellé
Porte [3] le *soleil noir* de la *Mélancolie* [4].

Dans la nuit du tombeau, toi qui m'as consolé,
Rends-moi le Pausilippe [5] et la mer d'Italie,
La *fleur* [6] qui plaisait tant à mon cœur désolé,
Et la treille où le pampre à la rose s'allie.

Suis-je Amour ou Phébus, Lusignan ou Biron [7] ?
Mon front est rouge encor du baiser de la reine [8] ;
J'ai rêvé dans la grotte où nage la sirène...

Et j'ai deux fois vainqueur traversé l'Achéron [9],
Modulant tour à tour sur la lyre d'Orphée
Les soupirs de la sainte et les cris de la fée [10].

— 1 Dans *Invanhoë*, de Walter Scott, un mystérieux chevalier, dépossédé de son fief par Jean sans Terre, paraît au tournoi : « Il n'avait sur son bouclier d'autres armoiries qu'un jeune chêne déraciné, et sa devise était le mot espagnol *Desdichado*, c'est-à-dire Déshérité » (chap. VIII). — 2 Cf. *Sylvie* (XVI) : « Ermenonville..., tu as perdu ta seule étoile, qui chatoyait pour moi d'un double éclat. Tour à tour bleue et rose comme l'astre trompeur d'Aldebaran, c'était Adrienne ou Sylvie, — c'étaient les deux moitiés d'un seul amour ». — 3 Le luth du poète se substitue à l'écu du chevalier. — 4 Ce *soleil noir* est celui des rayons obscurs sur le front de l'ange rêveur dans le tableau *Melancolia* du graveur allemand Albert Dürer. — 5 Promontoire près de Naples. — 6 On devine dans les *Chimères* toute une symbolique des fleurs et des plantes ; cf. *Myrtho*, v. 13-14 ; *Delfica*, v. 2-6 ; et dans *Artémis* :

« La rose qu'elle tient, c'est la *rose trémière*... Rose au cœur violet, fleur de sainte Gudule... Roses blanches, tombez ! » — 7 Nerval pensait descendre d'une ancienne famille du Périgord (cf. v. 2) apparentée aux Biron et à Lusignan, roi de Chypre, qui, d'après la légende, avait épousé une fée, Mélusine (cf. v. 14). — 8 On songe à la dauphine Marguerite d'Écosse embrassant le poète Alain Chartier (XVᵉ siècle), et surtout au baiser donné à Adrienne. — 9 Comme Orphée descendu aux Enfers pour en ramener Eurydice. Cf. *Aurélia* : « Je compare cette série d'épreuves que j'ai traversées à ce qui, pour les anciens, représentait l'idée d'une descente aux enfers », et Rimbaud : *Une Saison en Enfer*. — 10 La femme aimée s'identifie à la fois aux saintes de la religion chrétienne (à la Vierge Marie en particulier) et aux fées qui révèlent une survivance du paganisme dans le folklore.

ADRIENNE

L'auteur de *Sylvie* est amoureux d'une actrice, Aurélie, qu'il va admirer chaque soir au théâtre. Une nuit, la lecture d'un entrefilet de journal *(« Fête du bouquet provincial »)* éveille en lui « *un écho lointain des fêtes naïves de la jeunesse* ». Dans ce passage où Nerval évoque la fraîcheur des rondes enfantines au pays du Valois, le rêve et le souvenir une fois encore se mêlent, prenant les formes gracieuses de Sylvie et d'Adrienne. L'une est peut-être « la douce réalité », l'autre « l'idéal sublime » comme nous le dit Nerval. Mais ce qui compte à ses yeux, c'est cette double présence et son ambiguïté à la fois tendre et douloureuse.

Je me représentais un château du temps de Henri IV [1], avec ses toits pointus couverts d'ardoises, et sa face rougeâtre aux encoignures dentelées de pierres jaunies, une grande place verte encadrée d'ormes et de tilleuls, dont le soleil couchant perçait le feuillage de ses traits enflammés [2]. Des jeunes filles dansaient en rond sur la pelouse en chantant de vieux airs transmis par leurs mères, et d'un français si naturellement pur, que l'on se sentait bien exister dans ce vieux pays du Valois, où, pendant plus de mille ans, a battu le cœur de la France.

J'étais le seul garçon dans cette ronde, où j'avais amené ma compagne
10 toute jeune encore, Sylvie, une petite fille du hameau voisin, si vive et si fraîche, avec ses yeux noirs, son profil régulier et sa peau légèrement hâlée !... Je n'aimais qu'elle, je ne voyais qu'elle, — jusque-là ! A peine avais-je remarqué, dans la ronde où nous dansions, une blonde, grande et belle, qu'on appelait Adrienne. Tout d'un coup, suivant les règles de la danse, Adrienne se trouva placée seule avec moi au milieu du cercle. Nos tailles étaient pareilles. On nous dit de nous embrasser, et la danse et le chœur tournaient plus vivement que jamais. En lui donnant ce baiser, je ne pus m'empêcher de lui presser la main. Les longs anneaux roulés de ses cheveux d'or effleuraient mes joues. De ce moment, un trouble
20 inconnu s'empara de moi [3]. — La belle devait chanter pour avoir le droit de rentrer dans la danse. On s'assit autour d'elle, et aussitôt, d'une voix fraîche et pénétrante, légèrement voilée, comme celle des filles de ce pays brumeux, elle chanta une de ces anciennes romances pleines de mélancolie et d'amour, qui racontent toujours les malheurs d'une princesse enfermée dans sa tour par la volonté d'un père qui la punit d'avoir aimé. La mélodie se terminait à chaque stance par ces trilles [4] chevrotants que font valoir si bien les voix jeunes, quand elles imitent par un frisson modulé la voix tremblante des aïeules.

— 1 Dans la mesure où ce château est réel, c'était celui de Mortefontaine. — 2 Cf. *Fantaisie.*

— 3 Cf. *El Desdichado*, v. 10. — 4 Battements de voix sur l'avant-dernière note d'une phrase musicale, pour enjoliver la mélodie.

A mesure qu'elle chantait, l'ombre descendait des grands arbres, et
30 le clair de lune naissant tombait sur elle seule [5], isolée de notre cercle
attentif. — Elle se tut, et personne n'osa rompre le silence. La pelouse
était couverte de faibles vapeurs condensées, qui déroulaient leurs blancs
flocons sur les pointes des herbes. Nous pensions être en paradis. —
Je me levai enfin, courant au parterre du château, où se trouvaient des
lauriers, plantés dans de grands vases de faïence peints en *camaïeu* [6].
Je rapportai deux branches, qui furent tressées en couronne et nouées
d'un ruban. Je posai sur la tête d'Adrienne cet ornement, dont les feuilles
lustrées éclataient sur ses cheveux blonds, aux rayons pâles de la lune.
Elle ressemblait à la Béatrix de *Dante*, qui sourit au poète errant sur la
40 lisière des saintes demeures [7].

Adrienne se leva. Développant sa taille élancée, elle nous fit un salut
gracieux, et rentra en courant dans le château. — C'était, nous dit-on,
la petite-fille de l'un des descendants d'une famille alliée aux anciens
rois de France ; le sang des Valois coulait dans ses veines. Pour ce jour
de fête, on lui avait permis de se mêler à nos jeux ; nous ne devions plus
la revoir, car le lendemain elle repartit pour un couvent où elle était
pensionnaire.

Quand je revins près de Sylvie, je m'aperçus qu'elle pleurait. La couronne donnée par mes mains à la belle chanteuse était le sujet de ses
50 larmes. Je lui offris d'en aller cueillir une autre, mais elle me dit qu'elle
n'y tenait nullement, ne la méritant pas. Je voulus en vain me défendre,
elle ne me dit plus un seul mot pendant que je la reconduisais chez ses
parents.

Rappelé moi-même à Paris pour y reprendre mes études, j'emportai
cette double image d'une amitié tendre tristement rompue, — puis d'un
amour impossible et vague, source de pensées douloureuses que la philosophie de collège était impuissante à calmer.

La figure d'Adrienne resta seule triomphante, — mirage de la gloire
et de la beauté, adoucissant ou partageant les heures des sévères études.
60 Aux vacances de l'année suivante, j'appris que cette belle à peine entrevue
était consacrée par sa famille à la vie religieuse [8].

Sylvie, chap. 2.

Dans cette page, où l'art s'apparente à celui du poème en prose, l'atmosphère a changé,
insensiblement, avec la lumière, et la scène s'est chargée d'un symbolisme mystérieux
et poétique. — *Était-ce bien un souvenir ?* NERVAL lui-même, au début du chapitre suivant,
nous parle d'un « souvenir à demi-rêvé », et il ajoute : « *Cet amour vague et sans espoir,
conçu pour une femme de théâtre..., avait son germe dans le souvenir d'Adrienne, fleur de la
nuit éclose à la pâle clarté de la lune... Aimer une religieuse sous la forme d'une actrice !...
et si c'était la même ! — Il y a de quoi devenir fou !* »

— 5 Ainsi éclairée, la figure d'Adrienne devient irréelle et fascinante, comme une apparition. — 6 Ton sur ton. — 7 Cette phrase constitue le sommet du passage. On appréciera le ton, et le contraste avec l'explication qui suit. — 8 *El Desdichado*, v. 14 : « les soupirs de la sainte ».

GEORGE SAND

Née à Paris en 1804, AURORE DUPIN passe son enfance à Nohant dans le Berry, et épouse en 1822 le Baron DUDEVANT. Elle ne tarde pas à se détacher de lui, mène une existence très libre, liée successivement avec JULES SANDEAU, MUSSET, puis CHOPIN, et se consacre à la littérature sous le pseudonyme de GEORGE SAND. On distingue dans sa carrière quatre épisodes correspondant à des phases de sa pensée et de ses sentiments :

1. De 1832 à 1840 George Sand exprime dans ses romans comme *Indiana* (1831), *Lélia* (1833), *Mauprat* (1837), sa passion romantique et ses revendications féministes.

2. A partir de 1840, elle publie des romans d'inspiration socialiste : *Le Compagnon du Tour de France* (1841), *Le Meunier d'Angibault* (1845), ou d'inspiration mystique : *Consuelo* (1842).

3. Elle s'est installée à Nohant en 1839 et ses romans champêtres témoignent de l'intérêt qu'elle porte à la cause du peuple et des paysans : *La Mare au Diable* (1846), *François le Champi* (1847), *La Petite Fadette* (1848), *Les Maîtres Sonneurs* (1853).

4. Enfin, plus âgée, elle publie des souvenirs (*Histoire de ma vie*, 1854) et revient au roman romanesque traditionnel. Jusqu'à sa mort (1876), son activité intellectuelle reste grande, et elle porte un vif intérêt aux écrivains de la nouvelle génération.

Le roman idéaliste

« Nous croyons que la mission de l'art est une mission de sentiment et d'amour, que le roman d'aujourd'hui devrait remplacer la parabole et l'apologue des temps naïfs » écrivait George Sand au début de *La Mare au Diable*. Aussi, pour défendre ses idées et ses thèses, elle n'hésite pas à embellir la réalité et à idéaliser ses personnages : « L'art n'est pas une étude de la réalité positive ; c'est une recherche de la vérité idéale. »

George Sand n'évite pas toujours les écueils du genre : sentimentalité conventionnelle, platitude ou déclamation. Mais dans les *romans champêtres*, elle observe avec justesse les mœurs et les traditions rustiques, peint avec poésie les travaux des paysans, et, en défendant les humbles, ravive le sens de la fraternité humaine.

La Mare au Diable

Le roman est la touchante histoire du second mariage de GERMAIN. Resté veuf de bonne heure, avec trois enfants, il ne songeait pas à se remarier, mais c'est son beau-père lui-même, le père Maurice, qui l'en presse : il faut une jeune femme pour s'occuper des petits. A quelques lieues de là demeure une veuve qui serait un bon parti ; Germain accepte d'aller la voir. Au moment du départ, on lui demande de prendre en croupe la fille d'une pauvre veuve, la petite MARIE qui va se placer dans une ferme du voisinage. Ils trouvent en cours de route Petit-Pierre qui, pour être du voyage, a pris les devants et s'est caché au bord du chemin. Les voilà tous trois dans la forêt ; la nuit venue, ils s'égarent et tournent en rond autour de la Mare au Diable, qui passe pour un lieu enchanté ; ils se résignent finalement à attendre le jour sous les chênes. Le lendemain Germain arrive chez la veuve : c'est une coquette de village qui lui déplaît aussitôt ; d'ailleurs, durant les incidents de la nuit, la petite Marie s'est montrée si douce, si calme, si charmante, elle a si bien veillé sur Petit-Pierre que le laboureur ne voudrait pas d'autre femme... Il a l'occasion de la défendre contre la brutalité du fermier, et la ramène chez sa mère. Mais Marie repousse doucement ses avances : je suis trop pauvre, dit-elle ; Germain croit qu'elle ne l'aime pas et ne veut pas de lui. Enfin la mère Maurice décide son gendre à s'expliquer franchement avec la jeune fille.

LA PETITE MARIE

Cet heureux dénouement illustre l'aspect *optimiste* et *sentimental* des romans champêtres de George Sand. Dans cette scène touchante, elle peint avec délicatesse et vérité l'amour simple de ces deux paysans.

La petite Marie était seule au coin du feu, si pensive qu'elle n'entendit pas venir Germain. Quand elle le vit devant elle, elle sauta de surprise sur sa chaise et devint toute rouge.

— Petite Marie, lui dit-il en s'asseyant auprès d'elle, je viens te faire de la peine et t'ennuyer, je le sais bien : mais *l'homme et la femme de chez nous* (désignant ainsi, selon l'usage, les chefs de famille) veulent que je te parle et que je te demande de m'épouser. Tu ne le veux pas, toi, je m'y attends.

— Germain, répondit la petite Marie, c'est donc décidé que vous
10 m'aimez ?

— Ça te fâche, je le sais, mais ce n'est pas ma faute : si tu pouvais changer d'avis, je serais trop content, et sans doute je ne mérite pas que cela soit. Voyons, regarde-moi, Marie, je suis donc bien affreux ?

— Non, Germain, répondit-elle en souriant, vous êtes plus beau que moi.

— Ne te moque pas ; regarde-moi avec indulgence ; il ne me manque encore ni un cheveu ni une dent. Mes yeux te disent que je t'aime. Regarde-moi donc dans les yeux, ça y est écrit, et toute fille sait lire dans cette écriture-là.

20 Marie regarda dans les yeux de Germain avec son assurance enjouée : puis, tout à coup, elle détourna la tête et se mit à trembler.

— Ah ! mon Dieu ! je te fais peur, dit Germain, tu me regardes comme si j'étais le fermier des Ormeaux. Ne me crains pas, je t'en prie, cela me fait trop de mal. Je ne te dirai pas de mauvaises paroles, moi ; je ne t'embrasserai pas malgré toi, et quand tu voudras que je m'en aille, tu n'auras qu'à me montrer la porte. Voyons, faut-il que je sorte pour que tu finisses de trembler ?

Marie tendit la main au laboureur, mais sans détourner sa tête penchée vers le foyer, et sans dire un mot.

30 — Je comprends, dit Germain ; tu me plains, car tu es bonne ; tu es fâchée de me rendre malheureux : mais tu ne peux pourtant pas m'aimer ?

— Pourquoi me dites-vous de ces choses-là, Germain ? répondit enfin la petite Marie ; vous voulez donc me faire pleurer ?

— Pauvre petite fille, tu as bon cœur, je le sais ; mais tu ne m'aimes pas, et tu me caches ta figure parce que tu crains de me laisser voir ton déplaisir et ta répugnance. Et moi ! je n'ose pas seulement te serrer la main ! Dans le bois, quand mon fils dormait, et que tu dormais aussi, j'ai failli t'embrasser tout doucement. Mais je serais mort de honte plutôt que de te le demander, et j'ai autant souffert dans cette nuit-là qu'un

40 homme qui brûlerait à petit feu. Depuis ce temps-là j'ai rêvé à toi toutes les nuits. Ah ! comme je t'embrassais, Marie ! Mais toi, pendant ce temps-là, tu dormais sans rêver. Et, à présent, sais-tu ce que je pense ? c'est que si tu te retournais pour me regarder avec les yeux que j'ai pour toi, et si tu approchais ton visage du mien, je crois que j'en tomberais mort de joie. Et toi, tu penses que si pareille chose t'arrivait tu en mourrais de colère et de honte !

Germain parlait comme dans un rêve sans entendre ce qu'il disait. La petite Marie tremblait toujours ; mais comme il tremblait encore davantage, il ne s'en apercevait plus. Tout à coup, elle se retourna ; elle était 50 toute en larmes et le regardait d'un air de reproche. Le pauvre laboureur crut que c'était le dernier coup, et, sans attendre son arrêt, il se leva pour partir ; mais la jeune fille l'arrêta en l'entourant de ses deux bras, et, cachant sa tête dans son sein :

— Ah ! Germain, lui dit-elle en sanglotant, vous n'avez donc pas deviné que je vous aime ?

Germain serait devenu fou, si son fils qui le cherchait et qui entra dans la chaumière au grand galop sur un bâton, avec sa petite sœur en croupe qui fouettait avec une branche d'osier ce coursier imaginaire, ne l'eût rappelé à lui-même. Il le souleva dans ses bras, et le mettant dans 60 ceux de sa fiancée :

— Tiens, lui dit-il, tu as fait plus d'un heureux en m'aimant !

La Mare au Diable, XVII.

Les Maîtres Sonneurs

A la fin de la *Mare au Diable*, George Sand avait évoqué les longues veillées au village, où les récits se succèdent tandis que l'on broie le chanvre. C'est au cours de ces soirées, à Nohant, que le père Depardieu est censé raconter, en 1828, les aventures de sa jeunesse, du temps où il n'était encore que TIENNET, vers 1770. Le roman est divisé en *veillées*, et l'auteur tente de reproduire, par son style, la manière des conteurs du Berry.

TIENNET, *la jolie* BRULETTE *sa cousine et* JOSET *sont amis depuis l'enfance. Mais Joset n'est pas un garçon comme les autres : distrait et renfermé, il paraît un peu simple ; il rêve de musique, mais n'a pas de voix. Brulette devine son secret et le révèle à Tiennet : « C'est que Joset prétend inventer lui-même sa musique, et qu'il l'invente, de vrai. Il a réussi à faire une flûte de roseau, et il chante là-dessus ».*

Joset fait la connaissance d'un muletier du Bourbonnais, HURIEL, *habile sonneur de cornemuse ; il part avec lui, pour se perfectionner dans son art auprès du père d'Huriel, maître sonneur réputé. Mais bientôt le muletier revient avec de mauvaises nouvelles : Joset est malade ; seule la présence de Brulette pourrait le guérir. Accompagnée du bon Tiennet, la jeune fille gagne donc, sous la conduite d'Huriel, les bois du haut Bourbonnais.*

Ils partagent quelque temps l'existence des bûcheux (*ouvriers forestiers*). *Brulette accepte d'épouser Huriel, et Tiennet s'éprend de sa sœur, la belle* THÉRENCE. *Quant à Joset, il croyait aimer Brulette, mais en fait seul son art compte pour lui ; cette passion exclusive le condamne à la solitude en aggravant maître son égoïsme. Pour devenir maître sonneur, il doit subir des épreuves d'initiation que la perfidie de ses rivaux ferait tourner au drame, sans la courageuse intervention de ses amis. Peu après, il périt tristement, et sa fin solitaire contraste avec le bonheur calme et paisible des deux jeunes couples.*

BALZAC

Les débuts dans la vie
Né à Tours en 1799 dans une famille bourgeoise, HONORÉ DE BALZAC est d'abord pensionnaire chez les oratoriens de Vendôme, puis fréquente des institutions parisiennes. Il entre ensuite comme clerc chez un avoué, commence son droit, suit des cours à la Sorbonne et se passionne pour la philosophie. En 1819, comme il affirme une vocation littéraire, sa famille l'installe dans une mansarde et lui laisse tenter une expérience d'un an : il compose sans succès une tragédie en vers, *Cromwell* (1821).

Il aborde alors un autre genre, le roman, et, pour gagner sa vie, publie en collaboration des romans d'aventures. En 1821, il rencontre MME DE BERNY qui l'encourage de son affection et de ses conseils. Comme le succès tarde à venir, Balzac se lance dans les affaires : il s'associe à un libraire, puis achète une imprimerie, mais ses affaires aboutissent à un *désastre financier*. Il retire pourtant de cette expérience la connaissance des milieux de la presse et de la littérature.

Le maître du roman réaliste
Après sa faillite, Balzac reprend la plume et, en 1829, publie avec succès une *Physiologie du Mariage* et un roman historique, *Les Chouans*, où se mêlent une histoire d'amour et une intrigue policière.

I. LE JAILLISSEMENT CRÉATEUR (1829-1841). Dès lors les titres se multiplient : en vingt ans Balzac va publier quelque 90 romans et nouvelles, 30 contes, 5 pièces de théâtre. Il trouve encore le temps de fréquenter les salons, de s'intéresser à la politique et d'entretenir avec une admiratrice polonaise, Mme HANSKA, une correspondance passionnée.

De *Gobseck* au *Père Goriot*, la production de Balzac se présente sous quatre aspects :

a) La Peau de Chagrin (1831), *Louis Lambert* (1832), *Séraphita*, *La Recherche de l'Absolu* (1834) sont des romans philosophiques.

b) Le Médecin de Campagne (1833) expose un système économique et social.

c) Dans *les Contes drolatiques* (1832-1837), Balzac tente de faire revivre la verve rabelaisienne.

d) Le roman de mœurs est représenté par de nombreuses scènes de la vie privée, telles que *Gobseck* (1830), *La Femme de trente ans* (1831). C'est dans cette veine qu'il donne ses premiers chefs-d'œuvre réalistes : *Eugénie Grandet* (1833) et *Le Père Goriot* (1834-1835).

Dans *le Père Goriot* reparaissent des personnages déjà connus du lecteur ; ce retour des personnages va permettre l'élaboration d'un monde balzacien. Balzac songe en effet à réunir, sous le titre d'*Études Sociales*, un ensemble organisé qui serait une réplique de la société. Il publie, dans cet esprit, *Le Lys dans la vallée* (1835-1836), *Histoire de la Grandeur et de la Décadence de César Birotteau* (1837), *Ursule Mirouet* (1841). L'élaboration d'*Illusions perdues* s'étend de 1843 à 1847.

II. L'ORGANISATION MÉTHODIQUE : LA COMÉDIE HUMAINE (1842-1850). En 1842, Balzac choisit pour titre de cet ensemble LA COMÉDIE HUMAINE. Ses romans sont répartis en *Études de Mœurs*, *Études Philosophiques* et *Études Analytiques*. Dans ces cadres viendront encore s'insérer *Les Paysans* (1844), *Le Cousin Pons* (1846), *La Cousine Bette* (1847), *Splendeurs et misères des courtisanes* (1838-1847).

Épuisé par cette prodigieuse activité cérébrale, Balzac meurt à Paris en 1850, trois mois après avoir épousé Mme HANSKA.

Le génie de Balzac   Alors que Balzac passait avant tout pour un observateur, Baudelaire remarquait déjà : « J'ai maintes fois été étonné que la grande gloire de Balzac fût de passer pour un observateur ; il m'avait toujours semblé que son principal mérite était d'être visionnaire, et visionnaire passionné. »

I. L'OBSERVATION. Observateur, Balzac l'est, car il sait voir et reproduire dans son œuvre les sites, les objets et les hommes : ses *héros* sont des êtres de chair qui mangent et boivent, dont nous connaissons avec précision le physique, le costume, la profession et le domicile. De la même manière, il pénètre les caractères distinctifs des sexes, des âges de la vie, des différents milieux, des différentes époques. Sa *Comédie Humaine* fourmille de détails évoquant les *réalités matérielles* et constitue un document précieux, à valeur historique.

II. L'IMAGINATION. Soutenue par la documentation et fondée souvent sur la réalité, l'imagination de Balzac lui permet de *créer un personnage*, de concevoir son caractère et ses passions d'après son apparence physique. Nous citerons, après Théophile Gautier, ce texte essentiel de *Facino Cane* (1836) : « Chez moi, l'observation était déjà devenue intuitive, elle pénétrait l'âme sans négliger le corps ; ou plutôt elle saisissait si bien les détails extérieurs qu'elle allait sur-le-champ au-delà. » Et Gautier commentait : « Balzac fut un voyant ». Voyant, visionnaire, Balzac cherche à percer le mystère de la communication des individus entre eux, avec le monde extérieur, avec les morts, avec l'Être universel ; disciple de Swendenborg, obsédé de spiritualité et de surnaturalisme, il poursuit la *recherche de l'absolu* et brûle de trouver la formule qui rendrait compte à la fois de la matière et de la pensée, de l'homme et de l'univers.

III. LES IDÉES. L'idéologie balzacienne illustre cette quête de l'absolu. Ses idées révèlent des aspirations scientifiques et une curiosité universelle : elles embrassent tous les domaines philosophique, politique, social, économique et conduisent Balzac à élaborer un système. C'est ainsi qu'il énonce une théorie des passions : la pensée se confond avec la passion, au stade de l'idée fixe. *La passion est une force*, elle est « toute l'humanité », mais ses ravages sont effroyables : *elle détruit l'être qu'elle envahit* (par exemple le père Goriot) et cette loi, loi de la nature ou mythe créateur, domine toute l'œuvre de Balzac.

Le roman histoire des mœurs   Le point de départ de *La Comédie Humaine* est une « comparaison entre l'humanité et l'animalité » et la croyance dans l'unité de composition affirmée par les naturalistes comme par les illuministes : « Le Créateur ne s'est servi que d'un seul et même patron pour tous les êtres organisés ».

LES ESPÈCES SOCIALES ET LE MILIEU. Puisque la société ressemble à la nature, Balzac étend aux espèces sociales la loi de l'influence du milieu sur les espèces zoologiques, et il entreprend leur description et leur classification.

L'HISTOIRE DES MŒURS. On passe ainsi de la classification des espèces sociales à l'histoire des mœurs : « La société française allait être l'historien, je ne devais être que le secrétaire. » Pour tracer cette histoire qui sera plus une épopée intime qu'une histoire officielle, Balzac *fait concurrence à l'état civil* et relie ses compositions l'une à l'autre de manière à coordonner une histoire dont chaque chapitre sera un *roman* et chaque roman une *époque*. Historien de la société, Balzac en est un observateur sans illusion : s'il insiste sur les figures vertueuses, il peint de la même façon des êtres sans scrupules.

LA DOCTRINE SOCIALE. En effet Balzac ne se borne pas à reproduire la société, il veut en découvrir les *lois*. C'est ainsi qu'il fonde sa doctrine sociale. Selon lui, pour dompter les passions l'autorité civile ne suffit pas : « Le Christianisme, et surtout le catholicisme, étant un système complet de répression des tendances dépravées de l'homme, est le plus grand élément d'ordre social ».

La méthode balzacienne

A ce système correspond la méthode de Balzac.

I. DESCRIPTIONS ET PORTRAITS. La théorie des milieux a pour conséquence de longues *descriptions* préliminaires. Minutieuses et réalistes, ces descriptions d'une ville, d'une maison, d'un quartier expliquent et reflètent la passion dominante du personnage ; de la même manière son *portrait*, le détail de ses vêtements, de son comportement révèlent son caractère. A propos de l'usurier Gobseck, Balzac écrivait : « sa maison et lui se ressemblaient. Vous eussiez dit l'huître et son rocher ».

2. L'APPAREIL SCIENTIFIQUE. Pour accentuer la vérité de ses personnages, Balzac n'hésite pas à présenter leurs traits de caractère comme des résultantes d'une *loi générale*. Ses théories scientifiques, dans lesquelles il faut voir une méthode d'exposition, assurent la vraisemblance de ses héros et justifient leurs tempéraments et leurs passions.

3. LES TYPES HUMAINS. Les personnages risquaient d'être écrasés par tout ce qu'ils ont mission de représenter : milieu social, tempérament, passion (cf. Goriot). Cette tendance romantique à la *stylisation* ne nuit pourtant en rien à la « philosophie » des personnages. Dans la grande tradition classique ce sont des types à la fois *représentatifs* et fortement *individualisés* (Grandet, Goriot), mais le fourmillement du détail donne l'impression du *vécu ;* nous les connaissons comme des êtres véritables, en chair et en os. Enfin, sans cesser d'être vrais, ces personnages doués de passions dévorantes, ou d'une faiblesse sans mesure, sont *plus grands que nature :* « Toutes les âmes sont des âmes chargées de volonté jusqu'à la gueule ».

L'art de Balzac

Les romans de Balzac sont encombrés bien souvent de descriptions interminables, de portraits minutieux, de développements didactiques. Pour styliser le réel, Balzac, en effet, le rend plus grouillant, plus débordant, plus énorme. Telle serait la rançon du réalisme balzacien : l'élaboration du réel resterait insuffisante et la réaction du lecteur plus émotionnelle que véritablement esthétique. Mais *ces défauts sont en réalité inséparables des qualités de Balzac.* Sa démesure est l'envers d'une *puissance inégalée* que son génie imprime sur tous les sujets abordés et qu'il met au service d'une technique.

LA COMPOSITION. Balzac conduit sans défaillance des intrigues complexes et sa composition favorite est dramatique (exposition, nœud, dénouement).

LE STYLE. S'il manque parfois d'aisance et de pureté, c'est qu'il est l'expression vigoureuse d'un *tempérament*. Ce style contribue, en effet, à nous imposer la présence intense des personnages, à souligner les situations dramatiques. Balzac retrouve le secret de Molière avec ces *mots de nature* qui peignent, mieux que tout commentaire, les caractères et les passions.

Le Père Goriot

A Paris en 1819 vivent, parmi les pensionnaires de la misérable pension Vauquer, le jeune étudiant EUGÈNE DE RASTIGNAC *et le* PÈRE GORIOT. *Négociant enrichi dans le commerce des pâtes alimentaires, le Père Goriot s'est retiré après avoir doté et marié richement ses deux filles qu'il aime avec passion. Mais celles-ci, prises dans le tourbillon de la vie mondaine, oublient ce père qui se ruine pour elles ; il mourra en appelant ses filles et elles viendront trop tard à son chevet.*

Balzac nous présente aussi un autre pensionnaire, un « fameux gaillard » de quarante ans, jovial mais inquiétant, VAUTRIN, *qui n'est autre qu'un forçat évadé,* JACQUES COLLIN *dit Trompe-la-mort. Vautrin, le tentateur, essaiera d'entraîner le jeune Rastignac dans une infâme machination. Pour faire fortune, il suffirait au jeune homme de séduire* VICTORINE TAILLEFER *qui serait une riche héritière si son frère mourait : or Vautrin connaît un homme dont tous les duels se terminent par la mort de l'adversaire... Rastignac est bouleversé, mais il résiste à l'horrible tentation, et, à la fin du roman, Vautrin sera identifié et arrêté par la police.*

LA PENSION VAUQUER

Balzac décrit avec une minutie extrême la maison, les pièces, le mobilier, le désordre voire les odeurs qui vont servir de cadre à son roman. Cette longue préparation n'est pas sans but : comment vivre dans ce décor vieux et vulgaire sans en subir l'influence ?

Naturellement destiné à l'exploitation de la pension bourgeoise, le rez-de-chaussée se compose d'une première pièce éclairée par les deux croisées de la rue, et où l'on entre par une porte-fenêtre. Ce salon communique à une salle à manger qui est séparée de la cuisine par la cage d'un escalier dont les marches sont en bois et en carreaux mis en couleur et frottés. Rien n'est plus triste à voir que ce salon meublé de fauteuils et de chaises en étoffe de crin à raies alternativement mates et luisantes. Au milieu se trouve une table ronde à dessus de marbre Sainte-Anne [1], décorée de ce cabaret [2] en porcelaine blanche ornée de filets d'or effacés à demi que
10 l'on rencontre partout aujourd'hui. Cette pièce, assez mal planchéiée, est lambrissée [3] à hauteur d'appui. Le surplus des parois est tendu d'un papier verni représentant les principales scènes de *Télémaque*, et dont les classiques personnages sont coloriés. Le panneau d'entre les croisées grillagées offre aux pensionnaires le tableau du festin donné au fils d'Ulysse par Calypso. Depuis quarante ans, cette peinture excite les plaisanteries des jeunes pensionnaires, qui se croient supérieurs à leur position en se moquant du dîner auquel la misère les condamne. La cheminée en pierre, dont le foyer toujours propre atteste qu'il ne s'y fait de feu que dans les grandes occasions, est ornée de deux vases pleins de fleurs artificielles,
20 vieillies et encagées [4], qui accompagnent une pendule en marbre bleuâtre du plus mauvais goût. Cette première pièce exhale une odeur sans nom dans la langue, et qu'il faudrait appeler l'*odeur de pension*. Elle sent le renfermé, le moisi, le rance ; elle donne froid, elle est humide au nez, elle pénètre les vêtements ; elle a le goût d'une salle où l'on a dîné ; elle pue le service, l'office, l'hospice. Peut-être pourrait-elle se décrire si l'on inventait un procédé pour évaluer les quantités élémentaires et nauséabondes qu'y jettent les atmosphères catarrhales et *sui generis* de chaque pensionnaire, jeune ou vieux. Eh bien, malgré ces plates horreurs, si vous le compariez à la salle à manger, qui lui est contiguë, vous trouveriez
30 ce salon élégant et parfumé comme doit l'être un boudoir. Cette salle, entièrement boisée, fut jadis peinte en une couleur indistincte aujourd'hui, qui forme un fond sur lequel la crasse a imprimé ses couches de manière à y dessiner des figures bizarres. Elle est plaquée de buffets gluants sur lesquels sont des carafes échancrées, ternies, des ronds de moiré métallique [5], des piles d'assiettes en porcelaine épaisse, à bords bleus, fabriquées à Tournai. Dans un angle est placée une boîte à cases numérotées qui sert

---

— 1 Marbre de Belgique, gris veiné de blanc. — 2 Service à café ou à liqueurs. — 3 Garnie de boiseries. — 4 Sous globe. — 5 Fer-blanc ou zinc dont les reflets rappellent ceux de la moire.

à garder les serviettes, ou tachées ou vineuses, de chaque pensionnaire. Il s'y rencontre de ces meubles indestructibles proscrits partout, mais placés là comme le sont les débris de la civilisation aux Incurables. Vous
40 y verriez un baromètre à capucin qui sort quand il pleut, des gravures exécrables qui ôtent l'appétit, toutes encadrées en bois noir verni à filets dorés ; un cartel [6] en écaille incrustée de cuivre ; un poêle vert, des quinquets [7] d'Argand où la poussière se combine avec l'huile, une longue table couverte en toile cirée assez grasse pour qu'un facétieux externe [8] y écrive son nom en se servant de son doigt comme de style, des chaises estropiées, de petits paillassons piteux en sparterie qui se déroule toujours sans se perdre jamais, puis des chaufferettes misérables à trous cassés, à charnières défaites, dont le bois se carbonise. Pour expliquer combien ce mobilier est vieux, crevassé, pourri, tremblant, rongé, manchot, borgne,
50 invalide, expirant, il faudrait en faire une description qui retarderait trop l'intérêt de cette histoire, et que les gens pressés ne pardonneraient pas. Le carreau rouge est plein de vallées produites par le frottement ou par les mises en couleur. Enfin là règne la misère sans poésie ; une misère économe, concentrée, râpée. Si elle n'a pas de fange encore, elle a des taches ; si elle n'a ni trous ni haillons, elle va tomber en pourriture.

LA DÉCHÉANCE DU PÈRE GORIOT

Ce portrait du Père Goriot annonce déjà le tragique du personnage. Balzac ne peint pas l'état du héros, mais son *changement*, et surtout il veut démontrer les effets physiques et mentaux d'une passion malheureuse.

Vers la fin de la troisième année, le père Goriot réduisit encore ses dépenses, en montant au troisième étage et en se mettant à quarante-cinq francs de pension par mois [1]. Il se passa de tabac, congédia son perruquier et ne mit plus de poudre. Quand le père Goriot parut pour la première fois sans être poudré, son hôtesse laissa échapper une exclamation de surprise en apercevant la couleur de ses cheveux : ils étaient d'un gris sale et verdâtre. Sa physionomie que des chagrins secrets avaient insensiblement rendue plus triste de jour en jour, semblait la plus désolée de toutes celles qui garnissaient la table [2]. Quand son trousseau fut usé, il
10 acheta du calicot [3] à quatorze sous l'aune pour remplacer son beau linge. Ses diamants, sa tabatière d'or, sa chaîne, ses bijoux disparurent un à un. Il avait quitté l'habit bleu barbeau [4], tout son costume cossu, pour porter,

---

— 6 *Cartel* : pendule accrochée au mur. — 7 Lampes à huile ; du nom du fabricant qui exploita l'invention du physicien Argand (fin du XVIIIe siècle). — 8 Étudiant en médecine.

— 1 Il a d'abord payé 1.200 francs par an pour un appartement au 1er étage, puis 900 francs au second ; il doit se contenter maintenant d'une seule chambre. — 2 La table où les pensionnaires prennent leurs repas en commun. — 3 Tissu de coton à bon marché : naguère ses chemises étaient en fine toile de Hollande. — 4 Nom vulgaire du bluet.

été comme hiver, une redingote de drap marron grossier, un gilet en poil de chèvre et un pantalon gris en cuir de laine. Il devint progressivement maigre ; ses mollets tombèrent ; sa figure, bouffie par le contentement d'un bonheur bourgeois, se rida démesurément ; son front se plissa, sa mâchoire se dessina. Durant la quatrième année de son établissement rue Neuve-Sainte-Geneviève, il ne se ressemblait plus. Le bon vermicelier de soixante-deux ans qui ne paraissait pas en avoir quarante, le
20 bourgeois gros et gras, frais de bêtise, dont la tenue égrillarde réjouissait les passants, qui avait quelque chose de jeune dans le sourire, semblait être un septuagénaire hébété, vacillant, blafard. Ses yeux bleus si vivaces prirent des teintes ternes et gris de fer ; ils avaient pâli, ne larmoyaient plus, et leur bordure rouge semblait pleurer du sang. Aux uns il faisait horreur ; aux autres il faisait pitié. De jeunes étudiants en médecine, ayant remarqué l'abaissement de sa lèvre inférieure et mesuré le sommet de son angle facial, le déclarèrent atteint de crétinisme, après l'avoir longtemps houspillé sans en rien tirer. Un soir, après le dîner, Mme Vauquer lui ayant dit en manière de raillerie : « Eh bien, elles ne viennent donc
30 plus vous voir, vos filles ? » en mettant en doute sa paternité, le père Goriot tressaillit comme si son hôtesse l'eût piqué avec un fer.

« Elles viennent quelquefois, répondit-il d'une voix émue.

— Ah ! ah ! vous les voyez encore quelquefois ? s'écrièrent les étudiants. Bravo, père Goriot ! »

Mais le vieillard n'entendit pas les plaisanteries que sa réponse lui attirait : il était retombé dans un état méditatif que ceux qui l'observaient superficiellement prenaient pour un engourdissement sénile dû à son défaut d'intelligence.

L'AGONIE DU PÈRE GORIOT

Dans ce délire du PÈRE GORIOT nous voyons une dernière fois la grandeur et la naïveté, les contradictions, la lucidité et les illusions du héros. Alors que son seul désir est de revoir ses filles avant de mourir, le vieillard sent qu'elles ne viendront pas. Nous assistons à l'ultime souffrance de ce *martyr de la paternité :* son seul ami est Eugène de Rastignac.

Je les entends, elles viennent. Oh ! oui, elles viendront. La loi veut qu'on vienne voir mourir son père, la loi est pour moi [1]. Puis ça ne coûtera qu'une course. Je la payerai. Écrivez-leur que j'ai des millions à leur laisser ! Parole d'honneur. J'irai faire des pâtes d'Italie à Odessa [2]. Je connais la manière. Il y a, dans mon projet, des millions à gagner. Personne n'y a pensé. Ça ne se gâtera point dans le transport, comme le blé ou comme la farine. Eh ! eh ! l'amidon, il y aura là des millions ! Vous ne

---

— 1 Cf. l. 47-49. Un instant plus tôt, le vieillard s'écriait : « Envoyez-les chercher par la gendarmerie, de force ! la justice est pour moi, tout est pour moi, le Code civil. » — 2 Lorsqu'il était vermicelier, Goriot faisait venir d'Odessa des blés d'Ukraine.

George Sand et ses amis en 1838.
Portraits caricaturaux par Charpentier, et paysage par George Sand.
Peinture d'éventail. Paris, musée Carnavalet. *(Photo Giraudon.)*

Château de Nohant (Indre), propriété de George Sand : le salon.
(Photo Snark International.)

Evocation du « Lys dans la vallée » attribuée à Maria du Fresnay, amie de Balzac. Ce décor s'inspire du château de Saché, où Balzac travailla au « Père Goriot » et au « Lys dans la vallée ». Paris, maison de Balzac. *(Photo Jeanbor - E.B.)*

*Ci-dessous,
Balzac, Frédérick Lemaitre et Théophile Gautier,
aquarelle de Grandville. Paris,
collection Chauvac-Claretie. (Photo Jeanbor - E.B.)*

mentirez pas, dites-leur des millions, et, quand même elles viendraient par avarice [3], j'aime mieux être trompé, je les verrai. Je veux mes filles !
10 je les ai faites, elles sont à moi ! dit-il en se dressant sur son séant, en montrant à Eugène une tête dont les cheveux blancs étaient épars et qui menaçait par tout ce qui pouvait exprimer la menace.

— Allons, lui dit Eugène, recouchez-vous, mon bon père Goriot, je vais leur écrire. Aussitôt que Bianchon [4] sera de retour, j'irai, si elles ne viennent pas.

— Si elles ne viennent pas ? répéta le vieillard en sanglotant. Mais je serai mort, mort dans un accès de rage, de rage ! La rage me gagne ! En ce moment, je vois ma vie entière. Je suis dupe ! elles ne m'aiment pas, elles ne m'ont jamais aimé ! cela est clair. Si elles ne sont pas venues,
20 elles ne viendront pas. Plus elles auront tardé, moins elles se décideront à me faire cette joie. Je les connais. Elles n'ont jamais su rien deviner de mes chagrins, de mes douleurs, de mes besoins, elles ne devineront pas plus ma mort ; elles ne sont seulement pas dans le secret de ma tendresse. Oui, je le vois, pour elles, l'habitude de m'ouvrir les entrailles [5] a ôté du prix à tout ce que je faisais. Elles auraient demandé à me crever les yeux, je leur aurais dit : « Crevez-les ! » Je suis trop bête. Elles croient que tous les pères sont comme le leur. Il faut toujours se faire valoir. Leurs enfants me vengeront [6]. Mais c'est dans leur intérêt de venir ici. Prévenez-les donc qu'elles compromettent leur agonie. Elles commettent
30 tous les crimes en un seul... Mais allez donc, dites-leur donc que ne pas venir c'est un parricide ! Elles en ont assez commis sans ajouter celui-là. Criez donc comme moi : « Hé, Nasie [7] ! hé, Delphine ! venez à votre père, qui a été si bon pour vous et qui souffre ! » Rien, personne ! Mourrai-je donc comme un chien ! Voilà ma récompense, l'abandon. Ce sont des infâmes, des scélérates ; je les abomine [8], je les maudis ; je me relèverai, la nuit, de mon cercueil pour les remaudire, car, enfin, mes amis, ai-je tort ? elles se conduisent bien mal, hein !... Qu'est-ce que je dis ? Ne m'avez-vous pas averti que Delphine est là ? C'est la meilleure des deux... Vous êtes mon fils, Eugène, vous ! aimez-la [9], soyez un père
40 pour elle. L'autre est bien malheureuse [10]. Et leurs fortunes ! Ah ! mon Dieu ! J'expire, je souffre un peu trop ! Coupez-moi la tête, laissez-moi seulement le cœur.

— Christophe [11], allez chercher Bianchon, s'écria Eugène, épouvanté du caractère que prenaient les plaintes et les cris du vieillard, et ramenez-moi un cabriolet. — Je vais aller chercher vos filles, mon bon père Goriot, je vous les ramènerai.

— De force ! de force ! Demandez la garde, la ligne [12], tout ! tout !

— 3 Cupidité. — 4 Étudiant en médecine, logé à la pension Vauquer, qui soigne le père Goriot. — 5 Cf. la légende du pélican. — 6 En se montrant ingrats à leur tour. — 7 Diminutif d'Anastasie. — 8 Je les exècre. — 9 Rastignac est épris de Delphine de Nucingen. — 10 Follement éprise de Maxime de Trailles, Anastasie de Restaud s'est gravement compromise pour lui. — 11 Le domestique de la pension. — 12 L'infanterie de ligne.

dit-il en jetant à Eugène un dernier regard où brilla la raison. Dites au gouvernement, au procureur du roi, qu'on me les amène, je le veux !

50 — Mais vous les avez maudites.

— Qui est-ce qui a dit cela ? répondit le vieillard stupéfait. Vous savez bien que je les aime, je les adore ! Je suis guéri si je les vois... Allez, mon bon voisin, mon cher enfant, allez ! vous êtes bon, vous ; je voudrais vous remercier, mais je n'ai rien à vous donner que les bénédictions d'un mourant !... A boire ! les entrailles me brûlent ! Mettez-moi quelque chose sur la tête. La main de mes filles, ça me sauverait, je le sens... Mon Dieu ! qui refera leurs fortunes, si je m'en vais ? Je veux aller à Odessa pour elles, à Odessa, y faire des pâtes.

60 — Buvez ceci, dit Eugène en soulevant le moribond et le prenant dans son bras gauche, tandis que de la main droite il tenait une tasse pleine de tisane.

— Vous devez aimer votre père et votre mère, vous ! dit le vieillard en serrant de ses mains défaillantes la main d'Eugène. Comprenez-vous que je vais mourir sans les voir, mes filles ? Avoir soif toujours, et ne jamais boire, voilà comment j'ai vécu depuis dix ans [13]... Mes deux gendres ont tué mes filles. Oui, je n'ai plus eu de filles après qu'elles ont été mariées. Pères, dites aux Chambres de faire une loi sur le mariage ! Enfin, ne mariez pas vos filles, si vous les aimez... C'est épouvantable, ceci ! Vengeance ! Ce sont mes gendres qui les empêchent de venir... Tuez-les !...

70 A mort le Restaud, à mort l'Alsacien [14], ils sont mes assassins !... La mort ou mes filles !... Ah ! c'est fini, je meurs sans elles !... Elles !... Nasie ! Fifine [15], allons, venez donc ! Votre papa sort...

— Mon bon père Goriot, calmez-vous, voyons, restez tranquille, ne vous agitez pas, ne pensez pas.

— Ne pas les voir, voilà l'agonie ! — Vous allez les voir.

— Vrai ! cria le vieillard égaré. Oh ! les voir ! je vais les voir, entendre leur voix. Je mourrai heureux. Eh bien, oui, je ne demande plus à vivre, je n'y tenais plus, mes peines allaient croissant. Mais les voir, toucher leurs robes, ah ! rien que leurs robes [16], c'est bien peu ; mais que je sente

80 quelque chose d'elles ! Faites-moi prendre les cheveux [17]... veux...

Il tomba la tête sur l'oreiller comme s'il recevait un coup de massue. Ses mains s'agitèrent sur la couverture comme pour prendre les cheveux de ses filles. — Je les bénis, dit-il en faisant un effort... bénis...

Lorsque Mme de Restaud vient au chevet de son père, il est trop tard : le malheureux est dans le coma. Il meurt donc sans avoir revu ses filles : elles n'assistent même pas aux obsèques que Rastignac et Bianchon doivent payer de leurs derniers sous ! L'ingratitude monstrueuse de ces femmes du monde, le martyre du père Goriot, les diaboliques machinations de Vautrin... dure école pour Rastignac à ses débuts dans la vie. Désormais sans illusions, il verse « sa dernière larme de jeune homme », puis, contemplant Paris du cimetière du Père-Lachaise, il dit « ces mots grandioses », défi à la société : « A nous deux maintenant ! »

— 13 Cf. Mme de Mortsauf : elle meurt de soif, au sens propre, mais l'origine de son mal est une immense *soif d'amour*. — 14 Le ban- | quier Nucingen. — 15 Delphine. — 16 Un amant ne parlerait pas autrement. — 17 Un médaillon contenant des cheveux de ses filles.

Illusions perdues   Lucien Chardon, *qui se fera appeler* de Rubempré *du nom de sa mère, est un jeune poète de province ; il semble appelé à un bel avenir lorsqu'il quitte Angoulême pour Paris. Mais la capitale, et surtout la faune des éditeurs, journalistes et gens de lettres lui réservent de cruelles désillusions. Le libraire Dauriat à qui il a soumis un manuscrit le lui rend avec de belles paroles, sans l'éditer. Lucien s'aperçoit que Dauriat n'a même pas lu, ni fait lire ses sonnets ! Sur le conseil de journalistes cyniques, il écrit, pour se venger, une critique très sévère d'un livre de Raoul Nathan, édité par Dauriat.*

UN JOURNALISTE EST UN ACROBATE

Balzac qui a cotoyé les milieux de la presse et de l'édition en fait, dans *Illusions perdues*, une satire impitoyable : « Nous sommes des marchands de phrases et nous vivons de notre commerce » affirment sans aucun scrupule les journalistes. Le héros du roman, Lucien de Rubempré, qui a déjà perdu ses illusions, sera à son tour entraîné par le *pouvoir corrupteur de l'argent.*

Au milieu du repas, quand le vin de Champagne eut monté toutes les têtes, la raison de la visite que faisaient à Lucien ses camarades se dévoila.

— Tu ne veux pas, lui dit Lousteau [1], te faire un ennemi de Nathan [2] ? Nathan est journaliste, il a des amis, il te jouerait un mauvais tour à ta première publication. N'as-tu pas *l'Archer de Charles IX* [3] à vendre ? Nous avons vu Nathan ce matin, il est au désespoir ; mais tu vas lui faire un article où tu lui seringueras des éloges par la figure. — Comment ! après mon article contre son livre, vous voulez... demanda Lucien.

10   Émile Blondet, Hector Merlin, Étienne Lousteau, Félicien Vernou, tous interrompirent Lucien par un éclat de rire.

— Tu l'as invité à souper ici pour après-demain ? lui dit Blondet.

— Ton article, lui dit Lousteau, n'est pas signé. Félicien [4], qui n'est pas si neuf que toi, n'a pas manqué d'y mettre au bas un C, avec lequel tu pourras désormais signer tes articles dans son journal, qui est Gauche pure. Nous sommes tous de l'Opposition. Félicien a eu la délicatesse de ne pas engager tes futures opinions. Dans la boutique d'Hector, dont le journal est Centre droit, tu pourras signer par un L. On est anonyme pour l'attaque, mais on signe très bien l'éloge.

20   — Les signatures ne m'inquiètent pas, dit Lucien, mais je ne vois rien à dire en faveur du livre.

— Tu pensais donc ce que tu as écrit ? dit Hector à Lucien. — Oui [5].

— Ah ! mon petit, dit Blondet, je te croyais plus fort ! Non, ma parole

---

— 1 Rédacteur en chef du journal. Balzac le dépeint comme un *maigre et pâle jeune homme ;* ses illusions perdues se lisent sur son *beau visage déjà flétri.* — 2 Raoul Nathan a du talent, mais manque de caractère et de sincérité. Dans *Une Fille d'Ève*, Balzac le présente comme « une image de la jeunesse littéraire d'aujourd'hui, de ses fausses grandeurs et de ses misères réelles ». — 3 Manuscrit d'un roman historique. — 4. Vernou, qui ne peut souffrir Nathan, a fait publier l'article de Lucien dans le grand journal auquel il collabore. — 5 C'est pourtant sa rancune contre l'éditeur qui a dicté à Lucien l'éreintement de Nathan. Mais, comme il est encore relativement sincère, dans le feu de la rédaction il s'est mis à croire à ses critiques.

d'honneur, en regardant ton front[6], je te douais d'une omnipotence
semblable à celle des grands esprits, tous assez puissamment constitués
pour pouvoir considérer toute chose dans sa double forme. Mon petit,
en littérature, chaque idée a son envers et son endroit ; personne ne peut
prendre sur lui d'affirmer quel est l'envers. Tout est bilatéral dans le
domaine de la pensée. Les idées sont binaires. Janus[7] est le mythe de la
30 critique et le symbole du génie. Il n'y a que Dieu de triangulaire[8] ! Ce
qui met Molière et Corneille hors ligne, n'est-ce pas la faculté de faire dire
oui à Alceste et *non* à Philinte, à Octave et à Cinna ? Rousseau, dans la
Nouvelle Héloïse, a écrit une lettre pour et une lettre contre le duel,
oserais-tu prendre sur toi de déterminer sa véritable opinion ? Qui de
nous pourrait prononcer entre Clarisse et Lovelace[9], entre Hector et
Achille ? Quel est le héros d'Homère ? Quelle fut l'intention de Richardson ?
La critique doit contempler les œuvres sous tous leurs aspects. Enfin
nous sommes de grands rapporteurs[10].

— Vous tenez donc à ce que vous écrivez ? lui dit Vernou d'un air
40 railleur. Mais nous sommes des marchands de phrases, et nous vivons
de notre commerce. Quand vous voudrez faire une grande et belle œuvre,
un livre enfin, vous pourrez y jeter vos pensées, votre âme, vous y attacher,
le défendre ; mais des articles lus aujourd'hui, oubliés demain, ça ne vaut
à mes yeux que ce qu'on les paye. Si vous mettez de l'importance à de
pareilles stupidités, vous ferez donc le signe de la croix et vous invo-
querez l'Esprit Saint pour écrire un prospectus !

Tous parurent étonnés de trouver à Lucien des scrupules et achevèrent
de mettre en lambeaux sa robe prétexte[11] pour lui passer la robe virile des
journalistes.

LUCIEN *n'a pas assez d'énergie pour rester honnête dans un pareil milieu. Il va donc glisser
sur la pente fatale qui le conduira à la fois à la misère et au déshonneur. Il est sur le point
de se tuer lorsqu'il rencontre un soi-disant prêtre espagnol,* CARLOS HERRERA, *qui n'est autre
que Jacques Collin dit Trompe-la-mort, alias* VAUTRIN, *de nouveau évadé du bagne (cf. p. 541).
Plus malléable que Rastignac, Rubempré se prêtera à toutes les machinations de Vautrin.
C'est le sujet de* Splendeurs et Misères des Courtisanes (1838-1847). *Quoiqu'il soit tout à
fait dénué de scrupules, Lucien n'est pas de taille à faire équipe avec le géant du crime. Ils
sont tous deux arrêtés. A l'interrogatoire, Rubempré dévoile l'identité de son ami.*

*De hautes protections arrêteront, de la façon la plus scandaleuse, l'action de la justice, sans
parvenir cependant à sauver* LUCIEN *qui s'est pendu dans sa cellule. D'abord accablé par ce
coup terrible, l'homme de fer qu'est Vautrin ne tarde pas à réagir. Comme il détient des lettres
dont la publication déshonorerait de grandes dames, il peut défier la justice et la société en la
personne du procureur général* DE GRANVILLE. *Jugeant le forçat moins dangereux comme
allié que comme adversaire, ce haut magistrat nomme* VAUTRIN *adjoint au chef de la sûreté !
Dénouement invraisemblable, dira-t-on, et pourtant conforme au destin historique de* VIDOCQ,
forçat devenu policier (c'est La dernière incarnation de Vautrin).

— 6 Balzac s'intéressait vivement aux théories
de GALL *(phrénologie)* et de LAVATER *(physio-
gnomonie)*, d'après lesquelles on pourrait discerner le caractère et les dons intellectuels par
l'étude de la conformation du crâne ou des traits
du visage. — 7 Janus *bifrons*, le dieu au double
visage. — 8 On représente symboliquement la Trinité par un triangle équilatéral (égalité des
trois personnes). — 9 Dans *Clarisse Harlowe*,
le roman de Richardson (1748). — 10 *Le
rapporteur* d'un projet de loi ou d'une question
juridique doit exposer le pour et le contre avant
de conclure. — 11 Vêtement porté par les adolescents, à Rome, jusqu'au jour où ils revêtaient
la toge virile.

STENDHAL

Sa vie, son œuvre   HENRI BEYLE, né à Grenoble en 1783, perdit sa mère de bonne heure : il aura toute sa vie un très mauvais souvenir de son enfance. Révolté contre son père, sa tante, son précepteur, il prend en horreur la religion et la monarchie. Il se prépare à l'École Polytechnique et se rend à Paris pour présenter le concours mais y renonce au dernier moment.

L'ARMÉE (1800-1814). Avec l'appui de son cousin PIERRE DARU secrétaire général à la guerre, il amorce une carrière militaire : il rejoint l'armée d'Italie où il devient sous-lieutenant. Si l'Italie l'enchante, l'armée l'ennuie et il démissionne. A Paris il tente alors d'écrire des comédies, commence la rédaction de son *Journal*, se passionne pour les travaux des *idéologues*. En 1806, il reprend du service et participe aux campagnes d'Allemagne, d'Autriche et de Russie, devient conseiller d'État et « tombe avec Napoléon » en avril 1814.

MILAN (1814-1821). Libre et sans argent, il s'installe à Milan qui devient sa patrie d'élection. Il goûte le plaisir de vivre et d'aimer, entreprend des travaux de critique musicale et picturale, sans grande originalité, et publie sous le nom de STENDHAL, un recueil plus personnel, *Rome, Naples et Florence* (1817). En 1821, devenu suspect à la police autrichienne, il regagne Paris.

DES RÉFLEXIONS SUR L'AMOUR AU ROMAN D'ANALYSE (1821-1830). Dans les salons parisiens, Stendhal poursuit « sa chasse au bonheur ». Il publie, en 1822, un essai psychologique, *De l'Amour ;* puis il s'engage dans la bataille romantique avec *Racine et Shakespeare* (1823-1825). Il prend position pour l'école nouvelle et lance cette définition : « Le *romanticisme* est l'art de présenter aux peuples les œuvres littéraires qui, dans l'état actuel de leurs habitudes et de leurs croyances, sont susceptibles de leur donner le plus de plaisir possible. » Son activité littéraire reste très diverse : il publie une *Vie de Rossini* (1823), un roman d'analyse, *Armance* (1827) qui n'a aucun succès, et donne en 1830 son premier chef-d'œuvre *Le Rouge et le Noir*.

LE DIPLOMATE HOMME DE LETTRES (1830-1842). Sa situation financière devenait de plus en plus difficile lorsqu'il fut nommé consul à Trieste, puis à Civita-Vecchia. En 1834, il entreprend un roman, *Lucien Leuwen*, qui restera inachevé. De 1836 à 1839, un congé lui permet de voyager, de reprendre contact avec les salons parisiens, d'écrire *La Chartreuse de Parme* (1839). Il reprend la même année son poste à Civita-Vecchia, mais, atteint par la maladie il revient mourir à Paris en 1842.

Une grande partie de l'œuvre de Stendhal fut publiée après sa mort. Ainsi une *Vie de Napoléon, Lucien Leuwen, Lamiel* et des récits autobiographiques, la *Vie de Henri Brulard* et les *Souvenirs d'égotisme* (années 1821-1830).

L'homme   La personnalité de Stendhal paraît d'abord déconcertante : « La conscience de Beyle est un théâtre » notait Valéry, et il y a beaucoup de l'acteur dans cet auteur. Mais elle apparaît plus nette dans ses écrits intimes qui nous révèlent le secret de son caractère.

SENSIBILITÉ ROMANTIQUE. Sous une attitude volontiers désinvolte ou cynique, Stendhal cache une sensibilité très vive, presque féminine, un enthousiasme prompt à s'enflammer, une imagination romanesque et passionnée. Il aime l'amour, la gloire, la générosité ; il aspire intensément au bonheur.

INTELLIGENCE CRITIQUE. Stendhal cependant réprime sans cesse les élans de sa sensibilité et de son imagination. A la manière des penseurs du XVIIIe siècle, il s'analyse sans complaisance et recherche l'authenticité. Il rejette par-dessus tout les idées et les sentiments conventionnels ; mais du même coup cette hypocrisie qu'il déteste vient à le fasciner. Il voit dans la dissimulation une sorte de discipline personnelle, un jeu subtil, enfin une forme d'art : l'ironie. Cependant, parmi ses feintes, ses « grimaces », c'est la vérité profonde de son être qu'il poursuit.

Le beylisme

Son œuvre révèle une *conception de la vie* et un *art de vivre* très personnel, que l'on a appelé le *beylisme*. Beyle et ses héros, épicuriens passionnés, recherchent le bonheur, et le plaisir ressenti est leur grand critère esthétique et moral. Cet épicurisme est inséparable d'un *individualisme* qui va jusqu'à l'*égotisme*, au culte du moi enthousiaste et conquérant. Pour affirmer son individualité, le héros stendhalien se distingue par son *énergie*, par la *« virtù »* qui l'anime dans ses luttes et le soutient dans ses ambitions.

Romantique à bien des égards, par cet idéal, Stendhal est aussi un héritier du siècle de Voltaire. Il ignore le sentiment religieux, se défie du lyrisme et de l'éloquence et réagit par l'ironie aux tentations de la sensibilité.

La création littéraire

L'AUTEUR DANS SON ŒUVRE. Stendhal est constamment présent dans ses romans, et cela pour deux raisons : *a*) Il ne s'efface jamais complètement devant ses personnages : il les observe et les juge. — *b*) Ses héros lui ressemblent, le complètent ou le prolongent. Ainsi, Julien et Fabrice auront les mêmes aspirations que leur auteur, mais seront plus séduisants, plus entreprenants. La création littéraire *compense*, pour Stendhal, les déceptions et les mesquineries de la vie et lui permet de se livrer à des *variations*, imaginaires et passionnantes, *sur son propre destin*, à des expériences variées sur des aspects de son être demeurés à l'état de virtualités.

L'OBSERVATION RÉALISTE. Soucieux avant tout de VÉRITÉ, Stendhal contrôle les réactions de ses personnages selon des méthodes empruntées aux sciences exactes, choisit comme canevas de leurs aventures des événements réels, les fait évoluer dans des milieux qu'il peint d'après nature.

1. LA SCIENCE DE L'AMOUR. Dans son livre, *De l'Amour*, il distingue quatre sortes d'amour : l'amour-propre, l'amour goût, l'amour physique, l'amour de vanité, et discerne sept phases dans la naissance de cette passion. La plus importante est la *cristallisation*, c'est-à-dire l'aveuglement de l'amant sur les défauts de sa maîtresse. Ainsi, Stendhal a voulu comprendre l'amour et l'analyser abstraitement pour en faire une *peinture objective*.

2. LES FAITS RÉELS. Ils fournissent à Stendhal les sujets de ses romans : l'histoire de Julien Sorel est celle d'Antoine Berthet qui essaya de tuer la personne chez qui il avait été précepteur ; le sujet de *la Chartreuse* est emprunté à une chronique italienne.

3. LES TABLEAUX DE MŒURS. Dans ses romans apparaît une *observation personnelle* sur la société française et les mœurs politiques vers la fin de la Restauration. *Le Rouge et le Noir* porte le sous-titre révélateur de *Chronique de* 1830. *La Chartreuse de Parme* nous initie aux intrigues d'une petite cour italienne vers 1820. Stendhal n'hésite pas à faire une *peinture satirique* de cette société, à afficher ses idées et ses *partis pris*.

Le style de Stendhal

Si Stendhal n'est pas objectif dans ses jugements, il l'est par son *style*. Se défiant de la poésie, il voudrait donner à son style la sécheresse du Code civil. Il veut « marcher droit à l'objet » *(Henri Brulard)*, et dans cette recherche réaliste il réussit parfaitement par la précision, la rigueur et la concision.

La destinée   Isolé dans son temps, Stendhal n'eut guère d'admi-
       de l'œuvre   rateurs, excepté Balzac. D'ailleurs, avec lucidité, il dédiait
                             La Chartreuse de Parme « to the happy few », c'est-à-dire
à l'élite restreinte capable de l'apprécier, et il déclarait qu'il ne serait pas compris avant
1880. Découvert par Taine, il est maintenant au tout premier rang des maîtres du
roman français. Il séduit notre époque par les aspects même qui déplaisaient à ses
contemporains, par son égotisme, sa manière désinvolte et paradoxale. Son nom n'évoque
pas seulement le *génie du roman*, mais une forme d'*intelligence* et de *sensibilité*, une attitude
devant le réel et un *art de vivre*.

Le Rouge et le Noir   *Sous la Restauration*, M. de Rênal, *maire d'une petite
                               ville de Franche-Comté, décide d'engager comme précepteur
de ses enfants le fils d'un charpentier*, Julien Sorel. *Il s'est rendu à la scierie pour présenter
ses offres au père Sorel.*

UN PÈRE ET UN FILS

Dans ce dialogue brutal entre le père et le fils, nous voyons se dessiner *la personnalité
de Julien* qui nous est pourtant présenté pour la première fois. Julien Sorel est *différent
de son milieu*, et il en sera de même dans tous les milieux où il évoluera.

Ce fut en vain qu'il appela Julien deux ou trois fois. L'attention
que le jeune homme donnait à son livre, bien plus que le bruit de la scie,
l'empêcha d'entendre la terrible voix de son père. Enfin, malgré son âge,
celui-ci sauta lestement sur l'arbre soumis à l'action de la scie, et de là
sur la poutre transversale qui soutenait le toit. Un coup violent fit voler
dans le ruisseau le livre que tenait Julien ; un second coup aussi violent,
donné sur la tête, en forme de calotte, lui fit perdre l'équilibre. Il allait
tomber à douze ou quinze pieds plus bas, au milieu des leviers de la
machine en action, qui l'eussent brisé, mais son père le retint de la main
10 gauche comme il tombait :

— Eh bien ! paresseux, tu liras donc toujours tes maudits livres, pendant
que tu es de garde à la scie ? Lis-les le soir quand tu vas perdre ton temps [1]
chez le curé, à la bonne heure.

Julien, quoique étourdi par la force du coup et tout sanglant, se rapprocha
de son poste officiel, à côté de la scie. Il avait les larmes aux yeux, moins
à cause de la douleur physique que pour la perte de son livre qu'il adorait.

— Descends, animal, que je te parle.

Le bruit de la machine empêcha encore Julien d'entendre cet ordre.
Son père qui était descendu, ne voulant pas se donner la peine de remonter
20 sur le mécanisme, alla chercher une longue perche pour abattre des noix,
et l'en frappa sur l'épaule. A peine Julien fut-il à terre que le vieux Sorel,
le chassant rudement devant lui, le poussa vers la maison. « Dieu sait

---

— 1 Pour le père Sorel, les études sont du temps perdu.

ce qu'il va me faire ! » se disait le jeune homme. En passant, il regarda tristement le ruisseau où était tombé son livre ; c'était celui de tous qu'il affectionnait le plus, le *Mémorial de Sainte-Hélène* [2].

Il avait les joues pourpres et les yeux baissés. C'était un petit jeune homme de dix-huit à dix-neuf ans, faible en apparence, avec des traits irréguliers, mais délicats, et un nez aquilin. De grands yeux noirs, qui, dans les moments tranquilles, annonçaient de la réflexion et du feu,
30 étaient animés en cet instant de l'expression de la haine la plus féroce [3]. Des cheveux châtain foncé, plantés fort bas, lui donnaient un petit front, et, dans les moments de colère, un air méchant. Parmi les innombrables variétés de la physionomie humaine, il n'en est peut-être point qui se soit distinguée par une spécialité plus saisissante. Une taille svelte et bien prise annonçait plus de légèreté que de vigueur. Dès sa première jeunesse, son air extrêmement pensif et sa grande pâleur avaient donné l'idée à son père qu'il ne vivrait pas, ou qu'il vivrait pour être une charge à sa famille. Objet des mépris de tous à la maison, il haïssait ses frères et son père ; dans les jeux du dimanche, sur la place publique, il était toujours
40 battu.

Il n'y avait pas un an que sa jolie figure commençait à lui donner quelques voix amies parmi les jeunes filles. Méprisé de tout le monde, comme un être faible, Julien avait adoré ce vieux chirurgien-major qui un jour osa parler au maire au sujet des platanes [4].

Ce chirurgien payait quelquefois au père Sorel la journée de son fils, et lui enseignait le latin et l'histoire, c'est-à-dire ce qu'il savait d'histoire, la campagne de 1796 en Italie [5]. En mourant, il lui avait légué sa croix de la Légion d'honneur, les arrérages de sa demi-solde, et trente ou quarante volumes, dont le plus précieux venait de faire le saut dans *le*
50 *ruisseau public*, détourné par le crédit de M. le maire [6].

A peine entré dans la maison, Julien se sentit l'épaule arrêtée par la puissante main de son père ; il tremblait, s'attendant à quelques coups.

— Réponds-moi sans mentir, lui cria aux oreilles la voix dure du vieux paysan, tandis que sa main le retournait, comme la main d'un enfant retourne un soldat de plomb.

Les grands yeux noirs et remplis de larmes de Julien se trouvèrent en face des petits yeux gris et méchants du vieux charpentier, qui avait l'air de vouloir lire jusqu'au fond de son âme.

* *

60 — Réponds-moi sans mentir, si tu le peux, chien de *lisard ;* d'où connais-tu madame de Rênal, quand lui as-tu parlé ?

— 2 Julien admire en secret Napoléon (cf. l. 45-50). — 3 Julien est enclin aux sentiments violents. — 4 Il avait critiqué la façon dont M. de Rênal faisait tailler les platanes de la promenade : trait d'audace de la part du chirurgien-major « jacobin et bonapartiste » ! — 5 Elle sera évoquée au début de la *Chartreuse de Parme.* — 6 Voulant acquérir l'emplacement primitif de l'atelier du père Sorel, M. de Rênal a détourné le ruisseau jusqu'au nouvel emplacement de la scierie.

— Je ne lui ai jamais parlé, répondit Julien, je n'ai jamais vu cette dame qu'à l'église.

— Mais tu l'auras regardée, vilain effronté ?

— Jamais ! Vous savez qu'à l'église je ne vois que Dieu, ajouta Julien avec un petit air hypocrite [7], tout propre, selon lui, à éloigner le retour des taloches.

— Il y a pourtant quelque chose là-dessous, répliqua le paysan malin, et il se tut un instant ; mais je ne saurai rien de toi, maudit sournois. Au
70 fait, je vais être délivré de toi, et ma scie n'en ira que mieux. Tu as gagné M. le curé ou tout autre, qui t'a procuré une belle place. Va faire ton paquet, et je te mènerai chez M. de Rênal, où tu seras précepteur des enfants.

— Qu'aurai-je pour cela ?

— La nourriture, l'habillement et trois cents francs de gages.

— Je ne veux pas être domestique.

— Animal, qui te parle d'être domestique ? est-ce que je voudrais que mon fils fût domestique ?

— Mais, avec qui mangerai-je ?

80 Cette demande déconcerta le vieux Sorel, il sentit qu'en parlant il pourrait commettre quelque imprudence ; il s'emporta contre Julien, qu'il accabla d'injures, en l'accusant de gourmandise, et le quitta pour aller consulter ses autres fils.

Julien les vit bientôt après, chacun appuyé sur sa hache et tenant conseil. Après les avoir longtemps regardés, Julien, ne pouvant rien deviner, alla se placer de l'autre côté de la scie, pour éviter d'être surpris. Il voulait penser mûrement à cette annonce imprévue qui changeait son sort, mais il se sentit incapable de prudence ; son imagination était tout entière à se figurer ce qu'il verrait dans la belle maison de M. de Rênal.

90 Il faut renoncer à tout cela, se dit-il, plutôt que de se laisser réduire à manger avec les domestiques. Mon père voudra m'y forcer ; plutôt mourir. J'ai quinze francs huit sous d'économies, je me sauve cette nuit ; en deux jours, par des chemins de traverse où je ne crains nul gendarme, je suis à Besançon ; là, je m'engage comme soldat, et, s'il le faut, je passe en Suisse. Mais alors plus d'avancement, plus d'ambition pour moi, plus de ce bel état de prêtre qui mène à tout [8].

Finalement la négociation aboutit ; Julien ne mangera pas avec les domestiques ; le voici donc à la grille de la maison du maire.

Le Rouge et le Noir, I, 5 et 6.

— 7 Julien aura souvent recours à l'*hypocrisie*.
— 8 Sous l'Empire, l'état militaire (le *Rouge*) était le meilleur moyen d'*avancer* ; mais sous la Restauration, c'est selon Julien, l'état ecclésiastique (le *Noir*).

PREMIERS REGARDS, PREMIER BONHEUR

Scène romanesque et vivante où Stendhal nous décrit la première entrevue de Julien et de Mme de Rênal. Cette rencontre aura une influence décisive sur leurs sentiments réciproques : la surprise de Mme de Rênal va l'entraîner à s'éprendre inconsciemment de Julien.

Avec la vivacité et la grâce qui lui étaient naturelles quand elle était loin des regards des hommes [1], madame de Rênal sortait par la porte-fenêtre du salon qui donnait sur le jardin, quand elle aperçut près de la porte d'entrée la figure d'un jeune paysan presque encore enfant, extrêmement pâle et qui venait de pleurer. Il était en chemise bien blanche, et avait sous le bras une veste fort propre de ratine violette.

Le teint de ce petit paysan était si blanc, ses yeux si doux, que l'esprit un peu romanesque de madame de Rênal [2] eut d'abord l'idée que ce pouvait être une jeune fille déguisée, qui venait demander quelque grâce à M. le maire. Elle eut pitié de cette pauvre créature, arrêtée à la porte d'entrée, et qui évidemment n'osait pas lever la main jusqu'à la sonnette. Madame de Rênal s'approcha, distraite un moment de l'amer chagrin que lui donnait l'arrivée du précepteur [3]. Julien, tourné vers la porte, ne la voyait pas s'avancer. Il tressaillit quand une voix douce dit tout près de son oreille :

— Que voulez-vous ici, mon enfant ?

Julien se tourna vivement, et, frappé du regard si rempli de grâce de madame de Rênal, il oublia une partie de sa timidité. Bientôt, étonné de sa beauté, il oublia tout, même ce qu'il venait faire. Madame de Rênal avait répété sa question.

— Je viens pour être précepteur, madame, lui dit-il enfin, tout honteux de ses larmes qu'il essuyait de son mieux.

Madame de Rênal resta interdite ; ils étaient fort près l'un de l'autre à se regarder. Julien n'avait jamais vu un être aussi bien vêtu et surtout une femme avec un teint si éblouissant, lui parler d'un air doux. Madame de Rênal regardait les grosses larmes qui s'étaient arrêtées sur les joues si pâles d'abord et maintenant si roses de ce jeune paysan. Bientôt elle se mit à rire avec toute la gaieté folle d'une jeune fille ; elle se moquait d'elle-même et ne pouvait se figurer tout son bonheur [4].

Le Rouge et le Noir, I, 6.

— 1 Stendhal nous a dépeint Mme de Rênal comme « une femme grande, bien faite », douée d'une « grâce naïve, pleine d'innocence et de vivacité », sans coquetterie, ni affectation, et même « fort timide ». — 2 « C'était une âme naïve » (chap. III). — 3 Elle imaginait « un être grossier et mal peigné », dur et rébarbatif, « qui viendrait fouetter ses enfants ». — 4 De trouver ce précepteur si différent de ce qu'elle craignait.

En dépit de sa piété, Mme DE RÊNAL *cède à la passion qui l'entraîne vers* JULIEN. *Compromis, Julien doit partir et, après un séjour au séminaire de Besançon, devient à Paris secrétaire du marquis de* LA MOLE. *Sa fille* MATHILDE *s'éprend de Julien et obtient pour lui, de ses parents, un titre et une promesse de mariage.*

Mais à M. de la Mole qui demandait des renseignements sur son futur gendre, Mme de Rênal *dénonce Julien comme un intrigant. Prévenu par Mathilde, Julien la quitte brusquement, après avoir pris connaissance de cette lettre fatale à son ambition.*

JULIEN TIRE SUR MADAME DE RÊNAL

Stendhal, néglige le côté réaliste du décor, et, accordant son style à sa pensée, présente une *analyse psychologique* de l'état mental de Julien : nous assistons à cette scène décisive avec l'*optique* du *meurtrier*.

Julien était parti pour Verrières. Dans cette route rapide, il ne put écrire à Mathilde comme il en avait le projet, sa main ne formait sur le papier que des traits illisibles.

Il arriva à Verrières un dimanche matin. Il entra chez l'armurier du pays, qui l'accabla de compliments sur sa récente fortune. C'était la nouvelle du pays.

Julien eut beaucoup de peine à lui faire comprendre qu'il voulait une paire de pistolets. L'armurier, sur sa demande, chargea les pistolets.

Les trois coups sonnaient ; c'est un signal bien connu dans les villages
10 de France, et qui, après les diverses sonneries de la matinée, annonce le commencement immédiat de la messe.

Julien entra dans l'église neuve de Verrières. Toutes les fenêtres hautes de l'édifice étaient voilées avec des rideaux cramoisi[1]. Julien se trouva à quelques pas derrière le banc de madame de Rênal. Il lui sembla qu'elle priait avec ferveur. La vue de cette femme qui l'avait tant aimé fit trembler le bras de Julien d'une telle façon, qu'il ne put d'abord exécuter son dessein. Je ne le puis, se disait-il à lui-même ; physiquement, je ne le puis.

En ce moment le jeune clerc qui servait la messe sonna pour *l'élévation*[2], Madame de Rênal baissa la tête qui un instant se trouva presque entiè-
20 rement cachée par les plis de son châle. Julien ne la reconnaissait plus aussi bien ; il tira sur elle un coup de pistolet et la manqua ; il tira un second coup, elle tomba[3].

Julien resta immobile, il ne voyait plus. Quand il revint un peu à lui, il aperçut tous les fidèles qui s'enfuyaient de l'église ; le prêtre avait quitté l'autel. Julien se mit à suivre d'un pas assez lent quelques femmes

---

— 1 Au début du roman, Julien avait eu la prémonition de son destin, en lisant sur un morceau de journal oublié dans l'église : « *Détails de l'exécution et des derniers moments de Louis Jenrel, exécuté à Besançon, le...* En sortant, Julien crut voir du sang près du bénitier, c'était de l'eau bénite qu'on avait répandue : le reflet des rideaux rouges qui couvraient les fenêtres la faisait paraître du sang. » (I, 5). — 2 Dans la réalité, c'est au moment de la *communion* qu'Antoine Berthet avait tiré sur Mme Michoud ; quelle est, d'après le contexte, la raison de cette modification ? — 3 Berthet avait tiré sur Mme Michoud, puis sur lui-même.

qui s'en allaient en criant. Une femme qui voulait fuir plus vite que les autres le poussa rudement, il tomba. Ses pieds s'étaient embarrassés dans une chaise renversée par la foule ; en se relevant, il se sentit le cou serré ; c'était un gendarme en grande tenue qui l'arrêtait. Machinalement Julien voulut avoir recours à ses petits pistolets ; mais un second gendarme s'emparait de ses bras.

Il fut conduit à la prison. On entra dans une chambre, on lui mit les fers aux mains, on le laissa seul ; la porte se ferma sur lui à double tour ; tout cela fut exécuté très vite, et il y fut insensible.

— Ma foi, tout est fini, dit-il tout haut en revenant à lui... Oui, dans quinze jours la guillotine... ou se tuer d'ici là.

Son raisonnement n'allait pas plus loin ; il se sentait la tête comme si elle eût été serrée avec violence. Il regarda pour voir si quelqu'un le tenait. Après quelques instants, il s'endormit profondément.

Le Rouge et le Noir, II, 35-36.

Malgré les intrigues de Mme de Rênal et de Mathilde pour le sauver, JULIEN *est condamné à mort après avoir bravé les jurés par une attitude révolutionnaire :* « Messieurs, je n'ai point l'honneur d'appartenir à votre classe, vous voyez en moi un paysan qui s'est révolté contre la bassesse de sa fortune ». *Grâce aux visites de Mme de Rênal, dont il reste éperdument amoureux, les derniers jours de Julien en prison sont des jours de bonheur. Trois jours après la mort de Julien sur l'échafaud, Mme de Rênal meurt à son tour.*

La Chartreuse de Parme

STENDHAL *a rédigé en sept semaines ce roman, inspiré d'une chronique du XVIe siècle,* La Vie d'Alexandre Farnèse, *dont il transporte les événements au XIXe :* FABRICE DEL DONGO, *un jeune noble milanais, rêve de gloire et de liberté et s'enfuit pour rejoindre l'armée de Napoléon.*

FABRICE A WATERLOO

Stendhal se propose un double but : il révèle le *caractère de son héros* au contact des événements et, à travers les impressions de Fabrice, il donne un *récit original* à la fois *impressionniste* et *ironique* de la bataille de Waterloo.

Nous avouerons que notre héros était fort peu héros en ce moment. Toutefois, la peur ne venait chez lui qu'en seconde ligne ; il était surtout scandalisé de ce bruit [1] qui lui faisait mal aux oreilles. L'escorte prit le galop ; on traversait une grande pièce de terre labourée, située au-delà du canal, et ce champ était jonché de cadavres.

— Les habits rouges ! les habits rouges [2] ! criaient avec joie les hussards de l'escorte, et d'abord Fabrice ne comprenait pas ; enfin il remarqua [3]

— 1 Le bruit du canon, qui redouble à ce moment-là. — 2 Fantassins anglais. — 3 Cf. l. 9, 17, etc. Commenter l'emploi répété de ces verbes.

qu'en effet presque tous les cadavres étaient vêtus de rouge. Une circonstance lui donna un frisson d'horreur ; il remarqua que beaucoup de ces
10 malheureux habits rouges vivaient encore ; ils criaient évidemment pour demander du secours, et personne ne s'arrêtait pour leur en donner. Notre héros, fort humain, se donnait toutes les peines du monde pour que son cheval ne mît les pieds sur aucun habit rouge. L'escorte s'arrêta ; Fabrice, qui ne faisait pas assez attention à son devoir de soldat, galopait toujours en regardant un malheureux blessé.

— Veux-tu bien t'arrêter, blanc-bec ! lui cria le maréchal des logis. Fabrice s'aperçut qu'il était à vingt pas sur la droite en avant des généraux, et précisément du côté où ils regardaient avec leurs lorgnettes. En revenant se ranger à la queue des autres hussards restés à quelques pas
20 en arrière, il vit le plus gros de ces généraux qui parlait à son voisin, général aussi, d'un air d'autorité et presque de réprimande ; il jurait. Fabrice ne put retenir sa curiosité ; et, malgré le conseil de ne point parler, à lui donné par son amie la géôlière [4], il arrangea une petite phrase bien française, bien correcte, et dit à son voisin :

— Quel est-il ce général qui *gourmande* son voisin ?

— Pardi, c'est le maréchal !

— Quel maréchal ?

— Le maréchal Ney, bêta ! Ah çà ! où as-tu servi jusqu'ici ?

Fabrice, quoique fort susceptible, ne songea point à se fâcher de
30 l'injure ; il contemplait, perdu dans une admiration enfantine, ce fameux prince de la Moskowa, le brave des braves.

Tout à coup on partit au grand galop. Quelques instants après, Fabrice vit, à vingt pas en avant, une terre labourée qui était remuée d'une façon singulière. Le fond des sillons était plein d'eau, et la terre fort humide, qui formait la crête de ces sillons, volait en petits fragments noirs lancés à trois ou quatre pieds de haut. Fabrice remarqua en passant cet effet singulier ; puis sa pensée se remit à songer à la gloire du maréchal. Il entendit un cri sec auprès de lui : c'étaient deux hussards qui tombaient, atteints par des boulets ; et, lorsqu'il les regarda, ils étaient déjà à vingt
40 pas de l'escorte. Ce qui lui sembla horrible, ce fut un cheval tout sanglant qui se débattait sur la terre labourée, en engageant ses pieds dans ses propres entrailles : il voulait suivre les autres ; le sang coulait dans la boue.

Ah ! m'y voilà donc enfin au feu ! se dit-il. J'ai vu le feu ! se répétait-il avec satisfaction [5]. Me voici un vrai militaire. A ce moment, l'escorte allait ventre à terre, et notre héros comprit que c'étaient des boulets qui

---

— 4. Rendu suspect par son accent étranger, Fabrice avait été incarcéré, mais il a pu s'évader grâce à la femme du geôlier. — 5. Cf. *Henri Brulard* : le jeune Beyle a vu le feu pour la première fois à 17 ans, comme Fabrice : « Je traînai quelques minutes pour montrer mon courage... Le soir en y réfléchissant je ne revenais pas de mon étonnement : *Quoi ! n'est-ce que ça ?* me disais-je. »

faisaient voler la terre de toutes parts. Il avait beau regarder du côté
d'où venaient les boulets, il voyait la fumée blanche de la batterie à une
distance énorme, et, au milieu du ronflement égal et continu produit par
les coups de canon, il lui semblait entendre des décharges beaucoup plus
50 voisines ; il n'y comprenait rien du tout.

La Chartreuse de Parme, chap. III.

*Soupçonné de libéralisme, FABRICE est protégé par sa tante la duchesse SANSEVERINA.
Contraint à embrasser la carrière ecclésiastique, il obtient la protection de l'archevêque, mais
attaqué par un comédien il le tue. Incarcéré à la tour Farnèse, Fabrice va trouver le bonheur
en prison : il devient amoureux de CLÉLIA CONTI la fille du Gouverneur.*

LE BONHEUR EN PRISON

La fille du gouverneur de la prison, CLÉLIA CONTI, a assisté avec une vive émotion à
l'incarcération de FABRICE ; celui-ci, de son côté, a été frappé par « l'expression de
mélancolie » de Clélia, par sa beauté, par sa « physionomie angélique ». Dans sa cellule,
il donne libre cours à son *imagination romanesque :* « Je conçois que Clélia se plaise dans
cette solitude aérienne... Si ces oiseaux qui sont là sous ma fenêtre lui appartiennent, je
la verrai... Rougira-t-elle en m'apercevant ? » Et il s'endort sur ces aimables pensées.

Verrai-je Clélia ? se dit Fabrice en s'éveillant. Mais ces oiseaux
sont-ils à elle ? Les oiseaux commençaient à jeter des petits cris et à
chanter, et à cette élévation c'était le seul bruit qui s'entendît dans les
airs. Ce fut une sensation pleine de nouveauté et de plaisir pour Fabrice
que ce vaste silence qui régnait à cette hauteur : il écoutait avec ravissement
les petits gazouillements interrompus et si vifs par lesquels ses
voisins les oiseaux saluaient le jour. S'ils lui appartiennent, elle paraîtra
un instant dans cette chambre, là sous ma fenêtre. Et tout en examinant
les immenses chaînes des Alpes, vis-à-vis le premier étage desquelles la
10 citadelle de Parme semblait s'élever comme un ouvrage avancé, ses
regards revenaient à chaque instant aux magnifiques cages de citronnier
et de bois d'acajou qui, garnies de fils dorés, s'élevaient au milieu de la
chambre fort claire, servant de volière. Ce que Fabrice n'apprit que plus
tard, c'est que cette chambre était la seule du second étage du palais qui
eût de l'ombre de onze heures à quatre : elle était abritée par la tour
Farnèse.

Quel ne va pas être mon chagrin, se dit Fabrice, si, au lieu de cette
physionomie céleste et pensive que j'attends et qui rougira peut-être un
peu si elle m'aperçoit, je vois arriver la grosse figure de quelque femme de
20 chambre bien commune, chargée par procuration de soigner les oiseaux !

*Les oiseaux étaient bien à Clélia ; elle paraît à la fenêtre, et c'est le début d'une idylle
entre les deux jeunes gens, à la fois si près l'un de l'autre et séparés par des obstacles matériels
que surmonte l'ingéniosité de leur amour. Fabrice est tout à son bonheur. Alors, la duchesse,
jalouse de Clélia, favorise son évasion ; mais Fabrice, libéré, reste insensible à son amour.*

*Acquitté grâce à la duchesse qui empoisonne le prince de Parme, Fabrice retrouve Clélia.
Mais bientôt le malheur les frappe, Clélia meurt et Fabrice, devenu archevêque, renonce à
toutes ses dignités et se retire à la Chartreuse de Parme, où il meurt lui-même peu après.*

MÉRIMÉE

Sa carrière

Né à Paris en 1803, Prosper Mérimée doit à ses parents des tendances voltairiennes, ainsi que le goût des lettres et des arts. Il étudie le droit, fréquente les salons et devient l'ami de Stendhal.

DE LA FANTAISIE AU ROMAN HISTORIQUE (1825-1829). Il se signale d'abord par des mystifications littéraires qui réussissent : le *Théâtre de Clara Gazul* (1825), soi-disant traduit de l'espagnol, et la *Guzla* (1827), recueil de ballades soi-disant illyriennes. Il s'oriente ensuite vers le genre historique et donne en 1828, *La Jacquerie*, puis en 1829 une *Chronique du règne de Charles IX*.

LE MAÎTRE DE LA NOUVELLE (1829-1870). Trouvant le genre le mieux adapté à son talent, il publie la même année dans la Revue de Paris ses premières nouvelles. Ainsi *L'Enlèvement de la redoute*, récit historique, *Tamango* où il évoque la traite des nègres, *Mateo Falcone* un drame corse. En 1830, il donne *Le Vase étrusque* et, en 1833, *La Double Méprise*.

En 1834, il est nommé *inspecteur général des monuments historiques*. Au cours de ses tournées en France et de ses voyages à l'étranger son expérience s'enrichit : il montre un vif intérêt pour le fantastique dans *Les Ames du Purgatoire* (1834), *La Vénus d'Ille* (1837), *Lokis* (1869) ; il rapporte de Corse le sujet de *Colomba* (1840) et d'Espagne celui de *Carmen* (1845). Il s'attache également à la littérature russe qu'il contribue à répandre en France. Familier de l'impératrice, il devient sénateur et organise pour la cour des divertissements littéraires. Accablé par la chute de l'Empire, il meurt en 1870.

L'art de Mérimée

ROMANTISME ET RÉALISME. Mérimée appartient à la génération *romantique* et son œuvre en porte des marques : goût pour la mystification, pour le fantastique, pour les passions fortes et déchaînées, pour les descriptions colorées et pittoresques, sens de la fatalité. Mais son *intelligence critique*, son *scepticisme*, son attitude *objective* lui permettent de contrôler ses tendances romantiques. Le goût de la chose vue, du fait vrai, de la documentation précise et de l'objectivité fait de lui un écrivain réaliste.

UN ART PUR ET SOBRE. Pour mener son récit, Mérimée a une technique parfaite : densité, rapidité et concision du style, termes empruntés à la langue locale ; et surtout, il sait tenir le lecteur en haleine par la *tension dramatique*. Parfois un peu sèches dans leur précision, les nouvelles de Mérimée offrent à *l'intelligence* un plaisir d'une rare qualité.

Colomba

Un jeune lieutenant en demi-solde, Orso Della Rebbia, en rejoignant la Corse son pays natal, fait connaissance, pendant la traversée, d'un colonel irlandais et de sa fille dont il s'éprend. A son arrivée à Pietranera, sa sœur Colomba l'invite à venger son père assassiné par une famille rivale. Orso, qui a perdu le goût de la vendetta, ne peut croire à la culpabilité des Barricini, et la pensée de Lydia Nevil l'aide à résister à l'influence de Colomba.

LE CHEVAL MUTILÉ

Mérimée est un *maître du récit romantique* et *passionné*, pour lequel il emploie une langue extrêmement précise et dense. On y trouve à la fois la fougue, l'élan, le pittoresque en même temps qu'une objectivité formelle et un réalisme d'une facture très sobre : ainsi dans ce passage où Colomba invente une ruse pour persuader son frère.

Orso s'étant retiré dans sa chambre, Colomba envoya coucher Saveria [1] et les bergers, et demeura seule dans la cuisine où se préparait

---

— 1 La servante.

le bruccio [2]. De temps en temps elle prêtait l'oreille et paraissait attendre impatiemment que son frère fût couché. Lorsqu'elle le crut enfin endormi, elle prit un couteau, s'assura qu'il était tranchant, mit ses petits pieds dans de gros souliers, et, sans faire le moindre bruit, elle entra dans le jardin.

Le jardin, fermé de murs, touchait à un terrain assez vaste, enclos de haies, où l'on mettait les chevaux, car les chevaux corses ne connaissent
10 guère l'écurie. En général on les lâche dans un champ et l'on s'en rapporte à leur intelligence pour trouver à se nourrir et à s'abriter contre le froid et la pluie.

Colomba ouvrit la porte du jardin avec la même précaution, entra dans l'enclos, et en sifflant doucement elle attira près d'elle les chevaux, à qui elle portait souvent du pain et du sel. Dès que le cheval noir [3] fut à sa portée, elle le saisit fortement par la crinière et lui fendit l'oreille avec son couteau. Le cheval fit un bond terrible et s'enfuit en faisant entendre ce cri aigu qu'une vive douleur arrache quelquefois aux animaux de son espèce. Satisfaite alors, Colomba rentrait dans le jardin, lorsque Orso
20 ouvrit sa fenêtre et cria : « Qui va là ? » En même temps elle entendit qu'il armait son fusil. Heureusement pour elle, la porte du jardin était dans une obscurité complète, et un grand figuier la couvrait en partie. Bientôt, aux lueurs intermittentes qu'elle vit briller dans la chambre de son frère, elle conclut qu'il cherchait à rallumer sa lampe. Elle s'empressa alors de fermer la porte du jardin, et se glissant le long des murs, de façon que son costume noir se confondît avec le feuillage sombre des espaliers, elle parvint à rentrer dans la cuisine quelques moments avant qu'Orso ne parût.

— Qu'y a-t-il ? lui demanda-t-elle. — Il m'a semblé, dit Orso, qu'on
30 ouvrait la porte du jardin. — Impossible. Le chien aurait aboyé. Au reste, allons voir.

Orso fit le tour du jardin, et après avoir constaté que la porte extérieure était bien fermée, un peu honteux de cette fausse alerte, il se disposa à regagner sa chambre.

— J'aime à voir, mon frère, dit Colomba, que vous devenez prudent, comme on doit l'être dans votre position. — Tu me formes, répondit Orso. Bonsoir.

Le matin avec l'aube Orso s'était levé, prêt à partir. Son costume annonçait à la fois la prétention à l'élégance d'un homme qui veut se
40 présenter devant une femme à qui il veut plaire [4], et la prudence d'un Corse en vendette. Par-dessus une redingote bleue bien serrée à la taille, il portait en bandoulière une petite boîte de fer-blanc contenant des cartouches, suspendue à un cordon de soie verte ; son stylet [5] était placé dans une poche

---

— 2 « Espèce de fromage à la crème cuit. C'est un mets national en Corse. » (Mérimée). —

3 Celui qu'Orso doit monter le lendemain. —
4 Orso va au-devant de Lydia Nevil (cf. analyse).
— 5 Poignard.

de côté, et il tenait à la main le beau fusil de Manton [6] chargé à balles. Pendant qu'il prenait à la hâte une tasse de café versée par Colomba, un berger était sorti pour seller et brider le cheval. Orso et sa sœur le suivirent de près et entrèrent dans l'enclos. Le berger s'était emparé du cheval, mais il avait laissé tomber selle et bride, et paraissait saisi d'horreur, pendant que le cheval, qui se souvenait de la blessure de la nuit précédente
50 et qui craignait pour son autre oreille, se cabrait, ruait, hennissait, faisait le diable à quatre.

— Allons, dépêche-toi ! lui cria Orso. — Ha ! Ors' Anton' ! ha ! Ors' Anton' ! s'écriait le berger, sang de la Madone ! etc. C'étaient des imprécations sans nombre et sans fin, dont la plupart ne pourraient se traduire.

— Qu'est-il donc arrivé ? demanda Colomba.

Tout le monde s'approcha du cheval, et, le voyant sanglant et l'oreille fendue, ce fut une exclamation générale de surprise et d'indignation. Il faut savoir que mutiler le cheval de son ennemi est, pour les Corses, à la fois une vengeance, un défi et une menace de mort. « Rien qu'un coup
60 de fusil n'est capable d'expier ce forfait. » Bien qu'Orso, qui avait longtemps vécu sur le continent, sentît moins qu'un autre l'énormité de l'outrage, cependant, si dans ce moment quelque barriciniste se fût présenté à lui, il est probable qu'il lui eût fait immédiatement expier une insulte qu'il attribuait à ses ennemis.

— Les lâches coquins ! s'écria-t-il, se venger sur une pauvre bête, lorsqu'ils n'osent me rencontrer en face !

— Qu'attendons-nous ? s'écria Colomba impétueusement. Ils viennent nous provoquer, mutiler nos chevaux, et nous ne leur répondrions pas ! Êtes-vous hommes ? — Vengeance ! répondirent les bergers. Promenons
70 le cheval dans le village et donnons l'assaut à leur maison.

— Il y a une grange couverte de paille qui touche à leur tour, dit le vieux Polo Griffo, en un tour de main je la ferai flamber.

Un autre proposait d'aller chercher les échelles du clocher de l'église ; un troisième, d'enfoncer les portes de la maison Barricini au moyen d'une poutre déposée sur la place et destinée à quelque bâtiment en construction. Au milieu de toutes ces voix furieuses, on entendait celle de Colomba annonçant à ses satellites qu'avant de se mettre à l'œuvre chacun allait recevoir d'elle un grand verre d'anisette.

Colomba, Chap. XVI.

Orso *refuse encore de se venger, mais quelques instants plus tard, blessé par les fils* Barricini, *il riposte et abat ses deux adversaires. Orso, ayant agi en état de légitime défense, ne sera pas inculpé ; il pourra donc épouser celle qu'il aime. Quant à* Colomba, *elle rencontre, au cours d'un voyage en Italie, le vieux Barricini mourant, et elle savoure, implacable, la joie de la vengeance.*

— 6 Armurier anglais célèbre à l'époque ; ce fusil a été donné à Orso par le colonel Nevil.

L'HISTOIRE AU XIXe SIÈCLE

Montesquieu et Voltaire avaient déjà jeté les bases de la science et de la critique historiques, mais ni l'un ni l'autre ne poursuivirent cette résurrection du passé que vont tenter avec MICHELET les principaux historiens du XIXe siècle.

Le XIXe siècle sera souvent appelé le siècle de l'histoire : il voit en effet la vogue de la littérature historique et l'essor de l'histoire proprement dite. Du *récit pittoresque* à *l'histoire scientifique* deux grands courants vont se succéder, se rattachant le premier au romantisme, le second au positivisme.

Les circonstances favorables

1. LES ÉVÉNEMENTS HISTORIQUES qui bouleversent la France et l'Europe de 1789 à 1815, et la prodigieuse *accélération du rythme de l'histoire* favorisent ce développement du goût historique. Par ailleurs, la Restauration inaugure un régime plus libéral qui permet aux opinions de s'exprimer : orateurs, journalistes et partis politiques cherchent dans l'histoire des exemples et des arguments.

2. LA PENSÉE ROMANTIQUE. Le sentiment de vivre une époque historique est d'autant plus vif que le romantisme oppose à la nature humaine permanente des classiques la passion de l'*individuel* et du *relatif*.

3. LES SCIENCES ANNEXES. L'archéologie, la philologie, l'étude des manuscrits et des inscriptions, font alors des progrès considérables. Le XIXe siècle voit le débuts de l'égyptologie, avec Champollion (1822), la création de l'École des Chartes, de l'École d'Athènes, de la Commission des Monuments historiques.

I. L'HISTOIRE ROMANTIQUE

CHATEAUBRIAND a été l'initiateur de ce mouvement. Son œuvre embrasse le passé, le présent et même l'avenir. Elle met l'accent sur les périodes qui vont être traitées avec prédilection : Le Moyen Age, la Révolution et l'Empire. Avec le livre VI des *Martyrs*, par la splendeur de l'évocation historique, il décide même de la vocation d'Augustin THIERRY.

La littérature historique

Le goût de l'histoire se manifeste dans le roman, le drame et la poésie romantiques.

1. LE ROMAN. Sous l'influence de Chateaubriand et de Walter Scott, le roman historique est pratiqué par Vigny *(Cinq-Mars, Stello)*, Hugo *(Notre-Dame de Paris)*, Mérimée *(Chronique du règne de Charles IX)*, Balzac *(Les Chouans)* et Alexandre Dumas *(Les Trois Mousquetaires)*.

2. LE DRAME. Hugo, Vigny, Musset portent à la scène des événements et des personnages historiques.

3. LA POÉSIE. L'histoire et l'actualité inspirent aux poètes des accents satiriques, polémiques, patriotiques ou épiques (cf. Victor Hugo : *Les Châtiments, La Légende des Siècles*).

Les écoles
historiques
On peut distinguer trois tendances principales dans le premier courant historique du XIXe siècle : 1° l'histoire narrative ; — 2° l'histoire philosophique ; — 3° l'histoire « résurrection intégrale » du passé, telle que la pratique Michelet.

1. L'HISTOIRE NARRATIVE. Elle est représentée par Barante, par Thiers et surtout par Augustin Thierry. Pour ces écrivains, l'histoire consiste dans le récit des événements.

AUGUSTIN THIERRY (1795-1856) sent s'éveiller sa vocation en lisant *Les Martyrs*. Secrétaire de Saint-Simon, il collabore à des journaux libéraux puis se consacre à la recherche historique. Joignant l'érudition à l'imagination, il écrit la *Conquête de l'Angleterre* (1825), *Les Récits des Temps Mérovingiens* (1840) et l'*Essai sur l'histoire de la formation du Tiers État* (1850).

ADOLPHE THIERS (1797-1877) était déjà connu comme historien avant de devenir un grand homme d'État. On lui doit une *Histoire de la Révolution* (1823-1827) et une *Histoire du Consulat et de l'Empire* (1845-1862).

2. L'HISTOIRE PHILOSOPHIQUE. Guizot, Quinet, Tocqueville attachent beaucoup moins d'importance à la narration. Ils songent moins à relater les faits qu'à les *expliquer* et ils invitent leurs lecteurs à réfléchir sur le *sens de l'histoire*.

GUIZOT (1787-1874), historien et homme d'État, trouve dans l'étude de l'histoire la confirmation de ses idées politiques ; il a étudié l'*Histoire de la Révolution d'Angleterre* (1826-1856) et l'*Histoire de la Civilisation en France et en Europe* (1845).

TOCQUEVILLE (1805-1859) rapporta d'une mission aux États-Unis la matière d'un grand ouvrage historique, *De la Démocratie en Amérique* (1835-1840). Député, puis ministre des Affaires étrangères en 1849, il renonça à la vie politique après le 2 décembre et se consacra à des travaux historiques, publiant, en 1856, *L'Ancien Régime et la Révolution*. Sous les faits, Alexis de Tocqueville distingue avec une grande clairvoyance le sens et les lois de l'évolution historique, dominée par le *triomphe de la démocratie*.

3. LA RÉSURRECTION INTÉGRALE DU PASSÉ. Michelet pouvait écrire avec une juste fierté : « Que ce soit là ma part dans l'avenir d'avoir, non pas atteint mais marqué le but de l'histoire [...] Thierry y voyait une *narration* et M. Guizot une *analyse*. Je l'ai nommée *résurrection* et ce nom lui restera ». Il a en effet conçu l'histoire comme une « *résurrection de la vie intégrale* » du passé (Préface de 1869).

A ses yeux, ce serait trahir la réalité que la morceler, car « tout est solidaire, tout est mêlé à tout ». A travers des événements à première vue disparates, il cherche l'âme d'une époque. Comment opérer cette « résurrection » du passé ? Pour Michelet, l'histoire est « l'intelligence de la vie », mais il ne faut pas entendre par là une opération intellectuelle abstraite. Il s'agit d'une *intuition* fondée sur le don de *sympathie*. Il revit réellement par la pensée les époques dont il retrace l'histoire. Il les recrée et les anime de son *imagination épique*. Sa résurrection du passé n'est pas une lente recomposition fragment par fragment, mais une véritable *vision*.

MICHELET

La formation
Né à Paris en 1798, fils d'un imprimeur ruiné par l'Empire, JULES MICHELET fait d'excellentes études et obtient l'agrégation en 1821. Il enseigne alors l'histoire, se passionne pour la *philosophie de l'histoire*, méditant les doctrines de Victor Cousin, de l'Allemand Herder et de l'Italien Vico. Il compose enfin une *Histoire romaine* qui paraît en 1831.

L'historien
L'HISTOIRE VIVANTE (1831-1843). La même année, il est nommé chef de la section historique aux Archives Nationales. Les documents dont il dispose aux Archives et son enseignement à l'École Normale Supérieure, qui porte désormais sur le Moyen Age et les Temps

Modernes, achèvent d'orienter ses recherches vers le passé national. De 1833 à 1834 Michelet publie son œuvre la plus remarquable, l'*Histoire de France* des origines à la mort de Louis XI.

L'HISTOIRE PARTIALE (1843-1874). A partir de 1842-1843, Michelet s'engage avec ardeur dans les luttes de son temps. Il adopte une attitude anticléricale dans *Les Jésuites* (1843), lutte pour le triomphe des idées démocratiques dans *Le Peuple* (1846) et publie de 1847 à 1853 l'*Histoire de la Révolution*, œuvre vivante, enthousiaste, mais bien souvent partiale.

Destitué de ses fonctions officielles au début de l'Empire, MICHELET devient de plus en plus partial et se soucie moins désormais de comprendre que de *juger* ou de *condamner*. Reprenant son *Histoire de France*, il ajoute les volumes VII à XVII, de la Renaissance à la Révolution (1855-1867) et publie en 1869 une *Préface* qui apporte à ce monument grandiose un admirable couronnement.

Le poète

MICHELET a toujours eu l'âme d'un poète et cherche maintenant dans *la nature* la poésie qu'il trouvait naguère dans l'histoire. Cette nouvelle inspiration se traduit dans *L'Oiseau* (1856), *La Mer* (1861), *La Montagne* (1864) ; enfin dans *La Bible de l'Humanité* (1864) il affirme son espoir en l'avenir.

Les événements de 1870 atteignent en lui le patriote et l'idéaliste mais, jusqu'à sa mort (1874), il poursuit cependant sa dernière œuvre : l'*Histoire du XIXe siècle* (parue en 1876).

Sa conception de l'histoire

L'HISTOIRE RÉSURRECTION. Michelet conçoit l'histoire comme une « *résurrection de la vie intégrale* » du passé (Préface de 1869). Pour embrasser cette vie intégrale, il tente de saisir dans leur constante interaction les faits économiques, sociaux et moraux. Pour faire revivre ce qui n'est plus, l'historien poussé par un don de *sympathie*, « l'imagination du cœur » (selon le mot de Taine), entreprend une sorte d'opération magique.

LA PHILOSOPHIE DE L'HISTOIRE. Idéaliste, Michelet croit à une *libération progressive de l'humanité*, où l'homme, se forgeant lui-même, devient « son propre Prométhée » : « Avec le monde a commencé une guerre qui doit finir avec le monde, et pas avant ; celle de l'homme contre la nature, de l'esprit contre la matière, de la liberté contre la fatalité. L'histoire n'est pas autre chose que le récit de cette interminable lutte » (Introduction à l'*Histoire universelle*, 1831).

DE L'HISTOIRE ENTHOUSIASTE A L'HISTOIRE PARTIALE. A cette philosophie de l'histoire est lié le *symbolisme* qui caractérise Michelet : pour lui, rien n'est matière, rien n'est mort. Dans les faits, les livres, les individus, il voit des signes ou des incarnations du grand mouvement historique (ainsi sa présentation de JEANNE d'ARC ou celle de la bataille de Valmy).

Mais *les risques sont graves* : Michelet s'enflamme parfois à la légère, se fie à des impressions hâtives, et ce danger s'accroît à mesure qu'il évolue. « Je le déclare, écrit-il en 1856, cette histoire n'est point impartiale. Elle ne garde pas un sage et prudent équilibre entre le bien et le mal. Au contraire, elle est partiale, franchement et vigoureusement, pour le droit et la vérité ». Il se pose alors en juge, et au nom du « progrès » et de « l'esprit nouveau » confond ses convictions avec la vérité.

Son art

Michelet est *poète* autant et peut-être plus qu'historien. Romantique, il laisse aller sa *sensibilité* frémissante ; lyrique, il traduit dans son histoire ses crises, ses espoirs, ses déceptions. « *Ma vie*, dit-il, *fut en ce livre* ».

Par son *imagination épique*, il fait revivre les époques dont il trace l'histoire. Sa prose rythmée et imagée l'aide dans cette *résurrection*, et sa phrase, fortement scandée, émaillée de vers blancs et de versets, traduit son *émotion* et son *enthousiasme*.

L'AUTEUR PRÉSENT DANS SON ŒUVRE

Rien ne peut mieux illustrer la conception de l'histoire de MICHELET que la *Préface de 1869*, où, à la fin de son œuvre, il dégage les idées majeures qui ont guidé sa plume. Il est autant poète qu'historien, il recrée le passé avec toute sa sensibilité et sa personnalité passionnée.

Ma vie fut en ce livre, elle a passé en lui. Il a été mon seul événement. Mais cette identité du livre et de l'auteur n'a-t-elle pas un danger ? L'œuvre n'est-elle pas colorée des sentiments, du temps, de celui qui l'a faite ?

C'est ce qu'on voit toujours. Nul portrait si exact, si conforme au modèle, que l'artiste n'y mette un peu de lui. Nos maîtres en histoire ne se sont pas soustraits à cette loi. Tacite, en son Tibère, se peint aussi avec l'étouffement de son temps, « les quinze longues années » de silence. Thierry, en nous contant Klodowig [1], Guillaume et sa conquête [2], a le souffle intérieur, l'émotion de la France envahie récemment, et son oppo-
10 sition au règne qui semblait celui de l'étranger.

Si c'est là un défaut, il nous faut avouer qu'il nous rend bien service. L'historien qui en est dépourvu, qui entreprend de s'effacer en écrivant, de ne pas être, de suivre par derrière la chronique contemporaine (comme Barante a fait pour Froissart), n'est point du tout historien. Le vieux chroniqueur, très charmant, est absolument incapable de dire à son pauvre valet qui va sur ses talons, ce que c'est que le grand, le sombre, le terrible quatorzième siècle. Pour le savoir, il faut toutes nos forces d'analyse et d'érudition, il faut un engin qui perce les mystères, inaccessibles à ce conteur. Quel engin, quel moyen ? La personnalité moderne si puissante
20 et tant agrandie [3]...

VALMY

Dans ce passage célèbre, on voit comment la *description fidèle et vivante* d'une bataille devient pour Michelet le moment *héroïque* et quasi *religieux* où la République se donne une armée et une âme victorieuse. L'*histoire* prend ainsi les accents de l'*épopée*.

Les Prussiens ignoraient si parfaitement à qui ils avaient affaire, qu'ils crurent avoir pris Dumouriez, lui avoir coupé le chemin [1]. Ils s'imaginèrent que cette armée *de vagabonds, de tailleurs, de savetiers*, comme disaient les émigrés, avait hâte d'aller se cacher dans Châlons,

---

— 1 Fils du roi de Neustrie, Hilpérik. — 2 De l'Angleterre. — 3 Michelet ajoute un peu plus loin : « L'histoire, dans le progrès du temps, fait l'historien bien plus qu'elle n'est faite par lui. Mon livre m'a créé. C'est moi qui fus son œuvre. Ce fils a fait son père. »

— 1 La manœuvre de Dumouriez avait placé l'armée française face à l'ouest : il semblait donc que les Prussiens lui coupaient la retraite.

dans Reims. Ils furent un peu étonnés quand ils les virent audacieusement postés à ce moulin de Valmy. Ils supposèrent du moins que ces gens-là, qui, la plupart, n'avaient jamais entendu le canon, s'étonneraient au concert nouveau de soixante bouches à feu. Soixante leur répondirent, et tout le jour, cette armée, composée en partie de gardes nationales, supporta une épreuve plus rude qu'aucun combat : l'immobilité sous le feu. On tirait dans le brouillard au matin et, plus tard, dans la fumée. La distance néanmoins était petite. On tirait dans une masse, peu importait de tirer juste. Cette masse vivante, d'une armée toute jeune, émue de son premier combat, d'une armée ardente et française, qui brûlait d'aller en avant, tenue là sous les boulets, les recevant par milliers, sans savoir si les siens portaient, elle subissait, cette armée, la plus grande épreuve peut-être. On a tort de rabaisser l'honneur de cette journée [2]. Un combat d'attaque ou d'assaut aurait moins honoré la France.

Un moment, les obus des Prussiens, mieux dirigés, jetèrent de la confusion. Ils tombèrent sur deux caissons qui éclatèrent, tuèrent, blessèrent beaucoup de monde. Les conducteurs de chariots s'écartant à la hâte de l'explosion, quelques bataillons semblaient commencer à se troubler. Le malheur voulut encore qu'à ce moment un boulet vînt tuer le cheval de Kellermann [3] et le jeter par terre. Il en remonta un autre avec beaucoup de sang-froid, raffermit les lignes flottantes.

Il était temps. Les Prussiens, laissant la cavalerie en bataille pour soutenir l'infanterie, formaient celle-ci en trois colonnes, qui marchaient vers le plateau de Valmy (vers onze heures). Kellermann voit ce mouvement, forme aussi trois colonnes en face et fait dire sur toute la ligne : « Ne pas tirer, mais attendre, et les recevoir à la baïonnette. »

Il y eut un moment de silence. La fumée se dissipait. Les Prussiens avaient descendu, ils franchissaient l'espace intermédiaire avec la gravité d'une vieille armée de Frédéric, et ils allaient monter aux Français. Brunswick [4] dirigea sa lorgnette, et il vit un spectacle surprenant, extra-ordinaire. A l'exemple de Kellermann, tous les Français, ayant leurs chapeaux à la pointe des sabres, des épées, des baïonnettes, avaient poussé un grand cri... Ce cri de trente mille hommes remplissait toute la vallée : c'était comme un cri de joie, mais étonnamment prolongé ; il ne dura guère moins d'un quart d'heure ; fini, il recommençait toujours avec plus de force ; la terre en tremblait... C'était : « Vive la Nation ! »

Les Prussiens montaient, fermes et sombres. Mais tout ferme que fût chaque homme, les lignes flottaient, elles formaient par moment des vides, puis elles les remplissaient. C'est que de gauche elles recevaient une pluie de fer, qui leur venait de Dumouriez.

Brunswick arrêta ce massacre inutile et fit sonner le rappel.

Le spirituel et savant général avait très bien reconnu, dans l'armée

---

— 2 En disant que ce fut une simple canonnade, et non une véritable bataille. — 3 Commandant l'armée de la Moselle, il avait fait sa jonction avec Dumouriez la veille. — 4 Chef des Prussiens.

qu'il avait en face, un phénomène qui ne s'était guère vu depuis les guerres de religion : *une armée de fanatiques*, et, s'il l'eût fallu, de martyrs. Il répéta au roi ce qu'il avait toujours soutenu, contrairement aux émigrés,
50 que l'affaire était difficile, et qu'avec les belles chances que la Prusse avait en ce moment pour s'étendre dans le Nord[5], il était absolument inutile et imprudent de se compromettre avec ces gens-ci.

Le roi était extrêmement mécontent, mortifié. Vers quatre ou cinq heures, il se lassa de cette éternelle canonnade qui n'avait guère de résultat que d'aguerrir l'ennemi. Il ne consulta pas Brunswick, mais dit qu'on battît la charge. Lui-même, dit-on, approcha avec son état-major, pour reconnaître de plus près ces furieux, ces sauvages. Il poussa sa courageuse et docile infanterie sous le feu de la mitraille, vers le plateau de Valmy. Et, en avançant, il reconnut la ferme attitude de ceux qui l'attendaient
60 là-haut. Ils s'étaient déjà habitués au tonnerre qu'ils entendaient depuis tant d'heures, et ils commençaient à s'en rire. Une sécurité visible régnait dans leurs lignes. Sur toute cette jeune armée planait quelque chose, comme une lueur héroïque, où le roi ne comprit rien (sinon le retour en Prusse).

Cette lueur était la Foi.

Et cette joyeuse armée qui d'en haut le regardait, c'était déjà l'armée de la RÉPUBLIQUE.

Fondée le 20 septembre à Valmy, par la victoire, elle fut, le 21, décrétée à Paris, au sein de la Convention.

La Révolution française, VII, Chap. 8.

II. LA SCIENCE HISTORIQUE

Histoire
et positivisme

« Nous avons évoqué l'histoire, et la voici partout ; nous en sommes assiégés, étouffés, écrasés ; nous marchons tout courbés sous ce bagage, nous ne respirons plus, n'inventons plus. Le passé tue l'avenir. » Ces réflexions désabusées de Michelet (1855, Préface de *La Renaissance*) révèlent en fait que, vers le milieu du siècle, l'histoire évolue dans un sens très différent de l'évocation poétique et symbolique tentée par le grand historien. L'histoire va affirmer de plus en plus ce *caractère scientifique*, sous l'influence d'abord des *érudits allemands* (Curtius, Mommsen) qui contribuent à répandre chez les écrivains la rigueur et les méthodes scientifiques, puis sous l'influence des *positivistes*. AUGUSTE COMTE, en effet, amène les historiens à considérer leur discipline comme une véritable *science* dont le but est la découverte des lois qui régissent des faits positifs.

Renan historien

ERNEST RENAN voue à la science un véritable culte et aborde l'histoire par la voie de la philologie. Il publie de 1863 à 1881 une *Histoire des Origines du Christianisme* dont le premier volume est consacré à la *Vie de Jésus*, puis une histoire du peuple d'Israël (1887-1893). L'historien,

---

— 5 Allusion au partage de la Pologne.

très marqué par l'esprit évangélique, considère le Christ comme un homme admirable, mais ne croit pas à sa nature divine ; il cherche donc des raisons *naturelles* aux miracles relatés dans les Évangiles et tente d'expliquer d'une façon *purement humaine* la croyance en la *résurrection de Jésus-Christ* sur laquelle est fondée la religion chrétienne.

Taine historien

Philosophe, critique, historien de l'art et de la littérature, HIPPOLYTE TAINE aborde l'histoire proprement dite après 1870, avec les *Origines de la France contemporaine* (1875-1894). Il applique son *système déterministe* aux faits historiques et cherche à découvrir le rôle de la *race*, du *milieu*, du *moment* et la *faculté maîtresse* des hommes d'État. Il réussit d'excellents portraits psychologiques mais juge parfois sévèrement l'œuvre de la Révolution.

Fustel de Coulanges

Né à Paris, Fustel de Coulanges (1830-1889) a consacré sa vie à l'enseignement. Il s'attache d'abord à l'histoire ancienne et publie un grand ouvrage qui restera son chef-d'œuvre, *La Cité Antique* (1864) : il y explique les institutions des anciens par la religion du foyer et des ancêtres. Puis il oriente ses recherches vers le passé national et analyse la formation du régime féodal dans l'*Histoire des Institutions de l'Ancienne France* (1875-1891).

Véritable fondateur de la *science historique*, il en énonce les principes essentiels : *érudition, objectivité, esprit critique*. Il s'oppose ainsi à Michelet par sa rigueur et son désir d'impartialité, et sa méthode reste encore celle des historiens contemporains.

LA MÉTHODE HISTORIQUE

La comparaison s'impose entre la conception romantique de l'histoire qu'avait Michelet et celle, plus *scientifique* et *méthodique*, d'un FUSTEL DE COULANGES qui rappelle la nécessité de l'*objectivité* et l'effort constant d'une scrupuleuse *recréation critique* du passé.

Quelle que soit l'insuffisance des documents, c'est peut-être en nous-mêmes qu'il faut chercher la principale cause de nos erreurs ou des idées inexactes que nous nous sommes faites de l'histoire de l'ancienne Rome. Les anciennes sociétés avaient des usages, des croyances, un tour d'esprit qui ne ressemblaient en rien à nos usages, à nos croyances, à notre manière de penser. Or, il est ordinaire que l'homme ne juge les autres hommes que d'après soi. Depuis que l'on étudie l'histoire romaine, chaque génération l'a jugée d'après elle-même. Il y a trois cents ans, on se représentait les consuls assez semblables, pour la nature du pouvoir, aux princes qui régnaient en Europe. Au XVIIIᵉ siècle, alors que les philosophes étaient assez portés à nier la valeur du fait psychologique que l'on appelle le sentiment religieux [1], on croyait volontiers que la religion romaine n'avait pu être qu'une heureuse imposture des hommes d'État [2]. Après les luttes de la Révolution française, on a pensé que notre expérience des guerres civiles nous rendrait plus facile la notion des révolutions de

— 1 L'auteur a montré au contraire que le sentiment religieux était le principe constitutif de la *famille* et de la *cité antiques*. — 2 Ainsi Montesquieu dans sa *Dissertation sur la politique des Romains dans la religion* (1716). —

Rome ; l'esprit des historiens modernes a été dominé par cette idée que l'histoire intérieure de Rome devait avoir ressemblé à celle de l'Europe et de la France ; que la plèbe était la commune du moyen âge, comme le patriciat était la noblesse ; que le tribunat du peuple était la représentation d'une démocratie analogue à celle que nous trouvons dans notre histoire ; que les Gracques, Marius, Saturninus, Catilina [3] même, ressemblaient à nos réformateurs, comme César et Auguste aux empereurs de ce siècle.

De là une perpétuelle illusion. Le danger ne serait pas grand, s'il ne s'agissait, pour la science historique, que d'éclaircir la suite des guerres ou la chronologie des consuls. Mais l'histoire doit arriver à connaître les institutions, les croyances, les mœurs, la vie entière d'une société, sa manière de penser, les intérêts qui l'agitent, les idées qui la dirigent. — C'est sur tous ces points que notre vue est absolument troublée par la préoccupation du présent. Nous serons toujours impuissants à comprendre les anciens, si nous continuons à les étudier en pensant à nous. C'est en eux-mêmes, et sans nulle comparaison avec nous qu'il faut les observer.

La première règle que nous devons nous imposer est donc d'écarter toute idée préconçue, toute manière de penser qui soit subjective [4] : chose difficile, vœu qui est peut-être impossible à réaliser complètement ; mais plus nous approcherons du but, plus nous pourrons espérer de connaître et de comprendre les anciens. Le meilleur historien de l'antiquité sera celui qui aura le plus fait abstraction de soi-même, de ses idées personnelles et des idées de son temps, pour étudier l'antiquité.

Pour arriver là, la condition est de tenir notre esprit et nos yeux également attachés sur les textes anciens. Étudier l'histoire d'une ancienne société dans des livres modernes, si remarquables que soient plusieurs de ces livres par le talent et par l'érudition, c'est toujours s'exposer à se faire une idée inexacte de l'antiquité. Il faut lire les documents anciens, les lire tous, et si nous n'osons pas dire ne lire qu'eux, du moins n'accorder qu'à eux une entière confiance. Non pas les lire légèrement, mais avec une attention scrupuleuse et en cherchant, dans chaque mot, le sens que la langue du temps attribuait à chaque mot [5], dans chaque phrase la pensée de l'auteur [6].

Il faut faire comme Descartes. La méthode historique ressemble au moins en un point à la méthode philosophique. Nous ne devons croire qu'à ce qui est démontré [7]. Or, quand il s'agit des anciens, il n'y a pas de conjecture [8] ni de système moderne qui puissent nous démontrer une vérité. Les seules preuves nous viennent des anciens eux-mêmes [9].

---

3 Tous avaient proposé des réformes ou tenté des révolutions *démocratiques*. — 4 Cf. Fénelon : « Le bon historien n'est d'aucun temps ni d'aucun pays ». — 5 L'historien sera donc aussi un philologue. — 6 Et non les résonances pour le lecteur moderne. — 7 Cf. Descartes : « ne recevoir jamais aucune chose pour vraie que je ne la connaisse évidemment être telle » (1re règle de la méthode). — 8 Cf. l. 6-22. — 9 L'historien signale plus loin un mauvais usage de *l'esprit critique* à l'égard des textes anciens : « On a jugé d'après la conscience et la logique des choses qui ne s'étaient faites ni suivant la logique absolue, ni suivant les habitudes de la conscience moderne ».

LA CRITIQUE AU XIXe SIÈCLE

Au XIXe siècle la critique littéraire, de plus en plus *érudite* tend, comme l'histoire à devenir une *science*. Cette évolution traduit l'influence d'une philosophie fondée sur l'expérience et sur les méthodes de la science : le *positivisme*.

C'est Auguste Comte (1798-1857) qui jeta les principes de cette philosophie positive : selon lui, l'humanité dépassant l'état théologique puis l'état métaphysique accède, depuis 1800, à l'*état positiviste*, et l'esprit humain cherche maintenant des connaissances *positives*, c'est-à-dire fondées sur une certitude rationnelle et scientifique. Le positivisme conduit ainsi à faire de la science une véritable foi : le *scientisme*.

SAINTE-BEUVE

Recherche d'une vocation   Né à Boulogne-sur-Mer en 1804, Charles-Augustin Sainte-Beuve étudie la médecine à Paris, mais s'oriente bientôt vers une autre voie. Dès 1824, il collabore au journal *Le Globe*, se lie avec Victor Hugo et participe lui-même au mouvement poétique du romantisme en publiant *Vie, Poésies et Pensées de Joseph Delorme* (1829). Mais, hésitant sur sa vocation, goûtant tour à tour à différentes idéologies, Sainte-Beuve traverse une grave crise morale, dont son roman *Volupté* (1834) sera l'écho. Il lance un adieu à sa jeunesse et au romantisme : désormais il sera critique littéraire.

Le critique   Il recueille d'abord de nombreux articles sous le titre de *Critiques et Portraits Littéraires* (1836-1839), *Portraits de femmes* (1844), *Portraits Contemporains* (1846). De ses cours professés à Lausanne et à Liège, il tire *Port-Royal* (1840-1859) et *Chateaubriand et son groupe littéraire sous l'Empire* (1861).

Chaque lundi, il donne au *Constitutionnel*, puis au *Moniteur* et au *Temps* un article de critique. Ces feuilletons hebdomadaires constituent les *Causeries du Lundi* (1851-1862) et les *Nouveaux Lundis* (1863-1870). En mourant (1869), Sainte-Beuve laisse une importante correspondance et des notes intimes, *Mes Poisons*.

Sa méthode, son art   Avec une méthode *souple* et *intuitive*, à travers le livre et l'auteur, Sainte-Beuve recherche l'*homme*, sa vie, son esprit, son âme. Lorsque le siècle sera dominé par le scientisme, il comparera sa méthode à celle des naturalistes en essayant de faire une *histoire naturelle des esprits*, mais bien souvent il reviendra à l'analyse de l'*individualité*.

Ce goût pour la biographie n'est pas sans danger. Gustave Lanson reprochait à Sainte-Beuve d'en être venu « à faire de la biographie presque le tout de la critique. [...] Au lieu d'employer les biographies à expliquer les œuvres, il a employé les œuvres à constituer des biographies. » Ainsi s'explique son incompréhension de ses contemporains (Balzac et Baudelaire par exemple). Mais à l'égard du passé, du classicisme surtout, Sainte-Beuve joint à la *critique érudite* une admirable *intuition*.

En outre, ses études sont empreintes d'un véritable charme ; un style équilibré se joint à une pensée subtile exprimant ainsi, dans sa perfection, un véritable *épicurisme de la critique*.

CLASSIQUE ET ROMANTIQUE

Sᴀɪɴᴛᴇ-Bᴇᴜᴠᴇ est peut-être le premier critique moderne à comparer les attitudes littéraires fondamentales telles que *classicisme* et *romantisme* en les dégageant d'une période particulière. Il leur donne ainsi *valeur humaine et générale*, sans renoncer toutefois aux *circonstances historiques* qui permettent de comprendre les mouvements alternés de l'âme humaine.

Le classique, dans son caractère le plus général et dans sa plus large définition, comprend les littératures à l'état de santé et de fleur heureuse, les littératures en plein accord et en harmonie avec leur époque, avec leur cadre social, avec les principes et les pouvoirs dirigeants de la société ; contentes d'elles-mêmes, — entendons-nous bien, contentes d'être de leur nation, de leur temps, du régime où elles naissent et fleurissent (la joie de l'esprit, a-t-on dit, en marque la force[1] ; cela est vrai pour les littératures comme pour les individus) ; les littéra-tures qui sont et qui se sentent chez elles, dans leur voie, non déclassées,
10 non troublantes, n'ayant pas pour principe le *malaise*, qui n'a jamais été un principe de beauté. Ce n'est pas moi, messieurs, qui médirai des littératures romantiques ; je me tiens dans les termes de Gœthe[2] et de l'explication historique. On ne naît pas quand on veut, on ne choisit pas son moment pour éclore ; on n'évite pas, surtout dans l'enfance, les courants généraux qui passent dans l'air, et qui soufflent le sec ou l'humide, la fièvre ou la santé ; et il est de tels courants pour les âmes. Ce sentiment de premier contentement, où il y a, avant tout, de l'espé-rance et où le découragement n'entre pas, où l'on se dit qu'on a devant soi une époque plus longue que soi, plus forte que soi, une époque
20 protectrice et juge, qu'on a un beau champ à une carrière, à un déve-loppement honnête et glorieux en plein soleil, voilà ce qui donne le premier fonds sur lequel s'élèvent ensuite, palais et temples réguliers, les œuvres harmonieuses. Quand on vit dans une perpétuelle instabilité publique, et qu'on voit la société changer plusieurs fois à vue, on est tenté de ne pas croire à l'immortalité littéraire et de se tout accorder en conséquence. Or, ce sentiment de sécurité et d'une saison fixe et durable, il n'appartient à personne de se le donner ; on le respire avec l'air aux heures de la jeunesse. Les littératures romantiques, qui sont surtout de coup de main[3] et d'aventure, ont leurs mérites, leurs exploits,
30 leur rôle brillant, mais en dehors des cadres ; elles sont à cheval sur deux ou trois époques, jamais établies en plein dans une seule, inquiètes, chercheuses, excentriques de leur nature, ou très en avant ou très en arrière, volontiers ailleurs, — errantes.

— 1 Mot attribué à Ninon de Lenclos. — | 2 « J'appelle le classique *le sain*, et le roman-|tique *le malade*. » — 3 Métaphore militaire.

La littérature classique ne se plaint pas, ne gémit pas, ne *s'ennuie* pas [4]. Quelquefois on va plus loin avec la douleur et par la douleur, mais la beauté est plus tranquille.

Le classique, je le répète, a cela, au nombre de ses caractères, d'aimer sa patrie, son temps, de ne voir rien de plus désirable ni de plus beau ; il en a le légitime orgueil. *L'activité dans l'apaisement* serait sa devise.
40 Cela est vrai du siècle de Périclès, du siècle d'Auguste comme du règne de Louis XIV [5]. Écoutons-les parler, sous leur beau ciel et comme sous leur coupole d'azur, les grands poètes et les orateurs de ce temps-là : leurs hymnes de louanges sonnent encore à nos oreilles ; ils ont été bien loin dans l'applaudissement.

Le romantique a la nostalgie, comme Hamlet [6] ; il cherche ce qu'il n'a pas, et jusque par-delà les nuages [7] ; il rêve, il vit dans les songes. Au dix-neuvième siècle, il adore le moyen âge ; au dix-huitième, il est déjà révolutionnaire avec Rousseau. Au sens de Gœthe, il y a des romantiques de divers temps : le jeune homme de Chrysostome [8], Stagyre,
50 Augustin [9] dans sa jeunesse, étaient des romantiques, des Renés anticipés, des malades ; mais c'étaient des malades pour guérir, et le Christianisme les a guéris : il a exorcisé le démon. Hamlet, Werther, Childe-Harold, les Renés purs, sont des malades pour chanter et souffrir, pour jouir de leur mal, des romantiques plus ou moins par dilettantisme : — la maladie pour la maladie.

Causeries du Lundi, tome XV, 12 avril 1858.

RENAN

**Du catholicisme
au scientisme**   Né en Bretagne en 1823 dans une famille modeste et pieuse, ERNEST RENAN se destine de bonne heure au *sacerdoce*. Il étudie la théologie à Paris, se passionne pour l'exégèse, mais ébranlé dans sa foi il *renonce à devenir prêtre* en 1845.

A la recherche pourtant d'une foi et d'une certitude, Renan s'oriente vers la religion de la science et il exprime son enthousiasme dans *L'Avenir de la Science* (rédigé en 1848, publié en 1890). Contribuant au mouvement scientifique du siècle, il écrit une *Histoire générale et Système comparé des Langues sémitiques* (1855), un *Essai sur l'Origine du Langage* (1858) et des *Études d'Histoire Religieuse* (1857). Chargé d'une mission archéologique en Syrie, il médite en Palestine une *Vie de Jésus* qui fera scandale lors de sa publication dans l'*Histoire des Origines du Christianisme* (1863-1881), que suivra l'*Histoire du Peuple d'Israël* (1887-1893). Renan ne croit plus à la divinité de Jésus-Christ, mais il vénère la personne du Christ et l'Évangile.

— 4 Opposer Chateaubriand disant qu'il avait *bâillé sa vie.* — 5 Considérés depuis Voltaire comme les trois grands *siècles classiques.* — 6 En quoi Hamlet vous paraît-il incarner l'inquiétude romantique ? — 7 Cf. Chateaubriand. — 8 Saint Jean Chrysostome, Père de l'Église célèbre par ses éloquentes homélies (*IVe Siècle*). — 9 Saint Augustin (354-430) a raconté dans ses *Confessions* sa jeunesse inquiète.

Les jouissances
intellectuelles
Académicien en 1870, puis administrateur au Collège de France, Renan devient une personnalité officielle. Mais l'âge, l'expérience, les événements de 1870 ébranlent ses certitudes. L'écrivain évolue vers le *scepticisme* : s'il n'abandonne jamais la recherche de la vérité, Renan n'est plus si sûr de la découvrir. Désormais il jouit en dilettante d'une pensée complexe et s'attache à confronter des idées contradictoires. Ces tendances se révèlent dans les *Dialogues philosophiques* (1870) et les *Drames philosophiques* (1878-1886). Enfin, Renan évoque le passé et retrace son itinéraire spirituel dans des *Souvenirs d'Enfance et de Jeunesse* tout empreints de lyrisme (1883).

La double nature
de Renan
L'originalité de l'œuvre de Renan vient sans doute de la double nature de l'écrivain, à la fois *érudit* et *poète*. Rationaliste et *positiviste*, il garde par ailleurs la nostalgie d'une enfance pieuse, et une *religiosité* vague, mais profonde. Conscient de sa propre complexité, Renan se définissait comme « un romantique protestant contre le romantisme, un utopiste prêchant en politique le terre-à-terre ». Et, loin d'en souffrir, il ajoutait : « Je ne m'en plains pas, puisque cette constitution morale m'a procuré les plus vives jouissances qu'on puisse goûter ».

SCIENCE ET POÉSIE

Renan tente, dans ce passage, de découvrir au cœur de la science la poésie qu'elle contient et que le rationalisme trop étroit voudrait nier. En affirmant que la réalité est essentiellement poétique il rend à l'homme un regard émerveillé.

Sans doute les patientes investigations de l'observateur, les chiffres qu'accumule l'astronome, les longues énumérations du naturaliste ne sont guère propres à réveiller le sentiment du beau : le beau n'est pas dans l'analyse ; mais le beau réel, celui qui ne repose pas sur les fictions de la fantaisie humaine, est caché dans les résultats de l'analyse. Disséquer le corps humain, c'est détruire sa beauté ; et pourtant, par cette dissection, la science arrive à y reconnaître une beauté d'un ordre bien supérieur et que la vue superficielle n'aurait pas soupçonnée. Sans doute ce monde enchanté, où a vécu l'humanité avant d'arriver à la vie réfléchie, ce monde
10 conçu comme moral, passionné, plein de vie et de sentiment[1], avait un charme inexprimable, et il se peut qu'en face de cette nature sévère et inflexible que nous a créée le rationalisme, quelques-uns se prennent à regretter le miracle et à reprocher à l'expérience de l'avoir banni de l'univers. Mais ce ne peut être que par l'effet d'une vue incomplète des résultats de la science. Car le monde véritable que la science nous révèle est de beaucoup supérieur au monde fantastique créé par l'imagination. On eût mis l'esprit humain au défi de concevoir les plus étonnantes merveilles, on l'eût affranchi des limites que la réalisation impose toujours à l'idéal, qu'il n'eût pas osé concevoir la millième partie des splendeurs
20 que l'observation a démontrées. Nous avons beau enfler nos conceptions, nous n'enfantons que des atomes au prix de la réalité des choses[2]. N'est-ce

— 1 Cf. la mythologie gréco-latine. — 2 Renan emprunte cette phrase à Pascal.

pas un fait étrange que toutes les idées que la science primitive s'était
formées sur le monde nous paraissent étroites, mesquines, ridicules,
auprès de ce qui s'est trouvé véritable ? La terre semblable à un disque,
à une colonne, à un cône ³, le soleil gros comme le Péloponnèse, ou conçu
comme un simple météore s'allumant tous les jours, les étoiles roulant
à quelques lieues sur une voûte solide, des sphères concentriques, *un
univers fermé* ⁴, étouffant, des murailles, un cintre étroit contre lequel
va se briser l'instinct de l'infini, voilà les plus brillantes hypothèses
30 auxquelles était arrivé l'esprit humain. Au-delà, il est vrai, était le monde
des anges avec ses éternelles splendeurs ; mais là encore, quelles étroites
limites, quelles conceptions finies ! Le temple de notre Dieu n'est-il pas
agrandi, depuis que la science nous a découvert l'infinité des mondes ?
Et pourtant on était libre alors de créer des merveilles : on taillait en
pleine étoffe, si j'ose le dire ; l'observation ne venait pas gêner la fantaisie ;
mais c'était à la méthode expérimentale, que plusieurs se plaisent à représenter comme étroite et sans idéal, qu'il était réservé de nous révéler,
non pas cet infini métaphysique dont l'idée est la base même de la raison
de l'homme, mais cet infini réel, que jamais il n'atteint dans les plus
40 hardies excursions de sa fantaisie. Disons donc sans crainte que, si le
merveilleux de la fiction a pu jusqu'ici sembler nécessaire à la poésie, le
merveilleux de la nature, quand il sera dévoilé dans toute sa splendeur,
constituera une poésie mille fois plus sublime, une poésie qui sera la réalité
même, qui sera à la fois science et philosophie.

L'Avenir de la Science, V (Calmann-Lévy, éditeurs).

TAINE

Sa carrière Né à Vouziers, dans les Ardennes, en 1828, Hippolyte
Taine entre premier à l'École Normale Supérieure (1848),
mais ses idées déterministes le conduisent à un échec à l'agrégation de philosophie. Avec
sa thèse *Essai sur La Fontaine et ses Fables*, il se révèle comme un critique littéraire ;
il publie ensuite un *Essai sur Tite-Live* (1856), puis un ouvrage sur *Les philosophes français
du XIXe siècle* (1857). Désormais Taine, se consacrant à la critique, publie de nombreux
articles qui seront recueillis dans les *Essais de Critique et d'Histoire* (1858, 1865, 1894)
et expose son système critique dans l'*Introduction à l'Histoire de la Littérature anglaise*
(1863).

Nommé professeur à l'École des Beaux-Arts, Taine réunit ses cours d'esthétique sous
le titre de *Philosophie de l'Art* et donne en 1870 une étude longuement méditée : *De
l'Intelligence*. Affecté par la défaite de la France et par la Commune, il entreprend une œuvre
historique et recherche la cause des malheurs de notre pays dans les *Origines de la France
contemporaine* (1875-1893). Académicien en 1878, il meurt en 1893.

— 3 Conceptions des philosophes de Milet | VIe siècle «imagine le monde comme un coffre
(VIe siècle avant J.-C.). — 4 Un géographe du | oblong» dont «le ciel forme le couvercle cintré».

Sa méthode Conduit par une intelligence classificatrice et un remarquable *esprit de système*, TAINE s'est attaché à réduire en formules claires et distinctes, parfaitement intelligibles, toute la réalité psychologique, esthétique et historique. « Tous les sentiments, écrivait-il, toutes les idées, tous les états de l'âme humaine sont des produits, ayant leurs causes et leurs lois, et tout l'avenir de l'histoire consiste dans la recherche de ces causes et de ces lois. L'assimilation des recherches historiques et psychologiques aux recherches physiologiques et chimiques, voilà mon objet et mon idée maîtresse ».

Taine tente donc de découvrir les *causes* et les *lois* de la création littéraire. Les facteurs déterminants sont, selon lui, au nombre de trois : la *race*, le *milieu*, le *moment*. « La *race*, ce sont ces dispositions innées et héréditaires que l'homme apporte avec lui à la lumière ». Le *milieu* est fonction du climat et de l'organisation sociale (cf. Montesquieu et Mme de Staël). Le *moment* fait intervenir l'évolution historique. L'œuvre naît de la façon dont la *faculté maîtresse* de l'écrivain réagit à ces trois influences.

LE MONDE DE BALZAC

Les recherches et les audaces du *roman balzacien*, où un rôle capital est accordé au milieu, à la race et au moment, vont s'accompagner dans la *critique littéraire* de nouvelles conquêtes dans la psychologie et l'analyse de l'esprit d'invention. Ici Taine décrit puissamment ce qui fait la *force* et l'extraordinaire *variété* du génie créateur de Balzac.

Il est armé de brutalité et de calcul, la réflexion l'a muni de combinaisons savantes, sa rudesse lui ôte la crainte de choquer. Personne n'est plus capable de peindre les bêtes de proie [1], petites ou grandes. Telle est l'enceinte où le pousse et l'enferme sa nature ; c'est un artiste puissant et pesant, ayant pour serviteurs et pour maîtres des goûts et des facultés de naturaliste. A ce titre, il copie le réel, il aime les monstres grandioses, il peint mieux que le reste la bassesse et la force [2]. Ce sont ces matériaux qui vont composer ses personnages, rendre les uns imparfaits et les autres admirables selon que leur substance s'accommodera ou répugnera
10 au moule dans lequel elle doit entrer.

Au plus bas sont les gens de métier et de province. Jadis, ils n'étaient que des grotesques, exagérés pour faire rire ou négligemment esquissés dans un coin du tableau. Balzac les décrit sérieusement ; il s'intéresse à eux ; ce sont ses favoris, et il a raison, car il est là dans son domaine. Ils sont l'objet propre du naturaliste. Ils sont les espèces de la société, pareilles aux espèces de la nature [3]. Chacune d'elle a ses instincts, ses besoins, ses armes, sa figure distincte. Le métier crée des variétés dans l'homme, comme le climat crée des variétés dans l'animal ; l'attitude qu'il impose à l'âme, étant constante, devient définitive ; les facultés et les penchants qu'il comprime s'atténuent ; les facultés et les penchants qu'il
20 exerce s'agrandissent ; l'homme naturel et primitif disparaît ; il reste

---

— 1 Comme Vautrin ou Nucingen. — 2 Par exemple Rubempré et Vautrin. — 3 Ici (l. 15-22), | Taine s'inspire de l'Avant-propos de la *Comédie Humaine*.

un être déjeté et fortifié, formé et déformé, enlaidi, mais capable de vivre.
— Cela est repoussant, peu importe ; ces difformités acquises plaisent à
l'esprit de Balzac. Il entre volontiers dans la cuisine, dans le comptoir
et dans la friperie ; il ne se rebute d'aucune odeur et d'aucune souillure ;
il a les sens grossiers. Bien mieux ou bien pis, il se trouve à son aise dans
ces âmes ; il y rencontre la sottise en pleine fleur, la vanité épineuse et
basse ; mais surtout l'intérêt. Rien ne l'en écarte, ou plutôt tout l'y ramène ;
il triomphe dans l'histoire de l'argent ; c'est le grand moteur humain,
30 surtout dans ces bas-fonds où l'homme doit calculer, amasser et ruser
sous peine de vie [4]. Balzac prend part à cette soif de gain, il lui gagne notre
sympathie, il l'embellit, par l'habileté et la patience des combinaisons
qu'il lui prête. Sa puissance systématique et son franc amour pour la
laideur humaine ont construit l'épopée des affaires et de l'argent. — De
là ces salons de province [5], où les gens hébétés par le métier et par l'oisiveté
viennent en habits fripés et en cravates raides causer des successions
ouvertes et du temps qu'il fait, sortes d'étouffoirs où toute idée périt ou
moisit, où les préjugés se hérissent, où les ridicules s'étalent, où la cupidité
et l'amour-propre, aigris par l'attente, s'acharnent par cent vilenies et
40 mille tracasseries à la conquête d'une préséance ou d'une place. — De là
ces bureaux de ministère [6] où les employés s'irritent, s'abrutissent ou se
résignent, les uns cantonnés dans une manie, faiseurs de calembours ou de
collections, d'autres inertes et mâchant des plumes, d'autres inquiets
comme des singes en cage, mystificateurs et bavards, d'autres installés
dans leur niaiserie comme un escargot dans sa coque, heureux de minuter
leurs paperasses en belle ronde irréprochable, la plupart faméliques et
rampant par des souterrains fangeux pour empocher une gratification ou
un avancement. — De là ces boutiques [7] éclaboussées par la fange de
Paris, assourdies du tintamarre des voitures, obscurcies par la morne
50 humidité du brouillard, où de petits merciers flasques et blêmes passent
trente ans à ficeler des paquets, à persécuter leurs commis, à aligner
des inventaires, à mentir et à sourire. — De là surtout ces petits journaux,
la plus cruelle peinture de Balzac, où l'on vend la vérité et surtout le
mensonge, où l'on débite de l'esprit à telle heure et à tant la ligne, « absolument comme on allume un quinquet », où l'écrivain, harcelé de besoins,
affamé d'argent, forcé d'écrire, se traite en machine, traite l'art en cuisine,
méprise tout, se méprise lui-même, et ne trouve d'oubli que dans les orgies
de l'esprit et des sens. — De là ses prisons [8], ses tables d'hôte [9], son Paris,
sa province, et ce tableau toujours le même, toujours varié, des diffor-
60 mités et des cupidités humaines.

Nouveaux Essais de Critique et d'Histoire. Balzac (Librairie Hachette, éditeur).

— 4 Sans quoi il perdrait la vie. — 5 Dans *Eugénie Grandet* par exemple. — 6 Dans *Les Employés*. — 7 Boutiques de parfumeur *(César Birotteau)*, de drapier *(La Maison du Chat-qui-pelote)*, etc. — 8 Cf. Vautrin et Rubempré incarcérés à la Conciergerie. — 9 La pension Vauquer.

LES PARNASSIENS

C'est entre 1860 et 1866 que se constitue le groupe des *poètes parnassiens*. Réagissant contre le romantisme sentimental et confidentiel symbolisé par Musset, ils entourent de leur respect Th. GAUTIER, devenu le champion de l'art pour l'art et reconnaissent pour maître LECONTE DE LISLE. Le mouvement est d'abord lié au sort de revues éphémères : la *Revue fantaisiste* (1861) de Catulle Mendès et la *Revue du Progrès* (1863-1864) de Xavier de Ricard. De la fusion de ces deux revues naît le journal hebdomadaire *L'Art* (1865-1866) dont l'esthétique est essentiellement celle que Leconte de Lisle venait de définir dans le *Nain Jaune* (1864). Faute de pouvoir assurer la publication régulière de *L'Art*, ces jeunes poètes éditent chez Alphonse Lemerre un « recueil de vers nouveaux » qu'ils intitulent, en souvenir de la montagne des Muses, *Le Parnasse Contemporain* (1866). Il contient entre autres des poèmes de Gautier, Banville, Leconte de Lisle, Baudelaire, Heredia, Ménard, Coppée, Catulle Mendès, Léon Dierx, Sully Prudhomme, Verlaine et Mallarmé. Un deuxième *Parnasse Contemporain* (1871) accueille des noms nouveaux : V. de Laprade, Glatigny, Anatole France, Mérat, Valade, Plessis, Ch. Cros. Le troisième *Parnasse Contemporain* (1876) n'est plus qu'une anthologie de la production poétique de l'année, sans la moindre unité de doctrine.

En fait, les Parnassiens n'ont jamais constitué une école. C'est plutôt un *groupe* caractérisé par des tendances communes, dont la première est *le culte de la perfection formelle*. Ils ont protesté contre l'accusation d'être « impassibles », soutenant au contraire que leur poésie sereine, équilibrée, aux lignes pures et sculpturales était plus que toute autre apte à éterniser les grandes émotions et les fortes pensées philosophiques.

LECONTE DE LISLE

Sa vie, son œuvre

Né à la Réunion en 1818, LECONTE DE LISLE, après avoir passé à Nantes sa première enfance, séjourne dans son île natale de 1828 à 1837, puis de 1843 à 1845. Il gardera toute sa vie le regret nostalgique de cette *nature exotique*, regret avivé par le souvenir d'une cousine qu'il aimait en secret et qui mourut à l'âge de dix-neuf ans.

En France, à Rennes où il entreprend des études de droit, puis à Paris où il subit l'influence de l'helléniste Louis Ménard, il se rapproche du socialisme et il écrit des poèmes inspirés des *mythes héroïques* de la Grèce et nourris de *rêves démocratiques* de l'époque. Enthousiasmé par la Révolution de 1848, LECONTE DE LISLE est arrêté au cours des journées de juin. Déçu par l'apathie du peuple, le poète se détourne de la vie politique active pour se consacrer désormais à « la contemplation sereine des formes divines ».

Refusant avec hauteur de se plier au goût du public, *il considère l'art comme une religion* et compose patiemment ses recueils *(Poèmes Antiques*, 1852 ; *Poèmes Barbares*, 1862 ; *Poèmes Tragiques*, 1884). La perfection de sa poésie fait de lui le chef de file des PARNASSIENS. L'Académie Française l'accueille en 1886 pour succéder à Hugo, et il meurt en 1894, après avoir vu le triomphe du Symbolisme qu'il avait vainement combattu.

Le culte de la beauté

LECONTE DE LISLE répugne au lyrisme personnel et refuse de se livrer à des confidences publiques ; mais ses poèmes ne sont pas toujours impassibles et ils nous laissent deviner les sentiments profonds de leur auteur : nostalgie du pays natal, amertumes du citoyen ou de l'amant trahi, inquiétude métaphysique, pessimisme philosophique.

Hostile aux débordements romantiques, la poésie telle qu'il la conçoit ne saurait non plus s'épanouir dans les sujets modernes. Aussi Leconte de Lisle veut-il *faire revivre les époques lointaines* en s'appuyant sur une *documentation* rigoureuse. Mais c'est en *artiste* qu'il se livre à ce travail, car il est épris avant tout de perfection formelle. Sa poésie régulière, harmonieuse et calme, mais d'une gravité un peu austère, a la splendeur des statues de marbre qui symbolisent son rêve de beauté.

LE CŒUR DE HIALMAR

Pour composer ce *Poème Barbare*, Leconte de Lisle s'inspire particulièrement du *Chant de mort de Hialmar* figurant dans les *Chants populaires du Nord* (1842) de Xavier Marmier. Dans ce chant, Hialmar confiait à un compagnon d'armes l'anneau d'or qu'il destinait à sa fiancée. Ici, c'est son propre cœur qu'il demande au Corbeau d'arracher de sa poitrine pour le porter à la fille d'Ylmer ; et loin de regretter la vie, le guerrier se réjouit d'aller au paradis des braves. Afin d'évoquer une *civilisation primitive*, le poète a voulu accuser le caractère *farouche* de cet épisode.

Une nuit claire, un vent glacé. La neige est rouge.
Mille braves sont là qui dorment sans tombeaux,
L'épée au poing, les yeux hagards. Pas un ne bouge.
Au-dessus tourne et crie un vol de noirs corbeaux.

La lune froide verse au loin sa pâle flamme.
Hialmar se soulève entre les morts sanglants,
Appuyé des deux mains au tronçon de sa lame.
La pourpre du combat ruisselle de ses flancs.

— Holà ! Quelqu'un a-t-il encore un peu d'haleine,
10 Parmi tant de joyeux et robustes garçons
Qui, ce matin, riaient et chantaient à voix pleine
Comme des merles dans l'épaisseur des buissons ?

Tous sont muets. Mon casque est rompu, mon armure
Est trouée, et la hache a fait sauter ses clous.
Mes yeux saignent. J'entends un immense murmure
Pareil aux hurlements de la mer et des loups.

Viens par ici, Corbeau, mon brave mangeur d'hommes !
Ouvre-moi la poitrine avec ton bec de fer.
Tu nous retrouveras demain tels que nous sommes.
20 Porte mon cœur tout chaud à la fille d'Ylmer.

Dans Upsal[1], où les Jarls[2] boivent la bonne bière,
Et chantent, en heurtant les cruches d'or, en chœur,
A tire-d'aile vole, ô rôdeur de bruyère !
Cherche ma fiancée et porte-lui mon cœur.

— 1 Ville de Suède, aujourd'hui célèbre par son Université. — 2 Nobles scandinaves qui correspondent aux *comtes* français (Prononcer : *Iarls*).

Au sommet de la tour que hantent les corneilles
Tu la verras debout, blanche, aux longs cheveux noirs.
Deux anneaux d'argent fin lui pendent aux oreilles,
Et ses yeux sont plus clairs que l'astre des beaux soirs.

Va, sombre messager, dis-lui bien que je l'aime,
30 Et que voici mon cœur. Elle reconnaîtra
Qu'il est rouge et solide et non tremblant et blême ;
Et la fille d'Ylmer, Corbeau, te sourira !

Moi, je meurs. Mon esprit coule par vingt blessures.
J'ai fait mon temps. Buvez, ô loups, mon sang vermeil.
Jeune, brave, riant, libre et sans flétrissures,
Je vais m'asseoir parmi les Dieux, dans le soleil.

Poèmes Barbares, A. Lemerre, éditeur.

LE RÊVE DU JAGUAR

Sous une forme très ramassée, *Le Rêve du Jaguar* nous offre les éléments essentiels de la *poésie exotique* chez LECONTE DE LISLE : une *nature tropicale* avec le contraste du soleil accablant et de l'ombre bienfaisante ; la *faune* caractéristique des pays chauds. Le vocabulaire, le rythme, les allitérations et les sons, toutes les ressources poétiques sont mises en œuvre pour nous présenter un *félin redoutable* et ses instincts à demi conscients : l'art du *peintre animalier* touche ici à la perfection.

Sous les noirs acajous, les lianes en fleur,
Dans l'air lourd, immobile et saturé de mouches,
Pendent, et, s'enroulant en bas parmi les souches,
Bercent le perroquet splendide et querelleur,
L'araignée au dos jaune et les singes farouches.
C'est là que le tueur de bœufs et de chevaux,
Le long des vieux troncs morts à l'écorce moussue,
Sinistre et fatigué, revient à pas égaux.
Il va, frottant ses reins musculeux qu'il bossue ;
10 Et, du mufle béant par la soif alourdi,
Un souffle rauque et bref, d'une brusque secousse,
Trouble les grands lézards, chauds des feux de midi,
Dont la fuite étincelle à travers l'herbe rousse.
En un creux du bois sombre interdit au soleil
Il s'affaisse, allongé sur quelque roche plate ;
D'un large coup de langue il se lustre la patte ;
Il cligne ses yeux d'or hébétés de sommeil ;
Et, dans l'illusion de ses forces inertes,
Faisant mouvoir sa queue et frissonner ses flancs,
20 Il rêve qu'au milieu des plantations vertes,
Il enfonce d'un bond ses ongles ruisselants
Dans la chair des taureaux effarés et beuglants.

Poèmes Barbares, A. Lemerre, éditeur.

HEREDIA

Descendant des conquistadores espagnols, José-Maria de Heredia est né à Cuba en 1842. Après avoir fait ses études à Paris, il passe par l'École des Chartes et va consacrer toute sa vie à la littérature. Il devient l'ami et le disciple le plus fidèle de Leconte de Lisle, publie ses sonnets dans les trois volumes du *Parnasse Contemporain* et dans diverses Revues, et les rassemble en 1893 dans *Les Trophées*. Entré à l'Académie en 1894, nommé conservateur de la Bibliothèque de l'Arsenal en 1901, Heredia meurt en 1905.

LES TROPHÉES. Comme des *trophées* destinés à perpétuer les souvenirs glorieux, ces 118 sonnets évoquent les civilisations passées, les pays lointains, les paysages de Bretagne. On a voulu, à tort, en faire une « Légende des Siècles en miniature ». Le poète distingue des groupes intitulés *La Grèce et la Sicile*, *Rome et les Barbares*, *Le Moyen Age et la Renaissance ;* mais il ne cherche pas à donner une vue d'ensemble de l'évolution humaine, encore moins à suggérer une philosophie de l'histoire. En réalité Heredia est un *érudit* et un *amateur d'art :* de ses lectures, de ses impressions personnelles il retient les *images* qui l'ont séduit par leur pittoresque, par leur charme artistique, et il fait revivre le passé dans une galerie de *petits tableaux* ou de *miniatures* finement enluminées. Cet art scrupuleux et probe est considéré comme le modèle de *l'objectivité parnassienne.* Heredia lui-même a déclaré : « Le poète est d'autant plus vraiment et largement humain qu'il est plus impersonnel ». Pourtant, même sans ses évocations du passé nous devinons l'âme ardente de l'auteur, sa sensiblité devant la nature, sa mélancolie devant la mort, l'amour de la gloire qui l'enflamme au souvenir de ses ancêtres, sa nostalgie du pays natal.

SOIR DE BATAILLE

Dans la deuxième partie, *Rome et les Barbares*, parmi de nombreuses pièces d'inspiration bucolique, se détachent deux ensembles célèbres consacrés à Hannibal *(La Trebbia, Après Cannes)* et à Antoine et Cléopatre *(Le Cydnus, Soir de Bataille, Antoine et Cléopâtre).* Au soir d'une bataille remportée par Marc-Antoine sur les Parthes, le sonnet qu'on va lire dresse comme sur un socle l'image du général vainqueur. Tout en retraçant cet épisode de la carrière d'Antoine, le poète réveille en nous le souvenir de maints *textes classiques* où Rome est en lutte contre les Barbares.

> Le choc avait été rude. Les tribuns [1]
> Et les centurions, ralliant les cohortes [2],
> Humaient encor, dans l'air où vibraient leurs voix fortes,
> La chaleur du carnage et ses âcres parfums.
>
> D'un œil morne, comptant leurs compagnons défunts,
> Les soldats regardaient, comme des feuilles mortes,
> Tourbillonner au loin les archers de Phraortes [3] ;
> Et la sueur coulait de leurs visages bruns.
>
> C'est alors qu'apparut, tout hérissé de flèches,
> 10 Rouge du flux vermeil de ses blessures fraîches,
> Sous la pourpre flottante [4] et l'airain rutilant [5],

— 1 Officiers supérieurs au nombre de six pour une légion de six mille hommes. — 2 La *cohorte* comprend six *centuries* (groupe de *cent* fantassins) commandées chacune par un centurion. — 3 Nom d'une dynastie de rois Mèdes, que le poète assimile à Phraates, roi des Parthes. Les *cavaliers* parthes étaient des *archers* redoutables. — 4 Le manteau de pourpre, insigne du commandement suprême. — 5 La cuirasse d'airain rougeâtre.

Au fracas des buccins [6] qui sonnaient leur fanfare,
Superbe, maîtrisant son cheval qui s'effare,
Sur le ciel enflammé, l'Imperator [7] sanglant !

Les Trophées, A. Lemerre, éditeur.

Le sonnet qui suit, *Antoine et Cléopâtre*, nous montre le général romain invinciblement séduit par la reine d'Égypte, mais pressentant déjà la défaite navale d'Actium :

Et sur elle courbé, l'ardent Imperator
Vit dans ses larges yeux étoilés de points d'or
Toute une mer immense où fuyaient des galères.

LES CONQUÉRANTS

A la fin de la troisième partie, *Le Moyen Age et la Renaissance*, HEREDIA consacre huit sonnets aux Conquistadores, qu'il chante par ailleurs dans un ensemble épique intitulé *Les Conquérants de l'Or*. C'est que le poète garde avec ferveur le souvenir du pays natal et la mémoire de son ancêtre, don Pedro de Heredia, compagnon de Cortez et fondateur de Carthagène des Indes. Sans retracer une expédition particulière, c'est tout l'esprit d'une époque et d'un pays qu'il ressuscite, tous les appétits, tous les rêves des CONQUÉRANTS. Ce sonnet est peut-être le plus parfait du recueil : si la netteté, la précision martelée de *l'art parnassien* évoquent à merveille l'élan brutal des aventuriers, cet art sait aussi s'assouplir pour traduire les langueurs de l'âme devant le mystère.

Comme un vol de gerfauts [1] hors du charnier [2] natal,
Fatigués de porter leurs misères hautaines,
De Palos de Moguer [3], routiers [4] et capitaines
Partaient, ivres d'un rêve héroïque et brutal.

Ils allaient conquérir le fabuleux [5] métal
Que Cipango [6] mûrit [7] dans ses mines lointaines,
Et les vents alizés [8] inclinaient leurs antennes [9]
Aux [10] bords mystérieux du monde occidental.

Chaque soir, espérant [11] des lendemains épiques,
10 L'azur phosphorescent de la mer des Tropiques
Enchantait [12] leur sommeil d'un mirage doré ;

Ou, penchés à l'avant des blanches caravelles [12],
Ils regardaient monter en un ciel ignoré
Du fond de l'Océan des étoiles nouvelles [14].

Les Trophées, A. Lemerre, éditeur.

— 6 Trompettes militaires. — 7 Titre romain du général en chef.

— 1 Grands faucons utilisés au Moyen Age pour la chasse. Étudier la *justesse* de la comparaison. — 2 L'aire où ces oiseaux apportent leurs proies. — 3 C'est à Palos, avant-port de Moguer en Andalousie que Christophe Colomb s'embarqua en 1492. — 4 Soldats aventuriers et pillards. — 5 Objet de récits légendaires, comme le *Livre des Merveilles* de Marco Polo. — 6 Nom que Colomb donnait au Japon, but de son expédition (en chinois : Zippan-Khou). — 7 Selon les alchimistes, les métaux étaient une même substance plus ou moins mûrie dans la terre : l'or représentait l'état de maturité parfaite. — 8 Vents réguliers d'Est en Ouest, dans la zone tropicale. — 9 Vergues qui soutenaient les voiles. — 10 Vers les. — 11 Construction libre du participe, selon l'usage classique. — 12 Sens classique (cf. enchantement). — 13 Bâtiments portugais à grandes voiles blanches triangulaires. — 14 Ils découvrent les constellations de l'hémisphère Sud.

BAUDELAIRE

Sa vie, son œuvre   Né à Paris en 1821, CHARLES BAUDELAIRE était le fils d'un aimable sexagénaire disciple des philosophes et amateur de peinture. Sa mère, veuve en 1827, se remarie l'année suivante avec le commandant Aupick, futur général, ambassadeur et sénateur sous l'Empire. Révolté par ce mariage, l'enfant, qui ne s'entend pas avec son beau-père, est mis en pension à Lyon, puis au Lycée Louis-le-Grand. C'est un élève cynique, singulier, qui éprouve de « lourdes mélancolies », un *sentiment de destinée éternellement solitaire*.

Pendant trois ans (1839-1841) Baudelaire mène au Quartier latin la vie dissipée de *la Bohème littéraire*. Pour l'arracher à cette existence oisive, sa famille l'embarque à Bordeaux sur un voilier en partance pour les Indes (1841). Mais Baudelaire est de retour au bout de dix mois, pris de nostalgie et en apparence insensible aux charmes du voyage. En réalité, il s'est éveillé sous les Tropiques à la poésie de la mer, du soleil, de l'exotisme.

Dandy prodigue, il mène une vie somptueuse grâce à l'héritage de son père. C'est alors qu'il se lie avec la mulâtresse JEANNE DUVAL, qu'il gardera comme compagne presque jusqu'à sa mort. Mais sa famille lui impose un conseil judiciaire qui surveille ses dépenses et lui impose une vie beaucoup plus austère.

Critique d'art, BAUDELAIRE attire l'attention par ses *Salons* de 1845, 1846 et 1859, et par le compte rendu de *l'Exposition Universelle de* 1855. En 1846-1847, il découvre et entreprend de traduire les *Contes* mystérieux et fantastiques de l'Américain EDGAR POE, et son activité de poète est stimulée par l'adoration quasi mystique qu'il voue à Madame SABATIER. Le recueil des *Fleurs du Mal*, mûri depuis plusieurs années, paraît en 1857, mais l'auteur est aussitôt condamné pour immoralité. Une seconde édition est allégée des six poèmes incriminés, mais enrichie de trente-cinq pièces nouvelles (1861). Dans ses dernières années Baudelaire écrit des *Petits Poèmes en Prose*, qui dissocient la poésie de la forme rimée.

Miné par la maladie, le poète est victime d'une crise de paralysie à Bruxelles en mars 1866. Transporté à Paris, il meurt en août 1867.

Les Fleurs du Mal   « Dans ce livre atroce, disait Baudelaire, j'ai mis toute ma pensée, tout mon cœur, toute ma religion (travestie), toute ma haine ».

S'opposant aux poètes illustres qui ont choisi « les provinces les plus fleuries du domaine poétique », il se propose « d'extraire la *beauté* du *Mal* ».

A travers sa propre expérience, c'est la *tragédie de l'homme* qu'évoquent les six parties du recueil : tragédie de « l'homme double », créature déchue et objet d'un perpétuel conflit entre le Ciel et l'Enfer.

Dans la première partie, *Spleen et Idéal*, l'art puis l'amour sont impuissants à vaincre le spleen (ou angoisse) qui écrase finalement l'âme vaincue. Le poète se tourne alors vers d'autres moyens d'évasion : le spectacle de la ville et la communion avec les autres malheureux (IIe partie, *Tableaux parisiens*), les paradis artificiels (IIIe partie, *Le vin*), le vice (IVe partie, *Fleurs du Mal*) ; après ces tentatives, qui sont autant d'échecs, le poète se livre à la *Révolte* (Ve partie), avant de demander à *La Mort* (VIe partie) un renouvellement à jamais impossible sur cette terre.

CORRESPONDANCES

Le terme de « *correspondance* » appartient au vocabulaire des mystiques et BAUDELAIRE a précisé sa pensée dans ses *Notes nouvelles sur Edgar Poe* (1857) : « C'est cet admirable, cet immortel instinct du Beau qui nous fait considérer la Terre et ses spectacles comme un aperçu, comme une *correspondance* du ciel. La soif insatiable de tout ce qui est au-delà, et que révèle la vie, est la preuve la plus évidente de notre immortalité. C'est à la fois par la poésie et *à travers* la poésie, par et *à travers* la musique que l'âme entrevoit les splendeurs situées derrière le tombeau. » Le rôle exaltant du poète sera donc de saisir intuitivement ces mystérieuses *correspondances* « pour atteindre une part de cette splendeur » surnaturelle. Ce sonnet expose aussi l'idée des *correspondances sensibles* qui vont révolutionner l'expression poétique devenue de plus en plus une « sorcellerie évocatoire » (cf. Rimbaud).

La Nature est un temple [1] où de vivants piliers
Laissent parfois sortir de confuses paroles [2] :
L'homme y passe à travers des forêts de symboles [3]
Qui l'observent avec des regards familiers.

Comme de longs échos qui de loin se confondent
Dans une ténébreuse et profonde unité [4]
Vaste comme la nuit et comme la clarté,
Les parfums, les couleurs et les sons se répondent.

Il est des parfums [5] frais comme des chairs d'enfants,
10 Doux comme les hautbois, verts comme les prairies,
— Et d'autres, corrompus, riches et triomphants [6],

Ayant l'expansion des choses infinies,
Comme l'ambre, le musc, le benjoin et l'encens,
Qui chantent les transports de l'esprit et des sens.

— 1 Le lieu matériel où l'homme entre en communication avec le monde spirituel. — 2 Peut-être comparaison avec les chênes prophétiques de Dodone, dont le bruissement rendait des oracles. — 3 Cf. « *Tout se rapporte, dans ce monde que nous voyons, à un autre monde que nous ne voyons pas. Nous vivons... au milieu d'un système de choses invisibles manifestées visiblement* » (J. de Maistre). — 4 Cf. « Ce qui serait vraiment surprenant, c'est que le son ne pût pas suggérer la couleur, que les couleurs ne pussent pas donner l'idée d'une mélodie, et que le son et la couleur fussent impropres à traduire des idées ; les choses s'étant toujours exprimées par une *analogie réciproque*, depuis le jour où Dieu a proféré le monde comme *une complexe et indivisible totalité* » (R. *Wagner et Tannhauser*, 1861). — 5 Les parfums occupent une grande place dans la poésie baudelairienne. — 6 Correspondance non plus avec d'**autres** sensations mais avec des états d'âme, des **idées** morales.

L'ALBATROS

L'idée initiale de ce poème, paru seulement en 1859, remonterait à un incident du voyage à la Réunion (1841). Pour symboliser le poète, BAUDELAIRE ne songe ni à l'aigle royal des romantiques ni à la solitude orgueilleuse du condor, décrite par Leconte de Lisle. Il choisit un *symbole plus douloureux :* l'albatros représente la *dualité de l'homme* cloué au sol et aspirant à l'infini ; il représente surtout *le poète,* cet incompris, celui qui, dans le poème en prose intitulé *L'Étranger,* répond aux hommes surpris de voir qu'il n'aime rien ici-bas : « *J'aime les nuages... les nuages qui passent... là-bas, là-bas... les merveilleux nuages !* »

Souvent, pour s'amuser, les hommes d'équipage
Prennent des albatros, vastes oiseaux des mers,
Qui suivent, indolents compagnons de voyage,
Le navire glissant sur les gouffres amers.

A peine les ont-ils déposés sur les planches,
Que ces rois de l'azur, maladroits et honteux,
Laissent piteusement leurs grandes ailes blanches
Comme des avirons traîner à côté d'eux.

Ce voyageur ailé, comme il est gauche et veule !
10 Lui, naguère si beau, qu'il est comique et laid !
L'un agace son bec avec un brûle-gueule [1],
L'autre mime, en boitant, l'infirme qui volait !

Le Poète est semblable au prince des nuées
Qui hante la tempête et se rit de l'archer ;
Exilé sur le sol au milieu des huées,
Ses ailes de géant [2] l'empêchent de marcher.

HYMNE A LA BEAUTÉ

Dans *La Beauté,* BAUDELAIRE symbolisait par une statue impassible la perfection du beau idéal, transfiguration du réel et tourment de l'artiste. Cet *Hymne à la Beauté* (1860) présente une conception plus moderne, plus inquiétante aussi, en accord avec l'inspiration même des *Fleurs du Mal.* La beauté est-elle *divine* ou *satanique ?* Torturé par le spleen, le poète renonce à ses aspirations morales ou mystiques et finit par l'accepter, d'où qu'elle vienne, comme un remède à sa détresse. Par une fusion artistique très réussie, la Beauté prend ici le visage et le caractère de la Femme, elle aussi infernale et divine, et l'on voit, à l'arrière-plan, s'esquisser le *thème de l'amour* qui peut être perdition ou rédemption.

Viens-tu du ciel profond ou sors-tu de l'abîme,
O Beauté ? Ton regard, infernal et divin,
Verse confusément le bienfait et le crime [1],
Et l'on peut pour cela te comparer au vin.

— 1 Pipe de marin à tuyau très court. — 2 Rupture de construction (fréquente dans le style classique).

— 1 « Je ne conçois guère un type de Beauté où il n'y ait du malheur » (Baudelaire, *Journaux intimes*).

Tu contiens dans ton œil le couchant et l'aurore ;
Tu répands des parfums comme un soir orageux ;
Tes baisers sont un philtre et ta bouche une amphore
Qui fait le héros lâche et l'enfant courageux.

Sors-tu du gouffre noir ou descends-tu des astres ?
10 Le Destin [2] charmé suit tes jupons comme un chien ;
Tu sèmes au hasard la joie et les désastres,
Et tu gouvernes tout et ne réponds de rien.

Tu marches sur des morts, Beauté, dont tu te moques ;
De tes bijoux l'Horreur n'est pas le moins charmant [3],
Et le Meurtre, parmi tes plus chères breloques,
Sur ton ventre orgueilleux danse amoureusement...

Que tu viennes du ciel ou de l'enfer, qu'importe,
O Beauté ! monstre énorme, effrayant, ingénu !
Si ton œil, ton souris, ton pied, m'ouvrent la porte
20 D'un infini que j'aime et n'ai jamais connu ?

De Satan ou de Dieu, qu'importe ? Ange ou Sirène [4],
Qu'importe, si tu rends, — fée aux yeux de velours,
Rythme, parfum, lueur, ô mon unique reine ! —
L'univers moins hideux et les instants moins lourds ?

LA VIE ANTÉRIEURE

Souvenir ou rêve d'une existence antérieure *où tout est correspondance, « ordre et beauté, luxe, calme et volupté ». Mais même dans ce pays idéal l'âme avide d'infini garde la* nostalgie d'un autre monde : *telle est la vanité de tout bonheur terrestre !*

J'ai longtemps habité sous de vastes portiques
Que les soleils marins teignaient de mille feux
Et que leurs grands piliers, droits et majestueux,
Rendaient pareils, le soir, aux grottes basaltiques.

Les houles, en roulant les images des cieux,
Mêlaient d'une façon solennelle et mystique
Les tout-puissants accords de leur riche musique
Aux couleurs du couchant reflété par mes yeux.

C'est là que j'ai vécu dans les voluptés calmes,
10 Au milieu de l'azur, des vagues, des splendeurs
Et des esclaves nus, tout imprégnés d'odeurs,

— 2 Qui, chez les Grecs, commandait même aux dieux. — 3 Lamartine écrivait au contraire : «*L'émotion par le laid*, s'appelle tout simplement *l'horreur*» (1857). — 4 Dans la mythologie grecque, les Sirènes attiraient les matelots sur les récifs.

Qui me rafraîchissaient le front avec des palmes,
Et dont l'unique soin était d'approfondir
Le secret douloureux qui me faisait languir.

PARFUM EXOTIQUE

Auprès de Jeanne Duval qui représente l'attrait de la sensualité, Baudelaire trouvait le charme de l'*évasion exotique*, liée aux souvenirs de son voyage aux Iles. Dans ce sonnet comme dans *La Chevelure* où triomphent les correspondances, le parfum capiteux de la femme de couleur transporte le poète dans un pays de soleil et de bien-être : les odeurs, les visions et les chants enlèvent son âme vers *le monde des rêves* où il « hume à longs traits le vin du souvenir ».

Quand, les deux yeux fermés, en un soir chaud d'automne,
Je respire l'odeur[1] de ton sein chaleureux,
Je vois se dérouler des rivages heureux
Qu'éblouissent les feux d'un soleil monotone ;

Une île paresseuse où la nature donne
Des arbres singuliers[2] et des fruits savoureux ;
Des hommes dont le corps est mince et vigoureux
Et des femmes dont l'œil par sa franchise étonne[3].

Guidé par ton odeur vers de charmants climats,
10 Je vois un port rempli de voiles et de mâts[4]
Encor tout fatigués par la vague marine,

Pendant que le parfum des verts tamariniers
Qui circule dans l'air et m'enfle la narine,
Se mêle dans mon âme au chant des mariniers.

HARMONIE DU SOIR

Cette pièce a été inspirée par Mme Sabatier. C'est une sorte de *pantoum*, poème à forme fixe d'origine malaise révélé par Victor Hugo dans les *Orientales* et utilisé depuis par Leconte de Lisle dans les *Poèmes tragiques*. En plus des reprises de vers qu'on notera ici, le *pantoum* régulier offre deux thèmes traités parallèlement de strophe en strophe et le premiers vers doit se répéter à la fin du poème. De ce genre subtil et précieux, Baudelaire n'a gardé que les reprises de vers, pour leur effet d'*incantation* religieuse. Dans *Harmonie du soir*, tout est suggestion, « sorcellerie évocatoire » ; néanmoins une étude attentive révèlera que, loin d'être une simple juxtaposition de sensations, le poème est soigneusement composé et s'élève progressivement vers l'extase mystique qui le termine.

Voici venir les temps[1] où vibrant sur sa tige
Chaque fleur s'évapore ainsi qu'un encensoir[2],
Les sons et les parfums tournent dans l'air du soir[3],
Valse mélancolique et langoureux[4] vertige !

— 1 Cf. *La Chevelure* : « Comme d'autres esprits voguent sur la musique | Le mien, ô mon amour ! nage sur ton parfum ». — 2 Baudelaire avait le goût de l'étrange et du bizarre. — 3 Par opposition à la femme civilisée qui ne serait que caprice et trahison. — 4 Cf. *Le Port* (dans les *Petits poèmes en prose*).

— 1 Formule biblique. — 2 Cassolette où l'on brûle l'encens dans les églises. — 3 Cf. *Correspondances*. — 4 Empreint d'une molle langueur.

Chaque fleur s'évapore ainsi qu'un encensoir ;
Le violon frémit comme un cœur qu'on afflige ;
Valse mélancolique et langoureux vertige !
Le ciel est triste et beau comme un grand reposoir [5].

Le violon frémit comme un cœur qu'on afflige,
Un cœur tendre, qui hait le néant vaste et noir !
Le ciel est triste et beau comme un grand reposoir ;
Le soleil s'est noyé dans son sang qui se fige.

Un cœur tendre, qui hait le néant vaste et noir,
Du passé lumineux recueille tout vestige !
Le soleil s'est noyé dans son sang qui se fige...
Ton souvenir en moi luit comme un ostensoir [6] !

L'INVITATION AU VOYAGE

Cette *Invitation au Voyage*, où passent comme sur des touches de rêve tant de thèmes baudelairiens, est un des poèmes les plus *mélodieux* de notre langue. Avec cette science du *rythme* et des *harmonies secrètes* qui tient parfois de la magie, l'auteur y résume ses aspirations essentielles : beaucoup de ses poésies ne sont-elles pas, en somme, des invitations au voyage ?

Mon enfant, ma sœur [1],
  Songe à la douceur
D'aller là-bas vivre ensemble !
  Aimer à loisir,
  Aimer et mourir
Au pays qui te ressemble [2] !
  Les soleils mouillés
  De ces ciels [3] brouillés
Pour mon esprit [4] ont les charmes [5]
10 Si mystérieux
  De tes traîtres yeux,
Brillant à travers leurs larmes.

Là, tout n'est qu'ordre et beauté,
Luxe, calme et volupté.

  Des meubles luisants,
  Polis par les ans,
Décoreraient notre chambre ;
  Les plus rares fleurs
  Mêlant leurs odeurs
Aux vagues senteurs de l'ambre [6], 20
  Les riches plafonds,
  Les miroirs profonds,
La splendeur orientale,
  Tout y parlerait
  A l'âme en secret
Sa douce langue natale [7].

Là tout n'est qu'ordre et beauté,
Luxe, calme et volupté.

— 5 Autel orné de fleurs et de draperies où l'on s'arrête au cours d'une procession. — 6 Cadre d'or ou d'argent où l'on expose l'hostie consacrée, offerte à l'adoration des fidèles dans la religion catholique. Il est généralement circulaire et orné de rayons comme un « soleil ».

— 1 Pour Baudelaire, la femme aimée est « la sœur d'élection ». — 2 Cf. « Ne pourrais-tu pas te mirer, comme parlent les mystiques,

dans ta propre *correspondance ?* » (*Invitation au Voyage*, poème en prose). — 3 Pluriel de *ciel*, dans le vocabulaire technique des peintres ; Baudelaire pense aux paysages hollandais aperçus dans les musées. — 4 C'est l'esprit qui perçoit ces correspondances. — 5 L'attrait magique (sens classique). — 6 Parfum exotique (cf. v. 23 et 34). — 7 Nostalgie de la « patrie idéale » où l'âme a vécu dans une « vie antérieure ».

Vois sur ces canaux
30   Dormir ces vaisseaux
Dont l'humeur est vagabonde ;
C'est pour assouvir
Ton moindre désir
Qu'ils viennent du bout du monde.
Les soleils couchants
Revêtent les champs,
Les canaux, la ville entière,
D'hyacinthe [8] et d'or ;
Le monde s'endort
40 Dans une chaude lumière.

Là, tout n'est qu'ordre et beauté,
Luxe, calme et volupté.

SPLEEN : « *QUAND LE CIEL BAS ET LOURD...* »

Dans ce poème, Baudelaire évoque le *spleen* sous sa forme aiguë et nettement *pathologique*. De strophe en strophe, dans une atmosphère de malaise croissant, on assiste à la *montée vers la crise nerveuse ;* elle éclate, violente et désordonnée, pour aboutir bientôt à une détente ; mais celle-ci n'est pas libératrice, car l'Angoisse règne désormais sur l'âme vaincue qui renonce à ses aspirations vers l'Idéal. On découvre, dans ces quelques strophes, à quel point *l'expression poétique se trouve enrichie par le jeu des correspondances :* comment pourrait-on, autrement que par la suggestion, donner une idée de ces états morbides où l'homme sent passer sur lui, selon l'aveu même de Baudelaire, « le vent de l'aile de l'imbécillité » ?

Quand le ciel bas et lourd pèse comme un couvercle [1]
Sur l'esprit gémissant en proie aux longs ennuis,
Et que de l'horizon embrassant tout le cercle
Il nous verse [2] un jour noir plus triste que les nuits ;

Quand la terre est changée en un cachot [3] humide,
Où l'Espérance, comme une chauve-souris,
S'en va battant les murs de son aile timide
Et se cognant la tête à des plafonds pourris ;

Quand la pluie [4], étalant ses immenses traînées,
10 D'une vaste prison imite les barreaux,
Et qu'un peuple muet d'infâmes araignées
Vient tendre ses filets au fond de nos cerveaux,

— 8 Couleur d'un jaune rougeâtre.

— 1 Cette impression se précise aux v. 3 et 4. — 2 Variante : Il nous *fait...* On comparera les deux verbes. — 3 Montaigne et Pascal parlaient ainsi de la terre comme d'un « petit cachot ». Mais l'intention était fort différente. — 4 On notera la progression depuis le v. 1.

Des cloches tout à coup sautent avec furie [5]
Et lancent vers le ciel un affreux hurlement,
Ainsi que des esprits errants et sans patrie
Qui se mettent à geindre opiniâtrement.

— Et de longs corbillards, sans tambours ni musique,
Défilent lentement dans mon âme ; l'Espoir,
Vaincu, pleure et l'Angoisse atroce, despotique,
20 Sur mon crâne incliné plante son drapeau noir [6].

La Mort La Mort est la *dernière espérance* de ceux que hante l'infini et qui ne sauraient s'accommoder de la médiocrité terrestre. Dans un autre monde, les amants connaîtront un amour épuré de toute sensualité, fusion totale des esprits et des cœurs *(La mort des Amants)*, les pauvres recevront le prix de leurs misères (cf. ci-dessous), les artistes torturés par leur idéal verront « s'épanouir les fleurs de leur cerveau » *(La mort des Artistes)*. Après ces chants d'espérance, l'inquiétude fait encore surgir un doute, avec *Le Rêve d'un curieux :* si la vie aboutissait au néant, si le rideau se levait sur une scène vide ? Mais Baudelaire n'a pas voulu fermer le livre sur un échec : à la fin du *Voyage*, l'âme impatiente s'élance vers l'Infini.

LA MORT DES PAUVRES

Les Pauvres attendent de la Mort la revanche de leur dénuement. Ils l'imaginent d'abord en termes prosaïques comme la fin de leurs misères matérielles ; mais *le thème s'élargit* vers des horizons mystiques où la pauvreté est conçue, à la manière chrétienne, comme une *sanctification* qui a une valeur d'échange avec Dieu et permet d'accéder à des *richesses surnaturelles.*

C'est la Mort qui console, hélas ! et qui fait vivre ;
C'est le but de la vie, et c'est le seul espoir
Qui, comme un élixir, nous monte et nous enivre,
Et nous donne le cœur de marcher jusqu'au soir ;

A travers la tempête, et la neige, et le givre,
C'est la clarté vibrante à notre horizon noir ;
C'est l'auberge fameuse inscrite sur le livre,
Où l'on pourra manger, et dormir, et s'asseoir ;

C'est un Ange qui tient dans ses doigts magnétiques
10 Le sommeil et le don des rêves extatiques,
Et qui refait le lit des gens pauvres et nus ;

C'est la gloire des Dieux, c'est le grenier mystique,
C'est la bourse du pauvre et sa patrie antique,
C'est le portique ouvert sur les Cieux inconnus !

— 5 Hallucination auditive. — 6 Comme un pirate victorieux : l'image finale évoque la cruauté.

LE VOYAGE

Paru en 1859, ce long poème dont nous citons les deux dernières parties (VII et VIII) semble écrit pour apporter au terme du recueil *l'expression la plus complète de la pensée baudelairienne* : il figure à la fin des éditions de 1861 et 1868. Dans les 108 premiers vers, le poète évoque l'inutilité de nos voyages pour échapper au spleen : quelles qu'en soient les causes, blessures de la vie, besoin d'infini, trahisons de l'amour, nostalgie du changement, nous allons à l'échec, car notre âme reste la même et le mal est en nous. Le « voyage » dans la société humaine nous montre partout « le spectacle ennuyeux de l'éternel péché ». Il ne nous reste donc plus qu'à placer nos espérances dans le *grand Voyage* vers le gouffre, Enfer ou Ciel, qui apaisera la hantise de l'Infini.

Amer savoir, celui qu'on tire du voyage !
Le monde, monotone et petit, aujourd'hui,
Hier, demain, toujours, nous fait voir notre image :
Une oasis d'horreur dans un désert d'ennui !

Faut-il partir ? rester ? Si tu peux rester, reste ;
Pars, s'il le faut. L'un court, et l'autre se tapit
Pour tromper l'ennemi vigilant et funeste,
Le Temps [1] ! Il est, hélas ! des coureurs sans répit,

Comme le Juif errant [2] et comme les apôtres,
10   A qui rien ne suffit, ni wagon ni vaisseau,
Pour fuir ce rétiaire [3] infâme ; il en est d'autres
Qui savent le tuer sans quitter leur berceau.

Lorsque enfin il mettra le pied sur notre échine,
Nous pourrons espérer [4] et crier : En avant !
De même qu'autrefois nous partions pour la Chine,
Les yeux fixés au large et les cheveux au vent,

Nous nous embarquerons sur la mer des Ténèbres
Avec le cœur joyeux d'un jeune passager.
Entendez-vous ces voix, charmantes et funèbres,
20   Qui chantent : « Par ici ! vous qui voulez manger

Le Lotus parfumé ! c'est ici qu'on vendange
Les fruits miraculeux dont votre cœur a faim [5] ;
Venez vous enivrer [6] de la douceur étrange
De cette après-midi qui n'a jamais de fin ! »

— 1 Cf. « O douleur ! ô douleur ! Le Temps mange la vie, Et l'obscur Ennemi qui nous ronge le cœur Du sang que nous perdons croît et se fortifie » *(L'Ennemi)*. — 2 Condamné à errer jusqu'à la fin du monde, pour avoir insulté le Christ. — 3 Gladiateur romain armé d'un filet et d'un trident. — 4 Cf. *La Mort des Pauvres*, v. 2. — 5 Ayant goûté au *lotus*, les compagnons d'Ulysse *oubliaient leur patrie* et ne voulaient plus quitter le pays des Lotophages *(Odyssée*, IX). — 6 Cf. *Enivrez-vous* (p. 594).

A l'accent familier nous devinons le spectre [7] ;
Nos Pylades [8] là-bas tendent leurs bras vers nous.
« Pour rafraîchir ton cœur nage vers ton Électre [9] ! »
Dit celle dont jadis nous baisions les genoux.

**

O Mort, vieux capitaine, il est temps ! levons l'ancre !
30 Ce pays nous ennuie, ô Mort ! Appareillons !
Si le ciel et la mer sont noirs comme de l'encre,
Nos cœurs que tu connais sont remplis de rayons !

Verse-nous ton poison pour qu'il nous réconforte !
Nous voulons, tant ce feu nous brûle le cerveau,
Plonger au fond du gouffre, Enfer ou Ciel, qu'importe ?
Au fond de l'Inconnu pour trouver du *nouveau* [10] !

RECUEILLEMENT

Paru en novembre 1861, quelques mois après la deuxième édition des *Fleurs du Mal*, ce sonnet contraste, par son climat d'*apaisement*, avec la détresse du poète à cette époque. Pourtant, si le ton est apaisé dès le début, le *calme* ne s'établit vraiment que vers la fin du poème. Sur un thème cher aux romantiques, on appréciera l'originalité de cette « cohabitation » avec la Douleur devenue pour BAUDELAIRE « la noblesse unique », « le divin remède à nos impuretés » *(Bénédiction)*. Quant aux *tercets*, ils ont rallié tous les suffrages : ce poète, parfois si près de VILLON par son réalisme macabre, est aussi celui qui a su créer des *impressions féeriques et pourtant naturelles*, avec un merveilleux pouvoir de *suggestion*.

Sois sage, ô ma Douleur, et tiens-toi plus tranquille.
Tu réclamais le Soir ; il descend ; le voici :
Une atmosphère obscure enveloppe la ville,
Aux uns portant la paix, aux autres le souci.

Pendant que des mortels la multitude vile,
Sous le fouet du Plaisir, ce bourreau sans merci,
Va cueillir des remords dans la fête servile,
Ma Douleur, donne-moi la main ; viens par ici,

Loin d'eux. Vois se pencher les défuntes Années,
10 Sur les balcons du ciel, en robes surannées ;
Surgir du fond des eaux le Regret souriant ;

Le Soleil moribond s'endormir sous une arche,
Et, comme un long linceul traînant à l'Orient,
Entends, ma chère, entends la douce Nuit qui marche.

— 7 Un ami qui nous appelle de l'au-delà. — 8 Ami *fidèle* d'Oreste. — 9 *Sœur* d'Oreste. L'amour épuré deviendra fraternité des esprits et des cœurs. — 10 A la fin du poème en prose *Anywhere out of the world*, l'âme, accablée par le spleen, s'écrie : « N'importe où ! n'importe où ! pourvu que ce soit hors du monde ».

PETITS POÈMES EN PROSE

« Quel est celui d'entre nous qui n'a pas, dans ses jours d'ambition, rêvé le miracle d'une prose poétique, musicale sans rythme et sans rime, assez souple et assez heurtée pour s'adapter aux mouvements lyriques de l'âme, aux ondulations de la rêverie, aux soubresauts de la conscience ? » Baudelaire a-t-il tenu cette gageure ? On en aura une idée d'après ces quelques exemples où reviennent les thèmes du Temps et du Voyage et où le poète exprime son intérêt pour les humbles. Le titre de cet ensemble de cinquante poèmes aurait peut-être été *Spleen de Paris.*

Enivrez-vous

Il faut être toujours ivre, Tout est là : c'est l'unique question. Pour ne pas sentir l'horrible fardeau du Temps qui brise vos épaules et vous penche vers la terre, il faut vous enivrer sans trêve.

Mais de quoi ? De vin, de poésie ou de vertu, à votre guise. Mais enivrez-vous.

Et si quelquefois, sur les marches d'un palais, sur l'herbe verte d'un fossé, dans la solitude morne de votre chambre, vous vous réveillez, l'ivresse déjà diminuée ou disparue, demandez au vent, à la vague, à l'étoile, à l'oiseau, à l'horloge, à tout ce qui fuit, à tout ce qui gémit, à tout ce qui roule, à tout ce qui chante, à tout ce qui parle, demandez quelle heure il est ; et le vent, la vague, l'étoile, l'oiseau, l'horloge, vous répondront : « Il est l'heure de s'enivrer ! Pour n'être pas les esclaves martyrisés du Temps, enivrez-vous ; enivrez-vous sans cesse ! De vin, de poésie ou de vertu, à votre guise. »

Le port

Un port est un séjour charmant pour une âme fatiguée des luttes de la vie. L'ampleur du ciel, l'architecture mobile des nuages, les colorations changeantes de la mer, le scintillement des phares, sont un prisme merveilleusement propre à amuser les yeux sans jamais les lasser. Les formes élancées des navires, au gréement compliqué, auxquels la houle imprime des oscillations harmonieuses, servent à entretenir dans l'âme le goût du rythme et de la beauté. Et puis, surtout, il y a une sorte de plaisir mystérieux et aristocratique pour celui qui n'a plus ni curiosité ni ambition, à contempler, couché dans le belvédère ou accoudé sur le môle, tous ces mouvements de ceux qui partent et de ceux qui reviennent, de ceux qui ont encore la force de vouloir, le désir de voyager ou de s'enrichir.

Les fenêtres

Celui qui regarde au dehors à travers une fenêtre ouverte ne voit jamais autant de choses que celui qui regarde une fenêtre fermée. Il n'est pas d'objet plus profond, plus mystérieux, plus fécond, plus ténébreux, plus éblouissant qu'une fenêtre éclairée d'une chandelle. Ce qu'on peut voir au soleil est toujours moins intéressant que ce qui se passe derrière une vitre.

Dans ce trou noir ou lumineux vit la vie, rêve la vie, souffre la vie.

Par delà des vagues de toits, j'aperçois une femme mûre, ridée déjà, pauvre, toujours penchée sur quelque chose, et qui ne sort jamais. Avec son visage, avec son vêtement, avec son geste, avec très peu de données, j'ai refait l'histoire de cette femme, ou plutôt sa légende, et quelquefois je me la raconte à moi-même en pleurant.

Si c'eût été un pauvre vieux homme, j'aurais refait la sienne tout aussi aisément.

Et je me couche, fier d'avoir vécu et souffert dans d'autres que moi-même.

Peut-être me direz-vous : « Es-tu sûr que cette légende soit la vraie ? » Qu'importe ce que peut être la réalité placée hors de moi, si elle m'a aidé à vivre, à sentir que je suis et *ce que* je suis ?

Une inspiratrice de Baudelaire. Dessin a la plume exécuté par le poète.
Paris, bibliothèque Doucet. *(Photo C.F.L. Giraudon.)*

Le symbolisme, expression des idées par des formes.
Dans la mer, coquillages et fleurs fantastiques,
par Odilon Redon, ami de Mallarmé,
de Francis Jammes et de Valéry.
Paris, collection particulière. *(Photo Held.)*

Ci-contre,
Steinlen :
affiche pour la pièce
tirée du roman de Zola.
(Photo Eileen Tweedy - E.R.L.)

Les illustrateurs de Rimbaud. Composition de Fernand Léger pour les *Illuminations*, 1949. *(Photo Bibliothèque nationale, Paris.)*

RÉALISME ET NATURALISME

Du *Roman de Renard* à Villon, de Rabelais à Furetière, de Boileau à La Bruyère, de Marivaux à Diderot, le courant réaliste reparaît sans cesse dans notre littérature. Dans la première moitié du XIXe siècle la tendance à l'observation réaliste s'affirme plus nettement avec les romans de STENDHAL, les nouvelles de MÉRIMÉE et surtout l'œuvre de BALZAC.

LE RÉALISME, défini par une doctrine et une esthétique, ne s'impose toutefois qu'après 1850. Engagée par des peintres (Daumier, Millet et surtout Courbet), la bataille est menée par Champfleury, Duranty, Murger (*Scènes de la vie de Bohème*, 1851) et le réalisme triomphe à la publication de *Madame Bovary* (1857). Bien qu'il soit de tempérament romantique et artiste, c'est FLAUBERT qui, par l'exemple et la doctrine, a engagé le roman dans la voie de l'observation méthodique et objective ; dans la recherche passionnée du document vécu, les Goncourt ont poussé plus loin encore, jusqu'au seuil du naturalisme.

LE NATURALISME a été défini par ZOLA. Sous l'influence de Claude Bernard et de Taine, il prétend appliquer à l'étude des réalités humaines la méthodes des sciences expérimentales et s'attache surtout à peindre les milieux populaires et même les bas-fonds. Autour de Zola, les disciples qu'il réunissait dans sa maison de campagne de Médan, Paul Alexis, Henri Céard, Léon Hennique, J.-K. Huysmans et MAUPASSANT, constituent le *groupe naturaliste* qui se manifesta par la publication d'un recueil de nouvelles, *Les Soirées de Médan* (1880). Mais les plus remarquables d'entre eux se dégagèrent de cette doctrine étroite et de ces prétentions scientifiques : chez Maupassant, le naturalisme n'est plus que l'observation de la réalité jusque dans ses plus humbles détails et de même chez d'excellents écrivains rattachés habituellement au courant naturaliste, entre autres Alphonse DAUDET, Jules Vallès, Charles-Louis Philippe et Jules Renard.

GUSTAVE FLAUBERT

Sa vie, son œuvre Né en 1821, GUSTAVE FLAUBERT a grandi à l'Hôtel-Dieu de Rouen où son père, chirurgien réputé, était médecin-chef. Au lycée de Rouen de 1832 à 1839, élève doué, mais indiscipliné, il partage l'exaltation romantique des adolescents de l'époque. ÉLISA SCHLÉSINGER, femme d'un éditeur de musique, lui inspire dès 1836 une passion muette qu'il nourrira toute sa vie. Elle sera l'inspiratrice des *Mémoires d'un fou* (1838), de *Novembre* (1842) et de la première *Éducation sentimentale* (1845) avant de reparaître sous les traits de Marie Arnoux dans la seconde *Éducation sentimentale* (1869).

Alors qu'il a entrepris des études de droit à Paris, Flaubert est frappé d'une maladie nerveuse qui l'oblige à se retirer dans sa propriété de Croisset près de Rouen (1843). Désormais, le *culte fanatique de l'art* sera sa seule consolation, avec des voyages en Égypte et en Tunisie, les relations nouées avec quelques amis et une liaison avec une femme de lettres, Louise Colet.

Le procès qui suit la publication de *Madame Bovary* le rend célèbre (1857), mais l'échec de l'*Éducation sentimentale* (1869) et de la *Tentation de Saint Antoine* (1874) aggrave l'amertume de Flaubert. Il a pourtant la joie de voir le succès des *Trois Contes* (1877) et l'influence grandissante de son œuvre dans la jeune génération naturaliste, avant de mourir subitement en 1880.

**Flaubert
et le réalisme**

Violent et passionné, FLAUBERT a lutté pour refouler la *tentation romantique* du lyrisme et de l'enthousiasme. Il s'applique au contraire dans son œuvre à peindre les choses dans leur *réalité*, après avoir mené de vastes et minutieuses enquêtes. Le romancier doit s'appuyer sur une *documentation rigoureuse* et faire abstraction de ses émotions personnelles devant ses personnages. Mais plus encore que la vérité, c'est la *beauté* que l'artiste doit atteindre. « *Il faut*, dit-il, *partir du réalisme pour aller jusqu'à la beauté* », « *le style étant à lui seul une manière absolue de voir les choses* ».

Madame Bovary

Le sujet de *Madame Bovary* s'inspire d'un fait divers récent : l'histoire d'un ancien élève du père de Flaubert, Eugène Delamare, dont la femme infidèle avait fini par s'empoisonner et qui lui-même était mort de chagrin. Le *réalisme* de Flaubert apparaît dans l'exactitude presque « scientifique » des descriptions et dans l'*impression de réalité* donnée par les détails que l'auteur a lui-même observés.

Mais c'est dans la peinture des personnages que l'art du romancier est le plus remarquable. La médiocrité de Charles Bovary, la bêtise solennelle du pharmacien Homais, et surtout la faculté d'illusion qui mène Emma Bovary du refus de la vie quotidienne à la mort, parviennent à donner une parfaite impression de vérité.

UNE JEUNE FILLE ROMANESQUE

Fille d'un cultivateur aisé, EMMA ROUAULT a épousé le médiocre CHARLES BOVARY, « officier de santé » à Tostes, en Normandie. Cette jeune fille romanesque rêvait de « se marier à minuit, aux flambeaux » : elle a dû se contenter d'une *noce paysanne,* décrite par FLAUBERT en une page célèbre, d'un *vigoureux réalisme*. Peu de temps après la noce, « Emma cherchait à savoir ce que l'on entendait au juste dans la vie par les mots de *félicité*, de *passion* et d'*ivresse* qui lui avaient paru si beaux dans les livres ». C'est qu'*elle rêve la vie à travers ses lectures romantiques ;* et FLAUBERT, évoquant le couvent où elle a fait ses études, nous fait découvrir à leur naissance *les sentiments de la future Mme Bovary*. Mais cette peinture est loin d'être parfaitement objective : en étudiant l'influence du romantisme sur l'âme de cette pensionnaire, l'auteur revoit *sa propre jeunesse* et laisse percer son *humeur satirique*.

Le soir, avant la prière, on faisait dans l'étude une lecture religieuse. C'était, pendant la semaine, quelque résumé d'Histoire sainte ou les *Conférences* de l'abbé Frayssinous, et, le dimanche, des passages du *Génie du Christianisme*, par récréation. Comme elle écouta, les premières fois, la lamentation sonore des mélancolies romantiques se répétant à tous les échos de la terre et de l'éternité ! Si son enfance se fût écoulée dans l'arrière-boutique d'un quartier marchand, elle se serait peut-être ouverte alors aux envahissements lyriques de la nature, qui, d'ordinaire, ne nous arrivent que par la traduction des écrivains. Mais elle connaissait
10 trop la campagne ; elle savait le bêlement des troupeaux, les laitages, les charrues. Habituée aux aspects calmes, elle se tournait au contraire vers les accidentés. Elle n'aimait la mer qu'à cause de ses tempêtes, et la verdure seulement lorsqu'elle était clairsemée parmi les ruines. Il fallait qu'elle pût retirer des choses une sorte de profit personnel ; et elle rejetait comme inutile tout ce qui ne contribuait pas à la consommation immédiate de son cœur, — étant de tempérament plus sentimental qu'artiste, cherchant des émotions et non des paysages.

Il y avait au couvent une vieille fille qui venait tous les mois, pendant huit jours, travailler à la lingerie. Protégée par l'archevêché comme
20 appartenant à une ancienne famille de gentilshommes ruinés sous la Révolution, elle mangeait au réfectoire à la table des bonnes sœurs, et faisait avec elles, après le repas, un petit bout de causette avant de remonter à son ouvrage. Souvent les pensionnaires s'échappaient de l'étude pour l'aller voir. Elle savait par cœur des chansons galantes du siècle passé, qu'elle chantait à demi-voix, tout en poussant son aiguille. Elle contait des histoires, vous apprenait des nouvelles, faisait en ville vos commissions, et prêtait aux grandes, en cachette, quelque roman qu'elle avait toujours dans les poches de son tablier, et dont la bonne demoiselle elle-même avalait de longs chapitres, dans les intervalles de
30 sa besogne. Ce n'étaient qu'amours, amants, amantes, dames persécutées s'évanouissant dans des pavillons solitaires, postillons qu'on tue à tous les relais, chevaux qu'on crève à toutes les pages, forêts sombres, troubles du cœur, serments, sanglots, larmes et baisers, nacelles au clair de lune, rossignols dans les bosquets, *messieurs* braves comme des lions, doux comme des agneaux, vertueux comme on ne l'est pas, toujours bien mis, et qui pleurent comme des urnes. Pendant six mois, à quinze ans, Emma se graissa donc les mains à cette poussière des vieux cabinets de lecture. Avec Walter Scott, plus tard, elle s'éprit de choses historiques, rêva bahuts, salle des gardes et ménestrels. Elle aurait voulu vivre dans
40 quelque vieux manoir, comme ces châtelaines au long corsage, qui, sous le trèfle des ogives, passaient leurs jours, le coude sur la pierre et le menton dans la main, à regarder venir du fond de la campagne un cavalier à plume blanche qui galope sur un cheval noir... Elle se laissa glisser dans les méandres lamartiniens, écouta les harpes sur les lacs, tous les chants de cygnes mourants, toutes les chutes de feuilles, les vierges pures qui montent au ciel, et la voix de l'Éternel discourant dans les vallons...

Madame Bovary, I, 6.

L'ARRIVÉE A YONVILLE

Pour arracher sa femme à l'ennui qui altère sa santé, Charles Bovary décide de s'installer à Yonville-l'Abbaye. Avec un réalisme minutieux, FLAUBERT nous a décrit cette petite cité normande et nous a fait assister à l'arrivée de l'*Hirondelle*, la diligence d'où débarquent Charles et Emma BOVARY. Les voici attablés à l'auberge du *Lion d'Or* en compagnie du pharmacien HOMAIS et du clerc de notaire LÉON DUPUIS. La sottise prétentieuse du demi-savant Homais laisse entrevoir les longues journées d'ennui qui attendent ici encore Mme Bovary. Cependant les goûts romantiques du jeune LÉON s'accordent mieux avec le tempérament rêveur d'EMMA, et ces deux âmes sœurs se sentent déjà liées par une *mystérieuse sympathie*.

Homais demanda la permission de garder son bonnet grec, de peur des coryzas.

Puis, se tournant vers sa voisine :

— Madame, sans doute, est un peu lasse ? on est si épouvantablement cahoté dans notre *Hirondelle* !

— Il est vrai, répondit Emma ; mais le dérangement m'amuse toujours : j'aime à changer de place.

— C'est une chose si maussade, soupira le clerc, que de vivre cloué aux mêmes endroits !

10 — Si vous étiez comme moi, dit Charles, sans cesse obligé d'être à cheval...

— Mais, reprit Léon s'adressant à Mme Bovary, rien n'est plus agréable, il me semble ; quand on le peut, ajouta-t-il.

— Du reste, disait l'apothicaire, l'exercice de la médecine n'est pas fort pénible en nos contrées ; car l'état de nos routes permet l'usage du cabriolet, et, généralement, l'on paye assez bien, les cultivateurs étant aisés. Nous avons, sous le rapport médical, à part les cas ordinaires d'entérite, bronchite, affections bilieuses, etc., de temps à autre quelques fièvres intermittentes à la moisson, mais, en somme, peu de choses graves, rien 20 de spécial à noter, si ce n'est beaucoup d'humeurs froides, et qui tiennent sans doute aux déplorables conditions hygiéniques de nos logements de paysans. Ah ! vous trouverez bien des préjugés à combattre, monsieur Bovary ; bien des entêtements de routine, où se heurteront quotidiennement tous les efforts de votre science[1] ; car on a recours encore aux neuvaines, aux reliques, au curé, plutôt que de venir naturellement chez le médecin ou chez le pharmacien[2]. Le climat, pourtant, n'est point, à vrai dire, mauvais, et même nous comptons dans la commune quelques nonagénaires. Le thermomètre (j'en ai fait les observations) descend en hiver jusqu'à quatre degrés, et, dans la forte saison, touche vingt-cinq, 30 trente centigrades tout au plus, ce qui nous donne vingt-quatre Réaumur au maximum, ou autrement cinquante-quatre Fahrenheit (mesure anglaise), pas davantage ! — et, en effet, nous sommes abrités des vents du nord par la forêt d'Argueil d'une part, des vents d'ouest par la côte Saint-Jean de l'autre ; et cette chaleur, cependant, qui à cause de la vapeur d'eau dégagée par la rivière et la présence considérable des bestiaux dans les prairies, lesquels exhalent, comme vous savez, beaucoup d'ammoniaque, c'est-à-dire azote, hydrogène et oxygène (non azote et hydrogène seulement), et qui, pompant l'humus de la terre, confondant toutes ces émanations différentes, les réunissant en un faisceau, 40 pour ainsi dire, et se combinant de soi-même avec l'électricité répandue dans l'atmosphère, lorsqu'il y en a, pourrait à la longue, comme dans les pays tropicaux, engendrer des miasmes insalubres ; — cette chaleur, dis-je, se trouve justement tempérée du côté d'où elle vient ou plutôt d'où elle viendrait, c'est-à-dire du côté sud, par les vents de sud-est, lesquels, s'étant refraîchis d'eux-mêmes en passant sur la Seine, nous arrivent quelquefois tout d'un coup, comme des brises de Russie[3].

— 1 Ce pharmacien se présente lui-même comme un homme de science et se proclame déiste à la manière de Rousseau. — 2 On apprendra par la suite que Homais exerce illégalement la médecine... Il n'en recevra pas moins la croix d'honneur à la fin du roman ! — 3 On notera l'absurdité de ces explications. Cette « éloquente » période suffit pour nous révéler le caractère de M. Homais.

— Avez-vous du moins quelques promenades dans les environs ?
continuait Mme Bovary parlant au jeune homme.

— Oh ! fort peu, répondit-il. Il y a un endroit que l'on nomme la Pâture,
50 sur le haut de la côte, à la lisière de la forêt. Quelquefois, le dimanche,
je vais là, et j'y reste avec un livre, à regarder le soleil couchant [4].

— Je ne trouve rien d'admirable comme les soleils couchants, reprit-elle,
mais au bord de la mer, surtout.

— Oh ! j'adore la mer, dit M. Léon.

— Et puis ne vous semble-t-il pas, répliqua Mme Bovary, que l'esprit
vogue plus librement sur cette étendue sans limites, dont la contemplation vous élève l'âme et donne des idées d'infini, d'idéal ?

— Il en est de même des paysages de montagnes, reprit Léon. J'ai un
cousin qui a voyagé en Suisse l'année dernière, et qui me disait qu'on ne
60 peut se figurer la poésie des lacs, le charme des cascades, l'effet gigantesque des glaciers. On voit des pins d'une grandeur incroyable, en
travers des torrents, des cabanes suspendues sur des précipices, et, à
mille pieds sous vous, des vallées entières quand les nuages s'entr'ouvrent.
Ces spectacles doivent enthousiasmer, disposer à la prière, à l'extase !
Aussi je ne m'étonne plus de ce musicien célèbre qui, pour exciter mieux
son imagination, avait coutume d'aller jouer du piano devant quelque
site imposant.

— Vous faites de la musique ? demanda-t-elle.

— Non, mais je l'aime beaucoup, répondit-il...
70 — Et quelle musique préférez-vous ?

— Oh ! la musique allemande, celle qui porte à rêver.

Madame Bovary, II, 2.

Une idylle se dessine discrètement, mais EMMA *se contente de rêver et reste fidèle à son
devoir. Pourtant le départ de* LÉON *pour Paris la laisse désemparée, plus seule, plus malheureuse qu'à Tostes. Elle devient alors la proie de* RODOLPHE BOULANGER, *riche propriétaire
dont elle sera follement éprise. Elle le supplie de l'enlever avec son enfant, mais peu soucieux
d'aliéner sa liberté, le Don Juan l'abandonne. Accablée par ce nouveau coup, Mme* BOVARY
tombe malade ; pour la distraire au moment de sa convalescence, BOVARY *l'emmène au théâtre
à Rouen, où le hasard la remet en présence de* LÉON. *Dans la* Troisième Partie, *nous assistons
à la déchéance progressive d'*EMMA. *Devenue la maîtresse de* LÉON, *elle vit dans le mensonge,
contracte des dettes, néglige totalement son ménage. Elle ne parvient d'ailleurs pas à être
heureuse, car elle se lasse de sa nouvelle passion et souhaite « des amours de prince ». Incapable
de payer ses dettes, menacée de voir saisir ses meubles et ne voulant pas subir cette ignominie,
elle finit par s'empoisonner à l'arsenic et meurt après d'atroces souffrances.* BOVARY *découvre
peu à peu les trahisons de sa femme, mais, inconsolable, il traîne une existence misérable et
meurt à son tour, après lui avoir pardonné. Quant à* HOMAIS, *riche et considéré, il est décoré
de la croix d'honneur.*

— 4 L'influence des œuvres romantiques se reconnaît dans la suite du dialogue.

L'EMPOISONNEMENT D'EMMA BOVARY

Pour décrire la mort d'Emma Bovary, Flaubert avait étudié dans des ouvrages de médecine les symptômes de l'empoisonnement par l'arsenic. On sera plus sensible à la technique de l'*écrivain réaliste* si, avant d'aborder ce récit, on relit l'évocation de la mort d'Atala, héroïne romantique, qui périt elle aussi empoisonnée.

Elle s'assit à son secrétaire, et écrivit une lettre qu'elle cacheta lentement, ajoutant la date du jour et l'heure. Puis elle dit d'un ton solennel :
— Tu la liras demain ; d'ici-là, je t'en prie, ne m'adresse pas une seule question !... Non, pas une ! — Mais... — Oh ! laisse-moi !

Et elle se coucha tout du long sur son lit.

Une saveur âcre qu'elle sentait dans sa bouche la réveilla. Elle entrevit Charles et referma les yeux.

Elle s'épiait curieusement, pour discerner si elle ne souffrait pas. Mais non ! rien encore. Elle entendait le battement de la pendule, le bruit du
10 feu, et Charles, debout près de sa couche, qui respirait. — Ah ! c'est bien peu de chose, la mort ! pensait-elle ; je vais m'endormir, et tout sera fini !

Elle but une gorgée d'eau et se tourna vers la muraille. Cet affreux goût d'encre continuait.

— J'ai soif !... oh ! j'ai bien soif ! soupira-t-elle.

— Qu'as-tu donc ! dit Charles, qui lui tendait un verre.

— Ce n'est rien !... Ouvre la fenêtre... j'étouffe !

Elle fut prise d'une nausée si soudaine, qu'elle eut à peine le temps de saisir son mouchoir sous l'oreiller.

— Enlève-le ! dit-elle vivement ; jette-le !

20 Il la questionna ; elle ne répondit pas. Elle se tenait immobile, de peur que la moindre émotion ne la fît vomir. Cependant, elle sentait un froid de glace qui lui montait des pieds jusqu'au cœur.

— Ah ! voilà que ça recommence ! murmura-t-elle. — Que dis-tu ? Elle roulait la tête avec un geste doux, plein d'angoisse, et tout en ouvrant continuellement les mâchoires, comme si elle eût porté sur sa langue quelque chose de très lourd. A huit heures, les vomissements reparurent. Charles observa qu'il y avait au fond de la cuvette une sorte de gravier blanc, attaché aux parois de la porcelaine : — C'est extraordinaire ! c'est singulier ! répéta-t-il.

30 Mais elle dit d'une voix forte : — Non, tu te trompes !...

Puis elle se mit à geindre, faiblement d'abord. Un grand frisson lui secouait les épaules, et elle devenait plus pâle que le drap où s'enfonçaient ses doigts crispés. Son pouls inégal était presque insensible maintenant.

Des gouttes suintaient sur sa figure bleuâtre, qui semblait comme figée dans l'exhalaison d'une vapeur métallique. Ses dents claquaient, ses yeux agrandis regardaient vaguement autour d'elle, et à toutes les questions elle ne répondait qu'en hochant la tête ; même elle sourit deux ou trois fois. Peu à peu, ses gémissements furent plus forts. Un hurlement sourd lui échappa ; elle prétendit qu'elle allait mieux et qu'elle se lèverait tout
40 à l'heure. Mais les convulsions la saisirent ; elle s'écria : — Ah ! c'est atroce, mon Dieu !

Il se jeta à genoux contre son lit.

— Parle ! qu'as-tu mangé ? Réponds, au nom du ciel ! Et il la regardait avec des yeux d'une tendresse comme elle n'en avait jamais vu.

— Eh bien, là..., là... dit-elle d'une voix défaillante.

Il bondit au secrétaire, brisa le cachet et lut tout haut ! *Qu'on n'accuse personne...* Il s'arrêta, se passa la main sur les yeux, et relut encore.

— Comment !... Au secours ! à moi !

Et il ne pouvait que répéter ce mot : « Empoisonnée ; empoisonnée ! »...

50 Félicité courut chez Homais, qui s'exclama sur la place ; Mme Lefrançois l'entendit au *Lion d'or ;* quelques-uns se levèrent pour l'apprendre à leurs voisins, et toute la nuit le village fut en éveil.

Éperdu, balbutiant, près de tomber, Charles tournait dans la chambre. Il se heurtait aux meubles, s'arrachait les cheveux, et jamais le pharmacien n'avait cru qu'il pût y avoir de si épouvantable spectacle...

Puis, revenu près d'elle, il s'affaissa par terre sur le tapis, et il restait la tête appuyée contre le bord de sa couche à sangloter.

— Ne pleure pas ! lui dit-elle. Bientôt je ne te tourmenterai plus !

— Pourquoi ? Qui t'a forcée ?

60 Elle répliqua : — Il le fallait, mon ami. — N'étais-tu pas heureuse ? Est-ce ma faute ? J'ai fait tout ce que j'ai pu pourtant !

— Oui..., c'est vrai..., tu es bon, toi !

Et elle lui passait la main dans les cheveux, lentement. La douceur de cette sensation surchargeait sa tristesse ; il sentait tout son être s'écrouler de désespoir à l'idée qu'il fallait la perdre, quand, au contraire, elle avouait pour lui plus d'amour que jamais ; et il ne pouvait rien ; il ne savait pas, il n'osait, l'urgence d'une résolution immédiate achevait de le bouleverser.

Elle en avait fini, songeait-elle, avec toutes les trahisons, les bassesses et les innombrables convoitises qui la torturaient. Elle ne haïssait personne,
70 maintenant ; une confusion de crépuscule s'abattait en sa pensée, et de tous les bruits de la terre, Emma n'entendait plus que l'intermittente lamentation de ce pauvre cœur, douce et indistincte, comme le dernier écho d'une symphonie qui s'éloigne.

Madame Bovary, III, 8.

ÉMILE ZOLA

Sa carrière

Né à Paris en 1840, fils d'un Italien naturalisé, ÉMILE ZOLA fait ses études à Aix-en-Provence, puis à Paris. Employé à la librairie Hachette après un échec au baccalauréat (1859), puis journaliste, il écrit des articles virulents en faveur de Manet (*Mes Haines*, 1866).

Thérèse Raquin (1867) manifeste déjà les théories naturalistes que Zola exposera dix ans plus tard. A partir de 1871, il publie, à la cadence d'un roman par an, les vingt volumes des *Rougon-Macquart, histoire naturelle et sociale d'une famille sous le Second Empire*. C'est à partir du septième volume, *L'Assommoir* (1877) que le succès, dû au scandale, le rend célèbre. Mais son plus grand triomphe est *Germinal* (1885), alors qu'il a déjà exposé sa doctrine (*Le roman expérimental*, 1880 ; *Les romanciers naturalistes*, 1881).

Conduit au socialisme par ses enquêtes sur le monde du travail, Zola prend violemment parti en faveur de Dreyfus (*J'accuse*, 1898) et doit s'exiler en Angleterre (1898-1899). Il meurt prématurément en 1902 d'une asphyxie accidentelle.

Zola romancier

Le *roman naturaliste* s'appuie sur une connaissance objective et détaillée de la réalité. Mais il veut être aussi une étude scientifique des *conditions physiologiques et sociales* qui *déterminent* l'homme. Pour faire vivre les nombreux personnages des Rougon-Macquart, Zola nous entraîne dans tous les milieux, en peintre admirable de la *société contemporaine*. Comme ses personnages partis du peuple « s'irradient dans *toute la société contemporaine* », le romancier nous présente tour à tour une petite ville de Provence (*La Fortune des Rougon*, 1871), le monde de la finance (*La Curée*, 1872 ; *L'Argent*, 1891), les Halles (*Le Ventre de Paris*, 1873), les milieux ecclésiastiques (*La Conquête de Plassans ; La Faute de l'abbé Mouret*, 1875), les politiciens (*Son Excellence Eugène Rougon*, 1876), les ouvriers parisiens (*L'Assommoir*, 1877), le monde des viveurs (*Nana*, 1880), les bourgeois (*Pot-Bouille*, 1882), les grands magasins (*Au bonheur des dames*, 1883), les mineurs (*Germinal*, 1885), les artistes (*L'Œuvre*, 1886), les paysans (*La Terre*, 1887), les brodeuses (*Le Rêve*, 1888), les chemins de fer (*La Bête humaine*, 1890), la guerre (*La Débâcle*, 1892), le médecin hanté par les lois de l'hérédité (*Le docteur Pascal*, 1893). C'est bien « *l'histoire naturelle et sociale d'une famille sous le Second Empire* ».

La psychologie des personnages de Zola est généralement courte, sauf lorsqu'il s'agit d'êtres simples, aux sentiments élémentaires. Mais son *tempérament épique* l'emporte bien au-delà de la rigueur scientifique, et donne une vie puissante aux foules, à la nature, aux objets mêmes, l'apparentant à Hugo par un véritable *souffle romantique*. Il donne ainsi sa pleine signification à sa fameuse définition de l'art : « *un coin de la création vu à travers un tempérament* ».

L'Assommoir

Dans la *Préface* de ce roman tant attaqué pour son sujet et pour son style, ZOLA explique ses intentions : « J'ai voulu peindre *la déchéance fatale d'une famille ouvrière, dans le milieu empesté de nos faubourgs*. Au bout de l'ivrognerie et de la fainéantise, il y a le relâchement des liens *de la famille*, les ordures de la promiscuité, l'oubli progressif des sentiments honnêtes, puis comme dénoûment la honte et la mort. C'est *de la morale en action*, simplement ».

« La forme seule a effaré. On s'est fâché contre les mots. Mon crime est d'avoir eu la curiosité littéraire de ramasser et de couler dans un moule très travaillé *la langue du peuple*. Ah ! la forme, là est le grand crime ! Des dictionnaires de cette langue existent pourtant, des lettrés l'étudient et jouissent de sa verdeur, de l'imprévu et de la force de ses images. Elle est un régal pour les grammairiens fureteurs ».

« *C'est une œuvre de vérité, le premier roman sur le peuple, qui ne mente pas et qui ait l'odeur du peuple*. Et il ne faut point conclure que le peuple tout entier est mauvais, car mes personnages ne sont pas mauvais, ils ne sont qu'ignorants et gâtés par le milieu de rude besogne et de misère où ils vivent ».

RENCONTRE DE COUPEAU ET DE GERVAISE

Après un chapitre fort sombre où GERVAISE MACQUART, abandonnée avec ses deux enfants, attend en vain le retour de l'ouvrier tanneur Auguste Lantier, cette rencontre est comme un rayon de soleil. La vie paraît commencer ce jour-là pour GERVAISE et COUPEAU, et le rêve sympathique de la jeune femme semble à portée de leurs mains. Mais la rencontre se fait au *cabaret*, et l'*alambic* du père Colombe surveille déjà ses victimes.

Vers onze heures et demie, un jour de beau soleil, Gervaise et Coupeau, l'ouvrier zingueur, mangeaient ensemble une prune[1], à l'Assommoir[2] du père Colombe. Coupeau, qui fumait une cigarette sur le trottoir, l'avait forcée à entrer comme elle traversait la rue, revenant de porter du linge ; et son grand panier carré de blanchisseuse était par terre, près d'elle, derrière la petite table de zinc...

« Oh ! c'est vilain de boire[3] ! » dit-elle à demi-voix. Et elle raconta qu'autrefois, avec sa mère, elle buvait de l'anisette, à Plassans[4]. Mais elle avait failli en mourir un jour, et ça l'avait dégoûtée ; elle ne pouvait plus
10 voir les liqueurs : « Tenez, ajouta-t-elle en montrant son verre, j'ai mangé ma prune ; seulement, je laisserai la sauce[5], parce que ça me ferait du mal. »

Coupeau, lui aussi, ne comprenait pas qu'on pût avaler de pleins verres d'eau-de-vie. Une prune par-ci par-là, ça n'était pas mauvais. Quant au vitriol[6], à l'absinthe et aux autres cochonneries, bonsoir ! il n'en fallait pas. Les camarades avaient beau le blaguer, il restait à la porte, lorsque ces cheulards-là[7] entraient à la mine à poivre[8]. Le papa Coupeau, qui était zingueur comme lui, s'était écrabouillé la tête sur le pavé de la rue Coquenard, en tombant, un jour de ribotte[9], de la gouttière du n° 25 ;
20 et ce souvenir, dans la famille, les rendait tous sages. Lui, lorsqu'il passait rue Coquenard et qu'il voyait la place, il aurait plutôt bu l'eau du ruisseau que d'avaler un canon[10] gratis chez le marchand de vin. Il conclut par cette phrase : « Dans notre métier, il faut des jambes solides. »

Gervaise avait repris son panier. Elle ne se levait pourtant pas, le tenait sur ses genoux, les regards perdus, rêvant, comme si les paroles du jeune ouvrier éveillaient en elle des pensées lointaines d'existence. Et elle dit

---

— 1 Prune macérée dans de l'eau-de-vie. — 2 Nom d'un cabaret proche des abattoirs de Belleville, devenu, par une atroce ironie, le nom de tous les cabarets. — 3 Cette réflexion est inspirée à Gervaise par la vue de quelques camarades de Coupeau, déjà égarés par l'ivresse. — 4 Ville imaginaire de Provence, berceau des Rougon et des Macquart. — 5 L'eau-de-vie (cf. n. 1). — 6 L'alcool. — 7 Buveurs. — 8 Au *cabaret*. — 9 Ivresse. — 10 Un canon : *un verre*

encore, lentement, sans transition apparente : « Mon Dieu ! je ne suis
pas ambitieuse, je ne demande pas grand-chose... Mon idéal, ce serait
de travailler tranquille, de manger toujours du pain, d'avoir un trou un
peu propre pour dormir, vous savez, un lit, une table et deux chaises,
pas davantage... Ah ! je voudrais aussi élever mes enfants, en faire de bons
sujets, si c'était possible... Il y a encore un idéal, ce serait de ne pas être
battue, si je me remettais jamais en ménage ; non, ça ne me plairait pas
d'être battue... Et c'est tout, vous voyez, c'est tout ».

Elle cherchait, interrogeait ses désirs, ne trouvait plus rien de sérieux
qui la tentât. Cependant, elle reprit, après avoir hésité : « Oui, on peut
à la fin avoir le désir de mourir dans son lit... Moi, après avoir bien trimé [11]
toute ma vie, je mourrais volontiers dans mon lit, chez moi. »

Et elle se leva. Coupeau, qui approuvait vivement ses souhaits, était
déjà debout, s'inquiétant de l'heure. Mais ils ne sortirent pas tout de
suite ; elle eut la curiosité d'aller regarder, au fond, derrière la barrière de
chêne, le grand alambic de cuivre rouge, qui fonctionnait sous le vitrage
clair de la petite cour ; et le zingueur, qui l'avait suivi, lui expliqua
comment ça marchait, indiquant du doigt les différentes pièces de
l'appareil, montrant l'énorme cornue d'où tombait un filet limpide
d'alcool. L'alambic, avec ses récipients de forme étrange, ses enroule-
ments sans fin de tuyaux, gardait une mine sombre ; pas une fumée ne
s'échappait ; à peine entendait-on un souffle intérieur, un ronflement
souterrain ; c'était comme une besogne de nuit faite en plein jour, par
un travailleur morne, puissant et muet. Cependant, Mes-Bottes [12],
accompagné de ses deux camarades, était venu s'accouder sur la barrière,
en attendant qu'un coin du comptoir fût libre. Il avait un rire de poulie
mal graissée, hochant la tête, les yeux attendris, fixés sur la machine à
soûler. Tonnerre de Dieu ! elle était bien gentille ! Il y avait, dans ce gros
bedon de cuivre, de quoi se tenir le gosier au frais pendant huit jours.
Lui, aurait voulu qu'on lui soudât le bout du serpentin entre les dents,
pour sentir le vitriol encore chaud l'emplir, lui descendre jusqu'aux
talons, toujours, toujours, comme un petit ruisseau. Dame ! il ne se
serait plus dérangé, ça aurait joliment remplacé les dés à coudre [13] de ce
roussin [14] de père Colombe ! Et les camarades ricanaient, disaient que cet
animal de Mes-Bottes avait un fichu grelot [15] tout de même. L'alambic,
sourdement, sans une flamme, sans une gaieté dans les reflets éteints de
ses cuivres, continuait, laissait couler sa sueur d'alcool, pareil à une source
lente et entêtée, qui à la longue devait envahir la salle, se répandre sur les
boulevards extérieurs, inonder le trou immense de Paris.

L'Assommoir, Chap. II (Fasquelle, éditeur).

— 11 Travaillé dur. — 12 Sobriquet d'un camarade de Coupeau. — 13 Petits verres, insuffisants. — 14 Les cabaretiers servaient d'indicateurs à la police (en argot « *la rousse* »). — 15 Était un fameux bavard.

Germinal

A la suite d'une grève générale à Anzin et d'une visite faite à cette occasion dans les mines du Nord, ZOLA avait accumulé sur des centaines de fiches ses observations prises sur le vif. Ce fut la matière de *Germinal*, épopée de la Mine, considérée comme son chef-d'œuvre.

Le mécanicien en chômage ÉTIENNE LANTIER, fils de Gervaise Macquart, est engagé aux mines de Montsou. Les mineurs gagnent misérablement leur vie et des conflits les opposent à la Compagnie qui veut leur imposer des conditions plus draconiennes encore. Adepte des idées socialistes, LANTIER les décide à *faire grève* pour affirmer leur résistance. Mais la Compagnie compte sur *la faim* pour les réduire. Le jour vient en effet où les grévistes affamés échappent au contrôle de LANTIER. En une masse furieuse, ils se précipitent vers les mines, détruisent les installations et déferlent jusqu'à la direction pour réclamer du pain (cf. ci-dessous). On envoie des forces de police : *la bagarre aboutit à une fusillade où de nombeux grévistes sont tués*. Vaincus, les mineurs doivent reprendre le travail pour ne pas mourir de faim. Dans la suite du roman, une *catastrophe* provoquée par le nihiliste Souvarine ensevelit des équipes entières, à l'exception de LANTIER qui, rétabli, retourne à Paris, où il va se consacrer à l'émancipation des travailleurs.

« DU PAIN ! DU PAIN !... »

Soulevés par *la faim* et excités par les destructions qu'ils viennent d'opérer, les grévistes affluent vers la demeure de M. Hennebeau, le directeur. Il se trouve que Mme HENNEBEAU et quelques-uns de ses invités, surpris dans leur promenade, ont dû se réfugier dans une grange et observent avec inquiétude cette « vision rouge de la révolution » qui menace leurs « situations acquises ». Page justement célèbre par la *beauté sinistre* de cette misère en révolte, par l'*ampleur épique* du flot humain qui déferle, par le prolongement de la scène dans une *hallucination* prophétique.

L es femmes avaient paru, près d'un millier de femmes, aux cheveux épars dépeignés par la course, aux guenilles montrant la peau nue, des nudités de femelles lasses d'enfanter des meurt-de-faim. Quelques-unes tenaient leur petit entre les bras, le soulevaient, l'agitaient, ainsi qu'un drapeau de deuil et de vengeance. D'autres, plus jeunes, avec des gorges gonflées de guerrières, brandissaient des bâtons ; tandis que les vieilles, affreuses, hurlaient si fort, que les cordes de leurs cous décharnés semblaient se rompre. Et les hommes déboulèrent ensuite, deux mille furieux, des galibots[1], des haveurs[2], des raccommodeurs[3], une masse
10 compacte qui roulait d'un seul bloc, serrée, confondue, au point qu'on ne distinguait ni les culottes déteintes ni les tricots de laine en loques, effacés dans la même uniformité terreuse. Les yeux brûlaient, on voyait seulement les trous des bouches noires, chantant *la Marseillaise*[4], dont les strophes se perdaient en un mugissement confus, accompagné par le claquement des sabots sur la terre dure. Au-dessus des têtes, parmi le hérissement des barres de fer, une hache passa, portée toute droite ; et cette hache unique, qui était comme l'étendard de la bande, avait, dans le ciel clair, le profil aigu d'un couperet de guillotine.

« Quels visages atroces ! » balbutia Mme Hennebeau.

— 1 Manœuvres travaillant au « boisage » des galeries. — 2 Piqueurs, qui entaillent les | galeries. — 3 Ouvriers chargés de l'entretien des voies et des « boisages ». — 4 Cf. *La Marseillaise*, de Rude, à l'Arc de Triomphe.

20   Négrel [5] dit entre ses dents : « Le diable m'emporte si j'en reconnais un seul ! D'où sortent-ils donc, ces bandits-là ? »

Et, en effet, la colère, la faim, ces deux mois de souffrances et cette débandade enragée au travers des fosses, avaient allongé en mâchoires de bêtes fauves les faces placides des houilleurs de Montsou. A ce moment, le soleil se couchait, les derniers rayons d'une pourpre sombre ensanglantaient la plaine. Alors, la route sembla charrier du sang, les femmes, les hommes continuaient à galoper, saignants comme des bouchers en pleine tuerie.

« Oh ! superbe ! » dirent à demi-voix Lucie et Jeanne [6], remuées dans

30   leur goût d'artistes par cette belle horreur.

Elles s'effrayaient pourtant, elles reculèrent près de Mme Hennebeau, qui s'était appuyée sur une auge. L'idée qu'il suffisait d'un regard entre les planches de cette porte disjointe, pour qu'on les massacrât, la glaçait. Négrel se sentait blêmir, lui aussi, très brave d'ordinaire [7], saisi là d'une épouvante supérieure à sa volonté, une de ces épouvantes qui soufflent de l'inconnu. Dans le foin, Cécile [8] ne bougeait plus. Et les autres, malgré leur désir de détourner les yeux, ne le pouvaient pas, regardaient quand même.

C'était la vision rouge de la révolution qui les emporterait tous, fata-

40   lement, par une soirée sanglante de cette fin de siècle. Oui, un soir, le peuple lâché, débridé, galoperait ainsi sur les chemins ; et il ruissellerait du sang des bourgeois, il promènerait des têtes, il sèmerait l'or des coffres éventrés. Les femmes hurleraient, les hommes auraient ces mâchoires de loups, ouvertes pour mordre. Oui ; ce seraient les mêmes guenilles, le même tonnerre de gros sabots, la même cohue effroyable, de peau sale, d'haleine empestée, balayant le vieux monde, sous leur poussée débordante de barbares. Des incendies flamberaient, on ne laisserait pas debout une pierre des villes, on retournerait à la vie sauvage dans les bois, après la

50   grande ripaille, où les pauvres, en une nuit, videraient les caves des riches. Il n'y aurait plus rien, plus un sou des fortunes, plus un titre des situations acquises, jusqu'au jour où une nouvelle terre repousserait peut-être. Oui, c'étaient ces choses qui passaient sur la route, comme une force de la nature, et ils en recevaient le vent terrible au visage [9].

Un grand cri s'éleva, domina *la Marseillaise* :

« Du pain ! du pain ! du pain ! »

Germinal, V[e] partie, 5 (Fasquelle, éditeur).

— 5 Ingénieur. — 6 Filles de Deneulin, proprié-taire d'une petite mine, qui essaie en vain de tenir tête à l'avidité des grandes Compagnies. Il devra finalement leur vendre son entreprise et se résigner à la surveiller, à titre d'ingénieur salarié. — 7 Plus tard, au moment de la catas-trophe, l'ingénieur Négrel descendra seul dans le puits pour secourir les mineurs ensevelis. — 8 Fille des Grégoire, actionnaires qui vivent douillettement, grâce au travail des mineurs.

— 9 Lantier aspire à cette révolution violente grâce à laquelle « du sang nouveau ferait la société nouvelle ». Toutefois à la fin du roman, il pense que l'union des travailleurs permettra leur émancipation pacifique : « Il songeait à présent que la violence peut-être ne hâtait pas les choses... Cela valait bien la peine de galoper à trois mille, en une bande dévas-tatrice ! Vaguement, il devinait que la légalité, un jour, pouvait être plus terrible ».

MAUPASSANT

Sa vie, son œuvre   Né en 1850 au château de Miromesnil près de Dieppe, GUY DE MAUPASSANT connaît d'abord auprès de sa mère, à Étretat, la vie heureuse d'un « poulain échappé » ; il y acquiert une connaissance intime de la campagne normande et de ses paysans.

Chassé du séminaire d'Yvetot pour son rationalisme, il finit ses études au lycée de Rouen ; son correspondant, le poète Louis BOUILHET, encourage ses débuts poétiques. Le jeune homme s'engage comme garde mobile en 1870 et assiste à la débâcle, dont il évoquera les scènes dans plusieurs nouvelles. Après 1871, il accepte, pour gagner sa vie, une place de commis dans un ministère : à l'observation de ce milieu de bureaucrates, il joint celle des jeunes snobs, car il est solidement musclé, pratique le canotage et fréquente les « guinguettes » où l'on s'amuse sur les bords de la Seine. C'est entre 1871 et 1880 que se prépare sa carrière : il compose des poèmes (*Le Mur ; Au bord de l'eau*) ; mais surtout il subit l'influence de FLAUBERT, ami d'enfance de sa mère, qui l'entraîne à observer la réalité avec des yeux neufs, lui impose des exercices de style et lui fait des « remarques de pion ». A la même époque, MAUPASSANT est reçu chez ZOLA : une nouvelle, *Boule de Suif*, parue en 1880 dans *Les Soirées de Médan* lui vaut son premier succès et détermine sa vocation de conteur.

De 1880 à 1891, il va publier environ trois cents nouvelles (qui seront réunies en dix-huit volumes) et six romans : *Une vie* (1883), *Bel ami* (1885), *Mont Oriol* (1887), *Pierre et Jean* (1888), *Fort comme la Mort* (1889) et *Notre Cœur* (1890). Le succès lui ouvre les portes de la haute société : ses derniers romans dépeignent la vie mondaine et sont directement inspirés par les tourments infligés à son « pauvre cœur » par ses relations féminines. Devenu riche et propriétaire du yacht *Le Bel-Ami*, il fait des croisières en Méditerranée et rapporte ses impressions de voyage dans *Au Soleil* (1884), *Sur l'eau* (1888), *La Vie errante* (1890).

Très tôt, il avait souffert de névralgies et depuis 1884 son mal s'était progressivement aggravé sous l'effet du surmenage intellectuel, des excès physiques, des paradis artificiels. Des hallucinations visuelles ajoutaient à son angoisse : il avait l'impression de sentir auprès de lui une présence mystérieuse et hostile. Il était hanté par l'idée de la mort et la folie finit par se déclarer en 1891. Après un suicide manqué, il fut interné dans la maison de santé du docteur Blanche où il mourut en 1893 sans avoir retrouvé sa lucidité.

Un conteur   Sa vision du monde est profondément *pessimiste*, mais
réaliste et artiste   *l'accent* de ses contes a évolué et il a fini par réagir contre les excès du naturalisme.

1. L'ÉVOLUTION DU CONTEUR. Ce pessimisme généralisé, MAUPASSANT l'attribue à sa *lucidité d'écrivain* : « Pourquoi donc cette souffrance de vivre ? C'est que je porte en moi cette seconde vue qui est en même temps la force et toute la misère des écrivains. J'écris parce que je comprends et je souffre de tout ce qui est, parce que je le connais trop » *(Sur l'Eau)*. Toutefois, selon le progrès de sa maladie, *sa manière de conteur va subir une évolution*. Ses premiers recueils, *La Maison Tellier* (1881), *Mademoiselle Fifi* (1882), *Les Contes de la Bécasse* (1883) offrent surtout des récits secs, animés d'une verve âpre et sarcastique : on y sent ses intentions polémiques, son désir d'attaquer la religion, les préjugés bourgeois, la déloyauté féminine. Du jour où l'écrivain ressent les atteintes de son mal, son accent devient moins satirique : déjà dans *Une Vie* (roman, 1883), tout en jugeant sévèrement l'existence, il accorde une place à la vertu, à la bonté ; de plus en plus ses nouvelles se nuancent d'émotion, de sympathie pour les petites gens, les vieilles filles incomprises *(Miss Harriett*, 1884), les déshérités de la vie *(Monsieur Parent*, 1885). Sur la fin de sa carrière, une trentaine de nouvelles sont inspirées par l'angoisse, la hantise de l'invisible, l'idée du suicide *(La Peur, Lui ?, Solitude, Le Horla, L'Endormeuse)*.

2. « LA VÉRITÉ CHOISIE ET EXPRESSIVE ». A l'école de Flaubert, Maupassant avait appris à découvrir dans chaque chose « un aspect qui n'ait été vu et dit par personne ». Plus qu'à la trame de ses récits (histoires de chasse, anecdotes gaillardes, farces paysannes, faits divers parisiens), l'intérêt de ses contes tient à la *peinture vraie* des milieux, des mœurs, des types les plus divers, qu'il s'agisse du monde rustique (ci-dessous), des bourgeois ou des employés. La passion de ce qu'il appelait « *l'humble vérité* » l'a conduit à rompre avec l'esthétique naturaliste. Dans la préface de *Pierre et Jean* (1888), il conteste la formule « Toute la vérité » qui conduirait à « énumérer les multitudes d'incidents insignifiants qui emplissent notre existence » ; au contraire, « le réaliste, s'il est un artiste, cherchera non pas à nous montrer la photographie banale de la vie, mais à nous en donner la vision plus complète, plus saisissante, plus probante que la réalité même ». De fait, loin d'étaler une documentation massive, Maupassant se distingue par son sens de la mesure : choisissant les *traits les plus caractéristiques*, il crée, avec une remarquable sobriété et une grande simplicité de style, « la couleur, le ton, l'aspect, le mouvement de la vie même ». Et cette recherche de « *la vérité choisie et expressive* » renoue avec la *tradition classique*.

LA BÊTE A MAÎT' BELHOMME

Voici un des meilleurs *contes rustiques* de Maupassant. Réduite à elle-même l'anecdote serait insignifiante, mais elle sert de prétexte à une *scène de genre* dessinée avec une sobriété de trait particulièrement expressive : le départ de la diligence dans une bourgade normande. L'auteur aime situer son récit dans un *lieu public* : diligence (il l'avait déjà fait pour *Boule de Suif*), chemin de fer, place de marché, auberge ou bureau de ministère ; il peut ainsi tracer en quelques mots la silhouette humoristique de divers *types humains*, toujours très vivants et très naturels.

La diligence du Havre allait quitter Criquetot et tous les voyageurs attendaient l'appel de leur nom dans la cour de l'hôtel du Commerce tenu par Malandain fils. C'était une voiture jaune, montée sur des roues jaunes aussi autrefois, mais rendues presque grises par l'accumulation des boues. Celles de devant étaient toutes petites ; celles de derrière, hautes et frêles, portaient le coffre difforme et enflé comme un ventre de bête. Trois rosses blanches, dont on remarquait, au premier coup d'œil, les têtes énormes et les gros genoux ronds, attelées en arbalète, devaient traîner cette carriole qui avait du monstre dans sa structure et
10 son allure. Les chevaux semblaient endormis déjà devant l'étrange véhicule.

Le cocher, Césaire Horlaville, un petit homme à gros ventre, souple, cependant, par suite de l'habitude constante de grimper sur les roues et d'escalader l'impériale, la face rougie par le grand air des champs, les pluies, les bourrasques et les petits verres, les yeux devenus clignotants sous les coups de vent et de grêle, apparut sur la porte de l'hôtel en s'essuyant la bouche d'un revers de main.

De larges paniers ronds, pleins de volailles effarées, attendaient devant des paysannes immobiles. Césaire Horlaville les prit l'un après l'autre
20 et les posa sur le toit de sa voiture ; puis il y plaça plus doucement ceux qui contenaient des œufs ; il y jeta ensuite, d'en bas, quelques petits sacs de grain, de menus paquets enveloppés de mouchoirs, de bouts de toile

ou de papiers. Puis il ouvrit la porte de derrière et, tirant une liste de sa poche, il lut en appelant :

— Monsieur le curé de Gorgeville.

Le prêtre s'avança, un grand homme puissant, large, gros, violacé et d'air aimable. Il retroussa sa soutane pour lever le pied, comme les femmes retroussent leurs jupes, et grimpa dans la guimbarde.

— L'instituteur de Rollebosc-les-Grinets.

30 L'homme se hâta, long, timide, enredingoté jusqu'aux genoux ; et il disparut à son tour dans la porte ouverte.

— Maît'Poiret, deux places.

Poiret s'en vint, haut et tordu, courbé par la charrue, maigri par l'abstinence, osseux, la peau séchée par l'oubli des lavages. Sa femme le suivait, petite et maigre, pareille à une bique fatiguée, portant à deux mains un immense parapluie vert.

— Maît'Rabot, deux places.

Rabot hésita, étant de nature perplexe. Il demanda : « C'est ben mé qu't'appelles ? » Le cocher, qu'on avait surnommé « dégourdi », allait 40 répondre une facétie, quand Rabot piqua une tête vers la portière, lancé en avant par une poussée de sa femme, une gaillarde haute et carrée dont le ventre était vaste et rond comme une futaille, les mains larges comme des battoirs. Et Rabot fila dans la voiture, à la façon d'un rat qui rentre dans son trou.

— Maît'Ganiveau.

Un gros paysan, plus lourd qu'un bœuf, fit plier les ressorts et s'engouffra à son tour dans l'intérieur du coffre jaune.

— Maît'Belhomme.

Belhomme, un grand maigre, s'approcha, le cou de travers, la face 50 dolente, un mouchoir appliqué sur l'oreille comme s'il souffrait d'un fort mal de dents.

Tous portaient la blouse bleue par-dessus de singulières vestes de drap noir ou verdâtre, vêtements de cérémonie qu'ils découvraient dans les rues du Havre, et leurs chefs étaient coiffés de casquettes de soie, hautes comme des tours, suprême élégance dans la campagne normande. Césaire Horlaville referma la portière de sa boîte, puis monta sur son siège et fit claquer son fouet...

Soudain Maît'Belhomme qui tenait toujours son mouchoir sur son oreille se mit à gémir d'une façon lamentable. Il faisait « gniau... gniau... 60 gniau », en tapant du pied pour exprimer son affreuse souffrance.

— Vous avez donc bien mal aux dents ? demanda le curé.

Le paysan cessa un instant de geindre pour répondre : « Non point, m'sieu le curé... c'est point des dents... c'est de l'oreille, du fond de l'oreille... — Qu'est-ce que vous avez donc dans l'oreille. Un dépôt ? — J'sais point si c'est un dépôt, mais j'sais ben que c'est une bête, un'grosse bête, qui m'a entré d'dans, vu que j'dormais su l'foin, dans l'grenier.

— Un'bête, vous êtes sûr ? — Si j'en suis sûr ? comme du Paradis, m'sieu le curé, vu qu'a m'grignote l'fond de l'oreille. A m'mange la tête, pour sûr ! a m'mange la tête. Oh ! gniau... gniau... gniau... » Et il se remit à
70 taper du pied.

Un grand intérêt s'était éveillé dans l'assistance. Chacun donnait son avis. Poiret voulait que ce fût une araignée, l'instituteur que ce fût une chenille. Il avait vu ça une fois déjà à Capemuret, dans l'Orne, où il était resté six ans ; même la chenille était entrée dans la tête et sortie par le nez. Mais l'homme était demeuré sourd de cette oreille-là, puisqu'il avait le tympan crevé.

— C'est plutôt un ver, déclara le curé.

Maît'Belhomme, la tête renversée de côté et appuyée contre la portière, car il était monté le dernier, gémissait toujours.
80 — Oh ! gniau... gniau... gniau... j'croirais ben qu'c'est eune frémi, eune grosse frémi, tant qu'a mord... T'nez, m'sieu le curé, a galope... a galope... Oh ! gniau... gniau... gniau... qué misère !...

— T'as point vu le médecin ? demanda Ganiveau.

— Pour sûr non.

— D'où vient ça ?

La peur du médecin sembla guérir Belhomme.

Albin Michel, éditeur.

Le médecin ? Maît'Belhomme n'a pas de sous pour « ces fainéants-là », qui viennent « eune fois, deux fois, trois fois, quat'fois, cinq fois » et vous demandent « deusse écus pour sûr » ! Pour le délivrer de son supplice, on arrête la diligence dans une auberge et on entreprend de noyer la « bête ». On emplit l'oreille du patient avec de l'eau mêlée de vinaigre et on le retourne « tout d'une pièce » sur une cuvette. Enfin on aperçoit une bestiole qui s'agite au fond de la cuvette. Maît'Belhomme la contemple gravement, puis « Il grogna : Te voilà, charogne ! et cracha dessus ».

LA PEUR

MAUPASSANT est un des maîtres du *conte fantastique* et son art rappelle celui d'Edgar Poe. Écrites surtout dans ses dernières années, *les nouvelles de la peur et de l'angoisse* sont inspirées par ses troubles nerveux, ses hallucinations, son inquiétude devant le mystère. Les aliénistes les considèrent comme de précieux témoignages sur les progrès de son mal. Ainsi, dans *Le Horla*, obsédé par la présence d'un être invisible dont il devient peu à peu l'esclave, le héros en vient à incendier sa demeure et décide de se tuer. Sans être à proprement parler un récit fantastique, le conte qu'on va lire est un *drame de l'épouvante* : on étudiera comment Maupassant sait nous faire partager l'angoisse de ses personnages et tendre l'émotion jusqu'au dénouement.

C'était l'hiver dernier, dans une forêt du nord-est de la France. La nuit vint deux heures plus tôt, tant le ciel était sombre. J'avais pour guide un paysan qui marchait à mon côté, par un tout petit chemin, sous une voûte de sapins dont le vent déchaîné tirait des hurlements. Entre les cimes, je voyais courir des nuages en déroute, des nuages éperdus qui semblaient fuir devant une épouvante. Parfois, sous une immense rafale, toute la forêt s'inclinait dans le même sens avec un gémissement de souffrance ; et le froid m'envahissait, malgré mon pas rapide et mon lourd vêtement.

10   Nous devions souper chez un garde forestier dont la maison n'était plus éloignée de nous. J'allais là pour chasser.

    Mon guide, parfois, levait les yeux et murmurait : « Triste temps ! » Puis il me parla des gens chez qui nous arrivions. Le père avait tué un braconnier deux ans auparavant, et, depuis ce jour, il semblait sombre, comme hanté d'un souvenir. Ses deux fils, mariés, vivaient avec lui.

    Les ténèbres étaient profondes. Je ne voyais rien devant moi, ni autour de moi, et toute la branchure des arbres entrechoqués emplissait la nuit d'une rumeur incessante. Enfin, j'aperçus une lumière, et bientôt mon compagnon heurtait une porte. Des cris aigus de femmes nous répondirent.
20 Puis, une voix d'homme, une voix étranglée, demanda : « Qui va là ? » Mon guide se nomma. Nous entrâmes. Ce fut un inoubliable tableau.

    Un vieux homme à cheveux blancs, à l'œil fou, le fusil chargé dans la main, nous attendait debout au milieu de la cuisine, tandis que deux grands gaillards, armés de haches, gardaient la porte. Je distinguai dans les coins sombres deux femmes à genoux, le visage caché contre le mur.

    On s'expliqua. Le vieux remit son arme contre le mur et ordonna de préparer ma chambre ; puis comme les femmes ne bougeaient point, il me dit brusquement : « Voyez-vous, monsieur, j'ai tué un homme, voilà deux ans, cette nuit. L'autre année, il est venu m'appeler. Je l'attends 30 encore ce soir ».

    Puis il ajouta d'un ton qui me fit sourire : « Aussi nous ne sommes pas tranquilles ». Je le rassurai comme je pus, heureux d'être venu justement ce soir-là, et d'assister au spectacle de cette terreur superstitieuse. Je racontai des histoires, et je parvins à calmer à peu près tout le monde.

    Près du foyer, un vieux chien, presque aveugle et moustachu, un de ces chiens qui ressemblent à des gens qu'on connaît, dormait le nez dans ses pattes.

    Au-dehors, la tempête acharnée battait la petite maison, et, par un étroit carreau, une sorte de judas placé près de la porte, je voyais soudain 40 tout un fouillis d'arbres bousculés par le vent à la lueur de grands éclairs.

    Malgré mes efforts, je sentais bien qu'une terreur profonde tenait ces gens, et chaque fois que je cessais de parler, toutes les oreilles écoutaient au loin. Las d'assister à ces craintes imbéciles, j'allais demander à me coucher, quand le vieux garde tout à coup fit un bond de sa chaise, saisit son fusil, en bégayant d'une voix égarée : « Le voilà ! le voilà ! Je l'entends ! » Les deux femmes retombèrent à genoux dans leurs coins en se cachant le visage ; et les fils reprirent leurs haches. J'allais tenter encore de les apaiser, quand le chien endormi s'éveilla brusquement et, levant sa tête, tendant le cou, regardant vers le feu de son œil presque

50 éteint, il poussa un de ces lugubres hurlements qui font tressaillir les
voyageurs, le soir, dans la campagne. Tous les yeux se portèrent sur lui,
il restait maintenant immobile, dressé sur ses pattes comme hanté d'une
vision, et il se remit à hurler vers quelque chose d'invisible, d'inconnu,
d'affreux sans doute, car tout son poil se hérissait. Le garde, livide,
cria : « Il le sent ! il le sent ! il était là quand je l'ai tué. » Et les deux
femmes égarées se mirent, toutes les deux, à hurler avec le chien.

Malgré moi, un grand frisson me courut entre les épaules. Cette vision
de l'animal dans ce lieu, à cette heure, au milieu de ces gens éperdus, était
effrayante à voir.

60 Alors, pendant une heure, le chien hurla sans bouger ; il hurla comme
dans l'angoisse d'un rêve ; et la peur, l'épouvantable peur entrait en
moi ; la peur de quoi ? Le sais-je ? C'était la peur, voilà tout.

Nous restions immobiles, livides, dans l'attente d'un événement affreux,
l'oreille tendue, le cœur battant, bouleversés au moindre bruit. Et le chien
se mit à tourner autour de la pièce, en sentant les murs et gémissant
toujours. Cette bête nous rendait fous ! Alors, le paysan qui m'avait
amené se jeta sur elle, dans une sorte de paroxysme de terreur furieuse,
et, ouvrant une porte donnant sur une petite cour, jeta l'animal dehors.

Il se tut aussitôt ; et nous restâmes plongés dans un silence plus terrifiant
70 encore. Et soudain tous ensemble, nous eûmes une sorte de sursaut :
un être glissait contre le mur du dehors vers la forêt ; puis il passa contre
la porte, qu'il sembla tâter, d'une main hésitante ; puis on n'entendit
plus rien pendant deux minutes qui firent de nous des insensés ; puis
il revint, frôlant toujours la muraille ; et il gratta légèrement, comme
ferait un enfant avec son ongle ; puis soudain une tête apparut contre
la vitre du judas, une tête blanche avec des yeux lumineux comme ceux
des fauves. Et un son sortit de sa bouche, un son indistinct, un murmure
plaintif.

Alors un bruit formidable éclata dans la cuisine. Le vieux garde avait
80 tiré. Et aussitôt les fils se précipitèrent, bouchèrent le judas en dressant
la grande table qu'ils assujettirent avec le buffet.

Et je vous jure qu'au fracas du coup de fusil que je n'attendais point,
j'eus une telle angoisse du cœur, de l'âme et du corps, que je me sentis
défaillir, prêt à mourir de peur.

Nous restâmes là jusqu'à l'aurore, incapables de bouger, de dire un
mot, crispés dans un affolement indicible.

On n'osa débarricader la sortie qu'en apercevant, par la fente d'un
auvent, un mince rayon de jour.

Au pied du mur, contre la porte, le vieux chien gisait, la gueule brisée
90 d'une balle.

Il était sorti de la cour en creusant un trou sous une palissade.

Albin Michel, éditeur.

VERLAINE

Sa vie, son œuvre   PAUL VERLAINE, né à Metz en 1844, garde la nostalgie
d'une enfance candide et rêveuse. Après des études à
Paris au Lycée Bonaparte (aujourd'hui Condorcet), il passe le baccalauréat en 1862 et
obtient un emploi peu absorbant à l'Hôtel de Ville de Paris.

Fréquentant les cafés littéraires, il apporte, en 1866, sa contribution au *Parnasse
Contemporain* et publie la même année les *Poèmes Saturniens* où se révèlent, en dépit
d'une profession de foi parnassienne, des tendances personnelles : sensibilité inquiète,
sensualité, musicalité suggestive. Mais bientôt, sous l'effet de l'alcool, Verlaine est victime
de crises de fureur insensée : en 1869, il brutalise sa mère au cours de scènes affreuses.
L'art des *Fêtes Galantes* trahit le besoin et le regret de sentiments simples et purs.

Illuminé, cette même année 1869, par la rencontre d'une jeune fille de seize ans,
MATHILDE MAUTÉ, Verlaine chante son amour dans la *Bonne Chanson* (1870). Mais le
mariage, célébré en août 1870, n'empêche pas Verlaine de se remettre à boire, pendant
le siège de Paris, puis d'abandonner sa femme pour mener avec RIMBAUD, en Angleterre
et en Belgique, une existence vagabonde qui se termine par un drame en juillet 1873,
Verlaine blessant légèrement son ami d'une balle de revolver. Condamné à deux ans
de prison, Verlaine apprend que sa femme a obtenu contre lui un jugement de séparation
(mai 1874). La douleur qu'il éprouve alors le ramène à la religion : les poèmes de *Sagesse*
en gardent le témoignage (1881).

Après sa libération, Verlaine est peu à peu repris par ses vices et il meurt misérablement
en janvier 1896, après s'être résigné à partager sa vie et sa poésie même entre ses aspirations
mystiques et sa sensualité.

La poésie de Verlaine   VERLAINE nous fait sentir ce qu'il éprouve en recourant
à de constantes *transpositions* qui traduisent les sentiments
en termes d'impressions ou de sensations. Mais c'est surtout par la *musique des vers*
que s'exerce ce pouvoir de suggestion. Le poète utilise le vers impair (cf. *Art Poétique*),
étrange et léger ; il anime l'alexandrin lui-même par un rythme ternaire, plus doux que
les quatre accents traditionnels ; il recherche la musicalité en assouplissant la rime et
même la syntaxe.

CLAIR DE LUNE

VERLAINE s'inspire des peintres de FÊTES GALANTES du XVIIIᵉ siècle, de Watteau en
particulier, et ses *transpositions musicales* révèlent à la fois la subtilité de son art et les
tendances profondes de son tempérament. Une inquiétude indéfinissable, apparemment
sans cause, rôde sous ces ombrages ; ces êtres aimables et comblés *n'ont pas l'air de croire
à leur bonheur.* Nous n'entendons d'abord que des *dissonances* à peine perceptibles,
mais à la fin du recueil un *crescendo* savamment ménagé laissera paraître l'*angoisse* et le
désespoir. — *Clair de lune* a été mis en musique par Gabriel Fauré et Claude Debussy.

> Votre âme est un paysage choisi
> Que vont charmant [1] masques et bergamasques [2],
> Jouant du luth, et dansant, et quasi
> Tristes sous leurs déguisements fantasques.

— 1 Forme progressive (empruntée à la | Bergame, en Italie ; le mot désigne aussi
langue du XVIᵉ siècle). — 2 Habitants de | d'anciens airs de danse (cf. vers 3).

Tout en chantant sur le mode mineur
L'amour vainqueur et la vie opportune,
Ils n'ont pas l'air de croire à leur bonheur
Et leur chanson se mêle au clair de lune,

Au calme clair de lune triste et beau,
10   Qui fait rêver les oiseaux dans les arbres
Et sangloter d'extase les jets d'eau,
Les grands jets d'eau sveltes parmi les marbres [3].

Fêtes galantes (Messein, éditeur).

MANDOLINE

Bergers de pastorale et personnages de la comédie italienne évoluent avec grâce dans un décor enchanteur. C'est comme une *griserie délicieuse* qui charme les sens mais ne satisfait point le cœur ; et VERLAINE semble hésiter entre un *dilettantisme raffiné* et on ne sait quelle *secrète nostalgie*.

Les donneurs de sérénades
Et les belles écouteuses
Échangent des propos fades
Sous les ramures chanteuses.

C'est Tircis et c'est Aminte [1],
Et c'est l'éternel Clitandre,
Et c'est Damis qui pour mainte
Cruelle fait maint vers tendre.

Leurs courtes vestes de soie,
Leurs longues robes à queues,
Leur élégance, leur joie
Et leurs molles ombres bleues

Tourbillonnent dans l'extase
D'une lune rose et grise,
Et la mandoline jase
Parmi les frissons de brise.

Fêtes galantes (Messein, éditeur).

ARIETTES OUBLIÉES

Les ROMANCES SANS PAROLES commencent par des *Ariettes oubliées* dont voici la IIIe et la VIIe. *Romances, ariettes*, ces termes révèlent l'aspect *musical* du recueil, également remarquable par un *impressionnisme* hardi, dû pour une part à l'influence de Rimbaud, et qui apparaît en particulier dans les *Paysages belges* (cf. *Charleroi*).

Il pleut doucement sur la ville.
ARTHUR RIMBAUD.

Il pleure dans mon cœur
Comme il pleut sur la ville.
Quelle est cette langueur
Qui pénètre mon cœur ?

O bruit doux de la pluie
Par terre et sur les toits !
Pour un cœur qui s'ennuie,
O le chant de la pluie !

— 3 Cf. Hugo, *La Fête chez Thérèse* (*Contemplations*, I, 22) : « Et troublés comme on l'est en songe, vaguement, | Ils sentaient par degrés se mêler à leur âme, | A leurs discours secrets, à leurs regards de flamme, | A leurs cœurs, à leurs sens, à leur molle raison, | Le clair de lune bleu qui baignait l'horizon. »

— 1 Bergers de pastorale, ainsi que Damis. Clitandre est l'amoureux, dans la comédie italienne.

Il pleure sans raison
Dans ce cœur qui s'écœure.
Quoi ! nulle trahison ?
Ce deuil est sans raison.

C'est bien la pire peine
De ne savoir pourquoi,
Sans amour et sans haine,
Mon cœur a tant de peine.

**

O triste, triste était mon âme
A cause, à cause d'une femme [1],

Je ne me suis pas consolé
Bien que mon cœur s'en soit allé,

Bien que mon cœur, bien que mon âme
Eussent fui loin de cette femme.

Je ne me suis pas consolé,
Bien que mon cœur s'en soit allé.

Et mon cœur, mon cœur trop sensible
Dit à mon âme : Est-il possible,

Est-il possible, — le fût-il, —
Ce fier exil, ce triste exil ?

Mon âme dit à mon cœur : Sais-je
Moi-même, que nous veut ce piège

D'être présents bien qu'exilés,
Encore que loin en allés ?

Romances sans paroles (Messein, éditeur).

CHARLEROI

Parmi les champ et les usines, le train roule à toute allure. Au *rythme haletant et saccadé* de sa course, *un chaos de sensations et d'impressions fulgurantes* « gifle l'œil » et emplit l'oreille du voyageur. Assourdi, étourdi, il éprouve une sorte de vertige. Mais cette *ivresse de sensations brutales* ne peut abolir une *mélodie secrète*, perçue dans les intervalles du fracas, qui unit l'âme et le paysage dans une harmonie mystérieuse et mélancolique (strophes 1 et 7).

Dans l'herbe noire
Les Kobolds [1] vont.
Le vent profond
Pleure, on veut croire [2].

Quoi donc se sent [3] ?
L'avoine siffle.
Une buisson gifle
L'œil au passant.

Plutôt des bouges
Que des maisons.
Quels horizons
De forges rouges [4] !

On sent donc quoi ?
Des gares tonnent,
Les yeux s'étonnent,
Où Charleroi [5] ?

10

— 1 La femme du poète.

— 1 Lutins malicieux des légendes germaniques. — 2 Verlaine aime cette expression ; cf. « D'une douleur *on veut croire* orpheline... D'une agonie *on veut croire* câline » (*Sagesse*, III, 9). — 3 Pour rendre l'interrogation plus vivante, Verlaine s'écarte volontiers des usages de la langue littéraire ; cf. v. 13, 19. — 4 Charleroi est un centre d'industrie minière et métallurgique. — 5 Tour elliptique.

Parfums sinistres !	Sites brutaux !
Qu'est-ce que c'est ?	Oh ! votre haleine,
Quoi bruissait	Sueur humaine,
20 Comme des sistres [6] ?	Cris des métaux !

> Dans l'herbe noire
> Les Kobolds vont.
> Le vent profond
> Pleure, on veut croire.

Romances sans paroles (Messein, éditeur).

ART POÉTIQUE

Composé dès 1874, l'*Art poétique* fut considéré comme un *manifeste symboliste* lorsqu'il parut dix ans plus tard dans *Jadis et Naguère*. Toujours soucieux de rester indépendant, VERLAINE en minimisa l'importance, déclarant que ce n'était « qu'une chanson après tout ». En réalité, s'il ne prétendait pas faire école, il avait remarquablement défini sa conception personnelle de la poésie. On notera en particulier le rôle attribué au *vers impair*, l'*horreur de la rhétorique* et la réaction contre les acrobaties de Banville (v. 22-28).

A Charles Morice [1].

> De la musique avant toute chose,
> Et pour cela préfère l'Impair,
> Plus vague et plus soluble dans l'air,
> Sans rien en lui qui pèse ou qui pose.
>
> Il faut aussi que tu n'ailles point
> Choisir tes mots sans quelque méprise :
> Rien de plus cher que la chanson grise
> Où l'Indécis au Précis se joint.
>
> C'est des beaux yeux derrière des voiles,
> 10 C'est le grand jour tremblant de midi,
> C'est, par un ciel d'automne attiédi,
> Le bleu fouillis des claires étoiles !
>
> Car nous voulons la Nuance encor,
> Pas la Couleur, rien que la nuance !
> Oh ! la nuance seule fiance
> Le rêve au rêve et la flûte au cor !
>
> Fuis du plus loin la Pointe [2] assassine,
> L'Esprit cruel et le Rire impur,
> Qui font pleurer les yeux de l'Azur [3],
> 20 Et tout cet ail de basse cuisine !

— 6 Instruments de musique de l'ancienne Égypte ; la comparaison évoque quelque *rite mystérieux* (cf. le *fantastique*, v. 2).

— 1 Poète symboliste. — 2 Trait d'esprit, dans les épigrammes, ou à la fin d'autres poèmes. — 3 L'Idéal (cf. Mallarmé).

Prends l'éloquence et tords-lui son cou !
Tu feras bien, en train d'énergie,
De rendre un peu la Rime assagie.
Si l'on n'y veille, elle ira jusqu'où [4] ?

O qui dira les torts de la Rime !
Quel enfant sourd ou quel nègre fou
Nous a forgé ce bijou d'un sou
Qui sonne creux et faux sous la lime ?

De la musique encore et toujours !
30 Que ton vers soit la chose envolée
Qu'on sent qui fuit d'une âme en allée
Vers d'autres cieux à d'autres amours.

Que ton vers soit la bonne aventure
Éparse au vent crispé du matin
Qui va fleurant [5] la menthe et le thym...
Et tout le reste est littérature.

Jadis et Naguère (Messein, éditeur).

LES FAUX BEAUX JOURS...

La conversion n'a pu mettre VERLAINE à l'abri des *tentations*. « Paris, octobre 1875, sur le bord d'une rechute », telle est l'indication donnée par le poète, en marge de ce sonnet, dans un exemplaire annoté de *Sagesse*. Nous sentons son âme encore meurtrie et haletante de la lutte, mais non pas vaincue. La beauté du poème tient surtout à la *splendeur du symbolisme* et à son union étroite avec *l'expression directe des sentiments*.

Les faux beaux jours [1] ont lui tout le jour, ma pauvre âme,
Et les voici briller aux cuivres du couchant.
Ferme les yeux, pauvre âme, et rentre sur-le-champ ;
Une tentation des pires. Fuis l'Infâme [2].

Ils ont lui tout le jour en longs grêlons de flamme,
Battant toute vendange aux collines, couchant
Toute moisson de la vallée, et ravageant
Le ciel tout bleu, le ciel chanteur qui te réclame.

O pâlis, et va-t-en, lente et joignant les mains.
10 Si ces hiers [3] allaient manger nos beaux demains ?
Si la vieille folie était encore en route ?

Ces souvenirs, va-t-il falloir les retuer ?
Un assaut furieux, le suprême sans doute !
O, va prier contre l'orage [4], va prier.

Sagesse, I, 7 (Messein, éditeur).

— 4 Langue populaire (cf. *Charleroi*). — 5 Forme progressive.

— 1 Cette expression symbolique désigne une mauvaise tentation (cf. v. 4). — 2 Le démon tentateur. — 3 Le « *vieil homme* » en lui n'est pas mort (cf. v. 11-12). — 4 Cf. v. 5-8.

ÉCOUTEZ LA CHANSON BIEN DOUCE

Ce poème, composé en 1878, est une *tendre prière* adressée à MATHILDE MAUTÉ pour la persuader de reprendre la vie commune. Si VERLAINE, qui semble un peu oublier la gravité de ses torts, ne put fléchir Mathilde, il nous a laissé un chef-d'œuvre où les *accents de l'âme* trouvent leur expression parfaite dans une *musique* délicate, discrète et prenante. Espoir et tristesse, candeur et habileté, appel pathétique et confidence murmurée, mélodie subtile sous sa simplicité apparente : tels sont les principaux secrets de *l'intimité verlainienne.*

Écoutez la chanson bien douce
Qui ne pleure que pour vous plaire [1].
Elle est discrète, elle est légère :
Un frisson d'eau sur de la mousse !

La voix vous fut connue (et chère ?)
Mais à présent elle est voilée [2]
Comme une veuve [3] désolée,
Pourtant comme elle encore fière,

10 Et dans les longs plis de son voile
Qui palpite aux brises d'automne,
Cache et montre au cœur qui s'étonne
La vérité comme une étoile.

Elle dit, la voix reconnue,
Que la bonté c'est notre vie,

Que de la haine et de l'envie
Rien ne reste, la mort venue.

Elle parle aussi de la gloire
D'être simple sans plus attendre,
Et de noces d'or et du tendre
Bonheur d'une paix sans victoire [4].   20

Accueillez [5] la voix qui persiste
Dans son naïf épithalame [6].
Allez, rien n'est meilleur à l'âme
Que de faire une âme moins triste !

Elle est *en peine* et *de passage*,
L'âme qui souffre sans colère,
Et comme sa morale est claire !...
Écoutez la chanson bien sage [7].

Sagesse, I, 16 (Messein, éditeur).

JE NE SAIS POURQUOI...

VERLAINE est en prison ; il évoque le paysage marin qu'il contemplait naguère durant les traversées de Belgique en Angleterre, et voici que le vol de la mouette lui paraît figurer le rythme de sa propre destinée, et le cri de l'oiseau sa propre détresse. Cette pièce offre un exemple remarquable du *symbolisme* verlainien et illustre, par une *combinaison unique de vers impairs,* le pouvoir *évocateur* de ces rythmes chers au poète.

Je ne sais pourquoi
Mon esprit amer [1]
D'une aile inquiète et folle vole sur la mer [2].
Tout ce qui m'est cher,
D'une aile d'effroi
Mon amour le couve au ras des flots. Pourquoi, pourquoi ?

— 1 Pour l'allitération, cf. *Il pleure dans mon cœur*, v. 1-2 (p. 612). — 2 Le poète renouvelle l'expression « une voix *voilée* ». — 3 Allusion à la situation de Verlaine. — 4 La *réconciliation* serait cette *paix sans victoire.* — 5 Noter la

différence avec *Écoutez* (v. 1). — 6 Chant célébrant un mariage. — 7 Cf. le vers 1.

— 1 Ce mot est comme la charnière du symbole (de la détresse morale au paysage marin). — 2 Le vers dessine le vol de l'oiseau.

Mouette à l'essor mélancolique,
Elle suit la vague, ma pensée,
A tous les vents du ciel balancée,
10 Et biaisant quand la marée oblique,
Mouette à l'essor mélancolique.

Ivre de soleil
Et de liberté [3],
Un instinct la guide à travers cette immensité.
La brise d'été
Sur le flot vermeil [4]
Doucement la porte en un tiède demi-sommeil.

Parfois si tristement elle crie
Qu'elle alarme au lointain le pilote,
20 Puis au gré du vent se livre et flotte
Et plonge, et l'aile toute meurtrie
Revole [5], et puis si tristement crie !

Je ne sais pourquoi
Mon esprit amer
D'une aile inquiète et folle vole sur la mer.
Tout ce qui m'est cher,
D'une aile d'effroi
Mon amour le couve au ras des flots. Pourquoi, pourquoi ?

Sagesse, III, 7 (Messein, éditeur).

LE CIEL EST PAR-DESSUS LE TOIT...

Ce poème est daté de Bruxelles, prison des Petits-Carmes, septembre 1873. Antérieur à la conversion, il nous permet d'imaginer quel fut *l'itinéraire spirituel* de VERLAINE. On ne sait qu'admirer davantage, de *l'intensité du sentiment* ou de *la fraîcheur de l'art*. La pièce a été souvent mise en musique (Gabriel Fauré, Reynaldo Hahn, etc.).

Le ciel est, par-dessus le toit,
    Si bleu, si calme !
Un arbre, par-dessus le toit,
    Berce sa palme.

La cloche, dans le ciel qu'on voit
    Doucement tinte.
Un oiseau sur l'arbre qu'on voit
    Chante sa plainte.

Mon Dieu, mon Dieu, la vie est là,
    Simple et tranquille.
Cette paisible rumeur-là
    Vient de la ville.

— Qu'as-tu fait, ô toi que voilà
    Pleurant sans cesse,
Dis, qu'as-tu fait, toi que voilà,
    De ta jeunesse [6] ?

Sagesse, III, 6 (Messein, éditeur).

— 3 Verlaine est en prison. — 4 Éclatant. — 5 Noter la valeur évocatrice des rejets (cf. le rythme des v. 7-11). — 6 Cf. Villon, p. 100.

RIMBAUD

Sa carrière

Né à Charleville en 1854, ARTHUR RIMBAUD est élevé sévèrement par sa mère. Il fait de brillantes études au collège municipal malgré un caractère difficile, et bientôt, il est en révolte ouverte contre la famille, les convenances, la morale et la religion. Ses essais poétiques sont encouragés par son professeur de rhétorique, Georges IZAMBARD. Mais la guerre de 1870 stimule son goût de l'aventure. Il gagne Paris au lieu de passer son baccalauréat ; ramené à Charleville, il apprend avec joie l'insurrection de la Commune et s'indigne de la répression.

VERLAINE, à qui il a envoyé des poèmes, l'invite à Paris, et les deux hommes quittent la capitale en juillet 1872 pour mener, en Belgique et en Angleterre, une existence errante qui inspire à Verlaine ses *Romances sans paroles* et à Rimbaud certaines de ses *Illuminations*. Le 10 juillet 1873, à Bruxelles, Verlaine blesse son ami d'une balle de revolver. Seul désormais, Rimbaud mène une vie complètement en marge de la morale et de la société, à la recherche des sensations, des hallucinations, et d'un langage poétique nouveau pour les traduire. C'est l'aventure du « *voyant* » (cf. lettre à Paul Demeny).

Le Bateau Ivre, en 1871, décrit de façon symbolique l'expérience dont il rêve. L'année suivante, Rimbaud crée le vers libre que les symbolistes redécouvriront une douzaine d'années plus tard. *Une Saison en Enfer*, en 1873, exprime les remords du poète et traduit ses adieux à la poésie. Mais la plupart des poèmes en prose des *Illuminations* datent de 1874-1875 et marquent la dernière étape de son évolution poétique.

Après 1875, Rimbaud cesse d'écrire et mène une vie aventureuse en Afrique Orientale, avant de revenir mourir à Marseille, d'une tumeur au genou, en septembre 1891.

Sa révolution poétique

A la recherche du nouveau pour arriver à l'inconnu, le poète choisit l'enfer spirituel de l'hallucination délibérément cultivée. « Je dis qu'il faut être voyant, se faire voyant. — Le Poète se fait voyant par un long, immense et raisonné dérèglement de tous les sens. Toutes les formes d'amour, de souffrance, de folie ; il cherche lui-même, il épuise en lui tous les poisons, pour n'en garder que les quintessences » (*Lettre à Paul Demeny*, 15 mai 1871). Il s'agit d'une véritable quête mystique, comme l'a vu Claudel, en ce sens qu'elle dépasse la « littérature » pour viser l'absolu. Pour « fixer les vertiges », les visions qui l'assaillent, RIMBAUD utilise bientôt le vers libre, avant de passer au poème en prose dans les *Illuminations*. Le rythme et les effets de sonorités échappent à l'analyse, mais agissent profondément sur le lecteur par un tourbillon d'impressions et de rêves.

BATEAU IVRE

Ce poème a frappé dès l'abord par son *originalité*, qu'on l'ait estimée géniale ou scandaleuse. Puis on y a décelé peu à peu un grand nombre de *souvenirs littéraires* (Gautier, Hugo, etc.). Il est intéressant de constater que RIMBAUD lui-même n'a pu se passer de cette nourriture, mais cela ne diminue nullement la valeur de *Bateau ivre* et le caractère exceptionnel de ces innovations poétiques. Qu'il puise dans les *rêves d'enfance* ou les *réminiscences de lectures*, le génie de Rimbaud amalgame tous ces éléments, les assimile, les transfigure en leur imprimant sa *marque puissante*.

Comme je descendais des Fleuves impassibles,
Je ne me sentis plus guidé par les haleurs [1] :
Des Peaux-Rouges criards les avaient pris pour cibles,
Les ayant cloués nus aux poteaux de couleurs [2].

— 1 C'est le *Bateau* qui parle, un chaland qui, délaissant les voies fluviales, s'est aventuré sur la mer. — 2 On discerne ici le goût de Rimbaud pour la violence et la façon dont son imagination créatrice utilise ses lectures d'enfant.

J'étais insoucieux de tous les équipages,
Porteur de blés flamands ou de coton anglais.
Quand mes haleurs ont fini ces tapages,
Les Fleuves m'ont laissé descendre où je voulais.

Dans les clapotements furieux des marées,
10 Moi, l'autre hiver, plus sourd que les cerveaux d'enfants [3],
Je courus ! et les Péninsules démarrées [4]
N'ont pas subi tohu-bohus plus triomphants.

La tempête a béni [5] mes éveils maritimes.
Plus léger qu'un bouchon j'ai dansé sur les flots
Qu'on appelle rouleurs éternels de victimes [6],
Dix nuits, sans regretter l'œil niais des falots [7].

Plus douce qu'aux enfants la chair des pommes sures,
L'eau verte pénétra ma coque de sapin
Et des taches de vins bleus et des vomissures
20 Me lava, dispersant gouvernail et grappin [8].

Et dès lors, je me suis baigné dans le poème
De la mer, infusé d'astres et latescent [9],
Dévorant les azurs verts où, flottaison [10] blême
Et ravie, un noyé pensif parfois descend,

Où, teignant tout à coup les bleuités, délires
Et rythmes lents sous les rutilements du jour,
Plus fortes que l'alcool, plus vastes que vos lyres,
Fermentent les rousseurs amères de l'amour !

Je sais les cieux crevant en éclairs, et les trombes,
30 Et les ressacs, et les courants ; je sais le soir,
L'aube exaltée [11] ainsi qu'un peuple de colombes,
Et j'ai vu quelquefois ce que l'homme a cru voir.

— 3 Les enfants savent s'enfermer dans l'univers de leurs jeux et de leurs rêves. — 4 Qui ont rompu leurs amarres ; cf. le mythe grec des Îles flottantes. Les rythmes et les sons de cette strophe suggèrent les *clapotements furieux des marées*. — 5 Comblé. — 6 Allusion à *Oceano Nox*, où Victor Hugo s'écrie, en s'adressant aux marins « sous l'aveugle océan *à jamais* enfouis » : « Vous *roulez* à travers les sombres étendues. » — 7 Les lanternes des ports sont comme des yeux ouverts sur les ténèbres (cf. v. 100). — 8 Il ne peut donc plus gouverner ni aborder. — 9 D'un blanc laiteux. — 10 Emploi de l'abstrait pour le concret. — 11 Emploi de l'abstrait pour le concret : *qui s'élève dans le ciel*. Noter l'importance du v. 32 qui semble annoncer l'aventure du « voyant ».

J'ai vu le soleil bas tâché d'horreurs mystiques,
Illuminant de longs figements violets,
Pareils à des acteurs de drames très antiques,
Les flots roulant au loin leurs frissons de volets [12].

J'ai rêvé la nuit verte aux neiges éblouies,
Baisers montant aux yeux des mers avec lenteurs,
La circulation des sèves inouïes,
40 Et l'éveil jaune et bleu des phosphores chanteurs [13].

J'ai suivi, des mois pleins, pareille aux vacheries
Hystériques, la houle à l'assaut des récifs,
Sans songer que les pieds lumineux des Maries
Pussent forcer le mufle aux Océans poussifs.

J'ai heurté, savez-vous ! d'incroyables Florides
Mêlant aux fleurs des yeux de panthères à peaux
D'hommes, des arcs-en-ciel tendus comme des brides,
Sous l'horizon des mers, à de glauques troupeaux.

J'ai vu fermenter les marais, énormes nasses
50 Où pourrit dans les joncs tout un Léviathan [14],
Des écroulements d'eaux au milieu des bonaces [15],
Et les lointains vers les gouffres cataractant.

Glaciers, soleils d'argent, flots nacreux [16], cieux de braises,
Échouages hideux au fond des golfes bruns
Où les serpents géants dévorés des punaises
Choient des arbres tordus avec des noirs [17] parfums.

J'aurais voulu montrer aux enfants ces dorades
Du flot bleu, ces poissons d'or, ces poissons chantants.
Des écumes de fleurs ont béni mes dérades [18]
60 Et d'ineffables vents m'ont ailé par instants.

Parfois, martyr lassé des pôles et des zones,
La mer dont le sanglot faisait mon roulis doux
Montait vers moi ses fleurs d'ombre aux ventouses jaunes
Et je restais ainsi qu'une femme à genoux,

Presqu'île [19] ballottant sur mes bords les querelles
Et les fientes d'oiseaux clabaudeurs [20] aux yeux blonds ;
Et je voguais, lorsqu'à travers mes liens frêles
Des noyés descendaient dormir à reculons...

— 12 Rimbaud songe aux bandes d'ombre et de lumière dessinées par le soleil donnant sur des persiennes fermées. — 13 Correspondance de sensations. — 14 Monstre biblique, ainsi que *Béhémot* (v. 82). — 15 Accalmies. — 16 Le mot paraît forgé par Rimbaud (sur *nacre*). — 17 Affreux, inquiétants. — 18 Formé sur *dérader :* sortir d'une rade poussé par le vent. — 19 Ile flottante. — 20 Criailleurs.

Or moi, bateau perdu sous les cheveux des anses,
70 Jeté par l'ouragan dans l'éther sans oiseau,
Moi dont les Monitors [21] et les voiliers des Hanses [22]
N'auraient pas repêché la carcasse ivre d'eau,

Libre, fumant, monté de [23] brumes violettes,
Moi qui trouais le ciel rougeoyant comme un mur,
Qui porte, confiture [24] exquise aux bons poètes,
Des lichens de soleil et des morves d'azur,

Qui courais taché de lunules électriques,
Planche folle, escorté des hippocampes noirs,
Quand les Juillets faisaient crouler à coups de triques
80 Les cieux ultramarins [25] aux [26] ardents entonnoirs,

Moi qui tremblais, sentant geindre à cinquante lieues
Le rut des Béhémots et des Maelstroms [27] épais,
Fileur éternel des immobilités bleues,
Je regrette l'Europe aux anciens parapets.

J'ai vu des archipels sidéraux ! et des îles
Dont les cieux délirants sont ouverts au vogueur :
Est-ce en ces nuits sans fond que tu dors et t'exiles,
Million d'oiseaux d'or, ô future Vigueur [28] ?

Mais, vrai, j'ai trop pleuré. Les aubes sont navrantes,
90 Toute lune est atroce et tout soleil amer.
L'âcre amour m'a gonflé de torpeurs enivrantes.
O, que ma quille éclate ! O ! que j'aille à la mer [29] !

Si je désire une eau d'Europe, c'est la flache [30]
Noire et froide où, vers le crépuscule embaumé,
Un enfant accroupi, plein de tristesse, lâche
Un bateau frêle comme un papillon de mai [31].

Je ne puis plus, baigné de vos langueurs, ô lames,
Enlever leur sillage [32] aux porteurs de cotons [33],
Ni traverser l'orgueil des drapeaux et des flammes [34],
100 Ni nager sous les yeux horribles des pontons [35] !

Poésies (Mercure de France, éditeur).

— 21 Vaisseaux garde-côtes. — 22 Ligues de villes maritimes, au Moyen Age. — 23 Par des... (en guise d'équipage). — 24 Régal. — 25 Bleu d'outremer. — 26 Dans les. — 27 Tourbillons. — 28 *La force conquérante et créatrice* : l'épuisement du Bateau rend cette strophe très pathétique. — 29 Que je sombre dans les flots (aspiration à la *mort*). — 30 *Flaque*, en dialecte ardennais. — 31 Quel destin dérisoire ce serait pour le Bateau après sa prodigieuse aventure ! — 32 Suivre de près les navires de commerce. — 33 Cf. v. 6. — 34 Passer parmi les vaisseaux portant le grand pavois. — 35 Naviguer de port en port, comme un caboteur (*ponton* : vieux navire ancré dans un port).

ALCHIMIE DU VERBE

Ce passage d'UNE SAISON EN ENFER expose avec une remarquable clarté *l'expérience surhumaine* tentée par RIMBAUD ; il aide ainsi à pénétrer le secrets des vers de 1872 et des *Illuminations*. La « lettre du voyant » avait défini l'étonnante ambition de Rimbaud : voici comment il a tenté de la réaliser. Quant au poème cité, il permet de saisir le double passage de la chose vue à la *vision* et de la versification classique au *poème en prose*.

A moi. L'histoire d'une de mes folies.

Depuis longtemps, je me vantais de posséder tous les paysages possibles, et trouvais dérisoires les célébrités de la peinture et de la poésie modernes.

J'aimais les peintures idiotes, dessus de porte, décors, toiles de saltim- banques, enseignes, enluminures [1] populaires ; la littérature démodée, latin d'église, livres érotiques sans orthographe, romans de nos aïeules, contes de fées, petits livres de l'enfance, opéras vieux, refrains niais, rythmes naïfs.

Je rêvais croisades, voyages de découvertes dont on n'a pas de relations, républiques sans histoires, guerres de religion étouffées, révolutions de
10 mœurs, déplacement de races et de continents ; je croyais à tous les enchantements.

J'inventai la couleur des voyelles ! — A noir, E blanc, I rouge, O bleu, U vert. — Je réglai la forme et le mouvement de chaque consonne et, avec des rythmes instinctifs, je me flattai d'inventer un verbe poétique accessible, un jour ou l'autre, à tous les sens [2]. Je réservais la traduction.

Ce fut d'abord une étude. J'écrivais des silences, des nuits, je notais l'inexprimable. Je fixais des vertiges.

> Loin des oiseaux, des troupeaux, des villageoises [3],
> Que buvais-je, à genoux dans cette [4] bruyère
20 > Entourée de tendres bois de noisetiers,
> Dans un brouillard d'après-midi tiède et vert ?

> Que pouvais-je boire dans cette jeune Oise,
> — Ormeaux sans voix, gazon sans fleurs, ciel couvert ! —
> Boire à ces gourdes jaunes, loin de ma case
> Chérie ? Quelque liqueur d'or [5] qui fait suer.

> Je faisais une louche [6] enseigne d'auberge.
> — Un orage vint chasser le ciel. Au soir [7]
> L'eau des bois se perdait sur les sables vierges,
> Le vent de Dieu [8] jetait des glaçons aux mares ;

30 > Pleurant, je voyais de l'or, — et ne pus boire [9].

— 1 C'est l'un des sens du titre *Illuminations*. — 2 Cf. les correspondances baudelairiennes. — 3 C'est le poème de 1872 intitulé *Larme*, et publié dans les *Vers nouveaux et Chansons* avec des variantes importantes. — 4 VAR. : *Je buvais accroupi dans quelque...* — 5 VAR. : *Que tirais-je à la gourde de colocase* (plante tropicale) ? | *Quelque liqueur d'or, fade, etc...* — 6 VAR. : *Tel, j'eusse été mauvaise...* — 7 VAR. : *Puis l'orage changea le ciel, jusqu'au soir :* | *Ce furent des pays noirs, des lacs, des perches,* | *Des colonnades sous la nuit bleue, des gares.* — 8 VAR. : *Le vent, du ciel,...* — 9 VAR. : *Or ! tel qu'un pêcheur d'or ou de coquillages,* | *Dire que je n'ai pas eu souci de boire !* Rimbaud cite ensuite un autre poème de 1872 : *Bonne pensée du matin*.

La vieillerie poétique avait une bonne part dans mon alchimie du verbe.

Je m'habituai à l'hallucination simple : je voyais très franchement une mosquée à la place d'une usine, une école de tambours faite par des anges, des calèches sur les routes du ciel, un salon au fond d'un lac ; les monstres, les mystères ; un titre de vaudeville dressait des épouvantes devant moi.

Puis j'expliquai mes sophismes magiques avec l'hallucination des mots !

40   Je finis par trouvé sacré le désordre de mon esprit. J'étais oisif, en proie à une lourde fièvre : j'enviais la félicité des bêtes, — les chenilles qui représentent l'innocence des limbes, les taupes, le sommeil de la virginité !

Mon caractère s'aigrissait. Je disais adieu au monde dans d'espèces de romances.

Une Saison en Enfer (Mercure de France, éditeur).

Une Saison en Enfer *s'achève sur un émouvant* Adieu. *Parvenu au seuil de la démence* (« Je ne sais plus parler »), *usé par des excès de toute sorte, Rimbaud se livre à un douloureux retour sur lui-même. Cet orgueilleux conçoit maintenant le prix de l'humilité, ce révolté aspire à une communion humaine : « J'ai essayé d'inventer de nouvelles fleurs, de nouveaux astres, de nouvelles chairs, de nouvelles langues. J'ai cru acquérir des pouvoirs surnaturels. Eh bien ! je dois enterrer mon imagination et mes souvenirs ! Une belle gloire d'artiste et de conteur emportée ! — Moi ! moi qui me suis dit mage ou ange, dispensé de toute morale, je suis rendu au sol, avec un devoir à chercher et la vérité rugueuse à étreindre ! Paysan ! — Suis-je trompé ? la charité serait-elle la sœur de la mort pour moi ? — Enfin je demanderai pardon pour m'être nourri de mensonge. Et allons. — Mais pas une main amie ! et où puiser le secours ? »*

Illuminations

Le sous-titre prévu par Rimbaud *(Painted plates)* prouve qu'il entendait le mot *Illuminations* dans son sens anglais *d'enluminures*. Mais ces poèmes en prose, d'ordinaire très courts, sont bien aussi des *visions hallucinées* : « J'ai seul la clef de cette parade sauvage » *(Parade)*. Tel est justement le danger : ces visions de Rimbaud risquent de nous demeurer étrangères. Pourtant, la première impression de stupeur une fois dissipée, nous découvrons que cet univers poétique ne nous est pas inaccessible, et nous goûtons la saveur charnelle de ces évocations étranges ou la légèreté aérienne de ce verset qui défie toute pesanteur : « J'ai tendu des cordes de clocher en clocher ; des guirlandes de fenêtre à fenêtre ; des chaînes d'or d'étoile à étoile, et je danse » *(Phrases)*.

MYSTIQUE

Mystique est « la vision d'un homme couché, qui regarde le paysage en renversant la tête » (A. Thibaudet) : pour « *se faire voyant* », Rimbaud pratique ici « *l'hallucination simple* » (cf. ci-dessus, l. 32-34) ; on notera en particulier la fusion des sensations auditives et visuelles.

Sur la pente du talus, les anges tournent leurs robes de laine dans les herbages d'acier et d'émeraude.

Des prés de flammes [1] bondissent jusqu'au sommet du mamelon. A gauche, le terreau de l'arête est piétiné par tous les homicides et toutes les batailles, et tous les bruits désastreux filent leur courbe. Derrière l'arête de droite, la ligne des orients, des progrès.

Et, tandis que la bande, en haut du tableau [2], est formée de la rumeur tournante et bondissante des conques des mers et des nuits humaines.

La douceur fleurie des étoiles, et du ciel, et du reste descend en face du talus, comme un panier, contre notre face, et fait l'abîme fleurant et bleu là-dessous [3].

10

AUBE

« C'est simplement une course dans le matin, — un admirable morceau, d'une clarté et d'une fraîcheur presque sacrées, d'une langue aussi belle que n'importe quelle page française, et qui tient à notre mémoire aussi bien que les plus beaux vers » (Albert Thibaudet). Cette pièce est, en effet, l'une des *Illuminations* les plus évocatrices et l'une de celles où l'*alchimie* de RIMBAUD demeure pénétrable.

J'ai embrassé l'aube d'été.

Rien ne bougeait encore au front des palais [1]. L'eau était morte. Les camps d'ombres ne quittaient pas la route du bois. J'ai marché, réveillant les haleines vives et tièdes ; et les pierreries regardèrent [2], et les ailes [3] se levèrent sans bruit.

La première entreprise [4] fut, dans le sentier déjà empli de frais et blêmes éclats, une fleur qui me dit son nom.

Je ris au wasserfall [5] qui s'échevela à travers les sapins : à la cime argentée je reconnus la déesse [6].

10   Alors je levai un à un les voiles. Dans l'allée, en agitant les bras. Par la plaine, où je l'ai dénoncée au coq. A la grand'ville, elle fuyait parmi les clochers et les dômes ; et, courant comme un mendiant sur les quais de marbre, je la chassais [7].

En haut de la route, près d'un bois de lauriers, je l'ai entourée avec ses voiles amassées, et j'ai senti un peu son immense corps. L'aube et l'enfant tombèrent au bas du bois.

Au réveil, il était midi.

Illuminations (Mercure de France, éditeur).

— 1 De même, dans *Fleurs*, Rimbaud couché dans l'herbe voit les fleurs se transformer en or, en argent, en pierreries sous la lumière éclatante : « *D'un gradin d'or... je vois la digitale s'ouvrir sur un tapis de filigranes d'argent, d'yeux, et de chevelures.* [...] *Des pièces d'or jaune semées sur l'agate, des piliers d'acajou supportant un dôme d'émeraudes, des bouquets de satin blanc et de fines verges de rubis entourent la rose d'eau* ». — 2 La vision est présentée comme un *tableau*, mais *arête* et *bande* sont des termes d'archi-

tecture. — 3 Cf. *Fleurs* : « *Tel qu'un dieu aux énormes yeux bleus et aux formes de neige, la mer et le ciel attirent aux terrasses de marbre la foule des jeunes et fortes roses* ».

— 1 Dans la vision de Rimbaud, le décor devient somptueux : cf. *les pierreries*, l. 4, et *Fleurs*. — 2. Interprétation fantastique des premiers scintillements (cf. l. 7). — 3 Peut-être les *ailes* de la Nuit. — 4 Conquête. — 5 *Chute d'eau*, en allemand. — 6 L'aube, qui éclaire d'abord les cimes (l. 11-12). — 7 Poursuivais.

MALLARMÉ

Sa vie, son œuvre   Né à Paris en 1842, Stéphane Mallarmé est d'abord un enfant rêveur qui découvre avec enthousiasme les *Fleurs du Mal* en 1861. Il part ensuite pour l'Angleterre où il se marie en 1863. Il compose *Les Fenêtres* à Londres ; peu après il est reçu au certificat d'aptitude à l'enseignement de l'anglais. Il exercera son métier à Tournon, à Besançon, à Avignon et enfin à Paris, à partir de 1871. Mais la monotonie de l'existence quotidienne l'afflige, et il est à la poursuite d'un idéal poétique inaccessible.

En 1866, Mallarmé donne au *Parnasse Contemporain* dix poèmes dont *Les Fenêtres* et l'*Azur*. Mais il a déjà dépassé cette conception de la poésie, travaillant aux fragments d'*Hérodiade*, drame lyrique, et à *l'Après-midi d'un Faune*, publié en 1876. Ses réceptions du mardi, rue de Rome, où il s'installe en 1874, groupent autour de lui un nombre croissant d'amis et de disciples, et la jeune école symboliste va le considérer comme son maître. Mallarmé publie des œuvres de plus en plus hermétiques et déconcertantes ; *Un coup de dés jamais n'abolira le hasard*, en 1897, précède de peu la mort qui le frappa brusquement en septembre 1898.

La poésie
***   de Mallarmé***   Le culte de l'*Idéal* conduit Mallarmé du « baudelairisme » de ses débuts à une poésie *raffinée, concise* et *hermétique*, qui vise à *l'obscurité*, car « toute chose sacrée et qui veut demeurer sacrée s'enveloppe de mystère ». La phrase est disloquée et les mots, groupés selon leurs affinités musicales, reçoivent un pouvoir suggestif envoûtant. Mais la poésie tend alors vers l'incommunicable et risque de se dissoudre dans le silence.

LES FENÊTRES

Ce poème est une fervente profession de foi *idéaliste ;* en l'envoyant à son ami Cazalis, le 3 juin 1863, Mallarmé se félicitait que « l'Action ne fût pas la sœur du Rêve » et il ajoutait : « Si le Rêve était ainsi défloré et abaissé, où donc nous sauverions-nous, nous autres malheureux que la terre dégoûte et qui n'avons que le Rêve pour refuge ? O mon Henri, abreuve-toi d'Idéal. Le bonheur d'ici-bas est ignoble — il faut avoir les mains bien calleuses pour le ramasser... il ne faut pas voir au-dessus de ce plafond de bonheur le ciel de l'Idéal, ou fermer les yeux exprès. » Quant au *symbole*, il a été suggéré au jeune poète par une strophe des *Phares*, de Baudelaire :

> *Rembrandt, triste hôpital tout rempli de murmures,*
> *Et d'un grand crucifix décoré seulement,*
> *Où la prière en pleurs s'exhale des ordures,*
> *Et d'un rayon d'hiver traversé brusquement...*

Las du triste hôpital, et de l'encens fétide
Qui monte en la blancheur banale des rideaux
Vers le grand crucifix ennuyé du mur vide,
Le moribond sournois y redresse un vieux dos,

Se traîne et va, moins pour chauffer sa pourriture
Que pour voir du soleil sur les pierres, coller
Les poils blancs et les os de la maigre figure
Aux fenêtres qu'un beau rayon clair veut hâler,

Et la bouche, fiévreuse et d'azur bleu vorace,
10 Telle, jeune, elle alla respirer son trésor,
Une peau virginale et de jadis ! encrasse
D'un long baiser amer les tièdes carreaux d'or.

Ivre, il vit, oubliant l'horreur des saintes huiles,
Les tisanes, l'horloge et le lit infligé,
La toux ; et quand le soir saigne parmi les tuiles,
Son œil, à l'horizon de lumière gorgé,

Voit des galères d'or, belles comme des cygnes,
Sur un fleuve de pourpre et de parfums dormir
En berçant l'éclair fauve et riche de leurs lignes
20 Dans un grand nonchaloir chargé de souvenir !

Ainsi, pris du dégoût de l'homme à l'âme dure
Vautré dans le bonheur, où ses seuls appétits
Mangent, et qui s'entête à chercher cette ordure
Pour l'offrir à la femme allaitant ses petits,

Je fuis et je m'accroche à toutes les croisées
D'où l'on tourne l'épaule à la vie, et, béni,
Dans leur verre, lavé d'éternelles rosées,
Que dore le matin chaste de l'Infini

Je me mire et me vois ange ! et je meurs [1], et j'aime
30 — Que la vitre soit l'art, soit la mysticité —
A renaître, portant mon rêve en diadème,
Au ciel antérieur où fleurit la Beauté [2] !

Mais, hélas ! Ici-bas est maître : sa hantise
Vient m'écœurer parfois jusqu'en cet abri sûr,
Et le vomissement impur de la Bêtise
Me force à me boucher le nez devant l'azur.

Est-il moyen, ô Moi qui connais [3] l'amertume,
D'enfoncer le cristal par le monstre insulté
Et de m'enfuir, avec mes deux ailes sans plume
40 — Au risque de tomber pendant l'éternité ?

Poésies (Librairie Gallimard, éditeur).

— 1 Pour renaître purifié. Cf. vers 31-32 : | paradis platonicien des Idées. — 3. Première
idée et expression mystiques. — 2. Cf. le | rédaction : *Mon Dieu, qui voyez...*

L'AZUR

Irrésistiblement attiré par l'*Azur*, MALLARMÉ se sent incapable d'atteindre la *perfection poétique* dont il rêve. Alors l'attirance devient *hantise* : l'Azur le regarde avec ironie, le poursuit comme un remords vivant. En vain le poète tente de se dérober, et même de blasphémer l'Idéal : *toute fuite est inutile, l'appel de l'Azur reste le plus fort*. Mallarmé a traduit ce drame intérieur, cette obsession, avec un lyrisme *exalté*, presque *romantique*, qui est rare chez lui et va même disparaître complètement de son œuvre.

De l'éternel azur la sereine ironie
Accable, belle indolemment comme les fleurs,
Le poète impuissant qui maudit son génie
A travers un désert stérile de Douleurs.

Fuyant, les yeux fermés, je le sens qui regarde
Avec l'intensité d'un remords [1] atterrant,
Mon âme vide. Où fuir ? Et quelle nuit hagarde
Jeter, lambeaux, jeter sur ce mépris navrant ?

Brouillards, montez ! versez vos cendres monotones
10   Avec de longs haillons de brume dans les cieux
Que noiera le marais livide des automnes
Et bâtissez un grand plafond silencieux !

Et toi, sors des étangs léthéens [2] et ramasse
En t'en venant la vase et les pâles roseaux,
Cher Ennui, pour boucher d'une main jamais lasse
Les grands trous bleus que font méchamment les oiseaux [3].

Encor ! que sans répit les tristes cheminées
Fument, et que de suie une errante prison
Éteigne dans l'horreur de ses noires traînées
20   Le soleil se mourant jaunâtre à l'horizon !

— Le Ciel est mort [4]. — Vers toi, j'accours ! donne, ô matière,
L'oubli de l'Idéal cruel et du Péché
A ce martyr qui vient partager la litière
Où le bétail heureux des hommes est couché [5].

Car j'y veux, puisque enfin ma cervelle vidée
Comme le pot de fard gisant au pied d'un mur,
N'a plus l'art d'attifer la sanglotante idée,
Lugubrement bâiller [6] vers un trépas obscur...

— 1 Le remords de ne pas créer. — 2 Qui donnent l'oubli (adj. rare formé sur le mot *Léthé*). — 3 En perçant, comme intention-nellement, l'écran de brouillard tendu entre le poète et l'Azur. — 4 C'est l'illusion de la *délivrance*. — 5 Cf. *Les Fenêtres*, v. 21-24. — 6 L'infinitif est fortement disjoint de *j'y veux*.

En vain ! L'Azur triomphe, et je l'entends qui chante
30 Dans les cloches. Mon âme, il se fait voix pour plus [7]
Nous faire peur avec sa victoire méchante,
Et du métal vivant sort en bleus [8] angelus !

Il roule par la brume, ancien [9] et traverse
Ta native [10] agonie ainsi qu'un glaive sûr ;
Où fuir dans la révolte inutile et perverse ?
Je suis hanté. L'Azur ! L'Azur ! L'Azur ! L'Azur !

(Librairie Gallimard, éditeur).

LE VIERGE, LE VIVACE...

Ce poème, souvent nommé *le sonnet du cygne*, fut publié en 1885 mais relève peut-être d'une inspiration très antérieure. L'*art* en est admirable dans sa limpidité immatérielle ; quant au *sens*, il a donné lieu à des controverses. Nous adoptons l'interprétation de Mme E. Noulet : MALLARMÉ déplore la *période de stérilité* qu'il se reproche comme une *faute ;* pourra-t-il, plus heureux que le cygne enfermé dans sa prison de glace, *reprendre son vol vers l'Azur ?*

Le vierge, le vivace et le bel aujourd'hui
Va-t-il nous [1] déchirer avec un coup d'aile ivre
Ce lac dur oublié que hante sous le givre
Le transparent glacier [2] des vols qui n'ont pas fui [3] !

Un cygne d'autrefois [4] se souvient que c'est lui
Magnifique [5] mais qui sans espoir se délivre [6]
Pour n'avoir pas chanté [7] la région où vivre [8]
Quand du stérile hiver a resplendi l'ennui [9].

Tout son col secouera cette blanche agonie
10 Par l'espace infligée à l'oiseau qui le nie [10],
Mais non l'horreur du sol où le plumage est pris [11].

Fantôme qu'à ce lieu son pur éclat assigne [12],
Il s'immobilise au [13] songe froid de mépris [14]
Que vêt parmi [15] l'exil inutile [16] le Cygne.

(Librairie Gallimard, éditeur).

— 7 Davantage. — 8 Correspondance (cf. *il se fait voix*). — 9 Cf. *éternel* (v. 1). — 10 Éprouvée par l'âme dès qu'elle *naît* à la poésie.

— 1 Emploi *explétif*, ou plutôt *expressif*. — 2 Le cygne est pris sous la glace. — 3 Et des poèmes qui ne sont pas nés. — 4 Tel est le drame du cygne : il se sent identique à lui-même ; or, ne pouvant plus voler, est-il encore un cygne ? (cf. *Fantôme*, v. 12). — 5 Qui *fut* magnifique. — 6 Tente sans espoir de se délivrer. — 7 Voilà la faute qu'expient le cygne et le poète. — 8 L'Azur. — 9 Considéré souvent par Mallarmé comme la saison de la création lucide, l'*hiver* est ici stérilisant. — 10 Comme le poète tentait de nier l'*Azur* (v. 21-28). — 11 Il pourra redresser la tête hors de sa prison de glace, mais non prendre son vol. — 12 Il est voué soit à l'azur éthéré, soit à cet exil glacé. — 13 Dans le. — 14 De mépris pour lui-même. — 15 Archaïsme. — 16 L'exil loin de l'Azur ; exil *infécond*, et aussi *vain* car le cygne ne peut oublier sa vocation.

LE SYMBOLISME

Un idéal et une « école » Lorsqu'on parle de *symbolisme* à propos de la poésie française du XIXᵉ siècle, on désigne tantôt *un large courant d'idéalisme poétique* qui s'étend sur toute la seconde moitié du siècle, tantôt *une école littéraire* qui triomphe vers les années 1885-1900, ou, pour mieux dire, un groupe de poètes unis par des aspirations communes et des vues analogues sur la technique du vers. Il convient donc de distinguer un courant symboliste et une école symboliste, pour dissiper dans la mesure du possible l'ambiguïté que ce mot présente, par la fluidité même des notions qu'il résume. On notera que nos plus grands poètes symbolistes, de Nerval à Mallarmé, ont vécu avant la constitution de l'école symboliste ou ne se sont pas rangés expressément sous sa bannière. Quant au symbolisme considéré comme une école, il s'émiette en une série de groupes éphémères : décadents, vers-libristes, instrumentistes, etc...

L'idéal symboliste MYSTÈRE ET SUGGESTION. Le symbolisme repose sur le *sens du mystère :* le mystère règne en nous et autour de nous, il est l'essence même de la réalité. Ainsi la poésie ne saurait être descriptive ; pour atteindre l'âme des choses, au-delà des apparences, elle usera du *symbole*, elle se fera *suggestive, fluide, musicale* et *incantatoire*. Elle sera liée à une philosophie de l'inconnaissable et du subconscient : c'est le *rêve* de chaque poète qui s'exprimera dans son œuvre. On est à l'opposé de la conception parnassienne, du positivisme et du réalisme.

LES PRÉCURSEURS. Pour découvrir les origines lointaines du symbolisme, il faudrait remonter jusqu'aux illuministes du XVIIIᵉ siècle (Swedenborg, Mesmer, Saint-Martin) et même jusqu'à la théorie platonicienne des *idées ;* sans aller jusque là, on voit cette conception prendre corps au XIXᵉ siècle chez des poètes appartenant à deux générations.

1. LA PREMIÈRE GÉNÉRATION. Dès 1822, HUGO déclare : « La poésie, c'est tout ce qu'il y a d'intime dans tout », et il affirme l'existence d'un monde idéal, sous le monde réel ; plus tard il tentera de percer le mystère du monde et confiera ses révélations au verbe poétique. Mais les véritables initiateurs du symbolisme sont NERVAL et BAUDELAIRE, le premier par son *expérience du surréel* et l'*épanchement du rêve dans sa vie*, le second par sa théorie poétique et mystique des *correspondances*.

2. LA SECONDE GÉNÉRATION. En 1869 paraissent les *Chants de Maldoror*, de LAUTRÉAMONT (1846-1870 ; de son vrai nom, Isidore Ducasse). Si cette œuvre exaltée, fulgurante et cruelle annonce surtout le surréalisme, elle s'inscrit aussi dans le mouvement symboliste. Ce poème en prose, venant après ceux de Baudelaire, avant ceux de Rimbaud, contribue à la libération de la forme poétique ; et surtout il traduit de façon symbolique les angoisses presque démentes de son auteur et sa terrible hantise du Mal.

Avec VERLAINE, la poésie devient musique suggestive ; par la « nuance », la « méprise » ou des symboles subtils, elle parvient à évoquer des états à demi conscients, presque insaisissables : rêves, nostalgie, malaise ou béatitude. Plus hardi, RIMBAUD accentue l'aspect *surréel* du symbolisme et, cherchant à créer un langage « accessible à tous les sens », rompt avec les traditions de la forme poétique. Quant à MALLARMÉ, il reste à l'écart de toute école, et pousse bien au-delà du symbole proprement dit sur la voie de l'*hermétisme ;* mais sa haute conception de l'*idéal*, son dévouement total au sacerdoce poétique et ses dons exceptionnels font de lui le plus grand et le plus pur de nos symbolistes.

Enfin des poètes moins illustres ont également contribué à l'avènement du symbolisme : Charles Cros (1842-1888), Tristan Corbière (1845-1875 ; *Les Amours jaunes*, 1873) et Germain Nouveau (1852-1920), qui fut l'ami de Rimbaud.

L'école symboliste   I. LES DÉCADENTS. Vers 1880 plusieurs jeunes poètes vont secouer le joug de la stricte discipline parnassienne. Comme il arrive dans les périodes de *décadence*, ils cherchent dans le laisser-aller un suprême raffinement, désarticulant le vers et la syntaxe, mêlant à des recherches subtiles les tours familiers, les jeux de mots, la naïveté des refrains populaires. Bientôt ils se pareront du titre de *décadents*, péjoratif dans la bouche de leurs adversaires. En 1884, Verlaine fait connaître Tristan Corbière et Rimbaud *(Les Poètes maudits)* ; dans *A Rebours*, Huysmans célèbre Mallarmé et lance, avec son héros Des Esseintes, le type du décadent. En 1885, un volume de parodies, *Les Déliquescences d'Adoré Floupette*, par Gabriel Vicaire et Henri Beauclair, loin de nuire à la nouvelle école, met en vedette des poètes tels que Laurent Tailhade, Georges Rodenbach, Éphraïm Mikhaël et JULES LAFORGUE.

II. LES SYMBOLISTES. 1. REVUES ET MANIFESTES. Le « décadisme » est bientôt détrôné par le symbolisme, et *Le Décadent* par de nouvelles revues : *Le Symbolisme*, créé par Gustave Kahn (1886), *La Plume* (1889), *Le Mercure de France* (1890), *La Revue blanche* (1891). En septembre 1886, JEAN MORÉAS donne au *Figaro* le *Manifeste du symbolisme* ; la poésie cherchera dans les apparences sensibles « leurs affinités ésotériques [accessibles aux seuls initiés] avec des Idées primordiales ». La même année, René Ghil publie son *Traité du Verbe*, précédé d'un *Avant-dire* de Mallarmé ; il y expose une théorie de l'*instrumentation verbale*, qui reprend et amplifie les correspondances établies par Rimbaud dans le sonnet des *Voyelles*.

2. LE VERS LIBRE. Pour le rythme, Moréas recommande « l'alexandrin à arrêts multiples et mobiles » et certains mètres impairs ; Albert Samain s'en tient au vers classique. Mais l'une des principales innovations des symbolistes réside dans l'usage du *vers libre*, inauguré simultanément par LAFORGUE et KAHN, et pratiqué après eux par Stuart Merrill et Vielé-Griffin. La longueur du vers et l'organisation de la strophe ne sont plus soumises à des règles fixes ; on emploie des vers de plus de douze syllabes, comme Merrill dans ce quatrain des *Fastes (La Visitation de l'Amour)* :

> Je veux que l'Amour entre comme un ami dans notre maison,
> Disais-tu, bien-aimée, ce soir rouge d'automne
> Où dans leur cage d'osier les tourterelles monotones
> Râlaient, palpitant en soudaine pâmoison.

La rime s'atténue en assonance, ou même elle disparaît. Le rythme des poèmes se modèle sur celui des émotions ou de la rêverie, et l'on voit s'effacer progressivement la distinction entre le vers et la prose rythmée.

III. L'ÉCOLE ROMANE. Mais une *réaction* se dessine bientôt contre les « déliquescences » du sentiment et la dislocation du vers. Fils de la Grèce antique, JEAN MORÉAS rompt avec les symbolistes et fonde en 1891 *l'école romane*, qui retrouve une inspiration plus sobre et une technique toute classique, à l'imitation de nos poètes de la Pléiade et du XVIIe siècle. Moréas est suivi par Ernest Raynaud, Raymond de La Tailhède, Maurice du Plessys et Charles Maurras.

Pourtant le symbolisme survit à cette crise : les dernières années du XIXe siècle et le début du XXe verront s'épanouir une *néo-symbolisme* illustré par de grands poètes.

Un décadent :   La vie de JULES LAFORGUE (1860-1887) fut brève et
Jules Laforgue   triste. Ayant perdu sa mère de bonne heure, il ne trouve qu'auprès de sa sœur la tendresse à laquelle son âme aspire. Maladif, pauvre et mélancolique, il adopte une philosophie pessimiste, voilée par un humour désinvolte mais au fond pathétique. Lecteur de l'impératrice à la cour de Berlin (1881), il rentre en France en 1886 et meurt tuberculeux l'année suivante. Il avait publié *Les Complaintes* (1885) et *L'Imitation de Notre-Dame la Lune* (1886) ; à sa mort il laissait d'autres poèmes : *Derniers Vers, Le Sanglot de la Terre*, et un recueil de contes, les *Moralités légendaires*. Parmi les gamineries « estudiantines », on discerne dans son œuvre une *fantaisie poétique* extrêmement originale et une *émouvante sincérité*.

L'HIVER QUI VIENT

Ce poème en *vers libres* représente assez bien la tendance *décadente :* une familiarité presque triviale, ou réaliste avec ostentation, y coudoie des raffinements très subtils du sentiment, de l'image et de l'expression. Mais au-delà des modes transitoires, c'est la *nature* de Laforgue qu'il révèle, sa fantaisie à la fois railleuse et poétique, sa tristesse, et l'obsession du mal qui le ronge (cf. v. 66-70). — *Derniers Vers.*

Blocus sentimental [1] ! Messageries du Levant !...
Oh ! tombée de la pluie ! Oh ! tombée de la nuit,
Oh ! le vent !...
La Toussaint, la Noël et la Nouvelle Année,
Oh ! dans les bruines, toutes mes cheminées !...
D'usines...

On ne peut plus s'asseoir, tous les bancs sont mouillés ;
Crois-moi, c'est bien fini jusqu'à l'année prochaine,
Tant les bancs sont mouillés, tant les bois sont rouillés
10 Et tant les cors ont fait ton ton, ont fait ton taine !..

Ah ! nuées accourues des côtes de la Manche,
Vous nous avez gâté notre dernier dimanche.

Il bruine ;
Dans la forêt mouillée, les toiles d'araignées
Ploient sous les gouttes d'eau, et c'est leur ruine.

Soleils plénipotentiaires des travaux en blonds Pactoles
Des spectacles agricoles [2],
Où êtes-vous ensevelis ?
Ce soir un soleil fichu [3] gît au haut du coteau,
20 Gît sur le flanc, dans les genêts, sur son manteau :
Un soleil blanc comme un crachat d'estaminet
Sur une litière de jaunes genêts,
De jaunes genêts d'automne.
Et les cors lui sonnent [4] !
Qu'il revienne...
Qu'il revienne à lui !
Taïaut ! taïaut ! et hallali !
O triste antienne, as-tu fini !...
Et font les fous !...
30 Et il gît là, comme une glande arrachée dans un cou,
Et il frissonne, sans personne !...

Allons, allons, et hallali !
C'est l'Hiver bien connu qui s'amène ;

— 1 Cf. Blocus *continental !...* Apprécier l'humour et cf. le jeu de mots v. 64-65 (*paniers,* robes à *paniers...*). — 2 Soleils *tout-puissants* président aux *riches* moissons *dorées.* — 3 Terme très familier. — 4 *Cors* est aussi le sujet de *font* (v. 29).

Oh ! les tournants des grandes routes,
Et sans petit Chaperon Rouge qui chemine !...
Oh ! leurs ornières des chars de l'autre mois,
Montant en donquichottesques rails
Vers les patrouilles des nuées en déroute
Que le vent malmène vers les transatlantiques bercails !...
40 Accélérons, accélérons, c'est la saison bien connue, cette fois.

Et le vent, cette nuit, il en a fait de belles !
O dégâts, ô nids, ô modestes jardinets !
Mon cœur et mon sommeil : ô échos des cognées !...

Tous ces rameaux avaient encor leurs feuilles vertes,
Les sous-bois ne sont plus qu'un fumier de feuilles mortes ;
Feuilles, folioles, qu'un bont vent vous emporte
Vers les étangs par ribambelles
Ou pour le feu du garde-chasse,
Ou les sommiers des ambulances
50 Pour les soldats loin de la France.

C'est la saison, c'est la saison, la rouille envahit les masses,
La rouille ronge en leurs spleens kilométriques
Les fils télégraphiques des grandes routes où nul ne passe.

Les cors, les cors, les cors — mélancoliques !...
Mélancoliques !...
S'en vont, changeant de ton,
Changeant de ton et de musique,
Ton ton, ton taine, ton ton !...
Les cors, les cors, les cors...
60 S'en sont allés au vent du Nord.

Je ne puis plus quitter ce ton : que d'échos !...
C'est la saison, c'est la saison, adieu vendanges !...
Voici venir les pluies d'une patience d'ange,
Adieu vendanges, et adieu tous les paniers,
Tous les paniers Watteau des bourrées sous les marronniers.
C'est la toux dans les dortoirs du lycée qui rentre,
C'est la tisane sans le foyer,
La phtisie pulmonaire attristant le quartier,
Et toute la misère des grands centres.

70 Mais, lainages, caoutchoucs, pharmacie, rêve,
Rideaux écartés du haut des balcons des grèves
Devant l'océan de toitures des faubourgs,
Lampes, estampes, thé, petits-fours,
Serez-vous pas mes seules amours !
(Oh ! et puis, est-ce que tu connais, outre les pianos,
Le sobre et vespéral mystère hebdomadaire
Des statistiques sanitaires
Dans les journaux ?)

Non, non ! c'est la saison et la planète falote ⁵ !
80 Que l'autan ⁶, que l'autan
Effiloche les savates que le Temps se tricote !
C'est la saison. Oh déchirements ! c'est la saison !
Tous les ans, tous les ans,
J'essaierai en chœur d'en donner la note.

Un modéré :   La vie discrète d'ALBERT SAMAIN (1858-1900), modeste
Albert Samain   expéditionnaire à l'Hôtel-de-Ville de Paris, fut transfigurée
                     par sa passion pour la poésie. Il publia deux recueils
lyriques, *Au Jardin de l'Infante* (1893) et *Aux Flancs du Vase* (1898), suivis, après sa mort,
du *Chariot d'or* et d'un drame en vers, *Polyphème*. Sa sensibilité élégante et délicate,
presque féminine, lui a inspiré des poèmes rêveurs et nostalgiques, très représentatifs de
l'*atmosphère symboliste*. Mais en réalité Samain s'écarte peu de la poésie traditionnelle : ses
symboles restent toujours clairs, il n'est ni tenté ni par l'hermétisme ni par le vers libre, et
son maître est Victor Hugo plus encore que Baudelaire.

MON AME EST UNE INFANTE...

On trouvera ici un exemple de ces *paysages d'âme* qu'ont aimés les symbolistes. Cette
poésie manque sans doute de vigueur, mais, dans sa distinction langoureuse et son allusion
constante à une réalité mystérieuse au-delà des choses visibles, elle nous incite au *rêve*
et possède un remarquable pouvoir de *suggestion*. En outre, elle nous rappelle la complexité
des courants littéraires qui s'entrecroisent en cette fin de siècle, car si l'atmosphère est
symboliste, ALBERT SAMAIN s'inspire volontiers de Victor Hugo, et il montre un goût
du décor somptueux qui l'apparente aux Parnassiens.

Mon âme est une infante en robe de parade,
Dont l'exil se reflète, éternel et royal,
Aux grands miroirs déserts d'un vieil Escurial,
Ainsi qu'une galère oubliée en la rade ¹.

Aux pieds de son fauteuil, allongés noblement,
Deux lévriers d'Écosse aux yeux mélancoliques ²
Chassent, quand il lui plaît, les bêtes symboliques ³
Dans la forêt du rêve et de l'Enchantement.

Son page favori, qui s'appelle Naguère,
10 Lui lit d'ensorcelants poèmes à mi-voix,
Cependant qu'immobile, une tulipe aux doigts ⁴,
Elle écoute mourir en elle leur mystère...

— 5 La *lune*, chère à Laforgue ainsi que le mot *falot*. — 6 Vent violent, bourrasque d'automne ou d'hiver.

— 1 L'infante, l'Escurial, la galère (cf. v. 23-24) font penser à *La Rose de l'Infante* dans la *Légende des Siècles*. — 2 Ces animaux racés contribuent à créer l'atmosphère de dis-tinction rêveuse et aristocratique. — 3 Cf. les tapisseries de la Dame à la *licorne* (XVᵉ siècle) et le symbolisme du *Roman de la Rose* ou des poèmes de Charles d'Orléans (*Moyen Age*, p.87-89 et 94-98). — 4 Dans le poème de Hugo, l'infante tient une *rose* : cf. aussi le vers de Vigny : « Marche à travers les champs *une fleur à la main* » (*La Maison du Berger*).

Le parc alentour d'elle étend ses frondaisons,
Ses marbres, ses bassins, ses rampes à balustres,
Et, grave, elle s'enivre à ces songes illustres
Que recèlent pour nous les nobles horizons.

Elle est là résignée, et douce, et sans surprise,
Sachant trop pour lutter comme tout est fatal,
Et se sentant, malgré quelque dédain natal,
20 Sensible à la pitié comme l'onde à la brise.

Elle est là résignée, et douce en ses sanglots,
Plus sombre seulement quand elle évoque en songe
Quelque Armada sombrée à l'éternel mensonge,
Et tant de beaux espoirs endormis sous les flots [5].

Des soirs trop lourds de pourpre où sa fierté soupire,
Les portraits de Van Dyck aux beaux doigts longs et purs [6],
Pâles en velours noir sur l'or vieilli des murs,
En leurs grands airs défunts la font rêver d'empire.

Les vieux mirages d'or [7] ont dissipé son deuil,
30 Et dans les visions où son ennui s'échappe,
Soudain — gloire ou soleil — un rayon qui la frappe
Allume en elle tous les rubis de l'orgueil.

Mais d'un sourire triste elle apaise ces fièvres ;
Et, redoutant la foule aux tumultes de fer,
Elle écoute la vie — au loin — comme la mer...
Et le secret se fait plus profond sur ses lèvres.

Rien n'émeut d'un frisson l'eau pâle de ses yeux
Où s'est assis l'Esprit voilé des Villes mortes [8] ;
Et par les salles, où sans bruit tournent les portes,
40 Elle va, s'enchantant de mots mystérieux.

L'eau vaine des jets d'eau là-bas tombe en cascade,
Et, pâle à la croisée, une tulipe aux doigts,
Elle est là, reflétée aux miroirs d'autrefois,
Ainsi qu'une galère oubliée en la rade.

Mon Ame est une infante en robe de parade [9].

Au Jardin de l'Infante (Mercure de France, éditeur).

— 5 Cf. *La Rose de l'Infante :* expliquer le symbole. — 6 Cf. les portraits de Charles Ier, d'Henriette d'Angleterre, de l'artiste par lui-même, de sa femme, etc. — 7 Montrer que cette expression recèle plusieurs sens superposés. — 8 Cf. Bruges-la-morte et ses canaux ; commenter l'allégorie. — 9 Apprécier l'effet produit, depuis le v. 42, par la répétition d'expressions ou de vers entiers du début du poème.

XXᵉ SIÈCLE

Événements	Auteurs	Poésie	Roman et Mémoires	Théâtre
IIIᵉ RÉPUBLIQUE	1887 Saint-John Perse		1888-89 *Le Culte du Moi*	
		1895 *Villes Tentaculaires*		1896 *Ubu Roi*
1894-1906 *Affaire Dreyfus*	1897 Aragon	1897 *Nourritures Terrestres*		1897 *Cyrano de Bergerac*
	1900 Saint-Exupéry		1900-03 Les *Claudine*	1900 *L'Aiglon*
	1901 Malraux		1901 *M. Bergeret à Paris*	
			1902 *L'Immoraliste*	
			1903-12 *Jean-Christophe*	
		1904-08 *Cinq Grandes Odes*		
1905 *Séparation des Églises et de l'État*	1905 Sartre		1909 *La Porte étroite*	1906 *Partage de Midi*
	1906 Beckett	1908 *La Vie Unanime*		1909 *L'Otage*
	1910 Anouilh			1910 *L'annonce faite à Marie*
	1911 La Tour du Pin	1911-12 Péguy : *Mystères*	*Colette Baudoche*	
	1912 Ionesco	1912-13 Péguy : *Tapisseries*	1912 *Les Dieux ont soif*	
	1913 Camus	1913 *Alcools*	1913 *La Colline Inspirée*	
	Jaurès (1859-1914)	*Prose du Transsibérien*	*Le Grand Meaulnes*	
1914 Première guerre mondiale	1914 Péguy (1873-1914)		1913-27 *A la Recherche du Temps perdu*	
	Alain-Fournier (1886-1914)			
	Verhaeren (1855-1916)		1916 *Le Feu*	
1917 *Révolution Russe*	1916 Pierre Emmanuel	1917 *Le Cornet à Dés*		
	Rostand (1868-1918)	1918 *Calligrammes*	1918 *Civilisation*	
1919 *S.D.N.*	Apollinaire (1880-1918)	*Manifeste Dada*	1919 *La Symphonie pastorale*	
		1920 *Feux de Joie*	1920 *Si le grain ne meurt*	
		Cocteau : *Poésies*	1920-32 Les *Salavin*	
	Proust (1871-1922)	1922 *Charmes*	1922-40 Les *Thibault*	
	Barrès (1862-1923)		1923 *Genitrix*	1923 *Knock*
		1924 Manif. Surréalisme		
1925 *Accords de Locarno*	A. France (1844-1924)	1924-48 *Anabase*	1925 *Les Faux-Monnayeurs*	1924 *Le Soulier de satin*
		1925 *Gravitations*	1926 *Les Bestiaires*	
	1926 Butor		1927 *Thérèse Desqueyroux*	
	Courteline (1858-1927)	1928 *Nadja*	1928 *Colline*	1928 *Topaze* / *Jean de la Lune*
		1929 *Capitale de la Douleur*	1929 *Sido*	1929 *Amphitryon 38*
		1930 Second Manifeste	1931 *Vol de nuit* / *Le Grand Troupeau*	1930 *Donogoo*
		du Surréalisme		1931 *Œdipe*
1933 *Hitler au pouvoir*		1932 *Vases communicants*	1932-46 *Hommes de B. Volonté*	1934 *La Machine infernale*
	Lanson (1857-1934)	1933 *La Quête de Joie*	*Voyage au bout de la nuit*	1935 *La guerre de Troie...*
	Bourget (1852-1935)		1933 *La Condition humaine*	
			1933-41 Les *Pasquier*	1933 *Intermezzo*
1936 *Guerre civile espagnole*	Thibaudet (1874-1936)	1936 *Traduit du silence*	1936 *Journal Curé de campagne*	
		1937 *Ferraille*	1937 *L'Espoir*	1937 *Électre*
			1938 *La Nausée*	1938 *La Sauvage*
1939 Seconde guerre mondiale			1939 *Le Mur*	1939 *Ondine*
			Terre des Hommes	
	Bergson (1859-1941)	1942 *Jour de Colère* / *Les Yeux d'Elsa*	1942 *L'Étranger*	1942 *La Reine Morte*
		1942-43 *Poésie et Vérité*		
	Saint-Exupéry (1900-1944)	1943 *État de Veille*	1943 *Gigi*	1943 *Les Mouches*
	R. Rolland (1866-1944)			1944 *Antigone, Huis-Clos*
	Giraudoux (1882-1944)		1945 *Le Mas Théotime*	1945 *Les Mal Aimés*
1945 **QUATRIÈME RÉPUBLIQUE**	Valéry (1871-1945)	1946 *Paroles*	1945-51 *Les Chemins de la liberté*	
		Une Somme de Poésie		
		1947 *Le Poème pulvérisé*	1947 *La Peste*	1947 *Maître de Santiago*
	Bernanos (1888-1948)		1948 *Citadelle*	1948 *Les mains sales*
		1949 *Oublieuse mémoire*		1949 *Dialogues des Carmélites*
				1950 *Clérambard*
	Alain (1868-1951)	1951 *Spectacle*	1951 *Le Rivage des Syrtes*	
	Gide (1869-1951)	1952 *Babel*	*Le Hussard sur le Toit*	1952 *Les Chaises*
	Eluard (1895-1952)			*En attendant Godot*
		1950-53 *Amers*	1953 *Les Gommes*	1953 *L'Alouette*
	Colette (1873-1954)			1954 *Port-Royal*
	Claudel (1868-1955)		1957 *La Modification*	
1958 **CINQUIÈME RÉPUBLIQUE**	Martin du Gard (1881-1958)		1958 *La Semaine sainte*	
			1959 *Le Planétarium*	1959 *Becket*
	Camus (1913-1960)	1960 *Chronique*	*Mémoires intérieurs*	1960 *Rhinocéros*
	Supervielle (1884-1960)			*Le Cardinal d'Espagne*
	Reverdy (1889-1960)			
	Cendrars (1887-1961)			
	Céline (1894-1961)		1961 *Comment c'est*	
				1962 *Le Roi se meurt*
	Cocteau (1889-1963)		1963 *Les Mots*	
			Les Fruits d'or	
	Breton (1896-1966)			1966 *La Soif et la Faim*
	Duhamel (1884-1966)		1967 *Antimémoires*	
	Giono (1895-1970)			1970 *Cher Antoine*
	Mauriac (1885-1970)			

La chronologie invite à distinguer, à l'intérieur du XXᵉ siècle, une période d'*avant-guerre* (jusqu'en 1914), une période d'*entre deux guerres* (jusqu'en 1939), une période d'*après-guerre* (après 1945). Mais si les deux guerres mondiales constituent effectivement des crises capitales dans le développement de la civilisation moderne, la réalité littéraire et artistique échappe en grande partie à ces cadres commodes : sous son apparente diversité, elle est constamment animée par la volonté de discuter les valeurs léguées par le christianisme et par l'humanisme. Aussi le XXᵉ siècle voit-il coexister la *tradition* et la *nouveauté*, voire le bouleversement radical des habitudes intellectuelles.

HISTOIRE ET CIVILISATION

La guerre de 1914-1918 a fait subir à la France des pertes considérables et la victoire de 1918 a été suivie d'une crise morale très grave. L'épuisement physique et moral du pays n'a pas été pour rien dans la lourde défaite de 1940, face à la poussée de l'Allemagne de Hitler. L'État Français du maréchal Pétain a tenté de collaborer avec les occupants cependant que le général de Gaulle appelait, de Londres, à la résistance. La libération de la France en 1945 installe un régime parlementaire, la IVᵉ RÉPUBLIQUE, qui ne résiste pas à la guerre d'Algérie. En 1958, le général de Gaulle, amené au pouvoir par la menace d'une guerre civile, fonde la Vᵉ RÉPUBLIQUE qui s'achemine vers le régime présidentiel. Divisés par les épreuves de 1939-1945, puis par la « décolonisation », les Français sont particulièrement sensibles au désarroi et à l'angoisse issus de la civilisation moderne.

La psychanalyse de l'Autrichien Sigmund FREUD (1856-1939), bouleversant la psychologie et remettant en question certaines notions morales, la philosophie du Danois KIRKEGAARD (1879-1955), de l'Allemand HEIDEGGER (né en 1889), la littérature angoissée du Tchèque KAFKA (1883-1924) donnent une caution morale et philosophique à l'inquiétude contemporaine. Cependant la science, depuis les théories de la relativité d'EINSTEIN (1879-1955), fait vaciller les fondements du cartésianisme et ouvre à l'esprit les perspectives étourdissantes de l'espace et du temps. La politique, par ailleurs, sous l'influence du marxisme, secoue le monde entier de convulsions sanglantes et invite la jeunesse à reconsidérer les rapports de l'homme et de la société. La crise de mai 1968 laisse le pays dans un état de malaise que les solutions politiques ne parviendront pas à résoudre. « Nous autres civilisations, nous savons maintenant que nous sommes mortelles » : ce mot de Valéry, en 1919, est plus que jamais d'actualité. La littérature et l'art du XXᵉ siècle, pour une large part, sont les interprètes de cette angoisse.

LA LITTÉRATURE

AVANT 1914, la tradition symboliste est vivifiée par la puissance dramatique et lyrique de Paul Claudel. Cependant, Gide, Valéry, Proust, Barrès, Péguy laissent des œuvres originales à l'écart de toute école littéraire, et Apollinaire préfigure la poésie contemporaine.

DE 1919 A 1939, Claudel, Gide et Valéry poursuivent leur œuvre immense. Mais l'inquiétude moderne se manifeste davantage dans les recherches du surréalisme qui visent à saisir une réalité authentique dans l'insolite et l'humour. Le théâtre connaît de son côté une belle floraison avec Giraudoux, Anouilh ou Salacrou, pendant que le roman devient le genre le plus abondamment cultivé, du roman-fleuve de Jules Romains, Martin du Gard et Duhamel aux romans psychologiques et mystiques de Mauriac et Bernanos et aux romans héroïques de Saint-Exupéry ou Malraux.

DEPUIS 1940, les thèses existentialistes de Sartre et la popularité de Camus favorisent la diffusion de la notion de l'absurde. A partir de 1950, le théâtre et le roman soulignent la vanité des efforts et même du langage humains, remettant en question le sens et l'existence de toute création artistique.

LES ARTS

La peinture   Le *fauvisme*, appuyant les contours, réagit contre l'impressionnisme. S'y rattachent Matisse (1869-1954), Dufy (1877-1953), Vlaminck (1876-1958), Marquet (1875-1947) et Derain (1880-1954). Le « douanier » Rousseau (1844-1910) met à la mode le *primitivisme* auquel Utrillo (1883-1955) s'apparente par la fraîcheur de sa vision.

Rouault (1871-1958), Gromaire (1892-1971) et Modigliani (1884-1920) sont des *expressionnistes* pour qui sont essentiels la sincérité et le tragique vécu.

Cependant, le *cubisme* de Picasso (né en 1881), Braque (1882-1963), et Léger (1881-1955) applique à la réalité des cadres intellectuels en inscrivant les objets dans des volumes géométriques. L'*art abstrait*, né de ces expériences, renonce à la représentation du réel et se crée ses propres figures, donnant naissance à un nouvel art décoratif.

La peinture *surréaliste*, après 1920, se réclamant de Picasso, Picabia ou Chagall (né en 1887), fait naître l'insolite par l'assemblage d'objets hétéroclites. Les meilleurs peintres créent un monde de cauchemar angoissant (Tanguy, Max Ernst, Dali). Certains sculpteurs (Germaine Richier, Giacometti) procèdent aux mêmes tentatives de reconstruction onirique de la réalité, par opposition à la plastique toute classique de Bourdelle (1861-1929) ou Maillol (1861-1944).

La musique   La musique vit d'abord sous les grandes ombres de Debussy (mort en 1918) et Fauré (mort en 1924). Maurice Ravel (1875-1937) est à leur suite le principal représentant du génie français (1925, *L'enfant et les sortilèges*, fantaisie sur un livret de Colette). Paul Dukas (1865-1935), Albert Roussel (1869-1937) et Erik Satie (1866-1925) séduisent par leur humour le jeune « Groupe des Six » dont les plus illustres représentants seront Darius Milhaud (né en 1892), Arthur Honegger (1892-1955, auteur de *Pacific 231* et de deux oratorios : *Le roi David*, 1921 et *Jeanne au bûcher*, 1939), et Francis Poulenc (1899-1967).

La musique rejette les fonctions tonales traditionnelles, exploitant les douze sons de la gamme chromatique (le dodécaphonisme). Mais les recherches les plus hardies d'un Olivier Messiaen (né en 1908) sont dépassées par la musique dite concrète qui crée ses propres sons à l'aide des procédés électroniques et prend un caractère tout à fait expérimental (Pierre Boulez, Xénakis).

Le cinéma   Les premiers films sont tournés par Georges Méliès à partir de 1897. Abel Gance et Max Linder avant 1914, puis Jacques Feyder, Marcel L'Herbier, Louis Delluc, René Clair sont les premiers grands metteurs en scène français. Vers 1930, la sonorisation fait traverser sa première crise au cinéma : de nouveaux auteurs se manifestent, Carné (*Les enfants du paradis*, 1945), Clouzot, Bresson (1950 : *Le Journal d'un curé de campagne*, d'après Bernanos). René Clair entre à l'Académie française en 1960 ; son élection consacre le « septième art » et couronne une œuvre riche d'humour et de poésie (*Fantôme à vendre*, 1935 ; *Les belles de nuit*, 1952).

Le cinéma, après un demi-siècle d'existence, a réussi à se créer un domaine propre et il atteint dans quelques chefs-d'œuvre à la plus haute poésie. Malheureusement, la qualité artistique est trop souvent sacrifiée à la facilité pour des raisons commerciales. Plus encore que la littérature, le « septième art » se heurte à la tâche difficile de divertir nos contemporains sans pour autant les avilir, et de les enrichir sans les ennuyer.

LA POÉSIE AVANT 1914

L'HÉRITAGE SYMBOLISTE est cultivé par Maurice Maeterlinck (1862-1949), auteur de *Pelléas et Mélisande* (mis en musique par Gabriel Fauré), par Henri de Régnier (1864-1936) ou par le simple et mystique poète Francis Jammes (1868-1938).

Le belge Émile Verhaeren (1855-1916), dans *Les Campagnes hallucinées* (1893) et *Les Villes tentaculaires* (1895), crée une poésie fantastique à partir des décors urbains.

LES VILLES

Placé en tête des *Campagnes hallucinées*, ce poème annonce, pour lier le diptyque, l'appel tout-puissant des *Villes tentaculaires*. Verhaeren, qui est hanté par l'aspect nouveau du travail des hommes *(Les Usines)* ou par ce que recèle leur entassement *(L'Ame de la Ville)*, crée un *fantastique moderne et social* à partir de notions très réalistes. Les nombreux effets de sa versification « libérée » sont, avant tout, au service d'un ample mouvement qui ne peut se soumettre à la rigidité des strophes traditionnelles.

> Tous les chemins vont vers la ville.
>
> Du fond des brumes
> Là-bas, avec tous ses étages
> Et ses grands escaliers, et leurs voyages
> Jusques au ciel, vers de plus hauts étages
> Comme d'un rêve, elle s'exhume.
>
> Là-bas,
> Ce sont des ponts tressés en fer
> Jetés, par bonds, à travers l'air ;
> 10 Ce sont des blocs et des colonnes
> Que dominent des faces de gorgonnes [1] ;
> Ce sont des tours sur des faubourgs
> Ce sont des toits et des pignons,
> En vols pliés, sur les maisons ;
> C'est la ville tentaculaire
> Debout
> Au bout des plaines et des domaines.
> Des clartés rouges
> Qui bougent
> 20 Sur des poteaux et des grands mâts
> Même à midi, brûlent encor
> Comme des yeux monstrueux d'or,
> Le soleil clair ne se voit pas :
> Bouche qu'il est de lumière, fermée
> Par le charbon et la fumée,
> Un fleuve de naphte et de poix
> Bat les môles de pierre et les pontons de bois.

— 1 Pour *Gorgones* : orthographe du *Mercure de France* dont nous respectons la ponctuation.

Les sifflets crus des navires qui passent
Hurlent la peur dans le brouillard :
30 Un fanal vert est leur regard
Vers l'océan et les espaces.

Des quais sonnent aux entrechocs de leurs fourgons
Des tombereaux grincent comme des gonds
Des balances de fer font choir des cubes d'ombre
Et les glissent soudain en des sous-sols de feu ;
Des ponts s'ouvrant par le milieu
Entre les mâts touffus dressent un gibet sombre
Et des lettres de cuivre inscrivent l'univers,
Immensément, par à travers [2]
40 Les toits, les corniches et les murailles
Face à face, comme en bataille.

Par au-dessus, passent les cabs [3], filent les roues
Roulent les trains, vole l'effort
Jusqu'aux gares, dressant, telles des proues
Immobiles, de mille en mille, un fronton d'or.
Les rails ramifiés rampent sous terre
En des tunnels et des cratères
Pour reparaître en réseaux clairs d'éclairs
Dans le vacarme et la poussière.

50 C'est la ville tentaculaire.

La rue — et ses remous comme des câbles
Noués autour des monuments —
Fuit et revient en longs enlacements
Et ses foules inextricables
Les mains folles, les pas fiévreux,
La haine aux yeux
Happent de dents le temps qui les devance.
A l'aube, au soir, la nuit,
Dans le tumulte et la querelle, ou dans l'ennui
60 Elles jettent vers le hasard l'âpre semence
De leur labeur que l'heure emporte ;
Et les comptoirs mornes et noirs
Et les bureaux louches et faux
Et les banques battent des portes
Aux coups de vent de leur démence.
Dehors, une lumière ouatée
Trouble et rouge comme un haillon qui brûle
De réverbère en réverbère se recule.

— 2 Renforcement archaïque (plus loin : *par au-dessus*) qui compte parmi les « tic » du poète comme l'emploi de certains pluriels (cf. v. 92). — 3 Le décor est celui de Londres. A partir du v. 92, le poète évoque les plaines flamandes. Il procède par visions composites.

La vie, avec des flots d'alcools est fermentée.
70 Les bars ouvrent sur les trottoirs
Leurs tabernacles de miroirs
Où se mirent l'ivresse et la bataille ;
Une aveugle s'appuie à la muraille
Et vend de la lumière, en des boîtes d'un sou ;
La débauche et la faim s'accouplent en leur trou
Et le choc noir des détresses charnelles
Danse et bondit à mort dans les ruelles.

Et coup sur coup, le rut grandit encore
Et la rage devient tempête :
80 On s'écrase sans plus se voir, en quête
Du plaisir d'or et de phosphore ;
Des femmes s'avancent, pâles idoles
Avec, en leurs cheveux, les sexuels symboles.
L'atmosphère fuligineuse et rousse
Parfois loin du soleil recule et se retrousse
Et c'est alors comme un grand cri jeté
Du tumulte total vers la clarté :
Places, hôtels, maisons, marchés
Ronflent et s'enflamment si fort de violence
90 Que les mourants cherchent en vain le moment de silence
Qu'il faut aux yeux pour se fermer.

Telle, le jour — pourtant lorsque les soirs
Sculptent le firmament de leurs marteaux d'ébène,
La ville au loin s'étale et domine la plaine
Comme un nocturne et colossal espoir.

Elle surgit : désir, splendeur, hantise ;
Sa clarté se projette en lueurs jusqu'aux cieux,
Son gaz myriadaire en buissons d'or s'attise
Ses rails sont des chemins audacieux
100 Vers le bonheur fallacieux
Que la fortune et la force accompagnent ;
Ses murs se dessinent pareils à une armée
Et ce qui vient d'elle encor de brume et de fumée
Arrive en appels clairs vers les campagnes.

C'est la ville tentaculaire
La pieuvre ardente et l'ossuaire
Et la carcasse solennelle.

Et les chemins d'ici s'en vont à l'infini.
Vers elle.

Les Campagnes Hallucinées (Mercure de France, éditeur).

SAINT-POL-ROUX (1861-1940), victime d'un tragique destin lors de l'invasion allemande
en 1940, préfigure le surréalisme par l'agressive étrangeté de ses images.

L'UNANIMISME de Jules Romains (cf. p. 768) chante la solidarité humaine et la vie des groupes sociaux, sous l'influence du lyrisme social de l'Américain Walt Whitman (1819-1892).

Principaux recueils : *L'Ame des Hommes* (1904), *La Vie Unanime* (1908), *Un Être en marche* (1910).

UN ÊTRE EN MARCHE...

La première partie du recueil *Un Être en marche* est un poème « épique » racontant la sortie en banlieue d'un pensionnat de jeunes filles. Pour évoquer ce gracieux « unanime », le poète, d'instinct, revient à une versification *presque* régulière (cf. v. 21-23). Immédiatement le poème porte en lui plus de « charme ». La réussite de ce tableau est en tout cas certaine, par l'évocation « de toutes ces jeunes vies qui se meuvent en un flot doux, unique, entre des murs anciennement assis » (Henri Legrand).

> Il fait soleil. Elle s'en va, la pension
>   De jeunes filles.
> Elle repousse les murailles, comme l'on
>   Se déshabille.
>
> Elle glisse, en longeant la cour, vers le perron
>   Et vers la grille ;
> Le gravier du chemin fait un bruit de garçons
>   Qui jouent aux billes.
>
> Les corps, en descendant les marches, deux à deux
> 10   S'élèvent et s'abaissent
> Comme les flammes qui défaillent sous les nœuds
>   Des souches trop épaisses.
>
> Les plus petites filles marchent en avant
>   Pour attendrir l'espace ;
> La pension caresse, avec leurs pieds d'enfants,
>   La rue où elle passe.
>
> Elle grandit, d'un rang à l'autre, sans surprise
>   Comme une rive en fleurs ;
> Elle est comme un théâtre où se seraient assises
> 20   Des couleurs.
>
> Elle est pareille aux toits qui rapprochent du ciel
>   Leurs tuiles alignées
> Et qui aiment mêler des ailes d'hirondelles
>   Au vol de leurs fumées.
>
> Les bras aux poignets nus qui tiennent des ombrelles
>   Et rament en cadence,
> Font rêver aux maisons que de l'eau coule entre elles
>   Et qu'une barque s'y avance.

Un Être en marche, *I* (Grasset, éditeur).

LE COSMOPOLITISME moderne donne naissance aux *Poésies de A. O. Barnabooth* (1908) de VALÉRY LARBAUD, et surtout à l'œuvre de BLAISE CENDRARS (1887-1961) qui chante la poésie de l'aventure.

Dès l'âge de dix-sept ans, CENDRARS s'évade de sa pension, à Neuchâtel, et aboutit en Mandchourie, au service d'un trafiquant de diamants, au moment de la guerre russo-japonaise (1905). De nouveaux voyages, des expériences et des rencontres mêlées en Amérique se prolongent pour lui jusqu'en 1912. Ces aventures donnent naissance à l'étrange magie des *Pâques à New York* (1912), et de la *Prose du Transsibérien* (1913) qui inaugure le « *simultanéisme* » poétique auquel CENDRARS restera toujours fidèle, et dont l'influence sera considérable.

Après la guerre, il recommence à « tourner dans la cage des méridiens », tout en rassemblant son œuvre poétique sous des titres évocateurs : *Du monde entier* (1919), *Dix-neuf poèmes élastiques* (1919), *Feuilles de route* (1924), *Au cœur du monde* (1944), *Lotissement du ciel* (1948).

A l'opposé de Rimbaud, CENDRARS fait de l'aventure vécue un mode de découverte privilégié pour les aspects du monde que n'avait pas encore abordés la poésie et qu'elle exprimera naturellement par des *procédés tout nouveaux*. Son œuvre ne prendra tout son sens que dans la perspective de « *l'âge surréaliste* ».

LA PROSE DU TRANSSIBÉRIEN

La Prose du Transsibérien et de la Petite Jehanne de France (1913) — quatre cents *formules* inégalement rimées et rythmées — est le compte rendu d'un *épisode véridique* adaptant tour à tour les deux tons, *épique* et *lyrique*, à la nature du sujet. CENDRARS y revit son hallucinant voyage de Mandchourie, en compagnie de la petite *Jehanne de France* qui est, selon la tradition tolstoïenne, une fille perdue de Montmartre dont le cœur est resté pur. La technique de l'écrivain se fonde sur une sorte d'*impressionnisme brut* : enregistrant simultanéités et coïncidences, le *Transsibérien* est bien un *poème ferroviaire* où le chemin de fer devient — comme la caméra du cinéaste — le *point de vue mobile* qui entraîne dans son rythme haletant le flot des images, des souvenirs et des sentiments. La *présentation* de l'édition originale est, à sa date, significative : sous la forme d'un dépliant long de deux mètres, elle offre une bande de « *couleurs simultanées* » dues au peintre Sonia Delaunay, grand ami également d'Apollinaire. Ces couleurs débordent sur le texte formé de groupements typographiques divers. L'ensemble, qui tend à la *Symphonie*, semble appeler la musique d'Honegger dans *Pacific 231*.

En ce temps-là j'étais dans mon adolescence
J'avais à peine seize ans et je ne me souvenais déjà plus de mon enfance
J'étais à seize mille lieues du lieu de ma naissance
J'étais à Moscou, dans la ville des mille et trois clochers et des sept gares
Et je n'avais pas assez des sept gares et des mille et trois tours. [...]
J'ai passé mon enfance dans les jardins suspendus de Babylone
Et l'école buissonnière, dans les gares devant les trains en partance
Maintenant, j'ai fait courir tous les trains derrière moi
Bâle-Tombouctou
10 J'ai aussi joué aux courses à Auteuil et à Longchamp
Paris-New York
Maintenant, j'ai fait courir tous les trains tout le long de ma vie
Madrid-Stockholm
Et j'ai perdu tous mes paris

Il n'y a plus que la Patagonie, la Patagonie qui convienne à mon immense
    tristesse, la Patagonie, et un voyage dans les mers du Sud
Je suis en route
J'ai toujours été en route
Je suis en route avec la petite Jehanne de France
20 Le train fait un saut périlleux et retombe sur toutes ses roues
Le train retombe sur ses roues
Le train retombe toujours sur toutes ses roues [...]
« Dis, Blaise, sommes-nous bien loin de Montmartre ? »
Les inquiétudes
Oublie les inquiétudes
Toutes les gares lézardées obliques sur la route
Les fils téléphoniques auxquels elles pendent
Les poteaux grimaçants qui gesticulent et les étranglent
Le monde s'étire s'allonge et se retire comme un harmonica qu'une main
30   sadique tourmente
Dans les déchirures du ciel, les locomotives en furie
S'enfuient
Et dans les trous
Les roues vertigineuses les bouches les voix
Et les chiens du malheur qui aboient à nos trousses
Les démons sont déchaînés
Ferrailles
Tout est un faux accord
Le *broun-roun-roun* des roues
40 Chocs
Rebondissements
Nous sommes un orage sous le crâne d'un sourd.
« Dis, Blaise, sommes-nous bien loin de Montmartre ? »
Oui, nous le sommes nous le sommes
Tous les boucs émissaires ont crevé dans ce désert
Entends les mauvaises cloches de ce troupeau galeux
Tomsk Tchéliabinsk Kainsk Obi Taichet Verkné-Oudinsk
Kourgane Samara Pensa-Touloune
La mort en Mandchourie
50 Est notre débarcadère. [...]
J'ai vu les trains silencieux les trains noirs qui revenaient
De l'Extrême-Orient et qui passaient en fantômes. [...]
J'ai vu des trains de soixante locomotives qui s'enfuyaient à toute
    vapeur pourchassées par les horizons...
Je reconnais tous les pays les yeux fermés à leur odeur
Et je reconnais tous les trains au bruit qu'ils font
Les trains d'Europe sont à quatre temps tandis que ceux d'Asie
    sont à cinq ou sept temps
D'autres vont en sourdine sont des berceuses
60 Et il y en a qui dans le bruit monotone des roues me rappellent
    la prose lourde de Maeterlinck
J'ai déchiffré tous les textes confus des roues et j'ai rassemblé
    les éléments d'une violente beauté
Que je possède...

La Prose du Transsibérien... (Denoël, éditeur).

GUILLAUME APOLLINAIRE

Wilhelm Apollinaris de KOSTROWITZKY est né à Rome en 1880. Fils naturel d'un officier italien et d'une jeune romaine d'origine balte, WILHELM, après des études à Monaco, à Cannes et à Nice, a suivi la vie aventureuse de sa mère et a très tôt connu la liberté. A vingt ans, obligé de gagner sa vie, il est employé à des tâches obscures à Paris, et connaît son premier grand amour avec une jeune Anglaise, ANNIE PLAYDEN, comme lui au service d'une vicomtesse franco-allemande en Rhénanie. De retour à Paris où il mène une vie de bohème, il écrit des études sur les peintres contemporains, fréquente PICASSO, DERAIN, VLAMINCK, et surtout MARIE LAURENCIN avec qui il poursuit une liaison jusqu'en 1912.

Il publie en avril 1913, *Alcools*, recueil de poèmes d'inspiration très variée, dans lequel, généralisant un procédé déjà utilisé par Mallarmé, il supprime systématiquement la ponctuation.

Engagé volontaire en décembre 1914, APOLLINAIRE est gravement blessé à la tête le 17 mars 1916, et il meurt de la « grippe espagnole » le 9 novembre 1918, l'année de son mariage et de la publication d'un deuxième grand recueil poétique, *Calligrammes*.

Le charme d'Apollinaire est dans sa *variété* : ouvert à toutes les influences du monde moderne, il pratique l'humour et sait goûter la poésie des spectacles contemporains. Il préfigure les recherches surréalistes dans certaines fantaisies de *Calligrammes*, mais il est aussi le tendre et délicat poète des amours passées et du temps perdu.

ZONE

Agressivement placé en tête d'*Alcools* comme une affirmation liminaire de « modernisme », *Zone* mêle le refus des traditions, la poésie du quotidien ou même du dérisoire, et les effets de surprise, aux élans d'une âme désespérée d'amour et emportée à la fois dans Paris et dans un passé retrouvé par bribes.

A la fin tu[1] es las de ce monde ancien

Bergère ô tour Eiffel[2] le troupeau des ponts bêle ce matin

Tu en as assez de vivre dans l'antiquité grecque et romaine

Ici même les automobiles ont l'air d'être anciennes
La religion seule est restée toute neuve la religion
Est restée simple comme les hangars de Port-Aviation

Seul en Europe tu n'es pas antique ô Christianisme
L'Européen le plus moderne c'est vous Pape Pie X

— 1 Il s'adresse à lui-même. — 2 Le *surgissement* de la Tour est cher aux peintres cubistes.

Et toi que les fenêtres observent la honte te retient
10 D'entrer dans une église et de t'y confesser ce matin
Tu lis les prospectus les catalogues les affiches qui chantent tout haut
Voilà la poésie ce matin [3] et pour la prose il y a les journaux
Il y a les livraisons à 25 centimes pleines d'aventures policières [4]
Portraits des grands hommes et mille titres divers

J'ai [5] vu ce matin une jolie rue dont j'ai oublié le nom
Neuve et propre du soleil elle était le clairon [6]
Les directeurs les ouvriers et les belles sténo-dactylographes
Du lundi matin au samedi soir quatre fois par jour y passent
Le matin par trois fois la sirène y gémit

20 Une cloche rageuse y aboie vers midi
Les inscriptions des enseignes et des murailles
Les plaques les avis à la façon des perroquets criaillent
J'aime la grâce de cette rue industrielle
Située à Paris entre la rue Aumont-Thiéville et l'avenue des Ternes

Voilà la jeune rue [7] tu n'es encore qu'un petit enfant
Ta mère ne t'habille que de bleu et de blanc [8]
Tu es très pieux et avec le plus ancien de tes camarades René Dalize [9]
Vous n'aimiez rien tant que les pompes de l'Église
Il est neuf heures le gaz est baissé tout bleu vous sortez du dortoir en cachette
30 Vous priez toute la nuit dans la chapelle du collège...

Féru d'aviation — il a chanté « Ader l'aérien » — le poète évoque alors une Ascension toute moderne :

> C'est le Christ qui monte au ciel mieux que les aviateurs
> Il détient le record du monde pour la hauteur... (40-41)
> Icare Enoch Elie Apollonius de Thyane
> Flottent autour du premier aéroplane... (49-50)

Puis brusquement :

> Maintenant tu marches dans Paris tout seul parmi la foule
> Des troupeaux d'autobus mugissants près de toi roulent
> L'angoisse de l'amour te serre le gosier
> Comme si tu ne devais jamais plus être aimé [10] (71-74)

Ainsi erre l'éternel Mal-aimé parmi la réalité et les phantasmes du passé. Tandis que Paris s'écoule près de lui, des éclairs d'existence enfuie l'illuminent, qui le ramènent toujours à la « complainte » de Rutebœuf et de Villon irisée de sourires et de larmes.

Te voici à Coblence à l'hôtel du Géant

Te voici à Rome assis sous un néflier du Japon

— 3 Songer à l'utilisation des journaux, des affiches dans les « papiers peints » de Juan Gris, Picasso, etc. — 4 Aucune ironie : Apollinaire exalte ailleurs le célèbre « Fantômas ». — 5 Passage à la première personne ; l'alternance se poursuit et se précipite aux vers 117-119. — 6 « Correspondance » baudelairienne (cf. v. 22). — 7 La rue de ta jeunesse. — 8 Comme les enfants voués à la Vierge Marie. — 9 Tué en 1917. Les *Calligrammes* lui sont dédiés. — 10 Le poète vient d'être repoussé par Marie Laurencin, comme dix ans auparavant par Annie (cf. v. 117). *Zone* est un poème « de fin d'amour».

Te voici à Amsterdam avec une jeune fille que tu trouves belle et qui est laide
110 Elle doit se marier avec un étudiant de Leyde
On y loue des chambres en latin Cubicula locanda
Je m'en souviens j'y ai passé trois jours et autant à Gouda

Tu es à Paris chez le juge d'instruction
Comme un criminel on te met en état d'arrestation[11]

Tu as fait de douloureux et de joyeux voyages
Avant de t'apercevoir du mensonge et de l'âge
Tu as souffert de l'amour à vingt et à trente ans
J'ai vécu comme un fou et j'ai perdu mon temps
Tu n'oses plus regarder tes mains et à tout moment je voudrais sangloter

L'âme douloureuse du poète sympathise avec les « Misérables » du monde moderne :
émigrants de la gare Saint-Lazare, Juifs de la Rue des Rosiers, filles de la nuit rencontrées
pendant qu'il regagne son logis, plus loin que le Pont Mirabeau...

Et tu bois cet alcool brûlant comme ta vie
Ta vie que tu bois comme une eau-de-vie[12]

150 Tu marches vers Auteuil tu veux aller chez toi à pied
Dormir parmi tes fétiches d'Océanie et de Guinée[13]
Ils sont des Christ d'une autre forme et d'une autre croyance
Ce sont les Christ inférieurs des obscures espérances[14]

Adieu Adieu

Soleil cou coupé[15]

Alcools (Librairie Gallimard, éditeur).

LE PONT MIRABEAU

Ce poème célèbre d'APOLLINAIRE, qui s'inscrit dans la tradition élégiaque, date de 1912 :
l'image de l'eau qui passe symbolise la rupture progressive avec MARIE LAURENCIN.
Des images discrètes, une habile forme rythmique suggèrent, avec une musique apaisée
et mélancolique, une pensée à peine formulée mais pathétique dans sa simplicité même.

Sous le pont Mirabeau coule la Seine
Et nos amours
Faut-il qu'il m'en souvienne
La joie venait toujours après la peine

Vienne la nuit sonne l'heure
Les jours s'en vont je demeure

— 11 Apollinaire avait été compromis dans l'affaire retentissante du vol de la Joconde. Rapidement mis hors de cause, il avait été néanmoins très affecté par son arrestation. — 12 Rappel du titre du recueil. — 13 Comme Picasso, Apollinaire était féru d'art nègre. — 14 Malgré son appel à l'Église de son enfance, la foi du poète reste indécise. — 15 Premier état du vers : *Soleil levant cou tranché.* « Le soleil du monde est tranché, non pas le soleil païen, mais le Soleil-Christ, le soleil spirituel » (M.-J. Durry).

Les mains dans les mains restons face à face
       Tandis que sous
    Le pont de nos bras passe
10 Des éternels regards l'onde si lasse

    Vienne la nuit sonne l'heure
    Les jours s'en vont je demeure

L'amour s'en va comme cette eau courante
      L'amour s'en va
    Comme la vie est lente
Et comme l'Espérance est violente

    Vienne la nuit sonne l'heure
    Les jours s'en vont je demeure

Passent les jours et passent les semaines
20   Ni temps passé
    Ni les amours reviennent
Sous le pont Mirabeau coule la Seine

    Vienne la nuit sonne l'heure
    Les jours s'en vont je demeure

Alcools (Librairie Gallimard, éditeur).

NUIT RHÉNANE

Si nombreux et si caractérisés avaient été les poèmes écrits par APOLLINAIRE pendant son séjour rhénan qu'il songea longtemps à un recueil, *Vent du Rhin*. Il n'en a retenu qu'une quinzaine pour *Alcools* dont neuf sont groupés sous le titre de *Rhénanes* : l'ensemble ne sera connu qu'après sa mort. Les *Rhénanes* évoquent tantôt les légendes *(La Loreley)*, tantôt les tableaux de genre *(Schinderhannes)*, tantôt les scènes de la vie réelle *(La Synagogue, Rhénane d'Automne)*. Celle-ci combine magiquement les trois éléments : l'admirable premier vers qui communique sa vibration à tout le poème suggère *l'ivresse* où le poète est assailli par une évocation fantastique (strophe I) ; il voudrait s'en délivrer par la réalité d'une ronde et la présence rassurante de conventionnelles « Gretchen » (strophe II) ; mais le maléfice du Rhin et du chant mystérieux demeure le plus fort.

Mon verre est plein d'un vin trembleur comme une flamme
Écoutez la chanson lente d'un batelier
Qui raconte avoir vu sous la lune sept femmes
Tordre leurs cheveux verts et longs jusqu'à leurs pieds

Debout chantez plus haut en dansant une ronde
Que je n'entende plus le chant du batelier
Et mettez près de moi toutes les filles blondes
Au regard immobile aux nattes repliées

Le Rhin le Rhin est ivre où les vignes se mirent
10 Tout l'or des nuits tombe en tremblant s'y refléter
La voix chante toujours à en râle-mourir[1]
Ces fées aux cheveux verts qui incantent l'été

Mon verre s'est brisé comme un éclat de rire

(Librairie Gallimard, éditeur).

CALLIGRAMMES

Dans *Calligrammes*, où triomphe la fantaisie picturale, APOLLINAIRE tente de mettre en harmonie les suggestions verbales et la typographie, comme dans le poème ci-dessous. Les meilleurs de ces textes sont ceux où la *grâce symbolique* du dessin est unie à la *puissance poétique*, en particulier lorsque Apollinaire évoque la guerre et la vie dans les tranchées.

LA COLOMBE POIGNARDÉE
ET LE JET D'EAU

CALLIGRAMMES
Éd. *Pléiade* (Gallimard)

— 1 Expression évoquant les accents rauques de ce chant funeste.

CHARLES PÉGUY

Né à Orléans dans une famille ouvrière modeste, en janvier 1873, CHARLES PÉGUY se montre dès l'enfance travailleur et obstiné. De brillantes réussites scolaires le mènent à l'École Normale Supérieure en 1894. Peu auparavant, il a perdu la foi catholique de son enfance, et il adhère avec passion aux idées *socialistes*. Il se jette avec ardeur dans la campagne révisionniste qui exige la réhabilitation de DREYFUS. Il fonde en janvier 1900 les *Cahiers de la Quinzaine* où il publiera ses œuvres ainsi que des textes de ses amis politiques. Pourtant, Péguy se sépare du parti socialiste en lui reprochant son matérialisme et son anticléricalisme. Par ailleurs, il prêche la méfiance à l'égard de l'Allemagne menaçante et s'oppose aux thèses du pacifisme. En 1908, il revient à *la foi catholique* sans pour autant accepter totalement l'autorité de l'Église. Désormais, il se consacre à une *poésie mystique* dont le verset rappelle la Bible et se déroule en litanies faites d'accumulations et d'amplifications infinies (*Le mystère de la Charité de Jeanne d'Arc*, 1911 ; *Le Porche du Mystère de la Deuxième vertu*, 1911 ; *La Tapisserie de Notre-Dame et Ève*, 1913).

Son œuvre en prose comprend des textes nombreux et variés sur la littérature, la politique ou la civilisation. Il rappelle dans *Clio* (1909-1912) les principes de la tradition française opposée au monde moderne. Dans *Victor-Marie Comte Hugo* (1910), il exalte la double vocation de la France, l'héroïsme et la sainteté, que la tragédie de Corneille, *Polyeucte*, lui paraît exprimer d'une façon éclatante.

Mobilisé en 1914, Péguy est tué d'une balle au front le 5 septembre 1914, avant d'avoir pu donner toute sa mesure de poète.

NUIT SUR LE GOLGOTHA

L'admirable hymne à la Nuit, qui termine *Le Porche du Mystère de la Deuxième Vertu*, se couronne par cette évocation de la mort du Christ en croix et de la nuit s'étendant sur le Golgotha. Péguy paraphrase le récit de saint Matthieu (XXVII, 45-60 : la forme même du *verset* rappelle l'Évangile). Mais sa marque propre apparaît dans les accents étonnamment *familiers* qui, loin de détonner, restituent toute sa signification à la tragédie sacrée du Calvaire. Ce drame *mystique* de la croix, perpétué par le sacrifice de la messe, Péguy le saisit aussi dans toutes ses résonances *humaines*, et en particulier dans son historicité, comme un *événement* (pour les soldats romains indifférents, c'est un simple fait divers qui leur a valu une corvée). Ainsi se trouve soulignée l'insertion du surnaturel dans le quotidien, la « *racination* », chère au poète, *du spirituel dans le temporel* : c'est le sens même du *mystère de l'Incarnation*.

Mais surtout, Nuit, tu me rappelles cette nuit [1].
Et je me la rappellerai éternellement.
La neuvième heure avait sonné. C'était dans le pays de mon peuple d'Israël.
Tout était consommé [2]. Cette énorme aventure.
Depuis la sixième heure il y avait eu des ténèbres sur tout le pays, jusqu'à la neuvième heure.

— 1 C'est Dieu lui-même qui parle. — 2 C'est le cri de Jésus expirant : *Consummatum est* (Jean, XIX, 30), « tout est achevé », mais aussi « tout est accompli » (conformément aux prophéties, cf. 1. 26-28).

Tout était consommé. Ne parlons plus de cela. Ça me fait mal.
Cette incroyable descente de mon fils parmi les hommes.
10 Chez les hommes.
Pour ce qu'ils en ont fait [3].
Ces trente ans qu'il fut charpentier chez les hommes.
Ces trois ans qu'il fut une sorte de prédicateur chez les hommes.
Un prêtre.
Ces trois jours où il fut une victime chez les hommes.
Parmi les hommes.
Ces trois nuits où il fut un mort chez les hommes.
Parmi les hommes morts.
Ces siècles et ces siècles où il est une hostie [4] chez les hommes.
20 Tout était consommé, cette incroyable aventure
Par laquelle, moi, Dieu, j'ai les bras liés pour mon éternité.
Cette aventure par laquelle mon Fils m'a lié les bras.
Pour éternellement liant les bras de ma justice, pour éternellement déliant
  les bras de ma miséricorde.
Et contre ma justice inventant une justice même.
Une justice d'amour. Une justice d'Espérance. Tout était consommé.
Ce qu'il fallait. Comme il avait fallu. Comme mes prophètes l'avaient
  annoncé. Le voile du temple s'était déchiré en deux, depuis le haut
  jusqu'en bas.
30 La terre avait tremblé ; des rochers s'étaient fendus.
Des sépulcres s'étaient ouverts, et plusieurs corps des saints qui étaient
  morts étaient ressuscités.
Et environ la neuvième heure mon Fils avait poussé
Le cri qui ne s'effacera point. Tout était consommé. Les soldats s'en
  étaient retournés dans leurs casernes.
Riant et plaisantant parce que c'était un service de fini.
Un tour de garde qu'ils ne prendraient plus.
Seul un centenier[5] demeurait, et quelques hommes.
Un tout petit poste pour garder ce gibet sans importance.
40 La potence où mon Fils pendait.
Seules quelques femmes étaient demeurées.
La Mère était là.
Et peut-être aussi quelques disciples, et encore on n'en est pas bien sûr.
Or tout homme a le droit d'ensevelir son fils.
Tout homme sur terre, s'il a ce grand malheur
De ne pas être mort avant son fils. Et moi seul, moi Dieu,
Les bras liés par cette aventure,
Moi seul à cette minute père après tant de pères,
Moi seul je ne pouvais pas ensevelir mon fils.

— 3 Cf. Jean I, 11 : « Il est venu dans son | — 4 Penser au sens primitif : *victime* (cf. I. 15).
héritage, et les siens ne l'ont point reçu. » | — 5 *Centenier*, ou *centurion*.

50 C'est alors, ô nuit, que tu vins.
  O ma fille chère entre toutes et je le vois encore et je verrai cela dans mon
      éternité.
  C'est alors ô Nuit que tu vins et dans un grand linceul tu ensevelis
  Le Centenier et ses hommes romains,
  La Vierge et les saintes femmes,
  Et cette montagne et cette vallée, sur qui le soir descendait,
  Et mon peuple d'Israël et les pécheurs et ensemble celui qui mourait, qui
      était mort pour eux.

  Et les hommes de Joseph d'Arimathée qui déjà s'approchaient

  Portant le linceul blanc.

Le Porche du Mystère de la Deuxième Vertu (Librairie Gallimard, éditeur).

LA DEUXIÈME VERTU

Entre les trois vertus théologales, Péguy accorde la primauté à *l'espérance*, et il prête à Dieu la même prédilection. Dans ses variations lyriques sur l'espérance, il est intarissable. Les images se multiplient : la vertu préférée est une fontaine éternellement jaillissante ; elle est la fillette qui « sauterait à la corde dans une procession » ; « elle va vingt fois devant, comme un petit chien, elle revient, elle repart, elle fait vingt fois le chemin », et « elle n'est jamais fatiguée. » Mais une convergence des images se dessine, comme on le verra dans les fragments groupés ci-dessous : l'espérance c'est le *jaillissement*, la *spontanéité créatrice*, la *jeunesse toujours nouvelle* de l'homme et du monde ; sans elle, l'univers sombrerait dans décrépitude, dans la plus aride répétition, dans le néant.

« *La foi que j'aime le mieux, dit Dieu, c'est l'espérance. La foi ça ne m'étonne pas.* [...] *La charité, dit Dieu, ça ne m'étonne pas.* »

Ce qui m'étonne, dit Dieu, c'est l'espérance
Et je n'en reviens pas.
Cette petite espérance qui n'a l'air de rien du tout.
Cette petite fille espérance.
Immortelle.

Car mes trois vertus, dit Dieu.
Les trois vertus mes créatures.
Mes filles mes enfants.
Sont elles-mêmes comme mes autres créatures.
10 De la race des hommes.
  La Foi est une Épouse fidèle.
  La Charité est une Mère.
  Une mère ardente, pleine de cœur.
  Ou une sœur aînée qui est comme une mère.
  L'Espérance est une petite fille de rien du tout.

Qui est venue au monde le jour de Noël de l'année dernière.
Qui joue encore avec le bonhomme Janvier.
Avec ses petits sapins en bois d'Allemagne. Peints.
Et avec sa crèche pleine de paille que les bêtes ne mangent pas.
20 Puisqu'elles sont en bois.
C'est cette petite fille pourtant qui traversera les mondes.
C'est cette petite fille de rien du tout.
Elle seule, portant les autres, qui traversera les mondes révolus.

*

La petite espérance s'avance entre ses deux grandes sœurs et on ne prend
   seulement pas garde à elle.
Sur le chemin du salut, sur le chemin charnel, sur le chemin raboteux du
   salut, sur la route interminable, sur la route entre ses deux sœurs la petite
   espérance
S'avance.
30 Entre ses deux grandes sœurs.
Celle qui est mariée.
Et celle qui est mère.
Et l'on n'a d'attention, le peuple chrétien n'a d'attention que pour les deux
   grandes sœurs.
La première et la dernière.
Qui vont au plus pressé.
Au temps présent.
A l'instant momentané qui passe.
Le peuple chrétien ne voit que les deux grandes sœurs, n'a de regard que
40   pour les deux grandes sœurs.
Celle qui est à droite et celle qui est à gauche.
Et il ne voit quasiment pas celle qui est au milieu.
La petite, celle qui va encore à l'école.
Et qui marche.
Perdue dans les jupes de ses sœurs.
Et il croit volontiers que ce sont les deux grandes qui traînent la petite
   par la main.
Au milieu.
Entre elles deux.
50 Pour lui faire faire ce chemin raboteux du salut.
Les aveugles qui ne voient pas au contraire.
Que c'est elle au milieu qui entraîne ses grandes sœurs.
Et que sans elle elles ne seraient rien.
Que deux femmes déjà âgées.
Deux femmes d'un certain âge.
Fripées par la vie.
C'est elle, cette petite, qui entraîne tout.
Car la Foi ne voit que ce qui est.

Et elle voit ce qui sera.
La Charité n'aime que ce qui est.
Et elle aime ce qui sera.

Le Porche du Mystère de la Deuxième Vertu (Librairie Gallimard, éditeur).

PRÉSENTATION DE LA BEAUCE

La *Présentation de la Beauce à Notre-Dame de Chartres*, qui est une véritable *prière*, fait suite à plusieurs pèlerinages de PÉGUY à Chartres, en particulier en juin 1912, en exécution d'un vœu pour la guérison de son fils Pierre atteint de la typhoïde.

Étoile de la mer voici la lourde nappe
Et la profonde houle et l'océan des blés
Et la mouvante écume et nos greniers comblés,
Voici votre regard sur cette immense chape

Et voici votre voix sur cette lourde plaine
Et nos amis absents et nos cœurs dépeuplés,
Voici le long de nous nos poings désassemblés
Et notre lassitude et notre force pleine.

Étoile du matin, inaccessible reine,
10 Voici que nous marchons vers votre illustre cour,
Et voici le plateau de notre pauvre amour,
Et voici l'océan de notre immense peine.

Un sanglot rôde et court par-delà l'horizon.
A peine quelques toits font comme un archipel.
Du vieux clocher retombe une sorte d'appel.
L'épaisse église semble une basse maison.

Ainsi nous naviguons vers votre cathédrale.
De loin en loin surnage un chapelet de meules,
Rondes comme des tours, opulentes et seules
20 Comme un rang de châteaux sur la barque amirale.

Deux mille ans de labeur ont fait de cette terre
Un réservoir sans fin pour les âges nouveaux.
Mille ans de votre grâce ont fait de ces travaux
Un reposoir sans fin pour l'âme solitaire.

Vous nous voyez marcher sur cette route droite,
Tout poudreux, tout crottés, la pluie entre les dents.
Sur ce large éventail ouvert à tous les vents
La route nationale est notre porte étroite.

Nous allons devant nous, les mains le long des poches,
30 Sans aucun appareil, sans fatras, sans discours,
D'un pas toujours égal, sans hâte ni recours,
Des champs les plus présents vers les champs les plus proches.

Vous nous voyez marcher, nous sommes la piétaille.
Nous n'avançons jamais que d'un pas à la fois.
Mais vingt siècles de peuple et vingt siècles de rois,
Et toute leur séquelle et toute leur volaille

Et leurs chapeaux à plume avec leur valetaille
Ont appris ce que c'est que d'être familiers,
Et comme on peut marcher, les pieds dans ses souliers,
40 Vers un dernier carré le soir d'une bataille. [...]

Un homme de chez nous, de la glèbe féconde
A fait jaillir ici d'un seul enlèvement,
Et d'une seule source et d'un seul portement,
Vers votre assomption la flèche unique au monde.

Tour de David, voici votre tour beauceronne.
C'est l'épi le plus dur qui soit jamais monté
Vers un ciel de clémence et de sérénité,
Et le plus beau fleuron dedans votre couronne.

Un homme de chez nous a fait ici jaillir,
50 Depuis le ras du sol jusqu'au pied de la croix,
Plus haut que tous les saints, plus haut que tous les rois
La flèche irréprochable et qui ne peut faillir.

C'est la gerbe et le blé qui ne périra point,
Qui ne fanera point au soleil de septembre,
Qui ne gèlera point aux rigueurs de décembre,
C'est votre serviteur et c'est votre témoin.

C'est la tige et le blé qui ne pourrira pas,
Qui ne flétrira point aux ardeurs de l'été,
Qui ne moisira point dans un hiver gâté,
60 Qui ne transira point dans un commun trépas.

C'est la pierre sans tache et la pierre sans faute,
La plus haute oraison qu'on ait jamais portée,
La plus droite raison qu'on ait jamais jetée,
Et vers un ciel sans bord la ligne la plus haute. [...]

Nous voici parvenus sur la haute terrasse
Où rien ne cache plus l'homme de devant Dieu,
Où nul déguisement ni du temps ni du lieu
Ne pourra nous sauver, Seigneur, de votre chasse

Voici la gerbe immense et l'immense liasse,
70 Et le grain sous la meule et nos écrasements,
Et la grêle javelle et nos renoncements,
Et l'immense horizon que le regard embrasse.

Et notre indignité cette immuable masse,
Et notre basse peur en un pareil moment,
Et la juste terreur et le secret tourment
De nous trouver tout seuls par devant votre face. [...]

Mais vous apparaissez, reine mystérieuse.
Cette pointe là-bas dans le moutonnement
Des moissons et des bois et dans le flottement
80 De l'extrême horizon ce n'est point une yeuse,

Ni le profil connu d'un arbre interchangeable.
C'est déjà plus distante, et plus basse, et plus haute,
Ferme comme un espoir sur la dernière côte,
Sur le dernier coteau la flèche inimitable. [...]

Nous avons eu bon vent de partir dès le jour.
Nous coucherons ce soir à deux pas de chez vous,
Dans cette vieille auberge où pour quarante sous
Nous dormirons tout près de votre illustre tour.

Nous serons si fourbus que nous regarderons,
90 Assis sur une chaise auprès de la fenêtre,
Dans un écrasement du corps et de tout l'être,
Avec des yeux battus, presque avec des yeux ronds,

Et les sourcils haussés jusque dedans nos fronts,
L'angle une fois trouvé par un seul homme au monde,
Et l'unique montée ascendante et profonde
Et nous serons recrus et nous contemplerons.

Voici l'axe et la ligne et la géante fleur.
Voici la dure pente et le contentement.
Voici l'exactitude et le consentement.
100 Et la sévère larme, ô reine de douleur.

Voici la nudité, le reste est vêtement.
Voici le vêtement, tout le reste est parure.
Voici la pureté, tout le reste est souillure.
Voici la pauvreté, le reste est ornement. [...]

Voici la seule foi qui ne soit point parjure.
Voici le seul élan qui sache un peu monter.
Voici le seul instant qui vaille de compter.
Voici le seul propos qui s'achève et qui dure.

La Tapisserie de Notre Dame (Librairie Gallimard, éditeur).

Theo Van Rysselberghe :
Une lecture (1903).
Autour de Verhaeren
lisant ses poèmes :
F. Le Dantec, F. Vielé -
Griffin, H.E. Cross,
A. Gide, M. Maeterlinck,
F. Fénéon et Henri Ghéon.
Gand, musée des Beaux-Arts.
(Photo Snark International.)

Max Jacob :
Apollinaire.
Musée d'Orléans.
(Photo Snark International.)

Ci-contre à gauche,
Charles Péguy :
« Tour de David,
voici votre tour beauceronne... »
(Photo Feher - Rapho.)

Ci-dessus,
Alfred Jarry. Gus Bofa : *Synthèses littéraires
et extra-littéraires*, présentées par Roland Dorgelès.
Paris, Éd. Mornay, 1923.
(Photo Bibliothèque nationale, Paris.)

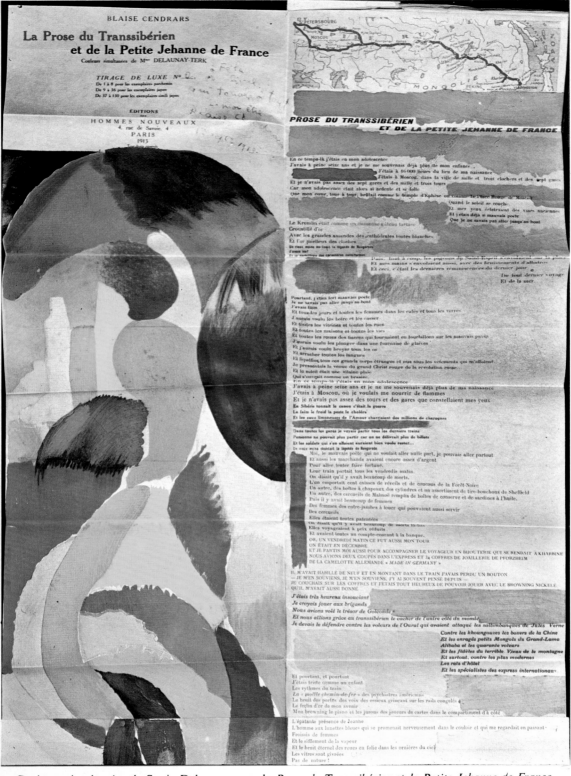

Couleurs simultanées de Sonia Delaunay pour la *Prose du Transsibérien* et *la Petite Jehanne de France*, de Blaise Cendrars. Collection Miriam Cendrars. *(Photo J.-L. Charmet - E.B.)*

LE THÉATRE AVANT 1914

LE ROMANTISME connaît une étonnante résurrection grâce à EDMOND ROSTAND (1868-1918) qui fait représenter, avec un succès triomphal, *Cyrano de Bergerac* (1897) et *l'Aiglon* (1900).

LE GROGNARD

L'Aiglon, c'est le fils de Napoléon, le Roi de Rome, devenu DUC DE REICHSTADT, que tourmente, malgré la pression de son entourage autrichien, la *nostalgie de l'épopée paternelle*. Mais le drame est dominé par le personnage de FLAMBEAU, ancien soldat de la Garde, une des plus brillantes créations de Rostand : la scène où le DUC l'écoute avec exaltation évoquer son passé est un des sommets de *L'Aiglon*. Voici le moment où, emporté par sa ferveur napoléonienne, FLAMBEAU laisse percer le grognard sous la livrée de laquais qui lui sert de masque, car il a été envoyé à Schœnbrunn par les bonapartistes français pour contrecarrer l'influence autrichienne. L'ex-maréchal Marmot, duc de Raguse, autrefois traître à son maître, vient d'invoquer, pour sa défense, la *fatigue* des officiers de Napoléon et ce qu'il appelle la *démence* de l'Empereur. C'est alors qu'éclate le *lyrisme épique* de Flambeau.

        LE LAQUAIS : *descendant peu à peu vers Marmont*

Et nous, les petits, les obscurs, les sans-grades,
Nous qui marchions fourbus, blessés, crottés, malades,
Sans espoir de duchés ni de dotations ;
Nous qui marchions toujours et jamais n'avancions ;
Trop simples et trop gueux pour que l'espoir nous berne
De ce fameux bâton qu'on a dans sa giberne [1] ;
Nous qui, par tous les temps, n'avons cessé d'aller,
Suant sans avoir peur, grelottant sans trembler,
Ne nous soutenant plus qu'à force de trompette,
10 De fièvre et de chansons qu'en marchant on répète ;
Nous sur lesquels pendant dix-sept ans, songez-y,
Sac, sabre, tourne-vis, pierres à feu, fusil,
  — Ne parlons pas du poids toujours absent des vivres ! —
Ont fait le doux total de cinquante-huit livres ;
Nous qui, coiffés d'oursons sous les ciels tropicaux,
Sous les neiges n'avions même plus de shakos [2] ;
Qui d'Espagne en Autriche exécutions des trottes ;
Nous qui pour arracher ainsi que des carottes
Nos jambes à la boue énorme des chemins,
20 Devions les empoigner quelquefois à deux mains ;

— 1 Cf. le dicton selon lequel tout soldat a dans sa giberne le *bâton de maréchal*. La *giberne* est le nom ancien de la cartouchière. — 2 Allusions à la campagne d'Égypte et à la retraite de Russie.

Nous qui pour notre toux n'ayant pas de jujube,
Prenions des bains de pied d'un jour dans le Danube ;
Nous qui n'avions le temps quand un bel officier
Arrivait, au galop de chasse, nous crier :
« L'ennemi nous attaque, il faut qu'on le repousse ! »
Que de manger un blanc de corbeau sur le pouce,
Ou vivement, avec un peu de neige, encor,
De nous faire un sorbet au sang de cheval mort ;
Nous...

LE DUC, *les mains crispées aux bras de son fauteuil, penché en avant, les yeux ardents*

Enfin !...

LE LAQUAIS

30   ...qui marchant et nous battant à jeun,
Ne cessions de marcher...

LE   DUC, *transfiguré de joie*

Enfin ! j'en vois donc un !

LE LAQUAIS

...Que pour nous battre, — et de nous battre un contre quatre,
Que pour marcher, — et de marcher que pour nous battre,
Marchant et nous battant, maigres, nus, noirs et gais...
Nous, nous ne l'étions pas, peut-être, fatigués ?

Malgré ses rêves de gloire et le dévouement de Flambeau, l'Aiglon ira vers le désespoir et la mort, sans avoir pu s'évader de sa « cage » autrichienne.

L'Aiglon, II, 9 (Fasquelle, éditeur)

LE THÉATRE NATURALISTE a pour représentant le plus illustre OCTAVE MIRBEAU (1850-1917) dont *Les Affaires sont les affaires* (1903) traduit impitoyablement le pouvoir de l'argent dans la société moderne. A la même époque, le *Théâtre libre* d'Antoine introduit le naturalisme dans la mise en scène.

Cependant, la description objective des drames sociaux glisse insensiblement chez certains auteurs au *théâtre d'idées*. EUGÈNE BRIEUX (1858-1922) avec *La Robe Rouge*, PAUL HERVIEU (1857-1915) avec *La Course au Flambeau* et FRANÇOIS DE CUREL (1854-1929) avec *Le Repas du Lion* et *La Nouvelle Idole* remportent le succès, mais leur œuvre n'échappe pas à un moralisme souvent fastidieux.

LE THÉATRE COMIQUE est abondamment représenté, même si l'on néglige le « théâtre de boulevard », aux situations faciles et à la psychologie sommaire.

Le vaudeville de GEORGES FEYDEAU (1862-1921) garde tout son charme grâce au rythme endiablé et à la précision de ses mécanismes comiques (*Le Dindon*, 1896 ; *Occupe-toi d'Amélie*, 1908).

L'humour de TRISTAN BERNARD (1866-1947) et la verve satirique de ROBERT DE FLERS (1872-1927) et Gaston Arman de CAILLAVET (1869-1915), auteurs de *L'Habit Vert*, associent la fantaisie et l'indulgence à la raillerie.

Mais c'est Georges Courteline (1858-1929) qui a su le mieux retrouver la tradition de Molière en dégageant de la réalité quotidienne les contraintes qui pèsent sur l'homme et les attitudes de défense qui y répondent. La *farce* se mêle chez lui à la profondeur de l'*observation psychologique* et à une *satire sociale* parfois amère et dure dans *Monsieur Badin* (1897), *Le Gendarme est sans pitié* (1899), *Boubouroche* (1893).

La farce s'engage dans une autre direction avec Alfred Jarry (1873-1907), qui, à la suite de Rimbaud et Lautréamont, voit dans la littérature un acte de négation libératrice. La bouffonnerie et le grossissement épique d'*Ubu Roi* (1896) et d'*Ubu Enchaîné* (1900) visent, à travers les grossièretés et les outrances, à rassembler dans une *image vengeresse* tous les traits de la vulgarité, de la bassesse et de l'*absurdité* triomphantes.

La geste d'Ubu

Il y a, en réalité, trois Ubu. D'abord celui qui, né de l'imagination collective d'une classe en réaction contre un professeur prétendu odieux, est devenu, grâce à Jarry, *Ubu Roi*, incarné par Gémier lui-même au Théâtre de l'Œuvre, en 1896. Mais aussi, *Ubu Enchaîné* (1900) et un *Ubu sur la Butte* (1906), qui tourne plutôt à la revue satirique. Les trois textes, sont aujourd'hui confondus dans la version globale d'*Ubu* adoptée en 1960 par le T.N.P.

UBU, MAÎTRE D'ABSURDITÉ

« Ancien roi d'Aragon, officier de confiance du roi Venceslas », le masque fantastique a d'abord, pour première parole, lancé « LE » mot célèbre (cf. l. 54). Puis, il a lâchement renversé le roi de Pologne, son bienfaiteur, et fait massacrer presque toute la famille royale. Avant d'étaler sa couardise dans une guerre grotesque contre Bougrelas, héritier du trône, il s'affirme ici dans le déploiement de l'arbitraire qui est une forme de l'absurde. Pour estimer à leur juste valeur le ton et les procédés de Jarry, toujours un peu gros, on pourra comparer ce passage à la scène où A. Camus fait donner par son Caligula une leçon d'absurdité d'une tout autre portée.

PÈRE UBU

Apportez la caisse à Nobles et le crochet à Nobles et le couteau à Nobles et le bouquin à Nobles ! Ensuite, faites avancer les Nobles. *(On pousse brutalement les Nobles.)*

MÈRE UBU

De grâce, modère-toi, Père Ubu.

PÈRE UBU

J'ai l'honneur de vous annoncer que pour enrichir le royaume je vais faire périr tous les Nobles et prendre leurs biens.

NOBLES

Horreur ! A nous peuple et soldats !

PÈRE UBU

Amenez le premier Noble et passez-moi le crochet à Nobles. Ceux qui seront condamnés à mort, je les passerai dans la trappe, ils passeront
10 dans les sous-sols du Pince-Porc et de la Chambre-à-sous, où on les décervèlera [1]. *(Au Noble.)* Qui es-tu, bouffre ?

LE NOBLE

Comte de Vitepsk.

PÈRE UBU

De combien sont tes revenus ?

LE NOBLE

Trois millions de rixdales.

PÈRE UBU

Condamné ! *(Il le prend avec un crochet et le passe dans le trou.)*

MÈRE UBU

Quelle basse férocité !

PÈRE UBU

Second Noble, qui es-tu ? *(Le Noble ne répond rien.)* Répondras-tu, bouffre ?

LE NOBLE

Grand-duc de Posen.

PÈRE UBU

20   Excellent ! Excellent ! Je n'en demande pas plus long. Dans la trappe. Troisième Noble, qui es-tu ? Tu as une sale tête.

LE NOBLE

Duc de Courlande, des villes de Riga, de Revel et de Mitau.

PÈRE UBU

Très bien ! Très bien ! Tu n'as rien autre chose ?

LE NOBLE

Rien.

PÈRE UBU

Dans la trappe, alors. Quatrième Noble, qui es-tu ?

— [1] A partir de 1900, en guise de « remerciement aux spectateurs », a été introduite la chanson du décervelage : « Voyez, voyez la machin' tourner Voyez, voyez la cervell' sauter Voyez, voyez les Rentiers trembler ».

LE NOBLE

Prince de Podolie.

PÈRE UBU

Quels sont tes revenus ?

LE NOBLE

Je suis ruiné !

PÈRE UBU

Pour cette mauvaise parole, passe dans la trappe. Cinquième Noble,
30 qui es-tu ?

LE NOBLE

Margrave de Thorn, palatin de Polock.

PÈRE UBU

Ça n'est pas lourd. Tu n'as rien autre chose ?

LE NOBLE

Cela me suffisait.

PÈRE UBU

Eh bien ! mieux vaut peu que rien. Dans la trappe. Qu'as-tu à pigner [2],
Mère Ubu ?

MÈRE UBU

Tu es trop féroce, Père Ubu.

PÈRE UBU

Eh ! je m'enrichis. Je vais me faire lire MA liste de MES biens. Greffier,
lisez MA liste de MES biens.

LE GREFFIER

Comté de Sandomir.

PÈRE UBU

40 Commence par les principautés, stupide bougre !

LE GREFFIER

Principauté de Podolie, grand-duché de Posen, duché de Courlande,
comté de Sandomir, comté de Vitepsk, palatinat de Polock, margraviat
de Thorn.

PÈRE UBU

Et puis après ?

— 2 *Pleurnicher :* terme encore en usage dans l'Ouest.

LE GREFFIER

C'est tout.

PÈRE UBU

Comment, c'est tout ! Oh ! bien alors, en avant les Nobles, et comme je ne finirai pas de m'enrichir, je vais faire exécuter tous les Nobles et ainsi j'aurai tous les biens vacants. Allez, passez les Nobles dans la trappe. *(On empile les nobles dans la trappe.)* Dépêchez-vous, plus vite, je veux
50 faire des lois maintenant.

PLUSIEURS

On va voir ça.

PÈRE UBU

Je vais d'abord réformer la justice, après quoi nous procèderons aux finances.

PLUSIEURS MAGISTRATS

Nous nous opposons à tout changement.

PÈRE UBU

Merdre ! D'abord les magistrats ne seront plus payés.

MAGISTRATS

Et de quoi vivrons-nous ? Nous sommes pauvres.

PÈRE UBU

Vous aurez les amendes que vous prononcerez et les biens des condamnés à mort.

UN MAGISTRAT

Horreur !

DEUXIÈME

60   Infamie !

TROISIÈME

Indignité !

TOUS

Nous nous refusons à juger dans des conditions pareilles.

PÈRE UBU

A la trappe les magistrats ! *(Ils se débattent en vain.)*

Ubu Roi, III, 2 (Fasquelle, éditeur).

Magistrats et financiers passent eux aussi à la trappe. Par la suite on voit Père Ubu, accompagné des « salopins » de finance — ses gabelous — et précédé du voiturin à phynances (la célèbre orthographe apparaît ici) venir lui-même percevoir les impôts dans les chaumières. Le premier paysan menacé de « décollation du cou et de la tête » se nomme Stanislas Leczinski... « Avec ce système, dit Ubu, j'aurai vite fait fortune, alors je tuerai tout le monde et je m'en irai ».

IDÉES ET DOCTRINES

La vie politique est bouleversée par l'AFFAIRE DREYFUS et ses suites. Elle attire les intellectuels et les engage dans une action à laquelle ils s'efforcent de fournir un fondement doctrinal et idéologique.

Le socialiste JEAN JAURÈS (1859-1914), historien, homme politique et orateur brillant, rêve de concilier le « socialisme humaniste » du XIXᵉ siècle avec le réalisme historique et économique de Marx et Engels. Il croit aux progrès de la démocratie politique et sociale et à la possibilité d'un *humanisme universel*. Il meurt assassiné en juillet 1914, alors qu'il travaillait à un rapprochement avec les socialistes allemands pour tenter de sauver la paix.

CHARLES MAURRAS (1868-1952) s'oppose au contraire à la notion de progrès et veut être le restaurateur de l'*hellénisme* et du *classicisme*. Il fonde *L'Action française* en 1899 pour répandre ses idées et lutter contre la république et le cosmopolitisme. Auteur de poèmes néo-classiques réunis dans *La Musique intérieure* (1925), il expose l'essentiel de sa doctrine dans *Mes idées politiques* (1937). Ayant pris parti pour le gouvernement de Vichy entre 1940 et 1944, Maurras est condamné à la détention perpétuelle en 1945, et il meurt l'année de sa grâce en 1952.

Ainsi voit-on s'opposer le *traditionalisme* à la *pensée socialiste*, cependant qu'une *renaissance spiritualiste* se manifeste autour de Léon Bloy (1846-1917), de Péguy, et Claudel, et surtout du philosophe Henri Bergson.

HENRI BERGSON (1859-1941) exerce une influence capitale sur la première moitié du XXᵉ siècle ; sa thèse, dès 1888, *Essai sur les données immédiates de la conscience*, annonce les grandes lignes d'une pensée qui se développe dans *Matière et mémoire* (1896), *L'Évolution créatrice* (1907), *L'Énergie spirituelle* (1919), *Les deux sources de la morale et de la religion* (1932). Cette influence s'explique principalement par la réaction de BERGSON contre le scientisme et le positivisme, et par le développement dans son œuvre d'une *philosophie expérimentale de la durée :* dans une époque où l'expérience du temps concret allait devenir l'une des principales sources du renouvellement de la poésie et du roman, la philosophie bergsonienne, qui avait devancé la plupart de ces nouveautés littéraires, apparut à beaucoup d'esprits comme la *philosophie des temps nouveaux*. Son rayonnement fut encore accru par le talent d'écrivain d'HENRI BERGSON qui appartient ainsi à la littérature.

DURÉE ET CRÉATION

Dans *L'Évolution créatrice*, BERGSON développe la distinction entre le *temps abstrait*, que mesurent les horloges et qui contredit l'idée de création, puisque selon le principe du déterminisme, il ne saurait rien apporter de nouveau, et la *durée concrète et vécue*, qui relève d'une expérience irréductible et constitue au contraire, par excellence, *une force créatrice*. Grâce à quoi le temps retrouve une signification et un contenu, qui concernent *la part d'invention* de l'Univers et de l'Homme, alors que le déterminisme ne concerne que leur *part de répétition*. Ainsi se trouve légitimé l'effort *créateur* de l'artiste.

Quand l'enfant s'amuse à reconstituer une image en assemblant les pièces d'un jeu de patience, il y réussit de plus en plus vite à mesure qu'il s'exerce davantage. La reconstitution était d'ailleurs instantanée, l'enfant

la trouvait toute faite, quand il ouvrait la boîte au sortir du magasin. L'opération n'exige donc pas un temps déterminé, et même, théoriquement, elle n'exige aucun temps. C'est que le résultat en est donné. C'est que l'image est créée déjà et que, pour l'obtenir, il suffit d'un travail de recomposition et de réarrangement. [...] Mais pour l'artiste qui crée une image en la tirant du fond de son âme, le temps n'est plus un accessoire.
10 Ce n'est pas un intervalle qu'on puisse allonger ou raccourcir sans en modifier le contenu. La durée de son travail fait partie intégrante de son travail. La contracter ou la dilater serait modifier à la fois l'évolution psychologique qui la remplit et l'invention qui en est le terme. Le temps d'invention ne fait qu'un ici avec l'invention même. C'est le progrès d'une pensée qui change au fur et à mesure qu'elle prend corps. Enfin, c'est un processus vital [1], quelque chose comme la maturation d'une idée.

Le peintre est devant sa toile, les couleurs sont sur la palette, le modèle pose ; nous voyons tout cela, et nous connaissons aussi la manière du peintre : prévoyons-nous ce qui apparaîtra sur la toile ? Nous possédons
20 les éléments du problème ; nous savons, d'une connaissance abstraite, comment il sera résolu, car le portrait ressemblera sûrement au modèle et sûrement aussi à l'artiste ; mais la solution concrète apporte avec elle cet imprévisible rien qui est le tout de l'œuvre d'art [2]. Et c'est ce rien qui prend du temps. Néant de matière, il se crée lui-même comme forme. La germination et la floraison de cette forme s'allongent en une irrétrécissable durée, qui fait corps avec elle. De même pour les œuvres de la nature. [...] C'est pourquoi l'idée de lire dans un état présent de l'univers matériel l'avenir des formes vivantes, et de déplier tout d'un coup leur histoire future, doit renfermer une véritable absurdité. Mais cette absurdité
30 est difficile à dégager, parce que notre mémoire a coutume d'aligner dans un espace idéal les termes qu'elle perçoit tout à tour, parce qu'elle se représente toujours la succession *passée* sous forme de juxtaposition. Elle peut d'ailleurs le faire, précisément parce que le passé est du déjà inventé, du mort, et non plus de la création et de la vie. Alors, comme la succession à venir finira par être une succession passée, nous nous persuadons que la durée à venir comporte le même traitement que la durée passée, qu'elle serait dès maintenant déroulable, que l'avenir est là, enroulé, déjà peint sur la toile [3]. Illusion sans doute, mais illusion naturelle, indéracinable, qui durera autant que l'esprit humain.

40   *Le temps est invention ou il n'est rien du tout.* [4]

L'Évolution créatrice, chap. IV (P.U.F., éditeur).

— 1 Cf. la formule de *l'élan vital* qui symbolise le dynamisme essentiel de la philosophie bergsonienne : l'art témoin de *l'énergie spirituelle*. — 2 Différence *de nature* entre l'art et la science, qui est déterminisme et prévision. Bergson dément ainsi les thèses scientistes de Renan — 3 Explication de « l'illusion scientiste ». — 4 Formule soulignée par l'auteur.

NATURE ET FONCTION DE L'ART

L'Art, parce qu'il est un des témoins les plus féconds du pouvoir créateur de la durée, occupe donc, dans la philosophie bergsonienne, une place privilégiée. Aussi BERGSON, abordant le problème du comique, élargit-il son sujet pour y rattacher des *réflexions sur la nature et la fonction de l'art* dans son rapport avec la « réalité ». Au début d'un siècle qui allait se passionner pour le débat entre *réalisme* et *irréalisme* et prendre parti pour l'irréalisme, ces pages du *Rire*, publiées en 1900, ont un caractère *prophétique*.

Nous nous mouvons parmi des généralités et des symboles, comme en un champ clos où notre force se mesure utilement avec d'autres forces ; et fascinés par l'action, attirés par elle, pour notre plus grand bien, sur le terrain qu'elle s'est choisi, nous vivons dans une zone mitoyenne entre les choses et nous, extérieurement aux choses, extérieurement aussi à nous-mêmes. Mais de loin en loin, par distraction, la nature suscite des âmes plus détachées de la vie. Je ne parle pas de ce détachement voulu, raisonné, systématique, qui est œuvre de réflexion et de philosophie. Je parle d'un détachement naturel, inné à la structure du sens ou de la
10 conscience, et qui se manifeste tout de suite par une manière virginale, en quelque sorte, de voir, d'entendre ou de penser. Si ce détachement était complet, si l'âme n'adhérait plus à l'action par aucune de ses perceptions, elle serait l'âme d'un artiste comme le monde n'en a point vu encore. Elle excellerait dans tous les arts à la fois, ou plutôt elle les fondrait tous en un seul. Elle apercevrait toutes choses dans leur pureté originelle, aussi bien les formes, les couleurs et les sons du monde matériel que les plus subtils mouvements de la vie intérieure. Mais c'est trop demander à la nature. Pour ceux-mêmes d'entre nous qu'elle a faits artistes, c'est acciden- tellement, et d'un seul côté, qu'elle a soulevé le voile, c'est dans une
20 direction seulement qu'elle a oublié d'attacher la perception au besoin. Et comme chaque direction correspond à ce que nous appelons un sens, c'est par un de ces sens, et par ce sens seulement, que l'artiste est ordinai- rement voué à l'art. De là, à l'origine, la diversité des arts. [...]

Ainsi, qu'il soit peinture, sculpture, poésie ou musique, l'art n'a d'autre objet que d'écarter les symboles pratiquement utiles, les généralités conventionnellement et socialement acceptées, enfin tout ce qui nous masque la réalité, pour nous mettre face à face avec la réalité même. C'est d'un malentendu sur ce point qu'est né le débat entre le réalisme et l'idéalisme dans l'art. L'art n'est sûrement qu'une vision plus directe
30 de la réalité. Mais cette pureté de perception implique une rupture avec la convention utile, un désintéressement inné et spécialement localisé du sens ou de la conscience, enfin une certaine immatéralité de vie, qui est ce qu'on a toujours appelé de l'idéalisme. De sorte qu'on pourrait dire, sans jouer aucunement sur le sens des mots, que le réalisme est dans l'œuvre quand l'idéalisme est dans l'âme, et que c'est à force d'idéalité seulement qu'on reprend contact avec la réalité.

Le Rire (P. U. F. éditeur)

LE ROMAN AVANT 1914-1918

ANATOLE FRANCE

Sa vie, son œuvre   Anatole Thibault, qui prendra le pseudonyme d'ANATOLE FRANCE, est né à Paris en 1844. Fils d'un libraire, il a très jeune le goût des livres et de l'Antiquité classique. Il découvre sa voie, celle du roman ironique, avec *Le Crime de Sylvestre Bonnard* (1881). Il publie des contes et des romans teintés d'humanisme et de philosophie sceptique : *La Rôtisserie de la Reine Pédauque* (1892), *Les Opinions de Jérôme Coignard* (1893), *L'Orme du Mail* (1897), *Le Mannequin d'Osier* (1897).

A partir de 1897, sous l'influence de l'affaire Dreyfus, son scepticisme aimable cède le pas à la *critique acerbe des abus et des préjugés* ; il s'engage de plus en plus dans la lutte politique, soutenant le socialisme et la séparation des Églises et de l'État (*L'Anneau d'Améthyste*, 1899 ; *M. Bergeret à Paris*, 1907 ; *Crainquebille*, 1902). Déçu par l'échec de la révolution russe de 1905 et par l'action antisyndicaliste des ministères républicains en France, il verse de plus en plus dans le pessimisme, qui trouve son écho dans *L'Ile des Pingouins* (1908) ou *Les Dieux ont soif* (1912). Très affecté par la guerre de 1914-1918, il se retire en Touraine où il meurt en 1924.

Son art, modèle de *clarté* et de *pureté*, est mis au service d'une *intelligence aiguë* et d'une générosité qui n'exclut ni le scepticisme ni le pessimisme ; mais son œuvre est aussi pleine de sensibilité et de tendresse, et l'*ironie* y est tempérée par la *pitié* que lui inspirent les hommes.

AU TRIBUNAL RÉVOLUTIONNAIRE

Ce texte est extrait d'un des chefs-d'œuvre d'Anatole France, *Les Dieux ont soif*. La période révolutionnaire y est reconstituée avec vigueur et précision, et l'auteur y exprime son horreur de l'intolérance et du fanatisme.

Evariste Gamelin siégeait au Tribunal pour la deuxième fois. Avant l'ouverture de l'audience il s'entretenait, avec ses collègues du jury, des nouvelles arrivées le matin. Il y en avait d'incertaines et de fausses ; mais ce qu'on pouvait retenir était terrible. Les armées coalisées, maîtresses de toutes les routes, marchant d'ensemble, la Vendée victorieuse, Lyon insurgé, Toulon livré aux Anglais, qui y débarquaient quatorze mille hommes.

C'était autant pour ces magistrats des faits domestiques que des événements intéressant le monde entier. Sûrs de périr si la patrie périssait,

10 ils faisaient du salut public leur affaire propre. Et l'intérêt de la nation, confondu avec le leur, dictait leurs sentiments, leurs passions, leur conduite.

Gamelin reçut à son banc une lettre de Trubert, secrétaire du Comité de défense ; c'était l'avis de sa nomination de commissaire des poudres et des salpêtres.

Tu fouilleras toutes les caves de la section pour en extraire les substances nécessaires à la fabrication de la poudre. L'ennemi sera peut-être demain devant Paris : il faut que le sol de la patrie nous fournisse la foudre que nous lancerons à ses agresseurs. Je t'envoie ci-contre une instruction de la Convention relative au traitement des salpêtres. Salut et fraternité.

20 A ce moment, l'accusé fut introduit. C'était un des derniers de ces généraux vaincus que la Convention livrait au Tribunal, et le plus obscur. A sa vue, Gamelin frissonna : il croyait revoir ce militaire que, mêlé au public, il avait vu, trois semaines auparavant, juger et envoyer à la guillotine. C'était le même homme, l'air têtu, borné : ce fut le même procès. Il répondait d'une façon sournoise et brutale qui gâtait ses meilleures réponses. Ses chicanes, ses arguties, les accusations dont il chargeait ses subordonnés, faisaient oublier qu'il accomplissait la tâche respectable de défendre son honneur et sa vie. Dans cette affaire, tout était incertain, contesté, position des armées, nombre des effectifs, munitions,
30 ordres donnés, ordres reçus, mouvements des troupes : on ne savait rien. Personne ne comprenait rien à ces opérations confuses, absurdes, sans but, qui avaient abouti à un désastre, personne, pas plus le défenseur et l'accusé lui-même que l'accusateur, les juges et les jurés, et, chose étrange, personne n'avouait à autrui ni à soi-même qu'il ne comprenait pas. Les juges se plaisaient à faire des plans, à disserter sur la tactique et sur la stratégie ; l'accusé trahissait ses dispositions naturelles pour la chicane.

On disputait sans fin. Et Gamelin, durant ces débats, voyait sur les âpres routes du Nord les caissons embourbés et les canons renversés dans les ornières, et, par tous les chemins, défiler en désordre les colonnes
40 vaincues, tandis que la cavalerie ennemie débouchait de toutes parts par les défilés abandonnés. Et il entendait de cette armée trahie monter une immense clameur qui accusait le général. A la clôture des débats, l'ombre emplissait la salle et la figure indiscrète de Marat apparaissait comme un fantôme sur la tête du président. Le jury appelé à se prononcer était partagé. Gamelin d'une voix sourde, qui s'étranglait dans sa gorge, mais d'un ton résolu, déclara l'accusé coupable de trahison envers la République et un murmure approbateur, qui s'éleva dans la foule, vint caresser sa jeune vertu. L'arrêt fut lu aux flambeaux, dont la lueur livide tremblait sur les tempes creuses du condamné où l'on voyait perler
50 la sueur. A la sortie, sur les degrés où grouillait la foule des commères encocardées, tandis qu'il entendait murmurer son nom, que les habitués du Tribunal commençaient à connaître, Gamelin fut assailli par les tricoteuses qui, lui montrant le poing, réclamaient la tête de l'Autrichienne.

Les Dieux ont soif, chap. XIII (Calmann-Lévy, éditeurs).

MORT D'ÉVARISTE GAMELIN

Après Thermidor, *les rôles sont renversés*. Mais ici encore Anatole France promène un regard sceptique sur la tragédie révolutionnaire. Si les juges impitoyables sont maintenant au banc des accusés, la justice reste toujours aussi boiteuse, avec son formalisme dérisoire, ses témoins sans scrupules, ses « spectateurs » sanguinaires. Et Gamelin, prisonnier jusqu'au bout de son fanatisme, se reproche de n'avoir pas versé assez de sang : c'est le terrible dilemme de ces périodes d'exception où il faut consentir à être bourreau ou victime. Seul l'amour semble jeter ici quelques notes d'une douceur navrante ; mais l'auteur reste *sans illusion* et, dès le chapitre suivant, la maîtresse de Gamelin s'empressera de profaner les pauvres vestiges de leur amour.

Évariste, qui avait repris quelque force [1] et pouvait presque se tenir sur ses jambes, fut tiré de son cachot, amené au Tribunal et placé sur l'estrade qu'il avait tant de fois vue chargée d'accusés, où s'étaient assises tout à tour tant de victimes illustres ou obscures. Elle gémissait maintenant sous le poids de soixante-dix individus, la plupart membres de la Commune, et quelques-uns jurés comme Gamelin, mis comme lui hors la loi. Il revit son banc, le dossier sur lequel il avait coutume de s'appuyer, la place d'où il lui avait fallu subir le regard de Jacques Maubel [2], de Fortuné Chassagne [3], de Maurice Brotteaux [4], les yeux suppliants de la citoyenne Rochemaure, qui l'avait fait nommer juré et qu'il en avait récompensée par un verdict de mort. Il revit, dominant l'estrade où les juges siégeaient sur trois fauteuils d'acajou garnis de velours d'Utrecht rouge, les bustes de Chalier et de Marat, et ce buste de Brutus qu'il avait un jour attesté [5]. Rien n'était changé, ni les haches, les faisceaux, les bonnets rouges du papier de tenture, ni les outrages jetés par les tricoteuses des tribunes à ceux qui allaient mourir, ni l'âme de Fouquier-Tinville [6], têtu, laborieux, remuant avec zèle ses papiers homicides, et envoyant, magistrat accompli, ses amis de la veille à l'échafaud.

Les citoyens Remacle, portier tailleur, et Dupont aîné, menuisier place de Thionville, membre du comité de surveillance de la section du Pont-Neuf, reconnurent Gamelin (Évariste), artiste peintre, ex-juré au Tribunal révolutionnaire, ex-membre du conseil général de la Commune. Ils témoignait pour un assignat de cents sols, aux frais de la section ; mais, parce qu'ils avaient eu des rapports de voisinage et d'amitié avec le proscrit, ils éprouvaient de la gêne à rencontrer son regard. Au reste, il faisait chaud : ils avaient soif et étaient pressés d'aller boire un verre de vin.

— 1 Il avait tenté de se poignarder. — 2 Gamelin le prenait à tort pour son rival. — 3 Un « aristocrate », amant de la sœur d'Évariste. — 4 *Brotteaux des Ilettes*, aristocrate ruiné, est un épicurien dont les jugements sceptiques expriment souvent la pensée de l'auteur. — 5 En condamnant Chassagne. — 6 *Accusateur public.*

Gamelin fit effort pour monter dans la charrette : il avait perdu beaucoup de sang, et sa blessure le faisait cruellement souffrir. Le cocher fouetta
30 sa haridelle, et le cortège se mit en marche au milieu des huées.

Des femmes qui reconnaissaient Gamelin lui criaient : « Va donc ! buveur de sang ! Assassin à dix-huit francs par jour !... Il ne rit plus : voyez comme il est pâle, le lâche ! » C'étaient les mêmes femmes qui insultaient naguère les conspirateurs et les aristocrates, les exagérés et les indulgents envoyés par Gamelin et ses collègues à la guillotine.

La charrette tourna sur le quai des Morfondus, gagna lentement le Pont-Neuf et la rue de la Monnaie ; on allait à la place de la Révolution, à l'échafaud de Robespierre. Le cheval boitait ; à tout moment, le cocher lui effleurait du fouet les oreilles. La foule des spectateurs, joyeuse,
40 animée, retardait la marche de l'escorte. Le public félicitait les gendarmes, qui retenaient leurs chevaux. Au coin de la rue Honoré, les insultes redoublèrent. Des jeunes gens, attablés à l'entresol, dans les salons des traiteurs à la mode, se mirent aux fenêtres, leur serviette à la main, et crièrent : « Cannibales, anthropophages, vampires ! »

La charrette ayant buté dans un tas d'ordures qu'on n'avait pas enlevées en ces deux jours de troubles, la jeunesse dorée éclata de joie :

« Le char embourbé !... Dans la gadoue, les jacobins ! »

Gamelin songeait, et il crut comprendre. « Je meurs justement, pensa-t-il. Il est juste que nous recevions ces outrages jetés à la République et dont
50 nous aurions dû la défendre. Nous avons été faibles ; nous nous sommes rendus coupables d'indulgence. Nous avons trahi la République. Nous avons mérité notre sort. Robespierre lui-même, le pur, le saint, a péché par douceur, par mansuétude ; ses fautes sont effacées par son martyre. A son exemple, j'ai trahi la République ; elle périt ; il est juste que je meure avec elle. J'ai épargné le sang : que mon sang coule ! Que je périsse ! je l'ai mérité... »

Tandis qu'il songeait ainsi, il aperçut l'enseigne de l'*Amour peintre* [7], et des torrents d'amertume et de douceur roulèrent en tumulte dans son cœur.
60 Le magasin était fermé, les jalousies des trois fenêtres de l'entresol entièrement rabattues. Quand la charrette passa devant la fenêtre de gauche, la fenêtre de la chambre bleue, une main de femme, qui portait à l'annuaire une bague d'argent [8], écarta le bord de la jalousie et lança vers Gamelin un œillet rouge que ses mains liées ne purent saisir, mais qu'il adora comme le symbole et l'image de ces lèvres rouges et parfumées dont s'était rafraîchie sa bouche. Ses yeux se gonflèrent de larmes et ce fut tout pénétré du charme de cet adieu qu'il vit se lever sur la place de la Révolution le couteau ensanglanté.

Les Dieux ont soif, chap. XXVIII (Calmann-Lévy, éditeurs).

———————

— 7 Où demeure sa maîtresse. — 8 Bague de fiançailles, offerte par Gamelin.

ROMAIN ROLLAND

Sa vie, son œuvre Romain Rolland, né en 1866 à Clamecy dans la Nièvre, poursuit de brillantes études qui le mènent à l'École Normale Supérieure, à l'agrégation d'histoire et à l'École Française de Rome.

Professeur d'histoire de l'art à la Sorbonne de 1904 à 1912, il publie ses *Vies des hommes illustres*, parmi lesquelles un *Beethoven* (1903) qu'il reprendra en le perfectionnant entre 1928 et 1943. Après s'être consacré au théâtre, il publie les dix volumes du roman de *Jean-Christophe* entre 1903 et 1912.

Les vigoureuses protestations de Romain Rolland contre les absurdes tueries de la guerre sont mal comprises de ses contemporains trop engagés dans la lutte. Après 1920, il se rapproche du communisme sans jamais accepter aucun embrigadement. Il est en correspondance avec les penseurs du monde entier et reçoit d'illustres visiteurs, parmi lesquels Gandhi : il est désormais la figure de proue des mouvements « humanitaires ».

Il meurt en 1944, attristé par l'occupation allemande et les nouvelles violences qui secouent l'Europe.

Pacifiste, humaniste, soucieux d'harmoniser les contraires, Romain Rolland veut « tout comprendre pour tout aimer » et « tâcher de refaire en tous l'équilibre humain ».

Jean-Christophe, roman-fleuve (le mot est de Romain Rolland) reste la plus connue de ses œuvres littéraires. Il y met en scène un jeune musicien en qui il a réuni des traits empruntés à Beethoven et à lui-même ; par cet ouvrage, il tente de redonner à ses contemporains aigris et matérialistes le goût de la *vie* dans sa diversité et le sens des valeurs spirituelles.

« *LE FLEUVE... LES CLOCHES* »

Dans cette page empruntée au premier volume de *Jean-Christophe*, intitulé *L'Aube*, l'auteur évoque l'éveil de l'enfant au monde des sensations et en particulier à celui des *sons*, donc déjà de la musique. Souvenirs personnels et intuitions d'artiste rejoignent ainsi les curiosités de la psychologie contemporaine orientée vers l'étude du *subconscient*.

Les mois passent... Des îles de mémoire commencent à surgir du fleuve de la vie [1]. D'abord, d'étroits îlots perdus, des rochers qui affleurent à la surface des eaux. Autour d'eux, dans le demi-jour qui point, la grande nappe tranquille continue de s'étendre. Puis, de nouveaux îlots, que dore le soleil.

De l'abîme de l'âme émergent quelques formes, d'une étrange netteté. Dans le jour sans bornes, qui recommence, éternellement le même, avec son balancement monotone et puissant, commence à se dessiner la ronde des jours qui se donnent la main ; leurs profils sont, les uns riants, les
10 autres tristes. Mais les anneaux de la chaîne se rompent constamment, et les souvenirs se rejoignent par-dessus la tête des semaines et des mois...

Le Fleuve... Les Cloches... Si loin qu'il se souvienne, — dans les lointains du temps, à quelque heure de sa vie que ce soit, — toujours leurs voix profondes et familières chantent...

— 1 Cf. « *Mon Jean-Christophe est le fleuve* | pour moi des métaphores. Ce sont les voix du *Rhin qui s'achemine vers la mer.* Ce ne sont pas | Fleuve intérieur » (1933).

La nuit — à demi endormi... Une pâle lueur blanchit la vitre... Le fleuve gronde [2]. Dans le silence, sa voix monte toute-puissante ; elle règne sur les êtres. Tantôt elle caresse leur sommeil et semble près de s'assoupir elle-même, au bruissement de ses flots. Tantôt elle s'irrite, elle hurle, comme une bête enragée qui veut mordre. La vocifération s'apaise : c'est maintenant un murmure d'une infinie douceur, des timbres argentins, de claires clochettes, des rires d'enfants, de tendres voix qui chantent, une musique qui danse [3]. Grande voix maternelle, qui ne s'endort jamais ! Elle berce l'enfant, ainsi qu'elle berça pendant des siècles, de la naissance à la mort, les générations qui furent avant lui ; elle pénètre sa pensée, elle imprègne ses rêves, elle l'entoure du manteau de ses fluides harmonies, qui l'envelopperont encore, quand il sera couché dans le petit cimetière qui dort au bord de l'eau et que baigne le Rhin...

Les cloches... Voici l'aube ! Elles se répondent, dolentes, un peu tristes, amicales, tranquilles. Au son de leurs voix lentes, montent des essaims de rêves, rêves du passé, désirs, espoirs, regrets des êtres disparus, que l'enfant ne connut point, et que pourtant il fut, puisqu'il fut en eux, puisqu'ils revivent en lui. Des siècles de souvenirs vibrent dans cette musique. Tant de deuils, tant de fêtes ! — Et, du fond de la chambre, il semble, en les entendant, qu'on voie passer les belles ondes sonores qui coulent dans l'air léger, les libres oiseaux, et le tiède souffle du vent. Un coin de ciel bleu sourit à la fenêtre. Un rayon de soleil se glisse sur le lit, à travers les rideaux. Le petit monde familier aux regards de l'enfant, tout ce qu'il aperçoit de son lit, chaque matin, en s'éveillant, tout ce qu'il commence, au prix de tant d'efforts, à reconnaître et à nommer, afin de s'en faire le maître, — son royaume s'illumine.

Jean-Christophe. L'Aube (Albin Michel, éditeur).

MAURICE BARRÈS

Sa vie, son œuvre   MAURICE BARRÈS est né en Lorraine, en août 1862. Après des études à Nancy, le jeune Barrès se mêle aux activités littéraires de Paris, fondant en 1884 une revue éphémère, *Les Taches d'encre*. Il publie les trois romans du *Culte du Moi* en 1888 *(Sous l'œil des Barbares)*, en 1889 *(Un homme libre)* et en 1891 *(Le jardin de Bérénice)* ; dans ces livres il met à l'honneur la pratique d'un égotisme d'esthète, tirant parti de ses richesses personnelles, mais s'aidant aussi d'*intercesseurs* choisis parmi les figures exemplaires de l'histoire. L'approfondissement de cette notion d'intercesseurs va mener Barrès *de l'individualisme au nationalisme*. C'est dans sa patrie, dans sa province, que l'écrivain va désormais puiser l'essentiel de son inspiration, se consacrant à la défense et à l'exaltation des vertus lorraines et françaises.

— 2 Cf. « Le Rhin coulait en bas, au pied de la maison. De la fenêtre de l'escalier, on était suspendu au-dessus du fleuve comme dans un jardin mouvant» (*L'Aube*). — 3 Cf. «Mon sens de la musique, cette passion qui a rempli ma vie, ce n'est pas dans les musiciens, c'est dans la nature d'abord et par-dessus tout que je les ai nourris. Cette musique des bois, des monts, des plaines, je l'inscrivais sur mes carnets de jeunesse » (*Mémoires Intérieurs*, 1938).

Député de Nancy à vingt-sept ans, puis de Paris en 1906, Barrès prend parti contre Dreyfus dès 1894 au nom de ses principes patriotiques. Il sera pendant la guerre de 1914-18 un des porte-parole de l'esprit de lutte, et mourra en pleine gloire le 4 décembre 1923.

Le nationalisme souvent irritant de Barrès ne doit pas faire oublier l'importance de l'auteur du *Culte du Moi* pour de nombreuses générations. L'esthète amateur de l'Orient (*Le voyage à Sparte*, 1906), et de l'Espagne (*Gréco ou le secret de Tolède*, 1911) ne peut non plus être négligé. Toutefois, c'est peut-être le roman de *La Colline inspirée* (1913) qui reste la plus lisible des œuvres de Barrès.

« *IL Y A DES LIEUX OÙ SOUFFLE L'ESPRIT* »

L'étrange histoire de *La Colline inspirée* fait revivre le drame de trois prêtres hérétiques, les frères Baillard ; Barrès tente d'y retrouver la ferveur toute païenne des cultes de la terre. Dans le *Prologue*, l'écrivain célèbre les puissances irrationnelles et la mystérieuse « vertu » qui font accéder l'âme aux domaines privilégiés où se révèlent les voix divines de la *poésie* et de la *prière*.

Il est des lieux qui tirent l'âme de sa léthargie, des lieux enveloppés, baignés de mystère, élus de toute éternité pour être le siège de l'émotion religieuse. L'étroite prairie de Lourdes, entre un rocher et son gave rapide ; la plage mélancolique d'où les Saintes-Maries [1] nous orientent vers la Sainte-Baume ; l'abrupt rocher de la Sainte-Victoire [2] tout baigné d'horreur dantesque, quand on l'aborde par le vallon aux terres sanglantes ; l'héroïque Vézelay, en Bourgogne ; le Puy de Dôme [3], les grottes des Eyzies [4], où l'on révère les premières traces de l'humanité ; la lande de Carnac [5], qui parmi les bruyères et les ajoncs dresse ses pierres inex-
20 pliquées ; la forêt de Brocéliande [6] pleine de rumeur et de feux-follets, où Merlin par les jours d'orage gémit encore dans sa fontaine ; Alise-Sainte-Reine [7] et le mont Auxois, promontoire sous une pluie presque constante, autel où les Gaulois moururent aux pieds de leurs dieux ; le mont Saint-Michel, qui surgit comme un miracle des sables mouvants ; la noire forêt des Ardennes [8], tout inquiétude et mystère, d'où le génie tira, du milieu des bêtes et des fées, ses fictions les plus aériennes ; Domremy enfin, qui porte encore sur sa colline son Bois Chenu, ses trois fontaines, sa chapelle de Bermont, et près de l'église la maison de Jeanne. Ce sont les temples du plein air. Ici nous éprouvons soudain le besoin de briser de chétives
30 entraves pour nous épanouir à plus de lumière. Une émotion nous soulève ; notre énergie se déploie toute, et sur deux ailes de prière et de poésie s'élance à de grandes affirmations.

— 1 Illustre lieu de pèlerinage, à l'extrémité sud-ouest du delta du Rhône, où l'on célèbre le souvenir des « saintes femmes » : Marie, mère de Jacques, et Marie-Salomé. La Grotte de la Sainte-Baume, où sainte Marie-Madeleine se serait retirée dans la pénitence, est située dans un massif montagneux des Bouches-du-Rhône et du Var. — 2 La Sainte-Victoire s'élève entre la vallée de l'Arc et celle de la Durance. — 3 Symbole et haut lieu de l'Auvergne ; Barrès songe à Pascal et à sa propre ascendance pater-nelle. — 4 En Dordogne ; on y a fait d'importantes découvertes préhistoriques. — 5 Célèbre par ses alignements « druidiques ». — 6 Forêt qui s'étend entre Rennes et Brest, cadre légendaire des romans de chevalerie, des fées et des enchanteurs, tel *Merlin*. — 7 Petite ville de la Côte-d'Or, d'ordinaire identifiée à la citadelle gauloise d'*Alésia* qui s'élevait, sans doute, sur le *mont Auxois*. — 8 Où Shakespeare a situé une scène poétique de *Comme il vous plaira*.

Tout l'être s'émeut, depuis ses racines les plus profondes jusqu'à ses sommets les plus hauts. C'est le sentiment religieux qui nous envahit. Il ébranle toutes nos forces. Mais craignons qu'une discipline lui manque, car la superstition, la mystagogie[9], la sorcellerie apparaissent aussitôt, et des places désignées pour être des lieux de perfectionnement par la prière deviennent des lieux de sabbat. C'est ce qu'indique le profond Gœthe, lorsque son Méphistophélès entraîne Faust sur la montagne du Harts[10], sacrée par le génie germanique, pour y instaurer la liturgie sacrilège du *Walpurgisnachtstraum*[11].

D'où vient la puissance de ces lieux ? La doivent-ils au souvenir de quelque grand fait historique, à la beauté d'un site exceptionnel, à l'émotion des foules qui du fond des âges y vinrent s'émouvoir ? Leur vertu[12] est plus mystérieuse. Elle préséda leur gloire et saurait y survivre. Que les chênes fatidiques soient coupés, la fontaine remplie de sable et les sentiers recouverts, ces solitudes ne sont pas déchues de pouvoir. La vapeur de leurs oracles s'exhale, même s'il n'est plus de prophétesse pour la respirer. Et n'en doutons pas, il est de par le monde infiniment de ces points spirituels qui ne sont pas encore révélés, pareils à ces âmes voilées dont nul n'a reconnu la grandeur. Combien de fois, au hasard d'une heureuse et profonde journée, n'avons-nous pas rencontré la lisière d'un bois, un sommet, une source, une simple prairie, qui nous commandaient de faire taire nos pensées et d'écouter plus profond que notre cœur ! Silence ! les dieux sont ici.

Illustres ou inconnus, oubliés ou à naître, de tels lieux nous entraînent, nous font admettre insensiblement un ordre de faits supérieurs à ceux où tourne à l'ordinaire notre vie. Ils nous disposent à connaître un sens de l'existence plus secret que celui qui nous est familier, et, sans rien nous expliquer, ils nous communiquent une interprétation religieuse de notre destinée. Ces influences longuement soutenues produiraient d'elles-mêmes des vies rythmées et vigoureuses, franches et nobles comme des poèmes. Il semble que, chargées d'une mission spéciale, ces terres doivent intervenir, d'une manière irrégulière et selon les circonstances, pour former des êtres supérieurs et favoriser les hautes idées morales. C'est là que notre nature produit avec aisance sa meilleure poésie, la poésie des grandes croyances. Un rationalisme indigne de son nom veut ignorer ces endroits souverains. Comme si la raison pouvait mépriser aucun fait d'expérience ! Seuls des yeux distraits ou trop faibles ne distinguent pas les feux de ces éternels buissons ardents. Pour l'âme, de tels espaces sont des puissances comme la beauté ou le génie. Elle ne peut les approcher sans les reconnaître. Il y a des lieux où souffle l'esprit.

La Colline inspirée (Plon, éditeur).

— 9 Initiation aux cérémonies païennes. — 10 Chaîne montagneuse de l'Allemagne du Nord. — 11 « Songe d'une nuit de Walpurgis », sorte de fête diabolique où les sorcières se donnent rendez-vous ; épisode du *Faust* de Gœthe. — 12 Pouvoir, puissance magique, comme celle d'un philtre.

MARCEL   PROUST

Sa vie, son œuvre   Fils d'un grand médecin, le professeur Adrien Proust (originaire du village d'Illiers situé sur les bords du Loir, près de Chartres), MARCEL PROUST est né à Paris le 10 juillet 1871. Il fait de bonnes études malgré une santé délicate et passe toutes ses vacances à Illiers (le COMBRAY de *La Recherche du temps perdu*). Il suit les cours de Bergson à la Sorbonne et cette influence le marque profondément. De nombreuses relations mondaines font de lui un observateur attentif de la haute société bourgeoise et aristocratique de son époque. En 1900, préoccupé de problèmes esthétiques, il fait un voyage à Venise et s'ouvre à l'influence de Ruskin, sur qui il publie divers articles. Cependant, dreyfusard, il manifeste une lucidité aiguë sur les erreurs des partis politiques.

La mort de son père en 1903, et de sa mère en 1905, lui laissent toute liberté pour l'accomplissement de son œuvre. Il s'y donne tout entier à partir de 1906, publiant en 1913 *Du côté de chez Swann*, premier volume d'*A la recherche du temps perdu* dont les derniers romans ne paraîtront qu'après sa mort (*Le Temps Retrouvé*, 1927).

Le Prix Goncourt décerné en 1919 à son roman *A l'ombre des jeunes filles en fleur* l'arrache pour un instant à de graves soucis sentimentaux et à la claustration qu'il s'impose volontairement depuis 1916. Il meurt le 18 novembre 1922 après avoir achevé l'œuvre gigantesque qu'il s'était proposé de mener à bien.

« *A la recherche du temps perdu* est à la fois l'histoire d'une époque et l'histoire d'une conscience » (Ramon Fernandez). PROUST nous fait revivre de l'intérieur la haute société contemporaine sur laquelle se détachent des figures inoubliables. Mais surtout il est sans cesse à la recherche d'un *passé* qui s'impose plus fortement à sa conscience que le présent.

UN UNIVERS DANS UNE TASSE DE THÉ

L'œuvre de Proust est encadrée tout entière par l'épisode célèbre de la *madeleine* qui en couronne l'ouverture, et l'approfondissement de cette précieuse expérience psychologique aboutissant au miracle du *Temps Retrouvé*. La répétition fortuite d'impressions analogues, signalées par une *joie* indicible, permettra à l'auteur de découvrir enfin le *secret de cette joie*. Ici la révélation n'est encore que partielle, mais déjà la délicatesse pénétrante de *l'analyse*, aux confins du conscient et de l'inconscient, la solennité de la phrase et son ampleur *lyrique* révèlent *un thème essentiel*.

Il y avait déjà bien des années que, de Combray, tout ce qui n'était pas le théâtre et le drame de mon coucher n'existait plus pour moi, quand un jour d'hiver, comme je rentrais à la maison, ma mère, voyant que j'avais froid, me proposa de me faire prendre, contre mon habitude, un peu de thé. Je refusai d'abord et, je ne sais pourquoi, me ravisai. Elle envoya chercher un de ces gâteaux courts et dodus appelés Petites Madeleines qui semblent avoir été moulés dans la valve rainurée d'une coquille

de Saint-Jacques. Et bientôt, machinalement, accablé par la morne journée
et la perspective d'un triste lendemain, je portai à mes lèvres une cuillerée
du thé où j'avais laissé s'amollir un morceau de madeleine. Mais à l'instant
même où la gorgée mêlée des miettes du gâteau toucha mon palais, je
tressaillis, attentif à ce qui se passait d'extraordinaire en moi. Un plaisir
délicieux m'avait envahi, isolé, sans la notion de sa cause. Il m'avait
aussitôt rendu les vicissitudes de la vie indifférentes, ses désastres inof-
fensifs, sa brièveté illusoire, de la même façon qu'opère l'amour, en me
remplissant d'une essence précieuse : ou plutôt cette essence n'était pas
en moi, elle était moi. J'avais cessé de me sentir médiocre, contingent
mortel. D'où avait pu me venir cette puissante joie ? Je sentais qu'elle
était liée au goût du thé et du gâteau, mais qu'elle le dépassait infiniment,
ne devait pas être de même nature. D'où venait-elle ? Que signifiait-elle ?
Où l'appréhender ? Je bois une seconde gorgée où je ne trouve rien de
plus que dans la première, une troisième qui m'apporte un peu moins
que la seconde. Il est temps que je m'arrête, la vertu du breuvage semble
diminuer. Il est clair que la vérité que je cherche n'est pas en lui, mais en
moi. Il l'y a éveillée, mais ne la connaît pas, et ne peut que répéter indéfiniment, avec de moins en moins de force, ce même témoignage que je
ne sais pas interpréter et que je veux au moins pouvoir lui redemander
et retrouver intact, à ma disposition, tout à l'heure, pour un éclaircissement
décisif. Je pose la tasse et me tourne vers mon esprit. C'est à lui de trouver
la vérité. Mais comment ? Grave incertitude, toutes les fois que l'esprit
se sent dépassé par lui-même ; quand lui, le chercheur, est tout ensemble
le pays obscur où il doit chercher et où tout son bagage ne lui sera de rien.
Chercher ? pas seulement : créer. Il est en face de quelque chose qui
n'est pas encore et que seul il peut réaliser, puis faire entrer dans sa
lumière [1].

Et je recommence à me demander quel pouvait être cet état inconnu,
qui n'apportait aucune preuve logique, mais l'évidence, de sa félicité,
de sa réalité devant laquelle les autres s'évanouissaient. Je veux essayer
de le faire réapparaître. [...]

Le narrateur tente donc de remonter à la source de cette joie. Il sent en lui quelque chose
qui se déplace, voudrait s'élever ; *il* éprouve la résistance *et entend* la rumeur des distances
traversées ; *il devine que,* ce qui palpite ainsi au fond de *lui,* ce doit être l'image, le souvenir
visuel lié à cette saveur.

Arrivera-t-il jusqu'à la surface de ma claire conscience, ce souvenir,
l'instant ancien que l'attraction d'un instant identique est venue de si
loin solliciter, émouvoir, soulever tout au fond de moi ? Je ne sais. Maintenant je ne sens plus rien, il est arrêté, redescendu peut-être ; qui sait
s'il remontera jamais de sa nuit ? Dix fois il me faut recommencer, me
pencher vers lui. Et chaque fois la lâcheté qui nous détourne de toute

— 1 Ainsi apparaît la parenté entre cette opération de la mémoire et la *création* artistique.

tâche difficile, de toute œuvre importante, m'a conseillé de laisser cela, de boire mon thé en pensant simplement à mes ennuis d'aujourd'hui, à mes désirs de demain qui se laissent remâcher sans peine.

Et tout d'un coup le souvenir m'est apparu. Ce goût, c'était celui du petit morceau de madeleine que le dimanche matin à Combray (parce que ce jour-là je ne sortais pas avant l'heure de la messe), quand j'allais lui dire bonjour dans sa chambre, ma tante Léonie m'offrait après l'avoir trempé dans son infusion de thé ou de tilleul. La vue de la petite madeleine ne m'avait rien appelé avant que je n'y eusse goûté ; peut-être parce que, en ayant souvent aperçu depuis, sans en manger, sur les tablettes des pâtissiers, leur image avait quitté ces jours de Combray pour se lier à d'autres plus récents ; peut-être parce que, de ces souvenirs abandonnés si longtemps hors de la mémoire, rien ne survivait, tout s'était désagrégé ; les formes — et celle aussi du petit coquillage de pâtisserie, si grassement sensuel sous son plissage sévère et dévot — s'étaient abolies, ou, ensommeillées, avaient perdu la force d'expansion qui leur eût permis de rejoindre la conscience. Mais, quand d'un passé ancien rien ne subsiste, après la mort des êtres, après la destruction des choses, seules, plus frêles mais plus vivaces, plus immatérielles, plus persistantes, plus fidèles, l'odeur et la saveur restent encore longtemps, comme des âmes, à se rappeler, à attendre, à espérer, sur la ruine de tout le reste, à porter sans fléchir, sur leur gouttelette presque impalpable, l'édifice immense du souvenir [2].

Et dès que j'eus reconnu le goût du morceau de madeleine trempé dans le tilleul que me donnait ma tante (quoique je ne susse pas encore et dusse remettre à bien plus tard de découvrir pourquoi ce souvenir me rendait si heureux), aussitôt la vieille maison grise sur la rue, où était sa chambre, vint comme un décor de théâtre s'appliquer au petit pavillon donnant sur le jardin, qu'on avait construit pour mes parents sur ses derrières (ce plan tronqué que seul j'avais revu jusque-là) ; et avec le maison, la ville, depuis le matin jusqu'au soir et par tous les temps, la Place où on m'envoyait avant déjeuner, les rues où j'allais faire des courses, les chemins qu'on prenait si le temps était beau. Et comme dans ce jeu où les Japonais s'amusent à tremper dans un bol de porcelaine rempli d'eau, de petits morceaux de papier jusque-là indistincts qui, à peine y sont-ils plongés, s'étirent, se contournent, se colorent, se différencient, deviennent des fleurs, des maisons, des personnages consistants et reconnaissables, de même maintenant toutes les fleurs de notre jardin et celles du parc de M. Swann, et les nymphéas de la Vivonne, et les bonnes gens du village et leurs petits logis et l'église et tout Combray et ses environs, tout cela qui prend forme et solidité, est sorti, ville et jardins, de ma tasse de thé.

Du côté de chez Swann (Librairie Gallimard, éditeur).

— 2 Cf. le rôle que jouent les parfums dans *Les Fleurs du Mal* : « Parfois on trouve un vieux flacon qui se souvient, D'où jaillit toute vive une âme qui revient » *(Le Flacon)*.

PARFUMS IMPÉRISSABLES

La véritable réalité, selon PROUST, ne se forme que *dans la mémoire*. Aussi le souvenir confère-t-il *profondeur* et *durée* à ce qui semblait devoir être le plus périssable, une fleur ou le parfum de cette fleur. MARCEL PROUST aimait les lilas, les bluets, et surtout les aubépines que porte au mois de mai, blanches ou roses, « l'arbuste catholique et délicieux ».

Aussi le côté de Méséglise et le côté de Guermantes restent-ils pour moi liés à bien des petits événements de celle de toutes les diverses vies que nous menons parallèlement, qui est la plus pleine de péripéties, la plus riche en épisodes, je veux dire la vie intellectuelle. Sans doute elle progresse en nous insensiblement, et les vérités qui en ont changé pour nous le sens et l'aspect, qui nous ont ouvert de nouveaux chemins, nous en préparions depuis toujours la découverte ; mais c'était sans le savoir ; et elles ne datent pour nous que du jour, de la minute où elles nous sont devenues visibles. Les fleurs qui jouaient alors sur l'herbe, l'eau qui passait au soleil, tout le paysage qui environna leur apparition continue à accompagner leur souvenir de son visage inconscient ou distrait ; et certes, quand ils étaient longuement contemplés par cet humble passant, par cet enfant qui rêvait — comme l'est un roi, par un mémorialiste perdu dans la foule, — ce coin de nature, ce bout de jardin n'eussent pu penser que ce serait grâce à lui qu'ils seraient appelés à survivre en leurs particularités les plus éphémères ; et pourtant ce parfum d'aubépine qui butine le long de la haie où les églantiers le remplaceront bientôt, un bruit de pas sans écho sur le gravier d'une allée, une bulle formée contre une plante aquatique par l'eau de la rivière et qui crève aussitôt, mon exaltation les a portés et a réussi à leur faire traverser tant d'années successives, tandis qu'alentour les chemins se sont effacés et que sont morts ceux qui les foulèrent et le souvenir de ceux qui les foulèrent. Parfois ce morceau de paysage amené ainsi jusqu'à aujourd'hui se détache si isolé de tout, qu'il flotte incertain dans ma pensée comme une Délos fleurie [1], sans que je puisse dire de quel pays, de quel temps — peut-être tout simplement de quel rêve — il vient. Mais c'est surtout comme à des gisements profonds de mon sol mental, comme aux terrains résistants sur lesquels je m'appuie encore, que je dois penser au côté de Méséglise [2] et au côté de Guermantes. C'est parce que je croyais aux choses, aux êtres, tandis que je les parcourais, que les choses, les êtres qu'ils m'ont fait connaître sont les seuls que je prenne encore au sérieux et qui me donnent encore de la joie. Soit que la foi qui crée soit tarie en moi, soit que la réalité ne se forme que dans la mémoire, les fleurs qu'on me montre aujourd'hui pour la première fois ne me semblent pas de vraies fleurs. Le côté de Méséglise avec ses lilas, ses aubépines, ses bluets, ses coquelicots, ses pommiers, le côté de Guermantes avec sa rivière à têtards, ses nymphéas et ses boutons d'or,

---

— 1 Selon la légende grecque, Délos avait été | d'abord une île *flottante*. — 2 C'est aussi *le côté* | *de chez Swann.*

ont constitué à tout jamais pour moi la figure des pays où j'aimerais vivre, où j'exige avant tout qu'on puisse aller à la pêche, se promener en canot, voir des ruines de fortifications gothiques et trouver au milieu des
40 blés, ainsi qu'était Saint-André-des-Champs, une église monumentale, rustique et dorée comme une meule ; et les bluets, les aubépines, les pommiers qu'il m'arrive, quand je voyage, de rencontrer encore dans les champs, parce qu'ils sont situés à la même profondeur, au niveau de mon passé, sont immédiatement en communication avec mon cœur. Et pourtant, parce qu'il y a quelque chose d'individuel dans les lieux, quand me saisit le désir de revoir le côté de Guermantes, on ne le satisferait pas en me menant au bord d'une rivière où il y aurait d'aussi beaux, de plus beaux nymphéas que dans la Vivonne, pas plus que le soir en rentrant — à l'heure où s'éveillait en moi cette angoisse qui plus tard émigre dans
50 l'amour, et peut devenir à jamais inséparable de lui — je n'aurais souhaité que vînt me dire bonsoir une mère plus belle et plus intelligente que la mienne. Non ; de même que ce qu'il me fallait pour que je pusse m'endormir heureux, avec cette paix sans trouble qu'aucune maîtresse n'a pu me donner depuis, puisqu'on doute d'elles encore au moment où on croit en elles et qu'on ne possède jamais leur cœur comme je recevais dans un baiser celui de ma mère, tout entier, sans la réserve d'une arrière-pensée, sans le reliquat d'une intention qui ne fût pas pour moi — c'est que ce fût elle, c'est qu'elle inclinât vers moi ce visage où il y avait au-dessous de l'œil quelque chose qui était, paraît-il, un défaut, et que
60 j'aimais à l'égal du reste ; de même ce que je veux revoir, c'est le côté de Guermantes que j'ai connu, avec la ferme qui est un peu éloignée des deux suivantes serrées l'une contre l'autre, à l'entrée de l'allée des chênes ; ce sont ces prairies où, quand le soleil les rend réfléchissantes, comme une mare, se dessinent les feuilles des pommiers, c'est ce paysage dont parfois, la nuit dans mes rêves, l'individualité m'étreint avec une puissance presque fantastique et que je ne peux plus retrouver au réveil. Sans doute pour avoir à jamais indissolublement uni en moi des impressions différentes, rien que parce qu'ils me les avaient fait éprouver en même temps, le côté de Méséglise ou le côté de Guermantes m'ont exposé,
70 pour l'avenir, à bien des déceptions et même à bien des fautes. Car souvent j'ai voulu revoir une personne sans discerner que c'était simplement parce qu'elle me rappelait une haie d'aubépines, et j'ai été induit à croire, à faire croire à un regain d'affection, par un simple désir de voyage. Mais par là-même aussi, et en restant présents en celles de mes impressions d'aujourd'hui auxquelles ils peuvent se relier, ils leur donnent des assises, de la profondeur, une dimension de plus qu'aux autres. Ils leur ajoutent aussi un charme, une signification qui n'est que pour moi. Quand par les soirs d'été le ciel harmonieux gronde comme une bête fauve et que chacun boude l'orage, c'est au côté de Méséglise que je dois de rester
80 seul en extase à respirer, à travers le bruit de la pluie qui tombe, l'odeur d'invisibles et persistants lilas.

Du côté de chez Swann (Librairie Gallimard, éditeur).

LA PETITE PHRASE DE VINTEUIL

A travers une phrase musicale, SWANN revit les temps heureux de son amour avec ODETTE DE CRÉCY. Par-delà sa tristesse actuelle, il découvre un apaisement à entendre ainsi « comme un être surnaturel et pur qui passe en déroulant son message invisible ».

Comme si les instrumentistes, beaucoup moins jouaient la petite phrase qu'ils n'exécutaient les rites exigés d'elle pour qu'elle apparût, et procédaient aux incantations nécessaires pour obtenir et prolonger quelques instants le prodige de son évocation, Swann, qui ne pouvait pas plus la voir que si elle avait appartenu à un monde ultra-violet, et qui goûtait comme le rafraîchissement d'une métamorphose dans la cécité momentanée dont il était frappé en approchant d'elle, Swann la sentait présente, comme une déesse protectrice et confidente de son amour, et qui pour pouvoir arriver jusqu'à lui devant la foule et l'emmener à
10 l'écart pour lui parler, avait revêtu le déguisement de cette apparence sonore. Et tandis qu'elle passait, légère, apaisante et murmurée comme un parfum, lui disant ce qu'elle avait à lui dire et dont il scrutait tous les mots, regrettant de les voir s'envoler si vite, il faisait involontairement avec ses lèvres le mouvement de baiser au passage le corps harmonieux et fuyant. Il ne se sentait plus exilé et seul puisque, elle, qui s'adressait à lui, lui parlait à mi-voix d'Odette. Car il n'avait plus comme autrefois l'impression qu'Odette et lui n'étaient pas connus de la petite phrase. C'est que si souvent elle avait été témoin de leurs joies ! Il est vrai que souvent aussi elle l'avait averti de leur fragilité. Et même, alors que dans
20 ce temps-là il devinait de la souffrance dans son sourire, dans son intonation limpide et désenchantée, aujourd'hui il y trouvait plutôt la grâce d'une résignation presque gaie. De ces chagrins dont elle lui parlait autrefois et qu'il la voyait, sans qu'il fût atteint par eux, entraîner en souriant dans son cours sinueux et rapide, de ces chagrins qui maintenant étaient devenus les siens sans qu'il eût l'espérance d'en être jamais délivré, elle semblait lui dire comme jadis de son bonheur : « Qu'est-ce cela ? tout cela n'est rien. » Et la pensée de Swann se porta pour la première fois dans un élan de pitié et de tendresse vers ce Vinteuil, vers ce frère inconnu et sublime qui lui aussi avait dû tant souffrir ; qu'avait pu être
30 sa vie ? au fond de quelles douleurs avait-il puisé cette force de dieu, cette puissance illimitée de créer ? Quand c'était la petite phrase qui lui parlait de la vanité de ses souffrances, Swann trouvait de la douceur à cette même sagesse qui tout à l'heure pourtant lui avait paru intolérable, quand il croyait la lire dans les visages des indifférents qui considéraient son amour comme une divagation sans importance. C'est que la petite phrase, au contraire, quelque opinion qu'elle pût avoir sur la brève durée de ces états de l'âme, y voyait quelque chose, non pas comme faisaient tous ces gens, de moins sérieux que la vie positive, mais au contraire de si supérieur à elle que seul il valait la peine d'être exprimé. [...]

40   Même quand il ne pensait pas à la petite phrase, elle existait latente dans son esprit au même titre que certaines autres notions sans équivalent, comme la notion de lumière, de son, de relief, de volupté physique, qui sont les riches possessions dont se diversifie et se pare notre domaine intérieur. Peut-être les perdrons-nous, peut-être s'effaceront-elles, si nous retournons au néant. Mais tant que nous vivons, nous ne pouvons pas plus faire que nous les ayons connues que nous ne le pouvons pour quelque objet réel, que nous ne pouvons par exemple douter de la lumière de la lampe qu'on allume devant les objets métamorphosés de notre chambre d'où s'est échappé jusqu'au souvenir de l'obscurité. Par là, la
50   phrase de Vinteuil avait, comme tel thème de *Tristan* par exemple, qui nous représente aussi une certaine acquisition sentimentale, épousé notre condition mortelle, pris quelque chose d'humain qui était assez touchant. Son sort était lié à l'avenir, à la réalité de notre âme dont elle était un des ornements les plus particuliers, les mieux différenciés. Peut-être est-ce le néant qui est le vrai et tout notre rêve est-il inexistant, mais alors nous sentons qu'il faudra que ces phrases musicales, ces notions qui existent par rapport à lui, ne soient rien non plus. Nous périrons, mais nous avons pour otages ces captives divines qui suivront notre chance. Et la mort avec elles a quelque chose de moins amer, de moins
60   inglorieux, peut-être de moins probable.

Un Amour de Swann (Librairie Gallimard, éditeur).

LA MORT DE BERGOTTE

Pour peindre ce grand écrivain, Proust s'est inspiré, dit-on, d'ANATOLE FRANCE et de BERGSON, mais ici tout rapprochement de ce genre serait déplacé : la page est au-delà de toutes les « clés ». Malade depuis longtemps et contraint à une diète sévère, BERGOTTE ne sort plus de chez lui. Il essaie tour à tour différents remèdes qui lui valent quelques *accalmies*, cependant qu'auprès de lui les médecins se succèdent et se contredisent. On notera que Proust lui-même, pour aller voir une belle exposition, ne craignit pas de compromettre sa santé, et qu'il aurait, pour entendre la Berma, « sacrifié sa vie ».

Une crise d'urémie assez légère était cause qu'on lui avait prescrit le repos. Mais un critique ayant écrit que dans la *Vue de Delft* de Ver Meer (prêté par le musée de La Haye pour une exposition hollandaise), tableau qu'il adorait et croyait connaître très bien, un petit pan de mur jaune (qu'il ne se rappelait pas) était si bien peint qu'il était, si on le regardait seul, comme une précieuse œuvre d'art chinoise, d'une beauté qui se suffirait à elle-même, Bergotte mangea quelques pommes de terre, sortit, et entra à l'exposition.

Dès les premières marches qu'il eut à gravir il fut pris d'étourdissements.
10   Il passa devant plusieurs tableaux et eut l'impression de la sécheresse et de l'inutilité d'un art si factice et qui ne valait pas les courants d'air et de

soleil d'un palazzo de Venise ou d'une simple maison au bord de la mer. Enfin il fut devant le Ver Meer, qu'il se rappelait plus éclatant, plus différent de tout ce qu'il connaissait, mais où, grâce à l'article du critique, il remarqua pour la première fois des petits personnages en bleu, que le sable était rose, et enfin la précieuse matière du tout petit pan de mur jaune. Ses étourdissements augmentaient ; il attachait son regard, comme un enfant à un papillon jaune qu'il veut saisir, au précieux petit pan de mur. « C'est ainsi que j'aurais dû écrire, disait-il. Mes derniers livres
20 sont trop secs, il aurait fallu passer plusieurs couches de couleur, rendre ma phrase en elle-même précieuse, comme ce petit pan de mur jaune. » Cependant la gravité de ses étourdissements ne lui échappait pas. Dans une céleste balance lui apparaissait, chargeant l'un des plateaux, sa propre vie, tandis que l'autre contenait le petit pan de mur si bien peint en jaune. Il sentait qu'il avait imprudemment donné le premier pour le second. « Je ne voudrais pourtant pas, se dit-il, être pour les journaux du soir le fait divers de cette exposition. »

Il se répétait : « Petit pan de mur jaune avec un auvent, petit pan de mur jaune. » Cependant il s'abattit sur un canapé circulaire ; aussi brus-
30 quement il cessa de penser que sa vie était en jeu et, revenant à l'opti-misme, se dit : « C'est une simple indigestion que m'ont donnée ces pommes de terre pas assez cuites, ce n'est rien. » Un nouveau coup l'abattit, il roula du canapé par terre, où accoururent tous les visiteurs et gardiens. Il était mort. Mort à jamais ? Qui peut le dire ? Certes les expériences spirites pas plus que les dogmes religieux n'apportent la preuve que l'âme subsiste. Ce qu'on peut dire, c'est que tout se passe dans notre vie comme si nous y entrions avec le faix d'obligations contractées dans une vie antérieure ; il n'y a aucune raison dans nos conditions de vie sur cette terre pour que nous nous croyions obligés à faire le bien, à être délicats,
40 même à être polis, ni pour l'artiste athée à ce qu'il se croie obligé de recom-mencer vingt fois un morceau dont l'admiration qu'il excitera importera peu à son corps mangé pas les vers, comme le pan de mur jaune que peignit avec tant de science et de raffinement un artiste à jamais inconnu, à peine identifié sous le nom de Ver Meer. Toutes ces obligations, qui n'ont pas leur sanction dans la vie présente, semblent appartenir à un monde différent, fondé sur la bonté, le scrupule, le sacrifice, un monde entièrement différent de celui-ci, et dont nous sortons pour naître à cette terre, avant peut-être, d'y retourner revivre sous l'empire de ces lois inconnues auxquelles nous avons obéi parce que nous en portions l'ensei-
50 gnement en nous, sans savoir qui les y avait tracées — ces lois dont tout travail profond de l'intelligence nous rapproche et qui sont invisibles seulement — et encore ! — pour les sots. De sorte que l'idée que Bergotte n'était pas mort à jamais est sans invraisemblance.

On l'enterra, mais toute la nuit funèbre, aux vitrines éclairées, ses livres, disposés trois par trois, veillaient comme des anges aux ailes éployées et semblaient, pour celui qui n'était plus, le symbole de sa résurrection.

La Prisonnière (Librairie Gallimard, éditeur).

L'ART ET LA VIE

Devant cette *complexité de la vie* qu'il faut « retrouver », devant ce « grimoire compliqué et fleuri » si riche de reflets, le romancier sent mieux *l'insuffisance d'une littérature dite* « *réaliste* » qui se contente de donner des choses « un misérable relevé », qui nous attriste, nous appauvrit et finalement nous écarte de la *véritable réalité*.

La grandeur de l'art véritable, au contraire, de celui que M. de Norpois eût appelé un jeu de dilettante, c'était de retrouver, de ressaisir, de nous faire connaître cette réalité loin de laquelle nous vivons, de laquelle nous nous écartons de plus en plus au fur et mesure que prend plus d'épaisseur et d'imperméabilité la connaissance conventionnelle que nous lui substituons, cette réalité que nous risquerions fort de mourir sans avoir connue et qui est tout simplement notre vie. La vraie vie, la vie enfin découverte et éclaircie, la seule vie par conséquent réellement vécue, c'est la littérature ; cette vie qui, en un sens, habite à chaque instant chez tous les hommes aussi bien que chez l'artiste. Mais ils ne la voient pas, parce qu'ils ne cherchent pas à l'éclaircir. Et ainsi leur passé est encombré d'innombrables clichés qui restent inutiles parce que l'intelligence ne les a pas « développés ». Notre vie, et aussi la vie des autres ; car le style pour l'écrivain, aussi bien que la couleur pour le peintre, est une question non de technique mais de vision. Il est la révélation, qui serait impossible par des moyens directs et conscients, de la différence qualitative qu'il y a dans la façon dont nous apparaît le monde, différence qui, s'il n'y avait pas l'art, resterait le secret éternel de chacun. Par l'art seulement nous pouvons sortir de nous, savoir ce que voit un autre de cet univers qui n'est pas le même que le nôtre, et dont les paysages nous seraient restés aussi inconnus que ceux qu'il peut y avoir dans la lune. Grâce à l'art, au lieu de voir un seul monde, le nôtre, nous le voyons se multiplier, et, autant qu'il y a d'artistes originaux, autant nous avons de mondes à notre disposition, plus différents les uns des autres que ceux qui roulent dans l'infini et qui, bien des siècles après qu'est éteint le foyer dont il émanait, qu'il s'appelât Rembrandt ou Ver Meer, nous envoient encore leur rayon spécial.

Ce travail de l'artiste, de chercher à apercevoir sous de la matière, sous de l'expérience, sous des mots, quelque chose de différent, c'est exactement le travail inverse de celui que, à chaque minute, quand nous vivons détourné de nous-même, l'amour-propre, la passion, l'intelligence, et l'habitude aussi accomplissent en nous, quand elles amassent au-dessus de nos impressions vraies, pour nous les cacher entièrement, les nomenclatures, les buts pratiques que nous appelons faussement la vie. En somme, cet art si compliqué est justement le seul art vivant. Seul il exprime pour les autres et nous fait voir à nous-même notre propre vie, cette vie qui ne peut pas s'« observer », dont les apparences qu'on observe ont besoin d'être traduites et souvent lues à rebours et péniblement déchiffrées.

Le Temps Retrouvé (Librairie Gallimard, éditeur).

LES GRANDS MAITRES DE "L'ENTRE-DEUX-GUERRES"

PAUL CLAUDEL

Sa vie, son œuvre   PAUL CLAUDEL est né le 6 août 1868 dans l'Aisne et il a poursuivi de bonnes études à Paris, au Lycée Louis-le-Grand, à la Faculté de Droit et à l'École des Sciences Politiques. Ses dons littéraires se manifestent très tôt et la rencontre avec l'œuvre de RIMBAUD lui fait découvrir le rapport entre la libération du langage et la libération de l'esprit. Converti brusquement et définitivement au catholicisme le jour de Noël 1886, Claudel va désormais être fasciné par le surnaturel. Cependant, il fréquente les milieux symbolistes et partage leur admiration pour MALLARMÉ, tout en se préparant à une carrière de diplomate qui va le conduire en Extrême-Orient et en Amérique. Poète dramatique et lyrique, Claudel écrit aussi de nombreux essais, souvent inspirés par ses séjours en Chine et au Japon ou par l'étude de la Bible. Il meurt le 23 février 1955 alors que la Comédie Française vient de consacrer un gala à *L'Annonce faite à Marie*.

Dans l'œuvre de CLAUDEL, la distinction entre *poésie lyrique* et *poésie dramatique* est très artificielle. En effet le monologue lyrique et le dialogue dramatique se mêlent constamment. Néanmoins, le lyrisme s'impose dans les *Grandes Odes* (1904-1908) ou dans *Corona benignitatis anni Dei* (1913). Le poète y utilise le *verset* qui élargit la métrique aux dimensions d'un inépuisable souffle spirituel, à la recherche des symboles à travers les images fourmillantes du chaos universel.

LE MYSTÈRE DE LA PAROLE POÉTIQUE

Dès ses premiers écrits, Paul CLAUDEL est pleinement conscient de la présence en lui du *souffle* poétique, et le thème de l'unité « pneumatique » de l'inspiration et du langage est l'une des constantes fondamentales de son art poétique : c'est le sujet commun de ces deux textes, l'un extrait d'un des premiers essais dramatiques, *La Ville* (1890-1897), l'autre du Prélude de la *Quatrième Ode* (*La Muse qui est la Grâce*, 1907).

BESME

O toi, qui comme la langue résides dans un lieu obscur !
S'il est vrai, comme jaillit l'eau de la terre,
Que la nature pareillement entre les lèvres du poète nous ait ouvert une source de paroles,
Explique-moi d'où vient ce souffle par ta bouche façonné en mots,
Car quand tu parles, comme un arbre qui de toute sa feuille

S'émeut dans le silence de Midi, la paix en nous peu à peu succède à la pensée.

Par le moyen de ce chant sans musique et de cette parole sans voix, nous
10 sommes accordés à la mélancolie de ce monde.

Tu n'expliques rien, ô poëte, mais toutes choses par toi nous deviennent explicables.

CŒUVRE

O Besme, je ne parle pas selon ce que je veux, mais je conçois dans le sommeil.

Et je ne saurais expliquer d'où je retire ce souffle qui m'est retiré.

Dilatant ce vide que j'ai en moi j'ouvre la bouche,

Et ayant aspiré l'air, dans ce legs de lui-même par lequel l'homme à chaque seconde *expire* l'image de sa mort,

Je restitue une parole intelligible,
20 Et l'ayant dite [1], je sais ce que j'ai dit. [...]

CŒUVRE

O mon fils ! lorsque j'étais un poëte entre les hommes,

J'inventai ce vers qui n'avait ni rime ni mètre [2],

Et je le définissais dans le secret de mon cœur cette fonction double et réciproque

Par laquelle l'homme absorbe la vie, et restitue dans l'acte suprême de l'expiration

Une parole intelligible.

La Ville, 2ᵉ *version* (Mercure de France et Gallimard, éditeurs).

Voici le dépliement de la grande Aile poétique !

Que me parlez-vous de la musique ? Laissez-moi seulement mettre mes
30 sandales d'or !

Je n'ai pas besoin de tout cet attirail qu'il lui faut. Je ne demande pas que vous vous bouchiez les yeux.

Les mots que j'emploie,

Ce ne sont les mots de tous les jours, et ce ne sont point les mêmes !

Vous ne trouverez point de rimes dans mes vers ni aucun sortilège. Ce sont vos phrases mêmes. Pas aucune de vos phrases que [3] je ne sache reprendre !

Ces fleurs sont vos fleurs et vous dites que vous ne les reconnaissez pas.

Et ces pieds sont vos pieds, mais voici que je marche sur la mer et que je foule les eaux de la mer en triomphe !

Cinq Grandes Odes (Librairie Gallimard, éditeur).

— 1 Participe passé à sens *temporel-causal :* | véritablement, la produit. — 2 Cf. I. 35. —
la signification est postérieure à la parole qui, | 3 *Il n'est aucune de vos phrases que...*

INVENTAIRE POÉTIQUE DU MONDE

L'expérience *poétique* jointe à l'expérience *religieuse* conduit le poète à coïncider avec le *mouvement même du monde*. Création continuée. Le symbole de l'Eau voit s'élargir sa signification spirituelle, puisque la *liquidité* est le signe sensible de la présence de Dieu-Esprit, la loi universelle de l'Être, et en devenant « *total* », le monde devient « *nouveau* ». Aussi la poésie en sera-t-elle le recensement, et *le poète revendique le monde comme sien*, au nom de la « catholicité » de son cœur. Et ainsi, par le symbolisme spirituel de l'Eau et de la Mer, l'inépuisable devient actuel et présent dans la *parole* et le *rythme* du poème, selon « la jubilation orchestrale » des Muses, et par l'effet de la Grâce de Dieu.

Salut donc, ô monde nouveau à mes yeux, ô monde maintenant total !
O credo entier des choses visibles et invisibles [1], je vous accepte avec un
Où que je tourne la tête   [cœur catholique [2] !
J'envisage l'immense octave [3] de la Création !
Le monde s'ouvre et, si large qu'en soit l'empan [4], mon regard le traverse d'un bout à l'autre.
J'ai pesé le soleil ainsi qu'un gros mouton que deux hommes forts suspendent à une perche entre leurs épaules.
J'ai recensé l'armée des Cieux et j'en ai dressé état,
10   Depuis les grandes Figures [5] qui se penchent sur le vieillard Océan
Jusqu'au feu le plus rare englouti dans le plus profond abîme,
Ainsi que le Pacifique bleu-sombre où le baleinier épie l'évent d'un souffleur [6] comme un duvet blanc.
Vous êtes pris et d'un bout du monde jusqu'à l'autre autour de Vous
J'ai tendu l'immense rets de ma connaissance.
Comme la phrase qui prend aux cuivres
Gagne les bois et progressivement envahit les profondeurs de l'orchestre,
Et comme les éruptions du soleil
Se répercutent sur la terre en crises d'eau et en raz-de-marée,
20   Ainsi du plus grand Ange qui vous voit jusqu'au caillou de la route et d'un bout de votre création jusqu'à l'autre,
Il ne cesse point continuité, non plus que de l'âme au corps ;
Le mouvement ineffable des Séraphins se propage aux Neuf ordres des Esprits [7],
Et voici le vent qui se lève à son tour sur la terre, le Semeur, le Moissonneur !
Ainsi l'eau continue l'esprit, et le supporte, et l'alimente,
Et entre
Toutes vos créatures jusqu'à vous il y a comme un lien liquide.

Cinq Grandes Odes, II (Librairie Gallimard, éditeur).

— 1 Selon le *credo*, Dieu est créateur du ciel et de la terre, des choses visibles et invisibles. — 2 *Universel* (sens étym.) et *converti à la foi catholique*. — 3 L'octave, qui renferme la totalité des notes, évoque la plénitude de la connaissance poétique : ainsi *poésie* et *mystique* ne font qu'un. — 4 Écartement entre le pouce et le petit doigt. — 5 Les *Constellations*. — 6 Cétacé qui émet de la vapeur *(duvet blanc)* par ses *évents*. — 7 Les Séraphins appartiennent au premier degré de la hiérarchie angélique : ils sont au point de départ du mouvement des Esprits vers Dieu.

MORT ET VIE

« *Seigneur, je vous ai trouvé — Qui vous trouve, il n'a plus tolérance de la mort* ». L'inventaire poétique du monde se poursuit, qui, après la dénonciation des puissances de mort, découvre « au plus épais de la terre » l'inépuisable *germe de la vie*. C'est alors le cri du choix décisif et définitif : « *Je préfère l'absolu* ». C'est aussi, une fois encore à partir de la contemplation des nébuleuses et de la mer (images deux fois reprises), le franchissement du temps, le *passage à l'éternité*, selon le constant mouvement de l'itinéraire claudélien, du visible à l'invisible, qui garantit la victoire de la vie sur la mort.

Et çà et là aux confins du monde où le travail de la création s'achève, les nébuleuses,

Comme, quand la mer violemment battue et remuée

Revient au calme, voici encore[1] de tous côtés l'écume et de grandes plaques de sel trouble qui montent.

Ainsi le chrétien dans le ciel de la foi sent palpiter la Toussaint[2] de tous ses frères vivants.

Seigneur, ce n'est point le plomb ou la pierre ou le bois pourrissant que vous avez enrôlé à votre service.

10 Et nul homme ne se consolidera dans la figure de celui qui a dit : *Non serviam*[3] !

Ce n'est point mort qui vainc la vie, mais vie qui détruit la mort et elle ne peut tenir contre elle !

Vous avez jeté bas les idoles,

Vous avez déposé tous ces puissants de leur siège[4], et vous avez voulu pour serviteurs la flamme elle-même du feu !

Comme dans un port quand la débâcle arrive on voit la noire foule des travailleurs couvrir les quais et s'agiter le long des bateaux[5],

Ainsi les étoiles fourmillantes à mes yeux et l'immense ciel actif !

20 Je suis pris et ne peux m'échapper, comme un chiffre prisonnier de la somme.

Il est temps ! A la tâche qui m'est départie l'éternité seule peut suffire.

Et je sais que je suis responsable, et je crois en mon maître ainsi qu'il croit en moi.

J'ai foi en votre parole et je n'ai pas besoin de papier.

C'est pourquoi rompons les liens des rêves, et foulons aux pieds les idoles, et embrassons la croix avec la croix.

Car l'image de la mort produit la mort, et l'imitation de la vie

La vie, et la vision de Dieu engendre la vie éternelle.

Cinq Grandes Odes, III (Librairie Gallimard, éditeur).

— 1 Les nébuleuses sont comparables à *l'écume* que l'on voit sur la mer après le retour au calme. — 2 Fête qui célèbre le *rassemblement autour de Dieu* de toutes les âmes sauvées. — 3 Parole placée dans la bouche de Satan : « *Je ne serai pas esclave* ». Pour Claudel les « idoles » modernes représentent un nouvel épisode de la révolte de Satan. — 4 Cf. Saint-Luc, I, 52 ; ici les idoles modernes et leurs sectateurs sont assimilés aux *puissants* de l'Évangile. — 5 Spectacle auquel Claudel avait pu assister dans un port d'Extrême-Orient pris par les glaces.

LE THÉÂTRE DE CLAUDEL

De *Tête d'or* (1889) et *La Ville* (1890) jusqu'au *Soulier de satin* (1924) en passant par *L'Annonce faite à Marie* (1912) et la trilogie historique qui comprend *L'Otage* (1909), *Le Pain dur* (1914) et *Le Père humilié* (1916), l'inspiration dramatique de Claudel s'épanche en de nombreuses pièces, souvent obscures, mais d'une richesse poétique et spirituelle incomparable.

Partage de Midi   *Partage de Midi*, édité en 1906 à un petit nombre d'exemplaires, est publié en 1948. Ce drame de la passion, inspiré par un épisode de la vie de Claudel, sera joué par la compagnie Renaud-Barrault en 1949, dans une version abrégée.

Un grand paquebot emmène vers la Chine Ysé, *épouse de* De Ciz, *en compagnie de l'aventurier* Amalric *et du sombre et sauvage* Mesa. *Entre* Ysé *et* Mesa *naît, comme une fatalité, une irrésistible et réciproque fascination. Après s'être donnée à* Mesa *et avoir souhaité la mort de son mari,* Ysé *s'éprend d'*Amalric *et s'enfuit avec lui vers le sud de la Chine, en emmenant l'enfant qu'elle a eu de* Mesa. *Au cours d'une révolte, la maison d'*Amalric *et d'*Ysé *est encerclée ; pour ne pas être pris vivant,* Amalric *y dépose une bombe et met en marche le mouvement d'horlogerie. Alors arrive* Mesa, *muni d'un laissez-passer qu'il veut faire servir au salut d'*Ysé *et de son enfant. Silence d'*Ysé, *colère d'*Amalric *qui blesse* Mesa, *l'abandonne sur place, et emmène* Ysé *(grâce au laissez-passer de* Mesa*), alors que celle-ci, ne pouvant sauver l'enfant, vient de le tuer. Tandis que l'horlogerie de la bombe conduit inéluctablement à l'explosion,* Mesa *évanoui reprend conscience pour assister au retour d'*Ysé, *dans un rayon de lune. De Ciz mort, Amalric rejeté,* Ysé *et* Mesa *sont réunis par une sorte de mariage au-delà de la mort,* « *dans la transfiguration de Midi* ».

LE DESTIN

Au centre du 1ᵉʳ acte, sur le pont du paquebot, le point culminant de la rencontre d'Ysé et de Mesa, qui est pour eux « *quelque chose de tout nouveau* » : le balancement entre la fascination et la résistance, le progrès de la fascination à travers l'illusion de la résistance, l'amorce du jeu tragique que joue le Destin avec le cœur de l'homme et de la femme. — Mesa *vient d'évoquer l'appel de Dieu, qu'il entend encore confusément au fond de lui-même.*

Mesa

Je suis sommé de donner
En moi-même une chose que je ne connais pas. Eh bien, voici le tout
ensemble ! Je me donne moi-même.
Me voici entre vos mains. Prenez vous-même ce qu'il vous faut [1].

Ysé

Vous avez été repoussé ?

— 1 Mesa a été tourmenté de ce qu'Amalric appelle « la manie religieuse ». Il est le reflet de l'auteur qui, en 1901, à la veille de son départ pour la Chine et de la rencontre avec la Polonaise, avait séjourné au monastère bénédictin de Ligugé et tenté de se préparer à la vie monacale. Mais, à la suite de cette expérience, il lui avait été conseillé de quitter le monastère pour reprendre sa vie dans le monde. Ainsi s'expliquent les paroles de Mesa, qui décrivent sa situation spirituelle au moment de la rencontre d'Ysé.

MESA

Je n'ai pas été repoussé. Je me suis tenu devant Lui
Comme devant un homme qui ne dit rien et qui ne prononce pas un mot.
Les choses ne vont pas bien à la Chine. On me renvoie ici pour un temps.

YSÉ

Supportez le temps.

MESA

10   Je l'ai tellement supporté ! J'ai vécu dans une telle solitude entre les
hommes ! Je n'ai point trouvé
Ma société avec eux.
Je n'ai point à leur donner, je n'ai point à recevoir la même chose.
Je ne sers à rien à personne.
Et c'est pourquoi je voulais Lui rendre ce que j'avais.
Or je voulais tout donner,
Il me faut tout reprendre. Je suis parti, il me faut revenir à la même place.
Tout a été en vain. Il n'y a rien de fait. J'avais en moi
La force d'un grand espoir ! Il n'est plus. J'ai été trouvé manquant.
20   J'ai perdu mon sens et mon propos.
Et ainsi je suis renvoyé tout nu, avec l'ancienne vie, tout sec, avec point
d'autre consigne
Que l'ancienne vie à recommencer, l'ancienne vie à recommencer,
ô Dieu ! la vie, séparé de la vie.
Mon Dieu, sans autre attente que vous seul qui ne voulez point de moi,
Avec un cœur atteint, avec une force faussée !
Et me voilà bavardant avec vous ! qu'est-ce que vous comprenez à tout
cela ? qu'est-ce que cela vous regarde ou vous intéresse ?

YSÉ

Je vous regarde, cela me regarde.
30   Et je vois vos pensées confusément comme des moineaux près d'une
meule lorsque l'on frappe dans ses mains,
Monter toutes ensemble à vos lèvres et à vos yeux ?

MESA

Vous ne me comprenez pas.

YSÉ

Je comprends que vous êtes malheureux.

MESA

Cela du moins est à moi.

YSÉ

N'est-ce pas ? Il vaudrait mieux que ce fût Ysé qui fût à vous ?

Pause

Ignacio Zuloaga : *Barrès devant Tolède* (1913).
Nancy. Musée historique lorrain. *(Photo Mangin - Plaisir de France.)*

Ci-contre à gauche,
Illiers, Bourg natal
de Marcel Proust.
*(Photo Feher -
Rapho.)*

Ci-dessus,
Lucien Coutaud :
décor pour
le Soulier de satin
de Claudel, 1943.
Collection de la
Comédie-Française.
*(Photo J.-L.
Charmet - E.B.)*

Ci-contre à droite,
J.-E. Blanche : *les
Amis d'André Gide*
(1901).
Dans un café maure
de l'Exposition
universelle de 1900 :
André Gide
(avec un chapeau
noir), E. Rouart,
le poète Athman
Ben Sala,
Henri Ghéon
et Charles Chanoin.
Rouen, musée
des Beaux-Arts.
*(Photo Snark
International.)*

Narcisse, composition de Paul Valéry.
(Photo J.-L. Charmet - E.B.)

MESA, *lourdement*

Cela est impossible.

YSÉ

Oui, cela est impossible. [...]

MESA

Je sais que vous ne m'aimez pas.

YSÉ

40 Mais voilà, voilà ce qui m'a surprise ! Voilà ce que j'ai appris tout à coup !
Je suis celle que vous auriez aimée. [...]

MESA

Pourquoi est-ce maintenant que je vous rencontre ? Ah, je suis fait pour la joie [2],
Comme l'abeille ivre, comme une balle [3] sale dans le cornet de la fleur fécondée !
Il est dur de garder tout son cœur. Il est dur de ne pas être aimé. Il est dur d'être seul. Il est dur d'attendre,
Et d'endurer, et d'attendre, et d'attendre toujours,
50 Et encore, et me voici à cette heure de midi où l'on voit tellement ce qui est tout près
Que l'on ne voit plus rien d'autre. Vous voici donc !
Ah, que le présent semble donc près et l'immédiat à notre main sur nous
Comme une chose qui a force de nécessité.
Je n'ai plus de forces, mon Dieu ! Je ne puis, je ne puis plus attendre !
Mais c'est bien, cela passera aussi. Soyez heureuse !
Je reste seul. Vous ne connaîtrez pas une telle chose que ma douleur.
Cela du moins est à moi. Cela du moins est à moi.

YSÉ

Non, non, il ne faut point m'aimer. Non, Mesa, il ne faut point m'aimer.
60 Cela ne serait point bon.
Vous savez que je suis une pauvre femme. Restez le Mesa dont j'ai besoin,
Et ce gros homme grossier et bon qui me parlait l'autre jour dans la nuit [4].
Qu'y aura-t-il que je respecte
Et que j'aime, si vous m'aimez ? Non, Mesa, il ne faut point m'aimer !
Je voulais seulement causer, je me croyais plus forte que vous
D'une certaine manière. Et maintenant c'est moi comme une sotte
Qui ne sais plus que dire, comme quelqu'un qui est réduit au silence et qui écoute.

— 2 Dans la contradiction entre la solitude de Mesa et sa vitalité, son malheur trouve son origine, et le Destin sa chance tragique.

— 3 Enveloppe du grain (cf. *balle d'avoine*).
— 4 Mesa voyait d'abord en Ysé une coquette ; un soir qu'elle s'était accoudée auprès de lui, il l'injuriait » de tout son cœur, à voix basse ».

Vous savez que je suis une pauvre femme et que si vous me parlez d'une
70 certaine façon,

Il n'y a pas besoin que ce soit bien haut, mais que si vous m'appelez par
mon nom,

Par votre nom, par un nom que vous connaissez et moi pas, entendante,

Il y a une femme en moi qui ne pourra pas s'empêcher de vous répondre.

Et je sens que cette femme ne serait point bonne

Pour vous, mais funeste, et pour moi il s'agit de choses affreuses ! Il ne
s'agit point d'un jeu avec vous. Je ne veux point me donner tout entière.

Et je ne veux pas mourir, mais je suis jeune

Et la mort n'est pas belle, c'est la vie qui me paraît belle ; comme la vie
80 m'a monté la tête sur ce bateau !

C'est pourquoi il faut que tout soit fini entre nous. Tout est dit, Mesa.

Tout est fini entre nous. Convenons que nous ne nous aimerons pas.

Dites que vous ne m'aimerez pas. Ysé, je ne vous aimerai pas.

MESA

Ysé, je ne vous aimerai pas.

YSÉ

Ysé, je ne vous aimerai pas.

MESA

Je ne vous aimerai pas.   *Ils se regardent.*

Partage de Midi, 1re *version*, I (Librairie Gallimard, éditeur).

YSÉ, L'INTERDITE

Ce n'est pas sans raison que le décor du *deuxième acte* est un cimetière de Hong-Kong,
« par une sombre après-midi d'avril » : Ysé et MESA sont entrés dans le monde de l'orage
et de la mort ; c'est dans ce climat de pesanteur et de malédiction qu'a lieu leur *reconnaissance*, qu'ils appellent *amour*, et que fait éclater l'appel réciproque de leur nom.
Amour adultère et interdit : impasse tragique, d'où ils ne peuvent sortir sans crime,
que cette coïncidence fatale de l'*amour* et de l'*interdiction*.

MESA

Ysé !

YSÉ

Me voici, Mesa. Pourquoi m'appelles-tu ?

MESA

Ne me sois plus étrangère !

Je lis enfin, et j'en ai horreur, dans tes yeux le grand appel panique !

Derrière tes yeux qui me regardent la grande flamme noire de l'âme qui
brûle de toutes parts comme une cité dévorée [1] !

— 1 La « cité dévorée », image et symbole du | déchirement de l'âme, était déjà le décor et le
sujet de *La Ville* (1889-1895).

La sens-tu bien maintenant dans ton sein, la mort de l'amour et le feu que fait un cœur qui s'embrase ?

Voici entre mes bras l'âme qui a un autre sexe et je suis son mâle.

Et je te sens sous moi passionnément qui abjure, et en moi le profond dérangement

De la création, comme la Terre

Lorsque l'écume aux lèvres elle produisait la chose aride, et que dans un rétrécissement effroyable

Elle faisait sortir sa substance et le repli des monts comme de la pâte !

Et voici une sécession dans mon cœur, et tu es Ysé, et je me retourne monstrueusement

Vers toi, et tu es Ysé !

Et tout m'est égal, et tu m'aimes, et je suis le plus fort !

Ysé

Je suis triste, Mesa. Je suis triste, je suis pleine,

Pleine d'amour. Je suis triste, je suis heureuse.

Ah, je suis bien vaincue, et toi, ne pense pas que je te laisse aller, et que je te lâche de ces deux belles mains !

Et à la fin ce n'est plus le temps de rien contraindre, ô comme je me sens une femme entre tes bras,

Et j'ai honte et je suis heureuse.

Et tantôt regardant ton visage, au mien

Je sens comme un coup de honte et de flamme,

Et tantôt comme un torrent et un transport

De mépris pour tout et de joie éclatante

Parce que je t'ai et que tu es à moi, et je t'ai, et je n'ai point honte !

Mesa

Ysé, il n'y a plus personne au monde.

Ysé

Personne que toi et moi. — Regarde ce lieu amer !

Mesa

Ne sois point triste.

Ysé

Regarde ce jardin maudit !

Mesa

Ne sois point triste, ma femme !

Ysé

Est-ce que je suis ta femme et ne suis-je pas la femme d'un autre ?

Ne me fais point tort de ce sacrement entre nous.

Non, ceci n'est pas un mariage

40   Qui unit toute chose à l'autre, mais une rupture et le jurement mortel et la
préférence de toi seul !

Et elle, la jeune fille,

La voici qui entre chez l'époux, suivie d'un fourgon à quatre chevaux
bondé, du linge, des meubles pour toute la vie.

Mais moi, ce que je t'apporte aussi n'est pas rien ! mon nom et mon
honneur,

Et le nom et la joie de cet homme que j'ai épousé,

Jurant de lui être fidèle,

Et mes pauvres enfants. Et toi,

50   Des choses si grandes qu'on ne peut les dire.

Je suis celle qui est interdite. Regarde-moi, Mesa, je suis celle qui est
interdite.

MESA

Je le sais.

YSÉ

Et est-ce que je suis pour cela moins belle et désirable ?

MESA

Tu ne l'es pas moins !

YSÉ

Jure !

Et moi, je jure que tu es à moi et que je ne te laisserai point aller et que je
suis à toi,

Oui, à la face de tout, et je ne cesserai point de t'aimer, oui, quand je serais

60   damnée, oui, quand je serais près de mourir !

Et qu'on me dise de ne plus t'aimer !

MESA

Ne dis point des paroles affreuses !

YSÉ

Et voici d'autres paroles :

Il faut que cet homme que l'on appelle mon mari et que je hais

Ne reste point ici, et que tu l'envoies ailleurs,

Et que m'importe qu'il meure, et tant mieux parce que nous serons l'un à
l'autre.

MESA

Mais cela ne serait pas bien.

YSÉ

Bien ? Et qu'est-ce qui est bien ou mal que ce qui nous empêche ou

70   nous permet de nous aimer ?

MESA

Je crois que lui-même

Désire aller dans ce pays dont je lui ai parlé.

YSÉ

Il te demandera de rester ici

Mais il ne faut pas le lui permettre et il sera bien forcé de faire ce que tu veux,

Et il faut l'envoyer ailleurs, que je ne le voie plus !

Et qu'il meure s'il veut ! Tant mieux s'il meurt ! Je ne connais plus cet homme.

Le voici.   *Entre De Ciz*

DE CIZ

Bonjour.

Les deux hommes se prennent la main.

Partage de Midi, 1re version 1948, II (Librairie Gallimard, éditeur).

« SOUVIENS-TOI DU SIGNE »

« *Mais l'esprit demeure inextinguible...* » Du cœur même de la mort jaillit, par la transfiguration, le *rachat*. Voici le dénouement du drame, où le retard d'YSÉ, encore prisonnière de l'immanence terrestre, sur MESA, qui accède déjà à la gloire de Dieu, devra se compenser par une mystérieuse « *distance* » (cf. l. 52) à l'intérieur même de l'éternité. C'est l'ultime dialogue claudélien, par-dessus *la ligne de partage*, entre les deux parts divisées de l'homme — vouées cependant à se réunir par une commune adhésion mystique à la mort — : la part *charnelle* et la part *spirituelle*.

YSÉ

Il ne faut point avoir peur. Notre temps qui bat, le temps ancien qui s'achève,

La machine qui est au-dessous de la maison, et il ne reste que peu de minutes, le temps même

Qui s'en va faire explosion, dispersant cet habitacle de chair [1]. Ne crains point.

MESA

La chair ignoble frémit mais l'esprit demeure inextinguible.

Ainsi le cierge solitaire veille dans la nuit obscure

Et la charge des ténèbres superposées ne suffiront point

10   A opprimer le feu infime [2] !

Courage, mon âme ! à quoi est-ce que je servais ici-bas [3] ?

Je n'ai point su,

Nous ne savons point, Ysé, nous donner par mesure ! Donnons-nous

---

— 1 L'explosion de la « machine » (la bombe) symbolise « l'explosion » même du Temps. Mais le symbole recouvre aussi l'idée d'une valeur rédemptrice de cette « explosion ». — 2 Cette alliance de mots *(flamme et faiblesse)* représente le paradoxe de la Foi, simple point de lumière mais inextinguible. — 3 La question qu'a dû se poser Claudel au moment de sa conversion : le salut est, pour chaque être, dans la découverte et la conscience de sa nécessité.

donc d'un seul coup !
Et déjà je sens en moi
Toutes les vieilles puissances de mon être qui s'ébranlent pour un ordre nouveau.
Et d'une part au-delà de la tombe j'entends se former le clairon de l'Exterminateur,
20   La citation de l'instrument judiciaire dans la solitude incommensurable,
Et d'autre part à la voix de l'airain incorruptible,
Tous les événements de ma vie à la fois devant mes yeux
Se déploient comme les sons d'une trompette fanée !

Ysé se lève et se tient debout devant lui, les yeux fermés, toute blanche dans le rayon de la lune, les bras en croix. Un grand coup de vent lui soulève les cheveux [4].

Ysé

Maintenant regarde mon visage car il en est temps encore.
Et regarde-moi debout et étendue comme un grand olivier dans le rayon de la lune terrestre, lumière de la nuit,
Et prends image de ce visage mortel car le temps de notre résolution approche et tu ne me verras plus de cet œil de chair !
Et je t'entends et ne t'entends point, car déjà voici que je n'ai plus
30   d'oreilles ! Ne te tais point, mon bien-aimé, tu es là !
Et donne-moi seulement l'accord, que je
Jaillisse, et m'entende avec mon propre son d'or pour oreilles
Commencer, affluer comme un chant pur et comme une voix véritable à ta voix ton éternelle Ysé mieux que le cuivre et la peau d'âne !
J'ai été sous toi la chair qui plie et comme un cheval entre tes genoux, comme une bête qui n'est pas poussée par la raison,
Comme un cheval qui va où tu lui tournes la tête, comme un cheval emporté, plus vite et plus loin que tu ne le veux !
Vois-la maintenant dépliée, ô Mesa, la femme pleine de beauté déployée
40   dans la beauté plus grande !
Que parles-tu de la trompette perçante ? lève-toi, ô forme brisée, et vois-moi comme une danseuse écoutante,
Dont les petits pieds jubilants sont cueillis par la mesure irrésistible !
Suis-moi, ne tarde plus !
Grand Dieu ! me voici, riante, roulante, déracinée, le dos sur la subsistance même de la lumière comme sur l'aile par-dessous de la vague !
O Mesa, voici le partage de minuit ! et me voici prête à être libérée,
Le signe pour la dernière fois de ces grands cheveux déchaînés dans le vent de la Mort !

— 4 Cf. la fin de la scène. Noter le rôle symbolique des indications scéniques : la nuit et la lune représentent l'opposition entre « *partage de minuit* » et « *partage de Midi* ». De même le vent dans les cheveux évoque la figure charnelle qui sera répudiée par Mesa au nom de sa propre transcendance (cf. I. 24-30 : « la lune *terrestre* »). L'auteur semble s'inspirer ici d'un souvenir personnel, si l'on en croit l'évocation qui termine l'Ode *Les Muses* : « Toi-même, amie, tes grands cheveux blonds dans le vent de la mer... » — « ... la grande chose joconde — S'enlève, tout part dans le clair de la lune ! ».

MESA

50 Adieu ! je t'ai vue pour la dernière fois [5] !
Par quelles routes longues, pénibles,
Distants encore que ne cessant de peser
L'un sur l'autre, allons-nous
Mener nos âmes en travail ?
Souviens-toi, souviens-toi du signe !
Et le mien, ce n'est pas de vains cheveux dans la tempête, et le petit mouchoir un moment,
Mais, tous voiles dissipés, moi-même, la forte flamme fulminante, le grand mâle dans la gloire de Dieu,
60 L'homme dans la splendeur de l'août, l'Esprit vainqueur dans la transfiguration de Midi [6] !

Partage de Midi, 1re *version*, III (Librairie Gallimard, éditeur).

Le Soulier de Satin De ce drame, il existe deux versions : la *Version intégrale* (1924), où sont pris nos extraits, et une *Version pour la scène abrégée, notée et arrangée en collaboration avec Jean-Louis Barrault* (1943). Le titre est expliqué par la scène (I, 5) où l'héroïne, DONA PROUHÈZE, confiée par son mari, DON PÉLAGE, à Don Balthazar, avoue à ce dernier la « folie » qu'elle a faite en adressant une lettre à DON RODRIGUE qu'elle aime d'un amour coupable. Elle se déchausse et confie à la Vierge, dont une statue préside à ce dialogue, son *soulier de satin* en lui adressant une émouvante prière.

PRIÈRE A LA VIERGE

Vierge, patronne et mère de cette maison,
Répondante et protectrice de cet homme dont le cœur vous est pénétrable plus qu'à moi et compagne de sa longue solitude,
Alors si ce n'est pas pour moi, que ce soit à cause de lui,
Puisque ce lien entre lui et moi n'a pas été mon fait, mais votre volonté intervenante :
Empêchez que je sois à cette maison dont vous gardez la porte, auguste tourière, une cause de corruption !
Que je manque à ce nom que vous m'avez donné à porter, et que je cesse
10 d'être honorable aux yeux de ceux qui m'aiment.
Je ne puis dire que je comprends cet homme que vous m'avez choisi, mais vous, je comprends, qui êtes sa mère comme la mienne.

— 5 Ysé parlait au *présent*, comme pour éterniser, à l'instant de la mort, l'illusoire visage de sa beauté terrestre. Parlant au *passé* (le passé composé a la valeur du *perfectum* latin), Mesa y renonce définitivement : il est situé, lui, de l'autre côté de la ligne de partage où commence la route de l'Éternité. Ysé devra suivre à son tour cette route, munie du *signe*, qui n'est plus le signe de ceux qui *restent* (les cheveux, le mouchoir), mais le signe de ceux qui *partent* (la flamme) pour le long et pénible voyage vers la *Transcendance définitive*. Le drame s'achève sur l'effacement de l'exaltation nostalgique et le triomphe rédempteur de l'*espérance* sûre d'elle-même. — 6 Cf. *La Muse qui est la Grâce* : « Voici l'œuvre d'Août, voici l'extermination de Midi ».

Alors, pendant qu'il est encore temps, tenant mon cœur dans une main et mon soulier dans l'autre [1],

Je me remets à vous ! Vierge mère, je vous donne mon soulier ! Vierge mère, gardez dans votre main mon malheureux petit pied !

Je vous préviens que tout à l'heure je ne vous verrai plus et que je vais tout mettre en œuvre contre vous !

20 Mais quand j'essayerai de m'élancer vers le mal, que ce soit avec un pied boiteux ! la barrière que vous avez mise,

Quand je voudrai la franchir, que ce soit avec une aile rognée !

J'ai fini ce que je pouvais faire, et vous, gardez mon pauvre petit soulier,

Gardez-le contre votre cœur, ô grande Maman effrayante !

Le Soulier de Satin (Librairie Gallimard, éditeur).

Ainsi commence *l'aventure* de DONA PROUHÈZE, qui est une figure à la fois de la Femme, du Poète et de l'Ame humaine. Lourde mission pour un personnage dont la plénitude symbolique commande une action qui s'étend au monde entier (« *la scène de ce drame est le monde* »), en une époque où le monde venait de s'ouvrir largement à l'esprit d'aventure des hommes ; aussi est-ce, au XVIe siècle, une « action espagnole ». De l'Espagne aux Amériques et au Maroc, le drame trace l'itinéraire des deux héros essentiels, PROUHÈZE et RODRIGUE, à travers une extraordinaire polyphonie de décors, de tons et de symboles, qui accompagne la polyphonie correspondante des sentiments et des passions, des chutes et des redressements, de la vie et de la mort. Au cœur de cette grandiose tentative de *drame illimité* réapparaît l'éternelle histoire de l'amour, celle même de Tristan et Yseult ; si PROUHÈZE aime RODRIGUE, Prouhèze est mariée : elle est donc interdite et « impossessible ». Le drame sera l'histoire d'une poursuite à travers le monde, poursuite fertile en péripéties de toutes sortes, à la fois comme une *épopée* et comme un *roman picaresque ;* mais c'est aussi, et surtout, la lutte entre *l'appétit de possession* et *l'exigence surnaturelle du renoncement,* selon ce qui était annoncé dans la prière à la Vierge. Quand aura lieu enfin la rencontre de RODRIGUE et de PROUHÈZE (qui ne s'étaient vus qu'une fois), ce sera l'ultime salut par le *renoncement réciproque,* PROUHÈZE allant vers la mort qui l'attend dans une forteresse minée, et RODRIGUE vers l'humilité de l'esclavage.

Le Soulier de Satin est donc une gigantesque construction dramatique, que CLAUDEL comparait à une tapisserie ; l'histoire providentielle du monde et l'aventure des destinées personnelles s'y développent en contrepoint : le drame reproduit ainsi les inépuisables effets de la *double postulation* de l'homme, jusqu'à la réconciliation finale dans la mort, le renoncement et le sacrifice. Ce thème essentiel, ce fil conducteur, n'est jamais vraiment perdu de vue au milieu de cette immensité.

L'Annonce faite à Marie

Élaboré dans les deux versions de *La Jeune fille Violaine* (1892-1898), le texte de *L'Annonce faite à Marie* a été remanié à plusieurs reprises (1912, 1938), avant la *version pour la scène* établie en 1948.

Dans un « Moyen âge de convention », VIOLAINE, fille d'Anne VERCORS et fiancée à JACQUES HURY, rencontre l'architecte PIERRE DE CRAON, qui l'a autrefois désirée et a, depuis, contracté la lèpre. Elle consent à lui donner, par compassion et charité, un baiser d'adieu. Mais la scène a été surprise par sa sœur MARA, amoureuse de JACQUES HURY, et celle-ci va s'attacher à discréditer sa rivale. *A la suite de ce baiser,* VIOLAINE *devient elle-même lépreuse ;* elle est reniée par les siens, abandonnée par son fiancé, qui épouse MARA, et elle se retire dans la forêt pour se vouer à Dieu. Mais voici que meurt l'enfant né du mariage de Mara et de Jacques : VIOLAINE le ressuscite. Avant de mourir à son tour, tuée par Mara, elle obtient pour cette dernière le pardon de son père et de son mari, tandis que la lèpre de PIERRE DE CRAON se trouve miraculeusement guérie.

— 1 *Geste religieux :* le soulier de satin est objet en remerciement ou, comme ici, en *garantie* offert en *ex-voto* à la Vierge *(ex-voto :* don d'un d'un vœu solennel).

ANDRÉ GIDE

Sa vie, son œuvre   Né à Paris le 22 novembre 1869, ANDRÉ GIDE est accablé durant toute sa jeunesse par une sévère éducation protestante. Fragile, les nerfs presque pathologiquement vulnérables, il éprouve très tôt, jusqu'à l'angoisse, le sentiment « de n'être pas comme les autres ». Dès l'âge de quinze ans, il est porté vers une de ses cousines, MADELEINE RONDEAUX, par un amour mystique et rêveur. Mais en 1893, il ramène d'un voyage de deux ans en Afrique du Nord le souvenir brûlant d'amours interdites. Il épouse malgré tout Madeleine le 8 octobre 1895, mais déchiré entre sa soif de spiritualité et son avidité de libération morale, il rend de plus en plus difficile sa vie conjugale.

Les Nourritures Terrestres en 1897, et _L'Immoraliste_ en 1902 sont les témoins de cette expérience, qui refuse d'associer les notions de plaisir et de faute.

Après _La Symphonie Pastorale_ (1919) qui libère Gide d'un passé de puritanisme, les œuvres suivantes prennent un attrait de scandale pour le public (_Si le grain ne meurt_, 1920 ; _Corydon_, 1924).

Mais les audaces de GIDE ne l'enferment pas dans la facilité. _Les Faux-monnayeurs_, en 1925, tentent de renouveler la conception traditionnelle du roman, cependant que sa confiance en l'homme le mène au communisme, avant qu'un voyage en Russie ne lui fasse avouer sa répugnance devant le formalisme stalinien (_Le retour d'URSS_, 1936).

Après la mort de sa femme (1938), il publie le premier tome de son _Journal_ (1889-1939), qu complète en 1951, l'année de sa mort, le plus secret _Et nunc manet in te_ qui révèle de quels remords s'est accompagnée chez lui la volonté d'être libre.

Parti d'un _culte du moi_ tout barrésien, GIDE a souffert de ses contradictions sans jamais les renier. Le roman est souvent pour lui un moyen de révéler des aspects de lui-même qu'il scrute et qu'il juge. Il peut donc à bon droit parler d'_intention critique_ à propos de ses personnages et déclarer « qu'à la seule exception [des] _Nourritures Terrestres_ tous [ses] livres sont des livres ironiques ».

L'inépuisable étude de l'âme humaine à travers l'auteur lui-même et la perfection d'un style limpide et très étudié rattachent Gide à la tradition classique. Mais il a marqué aussi la littérature de son époque par son action à la tête de la _Nouvelle Revue Française_ et par de nombreux ouvrages de critique (_Prétextes_, 1903 ; _Nouveaux Prétextes_, 1911 ; _Incidences_, 1924).

LES NOURRITURES TERRESTRES

Publiées en 1897, _Les Nourritures Terrestres_ chantent sur le mode lyrique la libération que GIDE a ressentie après son séjour en Tunisie. « L'unique bien, c'est la vie ». Mais l'abolition de toutes les contraintes doit laisser le cœur disponible et rien n'est moins gidien que l'abandon au bonheur acquis. Ainsi la « quête » des « nourritures terrestres » n'est-elle pas un simple appétit inconscient et vite satisfait.

NOURRITURES.

Je m'attends à vous [1], nourritures !
Ma faim ne se posera pas à mi-route ;
Elle ne se taira que satisfaite ;
Des morales n'en sauraient venir à bout [2]
Et de privations je n'ai jamais pu nourrir que mon âme [3].

— 1 Je compte sur vous. — 2 Ne sauraient être plus fortes qu'elle. — 3 Allusion aux interdits qui enrichissaient jadis son âme.

Satisfactions ! je vous cherche.
Vous êtes belles comme les aurores d'été.

Sources plus délicates au soir, délicieuses à midi ; eaux du petit matin
glacées ; souffles au bord des flots ; golfes encombrés de mâtures ; tiédeur
10 des rives cadencées...
Oh ! s'il est encore des routes vers la plaine ; les touffeurs de midi ;
les breuvages des champs, et pour la nuit le creux des meules ;
S'il est des routes vers l'Orient ; des sillages sur les mers aimées ; des
jardins à Mossoul ; des danses à Touggourt ; des chants de pâtre en
Helvétie ;
S'il est des routes vers le Nord ; des foires à Nijni ; des traîneaux
soulevant la neige ; des lacs gelés ; certes, Nathanaël, ne s'ennuieront pas
nos désirs.
Des bateaux sont venus dans nos ports apporter les fruits mûrs de
20 plages ignorées.
Déchargez-les de leur faix un peu vite, que nous puissions enfin y
goûter.
Nourritures !
Je m'attends à vous, nourritures !
Satisfactions, je vous cherche ;
Vous êtes belles comme les rires de l'été.
Je sais que je n'ai pas un désir
Qui n'ait déjà sa réponse apprêtée.
Chacune de mes faims attend sa récompense.
30 Nourritures !
Je m'attends à vous, nourritures !
Par tout l'espace je vous cherche,
Satisfactions de tous mes désirs.

*

Ce que j'ai connu de plus beau sur la terre,
Ah ! Nathanaël, c'est ma faim.
Elle a toujours été fidèle
A tout ce qui toujours l'attendait.
Est-ce de vin que se grise le rossignol ?
L'aigle, de lait ? ou non point de genièvre les grives ?
40 L'aigle se grise de son vol. Le rossignol s'enivre des nuits d'été. La plaine
tremble de chaleur. Nathanaël, que toute émotion sache te devenir une
ivresse. Si ce que tu manges ne te grise pas, c'est que tu n'avais pas assez
faim.
Chaque action parfaite s'accompagne de volupté ! A cela tu reconnais
que tu devais la faire. Je n'aime point ceux qui se font un mérite d'avoir
péniblement œuvré. Car si c'était pénible, ils auraient mieux fait de faire
autre chose. La joie que l'on y trouve est le signe de l'appropriation du

travail et la sincérité de mon plaisir, Nathanaël, m'est le plus important
des guides.

50 Je sais ce que mon corps peut désirer de volupté chaque jour et ce que ma
tête en supporte. Et puis commencera mon sommeil. Terre et ciel ne me
valent plus rien au-delà.

Les Nourritures Terrestres (Librairie Gallimard, éditeur).

A la fin du livre figure un Envoi. *C'est alors que Gide déclare son refus des disciples.*
A Nathanaël, il n'a voulu donner qu'une méthode de découverte en lui montrant une « des
mille postures possibles en face de la vie ».

Envoi   Nathanaël, à présent, jette mon livre. Éman-
cipe-t'en. Quitte-moi. Quitte-moi ; maintenant
tu m'importunes ; tu me retiens ; l'amour que je me suis surfait pour toi
m'occupe trop. Je suis las de feindre d'éduquer quelqu'un. Quand ai-je
dit que je te voulais pareil à moi ? — C'est parce que tu diffères de moi
que je t'aime ; je n'aime en toi que ce qui diffère de moi. — Éduquer !
Qui donc éduquerais-je, que moi-même ? Nathanaël, te le dirai-je ? je me
suis interminablement éduqué. Je continue. Je ne m'estime jamais que
dans ce que je pourrais faire.

10 Nathanaël, jette mon livre ; ne t'y satisfais point. Ne crois pas que *ta*
vérité puisse être trouvée par quelque autre ; plus que de tout, aie honte
de cela. Si je cherchais tes aliments, tu n'aurais pas de faim pour les
manger ; si je te préparais ton lit, tu n'aurais pas sommeil pour y dormir.

Jette mon livre ; dis-toi bien que ce n'est là *qu'une* des mille postures
possibles en face de la vie. Cherche la tienne. Ce qu'un autre aurait aussi
bien fait que toi, ne le fais pas. Ce qu'un autre aurait aussi bien dit que
toi, ne le dis pas, aussi bien écrit que toi, ne l'écris pas. — Ne t'attache
en toi qu'à ce que tu sens qui n'est nulle part ailleurs qu'en toi-même, et
crée de toi, impatiemment ou patiemment, ah ! le plus irremplaçable
20 des êtres.

Les Nourritures Terrestres (Librairie Gallimard, éditeur).

L'ADIEU D'ALISSA

Dans La Porte étroite (1909), *Gide retrace en romancier « le drame d'une âme protes-*
tante en qui se [joue] le drame essentiel du protestantisme ». Malgré l'amour qui l'unit
à Jérôme, Alissa se fait un devoir, par austérité, de renoncer à son fiancé.

Le soleil déclinant, que cachait depuis quelques instants un nuage,
reparut au ras de l'horizon, presque en face de nous, envahissant d'un luxe
frémissant les champs vides et comblant d'une profusion subite l'étroit
vallon qui s'ouvrait à nos pieds ; puis, disparut. Je demeurais, ébloui, sans
rien dire ; je sentais m'envelopper encore, me pénétrer, cette sorte d'extase

dorée où mon ressentiment s'évaporait, et je n'entendais plus en moi que l'amour. Alissa, qui restait penchée, appuyée contre moi, se redressa ; elle sortit de son corsage un menu paquet enveloppé de papier fin, fit mine de me le tendre, s'arrêta, semblant indécise, et comme je la regardais, surpris :

— Écoute, Jérôme, c'est ma croix d'améthystes que j'ai là ; depuis trois soirs je l'apporte parce que je voulais depuis longtemps te la donner.

— Que veux-tu que j'en fasse ? fis-je assez brusquement.

— Que tu la gardes en souvenir de moi, pour ta fille.

— Quelle fille ? m'écriai-je en regardant Alissa sans la comprendre.

— Écoute-moi bien calmement, je t'en prie ; non, ne me regarde pas ainsi ; ne me regarde pas ; déjà j'ai beaucoup de mal à te parler ; mais ceci, je veux absolument te le dire. Écoute, Jérôme, un jour, tu te marieras ?... Non, ne me réponds pas ; ne m'interromps pas, je t'en supplie. Je voudrais tout simplement que tu te souviennes que je t'aurai beaucoup aimé et... depuis longtemps déjà... depuis trois ans... j'ai pensé que cette petite croix que tu aimais, une fille de toi la porterait un jour, en souvenir de moi, oh ! sans savoir de qui... et peut-être pourrais-tu aussi lui donner... mon nom...

Elle s'arrêta, la voix étranglée ; je m'écriai presque hostilement :

— Pourquoi ne pas la lui donner toi-même ?

Elle essaya de parler encore. Ses lèvres tremblaient comme celles d'un enfant qui sanglote ; elle ne pleurait pas toutefois ; l'extraordinaire éclat de son regard inondait son visage d'une surhumaine, d'une angélique beauté.

— Alissa ! qui donc épouserais-je ? Tu sais pourtant que je ne puis aimer que toi... et tout à coup, la serrant éperdument, presque brutalement dans mes bras, j'écrasai de baisers ses lèvres. Un instant comme abandonnée je la tins à demi renversée contre moi ; je vis son regard se voiler ; puis ses paupières se fermèrent, et d'une voix dont rien n'égalera pour moi la justesse et la mélodie :

— Aie pitié de nous, mon ami ! Ah ! n'abîme pas notre amour.

Peut-être dit-elle encore : N'agis pas lâchement ! ou peut-être me le dis-je moi-même, je ne sais plus, mais soudain, me jetant à genoux devant elle et l'enveloppant pieusement de mes bras :

— Si tu m'aimais ainsi, pourquoi m'as-tu toujours repoussé ? Vois ! j'attendais d'abord le mariage de Juliette [1] ; j'ai compris que tu attendisses aussi son bonheur ; elle est heureuse ; c'est toi-même qui me l'as dit. J'ai cru longtemps que tu voulais continuer à vivre près de ton père ; mais à présent nous voici tous deux seuls.

— Oh ! ne regrettons pas le passé, murmura-t-elle. A présent j'ai tourné la page. — Il est temps encore, Alissa.

— Non, mon ami, il n'est plus temps. Il n'a plus été temps du jour où, par amour, nous avons entrevu l'un pour l'autre mieux que l'amour. Grâce à toi, mon rêve était monté si haut que tout contentement humain l'eût fait déchoir. J'ai souvent réfléchi à ce qu'eût été notre vie l'un avec

---

— 1 Alissa a d'abord prétendu s'effacer devant sa sœur, qui aimait aussi Jérôme.

l'autre ; dès qu'il n'eût plus été parfait, je n'aurais plus pu supporter...
50 notre amour.

— Avais-tu réfléchi à ce que serait notre vie l'un sans l'autre ?

— Non ! jamais.

— A présent tu le vois ! Depuis trois ans, j'erre péniblement... Le soir tombait.

— J'ai froid, dit-elle en se levant et s'enveloppant de son châle trop étroitement pour que je pusse reprendre son bras. Tu te souviens de ce verset de l'Écriture, qui nous inquiétait et que nous craignions de ne pas bien comprendre : « Ils n'ont pas obtenu ce qui leur avait été promis, Dieu les ayant réservés pour quelque chose de meilleur... »

60 — Crois-tu toujours à ces paroles ? — Il le faut bien.

Nous marchâmes quelques instants l'un près de l'autre, sans plus rien dire. Elle reprit :

— Imagines-tu cela, Jérôme : le meilleur ! Et brusquement les larmes jaillirent de ses yeux, tandis qu'elle répétait encore : le meilleur !

Nous étions de nouveau parvenus à la petite porte du potager par où, tout à l'heure, je l'avais vue sortir. Elle se retourna vers moi :

— Adieu ! fit-elle. Non, ne viens pas plus loin. Adieu, mon ami bien-aimé. C'est maintenant que va commencer... le meilleur.

Un instant elle me regarda, tout à la fois me retenant et m'écartant
70 d'elle, les bras tendus et les mains sur mes épaules, les yeux emplis d'un indicible amour...

La Porte Étroite (Mercure de France, éditeur).

L'ACTE GRATUIT

La *sotie*, qui est à l'origine un genre dramatique du Moyen Age, devient chez GIDE un récit volontiers bouffon à valeur symbolique. *Les caves du Vatican* (1914) mêlent le saugrenu et l'invraisemblable à la critique acerbe de tout ce que méprise ou déteste l'auteur. Le héros principal, LAFCADIO, symbolise la *libération absolue* de toute convention morale. Dans cette page, il va faire l'expérience d'une liberté absurde et désintéressée en jetant par la portière un personnage ridicule mais parfaitement inoffensif, AMÉDÉE FLEURISSOIRE.

A-t-il bientôt fini de jouer avec la lumière ? pensait Lafcadio impatienté. Que fait-il à présent ? (Non ! je ne lèverai pas les paupières.) Il est debout... Serait-il attiré par ma valise ? Bravo ! Il constate qu'elle est ouverte. Pour en perdre la clef aussitôt, c'était bien adroit d'y avoir fait mettre, à Milan, une serrure compliquée qu'on a dû crocheter à Bologne ! Un cadenas du moins se remplace... Dieu me damne : il enlève sa veste ? Ah ! tout de même regardons.

Sans attention pour la valise de Lafcadio, Fleurissoire, occupé à son
10 nouveau faux col, avait mis bas sa veste pour pouvoir le boutonner plus

aisément ; mais le madapolam empesé, dur comme du carton, résistait à tous ses efforts.

— Il n'a pas l'air heureux, reprenait à part soi Lafcadio. Il doit souffrir d'une fistule, ou de quelque affection cachée. L'aiderai-je ! Il n'y parviendra pas tout seul...

Si pourtant ! le col enfin admit le bouton. Fleurissoire reprit alors, sur le coussin où il l'avait posée près de son chapeau, de sa veste et de ses manchettes, sa cravate et, s'approchant de la portière, chercha comme Narcisse sur l'onde, sur la vitre, à distinguer du paysage son reflet.

20   — Il n'y voit pas assez.

Lafcadio redonna de la lumière. Le train longeait alors un talus, qu'on voyait à travers la vitre, éclairé par cette lumière de chaque compartiment projetée ; cela formait une suite de carrés clairs qui dansaient le long de la voie et se déformaient tour à tour selon chaque accident du terrain. On apercevait, au milieu de l'un d'eux, danser l'ombre falote de Fleurissoire ; les autres carrés étaient vides.

— Qui le verrait ? pensait Lafcadio. Là, tout près de ma main, sous ma main, cette double fermeture, que je peux faire jouer aisément ; cette porte qui, cédant tout à coup, le laisserait crouler en avant ; une petite
30 poussée suffirait ; il tomberait dans la nuit comme une masse ; même on n'entendrait pas un cri... Et demain, en route pour les îles !... Qui le saurait ?

La cravate était mise, un petit nœud marin tout fait ; à présent Fleurissoire avait repris une manchette et l'assujettissait au poignet droit ; et, ce faisant, il examinait, au-dessus de la place qu'il occupait tout à l'heure, la photographie (une des quatre qui décoraient le compartiment) de quelque palais près de la mer.

— Un crime immotivé, continuait Lafcadio : quel embarras pour la police ! Au demeurant, sur ce sacré talus, n'importe qui peut, d'un compartiment voisin, remarquer qu'une portière s'ouvre, et voir l'ombre du
40 Chinois cabrioler. Du moins les rideaux du couloir sont tirés. Ce n'est pas tant des événements que j'ai curiosité, que de moi-même. Tel se croit capable de tout, qui, devant que d'agir, recule... Qu'il y a loin, entre l'imagination et le fait !... Et pas plus le droit de reprendre son coup qu'aux échecs. Bah ! qui prévoirait tous les risques, le jeu perdrait tout intérêt !... Entre l'imagination d'un fait et... Tiens ! le talus cesse. Nous sommes sur un pont, je crois ; une rivière...

Sur le fond de la vitre, à présent noire, les reflets apparaissaient plus clairement. Fleurissoire se pencha pour rectifier la position de sa cravate.

— Là, sous ma main, cette double fermeture — tandis qu'il est distrait
50 et regarde au loin devant lui — joue, ma foi ! plus aisément encore qu'on eût cru. Si je puis compter jusqu'à douze, sans me presser, avant de voir dans la campagne quelque feu, le tapir est sauvé. Je commence : Une ; deux ; trois ; quatre ; (lentement ! lentement !) cinq ; six ; sept ; huit ; neuf... Dix, un feu !... Fleurissoire ne poussa pas un cri.

Les Caves du Vatican, IV (Librairie Gallimard, éditeur).

PAUL VALÉRY

Sa vie, son œuvre PAUL VALÉRY, de père corse et de mère italienne, est né à Sète en 1871. Il est très tôt attiré par les mathématiques, mais s'intéresse également à la poésie. Entré en relations avec MALLARMÉ, dont il restera un disciple fervent, et avec Heredia, Gide et Claude Debussy, il songe à une carrière littéraire. Mais en 1892, à Gênes, au cours d'une nuit d'orage et d'insomnie, il décide de renoncer à la création artistique pour se consacrer à la *connaissance de soi*, à la maîtrise rigoureuse de la pensée. En 1900, il entre au service d'Édouard Lebey, administrateur de l'agence Havas, auprès de qui il restera jusqu'en 1922. Les loisirs dont il dispose dans cette activité favorisent son travail personnel, et la fréquentation des milieux financiers enrichit son expérience.

Pendant une vingtaine d'années, VALÉRY s'efforce de surprendre les secrets de l'activité intellectuelle. L'*Introduction à la méthode de Léonard de Vinci* (1895), *La Soirée avec M. Teste* (1896), et surtout les *Cahiers* où il note ses observations sur les phénomènes mentaux, traduisent ses préoccupations. Cependant, son mariage en 1900 avec la nièce de Berthe Morisot (Madame Manet) resserre ses relations avec le monde de la peinture, et il continue à fréquenter les milieux artistiques et littéraires.

En 1912, invité par Gide et par l'éditeur Gaston Gallimard à publier ses vers de jeunesse, il commence à élaborer *La Jeune Parque* dont la mise au point lui demande quatre ans, et dont le succès, en 1917, est immédiat. De 1918 à 1922, il compose de nouveaux poèmes, réunis en 1922 sous le titre de *Charmes*. Son activité poétique cède alors la place à d'innombrables réflexions sur la politique, l'art ou la civilisation, qui seront rassemblés dans les cinq volumes de *Variété*, *Tel quel*, *Regards sur le monde actuel*, etc. Académicien en 1925, professeur au Collège de France en 1937, Valéry fait figure de héros national, une sorte de *héros intellectuel*. Après avoir eu une attitude digne et courageuse pendant la guerre, il reçoit, après sa mort survenue en 1945, des funérailles nationales.

La poétique de Paul Valéry Poète et critique littéraire, PAUL VALÉRY s'inspire des leçons de BAUDELAIRE et de MALLARMÉ. Pour lui, la poésie « pure » se distingue de la prose en ce qu'elle ne se réduit pas à exprimer une pensée. Elle est au contraire un langage autonome qui vise à engager « l'âme dans l'univers poétique, comme un son pur au milieu des bruits lui fait pressentir tout un univers musical ». Ainsi le son et le sens ne peuvent-ils se séparer et l'effort du poète doit-il être une recherche laborieuse des effets les plus propres à éveiller les suggestions dont il a l'intuition. Valéry s'en prend à ce propos au mythe romantique du poète inspiré. Le véritable artiste est celui qui ne se contente pas de l'heureux effet du hasard, mais qui *maîtrise* parfaitement les mécanismes créateurs. Les règles classiques, en ralentissant l'élan spontané et anarchique de l'inspiration, permettent de *contrôler* plus lucidement *l'élaboration du poème*. La poésie, fruit d'un tel travail, est ainsi un joyau très dense dont la richesse et la complexité expliquent la difficulté. D'ailleurs *l'obscurité* joue un rôle essentiel, car Valéry estime comme Mallarmé que le mérite de l'art difficile est de stimuler l'attention de l'initié, de le rendre *actif* et d'exalter sa jouissance poétique.

Le poème devient alors une *partition* exécutée par l'esprit du lecteur. « On n'y insistera jamais assez : *il n'y a pas de vrai sens* d'un texte. Pas d'autorité de l'auteur. Quoi qu'il ait *voulu dire*, il a écrit ce qu'il a écrit. Une fois publié, un texte est comme un appareil dont chacun peut se servir à sa guise et selon ses moyens : il n'est pas sûr que le constructeur en use mieux qu'un autre » *(Au sujet du Cimetière marin)*.

CANTIQUE DES COLONNES

Méditerranéen, passionné par l'architecture à laquelle il a consacré le dialogue d'*Eupalinos*, PAUL VALÉRY dédie cet hymne à l'*harmonie* de la colonne antique. Architecture, musique, danse, mathématiques et poésie sont unies par une secrète parenté : toutes reposent sur le *science* exacte et le *travail lucide*, toutes traduisent notre élan vers une *divine perfection*. Pour évoquer la légèreté aérienne des colonnes, leur pureté dans l'air limpide, la technique du poète doit faire oublier sa rigueur : dans ce *cantique* frais et gracieux, tout est harmonie ; tantôt précieuses, tantôt baroques, les images sont autant de trouvailles et la fantaisie souriante de l'artiste s'accorde avec la *lumière* de la Grèce.

Douces colonnes, aux
Chapeaux garnis de jour[1],
Ornés de vrais oiseaux
Qui marchent sur le tour,

Douces colonnes, ô
L'orchestre de fuseaux !
Chacun immole son
Silence à l'unisson[2].

« Que portez-vous si haut,
10 Égales radieuses ?
— Au désir sans défaut
Nos grâces studieuses[3] !

Nous chantons à la fois
Que nous portons les cieux !
O seule et sage voix
Qui chantes pour les yeux !

Vois quels hymnes candides !
Quelle sonorité
Nos éléments limpides
20 Tirent de la clarté[4] !

Si froides et dorées
Nous fûmes de nos lits
Par le ciseau tirées,
Pour devenir ces lys !

De nos lits de cristal
Nous fûmes éveillées,
Des griffes de métal
Nous ont appareillées[5].

Pour affronter la lune,
La lune et le soleil,   30
On nous polit chacune
Comme ongle de l'orteil !

Servantes sans genoux,
Sourires sans figures,
La belle devant nous
Se sent les jambes pures[6].

Pieusement pareilles,
Le nez sous le bandeau[7]
Et nos riches oreilles
Sourdes au blanc fardeau,   40

Un temple sur les yeux
Noirs pour l'éternité,
Nous allons sans les dieux[8]
A la divinité !

Nos antiques jeunesses,
Chair mate et belles ombres,
Sont fières des finesses
Qui naissent par les nombres[9] !

— 1 Aux *chapiteaux* délicatement sculptés (cf. « *ajourés* »). Tout le long du *Cantique* les colonnes seront assimilées à des *femmes*. — 2 Correspondance entre architecture et musique. Cf. *Eupalinos* : « *Je veux entendre le chant des colonnes, et me figurer dans le ciel pur le monument d'une mélodie* ». — 3 Leur grâce est le fruit du travail. — 4 Cf. *Eupalinos* : « Il préparait à *la lumière* un instrument incomparable qui le répandît, tout affectée de formes intelligibles et de propriétés presque *musicales* ». — 5 *Appareiller* : façonner et agencer les matériaux, mais le mot suggère aussi les colonnes *rendues pareilles* (cf. v. 37). — 6 La colonne offre, dans sa *pureté*, l'exemple d'une jambe « idéale ». — 7 Assise de pierre *reposant horizontalement sur les colonnes*. Le chapiteau devient ici la *tête* de la colonne, dont le *nez* et les *yeux* (v. 41) seraient recouverts par le *bandeau ;* les volutes ioniques sont comme des *oreilles* (v. 39). — 8 « Divines » par leur beauté, elles ornent le temple dont les dieux sont abandonnés. — 9 Cf. Eupalinos s'adressant aux ouvriers : « *Il ne leur donnait que des ordres et des nombres... C'est la manière même de Dieu* ».

Filles des nombres d'or [10],
50 Fortes des lois du ciel,
Sur nous tombe et s'endort
Un dieu couleur de miel.

Il dort content, le Jour,
Que chaque jour offrons
Sur la table d'amour
Étale sur nos fronts [11].

Incorruptibles sœurs,
Mi-brûlantes, mi-fraîches,
Nous prîmes pour danseurs
60 Brises et feuilles sèches,

Et les siècles par dix,
Et les peuples passés,
C'est un profond jadis,
Jadis jamais assez !

Sous nos mêmes amours
Plus lourdes que le monde
Nous traversons les jours
Comme une pierre l'onde !

Nous marchons dans le temps
Et nos corps éclatants   70
Ont des pas ineffables
Qui marquent dans les fables [12]. »

Charmes (Librairie Gallimard, éditeur).

FRAGMENTS DU NARCISSE

Dans ses *Métamorphoses* (III, 6), le poète latin Ovide avait traité la légende de NARCISSE, le bel adolescent qui s'éprend de son image reflétée par les eaux et, se détournant de tout autre amour, se perd, jusqu'à en mourir, dans la contemplation de lui-même. Ce sujet semble avoir hanté VALÉRY qui l'a abordé dans *Narcisse parle (Album...*, 1890), puis dans ces *Fragments du Narcisse* (I, 1919 ; II et III, 1922-1923), et enfin dans la *Cantate du Narcisse* (1938). Avec un admirable lyrisme, digne des plus pures harmonies de Racine et de Mallarmé, il évoque dans ces *Fragments* la pathétique aventure du beau Narcisse. Mais sa prédilection pour ce thème s'explique surtout par le *symbole* qu'il ne cesse de nous suggérer à travers le mythe : celui de la *connaissance de soi*, source de délices et de tourments pour l'esprit qui ne peut se détacher de cette investigation lucide, et que torture pourtant l'impossibilité de briser l'obstacle entre « l'Unique et l'Universel qu'il se sent être et cette personne finie et particulière qu'il se voit dans le miroir d'eau » (Walzer, d'après l'auteur).

Cur aliquid vidi [1]?

Que tu brilles enfin, terme pur de ma course [2] !
Ce soir, comme d'un cerf, la fuite vers la source
Ne cesse qu'il ne tombe au milieu des roseaux,
Ma soif me vient abattre au bord même des eaux.
Mais, pour désaltérer cette amour curieuse,
Je ne troublerai pas l'onde mystérieuse :
Nymphes ! si vous m'aimez, il faut toujours dormir [3] !
La moindre âme [4] dans l'air vous fait toutes frémir ;
Même, dans sa faiblesse, aux ombres [5] échappée,
10 Si la feuille éperdue effleure la napée [6],
Elle suffit à rompre un univers dormant...
Votre sommeil importe à mon enchantement,

— 10 L'harmonie est obtenue « au moyen de nombres et de rapports de nombres » ; selon les pythagoriciens, les nombres sont d'essence divine, et le « nombre d'or » définit la proportion la plus harmonieuse. — 11 Le *Jour* (la lumière du soleil), réfléchi chaque *jour* sur leur *front*, est comme une *offrande* déposée sur une *table*. — 12 Dans les récits légendaires.

— 1 « *Pourquoi ai-je vu quelque chose ?* » (Ovide, *Tristes*, II, 103). — 2 La *source* est le *miroir* qui attire Narcisse. — 3 Pour que le miroir des eaux reste *pur*. Cf. « le miroir au bois dormant » *(Narcisse parle)*. — 4 Le moindre *souffle* (latin : *anima*). — 5 Au feuillage *sombre*. — 6 Nymphe des vallons et des bocages (mot d'origine grecque).

Il craint jusqu'au frisson d'une plume qui plonge !
Gardez-moi longuement ce visage pour songe [7]
Qu'une absence divine [8] est seule à concevoir !
Sommeil des nymphes, ciel, ne cessez de me voir !

Rêvez, rêvez de moi !... Sans vous, belles fontaines,
Ma beauté, ma douleur, me seraient incertaines.
Je chercherais en vain ce que j'ai de plus cher,
20 Sa tendresse confuse étonnerait ma chair,
Et mes tristes regards, ignorants de mes charmes,
A d'autres que moi-même adresseraient leurs larmes [9]...

Vous attendiez, peut-être, un visage sans pleurs,
Vous calmes, vous toujours de feuilles et de fleurs,
Et de l'incorruptible altitude [10] hantées,
O Nymphes !... Mais docile [11] aux pentes enchantées
Qui me firent vers vous d'invincibles chemins,
Souffrez ce beau reflet des désordres humains [12] !

Heureux vos corps fondus, Eaux planes et profondes !
30 Je suis seul !... Si les Dieux, les échos et les ondes
Et si tant de soupirs permettent qu'on le soit !
Seul !... mais encor celui qui s'approche de soi [13]
Quand il s'approche aux bords que bénit ce feuillage...

Des cimes, l'air déjà cesse le pur pillage ;
La voix des sources change, et me parle du soir [14] ;
Un grand calme m'écoute, où j'écoute l'espoir.
J'entends l'herbe des nuits croître dans l'ombre sainte,
Et la lune perfide élève son miroir
Jusque dans les secrets de la fontaine éteinte...
40 Jusque dans les secrets que je crains de savoir,
Jusque dans le repli de l'amour de soi-même,
Rien ne peut échapper au silence du soir [15]...
La nuit vient sur ma chair lui souffler que je l'aime.
Sa voix fraîche à mes vœux tremble de consentir ;
A peine, dans la brise, elle semble mentir [16],
Tant le frémissement de son temple tacite [17]
Conspire au spacieux silence d'un tel site.

— 7 Image inconsistante comme un rêve (cf. v. 17). — 8 Seule l'*absence* (c.-à-d. l'*immobilité*) des nymphes permet à l'image de se former sur les eaux. — 9 Ainsi Narcisse se détourne de l'amour pour d'autres créatures et reporte sur lui-même son besoin d'aimer et de connaître. Cf. *Vigny* : « Tourmenté de s'aimer, tourmenté de se voir » *(La Maison du Berger)*. — 10 La profondeur et la pureté de l'eau. — 11 Renvoie librement à *me* (v. 27). — 12 Comme l'*instinct* « invincible » qui l'a attiré vers la source, ses larmes sont l'expression de la *nature humaine*. — 13 Devenir l'*objet* de sa propre observation, n'est-ce pas en effet se dédoubler, et rompre sa solitude ? — 14 Les vers 35-39 sont repris, à peu de chose près, de *Narcisse parle*. — 15 Le mystère de la *nature*, admirablement suggéré dans ces vers, introduit à la connaissance intime du mystère de l'*âme*. — 16 Si c'est une illusion, elle est *à peine* perceptible. — 17 La forêt silencieuse.

O douceur de survivre à la force du jour [18],
Quand elle se retire enfin rose d'amour,
50 Encore un peu brûlante, et lasse, mais comblée,
Et de tant de trésors tendrement accablée
Par de tels souvenirs qu'ils empourprent sa mort,
Et qu'ils la font heureuse agenouiller dans l'or,
Puis s'étendre, se fondre, et perdre sa vendange,
Et s'éteindre en un songe en qui le soir se change.

Au lieu d'apaiser NARCISSE, *la contemplation de son image ne lui apporte qu'inquiétude et ennui : tel est le tourment d'une introspection insatiable et décevante. Devant son « double », il en vient à douter de l'unité de son Moi. Il voudrait retrouver l'ingénuité du jeune homme qui, sans s'analyser, s'émerveillait du « gracieux éclat » de son corps. Mais — symbole de l'impossibilité de se connaître parfaitement — il se lamente de ne pouvoir extraire de l'onde cet autre lui-même qui l'attire invinciblement, « Délicieux démon, désirable et glacé ».*

Te voici, mon doux corps de lune et de rosée [19],
O forme obéissante à mes vœux opposée !
Qu'ils sont beaux, de mes bras les dons vastes et vains !
Mes lentes mains, dans l'or adorable se lassent
D'appeler ce captif que les feuilles enlacent ;
120 Mon cœur jette aux échos l'éclat des noms divins [20] !...

Mais que ta bouche est belle en ce muet blasphème [21] !
O semblable !.... Et pourtant plus parfait que moi-même [22],
Éphémère immortel [23], si clair devant mes yeux,
Pâles membres de perle, et ces cheveux soyeux,
Faut-il qu'à peine aimés, l'ombre les obscurcisse,
Et que la nuit déjà nous divise, ô Narcisse,
Et glisse entre nous deux le fer qui coupe un fruit !
Qu'as-tu ?

                    Ma plainte même est funeste ?...

                                                  Le bruit
Du souffle que j'enseigne à tes lèvres, mon double,
130 Sur la limpide lame a fait courir un trouble [24] !...
Tu trembles !... Mais ces mots que j'expire à genoux
Ne sont pourtant qu'une âme hésitante [25] entre nous,
Entre ce front si pur et ma lourde mémoire...
Je suis si près de toi que je pourrais te boire,
O visage !... Ma soif [26] est un esclave nu...

Jusqu'à ce temps charmant je m'étais inconnu,

— 18 Valéry considérait comme son chef-d'œuvre de *poésie pure* ce « crépuscule » symboliste figuré par l'image d'une amante qui s'endort. — 19 Les v. 115-120 sont repris presque littéralement de *Narcisse parle*. — 20 Pour *désigner* les beautés de son corps. Dans *Narcisse parle*, où le héros suppliait les dieux de libérer son *double*, il disait au contraire : « Et je crie aux échos les noms des dieux *obscurs* ». — 21 Blasphème consistant à diviniser son être. — 22 Valéry avait transcrit ce vers au bas d'une photographie le représentant à sa table de travail. — 23 Reflet éphémère d'une essence immortelle. — 24 De même, un rien suffit à altérer la claire connaissance de soi. — 25 Un *souffle* qui tremble (cf. v. 8). — 26 Cf. v. 4-5.

Et je ne savais pas me chérir et me joindre [27] !
Mais te voir, cher esclave, obéir à la moindre
Des ombres dans mon cœur se fuyant à regret,
140 Voir sur mon front l'orage et les feux d'un secret,
Voir, ô merveille, voir ! ma bouche nuancée
Trahir... peindre sur l'onde une fleur de pensée,
Et quels événements étinceler dans l'œil !
J'y trouve un tel trésor d'impuissance et d'orgueil [28],
Que nulle vierge enfant échappée au satyre,
Nulle ! aux fuites habiles, aux chutes sans émoi,
Nulle des nymphes, nulle amie [29], ne m'attire
Comme tu fais sur l'onde, inépuisable Moi !...

II. « Le plus beau des mortels ne peut chérir que soi », *mais* NARCISSE *s'approche en vain de son image : ainsi l'esprit s'épuise à vouloir* « se surprendre soi-même et soi-même saisir ».

III. *Au moment où il va s'unir à cet autre lui-même, le contact avec la surface des eaux anéantit brusquement son image. La fin du poème révèle l'échec de* NARCISSE *épris de son image, et, symboliquement, l'échec de l'intelligence avide de pousser jusqu'au bout la connaissance de soi.*

O mon corps, mon cher corps, temple qui me sépares
De ma divinité [30], je voudrais apaiser
Votre bouche... Et bientôt, je briserais, baiser,
Ce peu qui nous défend de l'extrême existence,
Cette tremblante, frêle, et pieuse distance
Entre moi-même et l'onde, et mon âme, et les dieux !...
    Adieu... Sens-tu frémir mille flottants adieux ?
300 Bientôt va frissonner le désordre des ombres !
L'arbre aveugle vers l'arbre étend ses membres sombres,
Et cherche affreusement l'arbre qui disparaît...
Mon âme ainsi se perd dans sa propre forêt,
Où la puissance échappe à ses formes suprêmes [31]...
L'âme, l'âme aux yeux noirs, touche aux ténèbres mêmes,
Elle se fait immense et ne rencontre rien...
Entre la mort et soi, quel regard est le sien !

    Dieux ! de l'auguste jour, le pâle et tendre reste
Va des jours consumés joindre le sort funeste ;
310 Il s'abîme aux enfers du profond souvenir !
Hélas ! corps misérable, il est temps de s'unir...
Penche-toi... Baise-toi. Tremble de tout ton être !
L'insaisissable amour que tu me vins promettre
Passe, et dans un frisson, brise Narcisse, et fuit [32]...

Charmes (Librairie Gallimard, éditeur).

— 27 Narcisse cède peu à peu au délice de surprendre, dans son image, la trace de ses sentiments fugitifs. — 28 Alliance de mots exprimant les délices et le tourment de la connaissance de soi. — 29 Trois syllabes. — 30 Le corps est l'obstacle entre l'être et son essence éternelle (cf. v. 296-298). — 31 A la nuit qui enveloppe la nature correspondent les ténèbres intérieures et les mystères que ne peut pénétrer le regard perçant de la conscience (cf. v. 305-307). — 32 Ce dernier vers, qui exprime l'échec, restera *sans rime*.

LE CIMETIÈRE MARIN

Ce cimetière qui domine la mer est celui de Sète, ville natale du poète, où il repose aujourd'hui auprès des siens ; il a voulu rassembler ici « les thèmes les plus simples et les plus constants de [sa] vie affective et intellectuelle, tels qu'ils s'étaient imposés à [son] adolescence et associés à la mer et à la lumière d'un certain lieu des bords de la Méditerranée ». Il s'agit d'une *méditation sur la vie et la mort*, dont l'idée se trouve résumée dans l'épigraphe grecque tirée de PINDARE (*Pythiques*, III), qu'on pourrait ainsi traduire : « *O mon âme, n'aspire pas à la vie immortelle, mais épuise le champ du possible* ». Pour exprimer ces contrastes entre la mort et la vie, l'immobilité et le mouvement, la lumière et l'ombre, le poète a su tirer de son inspiration méditerranéenne un monde de sensations et d'images intensément évocatrices. Et afin de créer *l'univers poétique*, il a « tenté de maintenir des conditions musicales constantes ».

Ce toit tranquille, où marchent des colombes [1],
Entre les pins palpite, entre les tombes ;
Midi le juste [2] y compose de feux [3]
La mer, la mer, toujours recommencée !
O récompense après une pensée
Qu'un long regard sur le calme des dieux !

Quel pur travail de fins éclairs consume [4]
Maint diamant d'imperceptible écume,
Et quelle paix semble [5] se concevoir !
10 Quand sur l'abîme un soleil se repose,
Ouvrages purs [6] d'une éternelle cause,
Le Temps scintille et le Songe est savoir [7].

Stable trésor [8], temple simple à Minerve [9],
Masse de calme, et visible réserve,
Eau sourcilleuse, Œil qui gardes en toi [10]
Tant de sommeil sous un voile de flamme,
O mon silence !... Édifice dans l'âme,
Mais comble d'or aux mille tuiles, Toit !

Temple du Temps, qu'un seul soupir résume,
20 A ce point pur [11] je monte et m'accoutume,
Tout entouré de mon regard marin ;
Et comme aux dieux mon offrande suprême,
La scintillation sereine sème
Sur l'altitude [12] un dédain souverain [13].

STROPHES I-IV : *Contemplation extatique : illusion de communier avec le « calme des dieux »*. 1 Mer calme, voiles blanches. — 2 Divisant le jour en parties *égales*, Midi symbolise l'*Être parfait*. — 3 Cf. « J'entends par *composition* un ordre de choses visibles et la transformation lente de cet ordre qui constitue tout le spectacle d'une journée ». — 4 Cette « *combustion* » qui produit le scintillement de la mer (v. 12) est presque immatérielle (cf. v. 55). — 5 Cette sérénité n'est peut-être qu'une illusion. — 6 Apposition à *Temps* et à *Songe* (v. 12). — 7 La contemplation du poète s'apparente à la vision divine : le temps est saisi, dans sa simultanéité, comme un éternel présent, et la connaissance résulte d'une communion intuitive. — 8 *Trésors* et *puissances* que recouvre le *calme* de la mer ; et, par correspondance, les richesses qui « sommeillent » sous le *silence* de l'âme. — 9 Déesse de la *sagesse*. — 10 La mer étincelante est un *œil* immense dont l'éclat *voile* des forces secrètes. — 11 Ce *point d'absolu* où affranchi de la durée, le Temps est l'instant *(soupir)* qui *résume* l'éternité. — 12 La *profondeur* de la mer (sens latin). — 13 Sérénité divine.

Comme le fruit se fond en jouissance,
Comme en délice il change son absence
Dans une bouche où sa forme se meurt,
Je hume ici ma future fumée [14],
Et le ciel chante à l'âme consumée
30 Le changement des rives en rumeur [15].

Beau ciel, vrai ciel, regarde-moi qui change [16].
Après tant d'orgueil, après tant d'étrange [17]
Oisiveté, mais pleine de pouvoir [18],
Je m'abandonne à ce brillant espace,
Sur des maisons des morts mon ombre passe
Qui m'apprivoise à son frêle mouvoir [19].

L'âme exposée aux torches du solstice,
Je te soutiens [20], admirable justice
De la lumière aux armes sans pitié !
40 Je te rends pure à ta place première :
Regarde-toi !... Mais rendre la lumière
Suppose d'ombre une morne moitié [21].

O pour moi seul, à moi seul, en moi-même,
Auprès d'un cœur, aux sources du poème,
Entre le vide et l'événement pur [22],
J'attends l'écho de ma grandeur interne,
Amère, sombre et sonore citerne,
Sonnant dans l'âme un creux toujours futur [23] !

Sais-tu, fausse captive des feuillages,
50 Golfe mangeur de ces maigres grillages [24],
Sur mes yeux clos, secrets éblouissants [25],
Quel corps me traîne à sa fin paresseuse,
Quel front l'attire à cette terre osseuse [26] ?
Une étincelle y [27] pense à mes absents.

STROPHES V-VIII : *Prise de conscience de l'être qui « change », éphémère et imparfait.* — 14 Il savoure d'avance le « futur » : son âme se dissipera en *fumée* quand le corps sera en cendres. — 15 La rumeur, opposée aux rives immuables, rappelle que l'être terrestre est « changeant » (cf. v. 31) et éphémère. — 16 *Beau, vrai* définissent l'Absolu, par opposition à l'être qui change. — 17 Cette communion avec l'Être absolu était étrangère à sa condition. — 18 Féconde en possibilités ? Exerçant sur lui sa toute-puissance ? — 19 Le poète se résigne à redevenir prisonnier de *l'espace* et du *temps*, à rentrer dans le monde des choses transitoires, rendu sensible par la vue des *tombes* et de son *ombre mouvante*. — 20 Il reçoit *l'éclat* de la lumière, et s'efforce de la réfléchir dans la *lucidité* de la conscience. — 21 Échec de l'homme qui voudrait être un esprit pur : il existe une zone d'ombre sur la connaissance et la conscience. — 22 Le poète voudrait du moins tourner vers lui-même la lumière de sa conscience ; et, par une démarche qui lui est chère, saisir, dans l'acte poétique, le passage de l'indéfini *(le vide)* à la création *(l'événement pur)*. — 23 L'attente passionnée est suivie d'une déception : la connaissance intime du Moi est toujours rejetée vers le *futur*.

STROPHES IX-XVIII : *La condition humaine : l'immortalité n'est qu'une illusion.* — 24 La mer est aperçue *à travers* les feuillages et les grillages du cimetière. — 25 Apposition à *captive* et à *golfe ?* Ne pas oublier non plus la correspondance entre le mystère des gouffres marins et les profondeurs secrètes de la conscience. — 26 Du cimetière. — 27 Représente *front*.

Fermé, sacré, plein d'un feu sans matière,
Fragment terrestre offert à la lumière,
Ce lieu me plaît, dominé de flambeaux [28],
Composé d'or [29], de pierre et d'arbres sombres,
Où tant de marbre est tremblant sur tant d'ombres [30] ;
60 La mer fidèle y dort sur mes tombeaux !

Chienne splendide [31], écarte l'idolâtre !
Quand solitaire au sourire de pâtre,
Je pais longtemps, moutons mystérieux,
Le blanc troupeau de mes tranquilles tombes,
Éloignes-en les prudentes colombes,
Les songes vains, les anges curieux [32] !

Ici venu, l'avenir est paresse [33].
L'insecte net gratte la sécheresse [34] ;
Tout est brûlé, défait, reçu dans l'air
70 A je ne sais quelle sévère essence...
La vie est vaste, étant ivre d'absence [35],
Et l'amertume est douce, et l'esprit clair [36].

Les morts cachés sont bien dans cette terre
Qui les réchauffe et sèche [37] leur mystère.
Midi là-haut, Midi sans mouvement
En soi se pense et convient à soi-même [38]...
Tête complète et parfait diadème [39],
Je suis en toi le secret changement.

Tu n'as que moi pour contenir [40] tes craintes !
80 Mes repentirs, mes doutes, mes contraintes
Sont le défaut de ton grand diamant...
Mais dans leur nuit toute lourde de marbres,
Un peuple vague aux racines des arbres
A pris déjà ton parti lentement [41].

---

28 Les *cyprès* (cf. v. 58). — 29 L'*or* de la lumière. — 30 Vu à travers l'air surchauffé, le marbre semble *vibrer*. — 31 Image préparée au v. précédent : *La mer fidèle...* — 32 Valéry repousse les « songes » spiritualistes de la vie éternelle. Cf. la *colombe* du Saint-Esprit et les *anges* gardiens figurés sur les tombes. — 33 Cf. v. 52 : sa fin *paresseuse*. — 34 Beau vers, évoquant *l'immatériel* par correspondance avec le crissement des cigales. — 35 Cf. v. 26 et 85. — 36 Au lieu d'en éprouver de *l'amertume* comme les autres hommes, le poète *lucide* accueille avec *douceur* la loi de la nature. — 37 Tarit, dissipe. — 38 Cf. strophe I : Midi symbolise l'Être immuable et parfait ; contemplant sa propre essence, il se suffit à lui-même. — 39 Symboles matériels de la perfection divine. Dans cette apostrophe, et dans les v. 79-84, l'être humain se présente comme un « défaut » qui altère la perfection du grand Tout. — 40 Deux sens possibles : *a)* pour *soutenir* sans faiblesse les craintes que tu veux m'inspirer ; — *b)* pour *éprouver*, en toi, des craintes. — 41 Différant en cela des vivants, qui sont instables, les cadavres retrouvent, dans la terre où ils se dissolvent, la *stabilité* de la matière : ils prennent le parti de l'Être immuable qui se confond avec le Non-Être.

Ils ont fondu dans une absence épaisse,
L'argile rouge a bu la blanche espèce [42],
Le don de vivre a passé dans les fleurs !
Où sont des morts les phrases familières,
L'art personnel, les âmes singulières ?
90 La larve file où se formaient des pleurs.

Les cris aigus des filles chatouillées,
Les yeux, les dents, les paupières mouillées,
Le sein charmant qui joue avec le feu,
Le sang qui brille aux lèvres qui se rendent,
Les derniers dons, les doigts qui les défendent,
Tout va sous terre et rentre dans le jeu !

Et vous, grande âme, espérez-vous un songe [43]
Qui n'aura plus ces couleurs de mensonge
Qu'aux yeux de chair l'onde et l'or font ici ?
100 Chanterez-vous quand serez vaporeuse [44] ?
Allez ! Tout fuit ! Ma présence est poreuse [45],
La sainte impatience meurt aussi !

Maigre immortalité noire et dorée [46],
Consolatrice affreusement laurée,
Qui de la mort fais un sein maternel,
Le beau mensonge et la pieuse ruse !
Qui ne connaît, et qui ne les refuse,
Ce crâne vide et ce rire éternel !

Pères profonds, têtes inhabitées,
110 Qui sous le poids de tant de pelletées,
Êtes la terre et confondez nos pas [47],
Le vrai rongeur, le ver irréfutable
N'est point pour vous qui dormez sous la table [48],
Il vit de vie, il ne me quitte pas [49] !

— 42 *Les ossements*. Cette strophe et la suivante évoquent, avec le réalisme et la mélancolie d'un Villon, la condition de l'homme : anéantissement de ce qu'il y avait de plus haut dans l'ordre de la pensée et de plus vibrant dans l'ordre de la sensibilité. — 43 Rejet de l'idéalisme platonicien : la *grande âme* (aux aspirations *démesurées*) ne peut espérer quitter le domaine des *apparences* pour accéder au monde des idées pures, qui seraient les seules réalités. — 44 La pensée, l'activité poétique subsisteront-elles pour l'âme réduite à l'état de vapeur ? L'omission archaïque du pronom suggère cet état impalpable. — 45 Laisse « suinter » tout son contenu, même l'âme, même le désir impatient de l'immortalité (v. 102). — 46 Strophe satirique : contraste railleur entre la réalité sensible de la mort et le rêve consolant de l'immortalité. Au v. 108, le crâne vide semble *ricaner* sur nos illusions.

STROPHES XIX-XXIV : *Conscient d'être vivant et soumis au devenir, le poète s'élance vers la vie et le mouvement.* — 47 Les morts, insensibles, *confondent* les pas de ceux qui *viennent* sur leur tombe et ne sentent pas la morsure des vers (v. 113). — 48 La *dalle* du tombeau. — 49 Ce *ver* est la conscience qui ronge l'être *vivant*.

Amour, peut-être, ou de moi-même haine [50] ?
Sa dent secrète est de moi si prochaine
Que tous les noms lui peuvent convenir !
Qu'importe ! Il voit, il veut, il songe, il touche !
Ma chair lui plaît, et jusque sur ma couche [51],
120   A ce vivant je vis d'appartenir [52] !

Zénon ! Cruel Zénon ! Zénon d'Élée [53] !
M'as-tu percé de cette flèche ailée
Qui vibre, vole, et qui ne vole pas !
Le son m'enfante et la flèche me tue [54] !
Ah ! le soleil... Quelle ombre de tortue
Pour l'âme, Achille immobile à grands pas [55] !

Non, non !... Debout !... Dans l'ère successive [56] !
Brisez, mon corps, cette forme pensive [57] !
Buvez, mon sein, la naissance du vent !
130   Une fraîcheur, de la mer exhalée,
Me rend mon âme... O puissance salée !
Courons à l'onde en rejaillir vivant [58] !

Oui ! Grande mer de délires douée [59],
Peau de panthère et chlamyde [60] trouée
De mille et mille idoles du soleil,
Hydre absolue [61], ivre de ta chair bleue,
Qui te remords l'étincelante queue [62]
Dans un tumulte au silence pareil [63],

Le vent se lève !... Il faut tenter de vivre [64] !
140   L'air immense ouvre et referme mon livre,
La vague en poudre ose jaillir des rocs !
Envolez-vous, pages tout éblouies [65] !
Rompez, vagues ! Rompez d'eaux réjouies
Ce toit où picoraient des focs [66] !

Charmes (Librairie Gallimard, éditeur).

— 50 Cf. : « A la température de *l'intérêt passionné* ces deux états sont indiscernables » *(Variété)*. — 51 Par le rêve, la conscience se mêle même à notre *sommeil*. — 52 Par la saisie de cette conscience il se connaît comme être vivant. — 53 Allusion aux sophismes de Zénon d'Élée. Entre l'arc et le but, la flèche serait immobile dans chaque fraction du temps divisé à l'infini ; de même Achille ne peut rejoindre la tortue. — 54 Double réfutation des arguments de Zénon. — 55 L'âme est-elle, comme Achille, incapable d'atteindre son but ? Plus haut, le soleil représentait l'Être absolu (v. 3), puis la lucidité de la conscience (v. 38). — 56 Sursaut du poète qui repousse la tentation de l'immobilité : il veut vivre dans la durée, *succession* d'instants. — 57 Cette méditation extatique tendait vers l'immobilité. — 58 L'agitation de la mer, qui s'anime, l'encourage à s'élancer vers la vie. — 59 Les images et l'harmonie vont suggérer le mouvement de la mer. — 60 *Chlamyde :* manteau grec. *Idoles :* images (grec : *eidôlon*). — 61 Deux sens qui se superposent : a) « *eau déchaînée* » (sens étymologique) ; — b) allusion à l'*hydre* antique dont les têtes renaissaient sans cesse. — 62 Le serpent qui se mord la queue symbolise à la fois le fini et l'éternel recommencement. — 63 Par son *uniformité*. — 64 A l'exemple de la mer qui se libère de sa torpeur, le poète refuse de prendre, comme les morts, le parti de l'immuable (cf. v. 84) : il opte pour la vie dans « l'ère successive ». — 65 La création poétique consacre cette option. — 66 Voiles triangulaires à l'avant des bateaux.

LE SURRÉALISME

L'explosion surréaliste   Lorsqu'en 1918 meurt GUILLAUME APOLLINAIRE, les milieux littéraires et artistiques sont animés d'une profusion d'idées, dont le poète d'*Alcools* avait été comme le miroir de concentration. En peinture, le *cubisme* triomphe et c'est Apollinaire qui en avait écrit le premier la « défense et illustration ». La musique, avec ERIK SATIE (1866-1925), qui disait avoir appris plus de musique auprès des peintres que des musiciens, participe à cette même *recherche de nouveauté technique* et d'*exaltation spirituelle*, et c'est en 1916 que fut représenté *Parade*, ballet de SATIE monté en collaboration avec JEAN COCTEAU par le maître des Ballets russes, DIAGHILEV, dans des décors de PICASSO. Bientôt, le cinéma, encore dans l'enfance pourtant, va à son tour entrer dans le mouvement avec MARCEL L'HERBIER (*L'Inhumaine*, en collaboration avec FERNAND LÉGER, qui donne aussi, en 1924, le *Ballet mécanique*), RENÉ CLAIR (*Entr'acte*, musique d'ERIK SATIE, 1924), et, peu après, les films proprement surréalistes de LUIS BUNUEL, *Le Chien andalou* (1928) et *L'Age d'or* (1930). La peinture tentait au même moment son expérience surréaliste, avec MAX ERNST et FRANCIS PICABIA.

Le SURRÉALISME n'est donc pas un mouvement exclusivement littéraire : faisant écho à l'évolution générale de l'esprit moderne, héritier, tout aussi bien, des expériences esthétiques qui se sont succédé depuis le romantisme, profondément marqué enfin par les répercussions sociales, psychologiques et morales de la Grande Guerre, il concerne *toutes les formes de l'expression artistique*, car il prétend remettre en question à la fois la matière, le langage et la signification de l'Art.

La *poésie* était cependant appelée à jouer un rôle de pilote dans l'aventure surréaliste, mais seulement comme un moyen d'expérimenter et d'exprimer ce qu'ANDRÉ BRETON nomme « la vraie vie ». Le but du mouvement est de transformer en art la pratique individuelle du « défoulement » freudien ; la recherche de l'*insolite* et la *révolte* doivent permettre une refonte radicale des conditions de l'existence.

Du dadaïsme au surréalisme   Dès 1918, le mouvement DADA se propose une révolte totale aboutissant à une violence anarchique et à la désagrégation du langage. De cette entreprise à la fois héroïque et désespérée, qui prétend pourtant être positive par les « révélations » qu'elle provoque, l'œuvre de TRISTAN TZARA reste le meilleur témoignage (*Manifeste Dada*, 1918).

Pendant la guerre de 1914-1918, un jeune étudiant en médecine mobilisé en 1915 à dix-neuf ans, ANDRÉ BRETON, ayant été affecté à divers centres neuro-psychiatriques, s'est initié aux travaux de Sigmund Freud. Imprégné d'autre part de l'influence de Baudelaire et de Mallarmé, il découvre les possibilités offertes à l'art par une *exploration systématique de l'inconscient*. En 1919, le futur groupe surréaliste commence à se constituer lorsque BRETON fonde, avec LOUIS ARAGON (lui aussi médecin) et PHILIPPE SOUPAULT, la revue *Littérature*, où paraît le premier texte proprement surréaliste, *Les Champs magnétiques* (écrit en collaboration par BRETON et SOUPAULT). Leur profession de foi s'exprimera dans le *Manifeste du Surréalisme* (1924) et le *Second Manifeste du Surréalisme* (1930) d'André Breton.

Le grand théoricien du mouvement, ANDRÉ BRETON, est soutenu principalement par BENJAMIN PÉRET et PHILIPPE SOUPAULT, ainsi que par les peintres Max Ernst et Francis Picabia. Le groupe attire dans son sein nombre d'artistes et de poètes dont les œuvres sont fort inégales, son activité créatrice étant surtout caractérisée par celles d'ANDRÉ BRETON, ROBERT DESNOS, LOUIS ARAGON et PAUL ÉLUARD.

ANDRÉ BRETON

L'intégrité
surréaliste
ANDRÉ BRETON (1896-1966) est né à Tinchebray (Orne). Après ses études de médecine et ses expériences de la guerre, il fait partie du cercle de Guillaume Apollinaire (1917-1918). De 1919 à 1924 il devient le chef du groupe surréaliste dont en 1926, dans *Légitime Défense*, il affirme l'irréductible *indépendance* à l'égard de tout « contrôle extérieur, même marxiste », et dont il se fait le théoricien avec ses deux *Manifestes* (1924-1930). Son œuvre atteint sa maturité et son apogée avec la publication de *Nadja* (1928), puis des *Vases communicants* (1932) et de *L'Amour Fou* (1937). Au cours de la seconde guerre mondiale, BRETON séjourne aux États-Unis où il écrit *Arcane 17* (1945). Depuis le fin de la guerre, il a continué de militer pour la défense du *surréalisme intégral* : polémique à propos de *L'Homme révolté* de Camus, dans la revue *Arts* (1952) ; expositions surréalistes (1947-1959) ; fondation de la revue *Le Surréalisme, même* (1956).

Le Manifeste du
Surréalisme
Voulant dépasser la négation dadaïste par une « exploration du domaine de l'automatisme psychique », le *groupe surréaliste* où se rencontrent poètes et artistes peintres (Breton, Soupault, Crevel, Desnos, Éluard, Aragon, Péret, Ernst, Picabia) affirme son unité d'orientation, qui s'exprime dans le *Manifeste du Surréalisme* (1924). On y lit par exemple cette définition :

« SURRÉALISME, n.m. *Automatisme psychique pur par lequel on se propose d'exprimer, soit verbalement, soit par écrit, soit de toute autre manière, le fonctionnement réel de la pensée. Dictée de la pensée, en l'absence de tout contrôle exercé par la raison, en dehors de toute préoccupation esthétique ou morale* ».

Cette dernière phrase définit le procédé de l'*écriture automatique* qui est, avec le *compte rendu de rêves*, l'organe essentiel de l'expérimentation surréaliste : c'est pour en exploiter les résultats que le groupe ouvre alors, rue de Grenelle, à Paris, un « bureau de recherches surréalistes » ; la revue du mouvement prendra pour titre : *La Révolution surréaliste*.

ART POÉTIQUE

Dans les deux *Manifestes du Surréalisme*, ANDRÉ BRETON rassemble l'essentiel de ce qui, selon lui, constitue la *seule voie radicalement nouvelle* vers une transformation décisive de l'homme et du monde ; et il y voit en même temps le principe de la vraie poésie, qui est *libération inconditionnelle des « produits de la vie psychique »* grâce au caractère spontanément créateur de *« l'automatisme verbo-visuel »* (*Point du Jour, le Message automatique*, 1934). Voici un des textes où ANDRÉ BRETON décrit le processus surréaliste de la création poétique.

On sait assez ce qu'est l'inspiration. Il n'y a pas à s'y méprendre ; c'est elle qui a pourvu aux besoins suprêmes d'expression en tout temps et en tous lieux. On dit communément qu'elle y *est* ou qu'elle n'y est pas et, si elle n'y est pas, rien de ce que suggère auprès d'elle l'habileté

humaine, qu'oblitèrent l'intérêt, l'intelligence discursive et le talent qui s'acquiert par le travail, ne peut nous guérir de son absence. Nous la reconnaissons sans peine à cette prise de possession totale de notre esprit qui, de loin en loin, empêche que pour tout problème posé nous soyons le jouet d'une solution rationnelle plutôt que d'une autre solution ration-
10 nelle, à cette sorte de court-circuit qu'elle provoque entre une idée donnée et sa répondante (écrite par exemple). Tout comme dans le monde physique, le court-circuit se produit quand les deux « pôles » de la machine se trouvent réunis par un conducteur de résistance nulle ou trop faible. En poésie, en peinture, le surréalisme a fait l'impossible pour multiplier ces courts-circuits. Il ne tient et il ne tiendra jamais à rien tant qu'à reproduire artificiellement ce moment idéal où l'homme, en proie à une émotion particulière, est soudain empoigné par ce « plus fort que lui » qui le jette, à son corps défendant, dans l'immortel. Lucide, éveillé, c'est avec terreur qu'il sortirait de ce mauvais pas. Le tout est qu'il n'en soit
20 pas libre, qu'il continue à parler tout le temps que dure la mystérieuse sonnerie : c'est, en effet, par où il cesse de s'appartenir qu'il nous appartient. Ces produits de l'activité psychique, aussi distraits que possible de la volonté de signifier, aussi allégés que possible des idées de responsabilité toujours prêtes à agir comme des freins, aussi indépendants que possible de tout ce qui n'est pas *la vie passive de l'intelligence*, ces produits que sont l'écriture automatique et les récits de rêves présentent à la fois l'avantage d'être seuls à fournir des éléments d'appréciation de grand style à une critique qui, dans le domaine artistique, se montre étrangement désemparée, de permettre un reclassement général des valeurs lyriques et de
30 proposer une clé qui, capable d'ouvrir indéfiniment cette boîte à multiple fond qui s'appelle l'homme, le dissuade de faire demi-tour, pour des raisons de conservation simple, quand il se heurte dans l'ombre aux portes extérieures fermées de « l'au-delà », de la réalité, de la raison, du génie et de l'amour. Un jour viendra où l'on ne se permettra plus d'en user cavalièrement, comme on l'a fait, avec ces preuves palpables d'une existence autre que celle que nous pensons mener. On s'étonnera alors que, serrant *la vérité* d'aussi près que nous l'avons fait, nous ayons pris soin dans l'ensemble de nous ménager un alibi littéraire ou autre plutôt que sans savoir nager de nous jeter à l'eau, sans croire au phénix d'entrer dans le
40 feu pour atteindre cette vérité.

Second Manifeste du Surréalisme, 1930 (J.-J. Pauvert, éditeur).

Surréalisme et Révolution

Après le *Second Manifeste du Surréalisme* (1930), le titre de la revue du mouvement devient : *Le Surréalisme au service de la Révolution*. Alors se pose le *problème d'une politique surréaliste*, et en particulier des *rapports du surréalisme avec le communisme* (1935 : *Position politique du Surréalisme*, par André Breton). Ce problème amènera la désagrégation du groupe, provoquée aussi par l'évolution divergente des personnalités littéraires de ses membres : Louis Aragon et Paul Éluard iront vers l'engagement et le communisme ; André Breton se consacrera au contraire au maintien de l'intégrité surréaliste. Mais le groupe aura animé un grand « moment » de l'histoire littéraire, comme en témoignent les « expositions surréalistes » organisées à Paris, dont la huitième eut lieu en 1959.

NADJA

Le personnage de *Nadja*, dont le livre publié sous ce titre en 1928 est, pour ainsi dire, *le portrait-diagnostic*, est imaginé par BRETON comme le miroir privilégié de la « surréalité » telle qu'elle est *éprouvée*, dans son expérience continue, par un être vivant, une femme située au-delà des prétendues frontières entre raison et folie, entre rêve et bon sens. BRETON tente ici de continuer jusqu'à son terme l'expérience psychologique et littéraire amorcée par NERVAL dans *Aurélia*. Venant d'apprendre « que Nadja était folle » et internée pour ses « excentricités », Breton cherche à dégager le sens de cette « folie ».

Nadja était forte, enfin, et très faible, comme on peut l'être, de cette idée qui toujours avait été la sienne, mais dans laquelle je ne l'avais que trop entretenue, à laquelle je ne l'avais que trop aidée à donner le pas sur les autres : à savoir que la liberté, acquise ici-bas au prix de mille et des plus difficiles renoncements, demande à ce qu'on jouisse d'elle sans restrictions dans le temps où elle nous est donnée, sans considération pragmatique d'aucune sorte et cela parce que l'émancipation humaine, conçue en définitive sous sa forme révolutionnaire la plus simple, qui n'en est pas moins l'émancipation humaine *à tous égards*, entendons-nous bien,
10 *selon les moyens dont chacun dispose*, demeure la seule cause qu'il soit digne de servir. Nadja était faite pour la servir, ne fût-ce qu'en démontrant qu'il doit se fomenter autour de chaque être un complot très particulier qui n'existe pas seulement dans son imagination, dont il conviendrait, au simple point de vue de la connaissance, de tenir compte, et aussi, mais beaucoup plus dangereusement, en passant la tête, puis un bras entre les barreaux ainsi écartés de la logique, c'est-à-dire de la plus haïssable des prisons. C'est dans la voie de cette dernière entreprise, peut-être, que j'eusse dû la retenir, mais il eût fallu tout d'abord que je prisse conscience du péril qu'elle courait. Or, je n'ai jamais pensé qu'elle pût perdre ou qu'elle
20 eût déjà perdu le minimum de sens pratique qui fait qu'après tout mes amis et moi, par exemple, *nous nous tenons bien* . [...] Les lettres de Nadja, que je lisais de l'œil dont je lis toutes sortes de textes surréalistes, ne pouvaient non plus présenter pour moi rien d'alarmant. Je n'ajouterai, pour ma défense, que quelques mots. L'absence bien connue de frontière entre la *non-folie* et la folie ne me dispose pas à accorder une valeur différente aux perceptions et aux idées qui sont le fait de l'une ou de l'autre. Il est des sophismes infiniment plus significatifs et plus lourds de portée que les vérités les moins contestables : les révoquer en tant que sophismes est à la fois dépourvu de grandeur et d'intérêt. Si sophismes c'étaient il
30 faut avouer que ceux-ci ont du moins contribué plus que tout à me faire jeter à moi-même, à celui qui du plus loin vient à la rencontre de moi-même , le cri, toujours pathétique, de « Qui vive ? » Qui vive ? Est-ce vous, Nadja ? Est-il vrai que l'*au-delà*, tout l'au-delà soit dans cette vie [1] ? Je ne vous entends pas. Qui vive ? Est-ce moi seul ? Est-ce moi-même ?

Nadja (Librairie Gallimard, éditeur).

— 1 L'*au-delà* est ici intérieur à « cette vie » : il est de caractère *psychique*, et non *mystique*.

« *BEAUTÉ SANS DESTINATION* »

Le surréalisme se lance volontiers à la recherche de l'*insolite* dont il a largement contribué à faire un des grands thèmes de la littérature, de l'art et du cinéma contemporains. Aussi est-ce pour en déceler le secret que BRETON jette son regard sur la *réalité quotidienne* ou sur les *paysages de la nature*. Suivant une piste ouverte par Baudelaire qui, dans ses *Poèmes en prose*, avait chanté la poésie *bizarre* des *villes énormes*, BRETON voit ainsi l'éveil de Paris.

Il faut aller voir de bon matin, du haut de la colline du Sacré-Cœur, à Paris, la ville se dégager lentement de ses voiles splendides, avant d'étendre les bras [1]. Toute une foule enfin dispersée, glacée, déprise et sans fièvre, entame comme un navire la grande nuit [2] qui sait ne faire qu'un de l'ordure et de la merveille. Les trophées orgueilleux [3], que le soleil s'apprête à couronner d'oiseaux ou d'ondes, se relèvent mal de la poussière des capitales enfouies. Vers la périphérie les usines, premières à tressaillir, s'illuminent de la conscience de jour en jour grandissante des travailleurs. Tous dorment, à l'exception des derniers scorpions à face
10 humaine qui commencent à cuire, à bouillir dans leur or [4]. La beauté féminine se fond une fois de plus dans le creuset de toutes les pierres rares. Elle n'est jamais plus émouvante, plus enthousiasmante, plus folle, qu'à cet instant où il est possible de la concevoir unanimement détachée du désir de plaire à l'un ou à l'autre, aux uns ou aux autres. Beauté sans destination immédiate, sans destination connue d'elle-même, fleur inouïe faite de tous ces membres épars dans un lit qui peut prétendre aux dimensions de la terre ! La beauté atteint à cette heure à son terme le plus élevé, elle se confond avec l'innocence, elle est le miroir parfait dans lequel tout ce qui a été, tout ce qui est appelé à être, se baigne adorablement en ce qui
20 va être *cette fois*. La puissance absolue de la subjectivité universelle, qui est la royauté de la nuit, étouffe les impatientes déterminations au petit bonheur.

Les Vases communicants (Librairie Gallimard, éditeur).

Le Jeu du langage et du hasard

La revue *Littérature*, qui fut l'organe du « bureau de recherches surréalistes », publiait les *textes expérimentaux* grâce auxquels les membres du groupe inventaient le langage accordé à leur nouvel art poétique. On y trouve l'application des deux grandes techniques surréalistes, *l'écriture automatique* et le *compte rendu de rêve*, les deux formes de *l'enregistrement incontrôlé des états d'âme, des images et des mots* que font surgir les hasards, accueillis ou provoqués, de la vie et du monde. Techniques qui furent aussi des modes littéraires, capables de donner naissance au charme ou au fantastique de l'*inattendu*. Un certain style se développe ainsi jusqu'à devenir même une sorte de préciosité dont un bon exemple est fourni par ce « jeu d'esprit » de RENÉ CLAIR, le cinéaste, dans son récit *Adams* (1926) :

« *Les Tuileries recèlent des nids d'amour, des divans de pierre plus doux que la plume, des gardiens qui sont l'image du temps, des chérubins aux cerveaux d'argent, des balles blanches, des balles oranges, astres entrecroisés, ballet céleste du plaisir* ».

— 1 Comparaison de la ville avec une personne qui s'éveille. — 2 La nuit est entamée par la foule comme la mer par l'étrave du navire. — 3 Les monuments — 4 Les riches « fêtards » comparés à des animaux nuisibles.

Ambiguïté
de l'automatisme
ANDRÉ BRETON, en même temps qu'il luttait contre les déviations politiques du surréalisme, luttait aussi contre ses éventuelles *déviations esthétiques :* il sera toujours le défenseur vigilant du *sérieux* de la Révolution surréaliste. Ce sérieux n'exclut cependant ni le jeu, ni l'humour et il cultive même parfois *l'affinité de la mystification et du mystère ;* mais le jeu, l'humour, la mystification doivent collaborer avec les autres techniques d'accès au *mystère insolite du langage en liberté.* Cette ambiguïté de « l'automatisme psychique » intéresse particulièrement certains poètes surréalistes, et c'est à cet aspect que se rattache un indépendant comme JEAN COCTEAU. Parmi les surréalistes eux-mêmes, le représentant typique de cette tendance est ROBERT DESNOS qui, né en 1900, devait mourir en 1945 dans un camp de concentration en Allemagne.

ROBERT DESNOS

ROBERT DESNOS (1900-1945) était parisien (du quartier de la Bastille) et considérait cette qualité comme un des « hasards objectifs » qui le firent poète. Dès 1919 il participe au mouvement *Dada,* puis, après la rencontre de BENJAMIN PÉRET, s'associe aux premières manifestations du groupe surréaliste. Il y exerce une influence capitale, car il y apparaît aussitôt, en particulier au cours des « séances de sommeil » organisées par Breton et Péret, comme doué d'un *véritable génie de l'automatisme verbal* et comme le plus authentique *témoin de la délivrance poétique* par *l'improvisation appuyée sur le rêve.* Et cette complicité du *hasard* et du *langage poétique* est bien ce qui fait la profonde unité de son œuvre.

LIBERTÉ DU RÊVE

Spécialiste du compte rendu de rêve, DESNOS se comporte à l'égard de ses propres rêves en collectionneur. L'écriture obéit à *la dictée du songe* selon la plus pure exigence surréaliste, et la poésie réside, aux yeux de Desnos et de ses amis, dans la pureté même de cette authenticité. Car le rêve et son compte rendu se doivent d'être *authentiques,* comme une œuvre d'art. Ainsi DESNOS s'adonne-t-il, selon les hasards de l'improvisation onirique, à *une poésie du merveilleux automatique,* comme ci-dessous où il s'agit de *rêves à l'état brut.*

En 1916. — *Je suis transformé en chiffre. Je tombe dans un puits qui est en même temps une feuille de papier, en passant d'une équation à une autre avec le désespoir de m'éloigner de plus en plus de la lumière du jour et d'un paysage qui est le château de Ferrières (Seine-et-Marne) vu de la voie du chemin de fer de l'Est.*

Durant l'hiver 1918-1919. — *Je suis couché et me vois tel que je suis en réalité. L'électricité est allumée. La porte de mon armoire à glace s'ouvre d'elle-même. Je vois les livres qu'elle renferme. Sur un rayon se trouve un coupe-papier de cuivre (il y est aussi dans la réalité) ayant la forme d'un yatagan. Il se dresse sur l'extrémité de la lame, reste en équilibre instable durant un instant puis se recouche lentement sur le rayon. La porte se referme. L'électricité s'éteint.*

En août 1922. — *Je suis couché et me vois tel que je suis en réalité. André Breton entre dans ma chambre, le Journal officiel à la main. « Cher ami, me dit-il, j'ai le plaisir de vous annoncer votre promotion au grade de sergent-major », puis il fait demi-tour et s'en va.*

Littérature n° 5, 1922.

LES GORGES FROIDES

Dans ce document surréaliste, *c'est le langage lui-même qui rêve*, ce sont les *associations insolites* de mots et d'images qui surgissent de l'inconscient du poète et de sa parole pour transgresser les lois du temps et de l'espace. Le texte porte à dessein, comme pour mystifier le lecteur inattentif, le *masque* du sonnet et de la rime ; et le titre lui-même, inverse de : *faire des gorges chaudes* (railler ouvertement), sert à caractériser cet *humour à froid*.

A la poste d'hier tu télégraphieras [1]
que nous sommes bien morts avec les hirondelles.
Facteur triste facteur un cercueil sous ton bras [2]
va-t-en porter ma lettre aux fleurs à tire d'elle.

La boussole est en os mon cœur tu t'y fieras
quelque tibia marque le pôle et les marelles
pour amputés ont un sinistre aspect d'opéras [3].
Que pour mon épitaphe un dieu taille ses grêles !

C'est ce soir que je meurs ma chère Tombe-Issoire [4].
Ton regard le plus beau ne fut qu'un accessoire
de la machinerie étrange du bonjour :

Adieu ! je vous aimai sans scrupule et sans ruse,
ma Folie-Méricourt ma silencieuse intruse.
Boussole à flèche torse annonce le retour.

C'est les bottes de sept lieues cette phrase : « Je me vois », 1926 (Grasset, éditeur).

LES PROFONDEURS DE LA NUIT

A partir de 1926 environ, DESNOS affirme progressivement son originalité à l'égard du *système* surréaliste, dans le temps même où Breton se fait de plus en plus théoricien (ce qui provoquera en 1930 une rupture provisoire entre les deux poètes). Il découvre le *cinéma* et compose un nombre considérable de scenarii, la plupart inédits. Il s'intéresse à la Radio et invente le genre du *poème radiophonique*. Mais, plus que jamais, il suit à la trace la « surréalité » que dégagent les rencontres à la fois les plus insolites et les plus spontanées. Et cette *conjonction de l'insolite et de la spontanéité, du naturel et du surréel*, est désormais, chez DESNOS, le ressort essentiel de la poésie. Ainsi de ce texte où s'imbriquent, avec une sorte de rigueur alliée à l'humour, les images du *rêve* et celles de la *réalité*.

Un jour d'octobre, comme le ciel verdissait, les monts dressés sur l'horizon virent le léopard, dédaigneux pour une fois des antilopes, des mustangs et des belles, hautaines et rapides girafes, ramper jusqu'à un buisson d'épines. Toute la nuit et tout le jour suivant il se roula en rugissant. Au lever de la lune il s'était complètement écorché et sa peau,

---

— 1 Le rapport paradoxal entre le verbe au *futur* et son complément au *passé* équivaut à un renversement et même à une négation du temps. — 2 Image analogue à celles des films surréa-listes. — 3 Exemple d'humour noir : mélange d'images sinistres et de visions heureuses. — 4 La femme porte le nom d'une rue de Paris. De même, v. 13 : *ma Folie-Méricourt*.

La sirène est pour Youki, peinture de Robert Desnos.
Paris, collection particulière. *(Photo J.-L. Charmet - E.B.)*

Sur mes cahiers d'écolier
Sur mon pupitre et les arbres
Sur le sable sur la neige
J'écris ton nom

Sur toutes les pages lues
Sur toutes les pages blanches
Pierre sang papier ou cendre
J'écris ton nom

Sur les images dorées
Sur les armes des guerriers
Sur la couronne des rois
J'écris ton nom

Sur la jungle et le désert
Sur les nids sur les genêts
Sur l'écho de mon enfance
J'écris ton nom

Sur les merveilles des nuits
Sur le pain blanc des journées
Sur les saisons fiancées
J'écris ton nom

Sur tous mes chiffons d'azur
Sur l'étang soleil moisi
Sur le lac lune vivante
J'écris ton nom

Sur les champs sur l'horizon
Sur les ailes des oiseaux
Et sur le moulin des ombres
J'écris ton nom

Sur chaque bouffée d'aurore
Sur la mer sur les bateaux
Sur la montagne démente
J'écris ton nom

Sur la mousse des nuages
Sur les sueurs de l'orage
Sur la pluie épaisse et fade
J'écris ton nom

Sur les formes scintillantes
Sur les cloches des couleurs
Sur la vérité physique
J'écris ton nom

Paul Eluard : *Liberté j'écris ton nom*. Gouache de Fernand Léger.
(Photo Bibliothèque nationale, Paris.)

Marevna Vorobieff :
*Hommage aux amis
de Montparnasse.*
Diego Rivera, Marevna et sa fille
Marika, Ehrenburg, Soutine,
Modigliani et sa femme Jeanne
Hebuterne, Max Jacob, Kisling
et Zborowski.
Genève : Modern Art Foundation.
(Photo Snark International.)

Reverdy : *Pierrot*,
Collage vers 1920.
Collection Stanislas Fumet.
(Photo J.-L. Charmet - E.B.)

intacte, gisait à terre. Le léopard n'avait pas cessé de grandir durant ce temps. Au lever de la lune il atteignait le sommet des arbres les plus élevés, à minuit il décrochait de son ombre les étoiles.

Ce fut un extraordinaire spectacle que la marche du léopard écorché sur la campagne dont les ténèbres s'épaississaient de son ombre gigantesque. Il traînait sa peau telle que les Empereurs romains n'en portèrent jamais de plus belle, eux ni le légionnaire choisi parmi les plus beaux et qu'ils aimaient.

Processions d'enseignes et de licteurs, processions de lucioles, ascensions miraculeuses ! rien n'égala jamais en surprise la marche du fauve sanglant sur le corps duquel les veines saillaient en bleu.

Quand il atteignit la maison de Louise Lame la porte s'ouvrit d'elle-même et, avant de crever, il n'eut que la force de déposer sur le perron, aux pieds de la fatale et adorable fille, le suprême hommage de sa fourrure [...].

Du haut d'un immeuble, Bébé Cadum magnifiquement éclairé [1], annonce des temps nouveaux. Un homme guette à sa fenêtre. Il attend. Qu'attend-il ?

Une sonnerie éveille un couloir. Une porte cochère se ferme.

Une auto passe.

Bébé Cadum magnifiquement éclairé reste seul, témoin attentif des événements dont la rue, espérons-le, sera le théâtre.

La Liberté ou l'Amour, 1927 (Grasset, éditeur).

DEMAIN

Pendant la guerre et l'occupation, DESNOS pense rester fidèle à lui-même en entrant dans la Résistance, dont il se fera le poète comme Aragon et Éluard, venus eux aussi du surréalisme (cf. ci-dessous), et il paiera de sa vie cet engagement. Il retrouve des accents et un style plus « classiques » pour chanter *le grand thème lyrique de l'espoir*.

Agé de cent mille ans, j'aurais encor la force
De t'attendre, ô demain pressenti par l'espoir.
Le temps, vieillard souffrant de multiples entorses,
Peut gémir : Le matin est neuf, neuf est le soir.

Mais depuis trop de mois nous vivons à la veille,
Nous veillons, nous gardons la lumière et le feu,
Nous parlons à voix basse et nous tendons l'oreille
A maint bruit vite éteint et perdu comme au jeu.

Or, du fond de la nuit, nous témoignons encore
De la splendeur du jour et de tous ses présents.
Si nous ne dormons pas c'est pour guetter l'aurore
Qui prouvera qu'enfin nous vivons au présent.

État de veille, 1943 (Grasset, éditeur).

— 1 *Publicité lumineuse.* Passage brusque du rêve à la réalité. « Mélange psychique » des objets, des temps et des lieux. Ici encore on pense aux images des films surréalistes.

PAUL ÉLUARD

Né à Saint-Denis, PAUL ÉLUARD (1895-1952) gardera toujours à l'esprit la *mélancolie* des paysages de banlieue. Il a subi, au cours de son adolescence, l'influence des poètes unanimistes (cf. p. 642). Malade et contraint d'interrompre ses études, il a recueilli de bonne heure des impressions qui laisseront leur empreinte sur une sensibilité partagée entre les images du malheur et du bonheur, dont la confrontation révèle de fécondes correspondances.

La période surréaliste

A vingt ans, il est à la recherche d'un langage. Le surréalisme lui fournit les techniques de la rénovation verbale : son lyrisme y puisera une *science du mot* dont il cherchera à étendre le domaine en se consacrant plus tard à l'étude de la « poésie involontaire » ou de la « sémantique du proverbe et du lieu commun ». Il veut être aussi l'héritier de toute la tradition poétique française dont il explore les richesses méconnues : il travaille à une *Anthologie de la poésie du passé* qui sera publiée en 1951. En 1926 paraît son premier recueil important, *Capitale de la Douleur*, suivi, en 1929, de *L'Amour La Poésie*. C'est la période proprement surréaliste, qui se clôt en 1934 avec *La Rose publique*.

Secret et simplicité

Une nouvelle période commence avec *Les Yeux fertiles* (1936) où s'opère le retour à la simplicité concrète du langage, sans que le songe ou l'imaginaire y perdent leur droits ; et cette *réconciliation du secret et de la simplicité* marque désormais toute l'œuvre d'Éluard ; elle l'incite à retrouver, par la poésie, le contact avec l'humanité commune. Il épanouit alors le don poétique qui fait son originalité : *les images en liberté* remplissent et même constituent le poème et y composent *une vivante harmonie de clarté et de mystère*.

La poésie engagée

A propos de la guerre civile espagnole, il s'engage définitivement (*Guernica*, dans *Cours naturel*, 1938) ; en 1936, il écrit : « Le temps est venu où tous les poètes ont le droit et le devoir de soutenir qu'ils sont profondément enfoncés dans la vie des autres hommes, dans la vie commune ». En 1938, *Cours naturel* vient illustrer cette déclaration et la guerre mondiale pousse ÉLUARD encore plus avant dans cette voie : *Le Livre ouvert* (1942), *Poésie et Vérité* (1942-1943), *Au rendez-vous allemand* (1944). Mais l'engagement n'exclut pas la recherche parallèle de la perfection du langage, effort dont témoigne en particulier *Poésie ininterrompue* (1946), tandis que les *Poèmes politiques* (1948) sont de la poésie de circonstance.

LE MIROIR D'UN MOMENT

Les surréalistes et les poètes apparentés — Jean Cocteau par exemple — ont été véritablement fascinés par le thème du *miroir*. Ils voient en effet dans le *reflet* de multiples analogies avec le rêve, et ils y trouvent, sous la forme d'un « hasard objectif », la *métamorphose des êtres et des objets* qui attire particulièrement la sensibilité nostalgique d'Éluard.

> Il dissipe le jour,
> Il montre aux hommes les images déliées
> de l'apparence,
> Il enlève aux hommes la possibilité de se distraire [1].
> Il est dur comme la pierre,
> La pierre informe,
> La pierre du mouvement et de la vue [2],

— 1 Pouvoir de *fascination* du miroir. — 2 Le reflet est comme l'*image solide* de l'objet.

Et son éclat est tel que toutes les armures,
  tous les masques en sont faussés.
Ce que la main a pris dédaigne même de prendre
  la forme de la main,
Ce qui a été compris n'existe plus,
L'oiseau s'est confondu avec le vent,
Le ciel avec sa vérité,
L'homme avec sa réalité.

Capitale de la Douleur, 1926 (Librairie Gallimard, éditeur).

ANNIVERSAIRE

Au cœur même de sa période surréaliste, Éluard n'a cessé d'être fidèle à la tradition qui fait de l'amour un thème poétique par excellence : un recueil de 1929 s'intitule *L'Amour La Poésie*. La place du lyrisme amoureux grandit au fur et à mesure que le poète s'attache à refléter *la profonde simplicité des émotions élémentaires*. Images, mots, rythmes s'accordent pour suggérer *l'évidence intérieure*, l'évidence d'un paradis d'amour tranquille et sûr.

Je fête l'essentiel je fête ta présence
Rien n'est passé la vie a des feuilles nouvelles
Les plus jeunes ruisseaux sortent dans l'herbe fraîche

Et comme nous aimons la chaleur il fait chaud
Les fruits abusent du soleil les couleurs brûlent
Puis l'automne courtise ardemment l'hiver vierge

L'homme ne mûrit pas il vieillit ses enfants
Ont le temps de vieillir avant qu'il ne soit mort
Et les enfants de ses enfants il les fait rire

Toi première et dernière tu n'as pas vieilli
Et pour illuminer mon amour et ma vie
Tu conserves ton cœur de belle femme nue.

Le lit, la table. — A celle qui répète ce que je dis, VII (Les Trois Collines, éditeur, Genève).

FINIR

C'est le malheur des temps qui, à partir de 1936, éloigne Éluard du surréalisme pur. Son langage continue de rêver, mais en se nourrissant des émotions et des images que lui inspire *son intense participation à la misère du monde*. Ainsi se trouve libéré un lyrisme à la fois tendre et violent qui proclame la présence au monde du langage poétique. Ce monde, le poème ne va pas le *décrire*, mais lui trouver *une équivalence verbale et rythmique* en joignant étroitement les unes aux autres les *images spontanées* que suscite chez le poète sa conscience du mal et du malheur ; et ces images s'associent *en figures monstrueuses ou insolites* comme dans un cauchemar capricieux et pathétique.

Les pieds dans des souliers d'or fin
Les jambes dans l'argile froide
Debout les murs couverts de viandes [1] inutiles
Debout les bêtes mortes

— 1 Nourritures (sens étymologique). C'est là, comme *les bêtes mortes*, le symbole d'un monde devenu inhabitable à l'homme.

Voici qu'un tourbillon gluant
Fixe à jamais rides grimaces
Voici que les cercueils enfantent
Que les verres sont pleins de sable
Et vides
10   Voici que les noyés s'enfoncent
Le sang détruit[2]
Dans l'eau sans fond de leurs espoirs passés[3]

Feuille morte molle[4] rancœur
Contre le désir et la joie
Le repos a trouvé son maître
Sur des lits de pierre et d'épines

La charrue des mots[5] est rouillée
Aucun sillon d'amour n'aborde plus la chair
Un lugubre travail est jeté en pâture
20   A la misère dévorante
A bas les murs[6] couverts des armes émouvantes[7]
Qui voyaient clair dans l'homme
Des hommes noircissent de honte
D'autres célèbrent leur ordure
Les yeux les meilleurs s'abandonnent

Même les chiens sont malheureux.

Le Livre ouvert, I, 1938 (Librairie Gallimard, éditeur).

LIBERTÉ

Pendant la guerre, engagé dans la Résistance, ÉLUARD participe au grand mouvement qui entraîne alors la poésie française. Le recueil *Poésie et Vérité* 1942 s'ouvre sur un *Hymne à la Liberté* qui reste l'un des chefs-d'œuvre de la poésie de la Résistance. On y voit réapparaître les formes traditionnelles de la *litanie* et du *refrain* : ÉLUARD redécouvre les lois de la *poésie orale* qui le conduisent à une sorte *d'éloquence concise* fort originale ; la *musique mélodique* des mots et de leurs rythmes reprend aussi tous ses droits.

Sur mes cahiers d'écolier	Sur toutes les pages lues
Sur mon pupitre et les arbres	Sur toutes les pages blanches
Sur le sable sur la neige	Pierre sang papier ou cendre
J'écris ton nom	J'écris ton nom

— 2 Comprendre : *leur sang étant détruit*. — 3 Le poème, sous son apparence volontairement anarchique, se construit, en *crescendo*, sur l'association obsédante des images de froid, de mort et de destruction. — 4 Noter le chiasme et l'allitération qui renforcent la signification convergente des deux adjectifs. — 5 Difficulté de la poésie dans un monde privé d'amour. Comparaison du langage avec la charrue qui rend la terre féconde. — 6 Cf. v. 3-4. — 7 Peut-être allusion à la sensibilité humaine *armée* d'amour.

Sur les images dorées
10 Sur les armes des guerriers
Sur la couronne des rois
J'écris ton nom

Sur la jungle et le désert
Sur les nids sur les genêts
Sur l'écho de mon enfance
J'écris ton nom

Sur les merveilles des nuits
Sur le pain blanc des journées
Sur les saisons fiancées
20 J'écris ton nom

Sur tous mes chiffons d'azur
Sur l'étang soleil moisi
Sur le lac lune vivante
J'écris ton nom

Sur les champs sur l'horizon
Sur les ailes des oiseaux
Et sur le moulin des ombres
J'écris ton nom

Sur chaque bouffée d'aurore
30 Sur la mer sur les bateaux
Sur la montagne démente
J'écris ton nom

Sur la mousse des nuages
Sur les lueurs de l'orage
Sur la pluie épaisse et fade
J'écris ton nom

Sur les formes scintillantes
Sur les cloches des couleurs
Sur la vérité physique [1]
40 J'écris ton nom

Sur les sentiers éveillés
Sur les routes déployées
Sur les places qui débordent [2]
J'écris ton nom

Sur la lampe qui s'allume
Sur la lampe qui s'éteint
Sur mes maisons réunies
J'écris ton nom

Sur le fruit coupé en deux
Du miroir et de ma chambre   50
Sur mon lit coquille vide
J'écris ton nom

Sur mon chien gourmand et tendre
Sur ses oreilles dressées
Sur sa patte maladroite
J'écris ton nom [3]

Sur le tremplin de ma porte
Sur les objets familiers
Sur le flot du feu béni
J'écris ton nom   60

Sur toute chair accordée
Sur le front de mes amis
Sur chaque main qui se tend
J'écris ton nom

Sur la vitre des surprises
Sur les lèvres attentives
Bien au-dessus du silence
J'écris ton nom

Sur mes refuges détruits
Sur mes phares écroulés
Sur les murs de mon ennui
J'écris ton nom

Sur l'absence sans désirs
Sur la solitude nue   70
Sur les marches de la mort
J'écris ton nom

Sur la santé revenue
Sur le risque disparu
Sur l'espoir sans souvenirs
J'écris ton nom

Et par le pouvoir d'un mot
Je recommence ma vie
Je suis né pour te connaître
Pour te nommer   80

Liberté.

Poésie et Vérité, 1942
(Librairie Gallimard, éditeur).

— 1 La vérité de la *nature*, développée dans les strophes précédentes par la succession des images.

— 2 Passage de la *nature* à l'*humanité*. —
3 Son amour pour les animaux était célèbre.

ARAGON

Les débuts
surréalistes

En 1920 paraissait *Feu de Joie*, suivi, en 1925, de *Mouvement perpétuel*, deux recueils qui marquèrent dans l'histoire du surréalisme. Leur auteur, LOUIS ARAGON (né en 1897), avait fait des études médicales. Il s'associe au mouvement surréaliste, mais en y voyant surtout un moyen de libération et en y cherchant une révolution positive ; dès *Feu de Joie*, il écrit par exemple : *Le monde à bas, je le bâtis plus beau.*

POUR DEMAIN

Les poèmes de la période surréaliste sont caractérisés par *l'aisance du jeu verbal* qui souvent relève d'une sorte de *préciosité*. Conformément à l'une des tendances du surréalisme, la poésie est alors, pour ARAGON, surtout un *exercice*. Mais à travers cet exercice se fait jour *un authentique lyrisme* qui chante, en liberté, les charmes et les métamorphoses féeriques de la nature, des êtres et des objets.

Vous que le printemps opéra
Miracles ponctuez ma stance
Mon esprit épris du départ
Dans un rayon soudain se perd
Perpétué par la cadence

La Seine au soleil d'Avril danse
Comme Cécile au premier bal
Ou plutôt roule des pépites
Vers les ponts de pierre ou les cribles
10 Charme sûr La ville est le val [1]

Les quais gais comme en carnaval
Vont au-devant de la lumière
Elle visite les palais
Surgis selon ses jeux ou lois.
Moi je l'honore à ma manière

La seule école buissonnière
Et non Silène m'enseigna
Cette ivresse couleurs de lèvres
Et les roses du jour aux vitres
Comme des filles d'Opéra [2] 20

Feu de Joie, 1917-1919 (Au Sans Pareil, éditeur).

UN AIR EMBAUMÉ

Cet hommage à Apollinaire est la reconnaissance d'une dette poétique ; il appartient au genre du *tombeau*, déjà pratiqué par Mallarmé ; mais à l'hommage se mêle, intentionnellement, une nuance de caprice et d'humour.

Les fruits à la saveur de sable
Les oiseaux qui n'ont pas de nom
Les chevaux peints comme un pennon [1]
Et l'amour nu mais incassable

Soumis à l'unique canon [2]
De cet esprit changeant qui sable
Aux quinquets d'un temps haïssable
Le champagne clair du canon

Chantent deux mots Panégyrique
Du beau ravisseur de secrets [3] 30
Que répète l'écho lyrique

Sur la tombe Mille regrets
Où dort dans un tuf mercenaire
Mon sade Orphée Apollinaire [4]

Le Mouvement perpétuel, 1920-1924
(Librairie Gallimard, éditeur).

— 1 Métamorphose champêtre de la ville par la magie du printemps *(miracles... charme)*. — 2 Noter l'écho verbal avec le v. 1.

— 1 Étendard triangulaire. — 2 Règle. —

3 Le poète (cf. v. 14). — 4 *Sade* : agréable, piquant ; ce vieil adj. évoquerait peut-être le marquis de Sade, précurseur de l'exploration de l'inconscient : la nouvelle poésie réunit la tradition orphique et les expériences modernes.

L'amour et l'action   Aragon porte en lui un *tempérament d'homme d'action :* il sera communiste, homme de parti et directeur de journal. Sa poésie admet la rhétorique : il se place volontiers sous le patronage de Hugo, il redécouvre et renouvelle les pouvoirs rythmiques de l'alexandrin. Surréaliste, il prend pour tremplin de son œuvre *l'alchimie du verbe* chère à Rimbaud ; mais, homme d'action et orateur, il est tourmenté d'un *besoin d'humanité* qui lui impose un *virage poétique* confirmé dans les poèmes de guerre et de résistance.

En 1941, *Le Crève-Cœur*, inspiré par la guerre, l'exode et l'armistice de 1940, connaît un succès de librairie exceptionnel pour un recueil de poèmes. Aragon apparaît alors comme un poète facile et fécond, et publie, au cours de ces années, recueil sur recueil : *Cantique à Elsa* (1941), *Les yeux d'Elsa* (1942), *Brocéliande* (1942), *Le Musée Grévin* (1943), *Je te salue, ma France* (1944), *La Diane française* (1944), poésie qui retient encore, du surréalisme, la liberté syntaxique et rythmique, mais développe, selon une rhétorique souvent très traditionnelle, les thèmes jumelés de l'amour et du patriotisme. Depuis 1945, Aragon a publié *En étrange pays dans mon pays lui-même* (1945-1947), *Le Nouveau Crève-Cœur* (1948), *Les Yeux et la Mémoire* (1954), *Elsa* (1955), mais il s'est surtout consacré à son œuvre romanesque.

CE QUE DIT ELSA

Les événements de 1940 furent l'occasion du *revirement poétique* d'Aragon. Le choc provoqué par la guerre, la défaite et l'occupation, cristallisa en lui ce besoin de *validité humaine* que l'homme d'action inspire au poète. Le surréalisme connaît alors une évolution comparable à celle du romantisme après 1830 : la conversion à l'humain, le retour à l'inspiration politique et sociale. Chez Aragon intervient aussi l'amour de sa femme, Elsa, et les deux thèmes de l'amour et de la France se trouvent unis sous le signe de l'espoir.

> Tu me dis Notre amour s'il inaugure un monde
> C'est un monde où l'on aime à parler simplement
> Laisse-là Lancelot Laisse la Table Ronde
>   Yseut Viviane Esclarmonde
> Qui pour miroir avait un glaive déformant [1] [...]
>
> Si tu veux que je t'aime apporte-moi l'eau pure
> A laquelle s'en vont leurs désirs [2] s'étancher
> Que ton poème soit le sang de ta coupure
>   Comme un couvreur sur la toiture
> 10 Chante pour les oiseaux qui n'ont où se nicher
>
> Que ton poème soit l'espoir qui dit A suivre
> Au bas du feuilleton sinistre de nos pas
> Que triomphe la voix humaine sur les cuivres
>   Et donne une raison de vivre
> A ceux que tout semblait inviter au trépas
>
> Que ton poème soit dans les lieux sans amour
> Où l'on trime où l'on saigne où l'on crève de froid
> Comme un air murmuré qui rend les pieds moins lourds
>   Un café noir au point du jour
> 20 Un ami rencontré sur le chemin de croix

— 1 Cf. dans *Brocéliande*, le désir d'oublier les malheurs présents par une poésie « médiévale ».

— 2 Les *désirs* des "pauvres gens" évoqués dans les strophes précédentes.

Pour qui chanter vraiment en vaudrait-il la peine
Si ce n'est pas pour ceux dont tu rêves souvent
Et dont le souvenir est comme un bruit de chaînes
     La nuit s'éveillant dans tes veines
Et qui parle à ton cœur comme au voilier le vent

Tu me dis Si tu veux que je t'aime et je t'aime
Il faut que ce portrait que de moi tu peindras
Ait comme un ver vivant au fond du chrysanthème
     Un thème caché dans son thème
30 Et marie à l'amour le soleil qui viendra

Cantique à Elsa, 1941 (Pierre Seghers, éditeur).

« *JE VOUS SALUE MA FRANCE* »

Écrit en 1943, *Je vous salue ma France*... s'adresse aux prisonniers et aux déportés
au-delà du déluge ; l'image de la France y est la garantie de l'*espérance*, dont la poésie épouse
le rythme ascendant en utilisant à nouveau toutes les ressources de l'alexandrin, l'alexandrin
de Ronsard et de Hugo. Le recueil d'où ce poème est extrait fut publié clandestinement.

Lorsque vous reviendrez car il faut revenir
Il y aura des fleurs tant que vous en voudrez
Il y aura des fleurs couleur de l'avenir
Il y aura des fleurs lorsque vous reviendrez

Vous prendrez votre place où les clartés sont douces
Les enfants baiseront vos mains martyrisées
Et tout à vos pieds las redeviendra de mousse
Musique à votre cœur calme où vous reposer

Haleine des jardins lorsque la nuit va naître
10 Feuillages de l'état profondeur des prairies
L'hirondelle tantôt qui vint sur la fenêtre
Disait me semble-t-il Je vous salue Marie

Je vous salue ma France arrachée aux fantômes
O rendue à la paix Vaisseau sauvé des eaux
Pays qui chante Orléans Beaugency Vendôme [1]
Cloches cloches sonnez l'angelus des oiseaux

Je vous salue ma France aux yeux de tourterelle
Jamais trop mon tourment mon amour jamais trop
Ma France mon ancienne et nouvelle querelle [2]
20 Sol semé de héros ciel plein de passereaux

— 1 Citation d'un carillon du XVIe siècle :   célébrité littéraire quand l'abbé Bremond l'avait
Orléans, Beaugency, Notre-Dame de Cléry,   présenté comme un modèle de « poésie pure ».
Vendôme, Vendôme, qui avait connu une grande   — 2 Cf. le sens ancien de *plainte*.

Je vous salue ma France où les vents se calmèrent
Ma France de toujours que la géographie
Ouvre comme une paume aux souffles de la mer
Pour que l'oiseau du large y vienne et se confie

Je vous salue ma France où l'oiseau de passage
De Lille à Roncevaux de Brest au Mont-Cenis
Pour la première fois a fait l'apprentissage
De ce qu'il peut coûter d'abandonner un nid

Patrie également à la colombe ou l'aigle
30 De l'audace et du chant doublement habitée
Je vous salue ma France où les blés et les seigles
Mûrissent au soleil de la diversité

Je vous salue ma France où le peuple est habile
A ces travaux qui font les jours émerveillés
Et que l'on vient de loin saluer dans sa ville
Paris mon cœur trois ans vainement fusillé

Heureuse et forte enfin qui portez pour écharpe
Cet arc-en-ciel témoin qu'il ne tonnera plus [3]
Liberté dont frémit le silence des harpes
Ma France d'au-delà le déluge salut

Août-Septembre 1943. — Le Musée Grévin (Éditeurs Français Réunis).

EN MARGE DU SURRÉALISME

Le surréalisme avait été une *aventure* plus qu'une doctrine ; aussi assiste-t-on, après la période militante, à une dispersion du groupe. Mais pour la même raison, l'essentiel du surréalisme — cet esprit d'aventure poétique — se retrouve chez la plupart des poètes indépendants de la même génération. Les uns, comme CENDRARS ou REVERDY, furent en contact avec le groupe sans cependant y être jamais vraiment intégrés ; d'autres, comme COCTEAU ou MAX JACOB, ne furent pas sans liens avec lui, mais en poursuivant une expérience personnelle qui tantôt s'en éloigne et tantôt s'en approche ; d'autres enfin, comme JULES SUPERVIELLE, méritent pleinement le titre d'indépendants.

Ils sont, tous, les poètes de cette *civilisation de l'image* si caractéristique du XXᵉ siècle : ils ont le sentiment de poursuivre l'aventure commencée dès les origines de la poésie et se réfèrent volontiers à Orphée, mais en instaurant une telle *libération de l'image et de ses langages* que tout un monde infiniment riche surgit alors, où se mêlent le familier et l'insolite, le quotidien et l'extraordinaire, le tragique et l'humour. C'est même souvent le sentiment d'une intime et inépuisable *unité des contradictoires* qui déclenche la fécondité poétique, à tel point qu'on pratiquera systématiquement, et jusqu'à la provocation, l'association — ironique ou absurde, humoristique ou aberrante — des mots, pour susciter l'apparition de l'image, sésame irremplaçable de l'aventure poétique.

— 3 Le drapeau tricolore.

JEAN COCTEAU

Poète des masques et des miroirs, poète du paradoxe, COCTEAU touche à *tous les registres*, du réel et du surréel, de la sensation raffinée à l'exaltation spirituelle, et il aura des velléités mystiques dont témoignent ses relations avec Claudel, Maritain ou Mauriac. Mais surtout, le sortilège ne le laisse jamais indifférent : il l'introduira dans la *tragédie* (*Œdipe-Roi*, 1928 ; *La Machine infernale*, 1934 ; *Renaud et Armide*, 1948), dans le *ballet* (*Phèdre*, 1950 ; *La Dame à la Licorne*, 1953), dans le *film* (*Le Sang d'un poète*, 1932 ; *La Belle et la Bête*, 1945 ; *Orphée*, 1951 ; *Le Testament d'Orphée*, 1959) et le *roman* (*Thomas l'Imposteur*, 1923 ; *Les Enfants terribles*, 1929) ; et enfin, il est passé maître dans la *poésie graphique*.

Mais le royaume de prédilection du sortilège reste le POÈME : ses premières *Poésies* paraissent en 1920, suivies de *Vocabulaire* (1922), *Plain-chant* (1923), *L'Ange Heurtebise* (1925) et *Opéra* (1927), qui marque l'aboutissement d'une première période, au cours de laquelle se forment l'art poétique et le langage de Cocteau. Après une sorte d'entracte consacré au théâtre, au roman, au cinéma, au dessin, sans que la poésie ait jamais été abandonnée, le sortilège se fait plus serein mais non moins envoûtant dans *Allégorie* (1941), *Le Chiffre Sept* (1952), *Appoggiatures* (1953) et *Clair-obscur* (1954).

PAR LUI-MÊME

Voici *l'art poétique* de JEAN COCTEAU : le poète y apparaît comme une sorte de *médium* et en cela l'auteur est proche des surréalistes. Dans cet *autoportrait*, il nous révèle les traits distinctifs de son expérience : métamorphose du monde, irruption du mystère, communication magique avec la mort, risques et chances de la découverte de l'invisible.

Accidents du mystère et fautes de calculs
Célestes, j'ai profité d'eux, je l'avoue.
Toute ma poésie est là : Je décalque
L'invisible (invisible à vous).
J'ai dit : « Inutile de crier, haut les mains ! »
Au crime déguisé en costume inhumain ;
J'ai donné le contour à des charmes [1] informes ;
Des ruses de la mort la trahison m'informe [2] ;
J'ai fait voir en versant mon encre bleue en eux,
10 Des fantômes soudain devenus arbres bleus.
Dire que l'entreprise est simple ou sans danger
Serait fou. Déranger les anges [3] !
Découvrir le hasard apprenant à tricher
Et des statues en train d'essayer de marcher [4].
Sur le belvédère des villes que l'on voit
Vides, et d'où l'on ne distingue plus que les voix
Des coqs, les écoles, les trompes d'automobile,
(Ces bruits étant les seuls qui montent d'une ville)
J'ai entendu descendre des faubourgs du ciel,
20 Étonnantes rumeurs [5], cris [5] d'une autre Marseille.

Opéra, 1925-1927 (Stock, éditeur).

— 1 La poésie est aussi *magie*. — 2 Cf. le rôle de la Mort dans les films de Cocteau *(Orphée* et *Testament d'Orphée*). — 3 Cf. *l'ange Heurtebise*, titre de poème et personnage de film. — 4 Cocteau réalisera ces images dans des « truquages » cinématographiques. — 5 Appositions à un sujet non exprimé de *descendre*.

JEUNE FILLE ENDORMIE

L'image d'une jeune fille endormie suscite une *méditation poétique sur le sommeil et sur le rêve* : rupture avec l'humanité ordinaire, incertitude de l'itinéraire et du but, danger de mort même ; mais ivresse de la surprise, chances de libération. D'ailleurs, engagé sans retour dans les risques et les chances du songe, le poète *saisi* n'a pas le choix : comme il arrive à sa dormeuse, *plus rien d'autre ne l'intéresse*.

> Rendez-vous derrière l'arbre à songe [1] ;
> Encore faut-il savoir auquel aller,
> Souvent on embrouille les anges
> Victime du mancenillier [2]...
>
> Nous qui savons ce que ce geste attire :
> Quitter le bal et les buveurs de vin,
> A bonne distance des tirs,
> Nous ne dormirons pas en vain.
>
> Dormons sous un prétexte quelconque,
> 10 Par exemple : voler en rêve ;
> Et mettons-nous en forme de quinconce,
> Pour surprendre les rendez-vous.
>
> C'est le sommeil qui fait ta poésie,
> Jeune fille avec un seul grand bras paresseux ;
> Déjà le rêve t'a saisie
> Et plus rien d'autre ne t'intéresse.

Opéra (Stock, éditeur).

« *LE SEPTIÈME ANGE...* »

Cocteau, si marqué soit-il par une certaine *sensibilité baroque*, entend aussi rester fidèle à la *tradition classique* : il ressuscite, comme des nouveautés, le souvenir de la Grèce et la pratique de l'alexandrin régulier. Il aime également mêler les sources et les traditions : L'Apocalypse, la Grèce, Rome, ce qui permet des confrontations d'images et des ruptures de rythme. C'est sur ce *contrepoint complexe* que s'exécutent, par exemple, ses variations sur le thème du *Combat avec l'Ange*, qui lui est particulièrement cher.

> Le septième ange [1] qui sonnait de la trompette [2]
> Lança ses foudres d'or sur le char d'Apollon.
> Le Dieu (dont le sourcil ressemble à la houlette)
> Excitait son quadrige en frappant du talon [3].

— 1 Élément essentiel du paysage magique, qui symbolise l'ambiguïté des rencontres de la nature et du rêve. — 2 Arbre à poison d'Amérique (cf. le *danger* de la poésie magique). *Victime* renvoie à « *on embrouille* ».

— 1 Le chiffre sept joue un rôle important dans *l'Apocalypse* (sept Églises, sept Anges, sept Sceaux). — 2 *Apocalypse*, XI, 14. — 3 Ce vers — ainsi que quelques autres — ressemble singulièrement à un pastiche de Nerval.

Mais les chevaux cabrés et ligotés de veines
L'un l'autre s'insultaient et se mordaient le col.
Et les rois se jetaient sur les bûchers des reines,
Et le char du soleil se fracassait au sol.

Il y eut là quelques minutes étonnantes
10 Où les îles sombraient, où tonnaient les volcans,
Où l'ange assassinait les bêtes et les plantes,
Les soldats des Césars endormis dans les camps...

Voilà comment en nous peut se rompre une artère,
Voilà comment en nous un cycle s'interrompt.
La trompette a sonné, l'ange n'a qu'à se taire.
Ce que l'ange a défait, d'autres le referont.

Le Chiffre Sept, 1952 (Pierre Seghers, éditeur).

MAX JACOB

Humour
et mystique   Israélite né en Bretagne en 1876, MAX JACOB appartint d'abord à la faune bizarre de la bohème montmartroise ; mais, un jour de 1909, il vit le Christ illuminer sa chambre, ce qui entraîna sa conversion (il eut pour parrain Pablo Picasso), puis, plus tard, sa retraite à l'ombre de l'abbaye bénédictine de Saint-Benoît-sur-Loire. Il n'en fut tiré que par la police allemande, et ce fut pour aller mourir en 1944 au camp de Drancy.

HASARD ET BURLESQUE. La poésie chez lui est comme saisie au vol dans le *caprice* et le *hasard* des rencontres de mots et d'images. Il commence sa carrière en manifestant son goût pour le *burlesque* et même le « loufoque » (il trouvera même le moyen de faire du *burlesque religieux !*) : ce sont les *Œuvres burlesques et mystiques de frère Matorel, mort au couvent de Barcelone* (1912). Il a lui-même souligné la part qui revient, dans la poésie, aux initiatives du hasard, par un titre significatif : *Le Cornet à dés* (1917).

ARDEUR ET FANTAISIE. Obsédé par l'idée de la mort, comme le prouve déjà la méditation qui figure dans *Défense de Tartufe* (1919), MAX JACOB fait face à son obsession à la fois par *la fantaisie de l'humour* et par *l'ardeur du mysticisme*. D'autre part, dès 1909, il avait déclaré que la poésie était pour lui « *un instantané même manqué de ce fragment de monde qui passait* » (Lettre à Apollinaire, 23 juin 1909) : son œuvre est faite de ces « instantanés » parfois poétiques à force d'insignifiance, parfois pénétrés de cynisme bon enfant, ou des échos inattendus de visions mystiques et de méditations douloureuses.

Tel est le caractère bariolé d'une œuvre qui comprend, après *Le Cornet à dés*, *Laboratoire central* (1921), *Sacrifice impérial* (1929), *Ballades* (1938), *Derniers poèmes* (posthume 1945), *Poèmes de Morven le gaëlique* (posthume, 1950), et un nombre encore important d'inédits. Max Jacob fut aussi essayiste, romancier, moraliste *(Le Phanérogame*, 1918 ; *Le Cinéma-toma*, 1920-1929 ; *Le roi de Béotie*, 1921 ; *Tableau de la bourgeoisie*, 1930). C'est enfin un écrivain et dessinateur mystique (*Visions des souffrances et de la mort de Jésus, Fils de Dieu*, 1928 ; *Méditations Religieuses*, publication posthume, 1947).

POÈME

Le XXe siècle a cultivé volontiers le *poème en prose*, genre dont la liberté convenait à sa poétique. MAX JACOB le pratique avec prédilection : il a moins le sens de la mélodie verbale et rythmique que de la *narration capricieuse et insolite*. Il aime raconter des histoires sorties de son « cornet à dés », un peu à la manière d'un prestidigitateur. Acrobate de l'esprit et du langage, il a sur le monde des points de vue *inattendus* et *inquiétants*.

Quand le bateau fut arrivé aux îles de l'Océan Indien, on s'aperçut qu'on n'avait pas de cartes. Il fallut descendre ! Ce fut alors qu'on connut qui était à bord : il y avait cet homme sanguinaire qui donne du tabac à sa femme et le lui reprend. Les îles étaient semées partout. En haut de la falaise, on aperçut de petits nègres avec des chapeaux melon[1] : « Ils auront peut-être des cartes[2]. » Nous prîmes le chemin de la falaise : c'était une échelle de corde ; le long de l'échelle, il y avait peut-être des cartes ! des cartes même japonaises ! Nous montions toujours. Enfin, quand il n'y eut plus d'échelons (des cancres en ivoire, quelque part), il
10 fallut monter avec le poignet. Mon frère l'Africain s'en acquitta très bien, quant à moi, je découvris des échelons où il n'y en avait pas. Arrivés en haut, nous sommes sur un mur ; mon frère saute. Moi, je suis à la fenêtre ! Jamais je ne pourrai me décider à sauter : c'est un mur de planches rouges : « Fais le tour », me crie mon frère l'Africain. Il n'y a plus ni étages, ni passagers, ni bateau, ni petit nègre ; il y a le tour qu'il faut faire. Quel tour ? c'est décourageant[3].

Le Cornet à dés, 1917 (Librairie Gallimard, éditeur).

PASSÉ ET PRÉSENT

Sous la forme légère de la *chanson*, la poésie se fait aussi *confidentielle* : la fantaisie se mêle à la gravité pour retracer l'itinéraire du poète et de son œuvre, du chant lyrique et de la divulgation enivrée du « secret » jusqu'au silence de la contemplation mystique.

Poète et ténor
L'oriflamme au nord
Je chante la mort.

Poète et tambour
Natif de Colliour[1]
Je chante l'amour.

Poète et marin
Versez-moi du vin
Versez ! Versez ! Je divulgue
Le secret des algues.

Poète et chrétien
Le Christ est mon bien
Je ne dis plus rien.

Le Laboratoire central, 1921 (Au Sans Pareil, éditeur).

— 1 C'est, avant la lettre, une image comme en proposeront les rêves surréalistes. — 2 Noter le symbolisme de la *carte :* le monde est un labyrinthe d'inconnu et de bizarrerie. — 3 Transposition humoristique de « l'angoisse d'être au monde ».

— 1 Suppression fantaisiste du *e* pour la rime, comme dans les chansons populaires. En fait Max Jacob était breton. Mais Collioure (Pyrénées-Orientales) fut, dans les années 1920, un célèbre rendez-vous d'artistes et de poètes.

PÉCHÉ, 2 HEURES 35

La *méditation mystique*, abordée sous forme de journal, prend bientôt la forme du *poème en prose*, avec retours et refrains, symboles d'obsession. Pour le sentiment religieux et conscience du péché, on pourra comparer ce texte à *Sagesse* : MAX JACOB appartenait à la même famille spirituelle que Verlaine et pratiquait la communion quotidienne.

Qui pense ici au péché ? un homme abruti justement par le péché, débordant de péché et débordé par lui... Quoi ? alors que j'aurai l'audace de m'approcher demain des plus saintes espèces — O Dieu dont la main passe sur la cime des bois, sur l'océan — Je suis le nid même du mal et du péché, sans pouvoir jamais m'en dépêtrer. Sans essayer même de sortir de ce filet infernal, de cette empoisonnante glu. O péché, que tu pèses lourdement sur l'arc de mes épaules velues. O péché, que tu courbes violemment jusqu'à le déformer l'arc bientôt brisé de mes épaules fragiles. Sur cet arc où jadis passait la main de Dieu, le poids, le poids tranchant du
10 péché — le péché ! — fait d'abord jaillir un sang noir. Prêtre, tu pardonnes trop vite ! Tu émousses trop tôt la blessure sanglante du péché — O Dieu, dont la main passe sur la cime des bois, sur l'océan, il pardonne trop vite ! il émousse trop tôt la blessure sanglante du péché ! Celui qui pense ici au péché est un homme abruti par le péché, débordé par lui.

Méditations (Librairie Gallimard, éditeur).

PIERRE REVERDY

Pureté et réalité Né à Narbonne, PIERRE REVERDY (1889-1960) devait, en 1926, se retirer auprès de la célèbre abbaye de Solesmes, mais plutôt par goût de la solitude que pour obéir à une impulsion religieuse (il a écrit toutefois, dans *Le Gant de crin* en 1927 : « Je choisis Dieu librement »). Bien qu'il ait, comme Max Jacob, habité Montmartre et fréquenté les milieux littéraires et artistiques d'avant-garde, PIERRE REVERDY est sans doute le plus secret et le plus solitaire des poètes de sa génération.

Seul au monde donc, et ressentant l'univers comme une « impossibilité d'adaptation », REVERDY demande à la poésie d'opérer cette *purification des choses et de lui-même* qui le libérera de sa *timidité métaphysique* ; mais sa *solitude* et sa *pureté* ne conduisent pas à la désincarnation ni à la désespérance. REVERDY utilise les éléments de la nature et les réactions de sa propre sensibilité pour se créer à lui-même le *sentiment de réalité* dont il est tragiquement privé, et ainsi la poésie est pour lui une manière de salut : « L'art tend à une réalité particulière ; s'il l'atteint, il s'incorpore au réel, qui participe de l'éternel, et il s'incorpore dans le temps. » *(Le Gant de crin)* Poésie souvent difficile, tant sont diverses les voies de cette *incorporation*. « Ce qui importe, pour le poète, c'est d'arriver à mettre au net ce qu'il y a de plus inconnu en lui, de plus secret, de plus caché, de plus difficile à déceler, d'unique ». Son œuvre est, en effet. dominée par *la double recherche du secret et de la netteté : Poème en prose* (1915), *La Lucarne ovale* (1916), *La Guitare endormie* (1919), *Étoiles peintes* (1921), *Épaves du ciel* (1924), *Grande Nature* (1926), *Sources du vent* (1929), *Ferraille* (1937), *Plupart du temps* (1945), *Chant des morts* (1948), *Main-d'œuvre* (1949).

TENDRESSE

Solitude, retraite et concentration n'excluent pas la tendresse du cœur. La poésie naît aussi de ce débat intérieur de *l'appétit d'absolu* et de *l'abandon au sentiment*, qui informe les images, les souvenirs, les sensations. Il n'est pas jusqu'à la tentation romantique du *désespoir* qui ne puisse être vaincue par la création poétique, devenue ainsi *acte héroïque* par excellence, en dépit de la pression d'un univers plein de menaces.

Mon cœur ne bat que par ses ailes [1]
Je ne suis pas plus loin que ma prison
O mes amis perdus derrière l'horizon [2]
Ce n'est que votre vie cachée que j'écoute
Il y a le temps roulé sous les plis de la voûte
Et tous les souvenirs passés inaperçus
Il n'y a qu'à saluer le vent qui part vers vous
Qui caressera vos visages
Fermer la porte aux murmures du soir
10 Et dormir sous la nuit qui étouffe l'espace
Sans penser à partir
Ne jamais nous revoir
Amis enfermés dans la glace
Reflets de mon amour glissés entre les pas
Grimaces du soleil dans les yeux qui s'effacent
Derrière la doublure plus claire des nuages
Ma destinée pétrie de peurs et de mensonges
Mon désir retranché du nombre
Tout ce que j'ai oublié dans l'espoir du matin
20 Ce que j'ai confié à la prudence de mes mains
Les rêves à peine construits et détruits
Les plus belles ruines des projets sans départs
Sous les lames du temps présent qui nous déciment [4]
Les têtes redressées contre les talus noirs
Grisées par les odeurs du large de la terre
Sous la fougue du vent qui s'ourle
A chaque ligne des tournants
Je n'ai plus assez de lumière
Assez de peau assez de sang
30 La mort gratte mon front
Et la même matière
S'alourdit vers le soir autour de mon courage
Mais toujours le réveil plus clair dans la flamme
      de ses mirages [5]

Ferraille, 1937 (Le Journal des Poètes, éditeur, Bruxelles).

— 1 Spiritualité suggérée par l'image de *l'oiseau* ou des *ailes de l'ange*. — 2 Liaison entre *horizon* et *ailes* : le poète établit le contact *spirituel* avec ses amis restés à Paris. — 4 Tentation du désespoir face à l'expérience du « temps perdu ». — 5 Image de la *flamme* créatrice du mirage poétique et symbole de purification.

SUR LA POINTE DES PIEDS

La création poétique, véritable *ascèse*, conduit aussi à une sorte de *stoïcisme*, caractéristique de la spiritualité solitaire de REVERDY. Le thème du *dénuement* occupe une place importante dans son œuvre, où il est comme le contrepoids d'une sensibilité entraînée par le vertige d'élans incontrôlés. Quand il ne reste plus rien, il reste encore *le poème* dont la valeur suprême est alors la *discrétion*.

Il n'y a plus rien qui reste
entre mes dix doigts
Une ombre qui s'efface
Au centre
un bruit de pas
Il faut étouffer la voix qui monte trop
Celle qui gémissait et qui ne mourait pas
Celle qui allait plus vite
C'est vous qui arrêtiez ce magnifique élan
L'espoir et mon orgueil [1]
qui passaient dans le vent
Les feuilles sont tombées
pendant que les oiseaux comptaient
les gouttes d'eau [2]
Les lampes s'éteignaient derrière les rideaux
Il ne faut pas aller trop vite
Crainte de tout casser en faisant trop de bruit

Sources du vent, 1947 (Les Trois Collines, éditeur, Genève).

JULES SUPERVIELLE

JULES SUPERVIELLE (1884-1960) est né à Montevideo (Uruguay). Il débuta très jeune dans la poésie avec une plaquette publiée hors commerce en 1900 : *Brumes du passé*. Il se fit connaître par ses *Poèmes de l'humour triste* (1919), titre à la Jules Laforgue, et surtout par *Débarcadères* (1922) et *Gravitations* (1925). Il devait ensuite publier principalement : *Le Forçat innocent* (1930), *La Fable du monde* (1938), *Poème de la France malheureuse* et *Ciel et Terre* (1942), *Orphée* (1946), *A la Nuit* (1947), *Oublieuse Mémoire* (1949). Signalons aussi ses romans et contes, qui baignent dans une délicieuse atmosphère poétique (*L'homme de la pampa*, 1923 ; *Le Voleur d'enfants*, 1926 ; *L'Enfant de la Haute Mer*, 1931, *L'Arche de Noé*, 1938) et son théâtre : *La Belle-au-Bois* (1932) ; *Comme il vous plaira*, adaptation de Shakespeare (1935) ; *Bolivar* (1936) ; *Robinson* et *Schéhérazade* (1949).

Sa poésie, simple et spontanée, n'en a pas moins le sens aigu du *mystère*, qui le mène parfois jusqu'à Dieu, au-delà de la mort et du temps.

— 1 Tentations lyriques : le gémissement du désespoir, et l'orgueilleuse précipitation de l'espoir. — 2 Symbolisme romantique de l'automne.

PROPHÉTIE

Le rêve d'une absence qui se saisirait du monde lui-même suscite une « *poésie de l'humour triste* » qui pénètre le vocabulaire, les images et le rythme. La simplicité technique du poème confère un singulier pouvoir aux présences en forme d'apparitions qui surgissent alors pour constituer *le paysage inattendu* de cette « prophétie ».

Un jour la Terre ne sera
Qu'un aveugle espace qui tourne
Confondant la nuit et le jour [1].
Sous le ciel immense des Andes [2]
Elle n'aura plus de montagnes.
Même pas un petit ravin.

De toutes les maisons du monde
Ne durera plus qu'un balcon
Et de l'humaine mappemonde [3]
10 Une tristesse sans plafond.

De feu l'océan Atlantique
Un petit goût salé dans l'air,
Un poisson volant et magique
Qui ne saura rien de la mer.

D'un coupé de mil-neuf-cent-cinq
(Les quatre roues et nul chemin !)
Trois jeunes filles de l'époque
Restées à l'état de vapeur
Regarderont par la portière
Pensant que Paris n'est pas loin   20
Et ne sentiront que l'odeur
Du ciel qui vous prend à la gorge.

A la place de la forêt
Un chant d'oiseau s'élèvera
Que nul ne pourra situer,
Ni préférer, ni même entendre,
Sauf Dieu qui, lui, l'écoutera
Disant : « C'est un chardonneret. »

Gravitations, 1925 (Librairie Gallimard, éditeur).

SOLEIL

Antique interrogation de l'homme face à l'univers, antique silence de la nature : ce thème se trouve ici renouvelé par la *mélancolie moderne* qui suggère *l'analogie de l'homme et du monde* confondus dans le dialogue de leur commune faiblesse. Ainsi *l'apostrophe au Soleil* se transforme en une confidence, où se mêlent lyrisme intime et poésie cosmique.

Soleil, un petit d'homme est là sur ton chemin
Et tu mets sous ses yeux ce qu'il faut de lointains [1].
Ne sauras-tu jamais un peu de ce qu'il pense ?
Ah ! tu es faible aussi, sans aucune défense,
Toi qui n'as que la nuit pour sillage, pour fin.
Et peut-être que Dieu partage notre faim
Et que tous ces vivants et ces morts sur la terre
Ne sont que des morceaux de sa grande misère,
Dieu toujours appelé, Dieu toujours appelant [2],
10 Comme le bruit confus de notre propre sang.

— 1 Cf. v. 2. : *aveugle*. — 2 L'imagination de Supervielle a été fortement marquée par sa terre d'adoption, l'Amérique du Sud. — 3 Le monde tel que le voient les hommes.

— 1 Image concrète de l'infini de la nature, souvenir aussi des paysages de la pampa. — 2 Religiosité caractéristique de Supervielle : Dieu compense, en y participant, la nostalgie et la faiblesse humaines (cf. *Prophétie*, v. 27).

Soleil, je suis heureux de rester sans réponse,
Ta lumière suffit qui brille sur ces ronces.
Je cherche autour de moi ce que je puis t'offrir,
Si je pouvais du moins te faire un jour chérir
Dans un matin d'hiver ta présence tacite [3],
Ou ce ciel dont tu es la seule marguerite,
Mais mon cœur ne peut rien sous l'os, il est sans voix.
Et toujours se hâtant pour s'approcher de toi,
Et toujours à deux doigts obscurs de ta lumière,
Elle qui ne pourrait non plus le satisfaire.

Le Forçat innocent, 1930 (Librairie Gallimard, éditeur).

OUBLIEUSE MÉMOIRE

L'expérience intérieure de l'*absence* est essentielle à l'homme, dans les fluctuations du souvenir et de l'oubli. Mais la *mémoire* sécrète tout aussi bien, au cœur même de l'absence, des présences éphémères et émouvantes. La fonction du poète, nourri des découvertes de BERGSON et de PROUST, ne serait-elle pas de se faire *le secrétaire de la mémoire ?*

Mais avec tant d'oubli comment faire une rose [1],
Avec tant de départs comment faire un retour ?
Mille oiseaux qui s'enfuient n'en font un qui se pose
Et tant d'obscurité simule mal le jour [2].

Écoutez, rapprochez-moi cette pauvre joue [3],
Sans crainte libérez l'aile de votre cœur
Et que dans l'ombre enfin notre mémoire joue,
Nous redonnant le monde aux actives couleurs.

Le chêne redevient arbre et les ombres, plaine,
10 Et voici donc ce lac sous vos yeux agrandis ?
Que jusqu'à l'horizon la terre se souvienne
Et renaisse pour ceux qui s'en croyaient bannis [4] !

Mémoire, sœur obscure et que je vois de face
Autant que le permet une image qui passe...

Oublieuse Mémoire, 1949 (Librairie Gallimard, éditeur).

— 3 La sensation visuelle (faible éclat du soleil d'hiver) est transposée dans l'ordre sonore (*tacite ;* cf. *sans réponse,* v. 11).

— 1 Cf. le symbolisme traditionnel de la rose, figure de la perfection fragile. — 2 Diffi-culté du souvenir, contradiction essentielle du « temps perdu » et de sa résurrection dans la mémoire. — 3 Ce baiser symbolise le rôle du sentiment dans l'éveil de la mémoire (cf. v. 6-7). — 4 La mémoire remède de l'absence, de l'exil et de l'abolition du monde (cf. *Prophétie*).

LE THÉATRE DE 1919 A 1950

Metteurs en scène et acteurs jouent un rôle considérable dans le théâtre de l'entre-deux-guerres. LUGNÉ-POË (1869-1940), JACQUES COPEAU (1879-1949) — dont la troupe du Vieux-Colombier comprend les acteurs CHARLES DULLIN et LOUIS JOUVET —, GEORGES PITOËFF (1886-1939), au service du drame symboliste, ou GASTON BATY au théâtre Montparnasse, comptent parmi les grands noms de la scène française. Pitoëff, Dullin, Jouvet et Baty s'unissent en un « *Cartel des quatre* » pour rénover la Comédie-Française alors administrée par l'auteur Édouard Bourdet (de 1936 à 1940).

Aidés par ces animateurs de talent, les dramaturges cultivent tous les genres dramatiques. Les comédies satiriques d'ÉDOUARD BOURDET (*Les temps difficiles*, 1934), les dialogues pleins d'esprit de SACHA GUITRY (1885-1957) ou les fantaisies de MARCEL ACHARD (né en 1901 — *Jean de la Lune*, 1929 ; *Patate*, 1957) connaissent le succès. Cependant les pièces surréalistes de ROGER VITRAC (*Victor ou les enfants au pouvoir* en 1928) annoncent le théâtre actuel, tandis que le romancier JULES ROMAINS élève la farce à la dignité du mythe ou de la satire sociale.

JULES ROMAINS

Poète (cf. p. 642) et romancier (cf. p. 768), JULES ROMAINS est également auteur dramatique. Il reste avant tout l'auteur de *Donogoo* (1930) et surtout de *Knock* (1923), c'est-à-dire de grandes *farces*, d'un style vigoureux, animées d'une *verve satirique* très efficace, et qui illustrent par le rire des vérités dignes d'être méditées. Ce normalien a le sens du « canular » ; mais chez lui le « canular » atteint au *grandiose* quand il vise, dans la meilleure *tradition moliéresque*, le charlatanisme de certains médecins et l'insondable crédulité de leurs clients ; et il accède à la dignité du *mythe* lorsque nous voyons, dans *Donogoo*, la fiction devenir créatrice, le néant d'une erreur initiale faire naître la réalité vivante d'une cité.

KNOCK EN ACTION

Avec *Knock ou le triomphe de la médecine*, admirablement interprété par Louis Jouvet, JULES ROMAINS évoque le charlatanisme d'un médecin de campagne et la crédulité de ses clients. Dans cette scène digne de Molière, le docteur KNOCK va ausculter une riche et solide paysanne.

KNOCK *la fait asseoir*

Vous vous rendez compte de votre état ?

LA DAME

Non.

KNOCK, *il s'assied en face d'elle*

Tant mieux. Vous avez envie de guérir, ou vous n'avez pas envie ?

LA DAME

J'ai envie.

KNOCK

J'aime mieux vous prévenir tout de suite que ce sera très long et très coûteux.

LA DAME

Ah! mon Dieu! Et pourquoi ça?

KNOCK

Parce qu'on ne guérit pas en cinq minutes un mal qu'on traîne depuis quarante ans.

LA DAME

10   Depuis quarante ans?

KNOCK

Oui, depuis que vous êtes tombée de votre échelle.

LA DAME

Et combien est-ce que ça me coûterait?

KNOCK

Qu'est-ce que valent les veaux, actuellement?

LA DAME

Ça dépend des marchés et de la grosseur. Mais on ne peut guère en avoir de propres à moins de quatre ou cinq cents francs.

KNOCK

Et les cochons gras?

LA DAME

Il y en a qui font plus de mille.

KNOCK

Eh bien! ça vous coûtera à peu près deux cochons et deux veaux.

LA DAME

Ah! là là! Près de trois mille francs? C'est une désolation, Jésus, Marie!

KNOCK

20   Si vous aimez mieux faire un pèlerinage, je ne vous en empêche pas.

LA DAME

Oh! un pèlerinage, ça revient cher aussi et ça ne réussit pas souvent. *(Un silence.)* Mais qu'est-ce que je peux donc avoir de si terrible que ça?

KNOCK, *avec une grande courtoisie*

Je vais vous l'expliquer en une minute au tableau noir. *(Il va au tableau et commence un croquis.)* Voici votre moelle épinière, en coupe, très schématiquement, n'est-ce pas? Vous reconnaissez ici votre faisceau de Türck et ici votre colonne de Clarke. Vous me suivez? Eh bien! quand vous êtes tombée de l'échelle, votre Türck et votre Clarke ont glissé en sens inverse *(Il trace des flèches)* de quelques dixièmes de millimètre. Vous me direz que c'est très peu. Évidemment. Mais c'est très mal placé. Et puis vous avez ici un tiraillement continu qui s'exerce sur les multipolaires. *(Il s'essuie les doigts.)*

LA DAME

Mon Dieu! Mon Dieu!

KNOCK

Remarquez que vous ne mourrez pas du jour au lendemain. Vous pouvez attendre.

LA DAME

Oh! là là! J'ai bien eu du malheur de tomber de cette échelle!

KNOCK

Je me demande même s'il ne vaut pas mieux laisser les choses comme elles sont. L'argent est si dur à gagner. Tandis que les années de vieillesse, on en a toujours bien assez. Pour le plaisir qu'elles donnent!

LA DAME

Et en faisant ça plus... grossièrement, vous ne pourriez pas me guérir à moins cher?... à condition que ce soit bien fait tout de même.

KNOCK

Ce que je puis vous proposer, c'est de vous mettre en observation. Ça ne vous coûtera presque rien. Au bout de quelques jours, vous vous rendrez compte par vous-même de la tournure que prendra le mal, et vous vous déciderez.

LA DAME

Oui, c'est ça.

KNOCK

Bien. Vous allez rentrer chez vous. Vous êtes venue en voiture?

LA DAME

Non, à pied.

KNOCK

KNOCK, *tandis qu'il rédige l'ordonnance, assis à sa table*

Il faudra tâcher de trouver une voiture. Vous vous coucherez en arrivant. Une chambre où vous serez seule, autant que possible. Faites fermer les volets et les rideaux pour que la lumière ne vous gêne pas. Défendez qu'on vous parle. Aucune alimentation solide pendant une semaine. Un verre d'eau de Vichy toutes les deux heures, et, à la rigueur, une moitié de biscuit, matin et soir, trempée dans un doigt de lait. Mais j'aimerais autant que vous vous passiez de biscuit. Vous ne direz pas que je vous ordonne des remèdes coûteux ! A la fin de la semaine, nous verrons comment vous vous sentez. Si vous êtes gaillarde, si vos forces et votre gaieté sont revenues, c'est que le mal est moins sérieux qu'on ne pouvait croire, et je serai le premier à vous rassurer. Si, au contraire, vous éprouvez une faiblesse générale, des lourdeurs de tête et une certaine paresse à vous lever, l'hésitation ne sera plus permise, et nous commencerons le traitement. C'est convenu ?

60

LA DAME, *soupirant*

Comme vous voudrez.

KNOCK, *désignant l'ordonnance*

Je rappelle mes prescriptions sur ce bout de papier. Et j'irai vous voir bientôt.

Knock, II, 4 (Librairie Gallimard, éditeur).

La COMÉDIE SATIRIQUE est également cultivée par MARCEL PAGNOL (né en 1895) avec *Topaze* (1928), cruelle observation du pouvoir corrupteur de l'argent. Mais elle est dépassée par l'inquiétude métaphysique dans le théâtre d'ARMAND SALACROU, né en 1899, avec l'*Inconnue d'Arras* (1935), *La Terre est ronde* (1938), *L'Archipel Lenoir* (1947).

Le THÉATRE A THÈSE est représenté par les pièces de J.-P. SARTRE (*Les Mouches*, 1943 ; cf. p. 802 *Huis clos*, 1944) et d'ALBERT CAMUS (*Caligula*, 1944 ; *Les Justes*, 1950).

Cependant, GIRAUDOUX, ANOUILH et MONTHERLANT demeurent les grands dramaturges de cette époque.

JEAN GIRAUDOUX

Sa vie, son œuvre   JEAN GIRAUDOUX, né à Bellac, dans le Centre de la France, en 1882, fait de solides études supérieures d'allemand avant d'embrasser la carrière diplomatique. Commissaire à l'Information en 1940, il meurt en 1944 avant d'avoir vu la fin de la guerre.

D'abord romancier (*Siegfried et le Limousin*, en 1922, *Juliette au pays des hommes* en 1924, *Bella* en 1925), il découvre sa vocation dramatique sous l'influence de LOUIS JOUVET. A partir de sa première pièce, *Siegfried* (1928), presque chaque année il fait représenter une nouvelle œuvre. Les plus remarquées sont *Amphitryon* 38 (1929), *Intermezzo* (1933), *La guerre de Troie n'aura pas lieu* (1935), *Électre* (1937), *Ondine* (1939).

A la tragédie menaçante, GIRAUDOUX oppose l'*humour* et un *humanisme* souriant qui refuse l'héroïsme. Mais le bonheur humain n'est ni aveugle ni naïf : se sentant constamment menacé, il atteint à une véritable grandeur. Il n'a rien non plus d'égoïste, étant lié à l'amour qui est don de soi et fusion de deux êtres.

Cependant, plus on s'approche de la guerre, plus le tragique s'impose à Giraudoux, avec l'impression d'angoisse qui l'accompagne. Si *Amphitryon* 38 rayonne d'optimisme (1929), *Électre* (1937) ne peut échapper à la tragédie.

Pour exprimer sa pensée, GIRAUDOUX use d'un *style* léger et poétique, aussi éloigné que possible du réel. Car le théâtre a pour fonction de nous charmer, de nous émerveiller, et non de reconstituer la lourde réalité.

Amphitryon 38   Voici, selon l'auteur, la *trente-huitième* version d'*Amphitryon* ! Giraudoux renouvelle et le mythe et les sources du comique. Renonçant à exploiter le dédoublement de Sosie, il place en revanche le maître des dieux dans une posture assez ridicule. Épris d'Alcmène, Jupiter s'est substitué à l'époux de celle-ci, Amphitryon ; mais il est victime à son tour de son déguisement : au matin, il s'entend dire des choses peu agréables par la très innocente Alcmène qui, à travers son amant divin, n'a pas cessé une seconde d'aimer son mari humain. Ainsi chacun de ses mots est humiliant pour Jupiter. Dans le théâtre de Giraudoux, Alcmène est la femme idéale, qui, *pleinement femme*, refuse d'être autre chose qu'*une simple femme*. Ainsi le *mélange des tons*, d'un effet comique très sûr, n'est nullement gratuit : il traduit la façon toute naturelle et familière dont Alcmène résout le problème de la *condition humaine*.

« IMMORTELLE ? A QUOI BON ? »

ALCMÈNE

Je n'ai pas à nourrir de reconnaissance spéciale à Jupiter sous prétexte qu'il a créé quatre éléments au lieu des vingt qu'il nous faudrait, puisque de toute éternité c'était son rôle, tandis que mon cœur peut déborder de gratitude envers Amphitryon, mon cher mari, qui a trouvé le moyen, entre ses batailles, de créer un système de poulies pour fenêtres et d'inventer une nouvelle greffe pour les vergers. Tu as modifié pour moi le goût d'une cerise, le calibre d'un rayon : c'est toi mon créateur. Qu'as-tu à me regarder, de cet œil ? Les compliments te déçoivent toujours. Tu n'es orgueilleux que pour moi. Tu me trouves trop terrestre, dis ?

JUPITER, *se levant, très solennel*

10   Tu n'aimerais pas l'être moins ?

ALCMÈNE

Cela m'éloignerait de toi.

JUPITER

Tu n'as jamais désiré être déesse, ou presque déesse ?

ALCMÈNE

Certes non. Pour quoi faire ?

JUPITER

Pour être honorée et révérée de tous.

ALCMÈNE

Je le suis comme simple femme, c'est plus méritoire.

JUPITER

Pour être d'une chair plus légère, pour marcher sur les airs, sur les eaux.

ALCMÈNE

C'est ce que fait toute épouse, alourdie d'un bon mari.

JUPITER

Pour comprendre les raisons des choses, des autres mondes.

ALCMÈNE

20   Les voisins ne m'ont jamais intéressée.

JUPITER

Alors, pour être immortelle !

ALCMÈNE

Immortelle ? A quoi bon ? A quoi cela sert-il [1] ?

JUPITER

Comment, à quoi ? Mais à ne pas mourir !

ALCMÈNE

Et que ferai-je, si je ne meurs pas ?

JUPITER

Tu vivras éternellement, chère Alcmène, changée en astre ; tu scintilleras dans la nuit jusqu'à la fin du monde.

ALCMÈNE

Qui aura lieu ?

JUPITER

Jamais.

ALCMÈNE

Charmante soirée ! Et toi, que feras-tu ?

JUPITER

30   Ombre sans voix, fondue dans les brumes de l'enfer, je me réjouirai de penser que mon épouse flamboie là-haut, dans l'air sec.

ALCMÈNE

Tu préfères d'habitude les plaisirs mieux partagés... Non, chéri, que les dieux ne comptent pas sur moi pour cet office... L'air de la nuit ne vaut d'ailleurs rien à mon teint de blonde... Ce que je serais crevassée, au fond de l'éternité !

JUPITER

Mais que tu seras froide et vaine, au fond de la mort !

— 1 Cf. III, 5 « JUPITER : Pourquoi ne veux-tu pas être immortelle ? — ALCMÈNE : Je déteste les aventures ; c'est une aventure, l'immortalité ! »

ALCMÈNE

Je ne crains pas la mort. C'est l'enjeu de la vie [2]. Puisque ton Jupiter,
à tort ou à raison, a créé la mort sur la terre, je me solidarise avec mon
astre. Je sens trop mes fibres continuer celles des autres hommes, des
40 animaux, même des plantes, pour ne pas suivre leur sort. Ne me parle
pas de ne pas mourir tant qu'il n'y aura pas un légume immortel. Devenir
immortel, c'est trahir, pour un humain. D'ailleurs, si je pense au grand
repos que donnera la mort à toutes nos petites fatigues, à nos ennuis de
second ordre, je lui suis reconnaissante de sa plénitude, de son abondance
même... S'être impatienté soixante ans pour des vêtements mal teints,
des repas mal réussis, et avoir enfin la mort, la constante, l'étale mort,
c'est une récompense hors de toute proportion... Pourquoi me regardes-tu
soudain de cet air respectueux ?

JUPITER

C'est que tu es le premier être vraiment humain que je rencontre...

ALCMÈNE

50 C'est ma spécialité, parmi les hommes ; tu ne crois pas si bien dire.
De tous ceux que je connais, je suis en effet celle qui approuve et aime le
mieux son destin. Il n'est pas une péripétie de la vie humaine que je
n'admette, de la naissance à la mort, j'y comprends même les repas de
famille. J'ai des sens mesurés et qui ne s'égarent pas. Je suis sûre que je
suis la seule humaine qui voie à leur vraie taille les fruits, les araignées,
et goûte les joies à leur vrai goût. Et il en est de même de mon intelligence.
Je ne sens pas en elle cette part de jeu ou d'erreur, qui provoque, sous
l'effet du vin, de l'amour, ou d'un beau voyage, le désir de l'éternité.

JUPITER

Mais tu n'aimerais pas avoir un fils moins humain que toi, un fils
60 immortel ?

ALCMÈNE

Il est humain de désirer un fils immortel.

Amphitryon 38, acte II, scène 2 (Grasset, éditeur).

*Vraiment conquis par Alcmène, Jupiter est prêt à garder le silence sur l'aventure de la nuit ;
mais il est trop tard : Mercure a proclamé sa passion et annoncé sa visite. Lorsque Amphitryon
revient, Alcmène, le prenant pour Jupiter, demande à Léda de la remplacer en secret dans les
bras ...d'Amphitryon. Il apparaît donc qu'on ne triche pas avec le destin ! Mais ce nouveau
quiproquo a aussi un autre sens : innocemment coupables l'un et l'autre, les deux époux ne
pourront s'adresser aucun reproche. Jupiter paraît alors, en majesté ; Alcmène refuse décidément d'être immortelle (cf. notes 1 et 2), convertit Jupiter à l'amitié et, devinant ce qui
s'est passé, obtient de lui la faveur d'oublier cette aventure.*

— 2 Noter *l'alexandrin*, et cf. III, 5 « Je sais ce | et mourra. Mon fils chéri naîtra, vivra et mour-
qu'est un avenir heureux. Mon mari aimé vivra | ra. Je vivrai et mourrai. »

ÉLECTRE OU LA JUSTICE IMPLACABLE

ÉLECTRE *hait sa mère ;* sans *savoir* que Clytemnestre a assassiné Agamemnon avec l'aide d'Égisthe son amant, elle le *sent.* Elle armera donc le bras d'Oreste. Mais ÉGISTHE « se déclare » à son tour : dans un danger pressant qui menace Argos, voici que se révèle en lui l'âme d'un grand roi. Qu'Électre lui laisse du moins un jour pour sauver la cité, demain le coupable « avouera publiquement son crime. Il fixera lui-même son châtiment ». Mais la *justice absolue,* incarnée par Électre, ne transige pas et ne saurait attendre... Cette métamorphose d'Égisthe, *imaginée par Giraudoux,* déplace et renouvelle le *tragique* du dénouement. N'est-ce pas *à Électre* qu'Égisthe doit ce sens de la grandeur ? — à Électre par qui il va périr et qu'il appellera en mourant, dans un grand cri *d'amour.*

ÉGISTHE

Et cette justice qui te fait brûler ta ville, condamner ta race, tu oses dire qu'elle est la justice des dieux ?

ÉLECTRE

Je m'en garde. Dans ce pays qui est le mien on ne s'en remet pas aux dieux du soin de la justice. Les dieux ne sont que des artistes. Une belle lueur sur un incendie, un beau gazon sur un champ de bataille, voilà pour eux la justice. Un splendide repentir sur un crime, voilà le verdict que les dieux avaient rendu dans votre cas. Je ne l'accepte pas.

ÉGISTHE

La justice d'Électre consiste à ressasser toute faute, à rendre tout acte irréparable ?

ÉLECTRE

10   Oh ! non ! Il est des années où le gel est la justice pour les arbres, et d'autres l'injustice. Il est des forçats que l'on aime, des assassins que l'on caresse. Mais quand le crime porte atteinte à la dignité humaine, infeste un peuple, pourrit sa loyauté, il n'est pas de pardon.

ÉGISTHE

Sais-tu même ce qu'est un peuple, Électre !

ÉLECTRE

Quand vous voyez un immense visage emplir l'horizon et vous regarder bien en face, d'yeux intrépides et purs, c'est cela un peuple.

ÉGISTHE

Tu parles en jeune fille, non en roi. C'est un immense corps à régir, à nourrir.

ÉLECTRE

Je parle en femme. C'est un regard étincelant, à filtrer, à dorer. Mais
20   il n'a qu'un phosphore, la vérité. C'est ce qu'il y a de si beau, quand vous pensez aux vrais peuples du monde, ces énormes prunelles de vérité.

ÉGISTHE

Il est des vérités qui peuvent tuer un peuple, Électre.

ÉLECTRE

Il est des regards de peuple mort qui pour toujours étincellent. Plût au Ciel que ce fût le sort d'Argos ! Mais, depuis la mort de mon père, depuis que le bonheur de notre ville est fondé sur l'injustice et le forfait, depuis que chacun, par lâcheté, s'y est fait le complice du meurtre et du mensonge, elle peut être prospère, elle peut chanter, danser et vaincre, le ciel peut éclater sur elle, c'est une cave où les yeux sont inutiles. Les enfants qui naissent sucent le sein en aveugles.

ÉGISTHE

30 Un scandale ne peut que l'achever.

ÉLECTRE

C'est possible. Mais je ne veux plus voir ce regard terne et veule dans son œil.

ÉGISTHE

Cela va coûter des milliers d'yeux glacés, de prunelles éteintes.

ÉLECTRE

C'est le prix courant. Ce n'est pas trop cher.

ÉGISTHE

Il me faut cette journée. Donne-la moi. Ta vérité, si elle l'est, trouvera toujours le moyen d'éclater un jour mieux fait pour elle.

ÉLECTRE

L'émeute [1] est le jour fait pour elle.

ÉGISTHE

Je t'en supplie. Attends demain.

ÉLECTRE

Non. C'est aujourd'hui son jour. J'ai déjà trop vu de vérités se flétrir 40 parce qu'elles ont tardé une seconde. Je les connais, les jeunes filles qui ont tardé une seconde à dire non à ce qui était laid, non à ce qui était vil, et qui n'ont plus su leur répondre ensuite que par oui et par oui. C'est là ce qui est si beau et si dur dans la vérité, elle est éternelle mais ce n'est qu'un éclair.

ÉGISTHE

J'ai à sauver la ville, la Grèce.

ÉLECTRE

C'est un petit devoir. Je sauve leur regard... Vous l'avez assassiné, n'est-ce pas ?

Électre, II, 8 (Grasset, éditeur).

─────────

— 1 Les Corinthiens qui attaquent Argos ont des alliés dans la ville : l'émeute gronde.

JEAN ANOUILH

Sa vie, son œuvre   Né à Bordeaux en 1910, JEAN ANOUILH est amené à écrire des pièces de théâtre par admiration pour JOUVET, dont il est le secrétaire, et pour Giraudoux dont le *Siegfried* (1928) lui a révélé une « langue poétique et artificielle qui demeure plus vraie que la conversation sténographique ». Ses autres maîtres furent, avec Musset et Marivaux « mille fois relus », Claudel, Pirandello, Shaw et évidemment Molière. Les metteurs en scène Pitoëff et Barsacq l'initièrent aux nécessités de l'architecture dramatique.

Ses pièces, rangées par ses soins en *Pièces roses, noires, brillantes* et *grinçantes*, peuvent être distinguées par leur dénouement, heureux ou malheureux (rose ou noir) ou par leur ton, sombre, grinçant ou léger. Mais il est plus intéressant de remarquer l'évolution de la pensée d'Anouilh. D'abord tenté par l'intransigeance héroïque de personnages sans compromissions (*Le Voyageur sans bagage*, en 1937 ; *La Sauvage*, en 1938 ; *Antigone*, en 1944), il s'achemine à partir de 1945 vers un humanisme sans illusion qui voit les dangers d'une pureté excessive et qui en mesure à la fois la beauté et l'impossibilité (*Pauvre Bitos ou le dîner de têtes* en 1956, *L'Hurluberlu ou le réactionnaire amoureux* en 1959). Dans *Becket ou l'Honneur de Dieu* (1959), dont le sujet est « historique », Anouilh atteint aux plus hauts sommets de l'art dramatique.

Antigone   *Polynice, fils d'Œdipe, a voulu reprendre le trône à Étéocle et les deux frères se sont entretués.* CRÉON, *roi de Thèbes, a décrété la sanction la plus terrible aux yeux des Grecs :* le cadavre de Polynice restera sans sépulture. *Bravant l'interdiction de son oncle Créon, la « petite »* ANTIGONE *va jeter un peu de terre sur le corps de son frère. Saisie par les gardes, elle tient tête à Créon qui voudrait l'amener à se soumettre et la sauver, car elle est fiancée à son fils* Hémon. *Mais devant l'obstination d'Antigone, le roi devra se résigner à la faire exécuter.* L'action suit donc assez fidèlement la tragédie de Sophocle. Toutefois *de profondes différences* apparaissent dans les sentiments et les mobiles des personnages ; en outre, jouant (après GIRAUDOUX) avec les anachronismes, Anouilh a choisi des costumes du XXᵉ siècle : Créon est en habit, les gardes en gabardine.

ANTIGONE REFUSE LE PAUVRE BONHEUR HUMAIN

Pour réduire la résistance d'ANTIGONE et la sauver, CRÉON le « réaliste » a détruit sa piété pour les dieux, puis son respect pour la mémoire de Polynice, une ignoble crapule. S'il ne croit pas aux dieux, Créon a dit *oui* à la vie et à la « *cuisine* » qu'exige son métier de roi, pour « rendre le monde un peu moins absurde ». Antigone se laisserait gagner, mais il a le tort de lui faire miroiter *le bonheur :* pour elle, cette notion est inconciliable avec les compromis, la tiédeur, la médiocrité. Ce n'est plus, comme dans la tragédie grecque, le conflit entre lois écrites et non écrites, c'est *le refus de pactiser avec la vie*, au nom d'une *pureté* dont l'unique royaume est celui de l'*enfance :* c'est, dans sa dimension métaphysique, *le pessimisme étendu à toute la condition humaine.*

> ANTIGONE, *murmure, le regard perdu*
Le bonheur...

> CRÉON, *a un peu honte soudain*
Un pauvre mot, hein ?

Antigone, *doucement*

Quel sera-t-il, mon bonheur ? Quelle femme heureuse deviendra-t-elle, la petite Antigone ? Quelles pauvretés faudra-t-il qu'elle fasse elle aussi, jour par jour, pour arracher avec ses dents son petit lambeau de bonheur ? Dites, à qui devra-t-elle mentir, à qui sourire, à qui se vendre ? Qui devra-t-elle laisser mourir en détournant le regard ?

Créon, *hausse les épaules*

Tu es folle, tais-toi.

Antigone

Non, je ne me tairai pas. Je veux savoir comment je m'y prendrai, moi aussi, pour être heureuse. Tout de suite, puisque c'est tout de suite qu'il faut choisir. Vous dites que c'est si beau la vie. Je veux savoir comment je m'y prendrai pour vivre.

Créon

Tu aimes Hémon ?

Antigone

Oui, j'aime Hémon. J'aime un Hémon dur et jeune ; un Hémon exigeant et fidèle, comme moi. Mais si votre vie, votre bonheur doivent passer sur lui avec leur usure, si Hémon ne doit plus pâlir quand je pâlis, s'il ne doit plus me croire morte quand je suis en retard de cinq minutes, s'il ne doit plus se sentir seul au monde et me détester quand je ris sans qu'il sache pourquoi, s'il doit devenir près de moi le monsieur Hémon, s'il doit apprendre à dire « oui », lui aussi, je n'aime plus Hémon !

Créon

Tu ne sais plus ce que tu dis. Tais-toi.

Antigone

Si, je sais ce que je dis, mais c'est vous qui ne m'entendez plus. Je vous parle de trop loin maintenant, d'un royaume où vous ne pouvez plus entrer avec vos rides, votre sagesse, votre ventre. *(Elle rit.)* Ah ! je ris, Créon, je ris parce que je te vois à quinze ans, tout d'un coup ! C'est le même air d'impuissance et de croire qu'on peut tout. La vie t'a seulement ajouté tous ces petits plis sur le visage et cette graisse autour de toi.

Créon, *la secoue*

Te tairas-tu, enfin ?

Antigone

Pourquoi veux-tu me faire taire ? Parce que tu sais que j'ai raison ? Tu crois que je ne lis pas dans tes yeux que tu le sais ? Tu sais que j'ai raison, mais tu ne l'avoueras jamais parce que tu es en train de défendre ton bonheur en ce moment comme un os.

CRÉON

Le tien et le mien, oui, imbécile !

ANTIGONE

Vous me dégoûtez tous avec votre bonheur ! Avec votre vie qu'il faut aimer coûte que coûte. On dirait des chiens qui lèchent tout ce qu'ils trouvent. Et cette petite chance pour tous les jours, si on n'est pas trop exigeant. Moi, je veux tout, tout de suite, — et que ce soit entier — ou alors je refuse ! Je ne veux pas être modeste, moi, et me contenter d'un petit morceau si j'ai été bien sage. Je veux être sûre de tout aujourd'hui
40 et que cela soit aussi beau que quand j'étais petite — ou mourir.

CRÉON

Allez, commence, commence, comme ton père !

ANTIGONE

Comme mon père, oui ! Nous sommes de ceux qui posent les questions jusqu'au bout. Jusqu'à ce qu'il ne reste vraiment plus la petite chance d'espoir vivante, la plus petite chance d'espoir à étrangler. Nous sommes de ceux qui lui sautent dessus quand ils le rencontrent votre espoir, votre cher espoir, votre sale espoir !

CRÉON

Tais-toi ! Si tu te voyais criant ces mots, tu es laide.

ANTIGONE

[...] Ah ! vos têtes, vos pauvres têtes de candidats au bonheur ! C'est vous qui êtes laids, même les plus beaux. Vous avez tous quelque
50 chose de laid au coin de l'œil ou de la bouche. Tu l'as bien dit tout à l'heure, Créon, la cuisine. Vous avez des têtes de cuisiniers !

CRÉON, *lui broie le bras*

Je t'ordonne de te taire, maintenant, tu entends ?

ANTIGONE

Tu m'ordonnes, cuisinier ? Tu crois que tu peux m'ordonner quelque chose ?

CRÉON

L'antichambre est pleine de monde. Tu veux donc te perdre ? On va t'entendre.

ANTIGONE

Eh bien, ouvre les portes. Justement. Ils vont m'entendre !

Antigone (La Table Ronde, éditeur).

BECKET OU L'HONNEUR DE DIEU

Thomas Becket, ancien compagnon de débauche du roi Henri II Plantagenêt, est devenu archevêque et primat d'Angleterre. Désormais, il se sent dépositaire de « *l'honneur de Dieu* » et le défend contre l'autorité royale. Dans une entrevue ménagée par le roi de France, les deux hommes tentent de se réconcilier. Ils se rencontrent à cheval, seuls sur une lande glacée, pendant que les barons les observent de loin. L'archevêque et le roi traitent des *problèmes politiques* à travers le *déchirement des passions intimes* : le roi est torturé de voir cette amitié qui se meurt, et l'archevêque, prisonnier de « l'honneur de Dieu », garde tendresse et déférence pour ce prince à qui il a enseigné « l'honneur du royaume ».

Le Roi *crie, soudain, comme un enfant perdu*

Je m'ennuie, Becket !

Becket, *grave*

Mon prince. Je voudrais tant pouvoir vous aider.

Le Roi

Qu'est-ce que tu attends ? Tu vois que je suis en train de crever !

Becket, *doucement*

Que l'honneur de Dieu et l'honneur du roi se confondent.

Le Roi

Cela risque d'être long !

Becket

Oui. Cela risque d'être long. (*Silence. On n'entend plus que le vent.*)

Le Roi, *soudain*

Si on n'a plus rien à se dire, il vaut autant aller se réchauffer !

Becket

On a tout à se dire, mon prince. L'occasion ne se présentera peut-être pas deux fois.

Le Roi

10   Alors, fais vite. Sinon, c'est deux statues de glace qui se réconcilieront dans un froid définitif. Je suis ton roi, Becket ! Et tant que nous sommes sur cette terre, tu me dois le premier pas. Je suis prêt à oublier bien des choses, mais pas que je suis roi. C'est toi qui me l'as appris.

Becket, *grave*

Ne l'oubliez jamais, mon prince. Fût-ce contre Dieu ! Vous, vous avez autre chose à faire. Tenir la barre du bateau.

Le Roi

Et toi, qu'est-ce que tu as à faire ?

Becket

J'ai à vous résister de toutes mes forces, quand vous barrez contre le vent.

LE ROI

Vent en poupe, Becket ? Ce serait trop beau ! C'est de la navigation pour petites filles. Dieu avec le roi ? Ça n'arrive jamais. Une fois par
20 siècle, au moment des croisades, quand toute la chrétienté crie : « Dieu le veut ! » Et encore ! Tu sais comme moi quelle cuisine cela cache une fois sur deux, les croisades. Le reste du temps, c'est vent debout. Et il faut bien qu'il y en ait un qui se charge des bordées !

BECKET

Et un autre qui se charge du vent absurde — et de Dieu. La besogne a été, une fois pour toutes, partagée. Le malheur est qu'elle l'ait été entre nous deux, mon prince, nous étions amis.

LE ROI *crie, avec humeur*

Le roi de France — je ne sais pas encore ce qu'il y gagne — m'a sermonné pendant trois jours pour que nous fassions notre paix. A quoi te servirait de me pousser à bout ?

BECKET

30 A rien.

LE ROI

Tu sais que je suis le roi et que je dois agir comme un roi. Qu'espères-tu ? Ma faiblesse ?

BECKET

Non. Elle m'atterrerait.

LE ROI

Me vaincre par la force ?

BECKET

C'est vous qui êtes la force.

LE ROI

Me convaincre ?

BECKET

Non plus. Je n'ai pas à vous convaincre. J'ai seulement à vous dire non.

LE ROI

Il faut pourtant être logique, Becket !

BECKET

Non, ce n'est pas nécessaire, mon roi. Il faut seulement faire, absur-
40 dement, ce dont on a été chargé — jusqu'au bout. [...]

LE ROI, *ricane*

Tu as été touché par la grâce ?

BECKET, *grave*

Pas par celle que vous croyez. J'en suis indigne. [...]

LE ROI

Alors ?

Ci-dessus,
Jean-Denis Malcles :
décor pour « Becket » de Jean Anouilh. 1959.
Collection de J.-D. Malcles.
(Photo J.-L. Charmet - E.B.)

Ci-dessous
Montherlant : *la Reine morte.*
Décor du 3e acte par Roland Oudot, 1942.
Collection de la Comédie-Française.
(Photo J.-L. Charmet - E.B.)

Scott : *la Voie sacrée de Verdun*. 1916. Les camions chargés de poilus roulent la nuit vers Verdun, empruntant la Voie sacrée, route sillonnée dans les deux sens par un flot infini de camions. Paris, musée de l'Armée. *(Photo Eileen Tweedy - E.R.L.)*

Courrier-Sud. Affiche pour l'Aéropostale : France-Amérique du Sud (1931), la compagnie et la ligne de Saint-Exupéry. Paris, musée de l'Armée. *(Photo J.-L. Charmet - E.B.)*

BECKET

Je me suis senti chargé de quelque chose tout simplement, pour la première fois, dans cette cathédrale vide, quelque part en France, où vous m'avez ordonné de prendre ce fardeau. J'étais un homme sans honneur. Et tout d'un coup, j'en ai eu un, celui que je n'aurais jamais imaginé devoir devenir le mien, celui de Dieu. Un honneur incompréhensible et fragile, comme un enfant-roi poursuivi.

Intraitable sur ses « devoirs de pasteur », Becket cède sur le reste : « par esprit de paix, dit-il, et parce que je sais qu'il faut que vous restiez le roi — fors l'honneur de Dieu ».

LE ROI, *froid, après un temps*

50   Eh bien, soit. Je t'aiderai à défendre ton Dieu, puisque c'est ta nouvelle vocation, en souvenir du compagnon que tu as été pour moi — fors l'honneur du royaume ! Tu peux rentrer en Angleterre, Thomas.

BECKET

Merci, mon prince. Je comptais de toute façon y rentrer et m'y livrer à votre pouvoir, car sur cette terre, vous êtes mon roi. Et pour ce qui est de cette terre, je vous dois obéissance.

LE ROI, *embarrassé, après un temps*

Eh bien, retournons maintenant. Nous avons fini. J'ai froid.

BECKET, *sourdement aussi*

Moi aussi, maintenant, j'ai froid.

Un silence encore. Ils se regardent. On entend le vent.

LE ROI, *demande soudain*

Tu ne m'aimais pas, n'est-ce pas, Becket ?

BECKET

Dans la mesure où j'étais capable d'amour, si, mon prince.

LE ROI

60   Tu t'es mis à aimer Dieu ? *(Il crie.)* Tu es donc resté le même, sale tête, à ne pas répondre quand on te pose une question ?

BECKET, *doucement*

Je me suis mis à aimer l'honneur de Dieu.

Becket, IV (La Table Ronde, éditeur).

BECKET *rentre en Angleterre, mais le roi ne peut tolérer la « trahison » de cet homme qu'il a « tiré du néant de sa race » et qu'il aime peut-être encore. Éperdu de douleur, il s'écrie devant ses barons : « Personne ne me délivrera donc de lui ? Un prêtre ! Un prêtre qui me nargue et qui me fait injure ! » Quatre seigneurs se consultent du regard et sortent... A la fin de la pièce, nous assistons au meurtre de* THOMAS BECKET, *qui s'est paré des plus beaux ornements sacerdotaux pour affronter dignement la mort dans sa cathédrale de Cantorbéry.*

HENRY DE MONTHERLANT

Sa vie, son œuvre HENRY DE MONTHERLANT, né à Paris en 1896, garde de son adolescence la nostalgie de l'atmosphère religieuse et des amitiés du collège Sainte-Croix-de-Neuilly ; sa jeunesse se partage entre la guerre, le sport et la pratique de la tauromachie. Ses premiers romans (*La Relève du matin* en 1920 ; *Les Bestiaires* en 1926) expriment la pureté et la noblesse de l'effort pour lui-même.

Après 1925, il abandonne la violence pour une jouissance égoïste qui s'accompagne de lucidité et d'une hauteur satisfaite d'elle-même (*Les Célibataires* 1934 ; *Les Jeunes Filles* 1936-1939). A partir de 1942, Montherlant se consacre au théâtre, avec *La Reine Morte* (1942), *Le Maître de Santiago* (1947), *La Ville dont le prince est un enfant* (1951), *Port-Royal* (1954), *Le Cardinal d'Espagne* (1960).

UNE DRAMATURGIE CLASSIQUE. « Il y a dans mon œuvre une veine *chrétienne* et une veine *profane* (ou pis que profane), que je nourris alternativement, j'allais dire simultanément, comme il est juste, toute chose en ce monde méritant à la fois l'assaut et la défense » *(Le Maître de Santiago, Postface)*. Cette complexité disposait Montherlant au *dialogue*, au *conflit* des idées et des êtres : son théâtre révèle une aptitude exceptionnelle à faire parler chacun selon ses sentiments et ses intérêts. On discute son « christianisme », mais l'erreur serait d'identifier l'auteur à ses héros (Ferrante, Alvaro) : « *Je ne suis aucun d'eux*, dit-il, *et je suis chacun d'eux* ». Plutôt que l'essence du christianisme, il en peint certains aspects particuliers *(Port-Royal)*.

Profane ou chrétien, son théâtre s'apparente au *drame* par le rôle de la *surprise, le lyrisme spontané*, le parti pris de respecter le « *clair-obscur de l'homme* » : « Le théâtre, dit-il, est fondé sur la cohérence des caractères, et la vie est fondée sur leur incohérence ». L'inconsistance de Ferrante est une des données de *La Reine Morte*. Mais ces pièces sont d'*essence classique* par la primauté de la *psychologie*, car pour Montherlant « *tout vient des êtres* ». Son objet est « d'exprimer avec le maximum d'intensité et de profondeur un certain nombre de mouvements de l'âme humaine » et une pièce n'est qu'un « prétexte à l'exploration de l'homme ».

La Reine Morte Le sujet de *La Reine Morte* est emprunté à l'histoire d'INÈS DE CASTRO, épouse secrète de l'Infant Pedro, assassinée en 1355 sur l'ordre du roi Alphonse IV de Portugal : monté sur le trône, Pedro fit exhumer le cadavre d'Inès et obligea la cour à rendre à la *Reine morte* les honneurs royaux.

Pour des motifs politiques, le vieux roi FERRANTE *voudrait marier son fils* PEDRO, *qui n'a ni volonté ni ambition, à l'énergique et fière* INFANTE *de Navarre. Pedro révèle qu'il a déjà épousé en secret une dame de la cour,* INÈS. *Dans sa fureur, le roi jette son fils en prison « pour médiocrité » et s'efforce, mais en vain, d'obtenir du pape l'annulation du mariage. Le tortueux ministre* EGAS COELHO *l'incite alors à faire assassiner la jeune femme. De son côté, la généreuse Infante prévient Inès de ce danger et lui offre l'hospitalité, mais celle-ci refuse de s'éloigner. Repoussant pour l'instant la tentation du meurtre,* FERRANTE *éprouve pour* INÈS *une sympathie étrange. Il se laisse entraîner à lui confier ses* « secrets désespérés » : *il a atteint « l'âge de l'indifférence » ; il ne croit plus au métier de roi, aux exploits que le temps efface ; il est las de mentir aux autres et à lui-même. Émue par cette confidence,* INÈS *dévoile aussi son secret :* « Un enfant de votre sang se forme en moi ». *Le roi s'attendrit, mais se reprend, en prédisant à* INÈS *qu'elle souffrira quand son enfant sera devenu un homme, « c'est-à-dire la caricature de ce qu'il était ».*

MYSTÈRE DE L'ENFANT QUI VA NAÎTRE

Costals, le cynique héros des *Jeunes Filles*, n'avait que mépris pour les femmes, coquettes et futiles — accusées de vouloir rabaisser l'homme en le rendant esclave, — et MONTHERLANT s'était fait une réputation de *romancier misogyne*. Son théâtre *réhabilite au contraire la femme*, surtout la *mère*, rendue sublime par le don total d'elle-même. Rien n'est plus touchant que les illusions d'INÈS DE CASTRO : son enfant aura toutes les perfections ; pour lui, elle est prête à tous les sacrifices ; et sa tendresse débordante s'étend à l'humanité entière. FERRANTE a connu jadis la même tendresse pour son propre fils ; mais maintenant cet hymne à l'amour et à la vie lui paraît *absurde*. N'est-il pas un père déçu ? La vie n'a-t-elle pas brisé en lui toute illusion, toute foi dans les hommes ? Aussi trouve-t-il un *âpre plaisir* à détruire les *rêves* d'INÈS pour la ramener sans cesse au *cauchemar* des réalités. Peut-être même son âme sombre conçoit-elle déjà le désir d'infliger un *démenti terrible* à cette insupportable espérance.

INÈS

J'accepte de devoir mépriser l'univers entier, mais non mon fils. Je crois que je serais capable de le tuer, s'il ne répondait pas à ce que j'attends de lui.

FERRANTE

Alors, tuez-le donc quand il sortira de vous. Donnez-le à manger aux pourceaux. Car il est sûr que, autant par lui vous êtes en plein rêve, autant par lui vous serez en plein cauchemar.

INÈS

Sire, c'est péché à vous de maudire cet enfant qui est de votre sang.

FERRANTE

J'aime décourager. Et je n'aime pas l'avenir.

INÈS

L'enfant qui va naître a déjà son passé.

FERRANTE

10   Cauchemar pour vous. Cauchemar pour lui aussi. Un jour on le déchirera, on dira du mal de lui... Oh ! je connais tout cela.

INÈS

Est-il possible qu'on puisse dire du mal de mon enfant !

FERRANTE

On le détestera...

INÈS

On le détestera, lui qui n'a pas voulu être !

FERRANTE

Il souffrira, il pleurera...

INÈS

Vous savez l'art des mots faits pour désespérer ! — Comment retenir ses larmes, les prendre pour moi, les faire couler en moi ? Moi, je puis tout supporter : je puis souffrir à sa place, pleurer à sa place. Mais lui ! Oh ! Que je voudrais que mon amour eût le pouvoir de mettre dans sa vie un
20 sourire éternel ! Déjà, cependant, on l'attaque, cet amour. On me désapprouve, on me conseille, on prétend être meilleure mère que je ne le suis. Et voici que vous, Sire — mieux encore ! — sur cet amour vous venez jeter l'anathème. Alors qu'il me semblait parfois que, si les hommes savaient combien j'aime mon enfant, peut être cela suffirait-il pour que la haine se tarît à jamais dans le cœur. Car moi, tant que je le porte, je sens en moi une puissance merveilleuse de tendresse pour les hommes. Et c'est lui qui défend cette région profonde de mon être d'où sort ce que je donne à la création et aux créatures. Sa pureté défend la mienne [1]. Sa candeur préserve la mienne contre ceux qui voudraient la détruire. Vous savez
30 contre qui [2], Seigneur.

FERRANTE

Sa pureté n'est qu'un moment de lui, elle n'est pas lui. Car les femmes disent toujours : « Élever un enfant pour qu'il meure à la guerre ! » Mais il y a pis encore : élever un enfant pour qu'il vive et se dégrade dans la vie. Et vous, Inès, vous semblez avoir parié singulièrement pour la vie. Est-ce que vous vous êtes regardée dans un miroir ? Vous êtes bien fraîche pour quelqu'un que menacent de grands tourments. Vous aussi vous faites partie de toutes ces choses qui veulent continuer, continuer... Vous aussi, comme moi, vous êtes malade : votre maladie à vous est l'espérance. Vous mériteriez que Dieu vous envoie une terrible épreuve, qui ruine enfin votre
40 folle candeur, de sorte qu'une fois au moins vous voyiez ce qui est.

INÈS

Seigneur, inutile, croyez-moi, de me rappeler tout ce qui me menace. Quoi qu'il puisse paraître quelquefois, jamais je ne l'oublie.

FERRANTE, *à part*

Je crois que j'aime en elle le mal que je lui fais. *(Haut.)* Je ne vous menace pas, mais je m'impatiente de vous voir repartir, toutes voiles dehors, sur la mer inépuisable et infinie de l'espérance. La foi des autres me déprime.

— 1 Cf. « Il s'agit d'être encore plus stricte avec soi, de se sauver de toute bassesse, de vivre droit, sûr, net et pur, pour qu'un être puisse garder plus tard l'image la plus belle possible de vous, tendrement et sans reproche. Il est une revision, ou plutôt une seconde création de moi ; je le fais ensemble et je me refais. Je le porte et il me porte. Je me fonds en lui. Je coule en lui mon bien. » (III, 6). — 2 Allusion à Egas Coelho.

INÈS

Sire, puisque Votre Majesté connaît désormais l'existence de mon enfant...

FERRANTE

En voilà assez avec cet enfant. Vous m'avez étalé vos entrailles, et vous
50 avez été chercher les miennes. Vous vous êtes servie de votre enfant à venir, pour remuer mon enfant passé. Vous avez cru habile de me faire connaître votre maternité en ce moment, et vous avez été malhabile.

La Reine Morte, III, 6 (Librairie Gallimard, éditeur).

Le tragique de La Reine Morte *tient à la lente montée vers l'ordre funeste suspendu pendant trois actes sur la tête d'*INÈS *et que, même après l'avoir prononcé, le ténébreux* FERRANTE *semble pouvoir retirer au dernier instant. Conscient des risques de ce crime inutile comme du plaisir qu'il éprouve à commettre la faute, il est incapable d'en discerner les motifs réels. Besoin de prouver aux « autres » qu'il n'est pas faible ? Désir de sortir de l'indécision ? Haine de la vie et dépit devant la confiance d'*INÈS *? Pas plus que Ferrante, le spectateur ne saurait voir clair dans cette âme qui parcourt incessamment le trajet « de l'enfer aux cieux ». A peine a-t-il ordonné le meurtre de la jeune femme que le roi chancelle, frappé, dit-il, par « le sabre de Dieu ». A la fin de la pièce, on porte sur une civière* INÈS *morte. Devant les courtisans qu'il force à s'agenouiller,* PEDRO *prend la couronne et la pose sur le ventre d'*INÈS. — *Le cadavre de* FERRANTE *reste seul.*

Port-Royal   *A Port-Royal, en 1664. Le Jansénisme a été condamné par le pape, et l'autorité fait pression sur les religieuses qui refusent de signer le Formulaire rejetant la doctrine de Jansénius. Nous assistons à leurs débats, leurs indécisions, leurs angoisses en attendant la venue de l'archevêque Péréfixe. Il survient en grand apparat et tente une dernière fois, mais en vain, de leur faire signer le Formulaire. Il décide alors que douze sœurs seront chassées et remplacées par des sœurs de la Visitation.*

LES PORTES DU JOUR ET LES PORTES DES TÉNÈBRES

Seules restent en scène *deux religieuses* dont l'aînée, Angélique, doit quitter le monastère. DRAME DE LA FOI : la Sœur ANGÉLIQUE, nièce du grand Arnauld, ancienne Maîtresse des novices, qui a animé par sa confiance et sa dialectique la résistance de Port-Royal, découvrant que *sa foi ne résiste pas à l'épreuve,* franchit avec horreur les *Portes des Ténèbres ;* au contraire, la jeune Sœur FRANÇOISE, âme contemplative qui méprise les choses terrestres, s'est *retrempée par la prière* et s'apprête à subir la persécution : elle a vu s'ouvrir les *Portes du Jour.*
DRAME DE LA SOUFFRANCE : Angélique quitte pour toujours cette *maison,* qui était sa raison d'être, et cette *novice* qu'elle a « nourrie » comme une mère ; leur cœur se brise, mais la *règle* leur interdit toute affection humaine ; Angélique est en proie au *doute,* mais au lieu d'implorer secours, elle soutient la *foi* de Françoise, seule promesse de *salut.*

LA SŒUR FRANÇOISE

Ma Sœur, je vous en prie, répondez à ma question : Est-ce un homme qui nous juge coupables, ou est-ce un homme qui ne fait que gagner le salaire qu'on lui a payé d'avance ?

LA SŒUR ANGÉLIQUE

Ne cherchez pas à percer ces choses. Il y a de tout en certaines âmes. Et parfois dans le même moment.

LA SŒUR FRANÇOISE

Est-ce un homme qui croit en Dieu, ou est-ce, comme M. l'Évêque de... ?

LA SŒUR ANGÉLIQUE

Ne cherchez pas à percer ces choses. Si l'on perçait qui croit et qui ne croit pas...

LA SŒUR FRANÇOISE

Une personne ecclésiastique qui ne serait pas ce que son habit fait paraître !

LA SŒUR ANGÉLIQUE

Peut-être qu'il y en a qui sont ainsi, et qui méritent surtout d'être plaintes.

LA SŒUR FRANÇOISE

Ah ! ma Sœur, cette plainte ! De vous !

LA SŒUR ANGÉLIQUE

Quoi ! nulle pitié pour qui, sous ce vêtement *(elle touche son scapulaire)*, aurait un trouble, un doute...

LA SŒUR FRANÇOISE

Un doute sur quoi ?

LA SŒUR ANGÉLIQUE

Un doute... sur toutes les choses de la foi et de la Providence ; un doute si l'ordonnance du monde est bien telle, qu'elle nous justifie de vivre comme nous vivons.

LA SŒUR FRANÇOISE

Pas de pitié pour qui, ayant ce doute, n'arracherait pas son habit dans l'instant, devenu un leurre abominable, car Dieu punit quelquefois toute une communauté, pour le péché d'une seule.

LA SŒUR ANGÉLIQUE

Toute une communauté... punie... pour le péché d'une seule...

LA SŒUR FRANÇOISE

Et avec raison. Le mal d'un seul doigt peut rendre le corps entier malade.

LA SŒUR ANGÉLIQUE, *à part*

Qu'ai-je fait pour être à ce point abandonnée ?

LA SŒUR FRANÇOISE

Je n'aurais pas dû revenir et demander à Monseigneur sa bénédiction. Je n'aurais pas dû lui parler tant. Les positions sont prises ; on se débat pour rien. Pendant que je parlais, vous priiez. C'est vous qui aviez raison.

La Sœur Angélique

Ai-je prié ? Je ne sais. J'étais dans un autre monde ; j'y suis encore.
30 Et peut-être n'ai-je prié que par mes larmes.

La Sœur Françoise

Je les voyais tomber sur la croix de votre scapulaire...

La Sœur Angélique

Elles étaient bien là.

La Sœur Françoise

Ma Mère... laissez-moi vous donner ce nom de Mère, maintenant que
vous allez beaucoup souffrir.

La Sœur Angélique

Vous me le donnerez quand vous saurez comment j'ai souffert.

La Sœur Françoise

Ma Sœur... — Ma Mère, ma chère Mère, où êtes-vous ? Vous reverrai-je
jamais ?

La Sœur Angélique

Je vous ai nourrie cinq ans, d'un lait que pas une mère... Mais je ne sais
à quoi je pense en vous disant cela... Vous êtes assez grande, vous pourriez
40 aller seule, quand même je vous quitterais. Or, je ne vous quitte pas ; on
ne quitte que ce qu'on cesse d'aimer.

La Sœur Françoise

Est-ce vous qui me dites cela ? Vous qui tantôt me reprochiez si fort
cette petite amitié humaine où vous croyiez que je voulais prétendre ?

Elle prend la main de la sœur Angélique.
Celle-ci dégage doucement sa main.

La Sœur Angélique

Il ne faut à aucun prix qu'un être, par sa trahison, nous décourage d'avoir
plus jamais confiance en d'autres êtres. Il aurait trop gagné s'il avait tué en
nous la confiance faite à notre prochain.

La Sœur Françoise

Ah ! n'est-ce donc que cela !

La Sœur Angélique

Vous, vous avez compris ce que vous ne compreniez point. Pour vous
viennent de s'ouvrir les Portes du Jour...

La Sœur Françoise

50   Quel jour? A quel point terni!

La Sœur Angélique

Pour moi j'ai franchi les Portes des Ténèbres, avec une horreur que vous ne pouvez pas savoir et qui doit n'être sue de personne.

La Sœur Françoise

Quelles ténèbres? Je prie Dieu qu'il me fasse la grâce d'être un jour dans le Ciel à vos pieds.

Le Premier Aumonier, *entrant, venant de la cour*

Ma Sœur, le carrosse... Ne tardez pas. Les Sœurs de la Visitation arrivent.

La Sœur Angélique

Les Sœurs de la nuit : la nuit qui s'abat sur notre monastère. Cette nuit-là, et l'autre nuit. *(Elle se prosterne.)* Je baise le sol de la maison où peut-être je ne reviendrai plus, comme nous faisions baiser le sol à nos
60 petites filles, dès que sorties du lit, le premier acte de leur journée, — au temps des petites filles...   *Elle baise le sol, et se relève.*

La Sœur Françoise

Je serai fidèle à ce temps des petites filles. Je serai fidèle... Je serai fidèle.

La Sœur Angélique

Soyez fidèle pour toutes celles et pour tous ceux qui...

La Sœur Françoise

Vous retrouverez Dieu et Port-Royal partout. On n'est jamais seule quand on a la foi.

La Sœur Angélique

Mon enfant! — Je ne sais ce que je retrouverai.

La Sœur Françoise *la regarde avec surprise, puis lui demande à voix basse*

Que voulez-vous dire?

La Sœur Angélique, *se redressant*

Je veux dire que la nuit qui s'ouvre passera comme toutes les choses de ce monde. Et la vérité de Dieu demeurera éternellement, et délivrera tous
70 ceux qui ne veulent être sauvés que par elle.

Elle dit cela avec effort, d'un air si étrange — mécanique — et paraissant si absente de ce qu'elle dit, que la Sœur Françoise en est interdite.

Port-Royal (Librairie Gallimard, éditeur).

LE ROMAN DE 1919 A 1939

LE « ROMAN-FLEUVE »

Depuis Balzac, le réalisme romanesque tend à souligner les affinités du roman avec *l'histoire* des individus et des sociétés, ce qui n'exclut nullement une tendance à faire du roman l'équivalent moderne de *l'épopée*. Ainsi les années 1920-1940, particulièrement fécondes, ont vu paraître des œuvres qui, par-delà les différences de tempérament et d'intentions, présentent certains traits communs : tout d'abord *une forme*, celle du roman cyclique ; ensuite une *signification*, englobant, dans les méandres du « fleuve », l'analyse psychologique des caractères, la grande fresque historique et sociale, et le symbolisme moral ou philosophique. Le roman reste donc *réaliste* dans la mesure où il se fonde sur une documentation détaillée et se préoccupe de faire vivre la réalité sociale d'une époque, mais il *déborde* aussi ce *réalisme*, soit en s'élevant jusqu'à l'amplification épique, soit en suggérant une véritable interprétation philosophique de l'histoire individuelle et collective.

Trois grandes « séries » romanesques dominent à cet égard la production de l'entre-deux-guerres, de 1920-1940 : *Les Thibault* de ROGER MARTIN DU GARD, *La Chronique des Pasquier* de GEORGES DUHAMEL et *Les Hommes de Bonne Volonté* de JULES ROMAINS, œuvres qui témoignent de la vitalité du genre. Et cette vitalité s'est maintenue depuis, grâce à des romanciers contemporains tels que Charles Plisnier (1896-1952), avec les cycles de *Mariages*, de *Meurtres* et de *Mères*, Philippe Hériat (né en 1898), avec la « geste » de *La Famille Boussardel*, ou Henri Troyat (né en 1911), dont on lira avec intérêt *Les Semailles et les Moissons*.

ROGER MARTIN DU GARD

Sa vie, son œuvre   La vocation romanesque de ROGER MARTIN DU GARD (1881-1958) est née très tôt, en particulier sous l'influence de *Guerre et Paix* de Tolstoï. Il entre en 1899 à l'école des Chartes, et il devra aux études qu'il y poursuit la précision minutieuse et scientifique de sa documentation et de ses descriptions. Son vaste roman cyclique intitulé LES THIBAULT occupe tout son temps entre 1920 et 1939, le dernier volume, *Épilogue*, paraissant en 1940.

Une somme romanesque   C'est dans *Les Thibault* que l'auteur a pleinement réalisé sa volonté : une famille, des individus nettement typés, des milieux sociaux divers peints avec une rigueur exemplaire, la présence aussi du romancier à travers les obsessions et les inquiétudes de ses personnages, tout cela transforme le roman en une *somme*, selon le modèle du roman tolstoïen. Martin du Gard y apparaît surtout comme *un historien moraliste* qui tient le journal d'une génération (celle qui avait trente ans en 1914), mais aussi son propre journal, avec le retour de ses grands thèmes de méditation : le destin, la justice, le dialogue de l'esprit et du cœur, et enfin, le mystère de la mort. Car Martin du Gard n'a pu trouver dans son agnosticisme aucune sérénité, aucun réconfort : au cœur de son œuvre vibre, avec pudeur et discrétion, mais avec une intensité d'autant plus dramatique, la hantise du néant et de la vanité universelle.

L'AGONIE DU PÈRE

C'est pour assister à l'agonie de leur père qu'Antoine et Jacques reviennent ensemble à Paris. Personnage secondaire en un certain sens, Oscar Thibault, le père, n'en domine pas moins le roman : aussi un volume entier est-il consacré, sous le titre *La mort du père*, à son agonie, à sa mort, et aux réflexions d'Antoine sur cette étonnante et secrète personnalité, tandis que Jacques, devenu un *étranger*, ne songe qu'à regagner la Suisse au plus tôt. Mais les pages les plus vigoureuses de ce volume, qui sont aussi un des sommets du roman, sont celles de la première partie, consacrée à la description de l'agonie du père.

M. Thibault semblait s'être assoupi. Avant l'arrivée de l'abbé Vécard, il avait fait, ainsi, plusieurs plongées dans l'inconscient. Mais ces subites absences étaient brèves [1] ; il remontait à la surface, d'un seul coup, retrouvait son épouvante et recommençait, avec des forces neuves, à se démener.

L'abbé eut l'intuition que la trêve serait courte et qu'il fallait la mettre à profit. Une bouffée de chaleur lui vint au visage : de tous les devoirs de son ministère, l'assistance aux mourants était celui qu'il avait toujours le plus redouté.

10   Il s'approcha du lit : « Vous souffrez, mon ami... Vous traversez une heure cruelle... Ne restez pas seul avec vous-même : ouvrez votre cœur à Dieu... ».

M. Thibault, se tournant, fixa sur son confesseur un regard si anxieux que le prêtre battit des cils. Mais déjà l'œil du malade se chargeait de colère, de haine, de mépris. Une seconde seulement : l'effroi y reparut aussitôt. Et, cette fois, l'expression d'angoisse était à ce point insoutenable que l'abbé dut baisser les paupières et se détourner à demi.

Le moribond claquait des dents. Il bégaya : « Oh là là... Oh là là... J'ai peur... »

20   Le prêtre se ressaisit.

— « Je suis venu pour vous aider », fit-il avec douceur... « Prions, d'abord... Appelons en nous la présence de Dieu... Prions ensemble, mon ami. »

M. Thibault lui coupa la parole : « Mais ! Regardez ! Je... Je suis... Je vais... » (Il n'avait pas le courage de braver la mort avec les mots précis.)

Il plongea dans les coins obscurs de la chambre un regard extravagant. Où trouver du secours ? Les ténèbres s'épaississaient autour de lui. Il poussa un cri qui explosa dans le silence et fut presque un soulagement pour l'abbé. Puis, de toutes ses forces, il appela : « Antoine ! Où est Antoine ? »

30 Et, comme l'abbé avait fait un mouvement des mains : « Laissez-moi, vous !... Antoine ! »

Alors l'abbé changea de tactique. Il se redressa, regarda douloureusement son pénitent, puis, d'un grand geste du bras, comme s'il exorcisait un énergumène, il le bénit une seconde fois.

— 1 Son mal est caractérisé par la violence de fréquentes crises d'urémie convulsive.

Ce calme acheva d'exaspérer M. Thibault. Il se souleva sur un coude, malgré la douleur qui lui déchirait les reins, et tendit le poing :

— « Les scélérats ! Les salauds !... Et vous, vos histoires !... Assez ! » Puis, avec désespoir : « Je vais... mourir, je vous dis ! Au secours ! »

L'abbé, debout, le considérait, sans le contredire ; et, si persuadé que fût, cette fois, le vieillard, d'être aux confins de sa vie, ce silence lui porta le dernier coup. Secoué de frissons, sentant ses forces faiblir, incapable même de retenir la salive qui mouillait son menton, il répétait, sur un ton suppliant, comme s'il était possible que le prêtre n'eût pas bien entendu, ou pas compris :

— « Je vais mou-rir... Je vais mou-rir... ».

L'abbé soupira, mais il ne fit pas un geste de dénégation. Il pensait que la véritable charité n'est pas toujours de prodiguer aux mourants d'inconsistantes illusions, et que, lorsque vraiment approche la dernière heure, le seul remède à la terreur humaine, ce n'est pas de nier cette mort qui vient et devant laquelle l'organisme, secrètement averti, se cabre déjà : c'est, au contraire, de la regarder en face et de se résigner à l'accueillir.

Il laissa passer quelques secondes, puis, rassemblant son courage, il prononça distinctement :

— « Et quand ce serait, mon ami, est-ce une raison pour avoir si grand-peur ? »

Le vieillard, comme s'il eût été frappé au visage, retomba sur l'oreiller en gémissant : « Oh là là... Oh là là... »

C'était fini : arraché par le tourbillon, roulé sans merci, il se sentait sombrer définitivement, et sa dernière lueur de conscience ne lui servait qu'à mieux mesurer le néant. Pour les autres, la mort, c'était une pensée courante, impersonnelle : un mot entre les mots. Pour lui, c'est tout le présent, c'est le réel. C'est lui-même. De ses yeux ouverts sur le gouffre et agrandis par le vertige, il aperçoit, très loin, séparé de lui par l'abîme, le visage du prêtre, ce visage vivant, — étranger. Être seul, exclu de l'univers. Seul, avec son effroi. Toucher le fond de la solitude absolue !

Dans le silence, s'élevait la voix du prêtre :

— « Voyez : Dieu n'a pas voulu que la mort fondît sur vous à l'improviste, *sicut latro*, comme un voleur. Eh bien, il faut être digne de cette grâce, car c'en est une, — et la plus grande que Dieu puisse nous faire, à nous, pécheurs, — que cet avertissement au seuil de la vie éternelle... ».

M. Thibault entendait, de très loin, ces phrases qui venaient en vain, comme des vagues contre un rocher, battre son cerveau pétrifié par la peur. Un instant, par routine, sa pensée chercha, pour y trouver refuge, à évoquer l'idée de Dieu ; mais cet élan se brisa au départ. La Vie éternelle, la Grâce, Dieu, — langage devenu inintelligible : vocables vides, sans mesure avec la terrifiante réalité !

— « Remercions Dieu », continuait l'abbé. « Heureux ceux qu'Il arrache à leur propre volonté, pour les attacher à la Sienne. Prions. Prions ensemble, mon ami... Prions de toute notre âme, et Dieu vous viendra en aide. »

80   M. Thibault tourna la tête. Au fond de sa terreur bouillonnait un reste
de violence. Il aurait volontiers assommé le prêtre, s'il avait pu. Le
blasphème lui monta aux lèvres : « Dieu ? Quoi ? Quelle aide ? C'est idiot,
à la fin. Est-ce que ce n'est pas Lui, justement ? Est-ce que ce n'est pas Lui
qui veut ?... » Il s'étranglait. « Alors, quoi, quelle aide ? » cria-t-il
rageusement.

Le goût de la dispute l'avait repris, au point qu'il oubliait que, une
minute plus tôt, son angoisse avait nié Dieu. Il poussa un gémissement :

— Ah, comment Dieu me fait-il ça ! »

L'abbé hocha la tête : « *Quand vous vous croyez bien loin de moi*, dit
90   *l'Imitation, c'est souvent alors que je suis le plus proche de vous...* ».

M. Thibault avait écouté. Il demeura quelques secondes silencieux.
Puis, se tournant vers son confesseur, mais cette fois avec un geste de
détresse :

— « L'abbé, l'abbé », supplia-t-il, « faites quelque chose, priez, vous !...
Ce n'est pas possible, dites ?... Empêchez-moi de mourir ! »

La Mort du Père (Librairie Gallimard, éditeur).

RÉFLÉCHIR ? AGIR ?

Après la mort du père, c'est bientôt l'attentat de Serajevo et la guerre de 1914. Jacques,
tantôt en Suisse, tantôt en France, milite dans les mouvements révolutionnaires et pacifistes.
Il assiste à Paris à l'assassinat de Jaurès, et, dès la mobilisation, décide de passer en Suisse
pour y poursuivre son action politique, devenue pour lui une sorte d'obsession. Déçu
par ce qu'il considère comme la trahison des chefs responsables, Jacques se décide pour
une action individuelle : le 10 août 1914, il part en avion, avec son ami Meynestral, pour
jeter sur le front des tracts pacifistes rédigés en français et en allemand. Mais l'appareil
tombe en flammes : tandis que Meynestrel meurt brûlé, Jacques, pris pour un espion,
est abattu par un gendarme français. De son côté, en attendant d'être mobilisé, ANTOINE
avait continué dans les jours de crise à exercer son métier : sa dernière rencontre avec
Jacques, en juillet 1914, à Paris, lui avait été l'occasion de *réfléchir sur leurs deux destinées.*

Je suis terriblement esclave de ma profession, voilà la vérité,
songeait-il. Je n'ai plus jamais le temps de réfléchir... Réfléchir, ça n'est
pas penser à mes malades, ni même à la médecine ; réfléchir, ce devrait
être : méditer sur le monde... Je n'en ai pas le loisir... Je croirais voler
du temps à mon travail... Ai-je raison ? Est-ce que mon existence profes-
sionnelle est vraiment toute la vie ? Est-ce même toute *ma* vie ?... Pas sûr...
Sous le docteur Thibault, je sens bien qu'il y a quelqu'un d'autre : *moi*...
Et ce quelqu'un là, il est étouffé... Depuis longtemps... Depuis que j'ai
passé mon premier examen, peut-être... Ce jour-là, crac ! la ratière s'est
10   refermée... L'homme que j'étais, l'homme qui préexistait au médecin, —
l'homme que je suis encore après tout, — c'est comme un germe enseveli,
qui ne se développe plus, depuis longtemps... Oui, depuis le premier
examen... Et tous mes confrères sont comme moi... Les meilleurs,

justement... Car ce sont toujours les meilleurs qui font le sacrifice d'eux-mêmes, qui acceptent l'exigence dévorante du travail professionnel... Nous sommes un peu comme des hommes libres qui se seraient vendus... ».

Sa main, au fond de la poche, jouait avec le petit agenda qu'il portait toujours sur lui. Machinalement, il le sortit et parcourut d'un regard distrait la page du lendemain 20 juillet[1], qui était chargée de noms et de signes.

« Pas de blague », se dit-il brusquement : « c'est demain que j'ai promis à Thérivier d'aller revoir sa gosse, à Sceaux... Et j'ai ma consultation à deux heures... ».

Il écrasa sa cigarette dans le cendrier, et s'étira.

« Voilà le docteur Thibault qui reparaît », fit-il en souriant. « Eh bien ! Vivre, c'est agir, après tout ! Ça n'est pas philosopher... Méditer sur la vie ? A quoi bon ? [...] La cause est entendue une fois pour toutes[2]... Vivre, ça n'est pas remettre toujours tout en question... ».

Il se souleva d'un énergique coup de reins, sauta sur ses pieds, et fit quelques pas qui le conduisirent à la fenêtre.

« Vivre, c'est agir[3]... », répéta-t-il, en promenant un regard distrait sur la rue déserte, les façades mortes, la pente des toits où le soleil couchait l'ombre des cheminées. Il continuait à tripoter l'agenda au fond de sa poche. « Demain, c'est lundi : nous allons sacrifier le cobaye du petit 13[4]... Mille chances pour que l'inoculation soit positive... Sale affaire. Perdre un rein à quinze ans... Et puis, il y a cette sacrée gosse de Thérivier... Je n'ai pas de veine, cette année, avec ces pleurésies à *streptos*[5]... Encore deux jours, et, si ça ne va pas, on fera sauter la côte... Eh quoi ! » fit-il brusquement, en laissant retomber le rideau de vitrage. « Faire son travail proprement, est-ce que ça n'est pas déjà quelque chose ?... Et laisser la vie courir... ! »

Il revint au milieu de la pièce et alluma une autre cigarette. Amusé par la consonance, il s'était mis à chantonner, comme un refrain :

« Laisser la vie courir... Et Jacques discourir... Laisser la vie courir... ».

L'Été 14 (Librairie Gallimard, éditeur).

---

*Le roman se termine par un Épilogue consacré aux derniers mois de la vie d'*ANTOINE, *unique survivant des Thibault. Celui-ci est atteint par les gaz à la fin de 1917 sur le front de Champagne. Le mal, provisoirement écarté, n'en est pas moins incurable et, au cours d'une visite pathétique à son maître et ami le Docteur Philip, Antoine acquiert la conviction qu'il est condamné. Progressivement, ses souffrances deviennent intolérables, et il y met fin par une piqûre, le 18 novembre 1918, une semaine après l'armistice.*

— 1 C'est le 20 juillet 1914. — 2 Antoine, en effet, s'est fait une conception définitive de la vie : mélange *saugrenu* — c'est son propre terme — de joies et de peines. — 3 Jacques pourrait aussi accepter cette formule ; mais les deux frères ne se font pas la même idée de l'action : d'où leur incompréhension réciproque ; cette question des rapports entre pensée et action a particulièrement préoccupé Martin du Gard. — 4 Désignation d'un enfant malade par le numéro de son lit. — 5 Abréviation de *streptocoques.*

GEORGES DUHAMEL

Sa vie, son œuvre   Biologiste et médecin, chirurgien militaire en 1914-18, Georges Duhamel (1884-1966) garde de cette expérience une profonde compassion pour les hommes. Humaniste de culture, amateur de poésie, de théâtre et de musique, il observe le heurt des forces matérielles et spirituelles dans l'humanité, et son roman tente de concilier réalisme et idéalisme. *Vie des martyrs* (1917) et *Civilisation* (1918) sont des réquisitoires contre la guerre et des plaidoyers pour le salut de l'homme. Le cycle de Salavin (1920-1932) met en scène un personnage faible et dérisoire, mais aussi avide d'une grandeur qu'il ne sait où chercher. Quant aux dix romans de *La Chronique des Pasquier* (1933-1941), ils mêlent le journal du médecin-biologiste Laurent Pasquier à l'évolution vivante et précise d'une société en état de crise et à l'analyse minutieuse d'une galerie de caractères et de types humains.

L'ÉTERNELLE MISÈRE DE SALAVIN

Le personnage de Louis Salavin, héros du premier « cycle » romanesque de Duhamel, prend les proportions d'un véritable *mythe :* mythe de la faiblesse pitoyable et de l'impuissance, mais aussi mythe d'une *nostalgie* irrépressible. S'il est dérisoire (et Duhamel est ici le précurseur de cette littérature du dérisoire qui connaîtra, vingt ans plus tard, une telle vogue), Salavin n'est pas méprisable ; car il a valeur d'exemple et de symbole : sa faiblesse réside dans son incapacité de s'accepter tel qu'il est, et, croyant se sauver en tentant de se changer, il oublie qu'il ne pourrait se sauver qu'en s'acceptant.

Employé d'une compagnie distributrice de lait pasteurisé et oxygéné, Louis Salavin occupe une position sociale non pas humiliante mais banale. Il voudrait s'arracher à cette banalité de sa condition, de sa personnalité et de son milieu ; il rêve d'une sainteté laïque, car il n'a pas la foi, mais il ne cesse de ressentir, douloureusement et ironiquement, une sorte de permanent échec intérieur. Lorsqu'il en vient à tenir son journal, c'est surtout de ce sentiment de rechute constante dans l'échec, malgré ses tentatives pour faire une « cure d'âme », qu'il s'entretient lui-même. Voici, à la date du 15 octobre, la page consacrée à ses réflexions intimes sur un soir de 15 août où, parce qu'il pleuvait, il était entré par hasard dans un cinéma.

Je n'avais pas payé mon billet très cher et me trouvais au dernier rang du paradis[1]. Moins de cinq minutes et je regrettais ma faiblesse. On donnait cependant un film documentaire non sans intérêt : la vie des bêtes au fond d'un aquarium. Une espèce de salamandre, grossie par la projection à la taille d'un cachalot, ouvrait la gueule en regardant le public. Juste à ce moment l'orchestre jouait une vieille romance langoureuse : « Pourquoi ne pas m'aimer[2] ?... » Personne dans la salle n'avait l'air de remarquer cette discordance grotesque entre le spectacle et la musique. Pour moi, j'en étais indisposé. Vint ensuite un interminable film sentimental, une histoire niaise à pleurer, avec faux effets de lune, espions dans les bosquets, mouchoirs agités, torsions de bouche et battements de paupières, bref, tout ce que je déteste. Je m'efforçais de penser

10

— 1 Terme populaire désignant, au théâtre ou au cinéma, les dernières galeries. — 2 Dans les années 1920, la projection du film muet était accompagnée par un orchestre.

à autre chose. Pas commode : l'image est là qui vous tire l'œil et le blesse. La pensée, comme un papillon de nuit, va se coller à l'écran. Je commençais à m'ennuyer ferme, à maudire ma faiblesse, la pluie, le cinéma, le public, l'immense sottise de tout et de tous. Et voilà qu'à ce moment l'image disparaît. Une âcre odeur chimique se répand dans la salle et quelqu'un crie, sur les gradins : « Au feu ! »

Avant d'aller plus loin, il faut que je fasse une parenthèse. Ce genre
20 d'accidents est de ceux auxquels, toujours, je m'attends. J'y avais donc pensé mille et mille fois, réglant la conduite à tenir. Je serais calme et résigné. Je monterais sur un banc et crierais, dominant les clameurs de la foule : « Ne poussez pas. Ne craignez rien. Sortez en bon ordre. Tout le monde sera sauvé. » Je devais — encore mon programme — attendre avec le plus grand sang-froid, contenir les brutes, protéger les femmes, me porter aux points dangereux, me dévouer, sortir après tous les autres ou périr dans la fumée. Voilà comme, depuis longtemps, j'avais arrangé les choses, dans ma tête. Bon ! Revenons aux faits.

A peine eus-je entendu le cri, je fis, par-dessus les banquettes, un bond
30 dont je ne me serais jamais cru capable. Ce bond, il me parut que tous les gens des derniers gradins l'avaient fait en même temps que moi. L'obscurité n'était pas totale : quelques petites lampes de secours, disposées de place en place, versaient sur la multitude une lueur de mauvais rêve. Un énorme cri confus s'éleva, comme une tornade, et je m'entendis crier, avec les autres, plus fort que les autres, des paroles incohérentes : « Sortez ! Sortez donc ! plus vite ! Poussez ! Poussez ! » Je ne peux dire exactement ce qui se passa pendant les minutes qui suivirent. Quelques souvenirs farouches : je trébuche dans un escalier, je perds mes lunettes, j'enfonce mes coudes et mes genoux dans une épaisse pâte humaine, j'écarte, des deux poings,
40 un visage obscur qui me mord, je marche sur quelque chose de mou, j'aperçois, devant moi, portant un gosse à bout de bras, une femme qui pleure. Mais j'avance, à n'en pas douter, j'avance ; je suis porté de couloir en couloir et, tout d'un coup, l'air, humide et chaud, l'air du dehors, le trottoir gras, une foule qui fuse et prend la course. Une vieille dame qui appelle : « Henri ! Henri ! »

Je pris ma course, comme les autres. La perte de mes lunettes m'avait presque ébloui. Je ne saurais dire, aujourd'hui, combien de temps je courus et par quelles rues je passai. Je repris mon allure normale sur un boulevard fort calme où quelques passants attardés me regardaient curieu-
50 sement. Je n'avais plus de chapeau. J'étais griffé, courbatu, mes vêtements déchirés.

Je rentrai chez moi, j'entends rue Lacépède [3], tout tremblant. Non plus la peur : le désespoir. Le lendemain, j'ouvris le journal comme peut le faire un malfaiteur qui craint d'y trouver son portrait. Quelques lignes,

---

— 3 Aspirant à la « solitude » et prétextant des nécessités professionnelles, Salavin avait quitté l'appartement où il vivait avec sa femme et sa mère, et pris une chambre rue Lacépède.

dans un coin. J'eus bien du mal à les découvrir. Rien de grave, somme toute : quatre ou cinq blessés. Une simple bousculade.

Mais moi, moi, moi ? Quelle chute ! Quel déshonneur ! Et quelle sentence !

J'avais tout prévu, dans mon esprit, sauf moi, sauf mon éternelle
60 misère. Ah ! Dieu, si tu existes, fais-moi revivre, quelque jour, dans la peau d'un homme courageux, courageux à la façon des bêtes, courageux d'instinct comme lâche me voici d'instinct. Ce doit être si bon d'être naturellement courageux. De quoi me servent les résolutions ? Je ne peux dominer mes nerfs. L'événement n'approche pas avec la lenteur des limaces : il fond, il tombe du ciel, il est semblable au vautour. Il m'aveugle et me déchire.

Tel je suis et, pourtant, tel je ne m'accepte pas. Je ne prends pas mon parti d'être Salavin pour l'éternité. Il faut que l'on m'aide et que ça change.

Journal de Salavin, 15 octobre (*Mercure de France*, éditeur).

Salavin ne pourra pas changer ; à travers les illusions, les chimères, les vains appels au secours, il restera lui-même, et d'ailleurs, jusque dans sa congénitale faiblesse, sympathique. Le titre du dernier volume de ce cycle dit bien quel est son destin : Tel qu'en lui-même (1932).

JULES ROMAINS

Sa vie, son œuvre   JULES ROMAINS, de son vrai nom LOUIS FARIGOULE, est né dans le Velay de ses ancêtres, en août 1885. Son père était instituteur à Paris où il fera lui-même toutes ses études. Normalien en 1905, agrégé en 1909, il enseigne la philosophie jusqu'en 1919, tout en se consacrant de plus en plus à sa vocation littéraire. L'*unanimisme* auquel il a participé dès 1903 lui a donné dans sa poésie et dans ses romans le goût de la vie collective. Dans son immense ouvrage, *Les Hommes de bonne volonté* (27 volumes, 1932-1946), il brosse une vaste fresque de la vie politique, économique et sociale entre 1908 et 1933 ; mais, suivant la technique unanimiste, il renonce au héros « miraculeusement élu », à l'« action rectiligne », au bénéfice d'une « diversité de destinées individuelles qui cheminent chacune pour leur compte, en s'ignorant la plupart du temps ».

Les Hommes   Dessein grandiose que celui de Jules Romains com-
de Bonne Volonté   posant cette immense fresque. Le cadre déborde même
la France : ainsi sera évoquée la naissance du régime soviétique en Russie (tome XIX, *Cette grande lueur à l'Est*). Mais les individus, replacés dans le courant de l'histoire, ne seront pas submergés ; ils conserveront l'autonomie d'une vie authentique.

Animé d'une *curiosité universelle*, servi par une *technique* très sûre et une *intelligence* remarquable, Jules Romains complète par une *documentation* rigoureuse, d'une précision scientifique, sa connaissance de milieux très variés. Il a le goût de l'humain et un sens lucide de son inépuisable diversité.

Si ces XXVII volumes ne sont pas dominés par un héros, ils s'organisent autour de deux personnages qui ne sont pas sans parenté avec leur créateur : « hommes de bonne volonté », *les normaliens* JALLEZ *et* JERPHANION, *de la promotion 1908, partagent l'idéal de Jules Romains : ils rêvent d'une large* « confrérie des honnêtes gens » *qui ferait* régner la paix entre les hommes.

VERDUN, 21 FÉVRIER 1916

Quoiqu'il n'ait pas connu le front, Jules Romains a su rendre avec une *vérité* admirable les combats de la guerre de 14. A la façon dont le récit anecdotique se fond dans l'atmosphère générale de la bataille, on reconnaîtra *l'unanimisme* de l'auteur. Le naturel des propos échangés, puis les comparaisons empruntées aux activités du temps de paix donnent à la guerre une *présence* étonnante : il nous semble que nous faisons corps avec la bataille, comme les combattants. Et dans ce dépouillement, quelle *grandeur !* on ne pouvait rendre un plus bel hommage aux soldats de Verdun.

Au cours d'une inspection des avant-postes, le commandant Gastaldi et son adjoint, le sous-lieutenant Mazel, sont surpris par un bombardement. Ils se réfugient dans un abri enterré. Mais il faudrait établir le contact avec l'arrière ; pas de téléphone ; on envoie un agent de liaison : passera-t-il ?... Voici maintenant une nouvelle phase : après la préparation d'artillerie, c'est l'attaque.

Ils se turent quelques instants. Le bombardement semblait bien s'être reporté plus au sud.

— Pour en revenir aux téléphonistes, dit le chef de bataillon, « ç'a toujours été des farceurs ». Tenez, je me rappelle une histoire qui m'est arrivée en Oranie du Sud, du temps que j'étais simple lieutenant sous les ordres de Lyautey. Le téléphone de campagne en était encore à ses débuts, pour ainsi dire. Et là-bas ça n'avait peut-être pas une grande nécessité. Mais Lyautey — il n'avait pas encore fait son chemin — adorait qu'on soit moderne en tout. Il avait beaucoup d'amour-propre pour les troupes
10 coloniales. Il disait souvent : « Est-ce que vous vous prenez pour des épaves du Second Empire ?... » Alors, un jour...

Gastaldi s'interrompit brusquement. Il regarda Mazel, la bouche ouverte.

— Hein ?

— Oui...

— Chut !...

Ils écoutaient, comme ils avaient écouté, quelques heures plus tôt, le cœur de Raoul devenu imperceptible [1].

Il n'y avait pas de doute. On n'entendait plus rien. Ce n'était pas
20 simplement une accalmie, approximative ou locale. Plus rien jusqu'au fond de l'horizon, strictement plus rien. Le bombardement s'était arrêté d'un coup, comme certains orages.

— Mauvais ça », murmura Mazel. Il regarda sa montre : 16 heures. Le silence durait depuis une minute. Il se glissa vers l'ouverture de l'abri, avec un reste de précautions. Il vit le sous-bois encore plein de poussière et de fumée. Des brindilles achevaient de tomber des branches. Tout sentait la ruine fraîche. Cela ressemblait à la minute qui suit l'effondrement d'une maison. Le silence était jeté là-dessus comme un drap sur un mort.

— 1 Le lieutenant Raoul commandait la Grand'Garde 1 ; commotionné par l'éclatement d'un obus de 77, il est dans le coma.

Pendant ce temps, Gastaldi avait rampé jusqu'au trou du fond de la
sape. Il regarda attentivement la portion du ravin et l'étroite bande des
lignes ennemies que son œil pouvait atteindre. Rien ne bougeait encore
dans le jour déjà déclinant.

Les deux hommes se retrouvèrent au milieu de l'abri.

— Ils sortent ?

— Je n'ai rien vu.

— Qu'est-ce qu'on fait, nous ?

Le commandant haussa les épaules :

— Si je pensais que nous ayons le temps de rentrer...

Il retourna au fond de la sape :

— Venez ! Venez ! » cria-t-il, « les voilà !... Passez-moi un fusil. Il y a
les fusils de ces pauvres bougres [2], dans l'encoignure en face de vous.
Donnez-m'en un. Quand le magasin sera vidé, vous me passerez l'autre.
Est-ce que vous voyez assez clair pour recharger ?

— Vous ne croyez pas » dit Mazel en lui tendant le premier fusil,
« que nous serions plus utiles là-bas ?

Mais Gastaldi venait d'entrer dans une sorte d'exaltation :

— Allez-y si vous voulez. Moi, je tire... Il n'y a personne pour les
recevoir. Tout le monde est mort. Je ne les laisserai pas monter comme ça.

*

A la première ligne du Bois d'Hautmont, du Bois des Caures, du Bois
de Ville, de la Montagne, de l'Herbebois, il y avait, çà et là, des gens qui
par hasard n'étaient pas morts. Par paquets de deux ou trois, dans une
tranchée, dans un abri. Quelquefois même, dans une plus parfaite solitude,
celle d'un homme réellement seul, au milieu d'une terre éboulée et de
camarades morts. Chacun pensait comme Gastaldi qu'à gauche et à droite
tout le monde était mort.

Chacun de ces survivants solitaires voyait ainsi de petites silhouettes,
couleur de sauterelle grise, sortir là-bas de la tranchée ennemie ; sortir
non par un jaillissement dru, mais peu à peu, presque une à une. Sans
aucune précipitation. Comme des ouvriers de la voie qui ayant fini leur
travail verraient arriver le train de plates-formes qui doit les ramener, et
se dirigeraient vers lui en traînant leurs souliers sur le ballast.

Des silhouettes courbées ; avec un bras droit ballant, lequel tenait un
instrument assez court, qui était un fusil ; avec une tête surbaissée par le
casque, rendue pareille à une enflure pustuleuse, à un bubon.

Les silhouettes ne montaient pas vite ; ne montaient même pas droit.
Elles avaient l'air de choisir leur chemin. Cela ne ressemblait nullement à
un assaut. On aurait dit des gens qu'on a chargés de recueillir des choses
tombées ; ou qui cherchent des champignons dans l'herbe, des escargots
dans les buissons.

— 2 Des deux soldats qui se trouvaient dans l'abri, l'un a tenté d'établir la liaison, l'autre a dû périr sous le bombardement.

70   Chacun des survivants était donc persuadé qu'il était seul, ou qu'ils étaient deux ou trois camarades seuls, tout seuls en première ligne, à voir venir ces visiteurs un peu lents, et gris sauterelle. Que pouvait-il faire à lui seul ? Que pouvaient-ils faire à deux ou à trois dans les décombres de leur tranchée ? Pourtant ils se mettaient à tirer en écartant le camarade mort qui les empêchait de s'appuyer au parapet, comme trois heures plus tôt ils en avaient écarté un autre pour casser la croûte. Et quand il leur restait une mitrailleuse que le bombardement n'avait pas démolie, l'un des survivants pointait la mitrailleuse, et l'autre passait les bandes.

    Alors ils étaient tout surpris d'entendre que de loin en loin, le long de la
80 première ligne, d'autres fusils tiraient ; que d'autres mitrailleuses faisaient tac-tac-tac-tac... « Tiens ! ils ne sont pas tous morts ! se disaient-ils. A quoi ils ajoutaient aussitôt : « Mais en arrière, qu'est-ce qu'ils font ? Qu'est-ce qu'ils attendent pour venir nous aider ? Qu'est-ce qu'ils attendent pour demander l'artillerie ? »

Les Hommes de bonne volonté. XVI,
Verdun, chap. VII (Flammarion, éditeur).

L'INQUIÉTUDE SPIRITUELLE

FRANÇOIS MAURIAC

Sa vie, son œuvre   FRANÇOIS MAURIAC (1885-1970) est né à Bordeaux dans une famille de la bourgeoisie catholique. Remarqué par Barrès à qui il soumettait son premier recueil de vers, *Les Mains jointes*, en 1909, il s'affirme dans ses romans comme un observateur pénétrant des mœurs et des milieux de province. *Le Baiser au Lépreux* en 1922, *Génitrix* en 1923, *Thérèse Desqueyroux* en 1927, *Le mystère Frontenac* en 1933 confirment le talent de leur auteur qui sera consacré en 1952 par le Prix Nobel de littérature. Ne voulant pas être un « romancier catholique », mais un « catholique qui écrit des romans », Mauriac évoque surtout la « misère de l'homme sans Dieu ». Il décrit des âmes perdues, dont la vocation au mal est le signe d'un appel méconnu : « La profondeur de leur chute, écrit-il dans *Les Anges noirs*, en 1936, donne la mesure de leur vocation ».

    A partir de 1950, Mauriac met son talent au service de la politique dans les brillants articles polémiques qu'il donne à *L'Express* puis au *Figaro littéraire*.

    Un important essai, paru en 1953, *Le Romancier et ses Personnages*, témoigne d'une réflexion profonde sur les problèmes de la création romanesque.

    Quels que soient les dons de l'observateur et du pychologue, si François Mauriac se classe parmi les plus grands écrivains français de notre temps, il le doit aux sortilèges de son *style* qui fait revivre pour ses lecteurs l'enchantement mélancolique des landes girondines de sa jeunesse. Depuis Chateaubriand, personne peut-être n'a mieux su faire monter de la prose française ce *chant aux longues résonances* par lequel, selon le mot de Baudelaire, « la pauvre humanité est rendue à sa patrie » : ainsi dans les *Mémoires intérieurs*, publiés en 1959, qui sont parés d'images à la fois secrètes et somptueuses (voir plus bas : *Les Mémoires*).

Thérèse
Desqueyroux

Intelligente et sensible mais « renfermée », Thérèse Larroque, d'Argelouse, a épousé, très jeune, Bernard Desqueyroux, un voisin de campagne : « leurs propriétés semblaient faites pour se confondre et le sage garçon était, sur ce point, d'accord avec tout le pays. » Très vite elle a pris en horreur cet homme fruste, trop différent d'elle, et elle tente de l'empoisonner. Par égard pour les deux familles et grâce aux déclarations de Bernard lui-même, soucieux avant tout de « faire le silence », la jeune femme bénéficie d'un non-lieu. Elle regagne alors la petite gare de Saint-Clair, qui dessert sa maison, et, au rythme du train, elle revit les heures de son passé, partagées avec la jeune sœur de son mari, Anne, qui fut l'amie tendrement aimée de son adolescence.

TERRE SANS EAUX

Cette page, caractéristique du talent de Mauriac, exprime deux aspects essentiels du roman : le *conflit* d'une âme dont la nature assoiffée d'affection se heurte à une destinée tragiquement solitaire, et une véritable *nostalgie de la pureté*.

Du fond d'un compartiment obscur, Thérèse regarde ces jours purs de sa vie — purs mais éclairés d'un frêle bonheur imprécis ; et cette trouble lueur de joie, elle ne savait pas alors que ce devait être son unique part en ce monde. Rien ne l'avertissait que tout son lot tenait dans un salon ténébreux, au centre de l'été implacable, — sur ce canapé de reps rouge, auprès d'Anne dont les genoux rapprochés soutenaient un album de photographies. D'où lui venait ce bonheur ? Anne avait-elle un seul des goûts de Thérèse ? Elle haïssait la lecture, n'aimait que coudre, jacasser et rire. Aucune idée sur rien, tandis que Thérèse dévorait du même appétit

10 les romans de Paul de Kock, les *Causeries du Lundi*, l'*Histoire du Consulat*, tout ce qui traîne dans les placards d'une maison de campagne. Aucun goût commun, hors celui d'être ensemble durant ces après-midi où le feu du ciel assiège les hommes barricadés dans une demi-ténèbre. Et Anne parfois se levait pour voir si la chaleur était tombée. Mais, les volets à peine entrouverts, la lumière pareille à une gorgée de métal en fusion, soudain jaillie, semblait brûler la natte, et il fallait, de nouveau, tout clore et se tapir. [...] En septembre, elles pouvaient sortir après la collation et pénétrer dans le pays de la soif : pas le moindre filet d'eau à Argelouse ; il faut marcher longtemps dans le sable avant d'atteindre les sources du

20 ruisseau appelé la Hure. Elles crèvent, nombreuses, un bas-fond d'étroites prairies entre les racines des aulnes. Les pieds nus des jeunes filles devenaient insensibles dans l'eau glaciale, puis, à peine secs, étaient de nouveau brûlants. Une de ces cabanes qui servent en octobre aux chasseurs de palombes, les accueillait comme naguère le salon obscur. Rien à se dire ; aucune parole : les minutes fuyaient de ces longues haltes innocentes sans que les jeunes filles songeassent plus à bouger que ne bouge le chasseur lorsqu'à l'approche d'un vol, il fait le signe du silence. Ainsi leur semblait-il qu'un seul geste aurait fait fuir leur informe et chaste bonheur. Anne, la première, s'étirait — impatiente de tuer des alouettes au crépuscule ;

30 Thérèse, qui haïssait ce jeu, la suivait pourtant, insatiable de sa présence. Anne décrochait dans le vestibule le calibre 24 qui ne repousse pas [1]. Son amie, demeurée sur le talus, la voyait au milieu du seigle viser le soleil comme pour l'éteindre. Thérèse se bouchait les oreilles ; un cri ivre s'interrompait dans le bleu, et la chasseresse ramassait l'oiseau blessé, le serrait d'une main précautionneuse et, tout en caressant de ses lèvres les plumes chaudes, l'étouffait.

« Tu viendras demain ?

— Oh ! non ; pas tous les jours. »

Elle ne souhaitait pas de la voir tous les jours ; parole raisonnable à
40 laquelle il ne fallait rien opposer ; toute protestation eût paru, à Thérèse même, incompréhensible. Anne préférait ne pas revenir ; rien ne l'en eût empêchée sans doute ; mais pourquoi se voir tous les jours ? « Elles finiraient, disait-elle, par se prendre en grippe. » Thérèse répondait : « Oui... oui... surtout ne t'en fais pas une obligation : reviens quand le cœur t'en dira... quand tu n'auras rien de mieux. » L'adolescente à bicyclette disparaissait sur la route déjà sombre en faisant sonner son grelot.

Thérèse revenait vers la maison ; les métayers la saluaient de loin ; les enfants ne l'approchaient pas. C'était l'heure où des brebis s'épandaient sous les chênes et soudain elles couraient toutes ensemble, et le berger
50 criait. Sa tante [2] la guettait sur le seuil et, comme font les sourdes, parlait sans arrêt pour que Thérèse ne lui parlât pas. Qu'était-ce donc que cette angoisse ? Elle n'avait pas envie de lire ; elle n'avait envie de rien ; elle errait de nouveau : « Ne t'éloigne pas : on va servir. » Elle revenait au bord de la route, vide aussi loin que pouvait aller son regard. La cloche tintait au seuil de la cuisine. Peut-être faudrait-il, ce soir, allumer la lampe. Le silence n'était pas plus profond pour la sourde immobile et les mains croisées sur la nappe, que pour cette jeune fille un peu hagarde.

Thérèse Desqueyroux (Grasset, éditeur).

Dans le train, le jeune femme poursuit sa songerie... Mais voici la gare de Saint-Clair où l'attend une carriole. Le « non-lieu » est acquis, certes, mais en famille, à huis clos, le vrai procès va commencer, un procès interminable et sans espoir. Séquestrée désormais dans Argelouse, THÉRÈSE *songera au suicide, mais « elle se cabre devant le néant ». Ce qui l'arrêtera dans son geste, ce n'est pas la pensée de sa fille Marie, c'est la mort imprévue de la vieille tante. Cependant, elle s'enferme dans une telle prostration que son mari s'en effraie ; il décide de lui rendre sa liberté et la conduit à Paris, où elle restera seule devant l'inconnu, « la foule des hommes après la foule des arbres » « Rien ne l'intéressait que ce qui vit, que les êtres de sang et de chair. " Ce n'est pas la ville de pierres que je chéris, ni les conférences, ni les musées, c'est la forêt vivante qui s'y agite, et que creusent des passions plus forcenées qu'aucune tempête. Le gémissement des pins d'Argelouse, la nuit, n'était émouvant que parce qu'on l'eût dit humain. " ».*

— 1 Fusil sans recul. — 2 Vieille fille, peu avenante, mais très attachée à Thérèse.

GEORGES BERNANOS

Sa vie, son œuvre   Après des années difficiles comme inspecteur d'assu-
rances, GEORGES BERNANOS (1888-1948) connaît un
éclatant succès à près de quarante ans, avec un étonnant roman mystique, *Sous le soleil
de Satan*, en 1926, qui est suivi en 1927 et en 1929 de *L'Imposture* et de *La Joie*. Installé
aux Baléares pendant la guerre civile espagnole, Bernanos compose le *Journal d'un curé
de campagne* (1936) et *La nouvelle histoire de Mouchette* (1937). Après avoir manifesté
des sympathies « franquistes », il prendra violemment à partie doctrinaires, sermonnaires
et tortionnaires dans un livre promis à un retentissement considérable : *Les Grands
Cimetières sous la lune* (1938). Au lendemain de Munich, après un court séjour en France,
Bernanos part avec sa famille pour le Brésil, où il terminera *Monsieur Ouine*. Dès juin 1940,
il collabore aux bulletins de la France libre et publie, à Rio, sa *Lettre aux Anglais* (1942).
Revenu à Paris en 1945, il multiplie articles et conférences et il achève ses *Dialogues des
Carmélites* (publiés en 1949) quelques mois avant que la mort ne l'enlève à un public
fervent qui n'avait cessé de s'élargir. — A la recherche de « l'esprit d'enfance » qui permet
à l'homme d'accéder à l'espoir surnaturel sous le signe de la grâce, BERNANOS décèle
dans les actions humaines la double présence antithétique de Dieu et de Satan.

FRÈRES HUMAINS

Dans cette page *lyrique* (Majorque, 1937) les accents *fraternels* de BERNANOS font écho
à ceux de Charles Péguy. « Toute vocation est un appel, *vocatus*, dit l'auteur, et tout
appel veut être transmis. Ceux que j'appelle ne sont évidemment pas nombreux. Ils ne
changeront rien aux affaires de ce monde, mais c'est pour eux, c'est pour eux que je suis né. »

Compagnons inconnus, vieux frères, nous arriverons ensemble, un
jour, aux portes du royaume de Dieu. Troupe fourbue, troupe harassée,
blanche de la poussière de nos routes, chers visages durs dont je n'ai pas
su essuyer la sueur, regards qui ont vu le bien et le mal, rempli leur tâche,
assumé la vie et la mort, ô regards qui ne se sont jamais rendus ! Ainsi vous
retrouverai-je, vieux frères. Tels que mon enfance vous a rêvés. Car
j'étais parti à votre rencontre, j'accourais vers vous. Au premier détour,
j'aurais vu rougir les feux de vos éternels bivouacs ; mon enfance n'appartenait qu'à vous. Peut-être, un certain jour, un jour que je sais, ai-je été
10 digne de prendre la tête de votre troupe inflexible. Dieu veuille que je ne
revoie jamais les chemins où j'ai perdu vos traces, à l'heure où l'adolescence étend ses ombres, où le suc de la mort, le long des veines, vient se
mêler au sang du cœur.

    Chemins du pays d'Artois, à l'extrême automne, fauves et odorants
comme des bêtes, sentiers pourrissants sous la pluie de novembre, grandes
chevauchées des nuages, rumeurs du ciel, eaux mortes... J'arrivais, je
poussais la grille, j'approchais du feu mes bottes rougies par l'averse.
L'aube venait bien avant que fussent rentrés dans le silence de l'âme, dans
ses profonds repaires, les personnages fabuleux encore à peine formés,

20 embryons sans membres, Mouchette [1] et Donissan [2], Cénabre [3], Chantal [4],
et vous, vous seul de mes créatures dont j'ai cru parfois distinguer le
visage, mais à qui je n'ai pas osé donner de nom — cher curé d'un Ambri-
court [5] imaginaire. Étiez-vous alors mes maîtres ? Aujourd'hui même,
l'êtes-vous ? oh ! je sais bien ce qu'a de vain ce retour vers le passé.

Certes, ma vie est déjà pleine de morts. Mais le plus mort des morts
est le petit garçon que je fus. Et pourtant, l'heure venue, c'est lui qui
reprendra sa place à la tête de ma vie, rassemblera mes pauvres années
jusqu'à la dernière, et comme un jeune chef ses vétérans, ralliant la troupe
en désordre, entrera le premier dans la Maison du Père. Après tout,
30 j'aurais le droit de parler en son nom. Mais justement, on ne parle pas au
nom de l'enfance, il faudrait parler son langage. Et c'est ce langage oublié,
ce langage que je cherche de livre en livre, imbécile ! Comme si un tel
langage pouvait s'écrire, s'était jamais écrit. N'importe ! Il m'arrive parfois
d'en retrouver quelque accent... et c'est cela qui vous fait prêter l'oreille,
compagnons dispersés à travers le monde, qui par hasard ou par ennui
avez ouvert un jour mes livres. Singulière idée que d'écrire pour ceux
qui dédaignent l'écriture !

Amère ironie de prétendre persuader et convaincre alors que ma certitude profonde est que la part du monde encore susceptible de rachat
40 n'appartient qu'aux enfants, aux héros et aux martyrs.

Les Grands Cimetières sous la lune (Plon, éditeur).

SATAN, « CRUEL SEIGNEUR »

Sous le Soleil de Satan fait apparaître la première figure sacerdotale dessinée par
Bernanos : l'abbé Donissan, passionné pour le salut des âmes. Par contraste et avec
une sorte d'effroi, l'auteur a dressé en face de lui une toute jeune fille, MOUCHETTE, en
qui s'incarne la révolte. Meurtrière de son amant, désespérée, elle s'apprête au *suicide ;*
mais il ne s'agit pas là d'une banale démission. C'est avec l'élan de l'amour et une *mystique
ferveur* que la jeune fille *invoque Satan.* Il y a dans cette page une présence du démoniaque
au même titre que, dans le *Journal d'un Curé de campagne,* une présence du divin.

C'est alors qu'elle appela, du plus profond, du plus intime, d'un
appel qui était comme un don d'elle-même, Satan.

D'ailleurs, qu'elle l'eût nommé ou non, il ne devait venir qu'à son
heure et par une route oblique. L'astre livide, même imploré, surgit
rarement de l'abîme. Aussi n'eût-elle su dire, à demi-consciente, quelle
offrande elle faisait d'elle-même, et à qui. Cela vint tout à coup, monta
moins de son esprit que de sa pauvre chair souillée. La componction [1] que
l'homme de Dieu [2] avait en elle suscitée un moment n'était plus qu'une
souffrance entre ses souffrances. La minute présente était toute angoisse.
10 Le passé était un trou noir. L'avenir un autre trou noir. Le chemin où

— 1 Voir *Sous le Soleil de Satan* et *Nouvelle
Histoire de Mouchette.* — 2 Le saint abbé
Donissan, protagoniste de *Sous le Soleil de
Satan.* — 3 L'abbé Cénabre apparaît dans
L'Imposture. — 4 Chantal de Clergerie figure

dans *L'Imposture* et dans *La Joie.* — 5 Paroisse
du curé de campagne dont il ne veut être que
l'anonyme desservant.

— 1 Profond regret d'avoir offensé Dieu
— 2 L'abbé Donissan.

d'autres vont pas à pas, elle l'avait déjà parcouru : si petit que fût son destin, au regard de tant de pécheurs légendaires, sa malice secrète avait épuisé tout le mal dont elle était capable — à une faute près — la dernière. Dès l'enfance, sa recherche s'était tournée vers lui, chaque désillusion n'ayant été que prétexte à un nouveau défi. Car elle l'aimait.

Où l'enfer trouve sa meilleure aubaine, ce n'est pas dans le troupeau des agités qui étonnent le monde de forfaits retentissants. Les plus grands saints ne sont pas toujours des saints à miracles, car le contemplatif vit et meurt le plus souvent ignoré. Or, l'enfer aussi a ses cloîtres.

20   La voilà donc sous nos yeux, cette mystique ingénue, petite servante de Satan, sainte Brigitte du néant [3]. Un meurtre excepté, rien ne marquera ses pas sur la terre. Sa vie est un secret entre elle et son maître ou plutôt le seul secret de son maître. Il ne l'a pas cherchée parmi les puissants, leurs noces ont été consommées dans le silence. Elle s'est avancée jusqu'au but, non pas à pas, mais comme par bonds, et le touche quand elle ne le croyait pas si proche. Elle va recevoir son salaire. Hélas ! il n'est pas d'homme qui, sa décision prise et le remords d'avance accepté, ne se soit, au moins une minute, rué au mal avec une claire cupidité, comme pour en tarir la malédiction, cruel rêve qui fait geindre les amants, affole le

30   meurtrier, allume une dernière lueur au regard du misérable décidé à mourir, le col déjà serré par la corde et lorsqu'il repousse la chaise d'un coup de pied furieux... C'est ainsi, mais d'une force multipliée, que Mouchette souhaite dans son âme, sans le nommer, la présence du cruel Seigneur.

Il vint aussitôt, tout à coup, sans nul débat, effroyablement paisible et sûr. Si loin qu'il pousse la ressemblance de Dieu, aucune joie ne saurait procéder de lui, mais, bien supérieure aux voluptés qui n'émeuvent que les entrailles, son chef-d'œuvre est une paix muette, solitaire, glacée, comparable à la délectation du néant.   *Sous le Soleil de Satan* (Plon, éditeur).

JULIEN GREEN

Né à Paris, en 1900, de parents américains, JULIEN GREEN est un romancier bilingue. Dans ses romans français, parmi lesquels *Adrienne Mesurat* (1927), *Le Visionnaire* (1934) et *Moïra* (1950), il tente de suggérer la présence de l'invisible. Ses personnages, médiocres ou désespérés, semblent prisonniers d'eux-mêmes et d'une condamnation sans appel. Mais ils vivent dans un monde chargé de la présence du mystère.

Adrienne Mesurat   *Le roman se situe, au début du siècle, dans une petite ville provinciale, La Tour-l'Évêque. La jeune fille, qui a perdu sa mère, vit d'une existence médiocre et monotone entre une sœur malade (bientôt réfugiée chez des religieuses) et un père âgé, esclave de ses habitudes. Amoureuse d'un médecin récemment installé près de là, elle s'enferme dans ses chimères et prend en haine ce père qu'elle juge incompréhensif et borné. Un soir, à demi-inconsciente, elle le pousse violemment dans l'escalier et on le retrouvera mort au bas des marches.*

— 3 Sainte Brigitte, mystique du XIVe siècle, fut, en méditant sur la Passion du Christ, l'objet | de *révélations* ; ici la jeune fille ne trouve, dans sa propre souffrance, ni grâce ni lumière.

SUR LA PLACE VIDE

Adrienne se mure dans une solitude qui la conduira, au terme du récit, à la limite de l'égarement. Pour se fuir elle-même, elle tente une diversion, un court voyage. Sous une pluie désespérante, elle débarque d'abord à Monfort-l'Amaury puis à Dreux, où la voici, désorientée, errante à travers le labyrinthe de ces rues vides.

Adrienne descendit la rue sans rencontrer personne. Parvenue à la place du Marché, elle s'arrêta, saisie à la vue du changement que l'heure apportait à cet endroit qui lui avait paru d'abord si morne et si laid. Toutes les baraques des merciers et des marchands de légumes avaient été enlevées ; les voitures étaient parties. La place était vide, couverte de grandes mares dans lesquelles la lune voyageait lentement. Un bâtiment moderne la limitait au nord, puis de petites maisons et des arbres lui faisaient une sorte de ceinture jusqu'à l'édifice qu'Adrienne avait pris pour une église, à cause des sculptures dont il était orné, mais qui n'était que le reste d'un ancien hôtel de ville ; il présentait l'aspect d'une tour de donjon coiffée d'une poivrière et, dans le clair de lune, donnait à cette place un air romantique dont la jeune fille fut frappée.

La beauté du lieu la saisit et lui procura un moment de paix pendant lequel elle oublia ses soucis. Une minute, elle se tint immobile pour ne pas rompre du bruit de ses pas le merveilleux silence de la nuit. Et, par un subit retour sur elle-même, elle se souvint de certaines journées d'enfance. Il y avait des heures où elle avait été heureuse, mais elle ne s'en était pas rendu compte et il avait fallu qu'elle attendît cet instant de sa vie pour le savoir ; il avait fallu que sa mémoire lui rappelât cent choses oubliées, devant cette tour en ruines que la lune éclairait, des promenades qu'elle avait faites dans les champs, ou des conversations qu'elle avait eues avec des camarades, dans le jardin du cours Sainte-Cécile. Ces souvenirs lui revinrent sans ordre, mais si brusquement qu'elle en éprouva un choc et, ce soir, elle se sentait si faible qu'il suffisait de peu pour l'attendrir. Pourquoi donc ne connaissait-elle plus ce bonheur si largement dispensé à d'autres ? Et elle eut un douloureux élan vers cette chose qu'elle ne possédait plus et que le souvenir rendait si belle et si désirable.

Elle poussa un soupir et fit quelques pas sur le trottoir qui contournait la place. L'horloge de la mairie sonna neuf heures, puis celle de l'église. Des chiens aboyèrent au loin. Elle s'arrêta et, levant la tête, regarda les étoiles. Il y en avait tant que, même en choisissant une petite portion du ciel, elle ne parvenait pas à en dénombrer les astres. Ces myriades de points tremblaient devant ses yeux comme des poignées de minuscules fleurs blanches à la surface d'une eau toute noire. Elle se rappela une chanson qu'on lui faisait chanter en classe : *... le ciel semé d'étoiles...*

Il fallait que la voix montât tout d'un coup pour le mot *étoiles* et ces trois notes, si difficiles à attraper, si lointaines, exprimaient une sorte de nostalgie si douce qu'en s'en souvenant elle eut le cœur déchiré. Elle porta ses mains à ses yeux et pleura.

Adrienne Mesurat, II, v (Plon, éditeur).

LE ROMAN DE LA GRANDEUR HUMAINE

ANDRÉ MALRAUX

Sa vie, son œuvre   Né à Paris, en 1901, ANDRÉ MALRAUX, d'abord étudiant
à l'École des Langues Orientales, a vécu en Extrême-
Orient entre 1923 et 1927, participant à des expéditions archéologiques et à des
mouvements révolutionnaires sous le drapeau du Kuomintang. On le retrouve aux côtés
des républicains espagnols à partir de 1936. Combattant contre l'Allemagne nazie de
1940 à 1944, il est ministre du général de Gaulle de 1945 à 1946 et de 1958 à 1969.

Ses principaux romans (*La Voie royale*, 1930 ; *La Condition Humaine*, Prix Goncourt
1933 ; *L'Espoir*, 1937) s'appuient sur son expérience de voyageur et de combattant. Mais
ils ne sont pas de simples chroniques romancées ; ils sont des « moyens d'expression
privilégiés du tragique de l'homme », mettant l'accent sur la lutte courageuse pour *défier
la condition humaine* ou tenter de l'*améliorer* par la *communion fraternelle*. La mort est le
partenaire commun de tous ses héros, et la fraternité vécue est la seule victoire offerte
à l'homme dans un univers sans Dieu.

Depuis 1950, Malraux a composé un ensemble important de critique esthétique (*Les
Voix du silence*, 1951 ; *Le Musée imaginaire de la sculpture mondiale*, 1952 ; *La Méta-
morphose des dieux*, 1957), à la recherche des parentés secrètes entre les civilisations.
Il a également publié un passionnant ouvrage autobiographique, les *Antimémoires* (1967).

La Condition   *Nous sommes à Shanghaï, le 21 mars 1927. Les « généraux
Humaine   du Nord », inféodés aux puissances étrangères et capitalistes
que personnifie l'homme de finances* FERRAL, *tiennent la ville.
Sans attendre l'arrivée des troupes du Kuomintang, rassemblement mêlé des forces nationalistes
et républicaines, commandées par Chang-Kaï-Shek, les syndicalistes, les terroristes et les
militants de base, peu éclairés sur la « ligne générale » du Parti, ont* déclenché l'action. *Toute
une galerie de portraits défile :* KATOW, *lutteur chevronné qui a connu la révolution russe de
1917,* HEMMELRICH *qui est retenu par sa femme et ses enfants misérables,* TCHEN, *le terroriste
qui veut se sauver du désarroi par l'action furieuse, le métis* KYO GISORS, *mari de la doctoresse*
MAY, *qui se bat au nom d'un idéal déterminé. Le vieux* GISORS, *intellectuel communiste, maître
à penser de Tchen et de son propre fils, domine avec angoisse la mêlée. Une suite d'épisodes
précipités évoque l'action confuse des différents groupes qui prennent possession de la ville.*

L'AGONIE DU TRAIN BLINDÉ

Kyo, Katow et Tchen regardent le *train blindé* des « gouvernementaux » qui, *bloqué* sur
la voie coupée, tire ses *dernières salves*. Exemple de l'art de MALRAUX, cette page, dans *son
intense brièveté*, associe à une *vision* qui devient *fantastique* le tragique de *scènes cachées*
mais que peuvent imaginer, en pleine « sympathie », ceux qui connaissent la mort.

Un vacarme formidable les surprit tous trois : par chaque pièce,
chaque mitrailleuse, chaque fusil, le train tirait. Katow avait fait partie
d'un des trains blindés de Sibérie ; son imagination lui faisait suivre

l'agonie de celui-ci. Les officiers avaient commandé le feu à volonté. Que pouvaient-ils faire dans leurs tourelles, le téléphone d'une main, le revolver de l'autre ? Chaque soldat devinait sans doute ce qu'était ce martèlement. Se préparaient-ils à mourir ensemble, ou à se jeter les uns sur les autres, dans cet énorme sous-marin qui ne remonterait jamais ?

Le train même entrait dans une transe furieuse. Tirant toujours de partout, ébranlé par sa frénésie même, il semblait vouloir s'arracher de ses rails, comme si la rage désespérée des hommes qu'il abritait eût passé dans cette armure prisonnière et qui se débattait elle aussi. Ce qui, dans ce déchaînement, fascinait Katow, ce n'était pas la mortelle saoulerie dans laquelle sombraient les hommes du train, c'était le frémissement des rails qui maintenaient tous ces hurlements ainsi qu'une camisole de force : il fit un geste du bras en avant, pour se prouver que lui n'était pas paralysé. Trente secondes, le fracas cessa. Au-dessus de l'ébranlement sourd des pas et du tic-tac de toutes les horloges de la boutique, s'établit un grondement de lourde ferraille : l'artillerie de l'armée révolutionnaire.

Derrière chaque blindage, un homme du train écoutait ce bruit comme la voix même de la mort.

La Condition Humaine (Librairie Gallimard, éditeur).

Victorieux et chef de forces organisées, CHANG-KAÏ-SHEK *a ordonné aux groupes révolutionnaires de livrer leurs armes. Dans une scène où l'opposition doctrinale se traduit en un simple dialogue plein de vie et d'accent,* KYO, *désorienté par cette mesure, affronte à Han-Kéou le représentant de Moscou, le dur et froid* VOLOGUINE. *Mais Moscou, par tactique, ordonne d'obéir à l'ordre de* CHANG. *Le terroriste* TCHEN *est lui aussi accouru à Han-Kéou. Repoussé à son tour, il accomplira seul le geste qu'il projette, en dépit des objurgations de Kyo.*

LA MYSTIQUE DU TERRORISME

Tchen « *ne pouvait vivre d'une idéologie qui ne se transformât pas immédiatement en actes* ». Possédé par le sens d'un *héroïsme désespéré*, il a décidé de s'affirmer et de mourir en jetant une *bombe* sous l'auto de Chang-Kaï-Shek qui, d'ailleurs, échappera à l'attentat. — Les pensées de TCHEN, si précipitées et si nettement rendues, semblent cependant se fondre ici dans un *décor fantastique* ; tout est hallucinant dans cette *attente consciente et embrumée* dont la solennité lugubre semble appeler l'image même du DESTIN.

Cette nuit de brume était sa dernière nuit, et il en était satisfait. Il allait sauter avec la voiture, dans un éclair en boule qui illuminerait une seconde cette avenue hideuse et couvrirait un mur d'une gerbe de sang. La plus vieille légende chinoise s'imposa à lui : les hommes sont la vermine de la terre. Il fallait que le terrorisme devînt une mystique. Solitude, d'abord : que le terroriste décidât seul, exécutât seul ; toute la force de la police est dans la délation ; le meurtrier qui agit seul ne risque pas de se dénoncer lui-même. Solitude dernière, car il est difficile à celui qui vit hors du monde de ne pas rechercher les siens. Tchen connaissait les objections opposées au terrorisme : répression policière contre les ouvriers,

appel au fascisme. La répression ne pourrait être plus violente, le fascisme plus évident. Et peut-être Kyo et lui ne pensaient-ils pas pour les mêmes hommes. Il ne s'agissait pas de maintenir dans leur classe, pour la délivrer, les meilleurs des hommes écrasés, mais de donner un sens à leur écrasement même : que chacun s'instituât responsable et juge d'un maître. Donner un sens immédiat à l'individu sans espoir et multiplier les attentats, non par une organisation mais par une idée : faire renaître des martyrs. Peï[1], écrivant, serait écouté parce que lui, Tchen, allait mourir : il savait de quel poids pèse sur toute pensée le sang versé pour elle. Tout ce qui n'était pas
20 son geste résolu se décomposait dans la nuit derrière laquelle restait embusquée cette automobile qui arriverait bientôt. La brume, nourrie par la fumée des navires, détruisait peu à peu au fond de l'avenue les trottoirs pas encore vides : des passants affairés y marchaient l'un derrière l'autre, se dépassant rarement, comme si la guerre eût imposé à la ville un ordre tout-puissant. Le silence général de leur marche rendait leur agitation presque fantastique. Ils ne portaient pas de paquets, d'éventaires, ne poussaient pas de petites voitures ; cette nuit, il semblait que leur activité n'eût aucun but. Tchen regardait toutes ces ombres qui coulaient sans bruit vers le fleuve, d'un mouvement inexplicable et constant ; n'était-ce
30 pas le Destin même, cette force qui les poussait vers le fond de l'avenue où l'arc allumé d'enseignes à peine visibles devant les ténèbres du fleuve semblait les portes mêmes de la mort ? Enfoncés en perspectives troubles, les énormes caractères se perdaient dans ce monde tragique et flou comme dans les siècles ; et, de même que si elle fût venue, elle aussi, non de l'état-major mais des temps bouddhiques[2], la trompe militaire de l'auto de Chang-Kaï-Shek commença à retentir sourdement au fond de la chaussée presque déserte. Tchen serra la bombe sous son bras avec reconnaissance. Les phares seuls sortaient de la brume. Presque aussitôt, précédée de la Ford de garde, la voiture entière en jaillit ; une fois de plus il sembla à
40 Tchen qu'elle avançait extraordinairement vite. Trois pousses obstruèrent soudain la rue, et les deux autos ralentirent. Il essaya de retrouver le contrôle de sa respiration. Déjà l'embarras était dispersé. La Ford passa, l'auto arrivait ; une grosse voiture américaine, flanquée des deux policiers accrochés à ses marchepieds ; elle donnait une telle impression de force que Tchen sentit que, s'il n'avançait pas, s'il attendait, il s'en écarterait malgré lui. Il prit sa bombe par l'anse comme une bouteille de lait. L'auto du général était à cinq mètres, énorme. Il courut vers elle avec une joie d'extatique, se jeta dessus, les yeux fermés.

La Condition Humaine (Librairie Gallimard, éditeur).

La répression a jeté presque tous les héros du livre dans les prisons d'où on ne sort que pour être brûlé vif *dans la chaudière d'une locomotive.* Kyo *lui-même, qui aurait pu être sauvé, a été perdu par le retard de l'inconsistant* CLAPPIQUE. *Par un trait symbolique, celui-ci a oublié l'heure d'un message urgent en luttant devant une table de jeu contre le hasard absurde.*

— 1 Jeune intellectuel, qui admire Tchen. — 2 Comme si elle sortait de la nuit des temps.

LE DON DU CYANURE

Outre l'exemple du sacrifice de KATOW qui donne « plus que sa vie » en offrant à de jeunes camarades sa part de *cyanure*, les pages montrant les prisonniers dans *la morne attente du supplice* apportent une explication définitive au titre même de l'œuvre. Tout au long d'une telle évocation on songe, en effet, à la célèbre *Pensée* de PASCAL : « *Qu'on s'imagine un nombre d'hommes dans les chaînes et tous condamnés à la mort... Ceux qui restent voient leur propre condition dans celle de leurs semblables.* » Mais voici l'instant vraiment « fraternel » pour KATOW allongé près du cadavre de Kyo.

Malgré la rumeur, malgré tous ces hommes qui avaient combattu comme lui, Katow était seul, seul entre le corps de son ami mort et ses deux compagnons épouvantés, seul entre ce mur et ce sifflet[1] perdu dans la nuit. Mais un homme pouvait être plus fort que cette solitude et même, peut-être, que ce sifflet atroce : la peur luttait en lui contre la plus terrible tentation de sa vie. Il ouvrit à son tour la boucle de sa ceinture. Enfin :

— Hé, là, dit-il à voix très basse. Souen, pose ta main sur ma poitrine, et prends dès que je la toucherai : je vais vous donner mon cyanure[2]. Il n'y en a'bsolument[3] que pour deux.

10 Il avait renoncé à tout sauf à dire qu'il n'y en avait que pour deux. Couché sur le côté, il brisa le cyanure en deux. Les gardes masquaient la lumière, qui les entourait d'une auréole trouble ; mais n'allaient-ils pas bouger ? Impossible de voir quoi que ce fût ; ce don de plus que sa vie, Katow le faisait à cette main chaude qui reposait sur lui, pas même à des corps, pas même à des voix. Elle se crispa comme un animal, se sépara de lui aussitôt. Il attendit, tout le corps tendu. Et soudain, il entendit l'une des deux voix : « C'est perdu. Tombé ».

Voix à peine altérée par l'angoisse, comme si une telle catastrophe n'eût pas été possible, comme si tout eût dû s'arranger. Pour Katow aussi, 20 c'était impossible. Une colère sans limites montait en lui mais retombait, combattue par cette impossibilité. Et pourtant ! Avoir donné *cela* pour que cet idiot le perdît !

— Quand ? demanda-t-il.

— Avant mon corps. Pas pu tenir quand Souen l'a passé : je suis aussi blessé à la main.

— Il a fait tomber les deux, dit Souen.

Sans doute cherchaient-ils entre eux. Ils cherchèrent ensuite entre Katow et Souen, sur qui l'autre était probablement presque couché, car Katow, sans rien voir, sentait près de lui la masse de deux corps. Il cherchait 30 lui aussi, s'efforçant de vaincre sa nervosité, de poser sa main à plat, de dix centimètres en dix centimètres, partout où il pouvait atteindre. Leurs mains frôlaient la sienne. Et tout à coup une des deux la prit, la serra, la conserva.

— 1 De la sinistre locomotive. — 2 Poison foudroyant que portent souvent sur eux ceux | qui risquent d'être exposés à un supplice atroce. — 3 Katow a un défaut de prononciation.

— Même si nous ne trouvons rien... dit une des voix.

Katow, lui aussi, serrait la main, à la limite des larmes, pris par cette pauvre fraternité sans visage, presque sans vraie voix (tous les chuchotements se ressemblent) qui lui était donnée dans cette obscurité contre le plus grand don qu'il eût jamais fait, et qui était peut-être fait en vain. Bien que Souen continuât à chercher, les deux mains restaient unies.

40 L'étreinte devint soudain crispation :

— Voilà.

O résurrection !...

La Condition Humaine (Librairie Gallimard, éditeur).

SAINT-EXUPÉRY

Sa vie, son œuvre ANTOINE DE SAINT-EXUPÉRY (1900-1944), pilote de ligne, disparaît pendant la guerre au cours d'une mission aérienne, le 31 juillet 1944. Il laisse une œuvre romanesque (*Courrier Sud*, 1930 ; *Vol de nuit*, 1931 ; *Terre des hommes*, 1939 ; *Pilote de guerre*, 1942) qui n'exclut pas la poésie (*Le petit Prince*, 1945) et la réflexion philosophique (*Citadelle*, 1948). Ses héros, conscients de leurs responsabilités, se donnent à une cause qui vaut « plus que la vie », et illustrent sans emphase un « humanisme par le métier ». Dans *Vol de Nuit*, l'attente de trois courriers sur l'aérodrome de Buenos-Aires, la progression difficile de l'un d'eux dans le ciel d'Amérique et l'alerte des stations qui le guident, forment tout le scénario.

LA MORT DANS LES ÉTOILES

L'avion de Fabien est à bout d'essence : il est perdu. Dans le *drame collectif* qu'évoque *Vol de nuit*, il a été suivi par tous les postes à terre depuis son départ de Patagonie. Mais une fantastique tempête s'est élevée. Les communications sont impossibles. Fabien et son radio, qui se sentaient accompagnés par les efforts et la pensée de leurs camarades, sont maintenant *seuls dans le ciel en furie*. Ayant lutté jusqu'à la fin, Fabien, à la dernière minute, s'abandonne à un *vertige de clarté*. Il vient d'apercevoir, dans une déchirure des nuages, *« comme un appât mortel au fond d'une nasse, quelques étoiles »*. L'art de SAINT-EXUPÉRY transforme cette fin de vol en une fabuleuse « ascension ».

Il monta, en corrigeant mieux les remous, grâce aux repères qu'offraient les étoiles. Leur aimant pâle l'attirait. Il avait peiné si longtemps, à la poursuite d'une lumière, qu'il n'aurait plus lâché la plus confuse. Riche d'une lueur d'auberge, il aurait tourné jusqu'à la mort, autour de ce signe dont il avait faim. Et voici qu'il montait vers des champs de lumière.

Il s'élevait peu à peu, en spirale, dans le puits qui s'était ouvert, et se refermait au-dessous de lui. Et les nuages perdaient, à mesure qu'il montait, leur boue d'ombre, ils passaient contre lui, comme des vagues de plus en plus pures et blanches. Fabien émergea.

10 Sa surprise fut extrême : la clarté était telle qu'elle l'éblouissait. Il dut, quelques secondes, fermer les yeux. Il n'aurait jamais cru que les nuages, la nuit, pussent éblouir. Mais la pleine lune et toutes les constellations les changeaient en vagues rayonnantes.

L'avion avait gagné d'un seul coup, à la seconde même où il émergeait, un calme qui semblait extraordinaire. Pas une houle ne l'inclinait. Comme une barque qui passe la digue, il entrait dans les eaux réservées. Il était pris dans une part de ciel inconnue et cachée comme la baie des îles bienheureuses. La tempête, au-dessous de lui, formait un autre monde de trois mille mètres d'épaisseur, parcouru de rafales, de troubles d'eau, 20 d'éclairs, mais elle tournait vers les astres une face de cristal et de neige.

Fabien pensait avoir gagné des limbes étranges, car tout devenait lumineux, ses mains, ses vêtements, ses ailes. Car la lumière ne descendait pas des astres, mais elle se dégageait, au-dessous de lui, autour de lui, de ces provisions blanches.

Ces nuages, au-dessous de lui, renvoyaient toute la neige qu'ils recevaient de la lune. Ceux de droite et de gauche aussi, hauts comme des tours. Il circulait un lait de lumière dans lequel baignait l'équipage. Fabien, se retournant, vit que le radio souriait.

— Ça va mieux ! criait-il.

30 Mais la voix se perdait dans le bruit du vol, seuls communiquaient les sourires. « Je suis tout à fait fou, pensait Fabien, de sourire : nous sommes perdus. »

Pourtant, mille bras obscurs l'avaient lâché. On avait dénoué ses liens, comme ceux d'un prisonnier qu'on laisse marcher seul, un temps, parmi les fleurs.

« Trop beau », pensait Fabien. Il errait parmi des étoiles accumulées avec la densité d'un trésor, dans un monde où rien d'autre, absolument rien d'autre que lui, Fabien, et son camarade, n'était vivant. Pareils à ces voleurs des villes fabuleuses, murés dans la chambre aux trésors dont ils 40 ne sauront plus sortir. Parmi des pierreries glacées, ils errent, infiniment riches, mais condamnés.

Vol de Nuit (Librairie Gallimard, éditeur).

Terre des Hommes

« Saint-Ex » évoque les souvenirs de métier, le fantôme des camarades morts comme le grand MERMOZ, les images de calmes rencontres *(Oasis)*, l'angoisse du salut après un atterrissage forcé *(Au Centre du désert)*. Mais l'intérêt de tous ces épisodes est toujours enrichi par la méditation de l'auteur. « *L'avion n'est pas un but. C'est un outil, un outil comme la charrue.* » Non seulement il permet de découvrir le vrai visage de la planète, « le soubassement essentiel, l'assise de rocs, de sable, et de sel, où la vie, quelquefois, comme un peu de mousse au creux des ruines, ici et là se hasarde à fleurir », mais il permet à l'homme de connaître ses contraintes et sa force. Mieux encore : « *la grandeur d'un métier est, avant tout, d'unir les hommes* ».

Dans le dernier chapitre, *Les Hommes*, SAINT-EXUPÉRY, devenu grand reporter, a amassé d'autres expériences. Pendant la guerre d'Espagne ou dans son voyage en Russie, il a rencontré d'autres héroïsmes et d'autres misères. Comme il le fera à la fin de *Pilote de Guerre*, il médite d'une façon plus générale sur le *sens de la vie* et le *destin de l'espèce* toujours menacée qui ennoblit la « Terre des Hommes ».

CRITIQUE SOCIALE ET PEINTURE DES MŒURS

HENRI BARBUSSE

Henri Barbusse, né à Asnières en 1873, est un disciple de Zola. Il tire son meilleur roman de la douloureuse expérience de la guerre : *Le Feu* (1916). Engagé dans la voie du communisme militant, il meurt à Moscou en 1935.

« LE CHAMP DE LA MORT »

Dans *Le Feu*, Barbusse évoque les combattants de la guerre de 1914-1918, et s'en prend à tous ceux qu'il juge responsables de la tuerie. Il parvient souvent, comme ici, à la plus émouvante grandeur.

Quelques-uns de nous ont risqué la tête au-dessus du rebord du talus et ont pu embrasser de l'œil, le temps d'un éclair, tout le champ de bataille autour duquel notre compagnie tourne vaguement depuis ce matin.

J'ai aperçu une plaine grise, démesurée, où le vent semble pousser en largeur de confuses et légères ondulations de poussière piquées par endroits d'un flot de fumée plus pointu.

Cet espace immense où le soleil et les nuages traînent des plaques de noir et de blanc, étincelle sourdement de place en place — ce sont nos batteries qui tirent — et je l'ai vu à un moment tout entier pailleté d'éclats brefs. A un autre moment, une partie des campagnes s'est estompée sous une taie vaporeuse et blanchâtre : une sorte de tourmente de neige.

Au loin, sur les sinistres champs interminables, à demi-effacés et couleur de haillons et troués autant que des nécropoles, on remarque, comme un morceau de papier déchiré, le fin squelette d'une église et, d'un bord à l'autre du tableau, de vagues rangées de traits verticaux rapprochés et soulignés, comme les bâtons des pages d'écriture : des routes avec leurs arbres. De minces sinuosités rayent la plaine en long et en large, la quadrillent, et ces sinuosités sont pointillées d'hommes.

On discerne des fragments de lignes formés de ces points humains qui, sortis des raies creuses, bougent sur la plaine à la face de l'horrible ciel déchaîné.

On a peine à croire que chacune de ces taches minuscules est un être de chair frissonnante et fragile, infiniment désarmé dans l'espace, et qui est plein d'une pensée profonde, plein de longs souvenirs et plein d'une foule d'images ; on est ébloui par ce poudroiement d'hommes aussi petits que les étoiles du ciel.

Pauvres semblables, pauvres inconnus, c'est à votre tour de donner !
Une autre fois, ce sera le nôtre. A nous demain, peut-être, de sentir les
cieux éclater sur nos têtes ou la terre s'ouvrir sous nos pieds, d'être assaillis
20 par l'armée prodigieuse des projectiles, et d'être balayés par des souffles
d'ouragan cent mille fois plus forts que l'ouragan.

On nous pousse dans les abris d'arrière. A nos yeux le champ de la mort
s'éteint. A nos oreilles, le tonnerre s'assourdit sur l'enclume formidable des
nuages. Le bruit d'universelle destruction fait silence. L'escouade s'enveloppe égoïstement des bruits familiers de la vie, s'enfonce dans la petitesse
caressante des abris.

Le Feu (Flammarion, éditeur).

CÉLINE

Louis-Ferdinand Destouches (1894-1961), en littérature, Céline, a couru l'Angleterre,
l'Afrique et l'Amérique du Sud, avant de s'installer comme médecin dans la banlieue
parisienne. Il écrit des livres douloureux et violents, dans un style parfois ordurier, qui
expriment sa compassion pour les faibles, sa révolte et son désespoir. (*Voyage au bout
de la nuit*, 1932 ; *Mort à crédit*, 1936).

« LE CIEL, COUVERCLE NOIR... »

Parmi tant de pages *désespérées*, celle-ci apparaît comme l'expression d'un mal essentiel :
l'homme n'y est pas seulement malheureux dans l'immédiat ; mais il se heurte dans sa
conscience même comme à la paroi d'un *cachot*. Au bout d'une telle nuit, il n'y a pas
d'aurore.

Quand on arrive, vers ces heures-là, en haut du Pont Caulaincourt, on
aperçoit, au-delà du grand lac de nuit qui est sur le cimetière, les premières lueurs de Rancy. C'est sur l'autre bord, Rancy. Faut faire tout le
tour pour y arriver. C'est si loin ! Alors on dirait qu'on fait le tour de la
nuit même, tellement il faut marcher de temps et des pas autour du
cimetière pour arriver aux fortifications.

Et puis, ayant atteint la porte, à l'octroi, on passe encore devant le bureau
moisi où végète le petit employé vert. C'est tout près alors. Les chiens de
la zone sont à leur poste d'aboi. Sous un bec de gaz, il y a des fleurs quand
10 même, celles de la marchande qui attend toujours là les morts qui passent
d'un jour à l'autre, d'une heure à l'autre. Le cimetière, un autre encore, à
côté, et puis le boulevard de la Révolte [1]. Il monte avec toutes ses lampes,
droit et large en plein dans la nuit. Y a qu'à suivre, à gauche. C'était ma
rue. Il n'y avait vraiment personne à rencontrer. Tout de même, j'aurais
bien voulu être ailleurs et loin. J'aurais aussi voulu avoir des chaussons
pour qu'on m'entende pas du tout rentrer chez moi. J'y étais cependant

— 1 Topographie « expressive », personnelle à l'auteur ; il existe aussi un boulevard Magnanime.

pour rien, moi, si Bébert[2] n'allait pas mieux du tout. J'avais fait mon possible. Rien à me reprocher. C'était pas de ma faute si on ne pouvait rien dans des cas comme ceux-là. Je suis parvenu jusque devant sa porte
20 et, je le croyais, sans avoir été remarqué. Et puis, une fois monté, sans ouvrir les persiennes, j'ai regardé par les fentes pour voir s'il y avait toujours des gens à parler devant chez Bébert. Il en sortait encore quelques-uns des visiteurs, de la maison, mais ils n'avaient pas le même air qu'hier, les visiteurs. Une femme de ménage des environs, que je connaissais bien, pleurnichait en sortant. « On dirait décidément que ça va encore plus mal, que je me disais. En tout cas, ça va sûrement pas mieux... Peut-être qu'il est déjà passé, que je me disais. Puisqu'il y en a une qui pleure déjà ! » La journée était finie.

Je cherchais quand même si j'y étais pour rien dans tout ça. C'était
30 froid et silencieux chez moi. Comme une petite nuit dans un coin de la grande, exprès pour moi tout seul.

De temps en temps montaient des bruits de pas et l'écho entrait de plus en plus fort dans ma chambre, bourdonnait, s'estompait... Silence. Je regardais encore s'il se passait quelque chose dehors, en face. Rien qu'en moi que ça se passait, à me poser toujours la même question.

J'ai fini par m'endormir sur la question, dans ma nuit à moi, ce cercueil, tellement j'étais fatigué de marcher et de ne trouver rien.

Voyage au bout de la nuit (Librairie Gallimard, éditeur).

ARAGON

Aragon est né à Paris en 1897. Il entreprend des études médicales interrompues par la guerre. Après sa participation au *surréalisme*, il se consacre à son engagement politique dans le *communisme*. Son roman *Le Paysan de Paris* porte encore la trace du surréalisme, mais *Les Cloches de Bâle* (1934), *Les Beaux quartiers* (1936), *Les voyageurs de l'Impériale* (1943), *Aurélien* (1947) et *Les Communistes* (cinq volumes de 1949 à 1951) sont consacrés à la peinture du monde réel éclairé par le rêve d'un avenir pacifique. *La Semaine sainte* (1958) renouvelle sa technique et semble marquer un retour à la manière de Stendhal (voir plus bas, *Le Roman contemporain*).

Poète prodigue des mots et des images, Aragon est aussi un militant profondément engagé dans la vie politique.

LES BEAUX QUARTIERS

L'action du roman se situe immédiatement avant la guerre de 1914. Après une première partie qui se déroule dans une petite ville industrielle, Sérianne, nous voici *à Paris*.

Les rêves de la ville avec la tombée de la nuit se prolongent et se précisent comme de déchirantes fumées, et, au-delà du quartier militaire, vers la Seine, il y a de grands silences abandonnés, car ici, passées de petites

—— 2 Sorte de Gavroche maladif, soigné par le narrateur, médecin de banlieue sans prestige.

entreprises, commencent de longs murs enfermant des usines. Les chimères de la gloire font place à des machines maintenant immobiles.
Personne ne songe plus dans ces bâtisses assombries où l'acier dort à
cette heure. Sur l'autre rive débutent les beaux quartiers. Ouest paisible,
coupé d'arbres, aux édifices bien peignés et clairs, dont les volets de fer
laissent passer à leurs fentes supérieures la joie et la chaleur, la sécurité, la
10 richesse. Oh ! c'est ici que les tapis sont épais, et que de petites filles pieds
nus courent dans de longues chemises de nuit parce qu'elles ne veulent
pas dormir : la vie est si douce et il y aura du monde ce soir à en juger par
le linge sorti, par le service de cristal sur une desserte. Les beaux quartiers...
D'où nous les abordons, comme des corsaires, ce long bateau de quiétude
et de luxe dresse son bord hautain avec les jardins du Trocadéro et ce qui
reste encore de la mystérieuse Cité des Eaux où Cagliostro régna aux jours
de la monarchie : subite campagne enclose dans la ville avec les chemins
déserts du parc morcelé, la descente aux coins noirs, où des amoureux
balbutient. Puis c'est la ville aisée, aux rues sans âme, sans commerce,
20 aux rues indistinguables, blanches, pareilles, toujours recommencées.
Cela remonte vers le nord, cela redescend vers le sud, cela coule le long
du Bois de Boulogne, cela se fend de quelques avenues, cela porte des
squares comme des bouquets accrochés à une fourrure de haut prix. Cela
gagne vers le cœur de la ville par le quartier Marbeuf et les Champs-Élysées,
cela se replie de La Madeleine sur le parc Monceau vers Pereire et ce train
de ceinture qui passe rarement dans une large tranchée de la ville, cela
enserre l'Étoile et se prolonge par Neuilly, plein d'hôtels particuliers, et
dont la nostalgique chevelure d'avenues vient traîner jusqu'aux quais
retrouvés de la Seine, et aux confins de la métallurgie de Levallois-Perret.
30 Les beaux quartiers... Ils sont comme une échappée au mauvais rêve,
dans la pince noire de l'industrie. De tous côtés, ils confinent à ces régions
implacables du travail dont les fumées déshonorent leurs perspectives,
rabattues quand le vent s'y met sur leurs demeures aux teintes fragiles.
Ici sommeillent de grandes ambitions, de hautes pensées, des mélancolies
pleines de grâce. Ces fenêtres plongent dans des rêveries très pures, des
méditations utopiques où plane la bonté. Que d'images idylliques dans ces
têtes privilégiées, dans les petits salons de panne rose, où les livres décorent
la vie, devant les coiffeuses éclairées de flacons, de brosses et de petits
objets de métal, sur les prie-Dieu des chambres, dans les grands lits pleins
40 de rumeurs, parmi la fraîcheur des oreillers ! Dans ces parages de l'aisance,
on voudrait tant que tout fût pour le mieux dans le meilleur des mondes.
On rêve d'oublier, on rêve d'aimer, on rêve de vivre, on rêve de dispen-
saires et d'œuvres où sourit l'ange de la charité. L'existence est un opéra
dans la manière ancienne, avec ses ouvertures, ses ensembles, ses grands
airs, et l'ivresse des violons. Les beaux quartiers !

Les Beaux Quartiers, II, 1 (Denoël, éditeur).

L'HOMME DEVANT LA NATURE

L'amour du terroir inspire de nombreux écrivains « régionalistes » : Louis Pergaud (1882-1915 ; *De Goupil à Margot*, 1910), Jean Aicard (*Maurin des Maures*, 1907), Ernest Pérochon (*Nène*, Prix Goncourt 1920), A. de Chateaubriant (*La Brière*, 1923), Henri Pourrat (1887-1960, *Gaspard des montagnes*, 1922 à 1931).

D'autres romanciers, élargissant cette inspiration, ont su atteindre à une vérité humaine très générale et à la plus profonde poésie de la nature. C'est le cas de Maurice Genevoix, né en 1890 et peintre de la Sologne (*Raboliot*, Prix Goncourt 1925 ; *La dernière harde*, 1938) ou du Suisse vaudois Ramuz (*La grande peur dans la montagne*, 1926) qui est aussi un moraliste et un mémorialiste lucide.

Les grands noms de Colette, Giono et Bosco méritent toutefois une place privilégiée dans cette galerie.

COLETTE

Gabrielle-Sidonie Colette (1873-1954) restera pour la postérité le peintre de la nature et de son enfance campagnarde. *La Maison de Claudine* en 1922 et *La Naissance du Jour* en 1928 mêlent aux évocations et aux paysages de Bourgogne et de Provence d'amples méditations poétiques. Colette, qui est la vie même, a consciemment refusé l'angoisse qui paralyse et la convention qui pétrifie. Chez elle, le mot exprime la sensation dans sa fraîcheur et dans sa constante nouveauté : qu'elle parle d'un parfum, d'un goût, d'un paysage, elle ne nomme pas seulement, elle ressuscite.

Colette a aussi regardé vivre les êtres avec une lucidité passionnée ; elle est particulièrement attentive aux problèmes de l'amour (*Chéri*, 1920 ; *La fin de Chéri*, 1926). Indulgente pour les hommes, elle offre l'image d'une sagesse et d'un équilibre pleins de sérénité.

SIDO, LA PASSIONNÉE

Composée sous le ciel lumineux de Saint-Tropez, *La Naissance du Jour* est à la fois le livre de l'*émerveillement* et celui du *renoncement*. L'auteur évoque ici, dans sa profonde complexité, la personnalité de *sa mère* qui, elle, sut toujours préserver son âme de ce qui n'était pas sagesse et pureté.

A n'en pas douter, ma mère savait, elle qui n'apprit rien, comme elle disait, « qu'en se brûlant », elle savait qu'on possède dans l'abstention, et seulement dans l'abstention. Abstention, consommation — le péché n'est guère plus lourd ici que là, pour les « grandes amoureuses » de sa sorte, — de notre sorte. Sereine et gaie auprès de l'époux, elle devenait agitée, égarée de passion ignorante, à la rencontre des êtres qui traversent leur moment sublime. Confinée dans son village, entre deux maris successifs et quatre enfants, elle rencontrait partout, imprévus, suscités pour elle, par elle, des apogées, des éclosions, des métamorphoses, des explosions
10 de miracles, dont elle recueillait tout le prix. Elle qui ménagea la bête, soigna l'enfant, secourut la plante, il lui fut épargné de découvrir qu'une

singulière bête veut mourir, qu'un certain enfant implore la souillure, qu'une des fleurs closes exigera d'être forcée, puis foulée aux pieds. Son ignorance à elle, ce fut de voler de l'abeille à la souris, du nouveau-né à un arbre, d'un pauvre à un plus pauvre, d'un rire à un tourment. Pureté de ceux qui se prodiguent ! Il n'y eut jamais dans sa vie le souvenir d'une aile déshonorée, et, si elle trembla de désir autour d'un calice fermé, autour d'une chrysalide roulée encore dans sa coque vernissée, du moins elle attendit, respectueuse, l'heure. Pureté de ceux qui n'ont pas commis 20 d'effraction ! Me voici contrainte, pour la renouer à moi, de rechercher le temps où ma mère rêvait dramatiquement au long de l'adolescence de son fils aîné, le très beau, le séducteur. En ce temps-là, je la devinai sauvage, pleine de fausse gaîté et de malédiction, ordinaire, enlaidie, aux aguets. Ah ! que je la revoie ainsi diminuée, la joue colorée d'un rouge qui lui venait de la jalousie et de la fureur ! Que je la revoie ainsi et qu'elle m'entende assez pour se reconnaître dans ce qu'elle eût le plus fort réprouvé ! Que je lui révèle, à mon tour savante, combien je suis son impure survivance, sa grossière image, sa servante fidèle chargée des basses besognes ! Elle m'a donné le jour et la mission de poursuivre ce qu'en 30 poète elle saisit et abandonna comme on s'empare d'un fragment de mélodie flottante, en voyage dans l'espace... Qu'importe la mélodie, à qui s'enquiert de l'archet et de la main qui tient l'archet ?

Elle alla vers ses fins innocentes avec une croissante anxiété. Elle se levait tôt, puis plus tôt, puis encore plus tôt. Elle voulait le monde à elle, et désert, sous la forme d'un petit enclos, d'une treille et d'un toit incliné. Elle voulait la jungle vierge, encore que limitée à l'hirondelle, aux chats et aux abeilles, à la grande épeire [1] debout sur sa roue de dentelle argentée par la nuit. Le volet du voisin, claquant sur le mur, ruinait son rêve d'exploratrice incontestée, recommencé chaque jour à l'heure où la rosée froide 40 semble tomber, en sonores gouttes inégales, du bec des merles. Elle quitta son lit à six heures, puis à cinq heures et, à la fin de sa vie, une petite lampe rouge s'éveilla, l'hiver, bien avant que l'angelus battît l'air noir. En ces instants encore nocturnes ma mère chantait, pour se taire dès qu'on pouvait l'entendre. L'alouette aussi, tant qu'elle monte vers le plus clair, vers le moins habité du ciel. Ma mère montait et montait sans cesse sur l'échelle des heures, tâchant à posséder le commencement du commencement. Je sais ce que c'est que cette ivresse-là. Mais elle quêta, elle, un rayon horizontal et rouge et le pâle soufre qui vient avant le rayon rouge ; elle voulut l'aile humide que la première abeille étire comme un bras. 50 Elle obtint, du vent d'été qu'enfante l'approche du soleil, sa primeur en parfums d'acacia et de fumée de bois ; elle répondit avant tous au grattement de pied et au hennissement à mi-voix d'un cheval, dans l'écurie voisine ; de l'ongle elle fendit sur le seau du puits le premier disque de glace éphémère où elle fut seule à se mirer, un matin d'automne.

La Naissance du Jour (Flammarion, éditeur).

— 1 Grosse araignée des jardins.

SAISONS D'AUTREFOIS

Avec *Sido*, COLETTE a réalisé sans doute son plus éblouissant chef-d'œuvre. Dans l'extrait qu'on va lire, on retrouvera ce double aspect de son talent : susciter une saison jusqu'à la rendre sensible en ce qu'elle a de plus *fugitif :* une fleur, une bourrasque ; et, *simultanément*, la situer dans une autre dimension, celle du *passé*, des lointains du *souvenir*, où apparaît ainsi, à la fois présente et poétisée, l'inoubliable *figure maternelle*.

Il y avait dans ce temps-là de grands hivers, de brûlants étés. J'ai connu, depuis, des étés dont la couleur, si je ferme les yeux, est celle de la terre ocreuse, fendillée entre les tiges du blé et sous la géante ombrelle du panais[1] sauvage, celle de la mer grise ou bleue. Mais aucun été, sauf ceux de mon enfance, ne commémore le géranium écarlate et la hampe enflammée des digitales. Aucun hiver n'est plus d'un blanc pur à la base d'un ciel bourré de nues ardoisées qui présageaient une tempête de flocons plus épais, puis un dégel illuminé de mille gouttes d'eau et de bourgeons lancéolés... Ce ciel pesait sur le toit chargé de neige des greniers à fourrages,
10 le noyer nu, la girouette, et pliait les oreilles des chattes... La calme et verticale chute de neige devenait oblique, un faible ronflement de mer lointaine se levait sur ma tête encapuchonnée, tandis que j'arpentais le jardin, happant la neige volante... Avertie par ses antennes, ma mère s'avançait sur la terrasse, goûtait le temps, me jetait un cri :
— La bourrasque d'Ouest ! Cours ! Ferme les lucarnes du grenier !... La porte de la remise aux voitures !... Et la fenêtre de la chambre du fond !
Mousse exalté du navire natal, je m'élançais, claquant des sabots, enthousiasmée si du fond de la mêlée blanche et bleu-noir, sifflante, un vif éclair, un bref roulement de foudre, enfants d'Ouest et de Février,
20 comblaient tous deux un des abîmes du ciel... Je tâchais de trembler, de croire à la fin du monde.
Mais dans le pire du fracas ma mère, l'œil sur une grosse loupe cerclée de cuivre, s'émerveillait, comptait les cristaux ramifiés d'une poignée de neige qu'elle venait de cueillir aux mains mêmes de l'Ouest rué sur notre jardin...

Sido (Librairie Hachette, éditeur).

JEAN GIONO

JEAN GIONO (1895-1970) est né à Manosque, en Provence. Il évoque la terre et l'âme populaire de sa province (*Un de Baumugnes* en 1929 ; *Regain* en 1930). Dans *Le Serpent d'étoiles* (1933) ou *Le Chant du monde* (1934), il prêche avec lyrisme l'adhésion à l'ordre naturel du monde et l'insigne liberté de l'individu, incompatible avec la civilisation moderne.
Depuis 1947, GIONO, mettant une sourdine à ce flux poétique, écrit des romans de mœurs à la tonalité balzacienne (*Le Moulin de Pologne*, 1952) ou stendhalienne (*Le Hussard sur le toit*, 1951).

— 1 Variété courante d'ombellifères à fleurs jaunes.

LE GRAND TROUPEAU

Tel est le titre du livre où Giono, ancien combattant de 1914, ne peut s'empêcher
d'exprimer la grandeur tragique de *la guerre* qu'il a détestée. Aux premiers jours de la
mobilisation, parmi les villages vidés d'hommes jeunes, d'immenses *troupeaux* sont
ramenés vers la plaine. Ils défilent à longueur de journée devant les vieillards et, parmi
eux, devant Burle, qui porte son cataplasme en plein été. Le *réalisme* grotesque de ce
détail saisi entre beaucoup d'autres ne fait que mieux ressortir le *symbolisme* de l'hallucinant
défilé qui, évoqué durant *une trentaine de pages* torrentielles, nous force à penser aux
hommes, eux aussi entraînés dans une ruée sans fin.

Devant les moutons, l'homme était seul.

Il était seul. Il était vieux. Il était las à mort. Il n'y avait qu'à voir son
traîné de pied, le poids que le bâton pesait dans sa main. Mais il devait
avoir la tête pleine de calcul et de volonté.

Il était blanc de poussière de haut en bas comme une bête de la route.
Tout blanc.

Il repoussa son chapeau en arrière et puis, de ses poings lourds, il s'essuya
les yeux ; et il eut comme ça, dans tout ce blanc, les deux larges trous rouges
de ses yeux malades de sueur. Il regarda tout le monde de son regard
10 volontaire. Sans un mot, sans siffler, sans gestes, il tourna le coude de la
route et on vit alors ses yeux aller au fond de la ligne droite de la route,
là-bas, jusqu'au fond et il voyait tout : la peine et le soleil. D'un coup de
bras, il rabaissa le chapeau sur sa figure, et il passa en traînant ses pieds.

Et, derrière lui, il n'y avait pas de bardot portant le bât, ni d'ânes chargés
de couffes, non ; seulement, devançant les moutons de trois pas, juste après
l'homme, une grande bête toute noire et qui avait du sang sous le ventre.

La bête prit le tournant de la route. Cléristin avait mis ses lunettes. Il
plissa le nez et il regarda :

— Mais, c'est le bélier, il dit, c'est le mouton-maître. C'est le bélier !

20 On fit oui de la tête tout autour de lui. On voyait le bélier qui perdait
son sang à fil dans la poussière et on voyait aussi la dure volonté de l'homme
qui poussait tous les pas en avant sur le malheur de la route.

Cléristin enleva son chapeau et se gratta la tête à pleins doigts. Burle se
pencha hors de sa fenêtre pour suivre des yeux, le plus loin qu'il pouvait,
ce bélier sanglant. Il avait été patron berger dans le temps. Il se pencha, son
cataplasme se décolla de ses poils de poitrine.

— C'est gâcher la vie, il disait, c'est gâcher la vie...

Enfin, il remonta son cataplasme, il se recula et il ferma sa fenêtre avec
un bon coup sur l'espagnolette.

30 Le vieux berger était déjà loin, là-bas dans la pente. Ça suivait tout lentement derrière lui. C'étaient des bêtes de taille presque égale serrées
flanc à flanc, comme des vagues de boue, et, dans leur laine, il y avait de
grosses abeilles de la montagne prisonnières, mortes ou vivantes. Il y avait
des fleurs et des épines ; il y avait de l'herbe toute verte entrelacée aux

jambes. Il y avait un gros rat qui marchait en trébuchant sur le dos des moutons. Une ânesse bleue sortit du courant et s'arrêta, jambes écartées. L'ânon s'avança en balançant sa grosse tête, il chercha la mamelle et, cou tendu, il se mit à pomper à pleine bouche en tremblant de la queue. L'ânesse regardait les hommes avec ses beaux yeux moussus comme des pierres
40 de forêt. De temps en temps elle criait parce que l'ânon tétait trop vite.

C'étaient des bêtes de bonne santé et de bon sentiment, ça marchait encore sans boiter. La grosse tête épaisse, aux yeux morts, était pleine encore des images et des odeurs de la montagne. Il y avait, par là-bas devant, l'odeur du bélier-maître, l'odeur d'amour et de brebis folle ; et les images de la montagne. Les têtes aux yeux morts dansaient de haut en bas, elles flottaient dans les images de la montagne et mâchaient doucement le goût des herbes anciennes.

Le Grand Troupeau (Librairie Gallimard, éditeur).

Alternent ensuite les scènes où les femmes et les vieillards du village font « marcher la terre » et celles où, sur le front, les hommes de Provence souffrent et meurent devant des paysages étrangers. Lorsque « celui de la mairie » a apporté dans une bastide l'avis officiel de la mort d'un combattant, c'est la veillée funèbre « à corps absent ».

HENRI BOSCO

Né à Avignon, en 1888, Henri Bosco est inspiré par une Provence austère et secrète, dans laquelle il voit partout le *mystère* (*L'âne Culotte*, 1938 ; *Le Mas Théotime*, 1945 ; *Un Rameau de la Nuit*, 1950). *Malicroix* (1948) donne plus d'ampleur à l'orchestration lyrique de thèmes essentiels (les éléments, la demeure).

LA MAISON DANS LA TEMPÊTE

Martial Mégremut a hérité de son grand-oncle Malicroix un domaine en Camargue parcouru par des taureaux sauvages, un troupeau de moutons, la maison de « La Redousse » dans une île du Rhône,... et un mystère inquiétant. « Gens de terre grasse », les Mégremut sont « doux et patients », tandis que Cornélius de Malicroix appartenait à une race plus rude. Pour devenir *vraiment* son héritier et le maître *authentique* du domaine, Martial devra surmonter les *épreuves*, comparables à des *rites d'initiation*, que lui réservent les hommes, les éléments et peut-être l'âme du mort. Voici l'une de ces épreuves : *la tempête ;* mais le narrateur trouve une alliée, bien plus, *une mère* dans la *maison* qui, déjà, l'a adopté.

Jusqu'à l'aube le vent souffla. Cédant à la poussée grandissante du souffle, l'espace lentement se dilatait. Aspirant, expirant, comme une colossale poitrine, les trombes d'air, cette respiration formidable montait et descendait au cœur de la tempête. Car la tempête avait un cœur, point fougueux d'où se ruait, en pulsations tumultueuses, la vie de la bête massive qui s'engouffrait dans le creux des ténèbres, en haletant de ses mille naseaux vivaces et noirs. Par moments, la figure brutale de maître Dromiols [1] paraissait et disparaissait dans le vent. Carré d'épaules et de reins, le visage impassible, il montait dans une rafale mugissante, puis il s'enfonçait au flanc d'un nuage qui grondait de colère en l'enveloppant. Des taureaux blancs nageaient sur des fleuves impétueux de vents glauques et lourds et ils meuglaient dans le courant, le mufle haut, en glissant vers la mer. Les plus étranges hallucinations [2] traversaient mon être de vent, électrisé. A mesure que l'étendue soufflante prenait, dans la largeur, la hauteur et la profondeur, des dimensions plus irréelles, tout un univers aérien se créait autour de mon âme. Le vent y devenait la matière céleste des coulées intersidérales, où des constellations de vents descendaient vers moi du Septentrion. Avec leurs étoiles filantes, comme une pluie de souffles bleus poussés par un vaste Aquilon à travers l'infini du monde, ces grandes figures stellaires étincelaient sous la tempête universelle et s'y abîmaient lentement, en déchirant le ciel de longs flamboiements électriques, qui m'éblouissaient...

Corps léger, dépouillé de matière et tout nerfs, le sommeil me prit près de l'aube et me laissa dormir à portée des bruits innombrables de la tempête. Elle continua à souffler à travers mon âme et y balaya toutes les visions. Aux spectacles hallucinatoires issus du vent quand je veillais, et qui se dispersèrent, succéda un monde de sons superposés en fragiles songes sonores, purs de toute figure, qui se confondirent bien vite pour former une sourde et monotone trépidation. Je la perçus d'une façon continuelle tout le long d'un sommeil nerveux qui me tint suspendu dans les ondes du vent et je ne sais quel vide, où mon âme entière vibra jusqu'au matin.

La maison luttait bravement. Elle se plaignit tout d'abord ; les pires souffles l'attaquèrent de tous les côtés à la fois, avec une haine distincte et de tels hurlements de rage que, par moments, je frissonnais de peur. Mais elle tint. Dès le début de la tempête des vents hargneux avaient pris le toit à partie. On essaya de l'arracher, de lui casser les reins, de le mettre en lambeaux, de l'aspirer. Mais il bomba le dos et s'accrocha à sa vieille charpente. Alors d'autres vents arrivèrent et se ruant au ras du sol ils foncèrent contre les murailles. Tout fléchit sous le choc impétueux, mais la maison flexible, ayant plié, résista à la bête. Elle tenait sans doute au sol de l'île par des racines incassables, d'où ses minces parois de roseaux crépis et de planches tiraient une force surnaturelle. On eut beau insulter les volets et les portes, prononcer des menaces colossales, claironner dans la cheminée, l'être déjà humain, où j'abritais mon corps, ne céda rien à la tempête. La maison se serra sur moi, comme une louve, et par moments je sentais son odeur descendre maternellement jusque dans mon cœur. Ce fut, cette nuit-là, vraiment ma mère.

Malicroix (Librairie Gallimard, éditeur).

— 1 Notaire inquiétant, qui semble être un | transcris — et ce sont des hallucinations que je suppôt du Malin. — 2 Cf. « Je n'écris pas : je | transcris » (Lettre de Bosco à J. Lambert).

CRITIQUES ET ESSAYISTES ENTRE LES DEUX GUERRES

La critique universitaire Après FERDINAND BRUNETIÈRE (1849-1907), théoricien de l'évolution des genres littéraires, après JULES LEMAITRE (1853-1914), qui se réclame du dilettantisme d'Anatole France et offre l'exemple d'une critique subjective soutenue par une science certaine, après ÉMILE FAGUET (1847-1916), analyste clair et attentif aux « caractères saillants » de chaque auteur, GUSTAVE LANSON (1857-1934), professeur à la Sorbonne et directeur de l'École Normale Supérieure, définit avec précision les *règles de l'histoire littéraire*. Sa méthode vise à faire reposer le jugement critique sur des « faits » aussi objectifs que ceux de l'histoire. Mais si l'étude des sources et des influences a parfois remplacé chez ses élèves la lecture directe des textes, LANSON a toujours sauvegardé la *primauté de l'œuvre*.

« LA LITTÉRATURE N'EST PAS OBJET DE SAVOIR »

Cette page, où LANSON définit clairement son idéal, est remarquable non seulement par la netteté du point de vue mais aussi par l'aisance du style qui, en dépit de sa simplicité et de sa discrétion, révèle une grande *ferveur*. La réaction que Lanson lui-même aurait manifestée contre ses disciples indiscrets se devine dans le dernier paragraphe.

On ne comprendrait pas que l'histoire de l'art dispensât de regarder les tableaux et les statues. Pour la littérature comme pour l'art, on ne peut éliminer l'œuvre, dépositaire et révélatrice de l'individualité. Si la lecture des textes originaux n'est pas l'illustration perpétuelle et le but dernier de l'histoire littéraire, celle-ci ne procure plus qu'une connaissance stérile et sans valeur. Sous prétexte de progrès, l'on nous ramène aux pires insuffisances de la science du Moyen Âge, quand on ne connaissait plus que les sommes et les manuels. Aller au texte, rejeter la glose et le com-mentaire, voilà, ne l'oublions pas, par où la Renaissance fut excellente
10 et efficace.
L'étude de la littérature ne saurait se passer aujourd'hui d'érudition : un certain nombre de connaissances exactes, positives, sont nécessaires pour asseoir et guider nos jugements. D'autre part, rien n'est plus légitime que toutes les tentatives qui ont pour objet, par l'application des méthodes scientifiques, de lier nos idées, nos impressions particulières, et de repré-senter synthétiquement la marche, les accroissements, les transformations de la littérature. Mais il ne faut pas perdre de vue deux choses : l'histoire littéraire a pour objet la description des individualités ; elle a pour base des intuitions individuelles. Il s'agit d'atteindre non pas une espèce,
20 mais Corneille, mais Hugo : et on les atteint, non pas par des expériences ou des procédés que chacun peut répéter et qui fournissent à tous des

résultats invariables, mais par l'application de facultés qui, variables d'homme à homme, fournissent des résultats nécessairement relatifs et incertains. Ni l'objet, ni les moyens de la connaissance littéraire ne sont, dans la rigueur du mot, scientifiques.

En littérature, comme en art, on ne peut perdre de vue les œuvres, infiniment et indéfiniment réceptives et dont jamais personne ne peut affirmer avoir épuisé le contenu et fixé la formule. C'est dire que la littérature n'est pas objet de savoir : elle est exercice, goût, plaisir. On ne la *sait* pas, on ne l'*apprend* pas : on la pratique, on la cultive, on l'aime. Le mot le plus vrai qu'on ait dit sur elle, est celui de Descartes : la lecture des bons livres est comme une conversation qu'on aurait avec les plus honnêtes gens des siècles passés, et une conversation où ils ne nous livreraient que le meilleur de leurs pensées.

Les mathématiciens comme j'en connais, que les lettres amusent, et qui vont au théâtre ou prennent un livre pour se recréer, sont plus dans le vrai que ces littérateurs comme j'en connais aussi, qui ne *lisent* pas mais *dépouillent*, et croient faire assez de convertir en *fiches* tout l'imprimé dont ils s'emparent. La littérature est destinée à nous fournir un plaisir, mais un plaisir intellectuel, attaché au jeu de nos facultés intellectuelles, et dont ces facultés sortent fortifiées, assouplies, enrichies. Et ainsi la littérature est un instrument de culture intérieure : voilà son véritable office.

Avant-Propos de *l'Histoire de la Littérature Française* (Librairie Hachette, éditeur).

La méthode lansonienne

Cette méthode personnelle qui, avec le temps, allait devenir l'unique « méthode » des études littéraires, est inspirée par « le goût du vrai » que Lanson possédait avant tout. Elle vise essentiellement à faire reposer le jugement critique sur des « faits » aussi objectifs que ceux de l'histoire ; elle invite donc à rassembler au départ des éléments matériellement indiscutables (sous réserve de découvertes ultérieures) et constituant un acquis commun à tous les chercheurs.

Il l'a lui-même décrite dans ses étapes nécessaires en traçant un programme de travail à ses élèves : « *Constituer une bibliographie, chercher une date, confronter les éditions, tirer parti d'un chef-d'œuvre, trouver une source, débrouiller les origines d'un mouvement, séparer les éléments d'une forme hybride...* ». Dans cet ensemble de recherches il insista principalement 1°) sur la *bibliographie* destinée à rassembler tous les *textes connus* d'une œuvre ou d'un auteur donné et tous les *travaux antérieurs* les concernant ; 2°) sur l'étude des *sources* possibles qui seule permet d'éclairer complètement la genèse d'une œuvre et d'isoler sa part *d'originalité réelle* ; 3°) sur l'étude des *manuscrits* conservés puis des *états successifs* d'un texte selon les éditions, sûr moyen de découvrir le cheminement d'une pensée ou de pénétrer le secret d'un style. De là, dans l'œuvre de Lanson, le monumental et durable *Manuel bibliographique de la Littérature française moderne* (1909-1914) qui, pour une période débutant au XVIe siècle, rassemble 25 000 références ; de là aussi la présence *d'éditions historiques et critiques* (*Les Lettres Philosophiques*, 1909 ; *Les Méditations*, 1919) dont il a établi les règles et donné l'exemple.

Par la suite, trop de travaux inspirés par la méthode désormais acquise, eurent le tort de mettre l'accent sur l'appareil critique et de considérer comme une fin en soi la recherche érudite ; l'étude des *sources* et des *influences* surtout y prévalut sur la pénétration sensible de l'œuvre : armés de leurs « fiches », certains « lansoniens », méconnaissant l'esprit du maître et de sa méthode, semblèrent confirmer outrageusement la prévision hasardée de Renan : « *L'étude de l'histoire littéraire est destinée à remplacer en grande partie la lecture directe des œuvres de l'esprit humain* ».

ÉLARGISSEMENT DE LA CRITIQUE

**La N.R.F.
au carrefour**
En février 1909 paraissait le premier numéro de la *Nouvelle Revue Française*. Plus qu'une revue, la N.R.F. allait être le centre d'une prestigieuse *diffusion* d'œuvres contemporaines à laquelle presque tous les grands écrivains apportèrent leur nom. Dirigée d'abord par ANDRÉ GIDE, JACQUES COPEAU et JEAN SCHLUMBERGER, puis par JACQUES RIVIÈRE et, après 1925, par JEAN PAULHAN, elle devait marquer aussi une *orientation nouvelle* de la *critique* et même du *goût* français, qu'elle élargit et entraîna vers de vastes horizons, en l'ouvrant aux *littératures étrangères* (Dostoïevsky, Rilke, Pirandello) comme aux grands *problèmes* de la pensée, de l'art et de la psychologie. Dans le domaine de la critique, des livres tels que *Incidences* d'André Gide, ou *Variété* de Paul Valéry marqueront l'épanouissement de cet humanisme nouveau dont témoigneront aussi, à leur date, JEAN PAULHAN *(Petite Préface à toute critique)* comme EMMANUEL CIORAN, né Roumain et devenu un brillant essayiste français (*Syllogismes de l'amertume*, 1952 ; *La Tentation d'exister*, 1956).

Créées en 1922, *Les Nouvelles Littéraires* ont contribué, elles aussi, à répandre la littérature vivante, grâce aux enquêtes de FRÉDÉRIC LEFÈVRE *(Une heure avec...)*, prélude aux entretiens radiophoniques d'aujourd'hui.

Cependant, ALBERT THIBAUDET (1874-1936) joint les qualités de l'intuition à la précision de l'information (*Histoire de la littérature française de 1789 à nos jours*, 1936). JULIEN BENDA (1867-1955), violent et passionné, prend position contre Bergson, Péguy, Proust et Gide, et défend les principes d'une critique rationnelle éloignée de toute émotion (*La Trahison des clercs*, 1927 ; *La France byzantine*, 1945).

CONTRE LA CRITIQUE PATHÉTIQUE

A une critique intuitive et subjective des œuvres littéraires, qu'il appelle la « *critique pathétique* », JULIEN BENDA oppose les droits d'une analyse et d'un jugement *objectifs*. Il affirme que l'impression ne doit pas se substituer à l'étude des éléments intrinsèques. Il insiste enfin sur l'examen des œuvres en elles-mêmes et pour elles-mêmes, par-delà les données biographiques ou sentimentales.

On ne saurait trop dénoncer cette volonté de nos contemporains de considérer les œuvres *par rapport à la personne de leurs auteurs*, jamais en elles-mêmes. C'est une des meilleures preuves de leur application à éprouver de l'émoi par les produits de l'esprit, à éviter tout état intellectuel. Rencontrent-ils, par exemple, cette pensée : « Une femme oublie d'un homme qu'elle n'aime plus jusqu'aux faveurs qu'il a reçues d'elles » ? Croyez-vous qu'ils vont s'appliquer à goûter la valeur de la remarque, en discuter la portée, admirer le bien-venu de l'expression ? Nullement ; ils vont chercher quelles circonstances de la vie de La Bruyère ont pu lui
10 suggérer ce mot, s'il a aimé, s'il a été quitté, s'il a souffert... Mais où cette volonté est le plus symbolique, c'est quand il s'agit d'ouvrages nettement porteurs d'idées et qui vivent en tant que tels, d'un Montesquieu, d'un Guizot, d'un Auguste Comte. N'allez pas leur parler de ces idées pour elles-mêmes, de leur action dans le monde en tant qu'idées et détachées

de leur auteur, leur montrer par quelles transformations c'est encore elles qui nous nourrissent aujourd'hui. Tout cela leur semble oiseux. Mais contez-leur que Rousseau découvrit sa doctrine de la bonté naturelle de l'homme sur la route de Vincennes en allant voir Diderot, et dans un tel émoi qu'il n'en respirait plus, ou que telle vue d'Auguste Comte qui a
20 bouleversé la philosophie est due à ses rapports avec Clotilde de Vaux, voilà la vraie critique et qu'ils acclament.

Belphégor (Émile-Paul, éditeur, 1918).

Au contraire de Julien Benda, CHARLES DU BOS (1882-1939) a constamment tenté d'approcher le mystère de la création littéraire, par les moyens de l'intuition et de la sympathie (*Approximations*, 1922 à 1937).

LE GÉNIE DE STENDHAL

Ces réflexions sur Stendhal romancier sont très caractéristiques des « *approximations* » de CHARLES DU BOS. Il ne lui suffit pas en effet, lorsqu'il étudie une œuvre, de l'examiner en restant, pour ainsi dire, à sa périphérie ; c'est *au cœur même de la création littéraire* qu'il tente de parvenir.

Les ressources de génie de Stendhal sont telles qu'il peut multiplier indéfiniment les scènes entre Julien et Mathilde sans que nous ayons jamais l'impression non seulement d'une redite, mais même d'une monotonie. Chaque scène a une présence si impérieuse qu'il semble toujours qu'elle soit la première. Lorsque certains romanciers mettent deux protagonistes l'un en face de l'autre, on devine que ce contact est le résultat d'intentions à très longue portée, que la rencontre doit se produire juste à ce moment-là et que peut-être elle ne se reproduira plus dans tout le cours du roman : la scène relève d'un art sévèrement architectural, elle est une des clefs de
10 voûte d'un monument littéraire accompli. Rien de semblable chez Stendhal. Il prend plaisir à confronter sans cesse ses héros comme on rapproche deux silex pour voir quelles étincelles en jailliront. Il y a chez Stendhal un abandon, une improvisation, une invention perpétuels. Si la plupart des lecteurs sentent moins cet abandon dans *Le Rouge et le Noir* que dans *La Chartreuse de Parme*, c'est qu'ils transportent au livre même la tension de son héros. Même si Stendhal a une idée, une ligne qu'il s'est tracée d'avance pour le caractère de ses personnages ou la portée générale de son roman, son génie qui éclate de toutes parts brise sa propre cosse et rompt sur mille points toutes les digues qu'il aurait voulu s'imposer.
20 C'est ainsi que le caractère de Julien déborde à tout instant non seulement l'idée qu'on s'en fait, mais l'idée que Stendhal lui-même voudrait s'en faire et voudrait qu'on s'en fît. Les romans de Stendhal ne sont nullement, quoi qu'on en pense, des livres dominés : ce qui fait naître cette impression, c'est son don exceptionnel du raccourci. L'emploi du raccourci en art éveille involontairement dans notre esprit l'idée d'un génie qui se domine : ce n'est pas toujours vrai, et Stendhal est le meilleur exemple du contraire.

Approximations II (Buchet-Chastel, éditeur).

Le philosophe ÉMILE CHARTIER, dit ALAIN (1868-1951), a exercé une grande influence par son enseignement rationaliste et soucieux d'une sagesse pratique parfois un peu limitée. Mais c'est aussi un critique littéraire avisé, respectueux de la beauté artistique.

BALZAC AU TRAVAIL

ALAIN saisit ici BALZAC dans le feu même d'une composition multiple dont il exalte l'aspect presque artisanal. Une de ses idées les plus chères, c'est en effet que, pour croître et pour produire, le talent artistique requiert non pas des projets bien arrêtés, mais un commencement d'action, fût-il imparfait. Selon Alain, il faut entreprendre courageusement une tâche *concrète* et « *méditer les brosses* (ou la plume) *à la main* ».

L'erreur propre aux artistes est de croire qu'ils trouveront mieux en méditant qu'en essayant ; mais le métier et la nécessité les détournent d'une voie où il n'y a rien. Ce qu'on voulait faire, c'est en le faisant qu'on le découvre. Cette idée, que je n'ai pas comprise tout de suite, m'explique Balzac et les pensées que j'y trouve. Vous savez comme il procède ; il se donne, par ses premières épreuves, une sorte d'esquisse plastique empreinte dans la matière ; ainsi, dans un cas où l'art semble tenir tout entier dans l'esprit, il sait changer l'art en métier, et écrire comme on bâtit ou comme on peint. Je sais que la nécessité l'y pousse ; mais je le vois aussi heureux
10 de ces contraintes, hors desquelles il ne saurait ni commencer ni finir. L'inspiration se montre dans le travail même ; au lieu qu'à mesurer d'avance un sujet, une idée, une thèse, on n'aperçoit que le désert de la pensée universelle, cent fois parcouru en tous ses maigres sentiers. Tel est l'état de Blondet [1], de Lousteau [2], et de tous ces penseurs à l'échine rompue. Ils savent trop bien d'avance ce qu'ils feront ; le papier blanc les glace ; aussi leur conversation vaut mieux que leurs œuvres ; c'est qu'alors ils parlent avant de penser ; mais écrire ainsi, ils n'osent. Il n'y a que les poètes qui font des vers sans bien savoir où ils vont. C'est méditer les brosses [3] à la main. Je soupçonne que Balzac a porté à une perfection
20 incroyable l'art d'inventer en écrivant, toujours d'après ceci que, dans l'esquisse réelle et déjà imprimée, il se montre des promesses et d'immenses lacunes, mais non pas indéterminées, et qui exigent un travail de maçon. Je ne crois pas que ces remarques décident absolument sur la prose, car nous voyons que Stendhal travaillait tout à fait autrement. Toujours est-il que la prose de Balzac me semble bien sortir de matière, et se plaire même dans les entassements. C'est de là que je dirais qu'il n'a pu écrire ses œuvres que plusieurs ensemble, et au fond toutes ensemble.

Avec Balzac (Librairie Gallimard, éditeur).

— 1 Journaliste qui apparaît dans *Splendeurs et Misères des Courtisanes* et dans *La Peau de chagrin*. — 2 Autre journaliste, mais arriviste et paresseux, qui joue un rôle important dans *La Muse du Département*. — 3 Ce sont les *pinceaux* du peintre.

LES TENDANCES
EXISTENTIALISTES

La doctrine   DÉFINITION. L'existentialisme met l'accent sur *l'existence*, opposée à l'essence qui serait illusoire, problématique, ou du moins aboutissement et non point de départ de la spéculation philosophique. La donnée immédiate, perçue d'ailleurs dans l'angoisse, est l'existence ; l'absolu, s'il n'est pas simplement l'irréversible, serait à construire, à conquérir indéfiniment. Selon la formule de Sartre, « l'Existence précède l'Essence. »

Les existentialistes français se recommandent du Danois Sœren KIERKEGAARD (1813-1855), auteur de *Concept d'angoisse*, et doivent beaucoup aux philosophes allemands HEIDEGGER, JASPERS, HUSSERL. « L'originalité de Sartre, écrit Simone de Beauvoir, c'est que, prêtant à la conscience une glorieuse indépendance, il accordait tout son poids à la réalité » ; aussi fut-il vivement impressionné par la *phénoménologie* de Husserl qui, par un retour au concret, entend « dépasser l'opposition de l'idéalisme et du réalisme, affirmer à la fois la souveraineté de la conscience, et la présence du monde, tel qu'il se donne à nous. » (*La Force de l'Age*, p. 35 et 141).

VARIANTES. Mais il est plus d'une forme d'existentialisme. Ainsi Alphonse de Waehlens en Belgique et, en France, Gabriel Marcel ont tenté d'édifier un existentialisme *chrétien*. Les routes mêmes de Merleau-Ponty et de Sartre ont divergé, sans que cela s'explique seulement par des questions politiques ou des différences de tempérament.

MAURICE MERLEAU-PONTY, né en 1908, disparu prématurément en 1961, professa l'existentialisme à la Sorbonne puis au Collège de France. Disciple de Husserl, il a publié *La Structure du Comportement* (1941), une *Phénoménologie de la Perception* (1945), *Les Aventures de la Dialectique* (1955) et un « essai sur le problème communiste », *Humanisme et Terreur*. Pur philosophe, il a exposé dans une belle langue, pour un public restreint, une doctrine plus sereine que celle de Sartre, et montré que l'existentialisme pouvait être le point de convergence de courants apparemment très divers de la pensée contemporaine. Nous citerons ces quelques lignes empruntées à son *Éloge de la Philosophie* (Leçon inaugurale au Collège de France, 1953) : « Ma situation dans le monde avant toute réflexion et mon initiation par elle à l'existence ne sauraient être résorbées par la réflexion qui les dépasse vers l'absolu, ni traitées dans la suite comme des effets. [...] Ce que le philosophe pose, ce n'est jamais l'absolument absolu, c'est l'absolu en rapport avec lui. »

JEAN-PAUL SARTRE

Sa vie, son œuvre   Né à Paris en 1905, normalien et agrégé de philosophie, JEAN-PAUL SARTRE est professeur jusqu'en 1945. Ses deux principaux ouvrages philosophiques sont *L'Être et le Néant* (1943) et la *Critique de la raison dialectique* (1960).

Mais c'est aussi un romancier (*La Nausée*, 1938 ; *L'Age de raison* et *Le Sursis*, 1945 ; *La mort dans l'âme*, 1951), et un auteur dramatique *(Les Mouches*, 1943 ; *Huis Clos*, 1944 ; *Les Mains sales*, 1948 ; *Le Diable et le Bon Dieu*, 1951).

Fondateur de la revue *Les Temps Modernes* en 1945, SARTRE a publié de nombreux essais de critique philosophique, littéraire ou politique (*Situations*, 1947-1949 ; *L'Existentialisme est un humanisme*, 1946 ; *Baudelaire*, 1947).

Malgré le caractère abstrait de ses ouvrages théoriques, SARTRE a contribué à la diffusion de l'existentialisme, car il a illustré sa philosophie par ses romans, son théâtre, ses essais, et il l'a traduite dans l'action par son engagement politique.

L'*existentialisme* de Sartre repose sur la négation de Dieu et de la nature humaine. L'homme est ce qu'il se fait, il est donc responsable et condamné à *être libre*. L'acte authentique est celui par lequel il assume sa situation et la dépasse en agissant. Le problème se pose alors des critères de l'engagement légitime : le bien et le mal ne sont pas des absolus, mais ils sont eux-mêmes en situation. En fait, que son choix soit rationel ou affectif, Sartre voit le mal dans la misère et l'oppression, opte contre le fascisme, le capitalisme et la morale « bourgeoise ».

L'EXISTENCE DÉVOILÉE

Antoine Roquentin, qui vit solitaire à Bouville (Le Havre), éprouve un sentiment d'horreur devant le fourmillement *absurde* de la contingence. Mais cette expérience pénible doit être dépassée dans la philosophie de Sartre : une telle prise de conscience engage l'homme à exercer sa *liberté* et, dépassant l'existence, à tendre vers « l'être », révélé par le « faire », c'est-à-dire par la *création* ou l'*action*.

Je ne peux pas dire que je me sente allégé ni content ; au contraire, ça m'écrase. Seulement mon but est atteint : je sais ce que je voulais savoir ; tout ce qui m'est arrivé depuis le mois de janvier, je l'ai compris. La Nausée ne m'a pas quitté et je ne crois pas qu'elle me quittera de sitôt ; mais je ne la subis plus, ce n'est plus une maladie ni une quinte passagère : c'est moi.

Donc j'étais tout à l'heure au Jardin public. La racine du marronnier s'enfonçait dans la terre, juste au-dessous de mon banc. Je ne me rappelais plus que c'était une racine. Les mots s'étaient évanouis et, avec eux, la signification des choses, leurs modes d'emploi, les faibles repères que les
10 hommes ont tracés à leur surface. J'étais assis, un peu voûté, la tête basse, seul en face de cette masse noire et noueuse, entièrement brute et qui me faisait peur. Et puis j'ai eu cette illumination.

Ça m'a coupé le souffle. Jamais, avant ces derniers jours, je n'avais pressenti ce que voulait dire « exister ». J'étais comme les autres, comme ceux qui se promènent au bord de la mer dans leurs habits de printemps. Je disais comme eux « la mer *est* verte ; ce point blanc, là-haut, c'*est* une mouette », mais je ne sentais pas que ça existait, que la mouette était une « mouette-existante » ; à l'ordinaire l'existence se cache. Elle est là, autour de nous, en nous, elle est *nous*, on ne peut pas dire deux mots sans parler d'elle et, finalement, on ne la touche pas. Quand je croyais y penser, il faut
20 croire que je ne pensais rien, j'avais la tête vide, ou tout juste un mot dans la tête, le mot « être ». Ou alors, je pensais... comment dire ? Je pensais l'*appartenance*, je me disais que la mer appartenait à la classe des objets verts ou que le vert faisait partie des qualités de la mer. Même quand je regardais les choses, j'étais à cent lieues de songer qu'elles existaient : elles m'apparaissaient comme un décor. Je les prenais dans mes mains, elles me servaient d'outils, je prévoyais leurs résistances. Mais tout ça se passait à la surface. Si l'on m'avait demandé ce que c'était que l'existence, j'aurais répondu de bonne foi que ça n'était rien, tout juste une forme vide qui venait s'ajouter

Orlando Pelayo : *Albert Camus*; portrait successif. Vers 1956.
(Photo J.-L. Charmet - E.B.)

Jacques Prévert : *Oratorio*.
Collage. Collection Jacques Prévert. *(Photo J.-L. Charmet - E.B.)*

30 aux choses du dehors, sans rien changer à leur nature. Et puis voilà :
tout d'un coup, c'était là, c'était clair comme le jour : l'existence s'était
soudain dévoilée. Elle avait perdu son allure inoffensive de catégorie
abstraite : c'était la pâte même des choses, cette racine était pétrie dans de
l'existence. Ou plutôt la racine, les grilles du jardin, le banc, le gazon rare
de la pelouse, tout ça s'était évanoui ; la diversité des choses, leur individualité n'étaient qu'une apparence, un vernis. Ce vernis avait fondu, il
restait des masses monstrueuses et molles, en désordre — nues, d'une
effrayante et obscène nudité.

Je me gardais de faire le moindre mouvement, mais je n'avais pas besoin
40 de bouger pour voir, derrière les arbres, les colonnes bleues et le lampadaire
du kiosque à musique, et la Velléda, au milieu d'un massif de lauriers.
Tous ces objets... comment dire ? Ils m'incommodaient ; j'aurais souhaité
qu'ils existassent moins fort, d'une façon plus sèche, plus abstraite, avec
plus de retenue. Le marronnier se pressait contre mes yeux. Une rouille
verte le couvrait jusqu'à mi-hauteur ; l'écorce, noire et boursouflée,
semblait de cuir bouilli. Le petit bruit d'eau de la fontaine Masqueret se
coulait dans mes oreilles et s'y faisait un nid, les emplissait de soupirs ;
mes narines débordaient d'une odeur verte et putride. Toutes choses,
doucement, tendrement, se laissaient aller à l'existence comme ces femmes
50 lasses qui s'abandonnent au rire et disent : « C'est bon de rire » d'une voix
mouillée ; elles s'étalaient, les unes en face des autres, elles se faisaient
l'abjecte confidence de leur existence. Je compris qu'il n'y avait pas de
milieu entre l'inexistence et cette abondance pâmée. Si l'on existait, il
fallait *exister jusque-là*, jusqu'à la moisissure, à la boursouflure, à l'obscénité.
Dans un autre monde, les cercles, les airs de musique gardent leurs lignes
pures et rigides. Mais l'existence est un fléchissement. Des arbres, des
piliers bleu de nuit, le râle heureux d'une fontaine, des odeurs vivantes, de
petits brouillards de chaleur qui flottaient dans l'air froid, un homme roux
qui digérait sur un banc : toutes ces somnolences, toutes ces digestions
60 prises ensemble offraient un aspect vaguement comique. Comique... non :
ça n'allait pas jusque-là, rien de ce qui existe ne peut être comique ; c'était
comme une analogie flottante, presque insaisissable, avec certaines
situations de vaudeville. Nous étions un tas d'existants gênés, embarrassés
de nous-mêmes, nous n'avions pas la moindre raison d'être là, ni les uns
ni les autres, chaque existant, confus, vaguement inquiet, se sentait de trop
par rapport aux autres. *De trop* : c'était le seul rapport que je pusse établir
entre ces arbres, ces grilles, ces cailloux. En vain cherchais-je à *compter*
les marronniers, à les *situer* par rapport à la Velléda, à comparer leur
hauteur avec celles des platanes : chacun d'eux s'échappait des relations où
70 je cherchais à l'enfermer, s'isolait, débordait. Ces relations (que je
m'obstinais à maintenir pour retarder l'écroulement du monde humain, des
mesures, des quantités, des directions) j'en sentais l'arbitraire ; elles ne
mordaient plus sur les choses. *De trop*, le marronnier, là en face de moi un
peu sur la gauche. *De trop*, la Velléda...

Et *moi* — veule, alangui, obscène, digérant, ballottant de mornes

pensées — *moi aussi j'étais de trop*. Heureusement je ne le sentais pas, je le comprenais surtout, mais j'étais mal à l'aise parce que j'avais peur de le sentir (encore à présent j'en ai peur — j'ai peur que ça ne me prenne par le derrière de ma tête et que ça ne me soulève comme une lame de fond).
80 Je rêvais vaguement de me supprimer, pour anéantir au moins une de ces existences superflues. Mais ma mort même eût été de trop. De trop, mon cadavre, mon sang sur ces cailloux, entre ces plantes, au fond de ce jardin souriant. Et la chair rongée eût été de trop dans la terre qui l'eût reçue et mes os, enfin, nettoyés, écorcés, propres et nets comme des dents eussent encore été de trop : j'étais de trop pour l'éternité.

La Nausée (Librairie Gallimard, éditeur).

Désormais, Roquentin se sent libre : « Seul et libre. Mais cette liberté ressemble un peu à la mort. » Si déprimante que soit la Nausée, la dernière note n'est pas désespérée. Entendant une phrase musicale, le personnage se dit : « Elle n'existe pas, puisqu'elle n'a rien de trop : c'est tout le reste qui est de trop par rapport à elle. Elle est. ». Il éprouve « une espèce de joie » et rêve d'un livre à écrire : « il faudrait qu'on devine, derrière les mots exprimés, derrière les pages, quelque chose qui n'existerait pas, qui serait au-dessus de l'existence. »

MON ACTE, C'EST MA LIBERTÉ

Dans *Les Mouches* (1943), interprétant le mythe d'*Électre*, Sartre fait de l'acte d'ORESTE le symbole de la liberté humaine assumée dans un geste authentique, étranger aux notions traditionnelles de Bien et de Mal.
Revenu dans Argos après quinze ans d'exil, ORESTE *trouve « une charogne de ville tourmentée par les mouches » : sous l'œil complaisant de Jupiter, Égisthe maintient la cité, depuis le meurtre d'Agamemnon, dans le repentir collectif, la confession publique et la crainte superstitieuse des mots. Seule,* ÉLECTRE *se révolte et rêve de vengeance. Mais supportera-t-elle de voir accompli ce qu'elle a tant souhaité ? Oreste vient d'abattre Égisthe, puis Clytemnestre et, tandis qu'il adhère* pleinement *à son acte,* voici qu'ÉLECTRE *vacille...*

ÉLECTRE

Oreste ! *(Elle se jette dans ses bras.)*

ORESTE

De quoi as-tu peur ?

ÉLECTRE

Je n'ai pas peur, je suis ivre. Ivre de joie. Qu'a-t-elle dit ? A-t-elle longtemps imploré sa grâce ?

ORESTE

Électre, je ne me repentirai pas de ce que j'ai fait, mais je ne juge pas bon d'en parler : il y a des souvenirs qu'on ne partage pas. Sache seulement qu'elle est morte.

ÉLECTRE

En nous maudissant ? Dis-moi seulement cela : en nous maudissant ?

ORESTE

Oui, en nous maudissant.

ÉLECTRE

10 Prends-moi dans tes bras, mon bien-aimé, et serre-moi de toutes tes forces. Comme la nuit est épaisse et comme les lumières de ces flambeaux ont de la peine à percer ! M'aimes-tu ?

ORESTE

Il ne fait pas nuit : c'est le point du jour. Nous sommes libres, Électre. Il me semble que je t'ai fait naître et que je viens de naître avec toi ; je t'aime et tu m'appartiens. Hier encore j'étais seul et aujourd'hui tu m'appartiens. Le sang nous unit doublement, car nous sommes de même sang et nous avons versé le sang.

ÉLECTRE

Jette ton épée. Donne-moi cette main. *(Elle lui prend la main et l'embrasse.)* Tes doigts sont courts et carrés. Ils sont faits pour prendre et
20 pour tenir. Chère main ! Elle est plus blanche que la mienne. Comme elle s'est faite lourde pour frapper les assassins de notre père ! Attends. *(Elle va chercher un flambeau et elle l'approche d'Oreste.)* Il faut que j'éclaire ton visage, car la nuit s'épaissit et je ne te vois plus bien. J'ai besoin de te voir : quand je ne te vois plus, j'ai peur de toi ; il ne faut pas que je te quitte des yeux. Je t'aime. Il faut que je pense que je t'aime. Comme tu as l'air étrange !

ORESTE

Je suis libre, Électre ; la liberté a fondu sur moi comme la foudre.

ÉLECTRE

Libre ? Moi, je ne me sens pas libre. Peux-tu faire que tout ceci n'ait pas été ? Quelque chose est arrivé que nous ne sommes plus libres de
30 défaire. Peux-tu empêcher que nous soyons pour toujours les assassins de notre mère ?

ORESTE

Crois-tu que je voudrais l'empêcher ? J'ai fait *mon* acte, Électre, et cet acte était bon. Je le porterai sur mes épaules comme un passeur d'eau porte les voyageurs, je le ferai passer sur l'autre rive et j'en rendrai compte. Et plus il sera lourd à porter, plus je me réjouirai, car ma liberté, c'est lui. Hier encore, je marchais au hasard sur la terre, et des milliers de chemins fuyaient sous mes pas, car ils appartenaient à d'autres. Je les ai tous empruntés, celui des haleurs, qui court au long de la rivière, et le sentier du muletier et la route pavée des conducteurs de chars ; mais
40 aucun n'était à moi. Aujourd'hui, il n'y en a plus qu'un, et Dieu sait où il mène : mais c'est *mon* chemin. Qu'as-tu ?

ÉLECTRE

Je ne peux plus te voir ! Ces lampes n'éclairent pas. J'entends ta voix, mais elle me fait mal, elle me coupe comme un couteau. Est-ce qu'il fera toujours aussi noir, désormais, même le jour ? Oreste ! Les voilà !

ORESTE

Quoi ?

ÉLECTRE

Les voilà ! D'où viennent-elles ? Elles pendent du plafond comme des grappes de raisins noirs, et ce sont elles qui noircissent les murs ; elles se glissent entre les lumières et mes yeux, et ce sont leurs ombres qui me dérobent ton visage.

ORESTE

50   Les mouches...

ÉLECTRE

Écoute !... Écoute le bruit de leurs ailes, pareil au ronflement d'une forge. Elles nous entourent, Oreste. Elles nous guettent ; tout à l'heure elles s'abattront sur nous, et je sentirai mille pattes gluantes sur mon corps. Où fuir, Oreste ? Elles enflent, elles enflent, les voilà grosses comme des abeilles, elles nous suivront partout en épais tourbillons. Horreur ! Je vois leurs yeux, leurs millions d'yeux qui nous regardent.

ORESTE

Que nous importent les mouches ?

ÉLECTRE

Ce sont les Érinnyes, Oreste, les déesses du remords.

DES VOIX, *derrière la porte :*

Ouvrez ! Ouvrez ! S'ils n'ouvrent pas, il faut enfoncer la porte. *(Coups sourds dans la porte.)*

ORESTE

60   Les cris de Clytemnestre ont attiré des gardes. Viens ! Conduis-moi au sanctuaire d'Apollon ; nous y passerons la nuit, à l'abri des hommes et des mouches. Demain je parlerai à mon peuple.

Les Mouches, acte II, tableau II, scène 8 (Librairie Gallimard, éditeur).

Électre repoussera son frère pour se livrer au repentir ; mais Oreste, lui, tient tête à Jupiter. Sans doute est-il condamné à la solitude, sans doute les Érinnyes vont-elles s'acharner sur lui ; n'est-il pas victorieux cependant ? Jupiter lui-même avouait à Égisthe : « Quand une fois la liberté a explosé dans une âme d'homme, les Dieux ne peuvent plus rien contre cet homme-là. » Et s'il renonce à régner sur Argos, Oreste, « voleur de remords », n'a-t-il pas enseigné à son peuple « le secret douloureux des Dieux et des rois » : que les hommes sont libres, sans le savoir ?

ALBERT CAMUS

Sa vie, son œuvre Fils d'un ouvrier agricole mort à la guerre de 1914, ALBERT CAMUS est né en Algérie en 1913. Il est élevé par sa mère, d'origine espagnole, dans un pauvre appartement d'un quartier populaire d'Alger. Il fait ainsi dès son enfance la double expérience de la beauté du monde vu à travers le soleil méditerranéen, et de la misère de l'homme. C'est un brillant élève, doué pour la philosophie, mais la tuberculose l'empêche de passer l'agrégation. Journaliste à Alger, puis à Paris, il devient rédacteur en chef du journal *Combat* en août 1944. Après avoir sans cesse milité en faveur de la liberté politique et de la paix, il meurt prématurément en 1960 dans un accident d'automobile.

L'œuvre de CAMUS est celle d'un moraliste. Elle comprend des essais (*Le Mythe de Sisyphe*, 1942 ; *L'Homme révolté*, 1951), des romans (*L'Étranger*, 1942 ; *La Peste*, 1947 ; *La Chute*, 1956), des pièces de théâtre (*Caligula*, 1944 ; *L'État de siège*, 1948 ; *Les Justes*, 1950).

Bien qu'apparenté à l'existentialisme, Camus s'en sépare nettement et attache son nom à la *philosophie de l'absurde*, construite sur l'expérience de la lucidité. L'homme absurde a reconnu le caractère irrationnel du monde et de la condition humaine, mais en même temps le désir éperdu de clarté qui résonne en lui. La liberté n'est possible que dans la conscience de cette *antinomie* qui définit l'absurde et qui exclut aussi bien le nihilisme que l'espérance philosophique.

La *révolte* est la conséquence de l'attitude absurde. « Je continue à croire que ce monde n'a pas de sens supérieur, écrit Camus en 1948. Mais je sais que quelque chose en lui a du sens, et c'est l'homme, parce qu'il est le seul à exiger d'en avoir. » L'homme révolté manifeste sa grandeur en refusant tout ce qui l'avilit, mais il est aussi sans illusion sur les conséquences de son action : la révolte bute inlassablement contre le mal, à partir duquel il ne lui reste qu'à prendre un nouvel élan.

Camus se sépare des existentialistes en ce qu'il croit à l'existence d'une nature humaine, c'est-à-dire d'un élément permanent, qui fonde le refus sans cesse renouvelé du malheur sous toutes ses formes.

« IL FAUT IMAGINER SISYPHE HEUREUX »

« Les dieux avaient condamné Sisyphe à rouler sans cesse un rocher jusqu'au sommet d'une montagne d'où la pierre retombait par son propre poids. Ils avaient pensé avec quelque raison qu'il n'est pas de punition plus terrible que le travail inutile et sans espoir. » Évoquant la légende de ce personnage à qui son mépris des dieux, sa haine de la mort et sa passion pour la vie avaient valu « ce supplice indicible où tout l'être s'emploie à ne rien achever », CAMUS reconnaît en lui *le héros absurde*. Au moment où SISYPHE redescend une fois de plus vers la plaine, il lui prête la *révolte*, la *liberté* et la *passion* qu'il a définies dans *Le Mythe de Sisyphe, essai sur l'absurde* : en prenant conscience de la vanité de ses efforts sans espoir, Sisyphe se rend supérieur à ce qui l'écrase ; s'emparant de son propre destin, il fonde sa grandeur sur la lutte et tire de cet univers sans maître le seul bonheur qui soit accessible à l'homme.

Tout au bout de ce long effort mesuré par l'espace sans ciel et le temps sans profondeur, le but est atteint. Sisyphe regarde alors la pierre dévaler en quelques instants vers ce monde inférieur d'où il faudra la remonter vers les sommets. Il redescend dans la plaine.

C'est pendant ce retour, cette pause, que Sisyphe m'intéresse. Un visage qui peine si près des pierres est déjà pierre lui-même. Je vois cet homme redescendre d'un pas lourd mais égal vers le tourment dont il ne connaîtra pas la fin. Cette heure qui est comme une respiration et qui revient aussi sûrement que son malheur, cette heure est celle de la conscience. A chacun de ces instants, où il quitte les sommets et s'enfonce peu à peu vers les tanières des dieux, il est supérieur à son destin. Il est plus fort que son rocher.

Si ce mythe est tragique, c'est que son héros est conscient. Où serait en effet sa peine, si à chaque pas l'espoir de réussir le soutenait ? L'ouvrier d'aujourd'hui travaille, tous les jours de sa vie, aux mêmes tâches et ce destin n'est pas moins absurde. Mais il n'est tragique qu'aux rares moments où il devient conscient. Sisyphe, prolétaire des dieux, impuissant et révolté, connaît toute l'étendue de sa misérable condition : c'est à elle qu'il pense pendant sa descente. La clairvoyance qui devait faire son tourment consomme du même coup sa victoire. Il n'est pas de destin qui ne se surmonte par le mépris.

Si la descente ainsi se fait certains jours dans la douleur, elle peut se faire aussi dans la joie. Ce mot n'est pas de trop. J'imagine encore Sisyphe revenant vers son rocher, et la douleur était au début. Quand les images de la terre tiennent trop fort au souvenir, quand l'appel du bonheur se fait trop pressant, il arrive que la tristesse se lève au cœur de l'homme : c'est la victoire du rocher, c'est le rocher lui-même. Ce sont nos nuits de Gethsémani. Mais les vérités écrasantes périssent d'être reconnues. Ainsi, Œdipe obéit d'abord au destin sans le savoir. A partir du moment où il sait, sa tragédie commence. Mais dans le même instant, aveugle et désespéré, il reconnaît que le seul lien qui le rattache au monde, c'est la main fraîche d'une jeune fille. Une parole démesurée retentit alors : « Malgré tant d'épreuves, mon âge avancé et la grandeur de mon âme me font juger que tout est bien. » L'Œdipe de Sophocle, comme le Kirilov de Dostoïevsky, donne ainsi la formule de la victoire absurde. La sagesse antique rejoint l'héroïsme moderne.

On ne découvre pas l'absurde sans être tenté d'écrire quelque manuel du bonheur. « Eh ! quoi, par des voies si étroites... ? » Mais il n'y a qu'un monde. Le bonheur et l'absurde sont deux fils de la même terre. Ils sont inséparables. L'erreur serait de dire que le bonheur naît forcément de la découverte absurde. Il arrive aussi bien que le sentiment de l'absurde naisse du bonheur. « Je juge que tout est bien », dit Œdipe, et cette parole est sacrée. Elle retentit dans l'univers farouche et limité de l'homme. Elle enseigne que tout n'est pas, n'a pas été épuisé. Elle chasse de ce monde un dieu qui y était entré avec l'insatisfaction et le goût des douleurs inutiles. Elle fait du destin une affaire d'homme, qui doit être réglée entre les hommes.

Toute la joie silencieuse de Sisyphe est là. Son destin lui appartient. Son rocher est sa chose. De même, l'homme absurde, quand il contemple son tourment, fait taire toutes les idoles. Dans l'univers soudain rendu à son silence, les mille petites voix émerveillées de la terre s'élèvent.

Appels inconscients et secrets, invitations de tous les visages, ils sont l'envers nécessaire et le prix de la victoire. Il n'y a pas de soleil sans ombre, et il faut connaître la nuit. L'homme absurde dit oui et son effort n'aura plus de cesse. S'il y a un destin personnel, il n'y a point de destinée supérieure ou du moins il n'en est qu'une dont il juge qu'elle est fatale et méprisable. Pour le reste, il se sait le maître de ses jours. A cet instant subtil où l'homme se retourne sur sa vie, Sisyphe, revenant vers son rocher, contemple cette suite d'actions sans lien qui devient son destin,
60   créé par lui, uni sous le regard de sa mémoire et bientôt scellé par sa mort. Ainsi, persuadé de l'origine tout humaine de tout ce qui est humain, aveugle qui désire voir et qui sait que la nuit n'a pas de fin, il est toujours en marche. Le rocher roule encore.

Je laisse Sisyphe au bas de la montagne ! On retrouve toujours son fardeau. Mais Sisyphe enseigne la fidélité supérieure qui nie les dieux et soulève les rochers. Lui aussi juge que tout est bien. Cet univers désormais sans maître ne lui paraît ni stérile ni fertile. Chacun des grains de cette pierre, chaque éclat minéral de cette montagne pleine de nuit, à lui seul, forme un monde. La lutte elle-même vers les sommets suffit à remplir
70   un cœur d'homme. Il faut imaginer Sisyphe heureux.

Le Mythe de Sisyphe (Librairie Gallimard, éditeur).

La Peste

Dans *La Peste* (1947), CAMUS imagine qu'une épidémie de peste s'est abattue sur la ville d'Oran. A travers le journal d'un témoin, le Dr RIEUX, il nous fait assister à *l'évolution dramatique du fléau* depuis le jour où apparaissent les rats qui apportent la contagion, jusqu'au moment où, dans la ville isolée du monde et dont les habitants ont péri par milliers, le mal desserre son étreinte et les survivants renaissent au bonheur. C'est un récit à la fois *réaliste* et *mythique* où la peste symbolise l'existence du mal physique et moral ; on y a vu aussi une allégorie particulière de notre temps : « C'est l'occupation allemande et l'univers concentrationnaire, c'est la bombe atomique et les perspectives d'une troisième guerre mondiale, c'est aussi l'âge inhumain, celui de l'État-Dieu, de la machine souveraine, de l'administration irresponsable » (P. de Boisdeffre).

D'une remarquable densité, le récit se situe sur plusieurs plans. C'est d'abord la chronique *d'une épidémie retracée par un médecin : les symptômes, la lutte persévérante malgré les échecs, l'espoir que suscite un nouveau vaccin, les agonies, les enterrements, les incinérations. C'est aussi le récit d'un psychologue et d'un moraliste qui analyse les réactions individuelles (égoïsme, méfiance, douleur des séparations) ou collectives (élans vers la foi ou les jouissances, efforts pour s'adapter à la claustration, tentatives d'évasion). Peu à peu les uns et les autres font, dans le malheur, l'apprentissage de la solidarité.*

Au premier plan, quelques personnages se dévouent sans répit : GRAND, *modeste employé, « héros insignifiant et effacé qui n'avait pour lui qu'un peu de bonté au cœur » et qui, sans s'en douter, est une sorte de saint ; le journaliste* RAMBERT, *que hante l'amour d'une maîtresse restée à Paris, et qui pourtant renonce à quitter la ville maudite car « il peut y avoir de la honte à être heureux tout seul » ; le Père* PANELOUX, *religieux qui s'attache à concilier la confiance en la bonté divine et la lutte contre la souffrance humaine ;* TARROU, *l'intellectuel qui observait la comédie humaine avec la lucidité de l'homme absurde, mais qui, devant la souffrance, éprouve les sentiments de l'homme révolté et sera volontaire pour combattre le fléau, afin de trouver la paix intérieure. Enfin le narrateur, le docteur* RIEUX, *inlassable adversaire de la peste, qui est l'interprète des idées de l'auteur.*

FRATERNITÉ DANS UNE LUTTE SANS ESPOIR

Un *lien fraternel* commence à s'établir entr le Dr RIEUX et TARROU, venu lui proposer son concours pour constituer des « formations sanitaires volontaires », malgré le danger mortel de la contagion. CAMUS a confié l'essentiel de sa pensée à ces deux personnages d'origine et d'éducation différentes mais unis par un même désir de soulager la misère de leurs semblables. Incroyants l'un et l'autre, ils en viennent à préciser leur idéal à propos d'un prêche retentissant du Père PANELOUX qui a présenté la peste comme un châtiment envoyé par Dieu pour inviter les hommes à se convertir : le fléau recevrait ainsi sa *justification rationnelle* en s'intégrant à l'ordre divin. Pour RIEUX, au contraire, *le mal constitue un scandale*, une injustice inconciliable avec l'idée d'un Dieu bon et tout-puissant. Ne pouvant réformer « l'ordre du monde », il adopte l'attitude que lui dicte le sentiment de notre commune misère : exercer son métier de médecin, et, bien qu'il se sache *vaincu d'avance*, lutter jusqu'au bout pour retarder cette mort à laquelle les hommes sont injustement condamnés.

Rieux réfléchit. — Mais ce travail peut être mortel, vous le savez bien. Et dans tous les cas, il faut que je vous en avertisse. Avez-vous bien réfléchi ?

Tarrou le regardait de ses yeux gris et tranquilles.

— Que pensez-vous du prêche de Paneloux, docteur ?

La question était posée naturellement et Rieux y répondit naturellement.

— J'ai trop vécu dans les hôpitaux pour aimer l'idée de punition collective. Mais, vous savez, les chrétiens parlent quelquefois ainsi, sans
10 le penser jamais réellement. Ils sont meilleurs qu'ils ne paraissent.

— Vous pensez pourtant, comme Paneloux, que la peste a sa bienfaisance, qu'elle ouvre les yeux, qu'elle force à penser !

Le docteur secoua la tête avec impatience.

— Comme toutes les maladies de ce monde. Mais ce qui est vrai des maux de ce monde est aussi vrai de la peste. Cela peut servir à grandir quelques-uns. Cependant, quand on voit la misère et la douleur qu'elle apporte, il faut être fou, aveugle ou lâche pour se résigner à la peste.

Rieux avait à peine élevé le ton. Mais Tarrou fit un geste de la main comme pour le calmer. Il souriait.

20 — Oui, dit Rieux en haussant les épaules. Mais vous ne m'avez pas répondu. Avez-vous réfléchi ?

Tarrou se carra un peu dans son fauteuil et avança la tête dans la lumière.

— Croyez-vous en Dieu, docteur ?

La question était encore posée naturellement. Mais cette fois, Rieux hésita.

— Non, mais qu'est-ce que cela veut dire ? Je suis dans la nuit et j'essaie d'y voir clair. Il y a longtemps que j'ai cessé de trouver ça original.

— N'est-ce pas ce qui vous sépare de Paneloux ?

— Je ne crois pas. Paneloux est un homme d'études. Il n'a pas vu
30 assez mourir et c'est pourquoi il parle au nom d'une vérité. Mais le
moindre prêtre de campagne qui administre ses paroissiens et qui a entendu
la respiration d'un mourant pense comme moi. Il soignerait la misère
avant de vouloir en démontrer l'excellence.

Rieux se leva, son visage était maintenant dans l'ombre.

— Laissons cela, dit-il, puisque vous ne voulez pas répondre.

Tarrou sourit sans bouger de son fauteuil. — Puis-je répondre par
une question ? A son tour le docteur sourit : — Vous aimez le mystère,
dit-il. Allons-y.

— Voilà, dit Tarrou. Pourquoi vous-même montrez-vous tant de
40 dévouement puisque vous ne croyez pas en Dieu ? Votre réponse m'aidera
peut-être à répondre moi-même.

Sans sortir de l'ombre, le docteur dit qu'il avait déjà répondu, que s'il
croyait en un Dieu tout-puissant, il cesserait de guérir les hommes, lui
laissant alors ce soin. Mais que personne au monde, non, pas même
Paneloux qui croyait y croire, ne croyait en un Dieu de cette sorte, puisque
personne ne s'abandonnait totalement et qu'en cela, du moins, lui, Rieux,
croyait être sur le chemin de la vérité, en luttant contre la création telle
qu'elle était.

— Ah ! dit Tarrou, c'est donc l'idée que vous vous faites de votre métier ?

50 — A peu près, répondit le docteur en revenant dans la lumière.

Tarrou siffla doucement et le docteur le regarda.

— Oui, dit-il, vous vous dites qu'il y faut de l'orgueil. Mais je n'ai
que l'orgueil qu'il faut, croyez-moi. Je ne sais pas ce qui m'attend ni
ce qui viendra après tout ceci. Pour le moment il y a des malades et il
faut les guérir. Ensuite, ils réfléchiront et moi aussi. Mais le plus pressé
est de guérir. Je les défends comme je peux, voilà tout.

— Contre qui ?

Rieux se tourna vers la fenêtre. Il devinait au loin la mer à une conden-
sation plus obscure de l'horizon. Il éprouvait seulement sa fatigue et
60 luttait en même temps contre un désir soudain et déraisonnable de se
livrer un peu plus à cet homme singulier, mais qu'il sentait fraternel.

— Je n'en sais rien, Tarrou, je vous jure que je n'en sais rien. Quand
je suis entré dans ce métier, je l'ai fait abstraitement, en quelque sorte,
parce que j'en avais besoin, parce que c'était une situation comme les
autres, une de celles que les jeunes gens se proposent. Peut-être aussi
parce que c'était particulièrement difficile pour un fils d'ouvrier comme
moi. Et puis il a fallu voir mourir. Savez-vous qu'il y a des gens qui
refusent de mourir ? Avez-vous jamais entendu une femme crier :
« Jamais ! » au moment de mourir ? Moi, oui. Et je me suis aperçu alors

70 que je ne pouvais pas m'y habituer. J'étais jeune alors et mon dégoût croyait s'adresser à l'ordre même du monde. Depuis, je suis devenu plus modeste. Simplement, je ne suis toujours pas habitué à voir mourir. Je ne sais rien de plus. Mais après tout...

Rieux se tut et se rassit. Il se sentait la bouche sèche.

— Après tout ? dit doucement Tarrou.

— Après tout..., reprit le docteur, et il hésita encore, regardant Tarrou avec attention, c'est une chose qu'un homme comme vous peut comprendre, n'est-ce pas, mais puisque l'ordre du monde est réglé par la mort, peut-être vaut-il mieux pour Dieu qu'on ne croie pas en lui et qu'on 80 lutte de toutes ses forces contre la mort, sans lever les yeux vers le ciel où il se tait.

— Oui, approuva Tarrou, je peux comprendre. Mais vos victoires seront toujours provisoires, voilà tout.

Rieux parut s'assombrir.

— Toujours, je le sais. Ce n'est pas une raison pour cesser de lutter.

— Non, ce n'est pas une raison. Mais j'imagine alors ce que doit être cette peste pour vous.

— Oui, dit Rieux. Une interminable défaite.

Tarrou fixa un moment le docteur, puis se leva et marcha lourdement 90 vers la porte. Et Rieux le suivit. Il le rejoignait déjà quand Tarrou qui semblait regarder ses pieds lui dit : — Qui vous a appris tout cela, docteur ?

La réponse vint immédiatement : — La misère. [...]

Rieux eut soudain un rire d'amitié : — Allons Tarrou, dit-il, qu'est-ce qui vous pousse à vous occuper de cela ?

— Je ne sais pas. Ma morale peut-être.

— Et laquelle ?

— La compréhension.

La Peste, IIe Partie (Librairie Gallimard, éditeur).

LA MORT DE L'ENFANT INNOCENT *a toujours été pour les adversaires de la foi en la Providence une objection de choix. C'était un des arguments de Voltaire contre l'Optimisme, qu'on retrouvera chez Vigny et Dostoïevsky. Dans La Peste c'est aussi à l'occasion de la mort d'un enfant que s'affrontent* les idées du Dr RIEUX *et la foi du P.* PANELOUX, *qui pourtant se dépensent tous deux sans compter pour combattre l'épidémie. Au prêtre qui murmure :* « Cela est révoltant parce que cela passe notre mesure. Mais peut-être devons-nous aimer ce que nous ne pouvons pas comprendre », *le docteur réplique :* « Je me fais une autre idée de l'amour. Et je refuserai jusqu'à la mort d'aimer cette création où des enfants sont torturés ». *Bouleversé par l'agonie de cet enfant, le Père* PANELOUX *est parvenu au point où* « il faut tout croire ou tout nier ». *Dans son dernier sermon, il invite les chrétiens à* « accepter de s'en remettre à Dieu, même pour la mort des enfants » : « Il fallait admettre le scandale parce qu'il fallait choisir de haïr Dieu ou de l'aimer ». *Pour rester jusqu'au bout fidèle à sa foi, le P. Paneloux, atteint à son tour de la peste,* refusera d'appeler un médecin et, se confiant entièrement à Dieu, attendra la mort, les yeux fixés sur son crucifix.

« *ÊTRE UN HOMME* »

Avec la confidence de Tarrou à son ami Rieux, le roman va prendre une *dimension nouvelle*. Fils d'un avocat général, Tarrou a découvert un jour l'atrocité des exécutions capitales et a milité au sein d'un parti *hostile à la peine de mort*, jusqu'au jour où il s'est aperçu avec horreur que ce parti admettait le meurtre comme moyen de triompher. Il s'est alors détourné de l'action politique pour *éviter de devenir lui aussi un « pestiféré »*. C'est ici qu'apparaît plus nettement la *portée symbolique* de l'œuvre : au fléau qui ronge les corps correspond la *peste intérieure*, le mensonge, l'orgueil, la haine, la tyrannie, dont il faut endiguer la redoutable contagion, au prix d'une lutte de tous les instants. Dans sa soif d'innocence, de pureté et de fraternité, Tarrou aspire à devenir *« un saint sans Dieu »*. Ambition démesurée aux yeux de Rieux qui, soignant les corps et les souffrances morales en *« vrai médecin »*, n'a pas d'autre prétention que *« d'être un homme »*. Mais est-ce moins difficile que d'être un saint ?

«Avec le temps, j'ai simplement aperçu que même ceux qui étaient meilleurs que d'autres ne pouvaient s'empêcher aujourd'hui de tuer ou de laisser tuer parce que c'était dans la logique où ils vivaient, et que nous ne pouvions pas faire un geste en ce monde sans risquer de faire mourir. Oui, j'ai continué d'avoir honte, j'ai appris cela, que nous étions tous dans la peste, et j'ai perdu la paix. Je la cherche encore aujourd'hui, essayant de les comprendre tous et de n'être l'ennemi mortel de personne. Je sais seulement qu'il faut faire ce qu'il faut pour ne plus être un pestiféré et que c'est là ce qui peut, seul, nous faire espérer la paix, ou une bonne mort à son

10 défaut. C'est cela qui peut soulager les hommes et, sinon les sauver, leur faire le moins de mal possible et même parfois un peu de bien. Et c'est pourquoi j'ai décidé de refuser tout ce qui, de près ou de loin, pour de bonnes ou mauvaises raisons, fait mourir ou justifie qu'on fasse mourir.

C'est pourquoi encore cette épidémie ne m'apprend rien, sinon qu'il faut la combattre à vos côtés. Je sais de science certaine (oui, Rieux, je sais tout de la vie, vous le voyez bien) que chacun la porte en soi, la peste, parce que personne, non, personne n'en est indemne. Et qu'il faut se surveiller sans arrêt pour ne pas être amené, dans une minute de distraction, à respirer dans la figure d'un autre et à lui coller l'infection. Ce qui est

20 naturel, c'est le microbe. Le reste, la santé, l'intégrité, la pureté, si vous voulez, c'est un effet de la volonté et d'une volonté qui ne doit jamais s'arrêter. L'honnête homme, celui qui n'infecte presque personne, c'est celui qui a le moins de distractions possible. Et il en faut de la volonté et de la tension pour ne jamais être distrait ! Oui, Rieux, c'est bien fatigant d'être un pestiféré. Mais c'est encore plus fatigant de ne pas vouloir l'être. C'est pour cela que tout le monde se montre fatigué, puisque tout le monde, aujourd'hui, se trouve un peu pestiféré. Mais c'est pour cela que quelques-uns, qui veulent cesser de l'être, connaissent une extrémité de fatigue dont rien ne les délivrera plus que la mort.

30 D'ici là, je sais que je ne vaux plus rien pour ce monde lui-même et qu'à partir du moment où j'ai renoncé à tuer, je me suis condamné à un exil définitif. Ce sont les autres qui feront l'histoire. Je sais aussi que je

ne puis apparemment juger ces autres. Il y a une qualité qui me manque pour faire un meurtrier raisonnable. Ce n'est donc pas une supériorité. Mais maintenant, je consens à être ce que je suis, j'ai appris la modestie. Je dis seulement qu'il y a sur cette terre des fléaux et des victimes et qu'il faut, autant qu'il est possible, refuser d'être avec le fléau. Cela vous paraîtra peut-être un peu simple, et je ne sais si cela est simple, mais je sais que cela est vrai. J'ai entendu tant de raisonnements qui ont failli
40   me tourner la tête, et qui ont tourné suffisamment d'autres têtes pour les faire consentir à l'assassinat, que j'ai compris que tout le malheur des hommes venait de ce qu'ils ne tenaient pas un langage clair. J'ai pris le parti alors de parler et d'agir clairement, pour me mettre sur le bon chemin. Par conséquent, je dis qu'il y a les fléaux et les victimes, et rien de plus. Si, disant cela, je deviens fléau moi-même, du moins, je n'y suis pas consentant. J'essaie d'être un meurtrier innocent. Vous voyez que ce n'est pas une grande ambition.

Il faudrait, bien sûr, qu'il y eût une troisième catégorie, celle des vrais médecins, mais c'est un fait qu'on n'en rencontre pas beaucoup et que
50   ce doit être difficile. C'est pourquoi j'ai décidé de me mettre du côté des victimes, en toute occasion, pour limiter les dégâts. Au milieu d'elles, je peux du moins chercher comment on arrive à la troisième catégorie, c'est-à-dire à la paix. »

En terminant, Tarrou balançait sa jambe et frappait doucement du pied contre la terrasse. Après un silence, le docteur se souleva un peu et demanda si Tarrou avait une idée du chemin qu'il fallait prendre pour arriver à la paix.

— Oui, la sympathie. [...] En somme, dit Tarrou avec simplicité, ce qui m'intéresse, c'est de savoir comment on devient un saint.

60   — Mais vous ne croyez pas en Dieu.

— Justement. Peut-on être un saint sans Dieu, c'est le seul problème concret que je connaisse aujourd'hui. [...]

Tarrou murmura que ce n'était jamais fini et qu'il y aurait encore des victimes, parce que c'était dans l'ordre.

— Peut-être, répondit le docteur, mais vous savez, je me sens plus de solidarité avec les vaincus qu'avec les saints. Je n'ai pas de goût, je crois, pour l'héroïsme et la sainteté. Ce qui m'intéresse, c'est d'être un homme.

— Oui, nous cherchons la même chose, mais je suis moins ambitieux·
Rieux pensa que Tarrou plaisantait et il le regarda. Mais dans la vague
70   lueur qui venait du ciel, il vit un visage triste et sérieux.

La Peste, IVe Partie (Librairie Gallimard, éditeur).

TARROU *a été emporté dans les derniers sursauts de l'épidémie.* RIEUX *a alors décidé de rédiger cette chronique « pour dire simplement ce qu'on apprend au milieu des fléaux, qu'il y a dans les hommes plus de choses à admirer que de choses à mépriser », et rappeler « ce qu'il avait fallu accomplir et que, sans doute, devraient accomplir encore, contre la terreur et son arme inlassable, malgré leurs déchirements personnels,* tous les hommes qui, ne pouvant être des saints et refusant d'admettre les fléaux, s'efforcent cependant d'être des médecins ».

LA POÉSIE CONTEMPORAINE

La Poésie
et le Poète   La poésie contemporaine devient avant tout *l'affaire du poète* ; il n'y a plus d'écoles, mais des tendances et des affinités, parfois des chapelles. Les thèmes éternels sont toujours vivants : la Nature et Dieu, la Vie, la Mort et l'Amour, la Terre et la peine des Hommes ; mais chaque poète les éprouve, plus que jamais, et les exprime, selon la jalouse particularité de son âme et de son langage. Les querelles poétiques — car il y en a toujours — n'atteignent que rarement le grand public et ne concernent guère que les initiés, mais on en retrouve un peu partout les échos persistants, même au-delà de la littérature, dans le cinéma et la peinture par exemple.

Les grands courants   Il est sans doute difficile, et peut-être inopportun, d'opérer une classification ; néanmoins *des dominantes se révèlent*, dont les *convergences et divergences* caractérisent la poésie d'aujourd'hui. L'ouverture de cet éventail apparaîtra d'autant plus large si l'on songe qu'il s'étend de *l'attention au quotidien* et du langage populiste de Prévert à cet *exorcisme de l'hostilité du monde* qu'est la poésie de Michaux. Mais Guillevic et Francis Ponge affrontent eux aussi *le monde des objets*, tandis que René Char, venu du surréalisme, rejoint *la communion avec l'homme et la nature*. Des poètes aussi éloigné par le langage que Saint-John Perse et Joë Bousquet trouvent dans la liberté de leur lyrisme et dans l'originalité de leur vie intérieure les sources d'une *inépuisable épopée*. D'autres enfin, P.-J. Jouve, P. Emmanuel, P. de la Tour du Pin, J.-C. Renard accèdent ensemble, mais selon leur voie propre, à *la recherche de l'Absolu* par la poésie prophétique ou par ce lyrisme de la prière qui remplit aussi l'œuvre de Marie Noël. Ainsi l'Homme, la Nature, Dieu restent les pôles d'attraction d'une *sensibilité spirituelle* qui fait de *l'invention du langage* l'organe de la *fidélité du poète à lui-même*.

Les extraits qui suivent n'adoptent pas un ordre strictement chronologique, qui n'aurait pas grand sens : ils tâchent plutôt de manifester toute l'ouverture de l'éventail poétique contemporain selon un classement par tendances, du quotidien au métaphysique et au sacré en passant par la contemplation des secrets du monde intérieur. Et cette ouverture ne cesse pas de caractériser *la poésie qui est en train de se faire* : un panorama infiniment divers et embrassé par une production qui va de la fougue baroque d'Audiberti au lyrisme délicat d'Yves Bonnefoy ou d'Alain Bosquet, tandis que la lignée de Rimbaud se continue dans les poèmes en prose de Julien Gracq et que René-Guy Cadou, Maurice Fombeure ou Jean Follain rapportent les échos de leurs incursions dans le monde du secret. On ne saurait enfin négliger l'apport des poètes noirs de langue française, Aimé Césaire et Léopold Sedar Senghor.

POÉSIE DU QUOTIDIEN

Jacques Prévert
(né en 1900)   JACQUES PRÉVERT fut quelque peu lié avec les surréalistes ; il en a surtout retenu, avec une sensibilité souvent anarchisante, une attention systématique à tout ce qui, dans la réalité la plus quotidienne, recèle *un ferment actif de liberté* : les choses et les êtres parlent un langage à la fois proche et inattendu. Il en retient aussi *le naturel concerté* de tout ce qu'enferme de *charme hétéroclite* l'enregistrement verbal des choses, des êtres et des gens. Jacques Prévert, qui fut aussi au cinéma un brillant scénariste, connut surtout la popularité à partir de 1946, date de la publication de *Paroles*, recueil suivi d'*Histoires* (1946) et de *Spectacle* (1951).

POUR FAIRE LE PORTRAIT D'UN OISEAU

La poésie de PRÉVERT est volontiers visuelle, mais avec une nuance de flou qui enveloppe les images d'un halo magique. Ainsi pour l'oiseau dont le « portrait » devra donner réalité sensible à tout ce que suggère de rêve et de caprice la vision de la cage au détour d'une rue. En effet les êtres les plus simples, perdus dans le monde des hommes, parlent au poète une parole riche de sensibilité, dont la liberté rythmique s'inscrit dans le mouvement même du « tableau ».

Peindre d'abord une cage
avec une porte ouverte
peindre ensuite
quelque chose de joli
quelque chose de simple
quelque chose de beau
quelque chose d'utile
pour l'oiseau
placer ensuite la toile contre un arbre
10 dans un jardin
dans un bois
ou dans une forêt
se cacher derrière l'arbre
sans rien dire
sans bouger [...]
Quand l'oiseau arrive
s'il arrive
observer le plus profond silence
attendre que l'oiseau entre dans la cage
20 et quand il est entré
fermer doucement la porte avec le
                pinceau

puis
effacer un à un tous les barreaux
en ayant soin de ne toucher aucune
                des plumes de l'oiseau
Faire ensuite le portrait de l'arbre
en choisissant la plus belle de ses
                branches
pour l'oiseau   30
peindre aussi le vert feuillage et la
                fraîcheur du vent
la poussière du soleil
et le bruit des bêtes de l'herbe dans
                la chaleur de l'été
et puis attendre que l'oiseau se décide
                à chanter
Si l'oiseau ne chante pas
c'est mauvais signe
signe que le tableau est mauvais   40
mais s'il chante c'est bon signe
signe que vous pouvez signer
alors vous arrachez tout doucement
une des plumes de l'oiseau
et vous écrivez votre nom dans un
                coin du tableau.

Paroles (Librairie Gallimard, éditeur).

LA TERRE ET LES HOMMES

René Char
(né en 1907)

RENÉ CHAR côtoya un moment le surréalisme et collabora, après 1929, à l'entreprise d'André Breton (cf. *Le Marteau sans Maître*, 1934). A cette expérience il doit peut-être l'essentiel de son langage, son goût du poème en prose, son sens des possibilités poétiques du mystère verbal, tout ce qui rend d'ailleurs sa poésie difficile d'accès. Chef d'un « maquis » en Provence, son pays natal, il fut de ceux que l'expérience de la guerre et de la résistance transforma profondément (cf. le témoignage de *Feuillets d'Hypnos*, 1946). Désormais, à travers ce qu'il appelle volontiers l'*incantation du langage*, il rejoint l'universel humain et il n'est pas malaisé de retrouver chez lui une sorte de *romantisme éternel*, qui s'inscrit par exemple dans le dialogue difficile de la nature et du cœur humain. Son recueil majeur est *Le Poème pulvérisé* (1947), repris dans *Fureur et Mystère* (1948).

JACQUEMARD ET JULIA

Poème en prose construit selon la technique de la strophe avec refrain initial (sauf pour la dernière) et que domine l'obsession, traduite par ce refrain même, de la nature charnelle (représentée par *l'herbe*). De cette obsession, le poème jaillit comme par un *rayonnement d'images*, jusqu'à ce qu'à travers *l'évocation nostalgique d'un paradis perdu* paraisse la présence actuelle de l'homme et de son espoir.

Jadis l'herbe, à l'heure où les routes de la terre s'accordaient dans leur déclin, élevait tendrement ses tiges et allumait ses clartés. Les cavaliers du jour naissaient au regard de leur amour et les châteaux de leurs bien-aimées [1] comptaient autant de fenêtres que l'abîme porte d'orages légers.

Jadis l'herbe connaissait mille devises qui ne se contrariaient pas. Elle était la providence des visages baignés de larmes. Elle incantait [2] les animaux, donnait asile à l'erreur. Son étendue était comparable au ciel qui a vaincu la peur du temps et allégi [3] la douleur.

Jadis l'herbe était bonne aux fous et hostile au bourreau. Elle convolait avec le seuil de toujours. Les jeux qu'elle inventait avaient des ailes à leur sourire (jeux absous et également fugitifs). Elle n'était dure pour aucun de ceux qui perdant leur chemin souhaitent le perdre à jamais.

Jadis l'herbe avait établi que la nuit vaut moins que son pouvoir, que les sources ne compliquent pas à plaisir leurs parcours, que la graine qui s'agenouille est déjà à demi dans le bec de l'oiseau. Jadis, terre et ciel se haïssaient mais ciel et terre vivaient.

L'inextinguible sécheresse s'écoule. L'homme est un étranger pour l'aurore. Cependant à la poursuite de la vie qui ne peut être encore imaginée, il y a des volontés qui frémissent, des murmures qui vont s'affronter et des enfants sains et saufs qui découvrent.

Le Poème pulvérisé, extrait de *Fureur et Mystère* (Librairie Gallimard, éditeur).

EXORCISME DE L'HOSTILITÉ

Henri Michaux La poésie d'HENRI MICHAUX est l'une des plus *neuves* **(né en 1899)** de notre temps. Venu de Namur en Belgique, ce poète n'a cessé de ressentir comme une blessure la présence du monde. Profondément sensible à la condition *désarmée* de l'homme, il découvre, dès sa jeunesse, que la seule arme qui lui reste est le langage ; il décide de s'en servir pour se défendre et pour attaquer. De là vient le rôle que joue dans cette œuvre *l'humour*, mais c'est un humour métaphysique, qui change les conditions mêmes de l'être par l'agressivité du langage qui le nomme. Michaux a créé un personnage, qu'il appelle *Plume* (*Un certain*

— 1 L'image nostalgique des *cavaliers*, des *châteaux* et des dames, s'accorde avec le leit-motiv *jadis*. — 2 Douer d'un charme magique | (cf. le mythe d'Orphée). — 3 Mot rare emprunté au vocabulaire technique : *amincir* (par exemple en parlant d'une planche).

Plume, 1930 ; *Plume*, 1937) et dont le symbolisme est évident ; il ne cesse, un peu à la manière du Charlot de Chaplin, de se heurter au monde : de ces chocs naissent des *étincelles verbales* humoristiques et fascinantes ; et ainsi la fatalité d'un monde hostile se trouve à la fois « encaissée » et exorcisée par le langage, qui joue à son égard le rôle d'une sorte de boomerang : provoqué par le monde dans son heurt avec le poète, le langage finalement se retourne contre son ennemi en le transformant ; il n'est donc pas étonnant que le langage se refuse à imiter le monde, mais le rompe plutôt et le désarticule pour le vaincre. Henri Michaux, qui a débuté en 1922, avec *Cas de folie circulaire, les idées philosophiques de « Qui je fus »*, est l'auteur d'une œuvre poétique très abondante, où l'on retiendra surtout : *Qui je fus* (1927), *La Nuit remue* (1931), *Voyage en Grande Garabagne* (1936), *Plume, précédé de Lointain intérieur* (1937), *Exorcismes* (1943), *Apparitions* (1946), *Meidosems* (1948), *Passages* (1950).

ICEBERGS

L'image du froid et de la glace est un des aspects les plus obsédants du monde hostile. Les Icebergs représentent cette hostilité fatale et familière, la tentation du désespoir et du néant (pour l'auteur, ils évoquent d'*augustes Bouddhas gelés*). Mais cette familiarité même tend finalement à les exorciser, et le poème s'achève sur une note de tendresse pour cette glace rendue inoffensive par sa parenté avec les *îles* et les *sources*.

Icebergs, sans garde-fou, sans ceinture, où de vieux cormorans abattus et les âmes des matelots morts récemment viennent s'accouder aux nuits enchanteresses de l'hyperboréal.

Icebergs, Icebergs, cathédrales sans religion de l'hiver éternel, enrobés dans la calotte glaciaire de la planète Terre.

Combien hauts, combien purs sont tes bords [1] enfantés par le froid.

Icebergs, Icebergs, dos du Nord-Atlantique, augustes Bouddhas gelés sur des mers incontemplées, Phares scintillants de la Mort sans issue, le cri éperdu du silence dure des siècles.

Icebergs, Icebergs, Solitaires sans besoin [2], des pays bouchés, distants, et libres de vermine. Parents des îles, parents des sources, comme je vous vois, comme vous m'êtes familiers.

La Nuit remue (Librairie Gallimard, éditeur).

ALPHABET

Même la Mort peut être exorcisée par le langage, et la poésie est une sorte de *réduction hiéroglyphique* des choses et des êtres. D'ailleurs, MICHAUX est aussi un dessinateur dont l'œuvre graphique multiplie ces hiéroglyphes. La pureté linéaire de la lettre, considérée comme un idéogramme, est, à ses yeux, l'ultime, mais éternel résidu de l'Être même. Et dans la disproportion entre la ténuité de l'idéogramme alphabétique et l'immensité même de l'évocation d'un *autre monde* réside l'essentiel de *l'humour* et de *la vérité* poétiques.

Tandis que j'étais dans le froid des approches de la mort, je regardai comme pour la dernière fois les êtres, profondément.

— 1 Les *bords* de la *calotte glaciaire*. — 2 Il s'agit donc de solitude pure, *absolue*.

Au contact mortel de ce regard de glace, tout ce qui n'était pas essentiel disparut.

Cependant je les fouaillais, voulant retenir d'eux quelque chose que même la Mort ne pût desserrer.

Ils s'amenuisèrent, et se trouvèrent enfin réduits à une sorte d'alphabet, mais à un alphabet qui eût pu servir dans l'autre monde, *dans n'importe quel monde* [1].

Par là, je me soulageai de la peur qu'on ne m'arrachât tout entier à l'univers où j'avais vécu.

Raffermi par cette prise, je le contemplais, invaincu, quand le sang avec la satisfaction, revenant dans mes artérioles et mes veines, lentement je regrimpai le versant ouvert de la vie [2].

Exorcismes (Librairie Gallimard, éditeur).

L'ÉPOPÉE INTÉRIEURE

Saint-John Perse   Issu d'une ancienne famille de la Guadeloupe, Alexis
(né en 1887)   Saint-Léger devait accomplir, sous le nom d'Alexis
     Léger, une brillante carrière diplomatique comme secré-
taire général du Ministère des Affaires étrangères. Sous le pseudonyme précieux et bizarre
de Saint-John Perse, il se révéla comme poète dès 1924, lorsque parut, dans une édition
partielle, son recueil *Anabase* ; mais quoiqu'il appartienne à une génération plus ancienne,
il est littérairement, comme Pierre-Jean Jouve, contemporain de plus jeunes poètes ;
car il interdit la publication en France de ses œuvres tant qu'il continua d'appartenir à
la carrière active des Affaires étrangères. Révoqué par le gouvernement de Vichy, il se
retira en 1940 aux États-Unis où il s'établit définitivement, ce qui explique peut-être
qu'il ait été plus célèbre hors de France (il est sans doute le poète français contemporain
le plus traduit). En 1960, son œuvre a été couronnée par le Prix Nobel de Littérature.

A la suite de Claudel et sous son influence, cette œuvre secrète, difficile, déploie le
langage en *immenses étendues rythmiques* et en *larges plages de symboles*. Une *ambition
épique* court tout au long de ces poèmes, comme le disent les titres : *Anabase* ou *Vents*.
Mais l'épopée y fait appel à des *mythes exotiques ou fantastiques* pour transposer en visions
grandioses *un inépuisable secret intérieur*. Le poète tente de tenir cette gageure, de réunir,
dans l'unité de son langage d'images et de rythmes, l'irréductible secret de son aventure
intérieure et la hauteur d'une communication aristocratique. Une invocation résume
l'essentiel de son ambition poétique : *Terre arable du songe !* La poésie est bien ce labour
fertilisant d'une terre impénétrable, et le poète est bien, pour le citer encore, *le conteur
qui prend place au pied du térébinthe.*

L'œuvre de Saint-John Perse comporte les recueils suivants : *Éloges* (1911-1948) ;
Anabase (1924-1948) ; *Exil* (1942-1946 ; ce recueil contient aussi *Pluies et Neige*) ; *Vents*
(1946) ; *Amers* (1950-1953) ; *Chronique* (1960).

— 1 C'est la définition même du langage poétique, à la fois *symbole* abstrait, comme la lettre de l'alphabet, et *pouvoir* capable de vaincre même la Mort. Michaux rejoint ainsi l'antique tradition qui confère au poète le pouvoir d'immortalité. — 2 Reprise, sous une forme moderne, du mythe du Phénix.

VISION

Variations à la fois capricieuses et rigoureuses sur le thème du voyage, les versets d'*Anabase* explorent, à coups d'images, les étendues inconnues du monde intérieur. Le caprice réside dans la surprise ; la rigueur, dans la constance des thèmes conjugués de l'étendue et de l'inconnu, et dans l'exacte figuration, par le rythme du verset, de ce *parcours intérieur*, dense et lent, sincère et hiératique, exotique et familier. Cette *Anabase* est aussi une *Odyssée* à travers l'*Empire* mystérieux où se rejoignent les mots et les songes.

L'Été plus vaste que l'Empire suspend aux tables de l'espace plusieurs étages de climats. La terre vaste sur son aire roule à pleins bords sa braise pâle sous les cendres — couleur de soufre, de miel, couleur de choses immortelles, toute la terre aux herbes s'allumant aux pailles de l'autre hiver — et de l'éponge verte d'un seul arbre le ciel tire son suc violet [1].

Un lieu de pierres à mica ! Pas une graine pure dans les barbes du vent. Et la lumière comme une huile. De la fissure des paupières au fil des cimes m'unissant [2], je sais la pierre tachée d'ouïes, les essaims du silence aux ruches de la lumière ; et mon cœur prend souci d'une famille d'acridiens [3].

10   Chamelles douces sous la tonte, cousues de mauves cicatrices, que les collines s'acheminent sous les données du ciel agraire — qu'elles cheminent en silence sur les incandescences pâles de la plaine ; et s'agenouillent à la fin, dans la fumée des songes, là où les peuples s'abolissent aux poudres mortes de la terre [4].

Ce sont de grandes lignes calmes qui s'en vont à des bleuissements de vignes improbables. La terre en plus d'un point mûrit les violettes de l'orage ; et ces fumées de sable qui s'élèvent au lieu des fleuves morts, comme des pans de siècles en voyage [5].

Anabase, VII (Librairie Gallimard, éditeur).

TÉMOIGNAGE DU POÈTE

Ici, comme chez Claudel, le poème tend à prendre pour unique objet la Poésie et le Poète, car l'épopée intérieure se concentre sur *la question poétique* et devient *témoignage spirituel*. Une sorte de platonisme apparaît, qui fait que le langage est *chasse et poursuite de l'Idée* à travers les obsessions et les paysages de l'âme, et la « *trace du poème* » dessine en quelque sorte l'ombre fidèle de la Réalité cachée dans les replis du rythme et de l'image.

Telle est l'instance extrême où le Poète a témoigné.

Et en ce point extrême de l'attente [1], que nul ne songe à regagner les chambres.

« Enchantement du jour à sa naissance... Le vin nouveau n'est pas plus vrai, le lin nouveau n'est pas plus frais...

— 1 Noter la composition des éléments du paysage avec les couleurs. — 2 Figure linéaire du regard poétique, qui porte loin, jusqu'à l'horizon. — 3 Insectes dont l'espèce la plus connue est le criquet (cf. *essaims* et *ruches*). — 4 Évocation de l'exotisme du désert. — 5 Assimilation réciproque de l'espace et du temps.

— 1 Cf. Valéry : « Tout peut naître ici-bas d'une attente infinie ».

« Quel est ce goût d'airelle, sur ma lèvre d'étranger, qui m'est chose nouvelle et m'est chose étrangère ² ?

A moins qu'il ne se hâte en perdra trace mon poème... Et vous aviez si peu de temps pour naître à cet instant... ».

10 (Ainsi quand l'Officiant s'avance pour les cérémonies de l'aube ³, guidé de marche en marche et assisté de toutes parts contre le doute, — la tête glabre et les mains nues et jusqu'à l'ongle sans défaut, — c'est un très prompt message qu'émet aux premiers feux du jour la feuille aromatique de son être.)

Et le Poète aussi est avec nous, sur la chaussée des hommes de son temps. Allant le train de notre temps, allant le train de ce grand vent.

Son occupation parmi nous : mise en clair des messages. Et la réponse en lui donnée par l'illumination du cœur.

Non point l'écrit, mais la chose même. Prise en son vif et dans son tout.

20 Conservation non des copies, mais des originaux. Et l'écriture du poète suit le procès-verbal.

Vents, 6 (Librairie Gallimard, éditeur).

Joë Bousquet
(1897-1950)

Blessé, comme le fut aussi Apollinaire, au cours de la guerre de 1914, JOË BOUSQUET, languedocien, devint à la fois « *l'homme immobile* » et l'un des grands poètes de la vie intérieure. Sa chambre de paralysé, à Carcassonne, fut en effet, pendant près de trente ans, un haut lieu de l'esprit. Bien qu'il eût, dès 1936, publié un livre capital au titre significatif, *Traduit du Silence*, il dut attendre l'après-guerre pour être connu hors d'un cercle restreint d'initiés et encore reste-t-il un poète « réservé ». Rarement la poésie a atteint une telle pureté dans la « traduction » du « silence » intérieur, et, à force d'authenticité mystérieuse, elle décourage le commentaire. Né et resté fidèle au pays des *cathares* (les *purs*), Joë Bousquet est à la fois moderne et anachronique, présent au monde et absent de lui, secrétaire du silence intérieur et messager de ses suggestions. Aventure exceptionnelle comme le témoignage qui nous en est transmis.

Auprès de *Traduit du Silence*, il faut citer parmi les publications du poète *Le Meneur de Lune* (1946) et *Les Capitales* (posthume : 1955). Mais la plus grande partie de l'œuvre est encore inédite et dispersée dans les revues où elle a paru par fragments de 1928 à 1955.

L'HIRONDELLE BLANCHE

Le froid, la nuit, thèmes aussi anciens que la poésie elle-même, inspirent le « recours au poème », comme à une métamorphose créatrice. Le compte rendu de la métamorphose emploie tous les registres du langage, le vers et la « prose », pour mieux représenter la diversité de l'aventure nocturne et de cet au-delà où, de noire qu'elle est dans notre monde, l'hirondelle est devenue blanche.

Il ne fait pas nuit sur la terre ; l'obscurité rôde, elle erre autour du noir. Et je sais des ténèbres si absolues que toute forme y promène une lueur et y devient le pressentiment, peut-être l'aurore d'un regard.

Ces ténèbres sont en nous. Une dévorante obscurité nous habite. Les

---

— 2 Thème du poète étranger (cf. Baudelaire). | — 3 Comparaison destinée à souligner le caractère sacré de la « cérémonie » poétique.

froids du pôle sont plus près de moi [1] que ce puant enfer où je ne pourrais pas me respirer moi-même. Aucune sonde ne mesurera ces épaisseurs : parce que mon apparence est dans un espace et mes entrailles dans un autre ; je l'ignore parce que mes yeux, ni ma voix, ni le voir, ni l'entendre ne sont dans l'un ni l'autre.

10
       Il fait jouir ton regard exilé de ta face
       Ne trouve pas tes yeux en s'entourant de toi
       Mais un double miroir clos sur un autre espace
       Dont l'astre le plus haut s'est éteint dans ta voix.

       Sur un corps qui s'argente au croissant des marées
       Le jour mûrit l'oubli d'un pôle immaculé
       Et mouille à tes longs cils une étoile expirée
       De l'arc-en-ciel qu'il draine aux racines des blés.

       Les jours que leur odeur endort sous tes flancs roses
       Se cueillent dans tes yeux qui s'ouvrent sans te voir [2]
20   Et leur aile de soie enroule à ta nuit close
       La terre où toute nuit n'est que l'œuvre d'un soir.

       L'ombre cache un passeur d'absences embaumées
       Elle perd sur tes mains le jour qui fut tes yeux
       Et comme au creux d'un lis sa blancheur consumée
       Abîme au fil des soirs un ciel trop grand pour eux.

Il fait noir en moi, mais je ne suis pas cette ténèbre bien qu'assez lourd pour y sombrer un jour. Cette nuit est : on dirait qu'elle a fait mes yeux d'aujourd'hui et me ferme à ce qu'ils voient. Couleurs bleutées de ce que je ne vois qu'avec ma profondeur, rouges que m'éclaire mon sang,
30 noir que voit mon cœur...
    Nuit du ciel, pauvre ombre éclose, tu n'es la nuit que pour mes cils.

       Bien peu de cendre a fait ce bouquet de paupières
       Et qui n'est cette cendre et ce monde effacé
       Quand ses poings de dormeur portent toute la terre
       Où l'amour ni la nuit n'ont jamais commencé [3].

                      L'Esprit de la Parole (*Empédocle*, 1949).

PROPHÉTIE

La *renaissance chrétienne* du XXe siècle, inscrite en particulier dans l'œuvre de Claudel, a largement rayonné sur la poésie contemporaine. D'autre part le thème baudelairien du péché et du salut s'en trouve renforcé : sur ce point aussi la poésie se fait retour aux sources, par conséquent à la grande source biblique, et les circonstances de 1940-1944, avec leur climat apocalyptique, accentuent encore sa vocation prophétique.

— 1 Cf. les Icebergs familiers d'H. Michaux. — 2 Expression culminante du thème général de ce poème : la conscience est à la fois éveil et sommeil, lucidité et aveuglement. — 3 Efficacité du rêve qui transporte le poète dans un autre monde, fait d'éternité.

Pierre-Jean Jouve   Contemporain de Saint-John Perse, Pierre-Jean
(né en 1887)   Jouve dut, comme lui, attendre les années 40 pour trouver
sa place exacte dans la poésie d'aujourd'hui ; mais là
s'arrête leur ressemblance. Jouve en effet, après avoir subi des influences symbolistes et
avoir longtemps cherché sa voie originale, découvre à quarante ans sa vocation prophétique. La guerre lui est l'occasion de ressentir encore plus profondément l'accord de sa
sensibilité avec la dimension du drame : Mort et Résurrection, les Chevaliers de l'Apocalypse, le Christ et l'Antéchrist, la Nuit obscure de Saint-Jean de la Croix, l'Amour
et la Connaissance, tels sont les thèmes et *réalités* dont la parole poétique entreprend de
peupler « l'Absence du monde », en manifestant aussi leurs correspondants dans la nature :
le Sang, la Sueur, l'Orage, l'Arbre.

Parmi les œuvres de Pierre-Jean Jouve nous retiendrons particulièrement : *Noces*
(1928) ; *Sueur de Sang* (1933) ; *Kyrie* (1938) ; *Porche à la Nuit des Saints* (1941) ; *Gloire*
(1942). Jouve est aussi l'auteur d'un certain nombre d'essais parmi lesquels : *Tombeau
de Baudelaire* (1942), *Wozzeck ou le nouvel Opéra* (1953) ; *En Miroir* (journal, 1954).

RÉSURRECTION DES MORTS

Les visions de Jugement dernier, évoquant la Bible, Michel-Ange, d'Aubigné et
William Blake, retrouvent leur nouveauté et leur puissance, grâce à la réinvention d'un
langage que la poésie française n'avait pas entendu depuis longtemps, mais qui ne tombe
pas dans l'anachronisme, car le poète a su s'assimiler, au cours de longues années de formation, toute la substance de la poésie récente, de Rimbaud à Claudel et de Baudelaire
au surréalisme. Ainsi réapparaît la *poésie visionnaire* dont Jouve est, en notre temps,
le grand restaurateur.

> Je vois
> Les morts ressortant des ombres de leurs ombres
> Renaissant de leur matière furieuse et noire
> Où sèche ainsi la poussière du vent
> Avec des yeux reparus dans les trous augustes
> Se lever balanciers perpendiculaires [1]
> Dépouiller lentement une rigueur du temps ;
> Je les vois chercher toute la poitrine ardente
> De la trompette ouvragée par le vent [2].
>
> 10 Je vois
> Le tableau de Justice ancien et tous ses ors [3]
> Et titubant dans le réveil se rétablir
> Les ors originels ! Morts vrais, morts claironnés,
> Morts changés en colère, effondrez, rendez morts
> Les œuvres déclinant, les monstres enfantés.
> Par l'homme douloureux et qui fut le dernier,
> Morts énormes que l'on croyait remis en forme
> Dans la matrice de la terre.
>
> Morts purifiés dans la matière intense de la gloire [4],
> 20 Qu'il en sorte et qu'il en sorte encor, des morts enfantés

---

— 1 Image picturale répondant au caractère
visionnaire du poème. — 2 La trompette du
Jugement dernier. — 3 Allusion à la peinture
médiévale. — 4 Les « corps glorieux » de la
Résurrection chrétienne.

Soulevant notre terre comme des taupes rutilantes,
Qu'ils naissent! Comme ils sont forts, de chairs armés!
Le renouveau des morts éclatés en miroirs
Le renouveau des chairs verdies et des os muets
En lourdes grappes de raison sensuel et larmes
En élasticité prodigieuse de charme,
Qu'ils naissent! Comme ils sont forts, de chairs armés.

Gloire (Éditions Fontaine, Alger).

Pierre Emmanuel (né en 1916)

Avec PIERRE EMMANUEL, âgé de vingt-trois ans en 1939, la poésie prophétique prend son essor du cœur même de la Guerre, et du Mal qu'elle déploie. Aussi fut-il d'abord l'un des grands poètes de la Résistance. Mais ce serait tromper sur la portée réelle de son œuvre que d'en voir seulement l'actualité, car il trouve dans cette actualité de quoi redécouvrir quelques grands mythes prophétiques : après le mythe grec d'Orphée, les mythes bibliques de Sodome et de Babel. La prophétie visionnaire ne saurait non plus être une sorte d'alibi, car la poésie est aussi une forme d'action dans la mesure où elle *rend compte* de l'événement en termes d'éternité ; telle est bien la meilleure définition de sa poésie, donnée par P. Emmanuel lui-même, au titre d'un de ses essais : *Poésie, raison ardente* (sens latin : conscience enflammée). Cette *raison ardente* anime une abondante production poétique : *Tombeau d'Orphée* (1941), *Jour de Colère* (1942), *Le Poète et son Christ* (1942), *Combats avec tes défenseurs* (1942), *Orphiques* (1942), *Sodome* (1944), *Babel* (1952).

MISERERE

Portant le même titre que la célèbre série de gravures de Georges Rouault, inspirée elle aussi par la Guerre, ce poème chante, en forme de *prière visionnaire*, le dialogue des vivants et des morts, par-dessus la Frontière, sous le regard de Dieu.

Pitié pour nous Seigneur Tes derniers survivants
car Tu nous as donné ces morts en héritage
nous sommes devenus les pères de nos morts.
Pitié pour nous Seigneur pitoyables marâtres
qui avons engendré ces hommes dans la Mort :
et nous voici séparés d'eux par leur cadavre
eux qui sont déjà morts et fondés en Ta nuit.
Notre obscure journée s'éblouit de leur nuit
notre chair se révulse au contact de leur ombre
10 nous n'avons point assez de nuit pour nous terrer
nous sommes nus jusqu'à la moelle dans leur gloire
et nos mots tombent en poussière en leur pensée
nous sommes devenus étrangers à nous-mêmes
de grands vents soufflent qui nous chassent de la chair

nous tremblons de mourir et nous tremblons de vivre
nous sommes pour toujours en deçà de la Mort.

Jour de Colère (Charlot, Alger, éditeur).

LA TOUR CONTRE LE CIEL

Le mythe de la Tour de Babel atteint le cœur même du drame humain, en illustrant la confusion tragique de la grandeur et de la vanité. Le poète-prophète, comme il avait déjà fait pour Sodome, dresse le constat dramatique et dérisoire des assauts de l'Homme contre le Ciel, jusqu'à ce qu'éclate, toute proche, dans une image grandiose et « surnaturaliste », la vision du heurt de la Terre et de Dieu.

Plus haut ! votre douleur peut-être assure-t-elle
un sens à tant d'efforts et de folie ? — Personne,
reine implacable des midis, noire Raison,
n'entend ton rire disjoignant la base même
de la Babel bâtie sur les océans morts
qui tressaillent de ce grand rire sous les sables[1].
Et la Tour crève les nuages, fait jaillir
le feu qui la noircit de cadavres, la lèche
d'enthousiasme et de terreur. Nous sommes rois
10 de la foudre et des pluies de grêle sur les plaines,
la molle étoffe cotonneuse du Très-Haut
cède à nos dents : Je touche au cœur[2] !

                              Qui, JE ? Le faîte
de la Tour a troué les nuées, le Tyran
à ses pieds ne voit plus la Terre ; mais le ciel
est toujours aussi loin de ces deux bras qui tendent
tout le poids de douleur de l'homme vers le haut,
dans un blasphème ou un appel[3], qui le peut dire ?
Seul résonne vaste sarcasme le ciel dur.
Un ciel dur, et cet œil qui concentre sa haine
20 tendant les muscles de l'eau noire sous le temps.
Diamant injecté de sang, la solitude
est si farouche devant dieu[4] que les vautours
passant à son zénith s'abattent morts. La pointe
de l'édifice qui s'effile vers le Cœur
est armée d'un regard vertical dont la source
insondable se perd dans les âges : un œil
qui calcine l'attente illimitée des sables
et la réduit en gemme pure, d'un éclat
si fixe et d'un poli si rond que dieu tressaille,
30 la Terre exorbitée contre Sa Face !

                    Babel (Desclée de Brouwer, éditeur).

— 1 La Tour s'élève dans le désert, ancien océan. — 2 Le passage de la 1ʳᵉ personne du pluriel à la 1ʳᵉ personne du singulier figure le cœur du drame : le passage de l'humanité concrète des travailleurs au JE anonyme qui sera bientôt nommé *Tyran*. — 3 Ambiguïté de l'orgueil humain. — 4 Pierre Emmanuel écrit toujours *dieu* sans majuscule.

POÉSIE MYSTIQUE

La Tour du Pin
(né en 1911)
Issu d'une famille au nom prestigieux, lui-même attaché aux traditions de sa race et de son sol (il mène, dans son domaine du Bignon, en Sologne, une vie active de gentilhomme campagnard), PATRICE DE LA TOUR DU PIN fit, dès l'enfance, *l'expérience de la solitude et de la communion avec la nature*. La rencontre de cette expérience avec un *tempérament mystique* et une *intelligence curieuse des pouvoirs du langage* assure à sa poésie l'harmonie spontanée de la sincérité spirituelle et de l'effort expérimental. *Poète religieux et humain* avant tout (et son humanité a été renforcée et nourrie par sa captivité de 1940), il fait de son œuvre le compte rendu symbolique d'un itinéraire spirituel qui, partant de la Nature et de l'Homme, aboutit à la prière par la voie du « Jeu » mystique. Ainsi s'expliquent les grands thèmes de cette œuvre *monumentale* : thèmes bibliques et évangéliques de la *Genèse*, de l'*Exode*, de la *Pentecôte* (accès à la possession de l'Esprit), qui se composent avec le thème proprement poétique du Jeu : le *Jeu du Seul* et le *Second Jeu*. C'est en effet dans *son dialogue avec lui-même, avec la Nature et avec Dieu* que l'homme *joue* sa signification et son salut.

Le mouvement de cet itinéraire, la cohérence de ses étapes, la continuité de ses épisodes, la permanence de ses images (la Nature et l'Homme) sont orientés vers la connaissance personnelle de Dieu à travers une poésie qui est finalement, en tous ses instants divers, « *Accession à l'Esprit* », par la voie d'un langage d'*ouverture sur le symbolisme du monde* et de *révélation des au-delà du monde* ; car, selon l'affirmation initiale du poète,

> *Tous les pays qui n'ont plus de légende*
> *Seront condamnés à mourir de froid.*

Ces deux premiers vers de *La Quête de Joie (Prélude)* contiennent virtuellement les diverses étapes d'une œuvre complexe et abondante ; sa signification s'inscrit dans les titres symboliques des recueils successifs : *La Quête de Joie* (1933), *La Vie recluse en poésie* (1938), *La Genèse* (1945), *Le Jeu du Seul* (1946), *Une Somme de poésie* (1946), *Le Second Jeu* (1959). Enfin, La Tour du Pin a exposé lui-même le sens profond de son aventure spirituelle dans sa *Lettre aux Confidents* (août 1960, publiée dans : Eva Kushner, *Patrice de la Tour du Pin*, Collection *Poètes d'aujourd'hui*). Cette œuvre imposante a été consacrée en 1961 par le Grand Prix de Poésie de l'Académie Française.

ENFANTS DE SEPTEMBRE

Dans *La Quête de Joie*, le poète voit sa propre expérience et le monde où elle se développe à la fois comme un « *microcosme* » à explorer et comme un *passage* à franchir. Ainsi le thème mystique de la *Quête* (mot emprunté à dessein au vocabulaire médiéval, cf. *La Quête du Graal*) donne naissance au thème de la *migration*, incarné ici dans le symbolisme nostalgique des oiseaux qui, à l'automne, partent pour des pays lointains.

Les bois étaient tout recouverts de brumes basses,
Déserts, gonflés de pluie et silencieux ;
Longtemps avait soufflé ce vent du nord où passent
Les Enfants Sauvages, fuyant vers d'autres cieux,
Par grands voiliers, le soir, et très haut dans l'espace. [...]

Après avoir surpris le dégel de ma chambre,
A l'aube, je gagnai la lisière des bois ;
Par une bonne lune de brouillard et d'ambre,
Je relevai la trace, incertaine parfois,
10 Sur le bord d'un layon [1], d'un enfant de septembre.

Les pas étaient légers et tendres, mais brouillés,
Ils se croisaient d'abord au milieu des ornières
Où dans l'ombre, tranquille, il avait essayé
De boire, pour reprendre ses jeux solitaires
Très tard, après le long crépuscule mouillé.

Et puis, ils se perdaient plus loin parmi les hêtres
Où son pied ne marquait qu'à peine sur le sol ;
Je me suis dit : il va s'en retourner peut-être
A l'aube, pour chercher ses compagnons de vol,
20 En tremblant de la peur qu'ils aient pu disparaître. [...]

Le jour glacial s'était levé sur les marais ;
Je restais accroupi dans l'attente illusoire
Regardant défiler la faune qui rentrait
Dans l'ombre, les chevreuils peureux qui venaient boire
Et les corbeaux criards aux cimes des forêts.

Et je me dis : je suis un enfant de Septembre,
Moi-même, par le cœur, la fièvre et l'esprit,
Et la brûlante volupté de tous mes membres,
Et le désir que j'ai de courir dans la nuit
30 Sauvage, ayant quitté l'étouffement des chambres.

Il va certainement me traiter comme un frère,
Peut-être me donner un nom parmi les siens ;
Mes yeux le combleraient d'amicales lumières
S'il ne prenait pas peur, en me voyant soudain,
Les bras ouverts, courir vers lui dans la clairière. [...]

Mais les bois étaient recouverts de brumes basses
Et le vent commençait à remonter au nord,
Abandonnant tous ceux dont les ailes sont lasses,
Tous ceux qui sont perdus et tous ceux qui sont morts,
40 Qui vont par d'autres voies en de mêmes espaces !

Et je me dis : Ce n'est pas dans ces pauvres landes
Que les Enfants de Septembre vont s'arrêter ;
Un seul qui se serait écarté de sa bande
Aurait-il, en un soir, compris l'atrocité
De ces marais déserts et privés de légende ?

> *La Quête de Joie* (Librairie Gallimard, éditeur).

— 1 Sentier tracé pour les chasseurs. Tout le poème est imprégné de souvenirs de chasse.

« *JE VOUS PROMETS DES JEUX...* »

Du *désert* à la *légende*, l'accession à l'Esprit se fera, selon l'ordre même de la nature,
par une suite cohérente de *Jeux*. Ainsi l'itinéraire poétique gagne-t-il *pas à pas* le *mystère*,
et, dans le Jeu, s'accordent la liberté de l'Homme et la Grâce de Dieu, comme aussi
l'effort du langage et la gratuité de l'inspiration.

Je vous promets des jeux, les trois plus grands du monde,
A comprendre d'abord, et peut-être à gagner,
A pousser si avant dans leurs règles profondes
Que vous en resterez pour toujours prisonniers.
Ah! la terreur me défigure, vous rend blêmes [1]!
Mais que sera-ce au bout du Jeu de l'Homme devant lui-même
Quand vous reconnaîtrez la touche du néant
Sur tout ce que la joie et l'espérance fondent
— Si je ne suis qu'un perpétuel éclatement!

10 Et que sera-ce au bout du Jeu de l'Homme devant le Monde,
Dans ce vide étranger, cet autre insaisissable
Que parcourent des temps, des nuits de création
Dont on ne peut saisir que l'évaporation
La brusque fin dans la zone habitable
Pour nous de l'Univers [2]...
Et que sera-ce au bout du Jeu de l'Homme devant Dieu?
Petits contemplatifs, rendez ce qui déborde,
Allez dans le concert où la Grâce s'accorde
Et cet hiver extrême, où seul le Creux
20 Demeure...   Alors j'aurais vécu mon existence,
Si naïve est ma foi, ne perdez pas confiance.
Vous aurez d'autres jeux à courir, les plus libres,
Comme ceux des amours d'enfants et des dauphins,
Toutes les tragédies, tous les mythes possibles
Que rencontre un adolescent sur son destin
— Et celui d'épuiser les choses et les rêves,
De mêler sa croissance aux croissances des sèves,
De prendre dans sa voix les musiques du ciel
30 Et de la terre [3] — en gagnant pas à pas le mystère
D'être homme, l'honneur d'être homme...
                                    et l'Éternel [4]...

La Genèse (Librairie Gallimard, éditeur).

— 1 La conscience terrifiée du néant, point de départ du premier Jeu de la Genèse mystique, celui de la solitude de l'Homme avec lui-même. — 2 La zone limitée de la vie humaine et de sa brièveté (reprise du thème pascalien de la disproportion de l'homme). — 3 Le Jeu mystique assume la totalité de l'Homme et du Monde. — 4 En gagnant l'Éternel.

Jean-Claude Renard C'est par le double mouvement naturel de la Grâce
(né en 1922) et de l'Inspiration que la poésie mystique aboutit à la
prière. Ainsi, représentant de la dernière génération des
poètes contemporains, JEAN-CLAUDE RENARD poursuit une tradition et un itinéraire qui
s'inscrivent dans la lignée de Péguy, de Claudel, de P.-J. Jouve, mais s'en distingue
par la quête d'une *connaissance métaphysique*, qui donne à sa poésie une résonance
originale. A travers ce qu'il a lui-même appelé la *Métamorphose du Monde*, il s'achemine
vers une poésie de la *Paternité divine* qui assume aussi tout l'humain, tout le charnel,
tout le terrestre : effort mystique vers la possession, *par le langage*, d'une Transcendance
révélée. Les poèmes sont le journal de cet effort, mais aussi une entreprise de *restauration du langage* : redécouverte, à travers la liberté des images et des visions, de la
rigueur du rythme et de la métrique ; alliance de la mystique et de la parole dans l'unité
du symbolisme religieux.

L'œuvre de J.-C. Renard est comme la figure formelle de cet effort, par la succession
significative des recueils : *Cantiques pour des Pays Perdus* (1947), *Métamorphose du Monde*
(1951), *Père, voici que l'homme* (1955), *En une seule Vigne* (1959).

PÈRE D'OR ET DE SEL

La prière mystique est le déploiement imagé et rythmé de l'*invocation* et de l'*incantation* : aussi J.-C. RENARD restaure-t-il, après Péguy, le rythme liturgique de la *litanie*.
Mais c'est pour y instaurer la *métamorphose mystique de l'homme intégral* : telle est la
fonction de l'*incantation poétique* (cf. v. 9) ; tel est le sens du thème religieux de la
Paternité, le Père étant à la fois origine et fin de l'existence humaine et de son langage.

> Père d'or et de sel, ô Père intérieur,
> Père d'eau, Père pur par l'arbre et par le feu [1],
> ô source du Soleil, Père mystérieux,
> Père continuel et pur par la douleur,
>
> ô Père fabuleux [2], ô Père par la nuit,
> Père par le sommeil, la mémoire, et la mort,
> Père tombé en terre et passé dans mon corps,
> ô Père foudroyé dont mes os sont les fruits,
>
> Père, vous m'incantiez, et vous étiez ma tour
> 10 Quand je n'étais en moi que ce qui vous aimait,
> Quand je vivais en vous, vivant du seul amour,
> Je n'étais plus en moi que ce que vous étiez,
>
> Père, la neige est là, et je dors sous ma chair,
> Je dors au fond du Père et je m'éveille en lui,
> Père, la neige fond, la mer brûle et mûrit,
> Père surnaturel, miracle de la mer, [...]

— 1 Les éléments naturels figurent l'incar- | aussi le Christ, seconde personne de la Trinité).
nation divine (dans ce poème, le Père inclut | —2 Non imaginaire, mais situé à l'origine d'une
immense *histoire* (cf. la suite du quatrain).

Père de ma douleur, Père de mon absence,
Vous êtes là vivant même quand je suis mort,
même quand je vous tue vous m'animez encor
20   et même dans mon mal restez mon innocence,

Père, quand tout est mort, et quand tout est dissous
dans le péché du monde et dans l'argile amère,
Vous êtes encor là mon sens et mon mystère
Comme un amour terrible, inépuisable et doux,

Père, malgré ma mort, c'est l'Esprit qui console
qui relie à mon corps votre corps éternel,
c'est votre corps ouvert dans le corps maternel
qui fait de moi son sang, sa proie et sa parole,

Père, je nais d'ailleurs, je renais dans le pain,
30   Je renais dans la vigne et dans le vin de Dieu,
Père, tu es ma bouche, et ma bouche est en Dieu,
ô Père d'arbre et d'or, ô Père souterrain,

Père de l'autre temps, Père du prochain Ciel,
Je me retrouve en toi pareil à mon amour,
Père devant ma vie et derrière mes jours
Je deviens avec toi le Père Essentiel !

Père, voici que l'homme (Le Seuil).

POÈTES NOIRS DE LANGUE FRANÇAISE

Une même conscience du «problème noir», une sensibilité commune, mais aussi la langue française permettent d'associer des poètes noirs d'origine géographique bien différente. C'est d'ailleurs ce que faisait déjà, en 1948, Léopold Sedar Senghor dans son *Anthologie de la nouvelle poésie nègre et malgache de langue française*. La littérature noire francophone n'est en fait « qu'une partie d'un plus vaste ensemble, la culture noire, qui s'exprime aussi bien dans la musique de jazz américaine que dans les masques de l'art traditionnel africain » (*La littérature en France depuis 1945*, Bordas, 1970). Les deux plus grands poètes noirs francophones, Senghor et Césaire, ont ainsi conçu la notion de « négritude », qu'ils n'opposent pas à la culture française, mais dont ils prétendent cultiver l'originalité.

DEPUIS AKKAD. DEPUIS ELAM. DEPUIS SUMER

Aimé Césaire (né en 1913), député de la Martinique, a été influencé par le surréalisme ; il exprime, à travers des images souvent violentes, sa communion avec les opprimés de sa race.

Maître des trois chemins, tu as en face de toi un homme qui a beaucoup marché.

Maître des trois chemins, tu as en face de toi un homme qui a marché sur les mains marché sur les pieds marché sur le ventre marché sur le cul.

Depuis Elam. Depuis Akkad. Depuis Sumer.

Maître des trois chemins, tu as en face de toi un homme qui a beaucoup porté.

Et de vrai mes amis j'ai porté j'ai porté depuis Elam, depuis Akkad, depuis Sumer.

10   J'ai porté le corps du commandant. J'ai porté le chemin de fer du commandant. J'ai porté la locomotive du commandant le coton du commandant. J'ai porté sur ma tête laineuse qui se passe si bien de coussinet Dieu, la machine, la route — le Dieu du commandant.

Maître des trois chemins j'ai porté sous le soleil, j'ai porté dans le brouillard j'ai porté sur les tessons de braise des fourmis manians. J'ai porté le parasol j'ai porté l'explosif j'ai porté le carcan et comme sur les rives du Nil on voit dans la vase molle le pied juste de l'ibis j'ai laissé partout sur les berges sur les montagnes sur les rivages le grigri de mes pieds à cancans.

20   Depuis Akkad. Depuis Elam. Depuis Sumer.

Maître des trois chemins. Maître des trois rigoles plaise que pour une fois — la première depuis Akkad depuis Elam depuis Sumer — le museau plus tanné apparemment que le cal de mes pieds mais en réalité plus doux que le bec minutieux du corbeau et comme drapé surnaturellement des plis amers que me fait ma grise peau d'emprunt (livrée que les hommes m'imposent chaque hiver) j'avance à travers les feuilles mortes de mon petit pas sorcier

vers là où menace triomphalement l'inépuisable injonction des hommes jetés aux ricanements noueux de l'ouragan. Depuis Elam depuis Akkad
30   depuis Sumer.

Soleil cou coupé (Éditions K, 1948).

L'ABSENTE

(woï pour trois kôras et un balafong)

Léofold Sedar Senghor (né en 1906) fut professeur avant de devenir en 1960 président de la République du Sénégal. C'est aussi un poète lyrique, qui s'inspire directement de la poésie orale africaine, dans un symbolisme à la fois mystique et érotique.

I

Jeunes filles aux gorges vertes, plus ne chantez votre champion et plus ne chantez l'Élancé.

Mais je ne suis pas votre honneur, pas le Lion téméraire, le Lion vert qui rugit l'honneur du Sénégal.

Ma tête n'est pas d'or, elle ne vêt pas de hauts desseins

Sans bracelets pesants sont mes bras que voilà, mes mains si nues!

Je ne suis pas le Conducteur. Jamais tracé sillon ni dogme comme le Fondateur

La ville aux quatre portes, jamais proféré mot à graver sur la pierre.
10   Je dis bien : je suis le Dyâli.

II

Jeunes filles aux longs cous de roseaux, je dis chantez l'Absente la Princesse en allée.

Ma gloire n'est pas sur la stèle, ma gloire n'est pas sur la pierre

Ma gloire est de chanter le charme de l'Absente

Ma gloire de charmer le charme de l'Absente, ma gloire

Est de chanter la mousse et l'élyme des sables

La poussière des vagues et le ventre des mouettes, la lumière sur les collines

Toutes choses vaines sous le van, toutes choses vaines dans le vent

20 et l'odeur des charniers

Toutes choses frêles dans la lumière des armes, toutes choses très belles dans la splendeur des armes

Ma gloire est de chanter la beauté de l'Absente.

III

Or c'était une nuit d'hiver lorsque dehors mûrit le gel, que les deux corps sont fraternels.

Les sifflets des rapides traversaient mon cœur longuement, de longs déchirements de pointes de diamant.

J'ai réveillé les concubines alentour.

Ah ! ce sommeil sourd qui irrite quand chaque flanc et le dos sont

30 les plaies du crucifié.

La poitrine succombe à de graves énigmes, et je meurs de ne pas mourir et je meurs de vivre le cœur absent.

Elles m'ont parlé de l'Absente doucement

Doucement elles m'ont chanté dans l'ombre le chant de l'Absente, comme on berce le beau bébé de sa chair brune

Mais qu'elle reviendrait, la Reine de Saba, à l'annonce des flamboyants.

De très loin la Bonne Nouvelle est annoncée par les collines, sur les pistes ferventes par les chameliers au long cours.

Dites ! qu'elle est longue à mon cœur l'absence de l'Absente.

IV

40 Jeunes filles aux seins debout, chantez la sève, annoncez le Printemps.

Une goutte d'eau n'est tombée depuis six mois, pas un mot tendre et pas un bourgeon à sourire.

Rien que l'aigreur de l'Harmattan, comme les dents du trigonocéphale.

Au mieux rien qu'un soulèvement de sables, rien qu'un tourbillon de pruine et de pailles et de balles et d'ailes et d'élytres

Des choses mortes sous l'aigre érosion de la raison.

Rien que le Vent d'Est dans nos gorges plus que citernes au désert

Vides. Mais cette rumeur dans nos jambes, ce surgissement de la sève

Qui gonfle les bourgeons à l'aine des jeunes hommes, réveille les huîtres

50 perlières sous les palétuviers...

Écoutez jeunes filles le chant de la sève qui monte à vos gorges debout.
Vert et vert le Printemps au clair mitan de Mai, d'un vert si tendre ho ! que c'est ravissement.
Ce n'est pas la floraison flave des cassias, les étoiles splendides des cochlospermums
Sur le sol de ténèbres, l'intelligence du Soleil ô Circoncis !
C'est la tendresse du vert par l'or des savanes, vert et or couleurs de l'Absente
C'est la surrection de la sève jusqu'à la nuque debout qui s'émeut.

V

60 Sa venue était prédite quand les palabres rougiraient les places des villages, les boutiques des bidonvilles et les ateliers des manufactures.
Je sais que les épouses émigrent déjà chez leur mère ; les jeunes gens arrachent aux lamarques leur part de l'indivis
Les biens publics sont vendus à l'encan, les Grands organisent leurs femmes en pool charbon-acier
Des tentes pourpres sont dressées aux carrefours, avec des rues barrées et sens uniques.
Luxe et licence !... Sa venue nous était prédite quand se rassembleraient les hirondelles. Voilà
70 Qu'à tire d'aile elles fuient les chaleurs de nos querelles intestines.
Puisque reverdissent nos jambes pour la danse de la moisson
Je sais qu'elle viendra la Très Bonne Nouvelle
Au solstice de Juin, comme dans l'an de la défaite et dans l'an de l'espoir.
La précèdent de longs mirages de dromadaires, graves des essences de sa beauté.
La voilà l'Éthiopienne, fauve comme l'or mûr incorruptible comme l'or
Douce d'olive, bleu souriante de son visage fin souriante dans sa prestance
Vêtue de vert et de nuage. Parée du pentagramme.

VI

80 Salut de son féal à la Souriante et louange loyale.
Kôriste de sa cour et dément de son charme !... Ma gloire n'est pas sur la stèle
Ni ma voix ne sera sur pierre pétrifiée, mais voix rythmée d'une voix juste.
Qu'elle germe dans la mémoire de l'Absente qui règne sur mes horizons de verre
Mûrisse dans la vôtre ô jeunes filles, comme la farine futile pour nourrir tout un peuple.
Donc je nommerai les choses futiles qui fleuriront de ma nomination
90 — mais le nom de l'Absente est ineffable.
Ses mains d'alisés qui guérissent des fièvres
Ses paupières de fourrure et de pétales de laurier-rose

Ses cils ses sourcils secrets et purs comme des hiéroglyphes
Ses cheveux bruissants comme un feu roulant de brousse la nuit.
Tes yeux ta bouche hâ ! ton secret qui monte à la nuque...
Des choses vaines. Ce n'est pas le savoir qui nourrit ton peuple
Ce sont les mets que tu leur sers par les mains du kôriste et par la voix.
Woï ! donc salut à la Souriante qui donne le souffle à mes narines, et engorge ma gorge
100   Salut à la Présente qui me fascine par le regard noir du mamba, tout constellé d'or et de vert
Et je suis colombe-serpent, et sa morsure m'engourdit avec délice.

VII

Qu'ils soient néant les distraits aux yeux blancs de perle
Qu'ils soient néant les yeux et les oreilles, la tête qui ne prend racine dans la poitrine, et bien plus bas jusqu'à la racine du ventre.
Car à quoi bon le manche sans la lame et la fleur sans le fruit ?
Mais vous ô jeunes feuilles, chantez la victoire du Lion dans l'humide soleil de Juin
Je dis chantez le diamant qui naît des cendres de la Mort
110   O chantez la Présente qui nourrit le Poète du lait noir de l'amour.
Vous êtes belles jeunes filles, et vos gorges d'or jeunes feuilles par la voix du Poète.
Les mots s'envolent et se froissent au souffle du Vent d'Est, comme les monuments des hommes sous les bombes soufflantes
Mais le poème est lourd de lait et le cœur du Poète brûle un feu sans poussière.

Éthiopiques (Le Seuil, 1956).

Quelques poètes d'aujourd'hui — Innombrables et solitaires, les poètes d'aujourd'hui ne connaissent pas le grand succès promis aux romanciers ou aux dramaturges : on a pu noter que sur 9 973 ouvrages disponibles dans les bibliothèques populaires de France, 42 livres de poésie seulement sont offerts aux lecteurs (Raymond Jean : *La poésie*, éditions du Seuil). L'hermétisme — ou la réputation d'hermétisme — de cette forme d'art est la cause principale de cette désaffection ; de fait, le lyrisme et la poésie simple de la vie quotidienne sont moins fréquents que la concision ou l'abstraction.

Toute tentative de classement d'une production poétique qui reste énorme est encore difficile, voire arbitraire. On ne peut que citer au hasard quelques noms : JEAN GROSJEAN (né en 1912), à l'inspiration biblique luxuriante ; JEAN TORTEL (né en 1904), au lyrisme concret ; ANDRÉ FRÉNAUD (né en 1907), poète philosophe et lyrique puissant ; YVES BONNEFOY (né en 1923), aux images austères et glacées ; PIERRE GARNIER (né en 1928), aux tendances philosophiques et politiques ; ÉDOUARD GLISSANT (né en 1928 à la Martinique) dont « la poésie, nous dit-il lui-même, revient aux domaines de l'épique ».

Parmi les plus jeunes, nous citerons PIERRE OSTER (né en 1933), HENRI PICHETTE (né en 1924), et JACQUES ROUBAUD (né en 1932).

Max Ernst :
le *Rhinocéros*
de Ionesco.
Collection
Eugène Ionesco.
(Photo Jeanbor - E.B.)

Ci-contre,
recherche
d'une « écriture »
cinématographique.
Catherine Jourdan
et Richard Leduc
dans une scène
extraite du film
de Robbe-Grillet,
l'Eden et Après.
*(Photo S.H.
Cosmofilm.)*

Simon Segal : *Gaston Bachelard*.
Paris, musée national d'Art moderne. *(Photo J.-L. Charmet - E.B.)*

LES TENDANCES ACTUELLES

LE « *NOUVEAU THÉÂTRE* »

« Nouveau théâtre », « théâtre d'avant-garde », « théâtre de l'absurde », « anti-théâtre », telles sont les appellations les plus courantes pour désigner le théâtre français depuis 1950. Les œuvres de IONESCO, BECKETT, ADAMOV, GENET offrent ce caractère commun de se refuser à une tradition psychologique ou philosophique qui met l'accent sur les personnages ou sur la pensée ; dans le théâtre « pur », l'atmosphère dramatique doit créer une complicité entre spectateur et acteur au-delà de toute signification intelligible. L'intelligence peut certes reprendre ses droits pour méditer sur la pièce, mais l'essentiel est le choc affectif produit au moment de la représentation par des images et par un style qui sont souvent agressifs ou inquiétants. Le théâtre est ainsi défini par IONESCO comme « une architecture mouvante d'images scéniques » (*Notes et Contre-notes*, Coll. *Idées*, N. R. F., p. 63).

A travers ces images, le spectateur fait l'expérience d'obsessions et d'angoisses qui lui appartiennent, mais qu'il avait oubliées. Le théâtre est donc un moyen privilégié pour *éveiller l'homme à sa propre réalité*. « J'apprends ou je réapprends ce à quoi je ne pensais plus, je l'apprends de la seule manière poétique possible, en participant avec une émotion qui n'est pas mystifiée ou dénaturée, et qui a rompu les barrages en papier des idéologies, du maigre esprit critique ou '' scientifique '' ». (Ionesco, *Notes et Contre-Notes*, p. 67).

Plus ou moins explicitement, les auteurs du « nouveau théâtre » se réfèrent aux théories du poète ANTONIN ARTAUD (1896-1948) qui tenta de renouveler le théâtre entre 1926 et 1938. Les écrits d'Artaud furent réunis sous le titre *Le théâtre et son double*, publié aux éditions Gallimard en 1938. Deux textes en sont particulièrement importants, *Le théâtre et la peste* (1933) et *Le théâtre et la cruauté* (1936). Artaud s'y élève avec force contre le théâtre psychologique et met au premier plan la *puissance magique des images*, capables d'arracher l'homme à sa vie quotidienne. « Le spectateur sera secoué et rebroussé par le dynamisme intérieur du spectacle, et ce dynamisme sera en relation directe avec les angoisses et les préoccupations de toute sa vie ». Le langage dramatique est soutenu par les gestes et le mouvement qui concourent à la poésie obsédante des mots. L'apport proprement dramatique d'Antonin Artaud se limite à des tentatives de mises en scène de Strindberg, de Vitrac (1928 : *Victor ou les enfants au pouvoir*), de Claudel *(Partage de Midi)*, mais les théories exprimées dans *Le théâtre et son double* sont celles mêmes du théâtre contemporain. Il faut ajouter à cette influence celle des images oniriques de KAFKA (Prague, 1883-Vienne, 1924) ou des recherches scéniques de STRINDBERG (Stockholm, 1849-1912) et de PIRANDELLO (Agrigente, 1867-Rome, 1936).

EUGÈNE IONESCO

Sa vie, son œuvre   EUGÈNE IONESCO est né le 26 novembre 1912, à Slatina, en Roumanie, d'un père roumain et d'une mère française. Ses parents viennent s'installer à Paris en 1913 et le jeune Ionesco a le temps d'apprendre la langue française, puisqu'il ne revient en Roumanie qu'en 1925. Il poursuit alors de solides études universitaires à Bucarest où il passe une licence de français. Cependant, il écrit des poèmes et des articles polémiques. En 1938, il obtient une bourse pour revenir en France préparer une thèse sur « les thèmes du péché et de la mort dans la poésie française depuis Baudelaire ». Ce n'est qu'en 1948 qu'il a l'idée de sa première pièce,

La Cantatrice chauve, créée le 11 mai 1950 au Théâtre des Noctambules. Désormais, ses pièces se succèdent régulièrement. On peut citer parmi les plus importantes *Les Chaises* (1952), *Rhinocéros* (1960), *Le Roi se meurt* (1962), *La Soif et la Faim* (1966).

IONESCO, qui a beaucoup réfléchi sur son art (voir *Notes et contre-notes*, Paris, Gallimard, 1963 et Collection *Idées*, n° 107, 1966), rattache explicitement certains aspects de son œuvre à l'œuvre dramatique de l'écrivain roumain ION CARAGIALE (1852-1912), « probablement le plus grand des auteurs dramatiques inconnus ».

Le *scepticisme* et la *satire du langage*, déjà présents chez Caragiale, sont renforcés chez Ionesco par l'influence du surréalisme. Le *burlesque* et le *tragique* se côtoient dans ce théâtre étrange où les grandes inquiétudes de l'humanité sont dévoilées brutalement dans des images obsédantes. Le langage limpide et la symbolique toute simple de *Rhinocéros*, monté le 22 janvier 1960 au Théâtre de France par J.-L. Barrault, a fait un moment apparaître l'humanisme d'une pièce qui met au premier plan la défense de l'individu contre l'emprise d'une société de masse. Mais c'est oublier que l'essentiel, chez IONESCO, est l'atmosphère poétique qui associe spectateurs et acteurs dans un même rêve, et souvent un même cauchemar : les terreurs et les angoisses humaines y éclatent, au mépris des palliatifs ordinaires, qui se dissolvent dans une critique impitoyable du langage.

LES CHAISES

Les Chaises, ou l'expérience du néant, est une « farce tragique » qui fut représentée pour la première fois le 22 avril 1952 à Paris. « LE VIEUX » et « LA VIEILLE », dans un dialogue absurde ou pitoyable, se font part de leur dernier espoir : un mystérieux orateur doit se faire l'interprète d'un non moins mystérieux message que LE VIEUX veut transmettre à l'humanité, représentée par les chaises vides apportées pour de pseudo-invités. A la fin de la pièce, après un discours burlesque qui parodie tous les discours officiels, LE VIEUX et LA VIEILLE, confiants dans la parole de l'orateur, se jettent par la fenêtre ; mais l'orateur impuissant ne peut s'exprimer et émet des sons inarticulés, avant de sortir, laissant définitivement la scène vide.

On notera le mélange de burlesque et de tragique de cette « farce tragique » qui fait de cette scène une des plus caractéristiques du théâtre de Ionesco.

LE VIEUX

Merci à tous ceux qui m'ont apporté leur aide financière ou morale, précieuse et compétente, contribuant ainsi à la réussite totale de la fête de ce soir... merci encore, merci surtout à notre Souverain bien-aimé, Sa Majesté l'Empereur...

LA VIEILLE (écho)

... jesté l'Empereur...

LE VIEUX, *dans un silence total*

... Un peu de silence... Majesté...

LA VIEILLE (écho)

... ajesté... jesté...

LE VIEUX

Majesté, ma femme et moi-même n'avons plus rien à demander à la vie. Notre existence peut s'achever dans cette apothéose... merci au ciel
10 qui nous a accordé de si longues et si paisibles années... Ma vie a été bien

remplie. Ma mission est accomplie. Je n'aurai pas vécu en vain, puisque mon message sera révélé au monde... *(Geste vers l'Orateur qui ne s'en aperçoit pas : ce dernier repousse du bras les demandes d'autographes, très digne et ferme.)* Au monde, ou plutôt à ce qu'il en reste ! *(Geste large vers la foule invisible.)* A vous, Messieurs-dames et chers camarades, qui êtes les restes de l'humanité, mais avec de tels restes on peut encore faire de la bonne soupe... Orateur ami... *(L'Orateur regarde autre part.)* Si j'ai été longtemps méconnu, mésestimé par mes contemporains, c'est qu'il en devait être ainsi. *(La Vieille sanglote.)* Qu'importe à présent tout cela,

20 puisque je te laisse, à toi, mon cher Orateur et ami *(l'Orateur rejette une nouvelle demande d'autographe ; puis prend une pose indifférente, regarde de tous les côtés)*... le soin de faire rayonner sur la postérité, la lumière de mon esprit... Fais donc connaître à l'Univers ma philosophie. Ne néglige pas non plus les détails, tantôt cocasses, tantôt douloureux ou attendrissants de ma vie privée, mes goûts, mon amusante gourmandise... raconte tout... parle de ma compagne... *(la Vieille redouble de sanglots)* ... de la façon dont elle préparait ses merveilleux petits pâtés turcs, de ses rillettes de lapin à la normandillette... parle du Berry, mon pays natal... Je compte sur toi, grand maître et Orateur... quant à moi et ma fidèle compagne,

30 après de longues années de labeur pour le progrès de l'humanité pendant lesquelles nous fûmes les soldats de la juste cause, il ne nous reste plus qu'à nous retirer à l'instant, afin de faire le sacrifice suprême que personne ne nous demande mais que nous accomplirons quand même...

La Vieille, *sanglotant*

Oui, oui, mourons en pleine gloire... mourons pour entrer dans la légende... Au moins, nous aurons notre rue...

Le Vieux, *à la Vieille*

O, toi, ma fidèle compagne !... toi qui as cru en moi, sans défaillance, pendant un siècle, qui ne m'as jamais quitté, jamais..., hélas, aujourd'hui à ce moment suprême, la foule nous sépare sans pitié...

40
J'aurais pourtant
voulu tellement
finir nos os
sous une même peau
dans un même tombeau
de nos vieilles chairs
nourrir les mêmes vers
ensemble pourrir...

La Vieille

... ensemble pourrir...

Le Vieux

Hélas !... hélas !...

LA VIEILLE

Hélas !... hélas !...

LE VIEUX

50   ... Nos cadavres tomberont loin de l'autre, nous pourrirons dans la solitude aquatique... Ne nous plaignons pas trop.

LA VIEILLE

Il faut faire ce qui doit être fait !...

LE VIEUX

Nous ne serons pas oubliés. L'Empereur éternel se souviendra de nous, toujours.

LA VIEILLE (écho)

Toujours.

LE VIEUX

Nous laisserons des traces, car nous sommes des personnes et non pas des villes.

LE VIEUX ET LA VIEILLE, *ensemble*

Nous aurons notre rue !

LE VIEUX

Soyons unis dans le temps et dans l'éternité si nous ne pouvons l'être
60 dans l'espace, comme nous le fûmes dans l'adversité : mourons au même instant... *(A l'Orateur impassible, immobile.)* Une dernière fois... je te fais confiance... je compte sur toi... Tu diras tout... Lègue le message... *(A l'Empereur.)* Que votre Majesté m'excuse... Adieu, vous tous. Adieu, Sémiramis.

LA VIEILLE

Adieu, vous tous !... Adieu, mon chou !

LE VIEUX

Vive l'Empereur !

Il jette sur l'Empereur invisible des confetti et des serpentins ; on entend des fanfares ; lumière vive, comme le feu d'artifice.

LA VIEILLE

Vive l'Empereur !

Confetti et serpentins en direction de l'Empereur, puis sur l'Orateur immobile et impassible, sur les chaises vides.

LE VIEUX, *même jeu*

Vive l'Empereur !

La Vieille, *même jeu*

Vive l'Empereur !

70 La Vieille et le Vieux, *en même temps se jettent chacun par sa fenêtre, en criant « Vive l'Empereur ». Brusquement le silence ; plus de feu d'artifice, on entend un « Ah » des deux côtés du plateau, le bruit glauque des corps tombant à l'eau. La lumière venant des fenêtres et de la grande porte a disparu : il ne reste que la faible lumière du début ; les fenêtres, noires, restent grandes ouvertes ; leurs rideaux flottent au vent.*

L'Orateur, *qui est resté immobile, impassible pendant la scène du double suicide, se décide au bout de plusieurs instants à parler ; face aux rangées de chaises vides, il fait comprendre à la foule invisible qu'il est sourd et muet ; il fait des signes de sourd-muet : efforts désespérés pour se faire comprendre ;* 80 *puis il fait entendre des râles, des gémissements, des sons gutturaux de muet.*

He, Mme, mm, mm.
Ju, gou, hou, hou.
Heu, heu, gu, gou, gueue.

Impuissant, il laisse tomber ses bras le long du corps ; soudain, sa figure s'éclaire, il a une idée, il se tourne vers le tableau noir, il sort une craie de sa poche et écrit en grosses majuscules :

ANGEPAIN

puis :

NNAA NNM NWNWNW V

Il se tourne, de nouveau, vers le public invisible, le public du plateau, montre du doigt ce qu'il a tracé au tableau noir.

L'Orateur : Mmm, Mmm, Gueue, Gou, Gu, Mmm, Mmm, Mmm, Mmmm.

Puis, mécontent, il efface, avec des gestes brusques, les signes à la craie, les remplace par d'autres, parmi lesquels on distingue, toujours en grosses majuscules :

ΛΛDIEU ΛDIEU ΛPΛ

De nouveau, l'Orateur se tourne vers la salle ; il sourit, interrogateur, 90 *ayant l'air d'espérer avoir été compris, avoir dit quelque chose ; il montre, du doigt, aux chaises vides ce qu'il vient d'écrire ; immobile quelques instants il attend, assez satisfait, un peu solennel, puis, devant l'absence d'une réaction espérée, petit à petit son sourire disparaît, sa figure s'assombrit ; il attend encore un peu ; tout d'un coup, il salue avec humeur, brusquerie, descend de l'estrade ; s'en va vers la grande porte du fond, de sa démarche fantomatique ; avant de sortir par cette porte, il salue cérémonieusement, encore, les rangées de chaises vides, l'invisible Empereur. La scène reste vide avec ses chaises, l'estrade, le parquet couverts de serpentins et de confetti. La porte du fond est grande ouverte sur le noir.*

100   *On entend pour la première fois les bruits humains de la foule invisible :
ce sont des éclats de rire, des murmures, des « chut », des toussotements
ironiques ; faibles au début, ces bruits vont grandissant ; puis, de nouveau,
progressivement, s'affaiblissent. Tout cela doit durer assez longtemps pour
que le public — le vrai et visible — s'en aille avec cette fin bien gravée dans
l'esprit. Le rideau tombe très lentement.*

Avril-juin 1951.

Rideau.

Les Chaises (Gallimard).

RHINOCÉROS

Rhinocéros, critique des sociétés modernes, fut créé en allemand à Düsseldorf, en
novembre 1959, avant d'être montée, en français, deux mois plus tard, par Jean-Louis
Barrault, le 22 janvier 1960, au Théâtre de France. Pour une fois, on peut parler à ce
propos de *théâtre à thèse* (bien que Ionesco y répugne). « Le propos de la pièce, écrit
l'auteur, a bien été de décrire le processus de la nazification d'un pays ». Plus généralement,
toutefois, il s'agit dans cette pièce de protester, au nom de l'individu, *contre l'emprise
d'une société de masse*, contre ce que Ionesco nomme lui-même « le phénomène monstrueux
de la massification ». Le personnage principal, Bérenger, reste l'unique survivant de
l'humanité dans un monde où tous se sont transformés en *rhinocéros*. Derrière le
symbolisme évident, derrière l'étrangeté de la pièce, la thèse est trop claire pour que
n'apparaisse pas un danger que Ionesco a parfaitement senti : « Je me prends de plus
en plus au sérieux quand je parle de ce que je fais... Je finis par tomber dans une sorte
de piège ».

Dans cette scène, qui clôt la pièce, Bérenger s'inquiète de sa solitude, mais finit par
l'accepter et par crier son refus des mots d'ordre de la masse.

Bérenger, *se regardant toujours dans la glace*

Ce n'est tout de même pas si vilain que ça, un homme. Et pourtant,
je ne suis pas parmi les plus beaux ! Crois-moi, Daisy ![1] *(Il se retourne.)*
Daisy ! Daisy ! Où es-tu, Daisy ? Tu ne vas pas faire ça ! *(Il se précipite
vers la porte.)* Daisy ! *(Arrivé sur le palier, il se penche sur la balustrade.)*
Daisy ! remonte ! reviens, ma petite Daisy ! Tu n'as même pas déjeuné !
Daisy, ne me laisse pas tout seul ! Qu'est-ce que tu m'avais promis !
Daisy ! Daisy ! *(Il renonce à l'appeler, fait un geste désespéré et rentre
dans sa chambre.)* Évidemment. On ne s'entendait plus. Un ménage
désuni. Ce n'était plus viable. Mais elle n'aurait pas dû me quitter sans
10 s'expliquer. *(Il regarde partout.)* Elle ne m'a pas laissé un mot. Ça ne se
fait pas. Je suis tout à fait seul maintenant. *(Il va fermer la porte à clé,
soigneusement, mais avec colère.)* On ne m'aura pas, moi. *(Il ferme soigneusement les fenêtres.)* Vous ne m'aurez pas, moi. *(Il s'adresse à toutes les
têtes de rhinocéros.)* Je ne vous suivrai pas, je ne vous comprends pas !

— 1 Il s'agit de la femme qu'il aime. Elle vient de sortir pour aller rejoindre les rhinocéros.

Je reste ce que je suis. Je suis un être humain. Un être humain. *(Il va s'asseoir dans le fauteuil.)* La situation est absolument intenable. C'est ma faute, si elle est partie. J'étais tout pour elle. Qu'est-ce qu'elle va devenir ? Encore quelqu'un sur la conscience. J'imagine le pire, le pire est possible. Pauvre enfant abandonnée dans cet univers de monstres !
20 Personne ne peut m'aider à la retrouver, personne, car il n'y a plus personne. *(Nouveaux barrissements, courses éperdues, nuages de poussière.)* Je ne veux pas les entendre. Je vais mettre du coton dans les oreilles. *(Il se met du coton dans les oreilles et se parle à lui-même, dans la glace.)* Il n'y a pas d'autre solution que de les convaincre, les convaincre, de quoi ? Et les mutations sont-elles réversibles ? Hein, sont-elles réversibles ? Ce serait un travail d'Hercule, au-dessus de mes forces. D'abord, pour les convaincre, il faut leur parler. Pour leur parler, il faut que j'apprenne leur langue. Ou qu'ils apprennent la mienne ? Mais quelle langue est-ce que je parle ? Quelle est ma langue ? Est-ce du français, ça ? Ce doit être du
30 français ? Mais qu'est-ce que du français ? On peut appeler ça du français, si on veut, personne ne peut le contester, je suis seul à le parler. Qu'est-ce que je dis ? Est-ce que je me comprends, est-ce que je me comprends ? *(Il va vers le milieu de la chambre.)* Et si, comme me l'avait dit Daisy, si c'est eux qui ont raison ? *(Il retourne vers la glace.)* Un homme n'est pas laid, un homme n'est pas laid ! *(Il se regarde en passant la main sur sa figure.)* Quelle drôle de chose ! A quoi je ressemble alors ? A quoi ? *(Il se précipite vers un placard, en sort des photos, qu'il regarde.)* Des photos ! Qui sont-ils ces gens-là ? Papillon, ou Daisy plutôt ? Et celui-là, est-ce Botard ou Dudard, ou Jean ? ou moi, peut-être ! *(Il se précipite*
40 *de nouveau vers le placard d'où il sort deux ou trois tableaux.)* Oui, je me reconnais ; c'est moi, c'est moi ! *(Il va raccrocher les tableaux sur le mur du fond, à côté des têtes des rhinocéros.)* C'est moi, c'est moi. *(Lorsqu'il accroche les tableaux, on s'aperçoit que ceux-ci représentent un vieillard, une grosse femme, un autre homme. La laideur de ces portraits contraste avec les têtes des rhinocéros qui sont devenues très belles. Bérenger s'écarte pour contempler les tableaux.)* Je ne suis pas beau, je ne suis pas beau. *(Il décroche les tableaux, les jette par terre avec fureur, il va vers la glace.)* Ce sont eux qui sont beaux. J'ai eu tort ! Oh, comme je voudrais être comme eux. Je n'ai pas de corne, hélas ! Que c'est laid, un front plat.
50 Il m'en faudrait une ou deux, pour rehausser mes traits tombants. Ça viendra peut-être, et je n'aurai plus honte, je pourrai aller tous les retrouver. Mais ça ne pousse pas ! *(Il regarde les paumes de ses mains.)* Mes mains sont moites. Deviendront-elles rugueuses ? *(Il enlève son veston, défait sa chemise, contemple sa poitrine dans la glace.)* J'ai la peau flasque. Ah, ce corps trop blanc, et poilu ! Comme je voudrais avoir une peau dure et cette magnifique couleur d'un vert sombre, une nudité décente, sans poils, comme la leur ! *(Il écoute les barrissements.)* Leurs chants ont du charme, un peu âpre, mais un charme certain ! Si je pouvais faire comme eux. *(Il essaie de les imiter.)* Ahh, Ahh, Brr ! Non, ça n'est pas ça !
60 Essayons encore, plus fort ! Ahh, Ahh, Brr ! non, non, ce n'est pas ça, que c'est faible, comme cela manque de vigueur ! Je n'arrive pas à barrir.

Je hurle seulement. Ahh, Ahh, Brr ! Les hurlements ne sont pas des barrissements ! Comme j'ai mauvaise conscience, j'aurais dû les suivre à temps. Trop tard maintenant ! Hélas, je suis un monstre, je suis un monstre. Hélas, jamais je ne deviendrai rhinocéros, jamais, jamais ! Je ne peux plus changer. Je voudrais bien, je voudrais tellement, mais je ne peux pas. Je ne peux plus me voir. J'ai trop honte ! *(Il tourne le dos à la glace.)* Comme je suis laid ! Malheur à celui qui veut conserver son originalité ! *(Il a un brusque sursaut.)* Eh bien tant pis ! Je me défendrai
70 contre tout le monde ! Ma carabine, ma carabine ! *(Il se retourne face au mur du fond où sont fixées les têtes des rhinocéros, tout en criant)* : Contre tout le monde, je me défendrai, contre tout le monde, je me défendrai ! Je suis le dernier homme, je le resterai jusqu'au bout ! Je ne capitule pas !

FIN

Rhinocéros (Gallimard).

La Soif et la Faim

La Soif et la Faim marque l'entrée à la Comédie-Française d'Eugène Ionesco et de son metteur en scène, Jean-Marie Serreau. Les « trois épisodes » de cette pièce furent créés le 28 février 1966 avec Robert Hirsch et Michel Etcheverry dans les rôles principaux.

Un personnage mystérieux, Jean, dévoré par « la soif et la faim » de nouveauté et de pureté, quitte sa famille malgré les efforts de sa femme Marie-Madeleine pour le retenir (c'est le premier épisode : *la fuite*) ; il attend en vain une femme mystérieuse (deuxième épisode : *le rendez-vous*) ; il croit trouver le repos dans un monastère-auberge qui finit par se révéler comme une prison démoniaque (troisième épisode : *les messes noires de la bonne auberge*). Le cercle se referme et Jean, tourmenté par ce qu'il croyait devoir lui apporter le salut, se retourne vers sa femme et sa fille qui lui apparaissent dans le lointain, cependant qu'il va rester prisonnier de son rêve.

Dans cette quête absurde qui jette le personnage sur les routes, une seule réalité : la *soif* et la *faim* qui le torturent, qui font sa grandeur, mais qui causent son tourment sans jamais lui révéler la moindre vérité.

Cette pièce dramatique est une des plus belles et des plus douloureuses d'Ionesco, tant par la richesse des interprétations qu'elle suggère que par la puissance de ses images.

LA FUITE

Cet extrait termine le premier épisode de *La Soif et la Faim*. Marie-Madeleine, dans deux tirades pathétiques, tente de rappeler son mari qui s'éloigne d'elle de plus en plus.

Marie-Madeleine

Sa voix vient-elle de la cave ? Es-tu dans la cave ? Est-il sur les toits ? Sa voix me vient-elle du toit ? Non, il ne peut arracher de son cœur l'amour. Il ne peut l'arracher sans blessure cet amour, cet amour enfoncé dans son cœur, de son cœur, il ne peut l'arracher. Il n'est pas parti, il n'est pas parti. Je l'entends. Il répond ; coucou, Jean, coucou. *(Elle cherche, affolée, sur toute la scène, un peu comme une marionnette, un peu comme un enfant.)* Finis, je t'en supplie, la petite te tend les bras. Réponds, réponds donc, réponds, réponds, je t'en prie, je ne te trouve nulle part. Je connaissais toutes tes anciennes cachettes, je ne connais plus celle-ci, tu n'as pas pu
10 disparaître, tu n'as pas pu sortir, je veux bien encore jouer une minute,

seulement, je veux bien te chercher une minute encore, mais que j'entende ta voix, au moins. Dis : « Coucou, coucou. » *(Elle continue de le chercher sous la table, derrière la chaise, sous la nappe, sous la chaise, sous le buffet ; elle est prise de panique et continue d'appeler.)* Tu répondais tout à l'heure. Jean, n'est-ce pas que tu n'as pas pu sortir, n'est-ce pas que tu n'es pas parti ? Tu me l'aurais dit, n'est-ce pas ? Réponds. Coucou. Je l'entends. Non. Je ne l'entends pas. C'est un jeu cruel. Comprends-tu ce que je te dis ? Entends-tu ce que je te dis ? C'est un jeu cruel. Trop cruel ! *(Elle continue de chercher automatiquement avec de moins en moins de conviction, sans trop regarder, en ralentissant le mouvement.)* Non, il ne peut arracher de son cœur l'amour.

Elle sort quelques secondes et, pendant qu'elle chante cette sorte de refrain, Jean apparaît. Il arrache de son cœur une branche d'églantier très longue, sans grimacer, d'un geste décoratif, essuie les gouttes de sang sur sa chemise, sur ses doigts, il dépose la branche sur la table, boutonne soigneusement son veston, puis part sur la pointe des pieds. Il disparaît derrière le mur du fond. En arrachant la branche, il dit :

JEAN

Très au-dessus des vallées hivernales... et des campagnes... et des collines... sur la très haute crête... il y a le palais... au milieu du parc ensoleillé. De là, on aperçoit l'océan et le ciel réunis... allons...

VOIX DE MARIE-MADELEINE, *un peu en sourdine, en même temps*

L'amour il ne peut de son cœur arracher, de son cœur on ne peut arracher l'amour, l'amour ne s'arrache, l'amour de son cœur...

MARIE-MADELEINE, *réapparaissant*

Comment a-t-il pu disparaître ? Il n'est pas là. Là non plus, ici non plus, il n'est plus là. Comme la maison est vide. Comme le vide est grand. Cela devait arriver un jour, bien sûr, je m'en doutais. Il a trop aimé jouer à ce jeu, il s'est pris à son jeu. Je l'avais prévenu que cela finirait mal. On arrivait toujours à se retrouver. J'appelle, j'appelle encore : coucou. Je ne peux pas jouer ce jeu toute seule, il faut être deux ; il me cherchait lui aussi, je suis seule maintenant. C'est bien pour cela que je ne le trouve pas. Bien sûr, bien sûr, cela doit être ainsi. Quel chemin a-t-il pu prendre ? Par où a-t-il pu se glisser ? Les portes, les fenêtres étaient fermées. *(Elle va vers le fond et revient.)* Non, je ne veux plus passer dans ce couloir humide, plein de cloportes et d'araignées. « De quoi souffrait-il, madame ? », va-t-on me demander. Je répondrai : « Il souffrait d'une nostalgie ardente. » Je vais continuer de regarder dans tous les coins, mais je sais qu'il n'est plus là. Je regarderai, par habitude, je tendrai le bras sur son oreiller. Je sais pourtant que sa tête n'y sera pas. Je lui apporterai son peignoir tous les matins et je sais pourtant qu'il ne sera plus dans sa baignoire. Comme il va avoir peur, là-bas où il se trouve ! Il n'est pas fait pour errer dans ces plaines désertes et grises. Comment a-t-il pu me quitter ? Comment a-t-il pu se décider ? D'où lui est venu le courage de partir ? *(Elle aperçoit sur la table la branche qu'elle prend dans la main et regarde.)* Il a vraiment

arraché la fleur d'amour, avec la tige et les racines. Comment a-t-il pu
l'arracher de son cœur, comment de son cœur l'a-t-il pu arracher ? Le
pauvre, comme il doit avoir mal ! Le pauvre, il est blessé. Il marche
50 titubant dans les plaines désertes. Il laisse des traces de sang sur les routes.
(Elle s'assoit près du berceau qu'elle fait balancer, tournant le dos à la salle.)
Nous sommes seules, maintenant, ma petite. Comment perdre l'habitude
qu'il me réponde, comment perdre l'habitude de le toucher, comment
perdre l'habitude de l'attendre ? *(Elle reprend le refrain.)* Si l'amour de
ton cœur tu pouvais arracher, si tu pouvais de ton cœur, de ton cœur, de
ton cœur... *(Le mur du fond, qu'elle regarde, disparaît. On voit un jardin :
arbres en fleurs, herbes vertes et hautes, ciel très bleu.)* Oh ! *(Elle se soulève
un petit peu, puis se rassoit. Elle doit, par les mouvements de son épaule et
de son dos, faire sentir aux spectateurs l'éblouissement qu'elle ressent elle-même.*
60 *Puis, à la gauche du paysage qui est aussi à la gauche des spectateurs, on voit
apparaître une échelle argentée, suspendue, dont on ne voit pas le sommet.
L'étonnement et la joie de Marie-Madeleine qui contemple le paysage se
traduit toujours, sensiblement mais discrètement, par certains mouvements
des épaules. Elle se lève tout doucement.)* Il ne savait pas qu'il y avait cela !
Il n'a pas pu voir. Je sentais qu'il y avait ce jardin ; je m'en doutais. Je
n'en étais pas tout à fait sûre moi-même. S'il avait pu voir, s'il avait pu
savoir, s'il avait eu un peu de patience...

Rideau
La Soif et la Faim, fin du 1ᵉʳ épisode (Gallimard).

SAMUEL BECKETT

Sa vie, son œuvre SAMUEL BECKETT est né en Irlande, près de Dublin,
en 1906. Il reçoit une éducation religieuse strictement
puritaine qui lui inculque le dégoût de la chair et lui communique une vision pessimiste
de l'existence. De solides études le conduisent à l'université de Dublin, puis à Paris où
il est lecteur d'anglais de 1928 à 1931 à l'École Normale Supérieure. De cette époque
date une rupture radicale avec le monde de son enfance, et particulièrement avec la foi,
dont il ne retiendra que le pessimisme. Lecteur de français à Dublin en 1931, il démissionne en 1932 et mène une vie errante à Londres, à Paris, en Allemagne jusqu'en 1937,
date où il s'installe à Paris. Cependant, il écrit, en anglais, des poèmes et des nouvelles.

Sa première pièce, *Eleuthéria*, inédite, date de 1945, mais il faut attendre 1953 pour
que BECKETT connaisse la célébrité avec *En attendant Godot*, jouée à Paris le 5 janvier 1953
au Théâtre Babylone. Malgré leur angoissante étrangeté, *Fin de partie* en 1957, *Oh ! les
beaux jours* en 1963, emportent également la faveur du public. Beckett est aussi l'auteur
de romans (*Murphy*, 1947 ; *Molloy*, 1951 ; *L'Innommable*, 1953 ; *Comment c'est*, 1961) et
son œuvre a été consacrée par le Prix Nobel.

Dans toute son œuvre, BECKETT évoque le drame d'une pensée *solitaire* qui rejette
un monde absurde, mais se trouve alors condamnée à une existence opaque et incompréhensible. Des personnages abandonnés à eux-mêmes, immobiles et ressassant d'interminables dialogues, attendent une mort problématique, hors du temps, livrés à leur
angoisse et à leur *médiocrité*. Ces êtres parlent un langage élémentaire ; c'est celui de
l'existence réduite à n'être qu'interrogation pathétique, dépouillée de tout ce qui peut
en masquer la tragique et insupportable insignifiance.

QUI EST GODOT?

Deux personnages, grotesques et pathétiques, attendent un mystérieux GODOT qui ne viendra jamais, tel est le sujet de *En attendant Godot* représenté pour la première fois à Paris, le 5 janvier 1953, dans une mise en scène de Roger Blin. Les deux hommes, VLADIMIR et ESTRAGON, démunis de tout, n'ont rien qui justifie leur existence si ce n'est l'attente qui fait à la fois leur espérance et leur supplice. On notera dans cette scène, empruntée à l'acte premier, tous les éléments qui traduisent l'ambivalence de leurs sentiments à l'égard d'un personnage que BECKETT a volontairement présenté avec les caractéristiques du Dieu chrétien.

VLADIMIR : Je suis curieux de savoir ce qu'il va nous dire. Ça ne nous engage à rien.

ESTRAGON : Qu'est-ce qu'on lui a demandé au juste ?

VLADIMIR : Tu n'étais pas là ?

ESTRAGON : Je n'ai pas fait attention.

VLADIMIR : Eh bien... Rien de bien précis.

ESTRAGON : Une sorte de prière.

VLADIMIR : Voilà.

ESTRAGON : Une vague supplique.

10 VLADIMIR : Si tu veux.

ESTRAGON : Et qu'a-t-il répondu ?

VLADIMIR : Qu'il verrait.

ESTRAGON : Qu'il ne pouvait rien promettre.

VLADIMIR : Qu'il lui fallait réfléchir.

ESTRAGON : A tête reposée.

VLADIMIR : Consulter sa famille.

ESTRAGON : Ses amis.

VLADIMIR : Ses agents.

ESTRAGON : Ses correspondants.

20 VLADIMIR : Ses registres.

ESTRAGON : Son compte en banque.

VLADIMIR : Avant de se prononcer.

ESTRAGON : C'est normal.

VLADIMIR : N'est-ce pas ?

ESTRAGON : Il me semble.

VLADIMIR : A moi aussi.

Repos.

ESTRAGON *(inquiet)* : Et nous ?

VLADIMIR : Plaît-il ?

ESTRAGON : Je dis, Et nous ?

30   VLADIMIR : Je ne comprends pas.

ESTRAGON : Quel est notre rôle là-dedans ?

VLADIMIR : Notre rôle ?

ESTRAGON : Prends ton temps.

VLADIMIR : Notre rôle ? Celui du suppliant.

ESTRAGON : A ce point-là ?

VLADIMIR : Monsieur a des exigences à faire valoir ?

ESTRAGON : On n'a plus de droits ?

*Rire de Vladimir, auquel il coupe court comme au précédent. Même jeu,
moins le sourire.*

40   VLADIMIR : Tu me ferais rire, si cela m'était permis.

ESTRAGON : Nous les avons perdus ?

VLADIMIR *(avec netteté)* : Nous les avons bazardés.

*Silence. Ils demeurent immobiles, bras ballants, tête sur la poitrine, cassés
aux genoux.*

ESTRAGON *(faiblement)* : On n'est pas lié ? *(Un temps)* Hein ?

VLADIMIR *(levant la main)* : Écoute !

Ils écoutent, grotesquement figés.

ESTRAGON : Je n'entends rien.

VLADIMIR : Hsst ! *(Ils écoutent. Estragon perd l'équilibre, manque de
50   tomber. Il s'agrippe au bras de Vladimir qui chancelle. Ils écoutent, tassés
l'un contre l'autre, les yeux dans les yeux.)* Moi non plus. *(Soupirs de
soulagement. Détente. Ils s'éloignent l'un de l'autre.)*

ESTRAGON : Tu m'as fait peur.

VLADIMIR : J'ai cru que c'était lui.

ESTRAGON : Qui ?

VLADIMIR : Godot.

ESTRAGON : Pah ! Le vent dans les roseaux.

VLADIMIR : J'aurais juré des cris.

ESTRAGON : Et pourquoi crierait-il ?

60   VLADIMIR : Après son cheval.

Silence.

ESTRAGON : Allons-nous-en.

VLADIMIR : Où ? *(Un temps.)* Ce soir on couchera peut-être chez lui, au chaud, au sec, le ventre plein, sur la paille. Ça vaut la peine qu'on attende. Non ?

ESTRAGON : Pas toute la nuit.

VLADIMIR : Il fait encore jour.

Silence.

ESTRAGON : J'ai faim.

VLADIMIR : Veux-tu une carotte ?

ESTRAGON : Il n'y a pas autre chose ?

70 VLADIMIR : Je dois avoir quelques navets.

ESTRAGON : Donne-moi une carotte. *(Vladimir fouille dans ses poches, en retire un navet et le donne à Estragon.)* Merci. *(Il mord dedans. Plaintivement.)* C'est un navet !

VLADIMIR : Oh pardon ! J'aurais juré une carotte. *(Il fouille à nouveau dans ses poches, n'y trouve que des navets.)* Tout ça c'est des navets. *(Il cherche toujours.)* Tu as dû manger la dernière. *(Il cherche.)* Attends, ça y est. *(Il sort enfin une carotte et la donne à Estragon.)* Voilà, mon cher. *(Estragon l'essuie sur sa manche et commence à la manger.)* Rends-moi le navet. *(Estragon lui rend le navet.)* Fais-la durer, il n'y en a plus.

80 ESTRAGON *(tout en mâchant)* : Je t'ai posé une question.

VLADIMIR : Ah !

ESTRAGON : Est-ce que tu m'as répondu ?

VLADIMIR : Elle est bonne, ta carotte ?

ESTRAGON : Elle est sucrée.

VLADIMIR : Tant mieux, tant mieux. *(Un temps.)* Qu'est-ce que tu voulais savoir ?

ESTRAGON : Je ne me rappelle plus. *(Il mâche.)* C'est ça qui m'embête. *(Il regarde la carotte avec appréciation, la fait tourner en l'air du bout des doigts.)* Délicieuse, ta carotte. *(Il en suce méditativement le bout.)* 90 Attends, ça me revient. *(Il arrache une bouchée.)*

VLADIMIR : Alors ?

ESTRAGON *(la bouche pleine, distraitement)* : On n'est pas lié ?

VLADIMIR : Je n'entends rien.

ESTRAGON *(mâche, avale)* : Je demande si on est lié.

VLADIMIR : Lié ?

ESTRAGON : Lié.

VLADIMIR : Comment lié ?

ESTRAGON : Pieds et poings.

VLADIMIR : Mais à qui ? Par qui ?

100   ESTRAGON : A ton bonhomme.

VLADIMIR : A Godot ? Lié à Godot ? Quelle idée ! Jamais de la vie !
(Un temps.) Pas encore. *(Il ne fait pas la liaison.)*

ESTRAGON : Il s'appelle Godot ?

VLADIMIR : Je crois.

En attendant Godot, acte I (Éditions de Minuit, 1952).

DÉCHÉANCE ET RÉGRESSION DE L'HUMANITÉ

Fin de partie : cette pièce a été créée en français à Londres le 1ᵉʳ avril 1957 au Royal
Court Theatre et reprise le même mois à Paris au Théâtre des Champs-Élysées.
Entre le désert et l'océan, prisonniers dans une chambre, quatre personnages, dont
deux sont enfermés dans des poubelles, ressassent leurs rancœurs et leurs pauvres souvenirs.
Cadavres vivants, ils attendent une fin toute proche qui semble ne devoir jamais venir.

CLOV *(regard fixe, voix blanche) :* Fini, c'est fini, ça va finir, ça va
peut-être finir. *(Un temps.)* Les grains s'ajoutent aux grains, un à un,
et un jour soudain, c'est un tas, un petit tas, l'impossible tas. *(Un temps.)*
On ne peut plus me punir. *(Un temps.)* Je m'en vais dans ma cuisine,
trois mètres sur trois mètres sur trois mètres, attendre qu'il me siffle.
(Un temps.) Ce sont de jolies dimensions, je m'appuierai à la table, je
regarderai le mur, en attendant qu'il me siffle.

*Il reste un moment immobile. Puis il sort. Il revient aussitôt, va prendre l'escabeau, sort
en emportant l'escabeau. Un temps. Hamm bouge. Il bâille sous le mouchoir. Il ôte le mouchoir
de son visage. Teint très rouge. Lunettes noires.*

HAMM : A — *(bâillements)* — à moi. *(Un temps.)* De jouer. *(Il
tient à bout de bras le mouchoir ouvert devant lui.)* Vieux linge ! *(Il ôte*
10   *ses lunettes, s'essuie les yeux, le visage, essuie les lunettes, les remet, plie
soigneusement le mouchoir et le met délicatement dans la poche du haut de
sa robe de chambre. Il s'éclaircit la gorge, joint les bouts des doigts.)* Peut-il y a
— *(bâillements)* — y avoir misère plus... plus haute que la mienne ?
Sans doute. Autrefois. Mais aujourd'hui ? *(Un temps.)* Mon père ? *(Un
temps.)* Ma mère ? *(Un temps.)* Mon... chien ? *(Un temps.)* Oh je veux
bien qu'ils souffrent autant que de tels êtres peuvent souffrir. Mais est-ce
dire que nos souffrances se valent ? Sans doute. *(Un temps.)* Non, tout
est a — *(bâillements)* — bsolu, *(fier)* plus on est grand et plus on est
plein. *(Un temps. Morne.)* Et plus on est vide. *(Il renifle.)* Clov ! *(Un
20   temps.)* Non, je suis seul. *(Un temps.)* Quels rêves — avec un s ! Ces
forêts ! *(Un temps.)* Assez, il est temps que cela finisse, dans le refuge
aussi. *(Un temps.)* Et cependant j'hésite, j'hésite à... à finir. Oui, c'est

bien ça, il est temps que cela finisse et cependant j'hésite encore à —
(bâillements) — à finir. *(Bâillements.)* Oh là là, qu'est-ce que je tiens,
je ferais mieux d'aller me coucher. *(Il donne un coup de sifflet. Entre Clov
aussitôt. Il s'arrête à côté du fauteuil.)* Tu empestes l'air ! *(Un temps.)*
Prépare-moi, je vais me coucher.

CLOV : Je viens de te lever.

HAMM : Et après ?

30 CLOV : Je ne peux pas te lever et te coucher toutes les cinq minutes,
j'ai à faire.

Un temps.

HAMM : Tu n'as jamais vu mes yeux ?

CLOV : Non.

HAMM : Tu n'as jamais eu la curiosité, pendant que je dormais, d'enlever
mes lunettes et de regarder mes yeux ?

CLOV : En soulevant les paupières ? *(Un temps.)* Non.

HAMM : Un jour je te les montrerai. *(Un temps.)* Il paraît qu'ils sont
tout blancs. *(Un temps.)* Quelle heure est-il ?

CLOV : La même que d'habitude.

40 HAMM : Tu as regardé ?

CLOV : Oui.

HAMM : Et alors ?

CLOV : Zéro.

HAMM : Il faudrait qu'il pleuve.

CLOV : Il ne pleuvra pas.

Un temps.

HAMM : A part ça, ça va ?

CLOV : Je ne me plains pas.

HAMM : Tu te sens dans ton état normal ?

CLOV *(agacé)* : Je te dis que je ne me plains pas.

50 HAMM : Moi je me sens un peu drôle. *(Un temps.)* Clov.

CLOV : Oui.

HAMM : Tu n'en as pas assez ?

CLOV : Si ! *(Un temps.)* De quoi ?

HAMM : De ce... de cette... chose.

CLOV : Mais depuis toujours. *(Un temps.)* Toi non ?

HAMM *(morne)* : Alors il n'y a pas de raison pour que ça change.

CLOV : Ça peut finir. *(Un temps.)* Toute la vie les mêmes questions, les
mêmes réponses.

Fin de Partie (Éditions de Minuit, 1957).

**Adamov, Genêt
Arrabal**

Parmi les autres auteurs de ce « nouveau théâtre », on doit citer ARTHUR ADAMOV (1908-1970) qui met en scène ses cauchemars et ses angoisses (*La Parodie*, 1950 ; *Tous contre tous*, 1953). Après 1956 *(Le Ping-pong)*, Adamov s'oriente vers un théâtre nettement social et politique (*Le printemps 71*, 1953).

On doit également citer JEAN GENÊT, écrivain maudit, plusieurs fois condamné pour vol, violent et puissant auteur de pièces dirigées contre les préjugés du monde contemporain (*Les Bonnes*, 1947 ; *Les Nègres*, 1958).

Plus jeune, mais non moins puissant, FERNANDO ARRABAL, né en Espagne en 1932, plonge le spectateur dans un univers poétique étrange où symboles et images névrotiques sont associés à une satire féroce de la société moderne *(Pique-nique en campagne ; Le Cimetière des voitures)*.

LE ROMAN CONTEMPORAIN

LES TECHNIQUES « TRADITIONNELLES »

L'offensive lancée depuis 1955 par le « NOUVEAU ROMAN » (voir plus loin) contre le « roman traditionnel », ne doit pas dissimuler la *richesse* et la *diversité* des TRADITIONS ROMANESQUES.

JEAN GIONO (*Le Hussard sur le toit*, 1951), ou ROGER NIMIER (1950 : *Le Hussard bleu*) tentent de retrouver la veine des romans d'aventures. ARAGON nourrit son inspiration de l'idéologie communiste (*La Semaine sainte*, 1958). JEAN CAYROL (*Le Déménagement*, 1956) et PIERRE-HENRI SIMON (*Histoire d'un bonheur*, 1965) sont des romanciers chrétiens à la recherche d'un humanisme pour notre temps. FRANÇOISE SAGAN connaît le succès en donnant l'image du désenchantement moderne (*Bonjour tristesse*, Prix des critiques, 1954).

Cependant, le Surréalisme se prolonge chez JULIEN GRACQ (cf. p. 854) et certains romans tentent de renouveler le genre en mêlant autobiographie, poésie et réflexion critique. On peut citer dans cette veine *La Règle du jeu* (1948-1955) de MICHEL LEIRIS, au même titre que les ouvrages de GEORGES BATAILLE (*Le Bleu du ciel*, 1957).

La tradition autobiographique se perpétue, avec de grands écrivains que la fuite des ans incite à se pencher sur leur passé : FRANÇOIS MAURIAC (*Mémoires intérieurs*, 1959), JEAN-PAUL SARTRE (*Les Mots*, 1963), ANDRÉ MALRAUX (*Antimémoires*, 1967).

JEAN GENÊT exprime sa rage ou sa haine de la société (*Notre-Dame des fleurs ; Miracle de la rose ; Pompes funèbres*, 1944). Quant à BORIS VIAN, de *L'Écume des Jours* (1947) à *L'Arrache-Cœur* (1953), il crée un univers poétique étrange et il apparaît de nos jours comme annonciateur du « nouveau roman ».

Plus terriblement privés d'espoir, MAURICE BLANCHOT (*Le Très-Haut*, 1948) ou SAMUEL BECKETT (*Molloy* et *Malone meurt*, en 1951 ; *Comment c'est*, en 1961) découvrent le néant au cœur du langage humain. BECKETT poursuit dans le roman l'œuvre de dérision amère que nous avons déjà rencontrée dans son théâtre.

**Le renouveau
d'Aragon**

La veine romanesque de LOUIS ARAGON (cf. p. 786) a présenté dans l'après-guerre une intéressante évolution. La vaste fresque des *Communistes* (cinq volumes) fut rapidement composée, de 1949 à 1951. Puis, après quelques années consacrées à des essais, à des nouvelles, le romancier a vu s'élargir son audience avec *La Semaine Sainte* (1958) et *Blanche ou l'Oubli* (1967). Par une curieuse rencontre avec GIONO qui, dans *Le Hussard sur le toit* (1951) avait été tenté par un retour à Stendhal, ARAGON a, lui aussi, composé dans *La Semaine Sainte* un roman quelque peu « stendhalien » qui renouvelle sa technique. Il ne renonce pas pour autant à son engagement politique, car il considère que le socialisme doit être recherché dans une interprétation globale des événements historiques, et non dans les sentiments d'antipathie ou de sympathie que l'auteur peut éprouver pour tel ou tel de ses personnages.

« *IL FAUT APPELER LES CHOSES PAR LEUR NOM* »

En guise de préface à *La Semaine Sainte*, ARAGON a publié plusieurs textes théoriques,
dont le fragment ci-dessous d'un discours prononcé le 23 avril 1959. Il y défend une
conception réaliste du roman, l'objectivité et le souci de compréhension profonde lui
paraissant essentiels en face de ses personnages.

Les critiques de *La Semaine sainte* se sont grandement étonnés de ce
qu'ils appellent mon objectivité. C'est-à-dire du fait que je parle d'hommes
que je devrais, à leur sens, haïr, me représenter ou représenter aux autres
comme des monstres ou des caricatures, que je parle de ces hommes sans
haine, voire avec sympathie, que je donne d'eux une image humaine.
C'est-à-dire réaliste, et non polémique.

Il me serait facile de dire que la polémique du roman réaliste est dans
l'interprétation générale de l'époque, et non pas dans la distorsion des
images particulières. Je veux dire, d'expliquer comment et pourquoi
10 *comprendre* un personnage qui m'est socialement ennemi, si je crois avoir
raison, me paraît autrement convaincant pour le lecteur que de mettre
un masque de carnaval à un être qui respire. Il s'agit là d'un débat au
fond sur le roman, que je n'ai pas ce soir le temps d'entreprendre et de
développer. Mais je me bornerai à souligner seulement que pour moi
il n'y a là rien de nouveau dans mon œuvre.

Ne suis-je pas l'auteur de ce poème qu'un Révérend Père a pu commenter positivement pendant un carême du haut de la chaire de Notre-
Dame, et qui s'appelle *La Rose et le Réséda* ? Qu'y a-t-il d'extraordinaire
à ce que l'homme qui a placé sur le même plan *Celui qui croyait au ciel*
20 et *Celui qui n'y croyait pas* soit l'auteur de *La Semaine sainte* ? Mais ce qui
me paraît, à moi, fort curieux, c'est que ce soit sur ce point, de *l'objectivité*,
que l'on oppose si généralement *La Semaine sainte* aux *Communistes*, et
je ne puis me l'expliquer qu'en pensant que les critiques n'ont lu dans
Les Communistes que le titre, et non les six volumes.

Faut-il attirer leur attention sur le fait que Jean de Moncey, le personnage en quoi s'incarne la jeunesse française de 1940, à qui va la sympathie
du lecteur, a pour idéal le Michel Vieuchange de *Smara*, ce voyageur du
Sud-Marocain, qui a donné sa vie pour découvrir une ville inconnue dans
les régions des nomades. Ce jeune chrétien, victime d'une inutile croisade.
30 Faut-il souligner ici la présence du colonel Avoine, et *l'objectivité* de
l'auteur envers cet officier dont le fils est un religieux cloîtré, lui-même
catholique pratiquant ? Faut-il renvoyer les critiques à l'image du prêtre
qui a élevé Jean de Moncey, l'abbé Blomet, à travers tout le livre, et
aux pages de sa mort ? Faut-il les renvoyer à cette tragédie des généraux,
dans le mois de mai des Flandres, où, me semble-t-il, la sympathie de

l'auteur pour les généraux Dames, Molinié, Langlois, Prioux, La Lau-
rencie, Billotte, Blanchard et j'en passe, n'est pas moindre, quelle qu'ait
été leur conduite ultérieure que celle de l'auteur de *La Semaine sainte*
pour les maréchaux d'Empire ? Faut-il rappeler l'image du ministre de
40 Monzie, ou de M. Paul Reynaud, qui ne sont en rien des caricatures, et
qui m'ont valu il y a dix ans bien des étonnements et des reproches de
quelques camarades habitués à en entendre parler sur un tout autre ton
dans *L'Humanité ?* Mais ce n'est pas possible, ceux qui parlent ainsi
de mon roman, n'ont pas lu les pages sur la mort héroïque du lieutenant
de Versigny et de ses dragons dans leurs chars, du lieutenant de Versigny,
camelot du Roi, qui a dans sa poche au moment de mourir la photo de
S. A. R. la Comtesse de Paris. Ils n'ont pas lu la description de la bataille
de La Horgne, l'épopée des spahis, et de leur chef le colonel Marc, dont
vous pouvez jurer qu'il ne pensait pas comme moi. Ils n'ont rien lu de
50 tout ce qui dans ce livre d'un ancien combattant de 40 saigne encore
aujourd'hui en moi quand je me relis, de tout ce qu'il y a eu de commun
entre moi et ces hommes qui ont su ou ont voulu mourir pour la France
dans ces temps des lilas et des roses... Quelle différence y a-t-il, au delà
des convictions politiques, entre *La Semaine sainte* et *Les Communistes ?*
Je vais vous le dire, moi, c'est que *La Semaine sainte* est un livre où je
parle d'hommes qu'il ne m'était pas difficile d'aimer, et avec la tranquillité
du cœur. Tandis que *Les Communistes* sont le livre du déchirement français,
de cette chose en moi saignante, pour les hommes de mon pays, dont j'ai
partagé les périls et les douleurs, et qu'ici *l'objectivité* demandée est
60 autrement grande et terrible, autrement directe et humaine. Excusez-moi
d'y mettre cette violence du ton, mais j'ai relu *Les Communistes* pour voir
si je ne me trompais pas sur leur compte, et riez de moi si vous voulez,
quand j'en arrive aux jours de mai, c'est un livre qui me serre la gorge,
de tout ce qu'il me rappelle que j'ai vu, de mes compagnons d'alors, qu'ils
fussent socialistes ou monarchistes, de tout ce gâchis monstrueux des
possibiiités humaines, de toute cette France en morceaux...

Après ça, on s'étonne que je parle du Maréchal Berthier sur un certain
ton : mais où diable ai-je appris à le faire sinon dans l'armée française,
sur les champs de bataille des Flandres et de l'Artois, où se passent *Les*
70 *Communistes*, et je vous jure que c'est d'avoir écrit *Les Communistes* qui
m'a appris à écrire *La Semaine sainte*, n'est-ce pas l'évidence même ?

Car c'est dans la réalité que le réaliste puise son art, je n'aurais jamais
compris les soldats de Napoléon et de Louis XVIII, si je n'avais pas
servi dans les armées de Foch, comme Aurélien, dans celle du pitoyable
Gamelin, comme Barbentane et Jean de Moncey.

Je suis un réaliste, je me réclame du réalisme dans le roman comme
dans le poème...

Préface à l'édition du Livre de Poche.

PORTRAIT DU MARÉCHAL MACDONALD

Voici un exemple de la sympathie que porte ARAGON à un personnage qui pourrait
a priori lui paraître très étranger. Mars 1815 : Napoléon revient de l'île d'Elbe ; Louis XVIII
et son entourage hésitent et ne parviennent pas à dominer les événements. Macdonald,
d'origine aristocratique, ancien révolutionnaire et bonapartiste, vient d'être convoqué
par le Roi.

M. le Maréchal Macdonald, Duc de Tarente, avait eu beau se mettre
en civil, sur l'ordre du Roi, l'habit sans poches, tête-de-nègre, la culotte
olive, la canne-parapluie, les bottes fauves, tout cela et le haut chapeau
noir ne lui enlevait pas l'allure militaire. Encore qu'il eût pris de l'embon-
point et que ce nez relevé dans une grande face osseuse, qui lui donnait
naguère un air d'audace, eût aujourd'hui un tout autre caractère dans
cette mauvaise graisse de la cinquantaine. Cependant, il avait vainement
cherché à discipliner ses cheveux blonds un peu foncés par l'âge, ceux-ci
faisaient encore des mèches, moins fournies, mais raides. A la rigueur,
10 il pouvait passer pour un banquier ; mais si l'on avait remarqué son
regard, ses yeux bruns facilement pathétiques, qui aurait chez lui déposé
son argent ?

Car il y avait dans son aspect ce singulier mélange de l'aventurier, qu'on
trouvait chez les hommes de l'Empire, lui qui avait été général à vingt-neuf
ans, et d'une espèce de fatigue bourgeoise, bien compréhensible après une
telle vie, et quand déjà l'on souffre de douleurs dans les orteils, surtout
avec ces pluies perpétuelles. Un temps de Brumaire !... murmure-t-il,
et il regarde par la fenêtre les arbres encore nus.

Il se souvient de ce matin de l'an VIII, à Versailles, où il alla sous
20 l'averse fermer un club de Jacobins, tandis que son collègue risquait le
tout pour le tout à Saint-Cloud. Il était de longue main un ami de José-
phine, et un familier de la rue Chantereine. Que c'était loin, tout cela !
Seize ans... pas même... et toute une vie de grand vent ; pour l'heure,
le Roi de France l'attendait...

Oui, le Roi lui avait fait dire de venir au Château sans uniforme, à
pied pour n'être point remarqué. Sa Majesté semblait mettre en lui
d'autant plus de confiance qu'Elle le connaissait moins. Le Duc de Tarente
n'était à Paris que depuis six jours, pas même. Les premiers contacts
avaient été plutôt mauvais l'an passé. Louis XVIII n'avait guère aimé ce
30 maréchal qui prenait un peu trop son libéralisme au sérieux ; et puis,
son caractère brusque desservait Jacques-Étienne auprès du nouveau
souverain comme il l'avait fait naguère auprès de l'Empereur, et rien,
avant qu'il rejoignît son gouvernement ne faisait prévoir cette faveur,
au contraire. Depuis l'été de 1814, il vivait à Bourges, où sa division
avait été érigée en gouvernement, ou dans sa terre de Courcelles qui
n'en était que peu éloignée ; il avait été nommé à Nîmes au début de
mars, et détourné en chemin de sa nouvelle résidence par un mot du
Duc d'Orléans qui l'appelait à Lyon d'où il s'était trouvé dans l'obligation

de s'enfuir avant l'arrivée de Napoléon, du fait de la rébellion des troupes.
40 Sa maison de Paris était vide : la petite Sidonie était restée à Courcelles
avec sa tante Sophie, et depuis que, deux ans après son aînée, sa seconde
fille Adèle, à son tour s'était mariée, en 1813, avec Alphonse Perregaux,
l'hôtel de la rue de l'Université était presque toujours abandonné au
couple prolifère des concierges. Jacques-Étienne avait retrouvé, dans
l'ombre de la salle de billard, son violon comme un souvenir dans sa
boîte doublée de panne bleue. Il y avait bien longtemps qu'il n'en avait
point joué. Il ne se prenait pas pour un virtuose, mais c'était un goût
venant, comme ces yeux romanesques d'Écossais, de son père, le Jacobite,
fou de Hændel, qu'il avait approché aveugle.
50   Avant de se rendre au Pavillon de Flore, il avait joué un peu de musique
dans la grande demeure solitaire. Le violon avait été une part de sa séduction
dans sa jeunesse. Lors de ses premières fiançailles, à Saint-Germain-en-
Laye... c'était le temps où Marie-Constance l'accompagnait au clavecin.
C'était peut-être la seule fois de sa vie qu'il avait été amoureux sans
calcul. Plus tard, sa seconde femme, la mère de Sidonie, se moquait de
lui quand il prenait, comme elle disait, son crin-crin. Elle était morte
au bout de deux ans, et lui, avec ses deux filles, il n'avait plus eu l'envie
de se remarier. Oh, ce n'était pas seulement pour le violon ! Macdonald
y trouvait maintenant une manière d'évasion. Dommage de ne pas avoir
60 travaillé plus sérieusement son instrument... Ce dimanche des Rameaux,
il lisait du Haydn. Cela lui faisait oublier ses rhumatismes. Et il rêvait à
l'étrangeté de toute sa vie, à la bizarrerie de cette subite confiance royale...
Il avait eu une drôle de semaine.

La Semaine Sainte, chap. ii (Gallimard).

La tradition psychologique

FRANÇOISE SAGAN (née en 1935), jeune et brillante romancière, fut célèbre dès son premier roman *Bonjour tristesse*, en 1954 ; elle publia ensuite *Un certain sourire* (1956). *Dans un mois dans un an* (1957), *Aimez-vous Brahms ?* (1959) connurent également la faveur du public, mais les dernières œuvres de la romancière, ainsi que plusieurs pièces de théâtre récentes, sont passées presque inaperçues. Françoise Sagan a su dépeindre, dans un style très pur, la tristesse et l'inquiétude sourde qui se manifestent à l'occasion de crises passionnelles dans certains milieux riches de la bourgeoisie parisienne.

BONJOUR TRISTESSE

Un homme de quarante ans, aux aventures faciles, forme avec sa fille de dix-sept ans, CÉCILE, un vrai couple de camarades, dans la plus grande insouciance, dans une amoralité parfaite. Lorsqu'une femme se présente, ANNE, qui tente de les arracher à cette vie, Cécile se défend, provoque la rupture ; mais Anne trouve la mort dans un accident d'automobile : désormais Cécile connaîtra la *tristesse*.

A Paris, il y eut l'enterrement par un beau soleil, la foule curieuse,
le noir. Mon père et moi serrâmes les mains de vieilles parentes d'Anne.
Je les regardai avec curiosité : elles seraient sûrement venues prendre le
thé à la maison, une fois par an. On regardait mon père avec commi-

sération : Webb avait dû répandre la nouvelle du mariage. Je vis Cyril qui me cherchait à la sortie. Je l'évitai. Le sentiment de rancune que j'éprouvais à son égard était parfaitement injustifié, mais je ne pouvais m'en défendre... Les gens autour de nous déploraient ce stupide et affreux événement et, comme j'avais encore quelques doutes sur le côté accidentel
10 de cette mort, cela me faisait plaisir.

Dans la voiture, en revenant, mon père prit ma main et la serra dans la sienne. Je pensai : « tu n'as plus que moi, je n'ai plus que toi, nous sommes seuls et malheureux », et pour la première fois, je pleurai. C'étaient des larmes assez agréables, elles ne ressemblaient en rien à ce vide, ce vide terrible que j'avais ressenti dans cette clinique devant la lithographie de Venise. Mon père me tendit son mouchoir, sans un mot, le visage ravagé.

Durant un mois, nous avons vécu tous les deux comme un veuf et une orpheline, dînant ensemble, déjeunant ensemble, ne sortant pas. Nous
20 parlions un peu d'Anne parfois : « tu te rappelles, le jour que... ». Nous en parlions avec précaution, les yeux détournés, par crainte de nous faire mal ou que quelque chose venant à se déclencher en l'un de nous, ne l'amène aux paroles irréparables. Ces prudences, ces douceurs réciproques eurent leur récompense. Nous pûmes bientôt parler d'Anne sur un ton normal, comme d'un être cher avec qui nous aurions été heureux, mais que Dieu avait rappelé à Lui. J'écris Dieu au lieu de hasard ; mais nous ne croyions pas en Dieu. Déjà bienheureux en cette circonstance de croire au hasard.

Puis un jour, chez une amie, je rencontrai un de ses cousins qui me
30 plut et auquel je plus. Je sortis beaucoup avec lui durant une semaine avec la fréquence et l'imprudence des commencements de l'amour et mon père, peu fait pour la solitude, en fit autant avec une jeune femme assez ambitieuse. La vie recommença comme avant, comme il était prévu qu'elle recommencerait. Quand nous nous retrouvons, mon père et moi, nous rions ensemble, nous parlons de nos conquêtes. Il doit bien se douter que mes relations avec Philippe ne sont pas platoniques et je sais bien que sa nouvelle amie lui coûte fort cher. Mais nous sommes heureux. L'hiver touche à sa fin, nous ne relouerons pas la même villa, mais une autre, près de Juan-les-Pins.

40 Seulement quand je suis dans mon lit, à l'aube, avec le seul bruit des voitures dans Paris, ma mémoire parfois me trahit : l'été revient et tous ses souvenirs. Anne, Anne ! Je répète ce nom très bas et très longtemps dans le noir. Quelque chose monte alors en moi que j'accueille par son nom, les yeux fermés : Bonjour Tristesse.

Bonjour tristesse, ch. XII et dernier (Julliard).

Surréalisme et André PIEYRE DE MANDIARGUES, esthète et amoureux
roman contemporain de l'insolite, est reconnu par André Breton comme un
authentique surréaliste. Il écrit des contes et des nouvelles
à la fois recherchés et fantastiques (*Marbre*, 1953 ; *La Motocyclette*, 1963).

JULIEN GRACQ, né en 1909 (pseudonyme de LOUIS POIRIER), est, lui aussi, rattaché
au surréalisme par André Breton. Auteur de poèmes en prose et d'essais, il est surtout
connu pour ses romans mystérieux et envoûtants (*Le Rivage des Syrtes*, Prix
Goncourt 1951 ; *Un Balcon en forêt*, 1958). Dans un climat d'attente, de merveilleux
et d'angoisse, des personnages se meuvent, hors du temps, dans des décors inquiétants.

LA FORTERESSE DU « RIVAGE DES SYRTES »

Dans le *Rivage des Syrtes*, l'anecdote tient peu de place : c'est le réveil de l'hostilité
latente entre deux petits États. Mais le plan du mystère, de l'illusion et du rêve se glisse
sans cesse entre le réel et nous.

La masse de la forteresse se dressait devant moi à travers la lande,
plus impressionnante encore dans le noir presque opaque de l'illusion
qu'elle me donnait, même au milieu de l'obscurité, de jeter de l'ombre,
de communiquer à ce campement de sommeil la pulsation faible et
presque perceptible d'un cœur de ténèbres battant lourdement, puissamment, derrière la nuit. A la faveur de cet écran énorme, brisant les
vents du large qu'on entendait siffler dans les créneaux, j'avançais au
milieu d'une immobilité lourde et plombée. Cette nuit tiède et mouillée,
trop molle, ajoutait à l'air confiné de ces murailles une tristesse de prison
10 entrebâillée : l'humidité glaçait les murs des couloirs comme les parois
d'une caverne. A la lueur tournoyante de feu follet que vissait ma lampe
dans ces tunnels, j'étais frappé comme jamais encore du caractère extraordinairement inhospitalier du lieu. Son silence était la signification d'une
hostilité hautaine. Une approche menaçante semblait s'embusquer derrière
cette ombre machinée, dans ce paquet de vaisseaux noués autour d'un
cœur noir.

La lumière faible de ma lanterne sur les murs de la chambre des cartes
y faisait bouger, de façon maintenant presque matérielle, ce très léger
frémissement d'éveil dont j'avais ressenti dans mes nerfs la vibration
20 tendue dès ma première visite. Comme le cri figé par l'ombre des sculptures
de cavernes que libère soudain sous leur glaise de siècles le dégel d'une
lampe allumée, les panoplies des cartes luisantes se ranimaient à travers
la nuit, y rajustaient par places le réseau d'une fresque magique, aux
armes de patience et de sommeil. A la faveur de l'heure avancée et de la
fatigue de la chevauchée de l'après-midi, il me semblait soudain que
l'énergie même qui désertait mon esprit dissocié venait recharger ces
contours indécis et — me fermant à leur signification banale — m'ouvrait
doucement en même temps à leur envoûtement d'hiéroglyphes, dénouait
une à une les résistances conjurées contre une énigmatique injonction.
30 Je glissai peu à peu dans un sommeil peuplé de mauvais songes, et, à
demi conscient encore, j'entendis une horloge tout à coup sonner dix
heures dans la forteresse endormie.

Le Rivage des Syrtes (José Corti, 1951).

LES MÉMOIRES

Depuis la deuxième guerre mondiale, « mémoires intérieurs », souvenirs, « bloc-notes » se multiplient, traduisant une volonté bien moderne de « faire le point », pour soi-même et pour ses contemporains. Penseurs, romanciers, généraux et hommes politiques éprouvent le besoin de confier au papier leurs souvenirs, leurs doutes, leur expérience des hommes et des événements. Des destins de romanciers, comme ceux de MAURIAC ou de MALRAUX, s'achèvent ainsi dans la rédaction de *Mémoires*, signe peut-être de l'essoufflement d'une vocation romanesque, mais aussi de la prééminence reconnue à la réalité sur l'imaginaire.

MYSTÈRE DES PAYSAGES DU PASSÉ

Dans ses *Mémoires intérieurs* (1959), FRANÇOIS MAURIAC, devenu journaliste, confronte la réalité quotidienne à son expérience de chrétien. Mais plus que par ses prises de position politiques, le lecteur est fasciné par sa personnalité inquiète et passionnée, et par de pathétiques méditations sur le temps qui passe et le vieillissement.

Au réveil, cette nappe de brume sur la plaine m'épargne la tristesse du dernier regard [1]. Adieu, pays ! Que j'ai hâte d'être parti ! Le désordre autour de moi est encore celui de la vie. Les fauteuils d'hier soir sont encore rapprochés de la cendre où un tison toute la nuit a dû rougeoyer. Des livres traînent que je n'ai pas eu le courage de ranger. Dès que j'aurai refermé la porte, la maison entrera dans le sommeil. Quel sommeil ! Je sais que les volets lourds ne laissent fuser aucun rayon et que ce sera vraiment la nuit : celle que seuls les morts connaissent. Sur les toiles que j'aime, les yeux de mes enfants et du jeune homme que je fus resteront
10 ouverts dans une ténèbre ininterrompue jusqu'à ce que se lève un matin d'avril le soleil de la Résurrection.

Alors je reviendrai, s'il plaît à Dieu : « Espérons bien qu'on se reverra ! Il faut bien l'espérer !... » me répète cette bonne femme à qui je fais mes adieux. Mais je devine au ton de sa voix qu'elle envisage sans en frémir qu'ils pourraient bien être éternels.

Ici, c'est aux objets inanimés que je prête absurdement des regrets et c'est d'eux que je me sépare. Moi qui, dès l'enfance, fus pourtant fermé au fantastique, à l'étrange, qui ne pouvais souffrir les histoires de nains et de fées, comme si le Christ avait fixé sur son mystère adorable toutes
20 mes puissances de crédulité et de songe, je cède à cette folie, le matin du départ, de considérer une à une ces épaves qu'ont laissées partout ici, en se retirant, les pauvres vies oubliées d'avant ma vie, et je m'interroge sur ce qui se passera pour elles entre ces murs, durant leurs cinq mois d'ensevelissement. Je crois entendre, comme elles l'entendront, ces nuits d'hiver ruisselantes sur les tuiles. Ces vingt semaines d'une ténèbre ininterrompue créeront ici, je m'en persuade, des possibilités que ma pensée cerne mal, comme si ce que je laisse de moi-même dans cette maison déserte devait l'animer sourdement, comme si j'avais le pouvoir

---

— 1 Mauriac quitte sa maison familiale de la campagne girondine pour regagner Paris.

de donner un cœur de chair à ces objets qui n'ont d'autre valeur que
30 d'avoir été choisis il y a un siècle par les femmes dont je suis issu. Dieu
sait si elles avaient peu de goût ! Mais ces opalines dont ma mère leur
faisait honte, le monde aujourd'hui les trouve « amusantes » et elles sont
passées des chambres au salon. Et moi, qui ailleurs ne m'attache guère
aux choses, qui ne collectionne rien, qui n'aurai rien su garder, je les aime
jusqu'à redouter pour elles ce silence et cette nuit.

Il n'y aura pourtant rien d'autre, au long de ces cinq mois, que des
grignotements de souris, que des galopades, sous les tuiles, de rats affamés
et cette pluie chuchotante qu'aucune oreille humaine n'entendra. Rien
d'autre que peut-être dans l'âtre, à midi, durant ces journées quelquefois
40 si lumineuses de l'hiver aquitain, une tache surnaturelle de clarté.

Rien d'autre. Je le sais et je ne crois pas. C'est sur un mystère que je
referme doucement la porte. Voici la cour où l'herbe de l'oubli repousse
déjà. J'appuie un instant contre le tilleul les paumes de mes mains, mon
front, ma joue. C'est fini. La route m'apparaît dans le pare-brise. Les
peupliers de la propriété m'accompagnent jusqu'au tournant. Je ne cherche
à déchiffrer aucun présage dans leurs cimes balancées. Déjà apparaissent,
comme chaque année, aux abords des villages, les enfants qui vont par
groupes à l'école, avec leurs figures soucieuses et graves d'avant la classe.

Mémoires intérieurs (Flammarion).

MÉTAMORPHOSE DE L'ART

Si les événements politiques tiennent une large place dans les *Antimémoires* (1967)
d'ANDRÉ MALRAUX, une méditation plus secrète sur l'Art et le Temps y apparaît aussi,
prolongeant les œuvres antérieures (*Les Voix du Silence*, 1951, et *La Métamorphose des
Dieux*, 1957).

Je me souviens mal du tombeau, qui s'ouvrait au ras de terre devant
la vallée des Reines [1]. Ce jour-là, les moineaux criaient dans le Ramesseum
comme dans nos tilleuls les soirs d'été, et je pensais au bruissement
d'abeilles des morts, dont parlent les textes funéraires. Des oiseaux
avaient fait leur nid dans les ailes des faucons sacrés des bas-reliefs. A
Thèbes, le soleil éclairait la déesse du Silence, et dégageait de l'obscurité
de son hypogée, comme une hésitante flamme grise, la déesse du Retour
éternel. Au-dessus des colosses de Memnon admirablement informes,
tournoyait une migration d'éperviers. J'ai oublié le tombeau, mais non
10 la Reine qui reparaissait de mur en mur, au cours de son voyage funèbre,
avec la même majesté divine — jusqu'à la scène où, assise seule devant
un jeu d'échecs, elle jouait sa destinée de morte contre sa dissolution
dans le néant, en face du vide qui figure un dieu invisible...

Voici, d'ailleurs, dans des boîtes de verre, les vestiges des hommes.
Tellement moins significatifs que leurs images, malgré leurs yeux d'émail...

— 1 En Égypte.

La momie de Ramsès ne menacera plus les inaugurations. Il avait quatre-vingt-seize ans, je crois. A côté est allongée une jeune princesse, plus troublante que les autres parce que les injections de cire ont maintenu la forme de ses joues ; elle s'appelait *Douceur*.

20 J'éprouve un sentiment aussi fort que devant le Sphinx quand, pour la première fois, j'ai entendu la voix de l'apparence et celle du sacré. Ma relation profonde avec les statues, ce sont les momies qui me la révèlent. Presque toutes les petites figures de la vie, bateliers de bois égyptiens, Tanagras, danseuses de terre cuite chinoises, sont des figures funéraires ; mais on ne nous les présente pas avec des squelettes. Ici (et en quel autre lieu ?) presque côte à côte, les dieux créés par les hommes, et les empereurs créés par les dieux, ont traversé les siècles. Qu'est-il advenu du vrai Ramsès, de tous les pharaons dont les sarcophages n'ont pas été retrouvés ? Un corps plus ou moins exsangue, une gloire plus ou moins dégradée ; 30 nous le savons depuis longtemps. Mais nous croyons aussi savoir depuis quelques siècles que l'œuvre d'art « survit à la cité », et que son immortalité s'opposerait à la misérable survie des dieux embaumeurs ; or ce qui m'apparaît, dans ce musée *condamné*, c'est la précarité de la survie artistique, son caractère complexe. Pendant au moins mille ans, dans le monde entier, l'art de Ramsès ne fut pas moins oublié que son nom. Puis, il a reparu comme curiosité, de même que les arts dits chaldéens, et tout ce qui entourait la Bible. Puis la curiosité est devenue objet de science ou d'histoire. Enfin, ce qui avait été double, puis objet, devint statue, et retrouva une *vie*. Pour notre civilisation, peut-être pour celles 40 qui la suivront, et pour aucune autre. Ce n'est pas à travers le Coran que l'Islam égyptien ressuscite l'Égypte, c'est à travers le Louvre, le British Museum, et le musée du Caire. Et ce musée, déjà, n'assure plus la survie. Demain, les colosses d'Akhnaton seront dans un musée moderne, et sans doute au Musée imaginaire, où ils ne seront déjà plus tout à fait ceux que nous voyons — de même que ceux-ci ne sont pas ceux que voyaient les artistes au temps du primat de l'art grec. Le monde de l'art n'est pas celui de l'immortalité, c'est celui de la métamorphose. Aujourd'hui, la métamorphose est la vie même de l'œuvre d'art.

Antimémoires (Gallimard).

L'ENFANCE DE SARTRE

Dans *Les Mots* (1963), JEAN-PAUL SARTRE se penche sur son enfance et critique sévè-rement la « vocation » d'écrivain que son grand-père avait comme choisie pour lui. Mais l'humour et la tendresse ont aussi leur place au cœur de ce livre, où la recherche du temps perdu s'unit à la satire.

J'ai commencé ma vie comme je la finirai sans doute : au milieu des livres. Dans le bureau de mon grand-père, il y en avait partout ; défense était faite de les épousseter sauf une fois l'an, avant la rentrée d'octobre. Je ne savais pas encore lire que, déjà, je les révérais, ces pierres levées : droites ou penchées, serrées comme des briques sur les rayons de la bibliothèque ou noblement espacées en allées de menhirs, je sentais que la prospérité de notre famille en dépendait. Elles se ressemblaient toutes, je m'ébattais dans un minuscule sanctuaire, entouré de monuments trapus, antiques, qui m'avaient vu naître, qui me verraient mourir et dont la permanence me garantissait un avenir aussi calme que le passé. Je les touchais en cachette pour honorer mes mains de leur poussière mais je ne savais trop qu'en faire et j'assistais chaque jour à des cérémonies dont le sens m'échappait : mon grand-père — si maladroit, d'habitude, que ma mère lui boutonnait ses gants — maniait ces objets culturels avec une dextérité d'officiant. Je l'ai vu mille fois se lever d'un air absent, faire le tour de sa table, traverser la pièce en deux enjambées, prendre un volume sans hésiter, sans se donner le temps de choisir, le feuilleter en regagnant son fauteuil, par un mouvement combiné du pouce et de l'index puis, à peine assis, l'ouvrir d'un coup sec « à la bonne page » en le faisant craquer comme un soulier. Quelquefois je m'approchais pour observer ces boîtes qui se fendaient comme des huîtres et je découvrais la nudité de leurs organes intérieurs, des feuilles blêmes et moisies, légèrement boursouflées, couvertes de veinules noires, qui buvaient l'encre et sentaient le champignon.

Dans la chambre de ma grand-mère les livres étaient couchés ; elle les empruntait à un cabinet de lecture et je n'en ai jamais vu plus de deux à la fois. Ces colifichets me faisaient penser à des confiseries de Nouvel An parce que leurs feuillets souples et miroitants semblaient découpés dans du papier glacé. Vifs, blancs, presque neufs, ils servaient de prétexte à des mystères légers. Chaque vendredi, ma grand-mère s'habillait pour sortir et disait : « Je vais *les* rendre » ; au retour, après avoir ôté son chapeau noir et sa voilette, elle *les* tirait de son manchon et je me demandais, mystifié : « Sont-ce les mêmes ? » Elle les « couvrait » soigneusement puis, après avoir choisi l'un d'eux, s'installait près de la fenêtre, dans sa bergère à oreillettes, chaussait ses besicles, soupirait de bonheur et de lassitude, baissait les paupières avec un fin sourire voluptueux que j'ai retrouvé depuis sur les lèvres de la Joconde ; ma mère se taisait, m'invitait à me taire, je pensais à la messe, à la mort, au sommeil : je m'emplissais d'un silence sacré. De temps en temps, Louise avait un petit rire ; elle appelait sa fille, pointait du doigt sur une ligne et les deux femmes échangeaient un regard complice. Pourtant, je n'aimais pas ces brochures trop distinguées ; c'étaient des intruses et mon grand-père ne cachait pas qu'elles faisaient l'objet d'un culte mineur, exclusivement féminin. Le dimanche, il entrait par désœuvrement dans la chambre de sa femme et se plantait devant elle sans rien trouver à lui dire ; tout le monde le regardait, il tambourinait contre la vitre puis, à bout d'invention, se retournait vers Louise et lui ôtait des mains son roman : « Charles ! s'écriait-elle furieuse, tu vas me perdre ma page ! » Déjà, les sourcils hauts, il lisait ; brusquement son index frappait la brochure : « Comprends pas ! — Mais comment veux-tu comprendre ? disait ma grand-mère : tu lis par-dedans ! » Il finissait par jeter le livre sur la table et s'en allait en haussant les épaules.

Les Mots (Gallimard).

L'univers poétique de Boris Vian Boris Vian (1920-1959), ingénieur, musicien, trompettiste de jazz, chanteur de cabaret, auteur de romans à succès sous le pseudonyme de Vernon Sullivan (*J'irai cracher sur vos tombes*, 1947), est aussi l'auteur de pièces de théâtre (*Le Goûter des généraux*, 1964) et de romans où se déploie une étonnante invention verbale, dans une atmosphère poétique, naïve et féroce à la fois, qui retrouve la tradition surréaliste. C'est surtout depuis sa mort que ses œuvres étranges connaissent un grand succès (*L'Écume des Jours*, 1947 ; *L'Automne à Pékin*, 1947 ; *L'Herbe rouge*, 1950 ; *L'Arrache-cœur*, 1953).

L'ÉCUME DES JOURS

Cet extrait de *L'Écume des Jours* donne une idée de l'humour destructeur et du style pittoresque de Boris Vian, dont les créations verbales rappellent la verve rabelaisienne : Bedon (*bedeau*), Chuiche (*suisse d'église*), Chevêche (*évêque*), Béniction (*bénédiction*).

Le Religieux sortit de la sacristoche, suivi d'un Bedon et d'un Chuiche. Ils portaient de grandes boîtes de carton ondulé pleines d'éléments décoratifs.

— Quand le camion des Peintureurs arrivera, vous le ferez entrer jusqu'à l'autel, Joseph, dit-il au Chuiche.

Presque tous les Chuiches professionnels s'appellent Joseph, en effet.

— On peint tout en jaune ? dit Joseph.

— Avec des raies violettes, dit le Bedon, Emmanuel Judo, grand gaillard sympathique dont l'uniforme et la chaîne d'or brillaient comme des nez froids.

— Oui, dit le Religieux, parce que le Chevêche vient pour la Béniction. Venez, on va décorer le balcon des Musiciens avec tous les éléments qu'il y a dans ces boîtes.

— Il y a combien de musiciens ? demanda le Chuiche.

— Septante-trois, dit le Bedon.

— Et quatorze Enfants de Foi, dit le Religieux fièrement.

Le Chuiche fit un long sifflement : « Fuuïïouou... ».

— Et ils ne sont que deux à se marier ! dit-il, admiratif.

— Oui, dit le Religieux. C'est comme ça avec les gens riches.

— Il y aura du monde ? interrogea le Bedon.

— Beaucoup ! dit le Chuiche. Je prendrai ma longue hallebarde rouge et ma canne à pomme rouge.

— Non, dit le Religieux. Il faut la hallebarde jaune et la canne violette, ça sera plus distingué.

Ils arrivaient au-dessous du balcon. Le Religieux ouvrit la petite porte dissimulée dans un des piliers supportant la voûte et l'ouvrit. L'un après l'autre, ils s'engagèrent dans l'étroit escalier en vis d'Archimède. Une vague lueur venait d'en haut.

Ils montèrent vingt-quatre tours de vis et s'arrêtèrent pour souffler.

— C'est dur ! dit le Religieux.

Le Chuiche, le plus bas, approuva, et le Bedon, pris entre deux feux, se rendit à cette constatation.

— Encore deux tours et demi, dit le Religieux.

Ils émergèrent sur la plate-forme située à l'opposé de l'autel, à cent mètres au-dessus du sol, que l'on devinait à peine à travers le brouillard. Les nuages entraient sans façon dans l'église et traversaient la nef en flocons gris et amples.

— Il fera beau, dit le Bedon en reniflant l'odeur des nuages. Ils sentent le serpolet.

40 — Avec une trace d'aubifoin, dit le Chuiche, ça se sent aussi.

— J'espère que la cérémonie sera réussie ! dit le Religieux.

Ils posèrent leurs cartons et commencèrent à garnir les chaises des Musiciens au moyen d'éléments décoratifs. Le Chuiche les dépliait, soufflait dessus pour les dépoussiérer et les passait au Bedon et au Religieux.

Au-dessus d'eux, les piliers montaient, montaient, et paraissaient se rejoindre très loin. La pierre mate, d'un beau blanc crème, caressée par le doux éclat du jour, réfléchissait partout une lumière légère et calme. Tout en haut, c'était bleu-vert.

— Il faudrait astiquer les microphones, dit le Religieux au Chuiche.

50 — Je déplie le dernier élément ! dit le Chuiche, et je m'en occupe !

Il tira de sa besace un chiffon de laine rouge et se mit à frotter énergiquement le socle du premier microphone. Il y en avait quatre, disposés en rang devant les chaises de l'orchestre et combinés de telle façon qu'à chaque air correspondait une sonnerie de cloches à l'extérieur de l'église ; cependant qu'à l'intérieur, on entendait la musique.

— Dépêche-toi, Joseph, dit le Religieux ! Emmanuel et moi nous avons fini.

— Attendez-moi, dit le Chuiche, j'en ai pour cinq minutes d'indulgence.

60 Le Bedon et le Religieux remirent les couvercles des boîtes à éléments et les rangèrent sur un coin du balcon pour les retrouver après le mariage.

— Je suis prêt, dit le Chuiche.

Ils bouclèrent tous trois les courroies de leurs parachutes et s'élancèrent gracieusement dans le vide. Les trois grandes fleurs versicolores s'ouvrirent avec un clapotement soyeux, et, sans encombre, ils prirent pied sur les dalles polies de la nef.

L'Écume des Jours, ch. XVIII (J.-J. Pauvert).

Critique du langage   Jamais on n'avait tenté de suggérer la présence du néant en l'homme, avec autant de force que dans les romans de SAMUEL BECKETT (cf. p. 842), à travers ses *expériences sur le langage*.

« COMMENT C'EST »

Dans *Comment c'est* (1961), le « héros » inhumain, larvaire, se confond avec la boue dans laquelle il rampe. La réalité se dissout, le langage lui-même se disloque, de grognements en hurlements.

[...] si tout ça tout ça oui si tout ça n'est pas comment dire pas de réponse si tout ça n'est pas faux oui.

tous ces calculs oui explications oui toute l'histoire d'un bout à l'autre oui complètement faux oui

ça s'est passé autrement oui tout à fait oui mais comment pas de réponse comment ça s'est passé pas de réponse qu'est-ce qui s'est passé pas de réponse QU'EST-CE QUI S'EST PASSÉ hurlements bon

il s'est passé quelque chose oui mais rien de tout ça non de la foutaise d'un bout à l'autre oui cette voix quaqua oui de la foutaise oui qu'une voix
10 ici oui la mienne oui quand ça cesse de haleter oui

quand ça cesse de haleter oui ça alors c'était vrai oui le halètement oui le murmure oui dans le noir oui dans la boue oui à la boue oui difficile à croire aussi oui que j'aie une voix moi oui en moi oui quand ça cesse de haleter oui pas à d'autres moments non et que je murmure moi oui dans le noir oui la boue oui pour rien oui moi oui mais il faut le croire oui

et la boue oui le noir oui vrais oui la boue et le noir sont vrais oui là rien à regretter non

mais ces histoires de voix oui quaqua oui d'autres mondes oui de quelqu'un dans un autre monde oui dont je serais comme le rêve oui qu'il
20 rêverait tout le temps oui raconterait tout le temps oui son seul rêve oui sa seule histoire oui

ces histoires de sacs déposés oui au bout d'une corde sans doute oui d'une oreille qui m'écoute oui d'un souci de moi d'une faculté de noter oui tout ça de la foutaise oui Krim et Kram oui de la foutaise oui

et ces histoires de là-haut oui la lumière oui les ciels oui un peu de bleu oui un peu de blanc oui la terre qui tourne oui clair et moins clair oui petites scènes oui de la foutaise oui les femmes oui le chien oui les prières les hommes oui de la foutaise oui

et cette histoire de procession pas de réponse cette histoire de procession
30 oui jamais eu de procession non ni de voyage non jamais eu de Pim non ni de Bom non jamais eu personne non que moi pas de réponse que moi oui ça alors c'était vrai oui moi c'était vrai oui et moi je m'appelle comment pas de réponse MOI JE M'APPELLE COMMENT hurlements bon

que moi en tout cas oui seul oui dans la boue oui le noir lui oui ça tient oui la boue et le noir tiennent oui là rien à regretter non avec mon sac non plaît-il non pas de sac non plus non même pas un sac avec moi non

que moi seul oui seul oui avec ma voix oui mon murmure oui quand ça cesse de haleter oui tout ça tient oui haletant oui de plus en plus fort pas de réponse DE PLUS EN PLUS FORT oui aplati sur le ventre oui dans la
40 boue oui le noir oui là rien à corriger non les bras en croix pas de réponse LES BRAS EN CROIX pas de réponse OUI OU NON oui

jamais rampé l'amble non jambe droite bras droit pousse tire dix mètres quinze mètres non jamais bougé non jamais fait souffrir non jamais souffert pas de réponse JAMAIS SOUFFERT non jamais abandonné non jamais été abandonné non alors c'est ça la vie ici pas de réponse C'EST ÇA MA VIE ICI hurlements bon

Comment c'est (Éditions de Minuit).

LE « NOUVEAU ROMAN »

Tout en recouvrant des réalités extrêmement diverses, l'expression de « NOUVEAU ROMAN » vise des écrivains qui ont tous en commun le refus de la tradition et le souci de réfléchir systématiquement sur leur art. Bernard Pingaud, dans un article d'*Esprit* de juillet-août 1958, les définissait ainsi : « Ils n'ont pas les mêmes objectifs, ils ont les mêmes refus ». Le nouveau roman refuse de se donner pour but la peinture d'un personnage, le développement d'une « histoire », ou l'illustration de perspectives morales et philosophiques. « Cherchant en lui-même sa propre fin — et non pas dans un « message » idéologique ou moral — le nouveau roman se présente comme une sorte de réflexion sur le roman lui-même » (Bernard Pingaud, *Esprit*, juillet-août 1958).

NATHALIE SARRAUTE, qui avait déjà publié *Tropismes* en 1936, donne à Sartre l'occasion d'employer l'expression « anti-roman » à propos de *Portrait d'un inconnu* en 1947. A partir de cette date, les romans de MICHEL BUTOR, ALAIN ROBBE-GRILLET, CLAUDE SIMON, MARGUERITE DURAS, vont peu à peu gagner l'estime du public, malgré leur abord souvent austère, voire rebutant. En même temps, articles et essais définissent les objectifs du nouveau roman, avec une intelligence critique aiguisée.

En particulier, *L'Ère du Soupçon*, de Nathalie Sarraute (1956, Collection *Idées*, N° 42), et *Pour un nouveau roman* d'Alain Robbe-Grillet (1963, Collection *Idées*, N° 45) contribuent largement à faire connaître les recherches de ces écrivains.

Nathalie Sarraute

NATHALIE SARRAUTE est l'aînée des « nouveaux romanciers » ; elle naquit en 1902, en Russie, à Ivanovo-Voznessensk, d'une famille juive très aisée. Elle partage sa première enfance entre la Russie, la Suisse et la France, puis à sept ans, séjourne à Saint-Pétersbourg. Les activités littéraires de son beau-père et de sa mère lui donnent le goût de la lecture. A huit ans, elle quitte définitivement sa mère et vit à Paris avec son père qui s'est lui-même remarié. Très douée pour les langues et la musique, la jeune Nathalie fait de brillantes études à la Sorbonne, à Oxford, à Berlin, puis à la Faculté de Droit de Paris où elle rencontre son futur mari, Raymond Sarraute, qu'elle épouse en 1923. Avocate, Nathalie Sarraute se consacre à son métier et à ses trois filles, nées en 1927, 1930 et 1933. Elle publie en 1939 son premier livre, *Tropismes*, qui passe à peu près inaperçu, après avoir eu de la peine à trouver un éditeur. La notoriété ne viendra qu'après la seconde guerre mondiale, malgré l'hostilité de la critique aussi bien à l'égard des articles recueillis dans *L'Ère du Soupçon* (1956) qu'à l'égard de *Portrait d'un inconnu* (1957) ou du *Planétarium* (1959). *Les Fruits d'or*, en 1963, obtiennent enfin le Prix international de littérature.

LA VIE DE LA CONSCIENCE PENDANT UNE INSOMNIE

Le projet essentiel de NATHALIE SARRAUTE est de décrire les forces obscures, appétits ou désirs de toutes sortes, qui se jouent dans l'humanité derrière les façades sociales. Sous les mots du dialogue ordinaire, une « sous-conversation » constitue la véritable communication entre les êtres, gestes, silences, ou sous-entendus. L'auteur s'intéresse à une vie larvaire grouillante qu'on a qualifiée d'« infiniment petit de la vie psychologique » (M. Raimond, *Le Roman depuis la Révolution*).

Sa pensée maintenant, tandis qu'il est couché dans son lit, parcourt ses contours rigides, précis, elle les examine, les palpe, fait le tour du propriétaire : la barre de savon a été coupée. Elle a volé un morceau de la barre de savon. Il l'a toujours su : elle le pompe, elle le gruge. Il a

beau se méfier, ne rien laisser traîner à sa portée, il ne peut pourtant pas tout tenir sous clef... ce n'est pas pour rien qu'il trouvait que le savon « filait » tellement ces derniers temps, ce n'est sûrement pas la première fois... c'est comme le beurre l'an dernier, le cirage... la bonne l'avait déjà remarqué, mais il n'y a rien à faire, il faudrait tout cacher, elle est là,
10 toujours à l'affût, en train d'épier, elle grignote par petits morceaux, elle l'a toujours trompé, volé... comment a-t-elle eu l'audace d'en couper un si gros bout, peut-être l'avait-elle fait en plusieurs fois, mais non, pourtant, il ne croit pas, elle portait un assez gros paquet... Comme la boule de billard japonais, lancée d'une main maladroite, au lieu de bondir loin de la rainure qui la retient, fait un tour complet et revient, ainsi sa pensée se met maintenant à tourner inlassablement sans pouvoir s'échapper. Elle tourne en rond sans fin et revient au point de départ... son geste, son bond, la façon dont elle s'est effacée devant lui dans le couloir... ce n'est pas la première fois... il avait beau la surveiller... l'année dernière déjà,
20 quand ils avaient convenu pourtant, fixé, après Dieu sait quelles scènes, quelles histoires, combien il lui verserait chaque mois, il a la conviction qu'elle venait chiper du beurre dans son garde-manger, c'était une véritable manie... il vaudrait mieux fermer... Mais non... la bonne... et puis l'image revient de nouveau : la barre fraîchement coupée... son sourire de fausse ingénuité, il ne s'y était pas trompé, elle le gruge, elle le ronge... il sait maintenant qu'il en a pour des heures, l'insomnie va se prolonger, sa pensée, comme la boule de billard japonais, va refaire le même parcours. Petit à petit il lui semble qu'il sent dans son esprit, comme dans un membre engourdi, une sorte de crampe, de lourdeur, tandis que sa pensée,
30 sans pouvoir s'échapper, tourne toujours (maintenant sa trajectoire est si bien tracée qu'elle ne subit plus, d'un tour à l'autre, aucun changement). Le mouvement devient peu à peu mécanique : le bond, la barre de savon, sa dissimulation, elle le ronge, elle le gruge... Il sent une fatigue, un écœurement, son cerveau est comme durci, vidé, seule la petite boule, inlassablement, court toujours. Il fait un effort pour lui donner une impulsion qui la fasse bondir hors du sillon, il cherche à la pousser dans une autre direction : le livre qu'il vient de lire, auquel il s'était promis pourtant de bien réfléchir, cette nouvelle théorie si curieuse sur l'évolution, ce petit bouquin si intéressant... mais non, il n'y a rien à faire, elle est
40 maintenue solidement : la barre de savon coupée, l'inflexible réalité l'enserre entre ses parois rigides. Il essaie de recourir à d'autres moyens déjà éprouvés, très recommandés dans les cas d'insomnie : il compte jusqu'à cent, jusqu'à mille, par un procédé analogue à celui du brouillage pratiqué à la radio, contrecarrer son mouvement, mais il ne fait qu'énoncer machinalement les chiffres tandis que sa pensée emprisonnée court toujours dans le même sillon.

Par moments, il éprouve une exaspération terrible, le besoin d'arrêter cela à tout prix, de se lever, de courir chez sa fille, de la prendre par le collet, de la secouer, de crier, de lui dire qu'il l'a démasquée, de lui
50 « sortir ses vérités », mais il fait nuit encore, et il est seul, couché là,

impuissant, elle le tient à sa merci, elle draine ses forces. Ce sera encore une nuit blanche pendant laquelle, comme un vampire elle l'aura sucé, vidé. Demain, il se lèvera, la tête bourdonnante et vide.

Mais peu à peu, à mesure que le jour se lève, la petite boule dans son esprit ralentit son mouvement. Elle n'avance plus maintenant que par bonds espacés, on dirait qu'elle s'arrête un peu de temps en temps. Et quand le jour se lève tout à fait, quand le voisin ouvre ses volets, quand la bonne referme en entrant, d'un claquement familier, la porte de la cuisine — la petite boule s'arrête. Le calme se fait en lui. Et il s'endort
60 enfin d'un sommeil apaisé d'enfant.

Portrait d'un inconnu. (Gallimard).

Alain Robbe-Grillet   ALAIN ROBBE-GRILLET est né à Brest en 1922. Au contraire de Nathalie Sarraute, ses études ne furent guère littéraires. Diplômé de l'Institut National d'Agronomie en 1945, il est chargé de mission à l'Institut des Statistiques jusqu'en 1948. Puis les recherches biologiques le conduisent à l'Institut des fruits et agrumes coloniaux pour lequel il fait des séjours au Maroc, en Guinée, et aux Antilles en 1950-51. Son premier livre date de 1953 et obtient tout de suite un grand succès : *Les Gommes.* Désormais, Robbe-Grillet se consacre à la littérature, comme conseiller aux éditions de Minuit. *Le Voyeur* obtient en 1955 le Prix des critiques.

En 1961, Robbe-Grillet est l'auteur d'un film envoûtant et étrange, *L'année dernière à Marienbad,* qui obtient le Lion d'Or au Festival de Venise, et qui est suivi en 1963 par *L'Immortelle,* couronné du Prix Louis-Delluc.

Robbe-Grillet a écrit également *La Jalousie* (1957), *Dans le labyrinthe* (1959) et *La Maison de rendez-vous* (1965).

LE NOUVEAU ROMAN NE VISE
QU'A UNE SUBJECTIVITÉ TOTALE

Dans *Pour un nouveau roman* (1963), ALAIN ROBBE-GRILLET a longuement réfléchi sur sa technique de romancier : il projette de faire dans ses livres l'inventaire des objets, qui s'imposent aux lecteurs avec la précision et la netteté d'une vision hallucinante. Mais le monde décrit par Robbe-Grillet ne vise pas à l'objectivité réaliste : c'est avant tout un monde humain, reflet subjectif du personnage qui entreprend la description.

Comme il y avait beaucoup d'objets dans nos livres, et qu'on leur trouvait quelque chose d'insolite, on a bien vite fait un sort au mot « objectivité », prononcé à leur sujet par certains critiques dans un sens pourtant très spécial : tourné vers l'objet. Pris dans son sens habituel — neutre, froid, impartial —, le mot devenait une absurdité. Non seulement c'est un homme qui, dans mes romans par exemple, décrit toute chose, mais c'est le moins neutre, le moins impartial des hommes : engagé au contraire *toujours* dans une aventure passionnelle des plus obsédantes, au point de déformer souvent sa vision et de produire chez lui des
10 imaginations proches du délire.

Aussi est-il aisé de montrer que mes romans — comme ceux de tous mes amis — sont plus subjectifs même que ceux de Balzac, par exemple.

Qui décrit le monde dans les romans de Balzac ? Quel est ce narrateur omniscient, omniprésent, qui se place partout en même temps, qui voit en même temps l'endroit et l'envers des choses, qui suit en même temps les mouvements du visage et ceux de la conscience, qui connaît à la fois le présent, le passé et l'avenir de toute aventure ? Ça ne peut être qu'un Dieu.

C'est Dieu seul qui peut prétendre être objectif. Tandis que dans nos livres, au contraire, c'est *un homme* qui voit, qui sent, qui imagine, un homme situé dans l'espace et le temps, conditionné par ses passions, un homme comme vous et moi. Et le livre ne rapporte rien d'autre que son expérience, limitée, incertaine. C'est un homme d'ici, un homme de maintenant, qui est son propre narrateur, enfin.

Il suffit sans doute de ne plus se boucher les yeux sur cette évidence pour s'apercevoir que nos livres sont à la portée de tout lecteur, dès qu'il accepte de se libérer des idées toutes faites, en littérature comme dans la vie.

Pour un nouveau roman (Éditions de Minuit).

« LE RÉALISME SUBJECTIF »

Le début des *Gommes* (1953) se situe dans une salle de café dont ALAIN ROBBE-GRILLET fait revivre la réalité sordide à travers les gestes et les pensées du « patron ».

Dans la pénombre de la salle de café le patron dispose les tables et les chaises, les cendriers, les siphons d'eau gazeuse ; il est six heures du matin.

Il n'a pas besoin de voir clair, il ne sait même pas ce qu'il fait. Il dort encore. De très anciennes lois règlent le détail de ses gestes, sauvés pour une fois du flottement des intentions humaines ; chaque seconde marque un pur mouvement : un pas de côté, la chaise à trente centimètres, trois coups de torchon, demi-tour à droite, deux pas en avant, chaque seconde marque, parfaite, égale, sans bavure. Trente et un. Trente-deux. Trente-trois. Trente-quatre. Trente-cinq. Trente-six. Trente-sept. Chaque seconde à sa place exacte.

Bientôt malheureusement le temps ne sera plus le maître. Enveloppés de leur cerne d'erreur et de doute, les événements de cette journée, si minimes qu'ils puissent être, vont dans quelques instants commencer leur besogne, entamer progressivement l'ordonnance idéale, introduire çà et là, sournoisement, une inversion, un décalage, une confusion, une courbure, pour accomplir peu à peu leur œuvre : un jour, au début de l'hiver, sans plan, sans direction, incompréhensible et monstrueux.

Mais il est encore trop tôt, la porte de la rue vient à peine d'être déverrouillée, l'unique personnage présent en scène n'a pas encore recouvré son existence propre. Il est l'heure où les douze chaises descendent doucement des tables de faux marbre où elles viennent de passer la nuit. Rien de plus. Un bras machinal remet en place le décor.

Quand tout est prêt, la lumière s'allume...

Un gros homme est là, debout, le patron, cherchant à se reconnaître au milieu des tables et des chaises. Au-dessus du bar, la longue glace où flotte une image malade, la patron, verdâtre et les traits brouillés, hépatique et gras dans son aquarium [...].

Un coup de chiffon hargneux enlève une fois de plus sur la table les poussières de la veille. Le patron se redresse.

30   Contre la vitre il aperçoit l'envers de l'inscription « Chambres meublées » où il manque deux lettres depuis dix-sept ans ; dix-sept ans qu'il va les faire remettre. C'était déjà comme ça du temps de Pauline ; ils avaient dit en arrivant...

D'ailleurs il n'y a qu'une seule chambre à louer, si bien que de toute façon c'est idiot. Un coup d'œil vers la pendule. Six heures et demie. Réveiller le type.

— Au boulot, flemmard !

Cette fois il a parlé presque à haute voix, avec aux lèvres une grimace de dégoût. Le patron n'est pas de bonne humeur : il n'a pas assez dormi.

40   A dire vrai il n'est pas souvent de bonne humeur.

Les Gommes (Éditions de Minuit).

Michel Butor   MICHEL BUTOR est né à Mons, dans le Nord, près de Lille, le 14 septembre 1926. Son père, haut fonctionnaire des chemins de fer, est nommé à Paris en 1929. Le jeune Michel manifeste très tôt des dons pour les arts, et il fait aussi de brillantes études qu'il termine au Lycée Louis-le-Grand, puis en Sorbonne où il obtient une licence de philosophie en 1946. Diplômé d'études supérieures en 1948, avec un sujet sur « *les mathématiques et l'idée de nécessité* », il part pour l'étranger et enseigne successivement en Égypte, en Angleterre et à Salonique. Il publie son premier roman en 1954 *(Passage de Milan)*. *L'Emploi du temps*, en 1956, obtient le Prix Fénéon, et *La Modification*, en 1957, le Prix Renaudot. Professeur à Genève, en 1956-57, BUTOR se marie en 1958, et fait plusieurs séjours aux États-Unis ; il publie plusieurs essais, des traductions, et de curieuses études (*Degrés*, 1960 ; *6.810.000 litres d'eau par seconde*, 1965) qui remplacent la trame romanesque par des signes proposés à la sagacité et à l'imagination du lecteur. Contrairement à Robbe-Grillet qui insiste sur les objets vus à travers une conscience, c'est *le flux de conscience* lui-même que Butor nous révèle et dont il suggère la *mobilité*. Présent, souvenirs et projets se mêlent dans *La Modification*, nous imposant un monde fascinant où l'espace et le temps jouent à la fois pour faire varier les images.

UN NOUVEAU RÉALISME ?

La Modification est le récit du voyage d'un Parisien qui va rejoindre sa maîtresse à Rome. Tout au long du *monologue intérieur* qui constitue le roman, le monde extérieur se reflète dans la conscience du narrateur, étroitement associé au lecteur par l'emploi de la seconde personne.

Ici, dans ce compartiment, bercés et malmenés par le bruit soutenu, par sa profonde vibration constante soulignée irrégulièrement de stridences et d'hululations en touffes épineuses, les quatre visages en face de vous se balancent ensemble sans dire un mot, sans faire un geste, tandis que l'ecclésiastique de l'autre côté de la fenêtre, avec un léger soupir d'exaspération, referme son bréviaire relié de cuir noir souple, tout en gardant son index entre les pages à tranche dorée comme signet, laissant flotter le mince ruban de soie blanche.

Soudain tous les regards se tournent vers la porte que d'un seul coup
10 d'épaule, sans apparence d'effort, ouvre en grand un homme rougeaud, essouflé, qui a dû monter dans le wagon juste au moment où le train s'ébranlait, qui lance dans le filet une valise bombée, un paquet grossièrement sphérique enveloppé dans un journal et maintenu par une ficelle dépenaillée, puis s'asseoit à côté de vous, déboutonnant son imperméable, croisant sa jambe droite sur sa gauche, et tirant de sa poche un hebdomadaire de cinéma à couverture en couleurs dont il se met à examiner les images.

Son profil épais vous masque celui de l'ecclésiastique dont vous ne voyez plus que la main posée sur l'appui de la fenêtre, les doigts tremblant
20 à cause du mouvement général, l'index frappant doucement, machinalement, silencieusement au milieu du bruit, la longue plaque de métal vissée sur laquelle s'étale, vous le savez (puisque vous ne pouvez pas vraiment la lire, que vous pouvez seulement deviner à peu près une à une quelles sont ces lettres horizontales qui vous apparaissent si écrasées, si déformées par la perspective), l'inscription bilingue : « Il est dangereux de se pencher au dehors — E pericoloso sporgersi. »

Balayant vivement de leur raie noire toute l'étendue de la vitre, se succèdent sans interruption les poteaux de ciment ou de fer ; montent, s'écartent, redescendent, reviennent, s'entrecroisent, se multiplient, se
30 réunissent, rythmés par leurs isolateurs, les fils téléphoniques semblables à une complexe portée musicale, non point chargée de notes, mais indiquant les sons et leurs mariages par le simple jeu de ses lignes.

Un peu plus loin, un peu lente, la masse des bois de moins en moins interrompue de villages ou de maisons, tourne sur elle-même, s'entrouve en une allée, se replie comme se masquant derrière un de ses membres.

C'est une véritable forêt que le train longe, non, traverse, puisqu'au-delà de ce carreau où s'appuie toujours votre tempe, de l'autre côté du corridor vide maintenant et de ses vitres dont vous apercevez la succession jusqu'à l'extrémité du wagon, c'est le même spectacle de futaie brous-
40 sailleuse et terne qui va s'épaississant.

La voie ferrée y creuse une tranchée qui se resserre de telle sorte que vous ne voyez plus du tout le ciel, que le sol même se relève en de hauts remblais de terre nue ou de maçonnerie sur laquelle un instant, juste le temps de les reconnaître, se peignent en rouge sur un rectangle blanc les grandes lettres que vous attendiez certes mais peut-être pas aussi tôt, que vous avez lues maintes fois, que vous guettez à chaque passage pourvu qu'il fasse jour, parce qu'elles vous indiquent soit que l'arrivée est prochaine soit que le voyage est vraiment commencé.

Passe la gare de Fontainebleau-Avon. De l'autre côté du corridor, une
50 onze chevaux noire s'arrête devant la mairie.

La Modification (Éditions de Minuit)

Claude Simon   CLAUDE SIMON (né en 1913), prétend traduire le courant
de conscience dans toute sa complexité, avec sa confusion,
ses lacunes, ses retours en arrière. Parmi ses romans les plus récents, nous citerons *Le
Vent* (1957), *L'Herbe* (1958), *La Route des Flandres* (1960), *Le Palace* (1962), *Histoire*
(1967), *La Bataille de Pharsale* (1969).

SUR « *LA ROUTE DES FLANDRES* »

Dans cette interview sur la technique du roman dans *La Route des Flandres*, on notera
que le « monologue intérieur » ainsi défini par CLAUDE SIMON doit beaucoup à l'influence
du romancier irlandais James Joyce.

La route des Flandres, à qui vient de le lire, paraît être un roman où
l'anecdote ne compte pas. Comme vous l'avez dit dans votre prière d'insérer, seule importe l'empreinte qu'il laisse dans le souvenir, la sensibilité
d'un témoin. Il en résulte que votre livre se présente comme un puzzle
où le présent et le passé se mêlent sans se confondre. Comment se construit
ce puzzle dans votre esprit ?

« — *Ce que vous appelez puzzle naît d'une certaine vision des choses. De
même qu'à partir de quelques ruines l'archéologue reconstitue un temple entier,
il me semble qu'à partir de quelques éléments du souvenir, de ce qu'on peut*
10 *savoir de la vie des autres, il est possible de reconstituer un ensemble de choses
vécues, senties. L'archéologue comble les lacunes d'un monument en ruines
par du ciment grisâtre. Pour moi, je refuse ce procédé, qui invente un ordre
dont on ne saura jamais s'il est authentique.*

*Je ne comble pas les vides. Ils demeurent comme autant de fragments.
Ces bribes de souvenir, pourquoi chercher à les classer en un ordre chronologique ? Je ne me soucie pas de ce qu'on pourrait appeler la perspective du
temps. Vous avez lu mon livre ? Eh bien ! en ces quelques heures d'une nuit
d'après guerre que je retiens, tout se presse dans la mémoire de Georges : le
désastre de mai 1940, la mort de son capitaine à la tête d'une compagnie de*
20 *dragons, son temps de captivité, le train qui le menait au camp de prisonnier,
etc. Dans la mémoire tout se situe sur le même plan : le dialogue, l'émotion, la
vision coexistent. Ce que j'ai voulu, c'est forger une structure qui convienne à
cette vision des choses, qui me permette de présenter les uns après les autres
des éléments qui dans la réalité se superposent, de retrouver une architecture
purement sensorielle. C'est cela qui me semble le plus naturel, le plus difficile
aussi. Les peintres ont bien de la chance. Il suffit au passant d'un instant
pour prendre conscience des différents éléments d'une toile. Je voudrais amener
le lecteur à confondre son temps avec le mien, à repérer mes thèmes, mon
thème.*
30 — *Et votre thème, ici ?*

— *Ici, la guerre. Le titre provisoire de* La route des Flandres *était :*
Description fragmentaire d'un désastre. *Je l'ai vécue. Je suis incapable
d'inventer quoi que ce soit. Pendant la guerre un type que je connaissais, un
capitaine, est mort sous mes yeux. Dans de telles conditions que j'ai eu nettement l'impression d'assister à un suicide. Voilà le thème. Mais une émotion,*

une sensation — Samuel Beckett l'a très justement remarqué — ne se présente jamais seule au souvenir. Elle provoque des harmoniques, ou si vous préférez des couleurs complémentaires.

40 *Ici les complémentaires c'est d'abord l'histoire — elle a bercé toute mon enfance — de cet ancêtre qui s'est tué d'un coup de pistolet, et dont j'avais sous les yeux le portrait. C'est aussi la rencontre avec les paysans, leur jalousie, leur drame, etc. Les trois « voix » s'entrelacent, se superposent comme dans une fugue. Ainsi, m'a-t-on dit, le Talmud serait l'éternel commentaire d'un fait ou d'un épisode par d'autres épisodes semblables ou contraires qui le complètent, qui s'opposent à lui, qui présentent un autre aspect du même thème.*

J'étais hanté par deux choses : la discontinuité, l'aspect fragmentaire des émotions que l'on éprouve et qui ne sont jamais reliées les unes aux autres, et en même temps leur contiguïté. L'emploi du participe présent me permet
50 *de me placer hors du temps conventionnel. Lorsqu'on dit : il alla à tel endroit, on donne l'impression d'une action qui a un commencement et une fin. Or il n'y a ni commencement ni fin dans le souvenir... ».*

Le Monde — 8 octobre 1960

Marguerite Duras   Née en Indochine en 1914, MARGUERITE DURAS se rattache très artificiellement au « *Nouveau Roman* ». Elle est l'auteur de romans (*Les Impudents*, 1943 ; *Le Vice-consul*, 1966) et de pièces de théâtre (*Les Viaducs de Seine-et-Oise*, 1966 ; *Le Square*, jouée en 1965). Elle crée des personnages inquiets, déracinés, à la recherche d'une signification pour leur vie.

LE VICE-CONSUL

Dans un décor extrême-oriental que MARGUERITE DURAS connaît bien, l'énigmatique vice-consul de France à Lahore suscite la curiosité de son entourage. Déplacé pour avoir tiré sur une foule de lépreux, il trouve une sœur en la femme de l'ambassadeur de France à Calcutta : séparés par les convenances et par l'irrémédiable solitude des êtres, ils mettent au point une scène destinée à susciter le scandale et à jeter le trouble dans l'assistance. Mais l'indifférence générale reprend vite le dessus et chacun part de son côté.

Je sais qui vous êtes, dit-elle. Nous n'avons pas besoin de nous connaître davantage. Ne vous trompez pas.

— Je ne me trompe pas.

— Je prends la vie légèrement — sa main essaye de se retirer —, c'est ce que je fais, tout le monde a raison, pour moi, tout le monde a complètement, profondément raison.

— N'essayez pas de vous reprendre, ça ne sert plus à rien.

C'est elle qui recommence à parler.

— C'est vrai.

10   — Vous êtes avec moi.

— Oui.

— En ce moment — il implore —, soyez avec moi. Qu'avez-vous dit ?

— N'importe quoi.

— Nous allons nous quitter.

— Je suis avec vous.

— Oui.

— Je suis avec vous ici complètement comme avec personne d'autre, ici ce soir, aux Indes.

On dit : Elle a un sourire poli. Lui paraît très calme.

— Je vais faire comme s'il était possible de rester avec vous ce soir ici, dit le vice-consul de Lahore.

— Vous n'avez aucune chance.

— Aucune ?

— Aucune. Vous pouvez quand même faire comme si vous en aviez une.

— Que vont-ils faire ?

— Vous chasser.

— Je vais faire comme s'il était possible que vous me reteniez.

— Oui. Pourquoi faisons-nous ça ?

— Pour que quelque chose ait eu lieu.

— Entre vous et moi ?

— Oui, entre nous.

— Dans la rue, criez fort.

— Oui.

— Je dirai que ce n'est pas vous. Non, je ne dirai rien.

— Que va-t-il se passer ?

— Pendant une demi-heure ils seront mal à l'aise. Puis ils parleront des Indes.

— Ensuite ?

— Je jouerai du piano.

La danse se termine. Elle s'écarte et demande avec froideur :

— Qu'allez-vous devenir ?

— Vous le savez ?

— Vous serez nommé loin de Calcutta.

— C'est ce que vous désirez ?

— Oui.

Ils se séparent.

Anne-Marie Stretter passe devant le buffet sans s'arrêter, elle se dirige vers l'autre salon. Elle vient d'y entrer lorsque le vice-consul de Lahore pousse son premier cri. Quelques-uns comprennent : Gardez-moi !

On dit : Il est ivre mort.

Le vice-consul va vers Peter Morgan et Charles Rossett.

— Je reste ce soir ici, avec vous ! crie-t-il.

Ils font les morts.

L'ambassadeur prend congé. Dans le salon octogonal trois hommes soûls dorment dans des fauteuils. On sert à boire une dernière fois. Mais déjà les tables sont à moitié vides.

Le Vice-consul (Gallimard).

LA « *NOUVELLE CRITIQUE* »

Les tendances diverses rangées sous l'appellation de « Nouvelle Critique » procèdent d'une réaction contre les excès de la méthode historique, contre ce que l'on a appelé « le positivisme de la fiche ». Mais le « Nouvelle Critique » ne prétend pas revenir aux traditions impressionnistes : au contraire, elle reproche à l'histoire littéraire, telle que la définissait Lanson, de faire en dernier ressort la part trop belle au jugement personnel, certes informé par une enquête préalable, mais néanmoins éminemment subjectif. L'effort des critiques se porte donc dans deux directions complémentaires : d'une part, il s'agit de privilégier l'œuvre (texte, structure, style) au détriment de la recherche des sources ; d'autre part, il convient d'utiliser les méthodes des sciences humaines les plus récentes (sociologie ou psychanalyse) pour dégager le plus rigoureusement possible les divers niveaux de signification de l'œuvre.

CRITIQUE ET PSYCHANALYSE

Médecins et psychanalystes ont utilisé l'œuvre littéraire comme un document permettant l'*étude de l'inconscient* (Marie Bonaparte : *Edgar Poe*, 1933 ; Charles Baudoin : *Psychanalyse de Victor Hugo*, 1943).

Mais c'est surtout Gaston Bachelard (1884-1962) qui fait de la *psychanalyse* une utilisation critique. Il tente de ramener les images poétiques aux éléments fondamentaux de l'eau, du feu, de l'air et de la terre. Cet extrait de *L'eau et les rêves* (1940), consacré à la poésie de l'eau chez Swinburne, pourra donner une idée de sa méthode.

On pourrait écrire de nombreuses pages sur les pensées et les images de Swinburne relatives à la poésie générale des eaux. Swinburne a vécu les heures de son enfance près des flots, dans l'île de Wight. Une autre propriété de ses grands-parents, à vingt-cinq kilomètres de Newcastle, étendait ses grands parcs dans un pays de lacs et de rivières. La propriété était limitée par les eaux de la rivière Blyth : comme on est bien propriétaire quand le domaine a ainsi ses « frontières naturelles » ! Swinburne enfant a donc connu la plus délicieuse des possessions : avoir une rivière à soi. Alors vraiment les images de l'eau nous appartiennent ; elles sont nôtres ;
10 nous sommes elles. Swinburne a compris qu'il appartenait à l'eau, à la mer. Dans sa reconnaissance à la mer, il écrit :

Me the sea my nursing-mother, me the Channel green and hoar,
Holds at heart more fast than all things, bares for me the goodlier breast,
Lifts for me the lordlier love-song, bids for me more sunlight shine,
Sounds for me the stormier trumpet of the sweeter stran to me...

(A Ballad at Parting.)

« A la mer qui m'a nourri, à la Manche verte et écumeuse, mon cœur est attaché plus solidement qu'à rien au monde ; elle dévoile pour moi une poitrine généreuse, elle entonne pour moi le plus solennel des chants d'amour, elle ordonne pour moi que le soleil répande plus généreusement l'éclat de sa lumière et fait sonner pour moi l'impétueuse trompette dont les accents me sont si doux. »

Paul de Reul a reconnu l'importance vitale de semblables poèmes. Il écrit : « Ce n'est pas seulement par métaphore que le poète se dit fils de la mer et de l'air et bénit ces impressions de nature qui font l'unité d'une existence, relient l'enfant à l'adolescent, l'adolescent à l'homme. » Et Paul de Reul cite en note ces vers du *Garden of Cymodoce* :

> *Sea and bright wind, and heaven and ardent air*
> *More dear than all things earth-born ; O to me*
> *Mother more dear than love's own longing. Sea...*

« Rien de ce qui est né sur la terre ne m'est plus cher que la mer, le vent joyeux, le ciel et l'air vivant. O mer, tu m'es plus chère que les convoitises mêmes de l'amour, tu es une mère pour moi. »

Comment mieux dire que les choses, les objets, les formes, tout le pittoresque bariolé de la nature se dispersent et s'effacent quand retentit *l'appel de l'élément ?* L'appel de l'eau réclame en quelque sorte un don total, un don intime. L'eau veut un habitant. Elle appelle comme une patrie. Dans une lettre à W. M. Rossetti, que cite Lafourcade (*loc. cit.,* t. I, p. 49), Swinburne écrit : « Je n'ai jamais pu être sur l'eau sans souhaiter être dans l'eau. » Voir l'eau, c'est vouloir être « en elle ». A cinquante-deux ans, Swinburne nous dit encore sa fougue : « Je courus comme un enfant, arrachai mes vêtements, et je me jetai dans l'eau. Et cela ne dura que quelques minutes, mais j'étais dans le ciel ! »

L'eau et les rêves (José Corti).

LA PSYCHOCRITIQUE

CHARLES MAURON s'appuie lui aussi sur la *psychanalyse*, mais il donne un caractère plus rigoureux et plus complexe à sa méthode en utilisant également les *recherches biographiques*.

Ce que j'ai nommé la psychocritique m'apparaît comme une science en formation, et qui recherche sa méthode. Disons-le d'ailleurs clairement, un phénomène aussi complexe et aussi obscur que la création littéraire exige plusieurs modes d'approche. Loin de s'exclure, ils se complètent. Toute méthode me semble valable, pourvu qu'elle s'appuie sur des faits et des textes et nous renseigne davantage sur l'auteur que sur le critique. La psychocritique vise à discerner, dans la création, la part des sources inconscientes ; mais, comme on va le voir, sa méthode même l'entraîne à chercher une synthèse où les résultats acquis par ailleurs s'intègrent naturellement.

... Je partirai d'abord d'une définition empirique. En bref, une étude psychocritique comporte quatre opérations :

1° Diverses œuvres d'un auteur (et dans le meilleur cas, toutes ses œuvres) sont superposées comme des photographies de Galton, de façon à en accuser les traits structurels obsédants.

2° Ce qui est ainsi révélé (et accepté tel quel) fait l'objet d'une étude qu'on pourrait dire « musicale » : étude des thèmes, de leurs groupements et de leurs métamorphoses.

3° Le matériel ainsi ordonné est interprété sous l'angle de la pensée psychanalytique : on aboutit ainsi à une certaine image de la personnalité inconsciente, avec sa structure et ses dynamismes.

4° A titre de contre-épreuve, on vérifie, dans la biographie de l'écrivain, l'exactitude de cette image (la personnalité inconsciente étant évidemment commune à l'homme et à l'écrivain).

Notons aussitôt que, dans cette méthode, la primauté est nettement donnée à l'œuvre sur la vie. Résolument littéraire, la psychocritique se distingue ainsi d'une investigation médicale. Elle adopte, par fidélité expérimentale, l'attitude du créateur lui-même, qui voit dans l'œuvre un but, non un symptôme. Par là se trouvent écartées certaines objections de principe : par exemple on ne peut parler de bonne foi d'une explication réductrice, ignorant les valeurs ou les niant. Philosophiquement fondées, au moins à premier examen, ces objections ont, il faut le dire, souvent servi de simple couverture à des résistances irrationnelles. Ces dernières sont en partie levées si l'on se place d'abord sur le terrain familier de l'œuvre. C'est ce que fait la première opération ci-dessus. L'analyse musicale qui la suit — les thèmes et leurs métamorphoses — surprend nos habitudes plus qu'elle ne les heurte. Accoutumée à penser en formes définies, notre intelligence se méfie d'une fluidité qui est pourtant bien celle de la réalité psychologique. Elle voudrait que les images d'Agrippine et de Roxane fussent aussi distinctes dans Racine que leurs originaux dans la réalité historique ; elle s'étonnera, criera peut-être au coup de pouce si, les superposant, nous les confondons presque comme variations d'un thème unique. Pourtant, lorsque ces glissements s'autorisent des textes, l'accord doit se faire assez aisément sur des ressemblances objectives ; les rapprochements à l'intérieur d'une œuvre ne soulèvent pas plus de problèmes qu'entre une œuvre et ses sources.

Article paru dans *Théories et problèmes, Contributions à la méthodologie littéraire.*
Librairie Munksgaard, Copenhague, 1958

CRITIQUE THÉMATIQUE ET STRUCTURALE

Bon nombre de critiques modernes sont à la recherche des *thèmes fondamentaux* de l'œuvre littéraire. L'image, la phrase, le point de vue retenus pour étudier un texte prennent toute leur signification lorsque, rapprochés les uns des autres, ils forment une *synthèse structurée* dans laquelle on peut saisir l'être de l'œuvre. JEAN STAROBINSKI (*La Transparence et l'obstacle*, 1958 ; *L'Œil vivant*, 1961), GEORGES POULET (*Études sur le temps humain*, 1950 ; *Les Métamorphoses du cercle*, 1961) étudient, l'un le sens du *regard* chez Corneille, Racine ou Rousseau, et le second, le comportement des écrivains devant l'*espace* et le *temps*.

JEAN-PIERRE RICHARD (*Littérature et sensation*, 1954; *L'univers imaginaire de Mallarmé*, 1962) cherche «à débusquer l'univers d'images et de mythes élémentaires qui se dissimule sous l'œuvre et en constitue la texture primitive » (Jean Starobinski, *Directions nouvelles de la recherche critique*, Cahiers de l'Association internationale des études françaises, N° 16, p. 140).

On s'accorde assez communément aujourd'hui à reconnaître à la littérature une fonction et des pouvoirs qui débordent largement son rôle ancien de divertissement, de glorification ou d'ornement. On aime à voir en elle une expression des choix, des obsessions et des problèmes qui se situent au cœur de l'existence personnelle. Bref la création littéraire apparaît désormais comme une expérience, ou même comme une pratique de soi, comme un exercice d'appréhension et de genèse au cours duquel un écrivain tente d'à la fois se saisir et se construire.

C'est dans cette perspective qu'il faut lire les études ici réunies. On y
10 verra Flaubert, Stendhal, Fromentin, les Goncourt, successivement occupés, souvent d'ailleurs sans le savoir eux-mêmes, à la recherche de certaines solutions intérieures. Chacun d'eux, dans les divers champs qu'a traversés sa vie concrète, expérience de l'espace, du temps, de l'objet, du rapport avec autrui ou de la relation avec soi-même, nous y a paru retrouver et affirmer la permanence de certaines structures intérieures, de certaines attitudes d'existence qui définissent et qualifient son originalité.

Car il ne saurait exister d'hiatus entre les diverses expériences d'un seul homme : qu'il s'agisse d'amour ou de mémoire, de vie sensible, de vie spéculative, dans les domaines apparemment les plus séparés se décèlent
20 les mêmes schèmes. Tel paysage, telle couleur de ciel, telle courbe de phrase éclairent l'intention de telle option morale, de tel engagement sentimental. Telle obscure rêverie de l'imagination dynamique ou matérielle rejoint en profondeur la spéculation la plus abstraitement conceptuelle. Et c'est dans les choses, parmi les hommes, au cœur de la sensation, du désir ou de la rencontre, que se vérifient les quelques thèmes essentiels qui orchestrent aussi la vie la plus secrète, la méditation du temps ou de la mort. Le travail critique a donc ici consisté en une mise en relation, ou mieux en une mise en perspective des diverses données apportées par l'œuvre et par la vie. A l'intérieur de ces perspectives, — qui souffrent bien évidemment de se
30 présenter comme un étalement, une succession, — chaque texte et chaque analyse tentent de renvoyer à l'ensemble de la description, recevant d'elle leur sens et lui apportant en retour leur clarté particulière.

Avant-propos de *Littérature et sensation* (Le Seuil, 1954).

HISTOIRE OU LITTÉRATURE ?

Cependant, dans la tradition historique, les *marxistes* voient les œuvres littéraires soumises aux situations économiques. Roland Barthes (*Sur Racine*, 1962) tente d'enrichir ces perspectives en les associant à l'interprétation *psychanalytique*. La littérature est un signe parmi d'autres dans le réseau de la communication et des échanges qui caractérisent une société à un moment donné, mais c'est aussi la création personnelle d'un auteur.

Voici une histoire de la littérature (n'importe laquelle : on n'établit pas un palmarès, on réfléchit sur un statut) ; elle n'a d'histoire que le nom : c'est une suite de monographies, dont chacune, à peu de choses près, enclôt un auteur et l'étudie pour lui-même ; l'histoire n'est ici que succession d'hommes seuls ; bref ce n'est pas une histoire, c'est une chronique ; certes, l'effort de généralité existe (et de plus en plus), portant sur des genres ou des écoles ; mais il est toujours cantonné à la littérature elle-même ; c'est un coup de chapeau donné en passant à la transcendance historique, un hors-d'œuvre au plat principal : l'auteur. Toute histoire littéraire
10 nous renvoie ainsi à une séquence de critiques closes : aucune différence entre l'histoire et la critique ; on peut, sans secousse méthodique, passer du *Racine* de Thierry Maulnier au chapitre d'A. Adam sur Racine, dans son *Histoire de la littérature française au XVIIe siècle :* c'est le langage qui change, non le point de vue ; dans l'un et l'autre cas, tout part de Racine et rayonne diversement, ici vers une poétique, là vers une psychologie tragique : en mettant les choses au mieux, l'histoire littéraire n'est jamais que l'histoire des œuvres.

Peut-il en être autrement ? Dans une certaine mesure, oui : une histoire littéraire est possible, en dehors des œuvres mêmes (j'y arrive à l'instant).
20 Mais, de toutes manières, la résistance générale des historiens de la littérature à passer précisément de la littérature à l'histoire nous renseigne sur ceci : qu'il y a un statut particulier de la création littéraire ; que non seulement on ne peut traiter la littérature comme n'importe quel autre produit historique (ce que personne ne pense raisonnablement), mais encore que cette spécialité de l'œuvre contredit dans une certaine mesure à l'histoire, bref que l'œuvre est essentiellement paradoxale, qu'elle est à la fois signe d'une histoire, et résistance à cette histoire. C'est ce paradoxe fondamental qui se fait jour, plus ou moins lucidement, dans nos histoires de la littérature ; tout le monde sent bien que l'œuvre échappe, qu'elle est
30 *autre chose* que son histoire même, la somme de ses sources, de ses influences ou de ses modèles : un noyau dur, irréductible, dans la masse indécise des événements, des conditions, des mentalités collectives ; voilà pourquoi nous ne disposons jamais d'une histoire de la littérature, mais seulement d'une histoire des littérateurs. En somme, dans la littérature, deux postulations : l'une historique, dans la mesure où la littérature est institution ; l'autre psychologique, dans la mesure où elle est création. Il faut donc, pour l'étudier, deux disciplines différentes et d'objet et de méthode ; dans le premier cas, l'objet, c'est l'institution littéraire, la méthode, c'est

40 la méthode historique dans ses plus récents développements ; dans le second cas, l'objet, c'est la création littéraire, la méthode, c'est l'investigation psychologique. Il faut le dire tout de suite, ces deux disciplines n'ont pas du tout les mêmes critères d'objectivité ; et tout le malheur de nos histoires littéraires c'est de les avoir confondues, encombrant sans cesse la création littéraire de menus faits venus de l'histoire, et mêlant au scrupule historique le plus sourcilleux, des postulats psychologiques par définition contestables. Devant ces deux tâches, on ne demandera ici rien de plus qu'un peu d'ordre.

Sur Racine (Le Seuil, 1963).

Où va la littérature ?   Les recherches des nouveaux romanciers préfigurent-elles un renouveau du genre qu'elles prétendent illustrer ? ou sont-elles les signes brillants mais illusoires d'une littérature à bout de souffle ? Les critiques, tout en rendant hommage à l'intelligence et aux qualités formelles de ces romans, signalent souvent avec cruauté qu'on en parle beaucoup, mais qu'on les lit peu. « Il y a, écrit M. Raimond, dans les laboratoires du nouveau roman, l'écho d'un univers de la technocratie. Dans cette civilisation de masse qui est en train de naître, une littérature définie comme *recherche* s'oppose de plus en plus à une littérature de *consommation*. Le nouveau roman est contemporain du livre de poche. On parle de Butor, mais on lit Balzac et Dostoïevsky » *(Le Roman depuis la Révolution)*.

Où va la littérature ? Qu'est-ce que la littérature ? Dans la remise en question générale des valeurs traditionnelles, les genres littéraires, le langage lui-même sont vigoureusement pris à partie. La fonction critique l'emporte sur la fonction créatrice, ou plutôt les deux se confondent, donnant naissance à une littérature très intellectuelle. Les mécanismes du langage comptent plus que l'intelligence ou la sensibilité. La rupture entre le clerc et l'honnête homme est consommée, la société s'est radicalement coupée de ses intelligences créatrices les plus affinées. On voit alors certains hommes de théâtre, sous l'influence de l'Amérique (le *Living-Theater* de New York), tenter de retrouver le contact en libérant les instincts du public dans une action collective. Mais, là encore, la technique l'emporte vite sur la vitalité créatrice ; les recettes font sourire, et il est de certaines libertés qui ressemblent étrangement à des mises en scène pour Grand-Guignol. Où va la littérature ? Entre les audaces inutiles, les recherches brillantes et négatrices, et une tradition admirablement défendue, mais tournée vers le passé, rien ne permet de prévoir la moindre réponse à cette question.

TABLE DES MATIÈRES

TABLE DES MATIÈRES

MOYEN AGE

XVIᵉ SIÈCLE

Tableau chronologique (110). — Histoire et civilisation : *La Renaissance, la Réforme* (111). — La littérature du XVIᵉ siècle : *Vie foisonnante* (111) ; *Humanisme ; complexité des tendances* (112) ; *Les étapes de la Renaissance des lettres : L'enthousiasme débordant ; A l'école de l'antiquité ; La croisée des chemins* (112).

Clément Marot

Sa vie ; Les Épîtres (113).

L'école Lyonnaise

Héroët, Maurice Scève, Louise Labé (116).

Rabelais

Sa vie ; son œuvre (118). — *L'éducation* (121). — *La guerre picrocholine* (125). — *L'Abbaye de Thélème* (129). — *Les moutons de Panurge* (135). — *Lutte contre les Andouilles* (138). — *Messer Gaster* (138). — *Le « Mot » de la Bouteille* (138).

    Le cinquième livre (138).

Montesquieu

Voltaire

Diderot

Le Drame

XIXe SIÈCLE

Alfred de Musset

Le théâtre romantique

Théophile Gautier

Gérard de Nerval

George Sand

Balzac

XXᵉ SIÈCLE

Le Roman contemporain

La « Nouvelle Critique »

ACHEVÉ D'IMPRIMER SUR LES PRESSES L. P.-F. L. DANEL - LOOS (NORD) - DÉPOT LÉGAL N° 7308